Forum per i problemi
della pace e della guerra
3

M. Alexander B. Bond M. Carver T.W. Collier
G.A.Craig Ph.A. Crowl L. Freedman F. Gilbert M. Howard
D. MacIsaac P. Paret G.E. Rothenberg J. Shy

Guerra e strategia nell'età contemporanea

a cura di Peter Paret
edizione italiana a cura di Nicola Labanca

MARIETTI

Edizione originale: *Makers of Modern Strategy*, © Princeton University Press, Princeton, N.J., 1986.

Traduzioni di Massimo Baldini (per i saggi di L. Freedman, M. Carver, J. Shy e T. Collier), Nicola Labanca (per i saggi di P. Paret, J. Shy, G.A. Craig, M. Howard, e per le *Indicazioni bibliografiche*) e Antonella Rossi (per i saggi di G.E. Rothenberg, P.A. Crowl, B. Bond e M. Alexander, D. MacIsaac, G.A. Craig e F. Gilbert).

I edizione italiana 1992

via Palestro 10/8 - Tel. 010/8393789
16122 Genova

ISBN 88-211-9405-1

Indice

Parte terza

I due *Makers of Modern Strategy*: guerra e società, storia e scienze sociali

di Nicola Labanca

«La guerra è uno dei problemi centrali del nostro tempo: qualcuno dice il problema centrale», ha scritto Norberto Bobbio[1]. E alla stregua di opera fondamentale e «classica»[2] per comprendere la guerra fu giudicata la pubblicazione nel 1943, a cura di Edward Mead Earle e per i tipi della prestigiosa Princeton University Press, di *Makers of Modern Strategy*. Anche dopo un trentennio il giudizio su quest'opera non era mutato da parte di chi scientificamente si interroga sui gravi problemi della guerra e della pace, delle forze armate e del loro rapporto con la società[3]. Era peraltro un'opera che non si era tentato di ripetere o di imitare[4]. I ventuno saggi di *Makers* (scritti da storici accademici, pensatori, analisti, militari) hanno così rappresentato per un lungo periodo, soprattutto nel mondo anglosassone, il primo strumento scientifico per chi intendeva avvicinarsi allo studio della guerra e della sua storia.

L'impronta accademica dell'opera era chiara e la distingueva dalla pubblicistica coeva. La riflessione era principalmente storica, ma aperta a sollecitazioni filosofiche (natura della guerra, etica e guerra), sociologiche (composizione delle forze armate), di scienza della politica (rapporti fra politici e militari). Gli autori del *Makers* di Earle non erano solo americani: erano anche inglesi, francesi e tedeschi, taluni di quest'ultimi allontanatisi per ragioni politiche o razziali dalla Germania allora sotto il regime nazista.

Tutto ciò fece la fortuna del volume presso un pubblico ben più vasto dei soli cultori statunitensi di Clio.

Con l'andare del tempo, il progredire degli studi e delle riflessioni sulla guerra, la qualificazione dei *war and society studies*, l'emergere degli *strategic studies* — in quell'età nucleare che nel 1943 era ancora questione solo di segreti laboratori — non potevano non far sentire l'esigenza di un aggiornamento.

Da qui l'interesse verso la decisione di Peter Paret di curare e pubblicare una nuova raccolta, esemplata su quella di Earle e sempre sotto il titolo di *Makers of Modern Strategy*: raccolta largamente rinnovata ed approfondita («una delle più complete ed affascinanti», è stata definita[5]) di cui presentiamo qui una versione italiana.

In *Filosofia della guerra nell'età atomica*, Bobbio ha proposto di differenziare cinque atteggiamenti intellettuali nei confronti della guerra. Di uno di questi, quello «realista», egli ha scritto che si tratta dell'atteggiamento dei «*minimizzatori*», dei tecnici, se non addirittura dei «cinici»[6].

Le note che seguono non parlano di filosofie né di teorie[7] della guerra, né solo della guerra atomica. Né si addentrano nei meandri del dibattito militare-strategico contemporaneo. Loro scopo è ripercorrere a grandi linee l'evoluzione novecentesca degli studi sulla guerra e di evidenziare, nella vicenda dei due *Makers*, quella variante dell'atteggiamento «realista» che diremmo dei realisti preoccupati, *non* minimizzatori[8].

Sarà così più chiaro quanto e perché i due *Makers* abbiano saputo parlare ai cultori di più discipline.

I. *Le ragioni di un successo*

L'interesse suscitato dal *Makers* di Earle era di natura relativa, oltre che assoluta.

Chi, dopo il 1943, non si accontentava degli scritti di occasione o di propaganda e non si fermava a quelli tecnici dei manuali delle accademie di guerra, prima di passare ad analisi più specialistiche sapeva di trovare in *Makers* — nello spazio di un solo volume — una introduzione scientifica ai temi ed ai protagonisti maggiori della vicenda bellica moderna. Da Machiavelli a Federico il Grande, da Clausewitz a Engels e Marx, da Moltke a Ludendorff a Mahan, sino ad Hitler, i grandi protagonisti erano letti a confronto con i temi maggiori, e classici: il rapporto fra politica e guerra, la composizione e gli scopi delle forze armate, le nuove tecniche militari, la prospettiva della guerra totale.

Per questo suo andare alla radice dei problemi della guerra, rivisitandone i «classici», *Makers* costituiva nel panorama internazionale degli studi sulla guerra una felice eccezione. Per più di un verso si sentiva nelle sue pagine l'eredità della migliore tradizione liberale. Ma, come i politici, anche gli intellettuali non avevano studiato tutte le lezioni della Grande Guerra[9]. In tema di *war studies*, alla vigilia della Seconda Guerra Mondiale si era ormai lontani — è vero — dalla situazione di fine Ottocento, quando lo studio delle guerre era delegato ai militari e quando la ricerca sulla guerra era generalmente ridotta a questione tecnica[10]. Allora, da un punto di vista disciplinare, quasi tutto (e spesso il meglio) stava nei pur angusti steccati della storia militare: una disciplina con pochi cultori civili e schiacciata sulle esigenze operative degli istituti di istruzione militare. Scarse le eccezioni a tale panorama: le poche appassionate opere di ispirati antimilitaristi o di fantasiosi preveggenti[11], che mescolavano miti del proprio tempo a lucide anticipazioni, scomparivano nel *mare magnum* delle sinossi dei tecnici e dei professionisti in divisa.

Nel ventennio seguente la pace di Versailles c'era stata invero una considerevole crescita della letteratura sulla guerra. Vi è chi ha sostenuto anzi che proprio con la fine della Grande Guerra, atto di nascita della «memoria moderna», erano state messe le fondamenta di una risposta *moderna* alla guerra[12].

In realtà, lo studio serio e scientifico era stato appena avviato. Della guerra, della Grande Guerra, della guerra totale, era ancora urgente comprendere le conseguenze più che studiare le forme e le cause: come testimonia la grande opera della Carnegie Foundation con i suoi collaboratori di scienze economiche e statistiche. Una pur breve rassegna dei migliori risultati delle varie discipline (e che più che sulle teorie faccia centro sulle *ricerche*, cioè sulla produzione e sul vaglio di conoscenze e di dati) conferma lo stato ancora germinale degli studi sulla guerra, alla vigilia del secondo conflitto mondiale.

Partendo dalla ricerca storica, in questa sede è possibile poco più che menzionare l'ampio dibattito storiografico sulle cause della Prima Guerra Mondiale sviluppatosi nel venticinquennio successivo il 1914. Di grande rilievo storiografico e politico, per quanto qui ci concerne, il dibattito rivelò le profonde trasformazioni nella struttura dello Stato, nel processo decisionale e nella società suscitate dalla guerra totale appena conclusa: ma lasciò che l'analisi degli aspetti militari fosse, ancora una volta, demandata agli storici militari ed alla vecchia storia militare. Dal canto suo questa, all'indomani della Grande Guerra, soccombette alla necessità di sistematizzare le eccezionali novità delle operazioni appena concluse.

Ad un paradigma ancora così angustamente *operativo* vi furono certo eccezioni; non mancarono studiosi (per lo più civili ed accademici) come H. Delbrück, C. Oman e P. Pieri, convinti che la guerra dovesse essere vista nel quadro della storia generale della società o almeno, secondo la definizione del primo fra i tre, *im Rahmen der politischen Geschichte*. Ma questi studiosi, i migliori, si impegnarono nella ricostruzione di guerre lontane nel tempo. Fu così che, in Germania, Delbrück portò avanti nel primo dopoguerra la sua monumentale *Geschichte der Kriegskunst* (giungendo con l'ultimo tomo a Napoleone e rieditando nel 1921 il primo tomo, sui Greci e Romani)[13], in Inghilterra C. Oman studiò le guerre del Medioevo o napoleoniche[14] e, da noi, P. Pieri quelle del Rinascimento[15].

Al di là delle eccezioni, gli storici militari del ventennio successivo la Grande Guerra concentrarono l'attenzione sugli aspetti tecnici del conflitto mondiale appena concluso. Perseverarono in una disciplina di cui uno spirito critico e raffinato come M. Bloch avrebbe detto che «non era la storia. Essa, in realtà, si collocava agli antipodi della scienza che credeva di rappresentare»[16].

Se la storia militare non dismetteva il suo abito di *histoire-bataille*, poche altre discipline scientifiche avevano avviato organiche ed originali ricerche sulla guerra, sulle guerre.

La psicologia, una disciplina relativamente giovane, era stata mobilitata *guerra durante* dalle maggiori potenze belligeranti. Nel dopoguerra, mentre i memorialisti rielaboravano la sconvolgente esperienza della guerra di trincea, gli studi psicologici si sforzavano di normalizzarla e, in parte, di comprenderla: si pensi ai risultati, e da sponde assai diverse, degli studi dell'italiano A. Gemelli o della pubblicazione dei saggi *Zur Psychoanalyse der Kriegsneurosen*, con l'introduzione di S. Freud[17]. Man mano che ci si allontanava dalla fine del conflitto, tuttavia, l'interesse della disciplina verso il tema parve affievolirsi.

Anche la sociologia non aveva del tutto messo a frutto l'esperienza del conflitto mondiale. Nell'ottobre 1919, Max Weber (già acuto osservatore del ruolo della disciplina militare nello «svolgimento del potere burocratico» e della società industriale) aveva scritto ad Hans Delbrück, proponendogli di collaborare alla costituzione di un istituto di studi sulla guerra[18]. Ma la scomparsa nel 1920 di Weber e, più in generale, un marcato riorientamento di tutta la sociologia nel periodo fra le due guerre[19], fecero tramontare quel progetto di cooperazione interdisciplinare.

Sulla guerra, infine, avevano dovuto interrogarsi a fondo gli studiosi di diritto internazionale, nel quadro dei tentativi tesi a fondare — insieme alla Lega delle Nazioni — un diritto volto alla limitazione delle guerre. Ma il corso degli eventi politici e la comparsa dei regimi fascisti italiano e tedesco, l'aggressione italiana all'Etiopia nel 1935 ed infine la guerra di Spagna erosero la fiducia riposta in quei tentativi.

Se il panorama accademico pareva quindi esprimere importanti — ma inadeguati — avanzamenti, riflessioni di un certo rilievo sulla guerra erano venute da giornalisti, pubblicisti o, comunque, da non accademici: volumi come la *History of Militarism* di A. Vagts[20] avevano sollevato non trascurabili spunti di riflessione e, soprattutto, avevano conosciuto un'ampia diffusione, nel mondo anglosassone. Infine, non erano certo mancate pubblicazioni sulla guerra (o meglio, contro il pericolo di guerra) da parte del vasto arcipelago pacifista. «Prima del 1939 molti erano sicuri che un'altra guerra mondiale avrebbe posto fine alla civiltà»[21]: intellettuali, esponenti ed organizzazioni del movimento operaio e socialista, chiese, più volte si erano pronunciati contro i lutti dei conflitti regionali e contro i rischi di un conflitto generale.

Come gli accademici, tuttavia, né i pubblicisti né i pacifisti erano riusciti ad offrire una visione organica, o tantomeno completa, del peso della guerra e delle forze armate sulla società.

Se questo, schematicamente, era il quadro delle ricerche sulla guerra avanti lo scoppio del secondo conflitto mondiale, è possibile comprendere il favore con cui fu accolta una pubblicazione di ampio respiro come *Makers of Modern Strategy*, insolito esempio di collaborazione fra accademici (di diversa provenienza ed impostazione) e pubblicisti civili e militari.

II. *Intellettuali nella guerra*

Il secondo conflitto mondiale portò con sé (oltre al drammatico coinvolgimento della popolazione civile, proprio di una guerra totale) un'ampia mobilitazione degli intellettuali. Essa conobbe forme differenti, tempi diversi, soprattutto esiti divergenti nei Paesi della coalizione antihitleriana e nei Paesi sottomessi al giogo fascista. Nell'area anglosassone ed in particolare negli Stati Uniti, il coinvolgimento nello sforzo bellico di ampie fasce di intellettuali raggiunse dimensioni senza precedenti. La mobilitazione scientifica per la guerra non era una novità. Già nel 1914, ad esempio, era accaduto a due sociologi come M. Weber e E. Durkheim di battersi da opposte trincee, per scopi di guerra opposti[22]. Un quarto di secolo più tardi, invece, non solo singole figure di intellettuali, ma intere leve di intellettuali ed intere discipline furono gettate nella fucina di una guerra totale.

Nel complesso il risultato della loro mobilitazione fu ambivalente. L'eccezionale allargamento del sistema della ricerca organizzata e finanziata non si rivelò solo funzionale al perfezionamento della macchina bellica, ma portò con sé anche un approfondimento delle conoscenze dei meccanismi della guerra moderna. Accadde così che impegno nello sforzo bellico e riflessione sulla natura della guerra poterono in più di un caso marciare di pari passo.

In quanto assai note, è appena il caso di ricordare qui alcune di queste ricerche scientifiche, condotte lungo il crinale fra mobilitazione e avanzamento delle conoscenze. Fra tutte, la più caratteristica rimane l'eccezionale opera di rilevamenti sociologici di attitudini ed atteggiamenti di quasi mezzo milione di soldati dell'esercito e dell'aviazione statunitensi, condotta e vagliata da uno staff di più di cento unità, dotato delle tecniche informatiche allora più avanzate. I risultati delle indagini furono poi pubblicati nei quattro volumi dell'*American Soldier*[23] e sublimati nel noto saggio di E.A. Shils e M. Janowitz, *Cohesion and Disintegration in the Wehrmacht in World War II*[24], una ricerca condotta con un metodo analogo sui prigionieri di guerra tedeschi. La ricerca sociologica dell'*American Soldier* — dalle dimensioni ancora ineguagliate, a quanto dicono sociologi anche critici[25] — appare rivelatrice della mobilitazione degli studiosi nella guerra totale e della funzionalità dei loro studi, ma anche della relativa autonomia con cui gli intellettuali poterono rielaborarne i risultati. Non andrebbe sottovalutato il fatto che, nonostante nel suo complesso la sociologia militare statunitense (e non solo) si sia poi incanalata in un alveo sempre più funzionale e subordinato all'*establishment* militare, le successive e dure critiche del *liberal* M. Janowitz all'assetto interno dell'esercito statunitense organicamente espresse nel 1960 e più volte ripetute in piena guerra del Vietnam[26] erano nate proprio durante le ricerche — guerra durante — dell'*American Soldier*.

Ricerca e mobilitazione si intrecciarono anche in altre discipline.

Pur relegata in secondo piano (rispetto alla Prima Guerra Mondiale) dai questionari dei sociologi, la psicologia servì all'istituzione militare per comprendere le reazioni alla guerra fra i soldati e nella società civile: lezioni che non mancarono di essere utilizzate dai vari *Psychological Warfare Branches* del tempo di guerra e poi nella guerra fredda.

In quanto alla scienza della politica, è difficile ritenere che la vasta macchina di studi politologici sulle relazioni fra militari e civili dell'ultimo quarantennio avrebbe potuto mettersi in movimento se non fosse stata sollecitata dalle riflessioni (del tempo di guerra) di H.D. Lasswell su *The Garrison State*[27].

Anche l'antropologia fu chiamata a dare un proprio contributo allo sforzo bellico e lo diede in termini di ricerca (a M. Mead fu chiesto di spiegare le dissimmetrie culturali fra i giovani soldati statunitensi di stanza in Inghilterra, prima dello sbarco in Normandia, e le ragazze britanniche) e di personale

(E.E. Evans-Pritchard, ad esempio, combatté nel conflitto e ricoprì incarichi ufficiali fra Siria e Libia).

Una menzione meritano gli «studi» di «geopolitica» (allora diffusi, anche nei Paesi della coalizione antifascista, sebbene mai promossi a disciplina per la loro troppo evidente caratterizzazione ideologica): contraddittorio caso di tentativo di presenza «civile» in campi da sempre delegati ai militari.

Né infine conviene dimenticare il significativo lavoro di Q. Wright che nel suo *A Study of War*, sia pur in un'ottica alquanto giustificatoria, propose di accumulare una notevole serie di informazioni e di dati sulle guerre passate, dando così origine ad un'ipotesi di scienza dei conflitti, su base empirica e quantitativa [28].

In conclusione, se già nella Grande Guerra singoli intellettuali od intere scuole di accademici erano stati coinvolti nello sforzo bellico, appare però evidente che la mobilitazione di intellettuali e di intere discipline (e non solo di quelle esatte e tecniche: un caso complessivamente più noto [29]) conobbe nella Seconda Guerra Mondiale nuove e assai più ampie dimensioni [30].

È anche su tale sfondo che va inquadrata l'edizione del 1943 di *Makers of Modern Strategy*.

III. *Un seminario di storici*

La pubblicazione di una raccolta di ventuno saggi sulla guerra *from Machiavelli to Hitler*, come recitava il sottotitolo, non poté non godere fin da subito di un notevole prestigio. Essa suscitava interesse sotto almeno due rispetti, uno istituzionale ed uno che diremmo «politico».

Il primo rimanda al fatto che la raccolta di saggi faceva seguito ad un seminario di studi tenuti nel prestigioso istituto di Princeton, nel 1941: non era ancora cosa frequente, come fu invece in seguito, che storici, accademici, pubblicisti, militari, d'America e d'oltreoceano, convenissero in un'università per un esame di questioni militari. Il secondo rinvia, invece, all'orientamento ed al linguaggio, lontani dalla propaganda di guerra, dei partecipanti al seminario tra cui si annoverarono, oltre a militari in servizio, studiosi di indirizzo *liberal* come Crane Brinton (uno dei più convinti esponenti della *radical history* statunitense) o come lo stesso Earle (che, pur collaborando con istituti d'istruzione militare, sarebbe giunto a chiedere l'abolizione delle guerre).

Il prestigio istituzionale e «politico» era a sua volta rimarcato dal profilo disciplinare degli autori. Gli storici statunitensi avevano subito l'influenza della scuola storicista tedesca [31] e la storia militare si presentava come un canale opportuno per riallacciarvisi ulteriormente, facendo propria la lezione di Delbrück. E fra gli autori del volume proprio dalla Germania — cui gli Stati Uniti dalla soglia della superpotenza potevano guardare con un duplice interesse come al Paese che, per almeno due volte in un cinquantennio, aveva tentato l'«assalto al potere mondiale» e come ad un secolare baluardo antislavo ed ora antibolscevico [32] — veniva H. Rothfels; in Germania, inoltre, avevano studiato, fra gli altri, G.A. Craig e F. Gilbert [33].

Oltre che per ragioni tutto sommato d'inquadramento, il prestigio guadagnato da *Makers* si basava comunque sul risultato e sul valore intrinseci del seminario da cui aveva preso origine.

Una così ampia rassegna di saggi di studiosi — specialisti, ma in prevalenza civili — su un arco cronologico e tematico che andava dal Machiavelli fondatore «del ruolo del potere militare nella vita politica»[34] all'Hitler del «Nuovo ordine», del «regno del terrore» e della guerra totale[35], non aveva riscontri: né nelle opere degli storici ufficiali delle accademie di guerra, né nei libelli dei propagandisti, né nei pamphlet dei pacifisti. *Makers* non ambiva ad offrire un'interpretazione univoca su tutto, ma alcuni punti di metodo e di merito erano in genere condivisi.

Innanzitutto, a livello di metodo, c'era la consapevolezza di andare al di là della vecchia *histoire-bataille*. Comune era la convinzione dell'inopportunità di abbandonare la storia militare (e con essa tutte le questioni militari) ai professionisti in divisa. Già nell'introduzione, Earle scriveva: «non vogliamo avere una classe militare cui queste faccende siano delegate con pieni poteri» (ed aggiungeva: «c'è un unico sicuro depositario della sicurezza nazionale di uno Stato democratico: il popolo tutto»), quasi ricalcando la nota affermazione di Clemenceau per cui la guerra era una questione troppo seria e complessa per essere lasciata ai soli generali[36]. Le vecchie sinossi di storia militare dovevano essere superate guardando alla guerra come ad un'attività umana e sociale, vedendo le forze armate e la guerra in un'ottica sociale: e «la guerra e la società sono divenute più complesse»[37], precisava Earle. La logica stessa della guerra totale favoriva questo interesse «civile»: non era forse già successo che, durante le guerre napoleoniche, alcuni civili avevano compreso le novità della guerra meglio degli stessi militari[38]? Era insomma necessario guardare alle ricerche di storia, e di storia militare, da un punto di vista nuovo, che non fosse quello consueto della loro «immediata utilità»:

> Il criterio per giudicare il loro valore dovrebbe essere quello se esse rappresentano un nuovo ed originale approccio ai problemi della guerra e se offrono una nuova *vista* che renda possibile un più chiaro apprezzamento delle condizioni e delle esigenze della guerra. Non l'utilità di misure particolari e specifiche, ma l'utilità dei suoi metodi e dei suoi concetti è il metro di giudizio [...][39]

Un distacco scientifico dalle urgenze del momento non significava comunque per gli autori di *Makers* il disimpegno — o il disarmo — della storia militare. Era così possibile, talvolta, leggere la politica nella filigrana della ricerca storica. Così, se tutti auspicavano il superamento della tradizionale storia militare, alcuni (soprattutto gli autori in divisa) combattevano la loro «guerra parallela» all'interno dell'establishment, contro il tradizionalismo militare statunitense[40] e proponendo la «riforma dell'esercito»[41]. Ed in questo erano spalleggiati anche dai giovani studiosi civili (non senza qualche forzatura, F. Gilbert definiva Machiavelli un esponente del movimento di «riforma militare» del suo tempo[42]).

Altri studiosi si erano dimostrati più controllati e nelle loro pagine, più che veri e propri temi di politica militare, emergevano valori civili, sia pur nelle vesti di categorie storiografiche. Si trattava di riaffermazioni di fiducia in valori né scontate né senza significato, in quegli anni di guerra. Ne è un esempio il costante riferimento alla necessità di subordinare la guerra alla politica, i militari al controllo politico: per gli autori di *Makers*, erano state le deviazioni da tale principio a determinare le catastrofi della guerra moderna. R.R. Palmer a tale proposito citava D. von Bülow: «quando un capo di Stato è obbligato a lasciare la guida dell'energie guerresche dello Stato ad una squadra di meri tecnici [...], la conseguenza inevitabile sarà la frammentazione e la contraddizione degli scopi, il cui primo risultato sarà la debolezza [...] e quello finale la sconfitta»[43]: un ammonimento di un certo peso, in tempo di guerra. La subordinazione dei militari ai politici, ricetta liberale della vittoria, non significava però esimere i primi dalle proprie responsabilità. Nel suo saggio finale su Hitler, anticipando quello che sarebbe stato uno dei nodi del dibattito storiografico sull'interpretazione del nazismo, Earle ammonì che in caso di sconfitta i militari tedeschi non avrebbero potuto addossare al solo Hitler tutte le colpe: capo e comando supremo in Germania, come dovunque, «erano complementari».

La volontà di lasciarsi alle spalle le secche della vecchia storia militare veleggiando verso un orizzonte scientifico di studi su «guerra e società», e la quasi dogmatica riaffermazione del principio della subordinazione dei militari ai politici erano tanto più interessanti in quanto, al seminario di Princeton, non si erano dati appuntamento accesi pacifisti o fanatici rivoluzionari, ma cauti e moderati «realisti». Gli argomenti dei saggi erano interpretati e spiegati, o piegati, in un'ottica che indica molto bene il campo d'idee in cui i loro autori si muovevano.

C'era chi, come Earle, si era scagliato contro le iniziali fiducie riposte in Hitler e nel suo antibolscevismo da parte degli ambienti conservatori di qua e di là dall'Oceano[44]. E certe invettive lanciate contro la borghesia che scansava il servizio militare potevano suonare sovversive (ma si trattava di nazionalismo, più che di «militarismo democratico»)[45].

In generale, però, cautela e moderazione costituivano il denominatore comune della maggior parte degli interventi. I suggerimenti del navalista A.T. Mahan, ad esempio, erano visti ed apprezzati in quanto la «*via di mezzo* fra un eccessivo conservatorismo ed un troppo affrettato sperimentalismo»[46]. Ed E. Warner — esaminando gli spettacolari sviluppi dell'aeronautica nel trentennio precedente la Seconda Guerra Mondiale — si autocollocava esplicitamente a metà strada «fra i più zelanti sostenitori del culto del potere aereo e gli scettici più ostinati ed estremisti»[47]. C. Brinton, G.A. Craig e F. Gilbert addirittura quasi si autoidentificavano con Jomini, oggetto di un saggio firmato a sei mani, quando lo definivano — ponendolo fra il Bülow della guerra limitata e il Clausewitz della guerra assoluta — convinto «della necessità di rivedere i concetti settecenteschi della guerra. Ma, come è evidente dalle sue critiche al trattato di Clausewitz, non avrebbe mai voluto abbandonare completamente quei concetti»[48]. E Gilbert elogiava, e pareva voler scivolare dietro, un Machiavelli «né aristocratico né democratico»[49].

La moderazione del tono persino si acuiva, o degenerava, qua e là. È così possibile scorgere in qualche saggio del primo *Makers* spunti di cedimento alle teorie geopolitiche (attraverso la nozione di carattere nazionale delle strategie militari delle varie potenze[50]), talune cadute di tono dalla ricerca scientifica verso la propaganda, certe enfatizzazioni del ruolo della personalità dei grandi comandanti militari, qualche palese manifestazione di sfiducia (pur contraddittoria con l'impianto ideologico del volume, quale siamo andati illustrandolo) verso la democrazia e verso la sua capacità di condurre a buon fine guerre. Da questo e dall'esser pur sempre parte di uno sforzo bellico (sebbene a difesa dei principi liberali contro le ideologie fasciste) nasceva una certa esaltazione di Churchill e di Roosevelt in quanto capi politici e militari: quasi che l'unificazione di potere politico e potere militare in una sola persona (comunque non in divisa) potesse garantire un rendimento bellico superiore ai complicati, ma garantisti sistemi di divisione e di contrappesi di poteri, pur tipici dello Stato di diritto del tempo di pace.

Anche in taluni passi del *Makers* di Earle, quindi, si assisteva a crisi ed arrendevolezze del pensiero (e della politica) liberale nei confronti delle «esigenze tecniche» della guerra e dell'amministrazione militare.

Erano crisi, o aporie, che risaltavano maggiormente anche per via della struttura del volume, tagliata su contributi prevalentemente dedicati a singoli personaggi e alle loro idee: un'impostazione che tradiva come *Makers* (pur staccandosi nettamente dalla più tradizionale storia militare operativa, pur ricollegandosi alla lezione tedesca di Delbrück di una storia militare *im Rahmen der politischen Geschichte* ed anzi andando oltre, auspicando un inserimento delle vicende militari in quelle più ampie della storia della società intera) rimaneva per molti aspetti ancorato alla più classica storia delle idee[51].

Cedimenti di merito (limitati) e scelte metodologiche un poco attardate (storia delle idee e dei grandi personaggi), di per sé, non indebolivano però la fibra con cui era intessuto il *Makers* di Earle. Al fondo, essi riflettevano solo gli assunti della storiografia liberale classica con la sua tradizionale, e già ottocentesca, fiducia nella libera azione dell'uomo e del suo pensiero. È per questo che in *Makers* le *strutture* della società e della politica ancora non ci sono, se non di rado, ed è per questo che mancano del tutto rinvii alla storiografia francese delle strutture e della lunga durata.

Nel complesso, comunque, in termini assoluti e relativi la raccolta curata da Earle rappresentò uno dei migliori esempi delle potenzialità di uno studio, scientifico e civile, della guerra.

L'averlo trascurato, come per ragioni non solo linguistiche accadde alla cultura storica italiana, rifletteva il perdurare di chiusure nazionalistiche ed arretratezze metodologiche destinate a segnare a lungo il campo degli studi storico-militari.

IV. *Sviluppo delle conoscenze, specializzazioni disciplinari ed ideologie nel secondo dopoguerra*

Le dimensioni del conflitto e l'uso della prima arma nucleare nella Seconda Guerra Mondiale, la diffusione di conflitti regionali e l'accresciuto ruolo dei militari (nelle grandi potenze come negli Stati di più recente formazione) nel dopoguerra hanno costituito le ragioni materiali dell'esplosione di studi sulla guerra e sulle forze armate dal carattere senza precedenti.

Le ricerche si sono moltiplicate. Nuovi campi di studi si sono aperti. Tramite il perfezionamento di un proprio statuto scientifico, si è dato vita a vere e proprie nuove discipline (come gli *strategic studies* o la *peace research*). La produzione internazionale, che sino alla Seconda Guerra Mondiale — pur con qualche difficoltà — un singolo studioso poteva tenere sotto controllo, è oggi spesso al di là delle possibilità di una biblioteca di un buon istituto di ricerca. La comunità scientifica ne ha beneficiato in termini di accumulo di conoscenze, ma uno scotto è stato pagato nei termini di una crescente difficoltà di comunicazione infradisciplinare.

Non è quindi possibile, né qui necessario (né peraltro sino ad oggi impresa tentata), anche solo ripercorrere in un'ottica comparata l'evoluzione ed i migliori risultati della ricerca delle scienze sociali sulla guerra nell'ultimo cinquantennio. Per fare ciò mancano o si rivelano rapidamente superati persino gli strumenti di base (rassegne, bibliografie specifiche, ecc.). Persino le migliori bibliografie ammettono di essere costrette a rinunciare alla completezza per ripiegare su una qualche selettività[52].

In uno scenario sempre più affollato, *Makers of Modern Strategy* ha mantenuto un suo ruolo centrale. Lo confermano le sue almeno tredici ristampe a partire dal 1943: una prova — oltre che di penetrazione editoriale — della capacità della storia (e della migliore storia militare) di durare nel tempo e di sapersi offrire come referente insostituibile a chi, anche da altre discipline, sia interessato a «pensare la guerra»[53].

Il continuato interesse manifestato dal pubblico e dagli studiosi per la raccolta curata da Earle non va poi sottovalutato se consideriamo che in generale la storiografia militare statunitense, come non aveva brillato prima della Seconda Guerra Mondiale per qualità o finezza di studi, così non si è particolarmente messa in luce nemmeno nel dopoguerra. Non sono mancati singoli studiosi ed opere di valore[54]. Né è mancata la quantità: ché anzi, stendendone un consuntivo, P. Paret ha detto: «si scrive troppa storia militare negli Stati Uniti»[55]. Ma si è troppo spesso trattato ancora della vecchia *histoire-bataille*[56], della storia militare delle scuole di guerra o dei pubblicisti stipendiati. Il vero rinnovamento degli studi storico-militari era avvenuto, e Paret ne era consapevole, nel Vecchio Continente: nell'Inghilterra di M. Howard, nella Francia di A. Corvisier e, a suo modo, persino nell'Italia di P. Pieri.

Anche per questa lentezza nel rinnovarsi (e nonostante l'esperienza di *Makers*), negli Stati Uniti la storia militare era rimasta particolarmente arretrata nei confronti delle altre scienze sociali.

Per «pensare» la guerra ed il ruolo delle forze armate, negli Stati Uniti si ricorreva così sempre meno alla storia e sempre più a discipline più formalizzate (si pensi alla mutazione degli studi sulle relazioni internazionali), più empiriche, più dinamiche ed anche immediatamente più funzionali. È stato questo il caso, ad esempio, degli studi di sociologia militare, che hanno conosciuto un'eccezionale moltiplicazione delle ricerche: sulla composizione delle forze armate, sulla loro relazione con le altre amministrazioni civili, sulle modalità di rafforzare la coesione dei reparti in combattimento. Analogo è stato il caso degli studi più propriamente politologici, incaricatisi di esaminare e tipizzare le forme dell'intervento dei militari nella politica, negli Stati Uniti come nei Paesi in via di sviluppo.

Non si trattava solo, è chiaro, di statuto epistemologico disciplinare. È evidente che l'esplosione post-bellica delle ricerche, delle cattedre universitarie e degli studenti di *civil-military relations* o di sociologia militare ha avuto a che fare, negli Stati Uniti ormai potenza mondiale, con il peso politico della committenza istituzionale. Ma è anche vero che la storia militare statunitense di rado ha saputo tenere il confronto con opere dalla rilevanza scientifica — indiscutibile — come l'*American Soldier* o con studiosi come M. Janowitz o S. Huntington[57].

La storia militare inoltre perdeva terreno, tra i «consiglieri del principe», soprattutto rispetto ai più recenti «studi strategici». Pesava l'opinione, degli stessi primi «esperti» di strategia nucleare, che la comparsa dell'arma atomica aveva d'un colpo annullato la storia: per comprendere i conflitti dell'età nucleare (per scongiurare, o vincere, le sue guerre), la storia militare prenucleare non serviva più[58]. Era un'opinione destinata a farsi sentire in maniera più pesante proprio nel Paese detentore della supremazia atomica mondiale, gli Stati Uniti. È quindi stato qui che si sono diffusi maggiormente gli studi strategici, che sono state create le prime scuole di strategia nucleare, che (in dipendenza degli obiettivi statunitensi) si sono svolti i primi dibattiti fra i cultori della materia. Ma è stato negli Stati Uniti, anche, che ci si è resi conto di quanto fosse facile che «la strategia si trasform[asse] in politica» e che, ad esempio, per giustificare la scelta politica della dissuasione nucleare la strategia si riducesse ad «ideologia della dissuasione»[59].

La diffusione degli studi strategici ha assunto sin dall'inizio il carattere del tentativo di riaffermare nel processo decisionale della politica estera e militare una maggiore presenza dei civili, rispetto ai militari[60]. La figura del *lay strategist* si è affiancata a quella del generale a più stelle. A tale aspetto, che forse gli autori di *Makers* avrebbero giudicato positivo, si sono opposti però assai presto altri aspetti meno incoraggianti, di merito e di metodo.

Gli studi strategici sono stati costretti a seguire (o ad anticipare) gli aggiustamenti di una politica estera statunitense tesa a mantenere comunque la superiorità nucleare: anche a costo di giustificare corse al riarmo suscettibili di produrre armamenti con cui poter distruggere più volte l'intero pianeta. Man mano che i dibattiti strategici hanno assunto caratteri di maggior «visibilità» e che si sono diffusi i ragionevoli timori per un'ecatombe nucleare, la figura del *lay strategist* è andata confondendosi nell'opinione pubblica con quella del «falco»: un'immagine poi estremizzata in film di grande diffusione internazionale come *Fail Safe* di S. Lumet (1963) o il più noto *Dr. Strangelove: or how I Learned to Stop Worrying and Love the Bomb* di S. Kubrick (1964).

Al tempo stesso la strategia è stata intenta a perseguire l'obiettivo di costituirsi in disciplina (fra le scienze sociali) con un proprio statuto ed un proprio linguaggio. Dalle contraddizioni che ne nascevano, «la teoria strategica, pur affinando le proprie metodologie e "complicando" la propria veste formale, si è così di fatto progressivamente allontanata dalla prassi»[61].

La sensazione di un allontanamento dalla realtà e dalla prassi da parte del pensiero strategico è stata avvertita soprattutto in Europa, in relazione all'adozione da parte statunitense prima della *massive retaliation*[62] e, più recentemente, di «strategie» disposte a combattere uno scontro nucleare fra le superpotenze — generalizzato o localizzato — sul Vecchio Continente. Ma anche negli Stati Uniti tale sensazione pare sempre più diffusa, rafforzata dalla preoccupazione per gli stretti legami mantenuti dalle scuole o dai centri di studi strategici (*think-tanks*) con i corposi interessi del «complesso militare-industriale», ritenuto capace di svolgere una funzione di mobilitazione degli intellettuali e dei ricercatori analoga a quella sperimentata durante il secondo conflitto mondiale (questa volta, però, a fini privati)[63].

Ad equilibrare le prevenzioni verso la riflessione strategica non sono bastati gli interessanti risultati di un'altra nascente disciplina dalle origini prevalentemente «civili» ed americane, la *peace research*. La stessa prima scuola, o prima generazione, della *peace research*, intendeva presentarsi più che altro come tecnica, «come scienza al servizio della risoluzione dei conflitti internazionali [*conflict resolution*] e della gestione delle crisi [*crisis management*]»: ciò comportava una «implicita valutazione sostanzialmente positiva dello *status quo*»[64], che al tempo era quello della supremazia statunitense nella guerra fredda. Come negli studi strategici, fu solo dopo qualche tempo, e ancora una volta grazie all'opera di studiosi europei, che la *peace research* ha assunto caratteri più equidistanti, pacifisti quando non addirittura «rivoluzionari»[65].

Scavalcati dalle capacità espansive delle discipline citate (ma analogo discorso potrebbe essere fatto per lo studio delle relazioni internazionali[66]), gli storici statunitensi che in questo dopoguerra si erano dedicati allo studio della guerra e delle forze armate non potevano insomma non avvertire il ridimensionamento della propria disciplina e del loro status nella considerazione pubblica e politica.

Makers of Modern Strategy era stato pensato e scritto ben prima di tutto ciò. È vero che nel titolo compariva il termine «strategia», ma non c'era in esso una rincorsa (né un'anticipazione) degli studi strategici. Il sottotitolo infatti già smorzava, rinviando ad un più generico *military thought*. I saggi (con il loro costante richiamo alla storia generale e alla società) rivelavano, inoltre, senza possibilità di dubbi: *a*) che oggetto dello studio era l'evoluzione della guerra e del rapporto fra guerra e società; *b*) che in termini di metodo l'analisi scandita per grandi personaggi e focalizzata sulle loro idee, sulla loro «strategia», rifletteva un paradigma storiografico piuttosto che l'intenzione di fondare una nuova disciplina (una storia del pensiero militare, isolato dalla società, avrebbe ricacciato gli studiosi nelle secche di una storia militare tradizionale per linee interne); e, infine, *c*) che, in termini di merito, la cautela e la moderazione di gran parte degli autori era orientata in senso diverso e contrario rispetto a buona parte dei successivi *strategic studies*. (Si ricordi, perché significativo, lo scarso entusiasmo che aveva ispirato in *Makers* la ricostruzione storica dello sviluppo dell'aeronautica e l'analisi degli esiti dell'*area bombing*: sviluppo ed esiti allora da altri visti come «armi finali», non molto diversamente da come certi entusiasmi atomici avrebbero poi guardato alla «Bomba»).

Nello scenario scientifico ed ideologico del dopoguerra, insomma, la lezione liberale di *Makers of Modern Strategy* aveva quindi ancora una sua funzione.

V. *Il rinnovamento della storia militare ed il* Makers *di Paret*

È probabile che in Europa la *diminutio* di status della storiografia militare contemporanea abbia conosciuto forme, sino agli anni Settanta, meno sensibili che negli Stati Uniti, o che vi sia stata data minore importanza. È certo, comunque, che dal dopoguerra ad oggi nel Vecchio Continente il profilo della disciplina era profondamente mutato.

Ciò non vuol dire che l'approccio tipico della vecchia *histoire-bataille* era definitivamente tramontato, o che era stato sostanzialmente ridotto il controllo militare su talune fonti documentarie ed archivistiche, o che il rinnovamento è dato una volta per tutte. Ma è un dato di fatto che la percezione storiografica della guerra e delle forze armate era radicalmente mutata, che nuovi soggetti di studio erano stati affrontati, che nuove generazioni di studiosi si stavano formando.

Oltre che a fattori generali — riflessione critica sul ruolo dei militari nella società contemporanea, generale sviluppo della scienza storica — è possibile far risalire il rinnovamento dell'approccio storiografico alla guerra ad almeno tre fonti specifiche: l'approfondimento della lezione della scuola tedesca di Delbrück per una storia militare *im Rahmen der politischen Geschichte*, l'ampliamento degli orizzonti suscitato dalle polemiche battaglie della storiografia francese delle «Annales» contro la ristrettezza della *histoire-bataille* delle scuole di guerra, i suggerimenti provenienti dalle altre scienze sociali che più recentemente (come si è visto) si erano interessate al tema od a temi contermini[67]. L'intersecarsi di queste ed altre sollecitazioni ha fatto sì che si preferisse parlare sempre meno di «storia militare» e sempre più di *war and society studies*[68].

Non è questa la sede per dare conto anche solo approssimativamente di tale rinnovamento degli studi, assai sensibile nella storiografia militare dell'epoca medievale e moderna, anche se qui ci riferiremo prevalentemente a quella dell'età contemporanea. Esistono al riguardo buone rassegne nazionali[69].

Solo per dare un'idea della trasformazione dell'orizzonte scientifico e per fornire alcuni essenziali punti di riferimento faremo qualche nome. È opportuno così ricordare gli studi di M. Howard e le ricerche da lui suscitate sulla politica militare e sull'esercito britannico vittoriano ed eduardiano[70]. Per le trasformazioni causate dalle due guerre mondiali sulla società, gli studi e le prime sintesi di A. Marwick contengono spunti di ricerca che ancora attendono di essere a pieno sfruttati[71]. Su un versante sensibile alla storia sociale si sono poste le lunghe ricerche di A. Corvisier sulla composizione degli eserciti francesi moderni (in parte riprese per l'età contemporanea da E. Le Roy Ladurie per il gettito della leva e poi più accuratamente da J. Maurin per i soldati di Linguadoca)[72]. Sollecitate dalla pubblicazione del *Griff nach der Weltmacht* di F. Fischer (e qualche anno prima dal monumentale affresco di G. Ritter), si sono infittiti in Germania gli studi sulle strutture militari dello Stato tedesco, anche per comprendere se di *Sonderweg* e di complicità con Hitler si potesse parlare (in ciò è stata importante la funzione del Militärgeschichtliches Forschungsamt di Friburgo)[73]; in ambito tedesco, si è pure assistito ad una radicale critica dello Stato-militare moderno[74]. In Italia, infine, dopo che P. Pieri ebbe tenuto a lungo il campo degli studi accademici su *guerra e politica*, un decisivo stimolo al rinnovamento è venuto dagli studi (e dalle sintesi) di G. Rochat sulla politica militare e sul ruolo di classe dell'esercito italiano e di P. Del Negro sulla storia della leva, fra forze armate e società[75].

Oggi si deve anche a questo tipo di ricerche se in Europa, invece di battaglie e condottieri, oggetto di studio siano sempre più i lunghi anni di pace e il rapporto fra istituzioni militari e società. Questi studiosi, le loro opere e le loro scuole sono stati insomma gli animatori di un mutamento di paradigma della storiografia militare europea e di una moltiplicazione delle energie dedicatele così rilevanti da non fare avvertire più di tanto quel senso di *diminutio* di fronte alle altre scienze sociali, di cui si è invece detto a proposito degli studi storico-militari statunitensi.

In un così rinnovato panorama, però, non sempre lo studio dei «classici» ha mantenuto il rilievo necessario: una sorta di mora che forse solo a Clausewitz è stata risparmiata[76]. Aggiornare sulla base dei nuovi studi la migliore sintesi disponibile sul pensiero di questi classici (il *Makers* di Earle) è stato quindi il compito assuntosi da P. Paret, che ha curato nel 1986 l'edizione di un nuovo *Makers of Modern Strategy*, di cui qui presentiamo al lettore italiano una versione.

Della raccolta curata da Earle, questa di Paret mantiene in buona sostanza la struttura (scandita prevalentemente da saggi imperniati su grandi personaggi), l'orientamento e la collocazione nel panorama storiografico. Ma sarebbe errato pensarla come un burocratico aggiornamento. È aumentato il numero degli autori e dei saggi (sono ora ventotto), e di questi solo tre sono rimasti quelli del 1943. Sono stati aggiunti contributi sul periodo dal dopoguerra ad oggi, mantenendo una concezione della storia contemporanea che si addentra sino nel presente. Il rapporto con la scuola tedesca è stato mantenuto, facilitato dagli studi europei e dalla nascita tedesca dello stesso curatore; ed è stata riconfermata la presenza di autori inglesi, per comunanza storiografica e non solo linguistica (si pensi alla *special relationship* in materia strategica e militare, che le amministrazioni repubblicane americane e conservatrici britanniche paiono da tempo aver instaurato[77]).

Almeno tre punti, di metodo e di merito, sono generalmente condivisi dagli autori del *Makers* di Paret.

Ancor più che nel 1943, questi confermano a livello di metodo l'intenzione — se non la necessità — di situarsi in una prospettiva di *war and society studies*: di vedere sia la guerra sia le forze armate nei lunghi anni di pace, in una ampia prospettiva di storia politica e sociale. Già nella sua *Introduzione* Paret lo enuncia, sottolineando come forse il titolo inglese più adatto avrebbe dovuto essere quello di *The Making* (piuttosto che *The Makers*) *of Modern Strategy*[78].

Un altro punto condiviso (ed uno non irrilevante visto il mutato contesto disciplinare della riflessione scientifica sulla guerra, rispetto al 1943) è rappresentato dalla riaffermazione della centralità della storia nei confronti delle altre discipline. Lo studio dei classici della storia militare concorre per Paret a tale riaffermazione. Se il volume ribadisce il rifiuto della vecchia *histoire-bataille* prescrittiva delle scuole di guerra, al tempo stesso prospetta a chiare lettere il grave pericolo di impoverimento e di indebolimento cui la politica e la coscienza civile si esporrebbero in materia militare in mancanza di una prospettiva storica. Poiché in più di un caso gli autori di *Makers* dimostrano di tener conto e di sfruttare il progresso degli studi politologici o sociologici, la polemica appare abbastanza evidente nei confronti degli «studi strategici». Parlando degli elementi costituivi della guerra, Paret fa rimarcare nell'*Introduzione* che «la strategia è semplicemente uno di quegli elementi»[79] e più avanti che essa *serve* la storia militare[80]. Sulla stessa linea si trovano gli altri autori. J. Shy, analizzando la concezione della strategia in Jomini, scrive che essa rischia di ridurre la percezione di un fenomeno complesso come la guerra alle sole preoccupazioni del comandante[81]. G.A. Craig e F. Gilbert riprendono il tema della *relevance* della storia nei confronti della strategia ed un collaboratore in divisa, G.E. Rothenberg, giunge addirittura a definizioni liquidatorie, parlando della strategia ora come una «conseguenza» (piuttosto che un fattore attivo) della guerra[82], ora come «un mero sistema di espedienti»[83]. Ma forse della più icastica demolizione di tanti dibattiti strategici recenti si incarica, in queste pagine, M. Howard. Dopo aver delineato il senso di smarrimento e di sorpresa dei militari britannici dell'età eduardiana di fronte alla Prima Guerra Mondiale, Howard si chiede: è così importante studiare la dottrina strategica degli eserciti?[84]

Un terzo aspetto, di merito, va infine tenuto presente. Esso si ricollega a quanto detto sulla *relevance* della storia e sulla chiara polemica con gli orientamenti più estremi degli studi strategici statunitensi: orientamenti incoraggiati dalla presidenza Reagan, durante la quale il *Makers* di Paret è stato edito. Contro la strategia dei «falchi» (o «nuovi falchi»[85]) e, secondo la definizione di Craig e Gilbert, contro i *warrior intellectuals*[86] il volume prende chiara posizione nelle pagine dedicate alla strategia nucleare (fra l'altro scettiche su qualsiasi ipotesi «stellare»)[87], ma non solo in queste. In un'analoga ottica possono essere letti ad esempio i brani in cui Craig, nel suo saggio su Delbrück, fa rivivere le note polemiche su *Niederwerfungsstrategie* e *Ermattungsstrategie*, sino ad affermare che «un pensiero strategico che diventi autosufficiente [...] può condurre solo ad un disastro»[88]. La polemica con certe derive estreme degli studi strategici diventa quindi non solo di forma (disciplinare), ma anche di sostanza (politica).

Avviene così che il «realismo» degli storici che considerano la possibilità di guerra connaturata al sistema delle relazioni fra gli Stati-nazione[89] non è disgiunto in *Makers* né dalla memoria storica delle atrocità della guerra, né da una grande apprensione per il destino dell'umanità nell'età nucleare.

Prendendo le distanze dalla strategia dei «falchi» — come «pensare» una guerra nucleare? — e dalla loro perdita di contatto con la realtà, *Makers* intende così riaffermare che la storia e la storia militare, anche dopo il 1945 ed in piena età nucleare, non solo (nel metodo) non vanno trascurate, ma (nel merito) non possono non consigliare una grande cautela. (Per una valutazione di questo atteggiamento verso il proprio oggetto di studio, si tenga conto che anche il *Makers* di Paret come quello di Earle è firmato da «progressisti cauti o moderati»[90] e che anzi, se rispetto al 1943 sono aumentati gli autori europei, sono pure cresciuti di numero i collaboratori in divisa.)

Per definire atteggiamenti simili, autorevoli commentatori democratici hanno forzato la già nota metafora ornitologica dei falchi e delle colombe. Come definire quell'ampio ed influente settore della comunità scientifica e dell'opinione pubblica critico verso l'utilità e l'indirizzo dei piani di riarmo convenzionale, nucleare e stellare dell'amministrazione Reagan, ma poco propenso ad atti unilaterali di disarmo (un settore insomma fatto né di *hawks* né di *doves*), se non in termini di *owls* (gufi, o civette)[91]? Più o meno volentieri, buona parte degli autori di *Makers* non avrebbe potuto non riconoscersi in tale definizione.

I tre punti ora menzionati spiegano l'interesse anche del secondo *Makers*. Il rilievo di opere di sintesi come queste, peraltro, non è intaccato da un paio di considerazioni più critiche.

A livello di metodo, la struttura del volume ereditata da Earle (scansione per saggi biografici ed attenzione privilegiata per la storia delle idee: tagli peraltro consoni all'indirizzo di studi e ricerche dello stesso Paret), appare talvolta ridurre piuttosto che evidenziare l'ampio rinnovamento della storiografia militare. E vengono forse da qui certe sottolineature talvolta eccessive del ruolo dei singoli personaggi. Stupisce poi che il volume, soprattutto per le due guerre mondiali, guardi ancora ai militari più che ai civili, nonostante il marcato rovesciamento del rapporto reciproco che le due guerre totali del Novecento hanno segnato[92]. E stupisce che scarsa sia l'attenzione verso i tentativi di limitazione della guerra ed in genere di ogni *restraint of war*[93].

Inoltre, a livello di merito in alcuni contributi, rispetto alla originaria fermezza del *Makers* di Earle sul tema del controllo politico dei militari e della direzione della guerra, pare trasparire una qualche più pragmatica elasticità (se non una vera e propria contro-tendenza, come nei saggi di alcuni autori in divisa).

Si tratta in qualche caso di prevenzioni ideologiche, evidenti nel saggio firmato dal generale e lord M. Carver. In altri casi, deroghe al principio del controllo dei civili sui militari possono anche avere motivazioni più consistenti: le lezioni del primo quarantennio di età nucleare (con tutto ciò che ha comportato in termini di erosione e complicazione dei confini, una volta più netti, fra pace e guerra o fra civile e militare) ed in genere il passaggio — come è stato detto con felice espressione — «dal progresso come promessa al progresso come minaccia di distruzione»[94]. Sono deroghe in ogni caso sintomatiche di un clima che va mutando.

Deroghe, se non forse vere e proprie conversioni, appaiono anche nel citato saggio di Craig sui leader politici, uno dei cardini del volume. Laddove, nel 1943, l'argomento era stato affrontato con una più chiara fiducia nel principio del controllo politico dei militari, nel 1986 Craig appare scettico (anche Hitler era un civile ed un politico, ricorda) e scivola verso una pragmatica ricognizione del caso per caso, svincolata dall'obbedienza al gran precetto liberale del controllo civile[95].

Fermarsi alla constatazione della contraddittorietà di singole affermazioni[96] con l'impianto e l'orientamento generale del volume non basta. Si riverbera infatti in esse qualcosa del sentimento di difficoltà e di crisi con cui gli storici liberali — se non il pensiero liberale *tout court* — affrontano oggi il sempre più complicato compito di «pensare» la guerra, le istituzioni militari. E questo non solo Aron lo aveva notato. In un saggio di qualche anno fa sui limiti del liberalismo britannico di fronte al rischio di guerra atomica, un collaboratore della «New left review» (pur riconoscendo che «gran parte delle cose migliori che ci sono state nella vita inglese sono confluite nel liberalismo») aveva osservato: «tuttavia, mentre ai giorni di Cobden e di Bright il liberalismo forniva una visione coerente del mondo», sui temi militari esso aveva finito per «diven[ire] semplicemente una serie slegata di risposte singole a situazioni specifiche [...]. La struttura ideologica si era dissolta». Da qui la definizione, da riprendere per quanto attiene le questioni militari, di «un liberalismo che si disarma da sé»[97].

Forse solo accettando sul terreno storiografico ciò che uno storico di formazione liberale come Craig sarebbe meno disposto ad ammettere (l'insufficienza della sola storia delle idee o della stessa storia politica, la necessità di una prospettiva di storia sociale e di storia delle strutture politiche, l'analisi della composizione e del ruolo di classe delle forze armate), le deroghe, le contraddizioni e persino le conversioni di cui si è detto avrebbero potuto essere evitate.

Fatti i necessari rilievi critici, però, la lezione anche del secondo *Makers* rimane nel complesso quella della necessità e della fiducia nel controllo politico e civile della guerra e dei militari. Le sue pagine ci permettono di affrontare, sulla base di una grande informazione e di una notevole raffinatezza di analisi, i grandi autori ed i temi classici e fondamentali della guerra moderna.

Anche chi scrive o predilige una storia più sociale e diversamente orientata, anche chi si occupa scientificamente della guerra a partire da altre sponde disciplinari è sicuro di trovare in *Makers* spunti di riflessione destinati a durare nel tempo.

I due *Makers* si riconfermano insomma un punto fermo, anche per andare più avanti.

VI. *Tre note a questa edizione italiana*

1. *Questa edizione.* Di per sé un volume non esile, la versione italiana del *Makers of Modern Strategy* curato da P. Paret si differenzia rispetto all'edizione statunitense per essere concentrato sui problemi della guerra e della pace dell'età contemporanea [98].

Fin dal momento della decisione di riportare *Makers* all'attenzione degli studiosi italiani (decisione presa ormai nella lontana primavera 1990), non sono state solo considerazioni editoriali ad indurre Peter Paret, il Forum di Firenze ed il curatore dell'edizione italiana a ritenere che fosse possibile operare una selezione.

Non sono quindi stati tradotti alcuni saggi: perché superati dallo sviluppo della ricerca storiografica (ad esempio quelli che Paret ha riproposto inalterati dal 1943) [99], o perché meno solidi, o perché più tecnico-militari, o perché la loro prospettiva appariva comunque in via di superamento con i recenti avvenimenti epocali in Europa orientale del 1989-1990, poi con il conflitto scatenato nel Golfo Persico nel 1990-1991 ed infine con il radicale rivolgimento verificatosi in URSS prima e dopo il *coup* dell'agosto 1991 [100]. Nonostante tale selezione, rimane comunque a disposizione del lettore italiano tutta la sostanza del messaggio storiografico lanciato da *Makers*, con la sua insistenza sull'importanza degli studi storico-militari e sulla necessità di un fermo controllo politico sui militari e sulla guerra.

Gli studi italiani non appaiono molto noti agli autori del volume statunitense: starà al lettore operare le opportune mediazioni. Come abbiamo avuto modo di notare, la situazione italiana di studi sulla guerra e sulla pace è assai diversa da quella dell'area anglosassone: pensiamo ad esempio al peso reciproco fra gli studi di storia (e di storia militare) [101] e quelli strategici [102], e in genere le scienze sociali. In ogni caso non abbiamo ritenuto necessario aggiornare, o ampliare, le note bibliografiche: esse fanno parte integrante dei saggi e ne costituiscono lo sfondo. D'altronde, sia pur tutt'altro che perfetto, lo stato dell'informazione bibliografica del settore è oggi in Italia migliore di quello di solo un lustro fa.

2. *Impostazione e conoscenza.* Non ci è parso necessario sottolineare più di tanto l'impostazione «realistica» di buona parte dei due *Makers*. Anche se questa versione italiana non si apre con Machiavelli, come quella statunitense, una tale impostazione rimane chiara.

Ma, d'altra parte, e come ci pare siamo andati dimostrando, non ci è sembrato sufficiente criticare le indubbie aporie, o le contraddizioni, o le lacune di questa impostazione. Uno storico come E.P. Thompson, cui tutti gli studiosi di storia sociale devono molto, ha già da par suo duramente sferzato i tentativi dei «realisti» di sconfinare dal campo accademico a quello politico[103]. Si tratta semmai, qui ed oggi, di sondare quanto di utile questa impostazione ha prodotto.

Oggi, crediamo, conviene porre una questione di movimento e di avanzamento delle conoscenze piuttosto che impantanarsi in vecchie guerre di posizione fra impostazioni. Sia perché, anche a livello di definizione, l'etichetta «realistica» appare ancora contraddittoria, più polemica e relativa che certa ed assoluta[104]. Sia perché — se possiamo dirci insoddisfatti o addirittura allarmati da talune prese di posizione «realistiche» nel campo dei dibattiti sulle alternative strategiche e sulla politica di sicurezza — non si può non riconoscere il ruolo che taluni studiosi di livello internazionale, sia pur non indenni da critiche, hanno svolto per l'avanzamento e l'affinamento della disciplina.

In realtà ciò che fa difetto in Italia oggi, almeno nel campo degli studi storico-militari contemporanei, pur così notevolmente rinnovato, è forse la frequentazione dei classici e dei classici internazionali. È anche in questo senso che oggi — al di là di legittime questioni di impostazione — crediamo non superflua una versione italiana del *Makers* curato da Paret, convinti che per qualsiasi miglioramento è prioritaria la conoscenza.

Ed è sempre nello stesso senso che abbiamo creduto opportuno rivisitare la vicenda ed il contesto dei due *Makers*, nel quadro più generale dei rapporti fra intellettuali e guerra, fra università ed istituzioni militari, fra civili e militari.

3. *Lo studioso civile di questioni militari.* A mo' di conclusione, converrebbe non dimenticare che assai spesso lo studioso civile di questioni militari si trova a vivere una situazione contraddittoria.

Non a caso G.A. Craig definì H. Delbrück come «al tempo stesso uno storico militare, un interprete di questioni militari presso il popolo tedesco, ed un critico civile dell'operato degli stati maggiori»[105]. E per uno studioso come M. Janowitz è stato scritto: «la sua vita e la sua eredità non sono state senza contraddizioni. Mentre egli si era sempre considerato un socialdemocratico, la sua attenzione alle istituzioni militari lo portò ad essere frainteso e preso politicamente per un conservatore»[106].

Anche se i suoi risultati scientifici possono essere discussi, corretti e migliorati, *Makers of Modern Strategy* ha il grande merito di ricordarci che è anche grazie a studiosi costretti a lavorare in situazioni così contraddittorie se ci siamo lasciati alle spalle la storia militare più chiusa e più tecnica, se abbiamo un'immagine più critica e più chiara, più «realistica» eppur non meno preoccupata, di cosa è cambiato negli ultimi due secoli di storia nel rapporto fra guerra e forze armate e società.

Quando la guerra si ripresenta all'orizzonte, sempre in forme nuove, persino i più profondi pensatori esitano e si chiedono angustiati: «che cosa è cambiato?»[107].

Anche grazie a volumi come i due *Makers* è possibile oggi cercare di dare risposte sempre meno approssimate a domande radicali, ed angoscianti, come queste.

[1] N. Bobbio, *Diritto e guerra*, in «Rivista di filosofia», LVI (1965), n. 1, ora in Id., *Il problema della guerra e le vie della pace*, Bologna 1979, 97.

[2] Cfr. R.D. Burns, *Guide to American Foreign Relations since 1700*, Santa Barbara, Cal. 1983, 1185.

[3] Cfr. ad esempio le note su *Makers* nelle rassegne bibliografiche pubblicate da «Current Sociology», prima a cura di K. Lang su *Military Sociology*, XII (1965) n. 1, e XVI (1968) n. 2 (poi in K. Lang, *Military Institutions and the Sociology of War. A Review of the Literature with Annotated Bibliography*, Beverly Hills 1972, spec. p. 48) ed in seguito di G. Harries-Jenkins, C. Moskos Jr. su *Armed Forces and Society*, XXIX (1981), n. 3.

[4] L'unico corrispettivo potrebbe essere cercato in W. Hahlweg, *Klassiker der Kriegskunst*, Darmstadt 1960, dove però l'accento cade sull'antologia di brani piuttosto che sulla raccolta di saggi critici.

[5] Recens. di F. Armao, su «Teoria politica», III (1987), n. 1, 210.

[6] N. Bobbio, *Filosofia della guerra nell'età atomica*, in «Terzo programma», (1965) n. 3, ora in Id., *Il terzo assente. Saggi e discorsi sulla pace e la guerra*, a cura di Pietro Polito, Torino 1989, 39-45. I cinque possibili atteggiamenti indicati da Bobbio sono quelli ottimista, realista, fatalista, fanatico, nichilista.

[7] Cfr., su questo, le recenti traduzioni in italiano di R. Gilpin, *Guerra e mutamento nella politica internazionale*, Bologna 1989, e M. Walzer, *Guerre giuste e ingiuste. Un discorso morale con esemplificazioni storiche*, Napoli 1990 (e cfr. anche M. Geuna, *Riformulazioni contemporanee della tradizione della guerra giusta*, «Teoria politica», II (1986), n. 2).

[8] Cfr. F. Armao, *La logica della guerra. Dal neorealismo al realismo democratico nelle relazioni internazionali*, «Teoria politica», VI (1990), n. 3. Per due classici «realisti» cfr. E.H. Carr, *The Twenty Years' Crisis*, London 1939; e H. Morgenthau, *Politics among Nations*, New York 1948.

[9] Cfr. M. Howard, *War and the Liberal Conscience*, London 1978, 73ss.

[10] Cfr. J. Gooch, *Soldati e borghesi nell'Europa moderna*, Roma-Bari 1982; e B. Bond, *War and Society in Europe, 1870-1970*, London 1984.

[11] Fra questi, eccezionale rimane il personaggio di Ivan S. Bloch, che scrisse in russo e la cui opera conobbe traduzioni in molte lingue (ma non in italiano), fra cui cfr. J. de Bloch, *La guerre future*, Paris 1898, e la tr. parz. J. Bloch, *The Future War in its Technical, Economic and Political Relations*, Boston 1899.

[12] Cfr. P. Fussell, *La Grande Guerra e la memoria moderna*, Bologna 1984.

[13] Cfr. H. Delbrück, *Geschichte der Kriegskunst im Rahmen der politischen Geschichte*, Berlin 1900-1920. Su Delbrück storico militare è disponibile un'ampia bibliografia, fra cui cfr. A. Bucholz, *Hans Delbrück and the German Military Establishment: War Images in Conflict*, Iowa City 1985.

[14] Di C. Oman cfr. anche *A Defence of Military History*, in Id., *Studies in the Napoleonic Wars*, London 1929.

[15] Cfr. P. Pieri, *La crisi militare italiana nel Rinascimento nelle sue relazioni con la crisi politica ed economica*, Napoli 1934. Per una bibliografia degli scritti di Pieri cfr. Id., *Scritti vari*, Torino 1960. Per i suoi studi sulla Grande Guerra, spesso lunghe recensioni anche di opere non italiane edite fra le due guerre, cfr. la recente riedizione a cura di Giorgio Rochat di Id., *La prima guerra mondiale 1914-1918. Problemi di storia militare*, Roma 1986.

[16] M. Bloch, *Apologia della storia, o mestiere di storico*, Torino 1950 (ed. cons. 1969, viii).

[17] Cfr. A. Gemelli, *Il nostro soldato*, Milano 1917; e la tr. it. *Psicoanalisi delle nevrosi di guerra*, con introduzione di S. Freud, Milano 1976. Cfr. poi anche S. Freud, *Perché la guerra? Carteggio con Einstein ed altri scritti*, Torino 1975.

[18] Cfr. A. Bucholz, *Hans Delbrück and the German Military Establishment: War Images in Conflict*, cit., 173s.

[19] Cfr. F. BATTISTELLI, *Marte e Mercurio. Sociologia dell'organizzazione militare*, Milano 1990, 93ss.

[20] Cfr. la ried. New York 1959.

[21] G.L. MOSSE, *La cultura dell'Europa occidentale*, Milano 1986, 467.

[22] Cfr. F. BATTISTELLI, *Marte e Mercurio. Sociologia dell'organizzazione militare*, cit., 96.

[23] Cfr. E. POZZI, *Introduzione alla sociologia militare*, Napoli 1979.

[24] In «Public Opinion Quarterly», XII (1948), n. 2.

[25] Cfr. F. BATTISTELLI, *Marte e Mercurio. Sociologia dell'organizzazione militare*, cit., 97.

[26] Cfr. M. JANOWITZ, *The Professional Soldier*, New York 1960, 1970[2].

[27] In «American Journal of Sociology», XLVI (1941), n. 1.

[28] Oltre al volume di Wright (Chicago 1942) cfr. J.D. SINGER, *The Correlates of War*, New York 1979 e 1980; J.S. SINGER, M. SMALL, *Resort to Arms. International and Civil Wars, 1816-1980*, Beverly Hills 1982; J.S. LEVY, *War in the Modern Great Power System, 1491-1975*, Lexington 1983, e più recentemente A.N. SABROWSKY, *Polarity and War. The Changing Structure of International Conflict*, Boulder 1985.

[29] Su cui cfr., fra gli altri, B. VITALE, *War Phisicists*, Napoli 1977; A. DRAGO, G. SALIO (a cura di), *Scienza e guerra. I fisici contro la guerra nucleare*, Torino 1983; R. FIESCHI, *Scienza e guerra*, Roma 1987.

[30] Ciò non fu senza conseguenze nella percezione e nel giudizio degli intellettuali sul secondo conflitto mondiale, rispetto a quelli espressi sul primo.

[31] Sulla scuola storica tedesca cfr. G. IGGERS, *The German Conception of History. The National Tradition of Historical Thought from Herder to the Present*, Middletown, Ct. 1968, spec. 230ss. Sull'influenza tedesca negli Stati Uniti, cfr. almeno M. KAMMEN, *The Past before Us. Contemporary Historical Writing in the United States*, Ithaca 1980 (e, per quanto qui ci concerne, spec. C.S. MAIER, *Marking Time. The Historiography of International Relations*, in *ivi*, 365ss).

[32] Devo questa osservazione ad Enzo Collotti, che ringrazio.

[33] Sulla vicenda nel suo complesso cfr. H.S. HUGHES, *Da sponda a sponda. L'emigrazione degli intellettuali europei e lo studio della società contemporanea (1930-1965)*, Bologna 1977.

[34] F. GILBERT, *Machiavelli: The Renaissance of the Art of War*, in E.M. EARLE (a cura di), *Makers of Modern Strategy. Military Thought from Machiavelli to Hitler*, Princeton 1943 (d'ora in avanti cit. come E.M. EARLE (a cura di) *Makers*, 3.

[35] E.M. EARLE, *Hitler: The Nazi Concept of War*, in E.M. EARLE (a cura di), *Makers*, cit., 511, 514.

[36] E.M. EARLE, *Introduction*, in E.M. EARLE (a cura di), *Makers*, cit., x.

[37] *Ivi*, viii.

[38] Cfr. R.R. PALMER, *Frederick the Great, Guibert, Bülow: From Dynastic to National War*, in E.M. EARLE (a cura di), *Makers*, cit., 69.

[39] F. Gilbert, *Machiavelli: The Renaissance of the Art of War*, cit., 20.

[40] I.M. GIBSON, *Maginot and Liddell Hart: The Doctrine of Defense*, in E.M. EARLE (a cura di), *Makers*, cit., 386. Sotto questo pseudonimo si celava Arpad V. Kovacs. Devo l'informazione alla cortesia di Peter Paret, che ringrazio.

[41] H. GUERLAC, *Vauban: The Impact of Science on War*, in E.M. EARLE (a cura di), *Makers*, cit., 38.

[42] Cfr. F. GILBERT, *Machiavelli: The Renaissance of the Art of War*, cit., 26.

[43] R.R. PALMER, *Frederick the Great, Guibert, Bülow: From Dynastic to National War*, cit., 72.

[44] E.M. EARLE, *Hitler: The Nazi Concept of War*, cit., 512.

[45] H. GUERLAC, *Vauban: The Impact of Science on War*, cit., 27; e I.M. GIBSON, *Maginot and Liddell Hart: The Doctrine of Defense*, cit., 365

[46] M. TUTTLE SPROUT, *Mahan: Evangelist of Sea Power*, in E.M. EARLE (a cura di), *Makers*, cit., 429 (corsivo nostro).

[47] E. WARNER, *Douhet, Mitchell, Seversky: Theories of Air Warfare*, in E.M. EARLE (a cura di), *Makers*, cit., 485.

[48] C. BRINTON, G.A. CRAIG, F. GILBERT, *Jomini*, in E.M. EARLE (a cura di), *Makers*, cit., 80.

[49] F. GILBERT, *Machiavelli: The Renaissance of the Art of War*, cit., 10.

[50] Cfr. E.M. EARLE, *Introduction*, cit., ix, ma soprattutto M. TUTTLE SPROUT, *Mahan: Evangelist*

of Sea Power, cit., 444. La nozione di un «carattere nazionale» del pensiero strategico statunitense è stata a lungo usata in ambito pubblicistico: cfr. C.S. GRAY, *National Style in Strategy: The American Example*, «International Security», VI (1981), n. 2; e E.N. LUTTWAK, *The American Style of Warfare and the Military Balance*, «Survival», XXI (1979), n. 2. Essa è poi stata ripresa anche da taluni studiosi: cfr. J.W. SHY, *The American Military Experience: History and Learning*, «Journal of Interdisciplinary History», I (1971), n. 2; e C. STURGILL, *Etats-Unis*, in A. CORVISIER (a cura di), *Dictionnaire d'art et d'histoire militaires*, Paris 1988, 288-292. Una ripresa dei temi geopolitici è infine stata osservata nella propaganda di marca reaganiana: cfr. J.T. LOWE, *Geopolitics and War. Mackinder's Philosophy of Power*, Washington 1981.

[51] Oltre a quelli citati (o che citeremo), il *Makers* di Earle conteneva: H. ROTHFELS, *Clausewitz*; S. POSSONY e E. MANTOUX, *Du Picq and Foch: The French School*; J. GOTTMANN, *Bugeaud, Galliéni, Lyautey: The Development of French Colonial Warfare;* H.A. DEWEERD, *Churchill, Lloyd George, Clemenceau: The Emergence of the Civilian*; H. SPEIER, *Ludendorff: The German Concept of Total War*; E.M. EARLE, *Lenin, Trotsky, Stalin: Soviet Concepts of War*; D. WHITTLESEY, *Haushofer: The Geopoliticians*; T. ROPP, *Continental Doctrines of Sea Power*; A. KIRALFY, *Japanese Naval Strategy*.

[52] Cfr. K. LANG, *Military Institutions and The Sociology of War. A Review of the Literature with Annotated Bibliography*, cit. Ma cfr. anche «War and Society Newsletter», London-Freiburg, 1975-.

[53] Cfr. R. ARON, *Penser la guerre. Clausewitz*, Paris 1973.

[54] Fra le varie bibliografie disponibili cfr. R. HIGHAM (a cura di), *A Guide to the Sources of U.S. Military History*, Hamden, Conn. 1975; J. JESSUP, W. COAKLEY, *A Guide to the Study and Use of Military History*, Washington 1979; A.R. MILLETT, F.B. COOLING, *Doctoral Dissertations in Military Affairs*, Manhattan, Ka. 1972 (ed aggiornamenti annuali su «Military Affairs»). Un tradizionale punto di riferimento per la storia militare stuatunitense rimane W. MILLIS, *Arms and Men. A Study of American Military History*, New York 1956.

[55] P. PARET, *The History of War*, «Daedalus», C (1971), n. 2, 381. D'altronde, anche L. VEYSEY, *The United States*, in G. IGGERS, H.T. PARKER (a cura di), *International Handbook of Historical Studies. Contemporary Research and Theory*, Westport 1979, 157, ha scritto che «la storiografia in America, come la produzione di armamenti e di grano, appare essere soprattutto vasta in termini di quantità».

[56] Cfr. la monumentale seconda edizione di R.E. DUPUY, T.N. DUPUY, *The Encyclopedia of Military History: From 3500 B.C. to the Present*, London 1986.

[57] Cfr. S. P. HUNTINGTON, *The Soldier and the State. The Theory and Politics of Civil-Military Relations*, Cambridge, Mass. 1957.

[58] Anche da qui le osservazioni interessanti (con qualche cedimento verso un affrettato *requiem* alla storia militare) di W.E. KAEGI, *The Crisis in Military Historiography*, «Armed Forces and Society», VII (1981), n. 2. La tesi al riguardo da parte della storia militare ufficiale americana può essere letta invece in M. MATLOFF, *Some Conclusion on Military History. The Nature and Scope of Military History*, e J. LUVAAS, *The Nature of Military History*, ambedue in R.F. WEIGLEY (a cura di), *New Dimensions in Military History*, San Rafael, Ca. 1975; o in A.R. MILLETT, *Clio and Mars*, «Armed Forces and Society», IV (1978), n. 2. Recentemente cfr. anche *Can we learn from Military History?*, London 1986.

[59] L. BONANATE, *La politica della dissuasione. La guerra nella politica mondiale*, Torino 1971, 241.

[60] L'osservazione ricorre in tutte le sintesi di strategia. Cfr. per tutte J. BAYLIS, K. BOOTH, J. GARNETT, PH. WILLIAMS, *Contemporary Strategy. Theories and Policies*, London 1975; e ID., *Contemporary Strategy. II. The Nuclear Powers*, London 1987. Da noi cfr. L. BONANATE, *Strategia*, in ID. (a cura di), *Politica internazionale*, Firenze 1979. Cfr. anche P. COTTA RAMUSINO, *Evoluzione delle strategie nucleari e sviluppo tecnologico*, in *Armi e disarmo oggi*, Milano 1983; C.M. SANTORO, *Teoria strategica al bivio*, in ID., *Lo stile dell'aquila. Studi di politica estera americana*, Milano 1984; e R. VELLANO, *Deterrenza e difesa nell'era nucleare: il caso della Strategic Defense Initiative*, in L. BONANATE, A. CAFFARENO, R. VELLANO, *Dopo l'anarchia*, Milano 1989.

[61] L. BOZZO, *Strategie del sapere e decisione strategica*, in C. JEAN (a cura di), *Sicurezza e difesa. Fattori interni ed internazionali*, Milano 1986, 193.

[62] Questa, secondo M. Howard, segna l'origine di una frattura nella comunità degli addetti

agli studi strategici: cfr. M. Howard, *Nuclear Danger and Nuclear History*, «International Security», XIV (1989), n. 1, 177.

[63] Cfr., in un'ormai troppo vasta bibliografia, P.A.C. Koistinen, *The Military-Industrial Complex. An Historical Perspective*, New York 1980. Sul rapporto dei centri di potere con quelli di ricerca cfr. P. Dickson, *Think-tanks*, New York 1972; e F. Kaplan, *Wizards of Armageddon*, New York 1973. Per una interessante, e critica, valutazione dell'effettivo impiego da parte dell'establishment militare americano dei risultati della ricerca sociale, cfr. M. Janowitz, *Consequences of Social Science Research on the U.S. Military*, «Armed Forces and Society», VIII (1982), n. 4.

[64] U. Gori, *Origine e sviluppo delle ricerche sulla pace*, in U. Gori (a cura di), *Natura e orientamenti delle ricerche sulla pace*, Milano 1979, 39.

[65] *Ivi*, 40.

[66] Su cui cfr. L. Bonanate (a cura di), *Il sistema delle relazioni internazionali*, Torino 1976, ed in genere la sua ampia bibliografia. Cfr. ora anche il *reader* di L. Bonanate, C.M. Santoro (a cura di), *Teoria e analisi della relazioni internazionali*, Bologna 1990.

[67] Cfr. A. Corvisier, *Histoire militaire*, in Id. (a cura di), *Dictionnaire d'art et d'histoire militaires*, cit.

[68] Cfr. la annuale «War and Society Newsletter»; ed ora la serie di volumi, tutti editi prima presso la Lancaster University Press e poi rieditі come «Fontana History of European War and Society» presso l'omonima casa editrice britannica, curati da Geoffrey Best. I volumi sono stati firmati da J.R. Hale, M.S. Anderson, G. Best, V. Kiernan e B. Bond (e solo parzialmente tradotti in Italia, peraltro presso diverse case editrici, rompendo quindi l'originaria idea di collana) e costituiscono nel loro insieme una sorta di manuale a livello universitario per i corsi di storia in *war and society*.

[69] Cfr. ad esempio gli interventi raccolti in *What is Military History?*, «History Today», 1986, n. 1; A. Martel, *Le renouveau de l'histoire militaire en France*, «Revue historique», CCXLV (1970), n. 1; *La storiografia militare italiana negli ultimi venti anni*, Milano 1985 (con saggi di G. Rochat, P. Del Negro, L. Ceva *et al.*).

[70] Cfr. M. Howard, *The Franco-Prussian War*, London 1961, e Id., *Studies in War and Peace*, London 1970; B. Bond, *The Victorian Army and the Staff College, 1854-1914*, London 1972; J. Gooch, *The Plans of War. The General Staff and British Military Strategy 1900-1916*, London 1974; H. Strachan, *European Armies and the Conduct of War*, London 1983.

[71] Cfr. A. Marwick, *War and Social Change in the Twentieth Century. A Comparative Study of Britain, France, Germany, Russia and United States*, London 1974; il suo intervento in N.F. Dreisziger (a cura di), *Mobilization for Total War. The Canadian, American, and British Experience. 1914-18, 1939-45*, Waterloo, Ont. 1981; A. Marwick (a cura di), *Total War and Social Change*, New York 1988.

[72] Cfr. le numerose opere di A. Corvisier dal suo *Une source d'histoire sociale de l'Ancien Régime: les archives des corps de troupes*, Paris 1955, alla recente silloge Id., *Les hommes, la guerre et la mort*, Paris 1985; J. Maurin, *Armée-guerre-societé. Soldats languedociens. Etude politique et sociale (1889-1919)*, Paris 1982; e E. Le Roy Ladurie, N. Berageau, Y. Pasquet, *Le conscrit et l'ordinateur. Perspectives de recherche sur les archives militaires du XIXe siecle français*, in «Studi storici», 1969, n. 2.

[73] Cfr. F. Fischer, *Griff nach der Weltmacht*, Düsseldorf 1961 (tr. it., *Assalto al potere mondiale. La Germania nella guerra 1914-1918*, a cura di Enzo Collotti, Torino 1965); W. Deist, *The Wehrmacht and German Rearmament*, London 1981. Per una densa rassegna degli studi sulla Prima Guerra Mondiale cfr. M.H. Geyer, *World War I and German Society. Perspectives of Research within the last Decade*, «Ricerche storiche», di prossima pubblicazione.

[74] Cfr. E. Krippendorff, *Il ruolo dei militari nella formazione degli Stati nazionali*, in G. Pasquino, F. Zannino (a cura di), *Il potere militare nelle società contemporanee*, Bologna 1985; e Id., *Il sistema militare: Proposte di ricerca*, «Giano», 1989, n. 2.

[75] Cfr. P. Pieri, *Guerra e società negli scrittori italiani*, Milano 1955, e Id., *Storia militare del Risorgimento. Guerre e insurrezioni*, Torino 1962; G. Rochat, *L'esercito italiano da Vittorio Veneto a Mussolini (1919-1925)*, Bari 1967, e G. Rochat, G. Massobrio, *Breve storia dell'esercito italiano dal 1861 al 1943*, Torino 1977; P. Del Negro, *La leva militare in Italia dall'unità alla grande guerra*, in Id., *Esercito, stato, società. Saggi di storia militare*, Bologna 1979.

[76] Cfr. recentemente, dopo gli studi di Paret, Howard ed Aron, il fasc. monografico su *Clausewitz and Modern Strategy*, «Journal of Strategic Studies», IX (1986), nn. 2-3. In Italia, oltre agli studi di Passerin d'Entreves e di M. Mori, ed al volume di L. Rizzi, cfr. *Carl von Clausewitz: lo Stato e la guerra*, «Quaderni Forum», 1989, n. 1, con introduzione di F. Cerutti (e cfr. *ivi* anche le osservazioni di L. Bozzo sul carattere spesso improprio delle etichette di «clausewitziano» e «anticlausewitziano» nel recente dibattito strategico internazionale).

[77] Cfr. J. Baylis, *Anglo-American Defence Relations. The Special Relationship*, London 1981, 1984³; ma cfr. anche C.S. Maier, *Marking Time. The Historiography of International Relations*, cit.

[78] Cfr. P. Paret, *Introduzione*, in questo volume, p. 38.

[79] *Ivi*, p. 39.

[80] P. Paret, *Napoleone e la rivoluzione della guerra*, in questo volume, p. 58.

[81] Cfr. J. Shy, *Jomini*, in questo volume, pp. 62, 74, 81.

[82] G.E. Rothenberg, *Maurice of Nassau, Gustavus Adolphus, Raimondo Montecuccoli, and the «Military Revolution» of the Seventeenth Century*, in P. Paret (a cura di), *Makers of Modern Strategy. From Machiavelli to Nuclear Age*, Princeton 1986, 36.

[83] G.E. Rothenberg, *Moltke, Schlieffen e la dottrina dell'aggiramento strategico*, in questo volume, pp. 129s.

[84] Cfr. M. Howard, *Uomini di fronte al fuoco. La dottrina dell'offensiva nel 1914*, in questo volume, pp. 226 e 228.

[85] Cfr. C.M. Santoro, *I nuovi falchi. La quarta generazione del pensiero strategico americano*, «Teoria politica», I (1985), n. 1, 234-237.

[86] Cfr. G.A. Craig, F. Gilbert, *Riflessioni sulla strategia nel presente e nel futuro*, in questo volume, p. 407s.

[87] Cfr. in genere L. Freedman, *Le prime due generazioni di strateghi nucleari*, in questo volume.

[88] G.A. Craig, *Delbrück: The Military Historian*, in P. Paret (a cura di), *Makers of Modern Strategy. From Machiavelli to Nuclear Age*, cit., 341, 353.

[89] Cfr. M. Howard, *War and the Nation State*, Oxford 1977, ora in Id., *The Causes of War. And Other Essays*, London 1983. Diversa, e forse troppo larga, è l'accezione del termine in C. Jean, *Studi strategici*, Milano 1990, 36-38, che determina come «realista» — nel senso de «la dottrina del realismo politico (detta anche dell'equilibrio di potenza o "balance of power")» — ogni atteggiamento che non sia «militarista», «marxista-leninista», «della ricerca della pace», «cattolico».

[90] Così B. Bond, M. Alexander, *Liddell Hart e de Gaulle. La dottrina della disponibilità limitata e della difesa mobile*, in questo volume, p. 233.

[91] J.S. Nye, Jr., G.T. Allison, A. Carnesale, *Analytic Conclusions: Hawks, Doves, and Owls*, in Id. (a cura di), *Hawks, Doves, and Owls. An Agenda for Avoiding Nuclear War*, New York, Norton 1985, 211-212. Il volume promanava dalla John F. Kennedy School of Government. Anche L. Bonanate, recensendo *The Causes of War* di M. Howard, uno studioso cui questa etichetta è parsa a molti adatta (cfr. D.C. Skaggs, *Of Hawks, Doves, and Owls. Michael Howard and Strategic Policy*, «Armed Forces and Society», XI (1985), n. 4), definiva il suo autore come all'incirca «a destra di Thompson, a sinistra di Gray». Cfr. «Teoria politica», I (1985), n. 2, 262s.

[92] Lo ha segnalato S.M. Walt, *The Search for a Science of Strategy*, «International Security», XII (1987), n. 1.

[93] Cfr. M. Howard (a cura di), *Restraint of War. Studies in the Limitation of Armed Conflict*, Oxford 1979; e G. Best, *Humanity in Warfare*, London 1980.

[94] Cfr. L. Bonanate, *Guerra e pace. Dal progresso come promessa al progresso come minaccia di distruzione*, Milano 1987, un esame di largo e profondo respiro delle concezioni e delle teorie sulla guerra.

[95] Cfr. G.A. Craig, *Il leader politico in quanto stratega*, in questo volume, pp. 189, 190, 197s., 212.

[96] Ma cfr. — oltre al citato antisovietismo pregiudiziale di Carver — l'accenno di F. Gilbert, *Machiavelli: The Renaissance of the Art of War*, in P. Paret (a cura di), *Makers*, cit., 29, alla opportunità di modellare le istituzioni politiche in accordo alle esigenze militari; l'esaltazione

di Montecuccoli da parte di G.E. Rothenberg, *Maurice of Nassau, Gustavus Adolphus, Raimondo Montecuccoli, and the «Military Revolution» of the Seventeenth Century*, cit., 53, perché teorico militare *combattente*; l'equiparazione (e non subordinazione) del capo di Stato Maggiore Moltke al cancelliere Bismarck in G.E. Rothenberg, *Moltke, Schlieffen e la dottrina dell'aggiramento strategico*, cit., 299; l'assoluzione dei militari tedeschi avanti la Grande Guerra dalle loro responsabilità, sempre in *ivi*, 316; gli accenni critici alla scuola del controllo degli armamenti da parte di D. MacIsaac, *Voci dal profondo blu. I teorici del potere aereo*, in questo volume, pp. 257ss.; la difesa dei militari USA impegnati nella guerra del Vietnam (di cui si parla senza mai nominare il termine «sconfitta»), sempre in *ivi*, 645; ed in genere certe affermazioni del saggio sulla «guerra rivoluzionaria» in cui, più che quella dell'accademico Shy, pare sentirsi la penna di Collier, reduce del Vietnam ed insegnante a West Point.

[97] P. Worsley, *Ritirata imperiale*, in E.P. Thompson *et al.*, *Uscire dall'apatia* (1960), Torino 1963, 113-114.

[98] Per tale ragione si rimanda all'edizione statunitense curata d P. Paret per i contributi di F. Gilbert, *Machiavelli: The Renaissance of the Art of War*, cit.; di G.E. Rothenberg, *Maurice of Nassau, Gustavus Adolphus, Raimondo Montecuccoli, and the «Military Revolution» of the Seventeenth Century*, cit.; di H. Guerlac, *Vauban: The Impact of Science on War*, cit.; e di R.R. Palmer, *Frederick the Great, Guibert, Bülow: From Dynastic to National War*, cit.

[99] Rispetto all'edizione curata da Earle, nel *Makers* di Paret sono comparsi pressoché inalterati i saggi citati di Guerlac su Vauban, di Palmer su Federico il Grande e di Earle su Adam Smith. Sono stati parzialmente riscritti i saggi di Gilbert su Machiavelli, di S. Neumann su Marx ed Engels (a cura di M. von Hagen), di H. Holborn su Moltke il vecchio (a cura di P. Paret), di Craig su Delbrück.

[100] Gli altri interventi per cui si rimanda all'edizione statunitense sono quelli di W. Pintner, *Russian Military Thought: The Western Model and the Shadow of Suvorov*; D. Porch, *Bugeaud, Galliéni, Lyautey: The Development of French Colonial Warfare*; R. Weigley, *American Strategy from its Beginnings through the First World War*; M. Geyer, *German Strategy in the Age of Machine Warfare*; C. Rice, *The Making of Soviet Strategy*; M. Matloff, *Allied Strategy in Europe, 1939-1945*; D.C. James, *American and Japanese Strategy in the Pacific War*.

[101] Per un esame cfr. *Bibliografia italiana di storia e studi militari 1960-1984*, a cura del Centro Interuniversitario di Studi e Ricerche Storico-Militari, Milano 1987; N. Labanca, *Bibliografia di storia militare 1983-84*, «Memorie storiche militari», Roma 1984 (e le successive, in «Studi storico-militari», Roma 1985-); ed in genere a «War and Society Newsletter», London-Freiburg 1985-.

Sempre più numerosi i convegni ed i seminari di studi storici relativi a questi temi: cfr. fra gli altri C. Malandrino (a cura di), *Pace e guerra nella storia del socialismo internazionale*, Torino 1984; e L. Cortesi (a cura di), *Guerra e pace nel mondo contemporaneo*, Napoli 1985.

[102] Manca ancora una specifica rassegna critica della fioritura degli studi strategici italiani di quest'ultimo decennio. Tra le opere più dibattute cfr. le annate della torinese «Strategia globale» (del Centro Studi Manlio Brosio, diretta da Edgardo Sogno); e la serie di raccolte di saggi curate dal generale Carlo Jean, fra cui *Il pensiero strategico*, Milano 1985, *Sicurezza e difesa. Fattori interni ed internazionali*, cit., *La guerra nel pensiero politico*, Milano 1987.

Alcuni interventi (V. Ilari, C. Jean, A. de Robertis, F. D'Amoja, O. Barié) sul rapporto fra storia militare, studi strategici e storia delle relazioni internazionali si trovano in M. Nones (a cura di), *L'insegnamento della storia militare in Italia*, Genova 1989. Per una discussione critica ed un'ampia bibliografia cfr. L. Bonanate, *Relazioni internazionali*, in Id. (a cura di), *Studi internazionali*, Torino 1990.

È aggiornata sino alla metà degli anni Ottanta la *Bibliografia italiana di storia e studi militari 1960-1984*, cit.; e dal 1985 la migliore produzione italiana è segnalata su «War and Society Newsletter».

[103] Cfr. anche in italiano E.P. Thompson, *Protestare per sopravvivere*, Napoli 1982.

[104] Cfr. F. Armao, *La guerra: problemi di metodo e definizione*, in «Rivista italiana di scienza politica», XX (1991), n. 1, che tende ad opporre volta a volta realisti ad idealisti, impostazioni tradizionali ad impostazioni scientifiche, neorealisti a neoliberali; e M. Cesa, *Sicurezza e relazioni internazionali: il paradigma realista rivisitato*, in *ivi*, XX (1991), n. 2.

[105] G.A. Craig, *Delbrück: The Military Historian*, cit., 326.

[106] C.C. MOSKOS, *Morris Janowitz*, «Armed Forces and Society», XV (1989), n. 2, 163.

[107] N. BOBBIO, *Non aprì una nuova era*, «La stampa», 6 agosto 1985, ora in ID., *Il terzo assente. Saggi e discorsi sulla pace e la guerra*, cit., 220. Cfr. per analoghi interrogativi ID., *Una guerra giusta? Sul conflitto del golfo*, Venezia 1991.

Desidero ringraziare Luciano Bozzo e Rodolfo Ragionieri per le utili discussioni che hanno facilitato il mio lavoro. Ad Andrea Curami, Enzo Ferrante, Anna Loretoni e Lorenza Sebesta sono debitore di specifici controlli per la traduzione dei termini tecnico-militari.

Introduzione all'edizione italiana

di Peter Paret

Troppo spesso la storia dei conflitti armati, della riflessione e delle scelte strategiche è studiata in un artificiale isolamento, che limita la nostra comprensione non solo della guerra, ma anche del suo più ampio contesto storico. Quando i miei collaboratori ed io abbiamo iniziato a lavorare per un nuovo *Makers of Modern Strategy*, moderno erede del pionieristico volume apparso durante la Seconda Guerra Mondiale e divenuto un classico nel mondo anglo-americano, il nostro scopo principale è stato quello di esplorare la stretta interazione dei fattori politici, sociali ed economici con il pensiero e la politica militare del passato. Di conseguenza, ci siamo avvicinati al nostro tema con una prospettiva assai ampia, in genere più ampia di quella di coloro che ci avevano preceduti quasi mezzo secolo prima. Eppure, nel ristretto ambito di un saggio, una vera integrazione — che vada oltre la superficie — degli elementi militari e di quelli non militari della storia può essere raggiunta solo se l'autore si concentra su un lato dell'equazione (la storia della strategia, nel nostro caso), indicando i suoi legami con gli altri aspetti, seppur non discutendoli esaustivamente. Il lettore, seguendo queste linee e sviluppandole con la propria riflessione, diviene un collaboratore dell'autore, in una comune impresa di comprensione storica.

L'edizione statunitense del nuovo *Makers of Modern Strategy* e la sua recente traduzione giapponese hanno avuto la buona sorte di essere favorevolmente accolte dai rispettivi pubblici. I miei colleghi ed io salutiamo con piacere l'occasione di vedere il nostro lavoro reso disponibile al lettore italiano in questa versione, intelligentemente preparata ed attentamente tradotta.

Introduzione

di Peter Paret

Carl von Clausewitz definì «strategia» l'uso del combattimento, o della minaccia del combattimento, per il fine della guerra in cui esso ha luogo. La formulazione, potrebbe apparire ad uno storico contemporaneo rivoluzionaria ed al tempo stesso arditamente semplicistica, potrebbe essere corretta od allargata senza difficoltà[1]. Lo stesso Clausewitz, non dando grande importanza alle definizioni assolute, variò il significato di «strategia» a seconda degli argomenti affrontati. Strategia è l'uso della forza armata per raggiungere obiettivi militari e, per estensione, lo scopo politico della guerra. Per coloro che sono impegnati nella direzione e nella condotta della guerra, la strategia è apparsa più semplicemente — per usare le parole di Moltke — un sistema di accorgimenti, di espedienti. Ma la strategia è anche basata su — e può comprendere — lo sviluppo, il controllo intellettuale e l'utilizzazione di tutte le risorse di uno Stato, allo scopo di sostenere la propria politica in guerra. È in ambedue i sensi — nell'accezione più angusta ed operativa, come nelle sue implicazioni più ampie — che il termine viene impiegato in questo volume.

Il pensiero strategico è inevitabilmente assai pragmatico. Esso dipende dalle realtà della geografia, della società, dell'economia e della politica, oltre che da altri più variabili fattori, i quali tutti insieme danno origine a quei problemi ed a quei conflitti che la guerra è chiamata a risolvere. Lo storico della strategia non può ignorare queste forze. Egli deve analizzare i diversi contesti della strategia ed il modo in cui contesti ed idee interagiscono, mentre traccia il percorso da idea a dottrina, a realizzazione: una progressione che a sua volta darà origine ad altre idee. La storia del pensiero strategico è storia di una ragione non pura, ma applicata. Di conseguenza, i saggi di questo volume vanno ben al di là della teoria ed affrontano molti dei fattori militari e non militari che contribuiscono a dare un profilo alla guerra. In modi diversi, dimostrano la stretta interrelazione fra pace e guerra, i legami tra società ed istituzioni militari e politica; tuttavia, la trama del pensiero strategico li attraversa tutti. I vari contributi esplorano le riflessioni di militari e civili intorno all'applicazione più efficace delle risorse militari delle loro società: come può il potenziale di combattimento disponibile, o potenzialmente disponibile, essere utilizzato al meglio? Poste queste riflessioni, i saggi passano poi alla questione successiva: che impatto ha avuto la teoria strategica sulle guerre e sui periodi di pace che sono ad esse seguiti?

I

L'idea di questo volume, e parte della sua realizzazione, derivano da un'opera precedente. Nel 1941, Edward Mead Earle organizzò un seminario sulla politica estera americana e sui suoi aspetti militari all'Institute of Advanced Study and Princeton University. Il seminario portò ad un'antologia di ventuno saggi sul «pensiero militare da Machiavelli a Hitler» che Earle, con l'aiuto di Gordon A. Craig e Felix Gilbert, fece uscire due anni più tardi sotto il titolo di *Makers of Modern Strategy*. Uno degli aspetti notevoli del volume era la fiducia di curatori ed autori che nel mezzo di una guerra mondiale la storia del pensiero strategico meritava una seria ed ampia attenzione. Ai loro occhi, i problemi del presente non diminuivano l'importanza del passato. Al contrario, la storia sembrava allora particolarmente rilevante. Nella sua introduzione, Earle affermò che scopo del volume era «spiegare il modo in cui la moderna strategia della guerra si era sviluppata, nella convinzione che la conoscenza del migliore pensiero militare permetterà [...] ai lettori di comprendere le cause della guerra ed i fondamentali principi che governano la condotta della guerra». E aggiunse: «noi crediamo che un'eterna vigilanza su tali materie sia il prezzo della libertà. Crediamo anche che se avremo una pace durevole dovremo avere una chiara comprensione del ruolo che le forze armate giocano nella società internazionale. E non sempre abbiamo avuto tale comprensione»[2].

L'impatto su queste parole del momento in cui esse furono scritte appare evidente. Una società che fino a non molto tempo prima aveva prestato scarsa attenzione ad eventi che accadessero al di là delle proprie frontiere stava allora combattendo nella più grande guerra di tutti i tempi. Poteva essere scontato un nuovo interesse a studiare ed imparare intorno alla guerra, intorno a questioni che erano state ignorate, ma che allora dominavano la vita pubblica, anche un interesse che guardasse al conflitto in una prospettiva storica non solo nei suoi fattori politici ed ideologici, ma anche in quelli militari. E, analogamente, faceva parte dell'atmosfera in cui i saggi furono scritti la fiducia non solo nella necessità, ma anche nella possibilità del fatto che la cittadinanza comprendesse le ragioni decisive della guerra. *Makers of Modern Strategy* fu a quel tempo un contributo scientifico dell'arsenale della democrazia nel senso migliore di quel termine: una risposta seria e fondamentalmente ottimistica alle richieste intellettuali degli Stati Uniti d'America in guerra e sulla soglia di essere potenza mondiale.

Un ulteriore aspetto notevole del volume consiste nel fatto che la sua origine ed i suoi scopi all'interno del periodo bellico non compromisero la sua obiettività scientifica. I contributi erano diversi per qualità, sebbene il livello fosse assai elevato, ma nessuno fu macchiato da sciovinismo o fu strumento di denigrazione degli avversari del momento; perfino i saggi sulla *Japanese Naval Strategy* e su *The Nazi Concept of War* mantennero un'esemplare onestà intellettuale. Non c'è dubbio che questa sia stata una ragione dell'ininterrotto successo del volume, anche decenni dopo che la guerra era finita. Esso ha così offerto a due generazioni di lettori una ricca fonte di conoscenza e di spunti di analisi; per alcuni, assai probabilmente, ha costituito l'unico incontro con uno studio sofisticato della guerra, contrapposto a quelle sue varianti più rumorose [*drum-and-bugle variety*].

Makers of Modern Strategy è divenuto un classico moderno. Il fatto che i saggi sulla Seconda Guerra Mondiale furono presto superati dagli eventi non indebolì il suo impatto più generale. Nessun volume di questo tipo poteva resistere fino ad oggi: più importante era il fatto che esso definiva ed interpretava momenti cruciali di fasi precedenti dell'evoluzione del pensiero strategico, mostrava le loro connessioni con la storia generale — che persino molti storici tendevano ad ignorare — e collocava i persistenti problemi del rapporto fra guerra e pace in un'ampia prospettiva storica. Inevitabilmente, però, con il tempo, il volume nel suo complesso divenne meno soddisfacente. Dalla sconfitta di Germania e Giappone e dall'avvento dell'età nucleare, l'analisi strategica si era mossa verso nuove mete, mentre la ricerca storica aveva continuato a trasformare e ad approfondire la nostra conoscenza del più lontano passato. Un sostituto per *Makers of Modern Strategy* è adesso divenuto desiderabile.

Preparando il nuovo volume non abbiamo voluto scardinare il modello del precedente. Non tentiamo qui di essere esaustivi o di offrire un'uniformità interpretativa. Agli autori dei singoli saggi non è stato chiesto di usare un particolare schema teorico; ognuno approccia il proprio argomento a partire dal proprio punto di vista. Come nel precedente, anche qui figure e momenti significativi nella storia della strategia hanno dovuto essere escluse se il volume voleva mantenere dimensioni — pur già notevoli — ragionevoli. Comunque i saggi, legati cronologicamente e spesso tematicamente, offrono al lettore una guida alla teoria strategica ed alle idee sull'uso della violenza organizzata, sino ad oggi.

Per concludere questa breve comparazione fra i due volumi, può essere appropriato notare alcune delle differenze tematiche più significative. In generale sullo stesso argomento, il nuovo volume assume una prospettiva storica in qualche modo più ampia. Earle avrebbe preferito contenere se stesso ed i suoi collaboratori nell'analisi dei maggiori pensatori, sebbene la natura dell'oggetto del volume lo abbia costretto ad ampliare l'orizzonte. Poiché gli Stati Uniti non avevano «prodotto un Clausewitz», gli unici militari americani esaminati nel primo volume furono Mahan e Mitchell. Altri personaggi americani ed europei non furono inclusi «o perché furono più tattici che strateghi o perché non lasciarono in credito ai posteri un insieme coerente di una dottrina strategica». Quest'ultima considerazione spiegò anche l'assenza di un saggio su Napoleone. Nella sua introduzione, Earle scrisse che Napoleone «lasciò testimonianze della sua strategia sui campi di battaglia (se escludiamo alcune scontate massime); perciò egli è rappresentato qui dai suoi interpreti Clausewitz e Jomini». Si tratta di un punto di vista troppo selettivo. Conviene preservare la differenza fra strategia e tattica, ma la strategia non è esclusivamente — né soprattutto — l'opera di grandi intelletti, intenti a declinare le proprie teorie. Anche se Napoleone non scrisse un trattato complessivo con le proprie idee sulla guerra e sulla strategia, esse meritano di essere studiate, e non solo attraverso le inframmettenze degli schermi interpretativi di Clausewitz e Jomini[3]. È dunque per tale ragione che in questo volume, compare un saggio su Napoleone. Si deve anche ammettere, tuttavia, che la strategia napoleonica non fu creata dal solo imperatore. Essa fu resa possibile perché egli ebbe il genio e l'obbligo di combinare e sfruttare le idee e le scelte di altri. Alcuni di questi personaggi, alcune di queste forze che — come la coscrizione — non possono essere identificate con alcun personaggio in particolare, appartengono alla storia della strategia e vengono qui esaminate. Come uno degli autori dei saggi qui raccolti ha commentato, per via dell'ampliato obiettivo storiografico, questo nuovo volume potrebbe più appropriatamente essere intitolato *The Making* (piuttosto che *The Makers*) *of Modern Strategy*.

II

I problemi ed i conflitti del tempo in cui questo nuovo volume appare sono ben diversi da quelli che avevano dato origine al precedente. La necessità di comprendere la guerra è, se possibile, ancora maggiore oggi, di quanto lo fosse nel 1941. Ma l'enormità dei problemi ha inibito, oltre che incoraggiato, il loro studio. Molti hanno reagito al potere distruttivo delle armi nucleari rigettando il concetto di guerra in generale, e di conseguenza crede che la natura della guerra in sé non richieda ulteriori ricerche. È stato anche sostenuto che le armi nucleari hanno reso irrazionale ed impossibile ogni guerra: una negazione della realtà che dà la misura di un'ansia particolare, divenuta parte integrante della vita contemporanea. Sino ad oggi, l'età nucleare ha fatto spazio ad ogni possibile tipo di guerra condotta con armi non nucleari, dal terrorismo e dalle azioni di guerriglia, alle operazioni aeree a grande distanza alle campagne di carri armati. Ed anche nel regno dell'impensabile — come dimostrano le teorie della deterrenza nucleare — la strategia e la necessità di studiarla non sono scomparse.

Un *continuum* — per quanto intermittente e dialettico — lega le strategie precedenti il 1945 a quelle, successive, della guerra convenzionale. Il legame è meno evidente, più ambiguo, fra la strategia dell'età prenucleare e quella nucleare. Vi è chi ha sostenuto che, almeno per quanto riguarda il conflitto nucleare, tutto ciò che concerne il periodo al di qua dell'avvento nucleare sia nuovo. La tecnologia è certamente nuova, ma l'uomo e le sue idee, nonché le strutture sociali e politiche sono assai poco mutati. Stati e forze armate che dispongono di arsenali nucleari sono fatti di uomini e di donne che non sono ancora molto diversi dai loro genitori e dai genitori di questi.

In tali condizioni di crisi e di parziale discontinuità, quando così tante delle nostre precedenti esperienze sembrano essere poco utili, questo volume solleva la questione dell'importanza [*relevance*] in maniera ancora più forte del suo predecessore. Edward Mead Earle non aveva alcun dubbio che una comprensione della guerra e della sua storia avrebbe aiutato il lettore nel suo rapporto con la guerra del presente. Non tutti — certo non tutti gli storici — condividerebbero la sua fiducia nella contemporanea importanza della storia. Non solo ogni età è unica nella sua combinazione di condizioni, problemi e personaggi; talvolta una profonda rivoluzione nelle tecnologie, nelle credenze o nell'organizzazione politica e sociale pare segnare una rottura con la storia e, secondo alcuni, riduce la sua importanza a quella di una sciocca letteratura. Molto dipende, comunque, da ciò che si intende per importanza. Il passato — anche se possiamo essere fiduciosi nel riuscire ad interpretarlo con grande accuratezza — raramente offre lezioni dirette. Pretendere quel tipo di importanza significa ingannarsi. Ma la storia in quanto memoria colta di ciò che è accaduto è una risorsa che non conviene abbandonare a cuor leggero. Negli affari di una nazione e nelle relazioni fra Stati, come nella vita degli individui, il presente ha sempre una dimensione passata, che è meglio conoscere piuttosto che ignorare o negare. Ed anche se possiamo vedere il presente solo nei suoi termini superficiali, ci rimane ancora il più grande valore che la storia ha da offrire: la sua capacità, attraverso la chiarificazione e l'attribuzione di un senso al passato, di aiutarci a pensare il presente ed il futuro.

Il fenomeno della guerra può essere meglio compreso studiandone il passato. Questo è l'unico messaggio del volume. La storia della guerra, tuttavia, dovrebbe anche essere studiata per comprendere il passato in se stesso. Gli storici sono stati talvolta riluttanti nel riconoscere questa necessità; sebbene non possano negare che la guerra sia stata una realtà fondamentale dell'esistenza sociale e politica, dai primi stadi dell'organizzazione politica sino al giorno d'oggi, la guerra è così tragica e così conturbante, sia razionalmente sia emotivamente, che hanno avuto la tendenza a metterla da parte nelle loro ricerche. Nell'educazione degli storici e nell'insegnamento della storia, particolarmente negli Stati Uniti, la guerra non è mai stata l'argomento favorito. Un risultato è stato quello di lasciare uno spazio troppo grande ad una letteratura popolare, essenzialmente romantica, sulla guerra: una letteratura che non spiega niente, ma risponde rozzamente al fascino che il passato ed il presente della guerra esercitano sulla nostra immaginazione e sul nostro desiderio di comprensione. Questo volume cerca di suggerire l'utilità di integrare la storia del pensiero e della politica militare con la storia generale.

I saggi che seguono hanno come argomento comune il ruolo della forza nelle relazioni tra gli Stati. Tutti riconoscono che la guerra non è mai stata, e non è oggi, un fenomeno unitario né completamente militare, ma un insieme di molti elementi, dalla politica alla tecnologia, ai sentimenti umani sottoposti alla massima pressione. La strategia è solo uno di questi elementi, anche se di grande rilievo in taluni momenti. Alcuni saggi ripercorrono le idee e le azioni di generazioni precedenti, guardano a come queste usarono ed abusarono della guerra; altri analizzano il pensiero e la politica militare nel passato molto recente e nel presente. Il volume è in larga parte storico: ma anch'esso si indirizza e — come fece il suo precedente — è dedicato alla perdurante causa di una «più larga comprensione della guerra e della pace».

[1] Michael Howard, *The Forgotten Dimensions of Strategy*, «Foreign Affairs», 1979, ora in Id., *The Causes of War*, Cambridge, Mass. 1984², 101.

[2] E.M. Earle, *Introduction*, in E.M. Earle (a cura di), *Makers of Modern Strategy*, Princeton 1943, viii.

[3] *Ivi*, ix.

Parte prima

Napoleone e la rivoluzione della guerra

di Peter Paret

Alla fine dell'estate del 1805, un ulteriore tentativo espansionistico della Francia sembrava essere stato arrestato. Il fallimento della Marina francese nel controllare la Manica, anche per pochi giorni, pose l'Inghilterra al riparo da invasioni. L'Austria stava concentrando notevoli forze a Nord di Venezia, nel Tirolo e nella Germania meridionale per bloccare ogni minaccia francese all'Europa centrale, forse anche per prendere l'offensiva e riguadagnare l'Italia settentrionale. Dalla Polonia le prime divisioni russe stavano muovendo in aiuto dell'Austria ed a Nord la Prussia — corteggiata dallo zar, ma ancora neutrale — si stava mobilitando. Le forze combinate della Terza Coalizione, sebbene non ancora completamente operative, promettevano di creare le basi per un nuovo equilibrio europeo.

Il 23 agosto, Napoleone mutò il suo obiettivo militare. I 176.000 uomini della *Grande Armée* lasciarono le coste della Manica, traversarono il Reno nell'ultima settimana di settembre, avanzarono verso il Danubio facendosi strada attraverso la Germania meridionale con alleanze frettolosamente negoziate e minacciarono le linee austriache di comunicazione con Vienna e con l'esercito russo in Moravia. La posizione avanzata austriaca di Ulm fu aggirata; il 19 ottobre 33.000 uomini si arresero. Senza combattere una grande battaglia, la *Grande Armée* entrò a Vienna il 13 novembre ed andò avanti al di là della città per raggiungere gli Austriaci ed i Russi — adesso uniti — prima che i rinforzi li rendessero troppo forti per essere attaccati. Tre settimane più tardi, la pace di Pressburg staccò l'Austria dalla Terza Coalizione, portò Venezia alla Francia e fece di quest'ultima la potenza dominante nell'Europa centrale.

Tali eventi non avevano corrispettivi nelle guerre precedenti. Le dimensioni degli eserciti avversari erano semplicemente insolite; ma la velocità e la portata delle operazioni francesi furono uniche, e,altrettanto, la presa dell'imperatore sulla diplomazia e la sua forza nel distruggere, nel giro di qualche mese, il tradizionale equilibrio continentale. La meraviglia tra i governi e i militari fu profonda; ne derivarono scoraggiamento e confusione che l'anno seguente contribuirono a distruggere l'esercito prussiano a Jena e ad Auerstadt ed a portare il potere francese ai confini della Russia.

Osservatori posteriori giudicarono il risultato della campagna del 1805 meno sorprendente. Clausewitz annotò nel suo *Vom Kriege* «l'esile trama di schemi strategici scientifici, ma estremamente deboli» i quali si irradiavano dalla posizione austriaca di Ulm, e commentò che una simile rete avrebbe potuto catturare generali addestrati alle caute manovre tipiche del Settecento, «ma non era abbastanza forte per Bonaparte, Imperatore della Rivoluzione»[1].

Le sue parole rivelano la profonda meraviglia che aveva scosso l'Europa: il genio di un uomo, l'«Imperatore della Rivoluzione», che personificava e sfruttava l'eccezionale fusione di elementi sociali, politici, militari determinati dall'abolizione dell'*Ancien régime*, in Francia.

I

La Rivoluzione Francese coincise con una rivoluzione della guerra [*revolution of war*] che gli ultimi decenni della monarchia avevano preparato. Presto, le due si compenetrarono. Profondi mutamenti nella pratica e nelle istituzioni militari, alcuni già fermamente stabiliti sotto l'*Ancien Régime*, altri ancora incerti e sperimentali, furono adottati e sviluppati dalla Rivoluzione. Infondendovi la sua dinamica e collegandoli con la sua politica interna ed estera, di frequente violenta, la Rivoluzione allargò il raggio di queste innovazioni. L'esercito, i suoi bisogni ed i suoi valori, guadagnarono una nuova importanza nella vita della Francia, alfine riflessa nella scalata di un militare al supremo potere politico; ma già sotto la Convenzione ed il Direttorio, politica interna ed espansione estera andavano mano nella mano. Allo stesso tempo, la rivoluzione militare cessò di essere un fenomeno puramente francese. Le guerre combattute dai governi succedutisi in Francia dal 1792 in avanti assicurarono che non solo la trasformazione politica e sociale, ma anche quella militare si diffondessero in Europa.

La più importante di queste innovazioni, i cui precedenti francesi vanno cercati nella letteratura militare e politica dell'ultimo Illuminismo piuttosto che nella pratica della monarchia, fu l'adozione graduale da parte della Convenzione di una politica che, almeno in teoria, si avvicinava alla coscrizione universale. Essa produsse un grande aumento nel numero dei soldati, cosa che rafforzò la politica estera della Francia e permise ai comandanti francesi di combattere campagne più aggressive e costose, e più numerose. L'espansione ed il perfezionamento dell'amministrazione militare negli ultimi decenni della monarchia permisero di equipaggiare, spostare e mantenere le nuove forze. Il risultato dell'intenso dibattito sulla tattica di fanteria fin dalla guerra dei Sette Anni, il sistema misto di volteggiatori, colonne per la marcia e per l'attacco e formazioni lineari fu progressivamente giudicato come il più adatto agli eserciti rivoluzionari. La riforma dell'artiglieria reale da parte di Gribeauval, Du Teil ed altri sin dagli anni Sessanta diede alla Francia rivoluzionaria l'artiglieria più efficiente e mobile del tempo. Per la prima volta, la fanteria poté essere dappresso sostenuta dai cannoni in tutte le fasi del combattimento, fatto che aumentò in maniera significativa la forza d'urto degli eserciti francesi. Il rifornimento sul campo di un numero di truppe adesso assai vasto fu reso possibile, in parte, dall'unica rottura con la prassi settecentesca di cui la rivoluzione fu responsabile: spingere i militari alle requisizioni, sulla base del principio per cui *La guerre nourrit la guerre*. «Sapere [...] come drenare approvvigionamenti di ogni tipo dal paese che si occupa», scrisse Napoleone all'apice del suo successo, «costituisce una larga parte dell'arte della guerra»[2].

Il sistema di «vivere sul paese» fu facilitato dall'istituzionalizzazione di uno sviluppo che risaliva alla guerra dei Sette Anni e che si rivelò fondamentale nella strategia di Napoleone e nella sua condotta della battaglia: l'articolazione dell'esercito formalmente monolitico in divisioni e corpi d'armata permanenti, unità che combinavano fanteria, cavalleria, artiglieria e servizi. In campagna, queste ampie sub-unità si muovevano di solito per strade separate, ognuna responsabile della propria area, ma capaci di un aiuto reciproco. L'esercito schierato copriva molto terreno, cosa che rese più facile il mantenerlo ma anche, e soprattutto, permise alle sue parti componenti di muoversi più rapidamente, diede loro maggiore flessibilità e moltiplicò le possibilità operative del comandante in capo. L'espansione del proprio stato maggiore e la proliferazione di stati maggiori in subordine, avviata già nelle ultime campagne dell'*Ancien Régime* rese possibile il controllo di forze sempre più consistenti e lontane. Queste ed altre innovazioni rivoluzionarono gli assunti, le tecniche e la prassi di generazioni di militari europei. Esse mutarono radicalmente la condotta della guerra tra il 1792 ed il 1815 e stabilirono modelli rimasti in vigore per tutto il XIX secolo, ed oltre.

Sebbene l'effetto della rivoluzione della guerra sulle Guerre della Rivoluzione fosse stato drammatico, esso non fu così definito come si potrebbe pensare. Contro avversari che mobilitarono solo un segmento delle proprie forze e che, dopo il fallimento della spedizione politico-militare del duca di Brunswick a Valmy, nel 1792, combatterono solo per obiettivi limitati, la nuova Francia fece qualcosa di più che resistere. Ben presto gli eserciti francesi travolsero i Paesi Bassi austriaci e si spinsero in Renania. Ma poiché le sconfitte da loro subite non furono minori delle loro vittorie, non può dirsi che il risultato militare abbia premiato chiaramente i nuovi metodi. In parte ciò si dovette al fatto che gli eventi politici, dal 1799 in avanti, avevano seriamente minato l'organizzazione delle istituzioni militari del Paese. Era difficile rinforzare dal punto di vista numerico e velocemente l'esercito regio e trasformarlo in una forza che fosse sia efficiente, sia fedele al nuovo governo. Molte prove successive furono necessarie per padroneggiare i vari elementi della rivoluzione militare e per imparare ad integrarli sul campo. Nel frattempo, il rendimento delle armate francesi fu ineguale. In Italia, nel 1796, il nuovo sistema segnò per la prima volta un successo decisivo ed apparentemente irreversibile. Da allora, la coscrizione universale aveva reso l'esercito francese di gran lunga il più forte in Europa ed il più facile da tenere in forze; molti dei suoi ufficiali e delle sue truppe si erano abituati alle novità nell'organizzazione, nell'amministrazione e nella tattica. Eppure, l'evoluzione della guerra non spazzò tutto ciò che aveva di fronte. La guerra della Seconda Coalizione, che nel Mediterraneo si aprì con l'elusione del controllo della flotta britannica da parte di Napoleone e con il suo sbarco in Egitto, iniziò sul continente europeo con una serie di sconfitte francesi. Nell'estate del 1799 le conquiste di Napoleone del 1796 erano andate perdute; tutta l'Italia esclusa la costa ligure era di nuovo nelle mani degli alleati e gli Austriaci controllavano di nuovo la Germania meridionale. Se, alla fine, i Francesi trionfarono, fu solo dopo una lotta assai dura. La loro condotta della guerra fu indubbiamente superiore al vecchio sistema; ma anche con l'esperienza di una dozzina di campagne si trattò di una superiorità notevole, non assoluta.

Gli ambivalenti sforzi della rivoluzione della guerra giustificano i nostri interrogativi su quale avrebbe potuto essere il corso degli eventi successivi se Napoleone non avesse assunto il potere. Senza dubbio simili speculazioni hanno un valore limitato, ma soppesare alternative non realizzate può talvolta aiutarci a vedere più chiaramente la realtà storica. Tutto ciò che conosciamo sui più competenti colleghi e rivali di Napoleone — uomini come Carnot, Jourdan, Hoche, Masséna e Moreau — suggerisce che se Napoleone fosse stato ucciso prima di Tolone o catturato al largo della costa di Creta, in viaggio verso l'Egitto, la Francia avrebbe cessato od almeno avrebbe rallentato i propri sforzi di distruggere l'equilibrio europeo. Senza la sua insistenza sulle immense necessità delle guerre per tutta l'Europa, il governo si sarebbe probabilmente accontentato di assicurare le frontiere «naturali» della Francia: pur rappresentando queste una espansione già assai notevole del territorio francese. Se guerre ulteriori fossero state scatenate — e, particolarmente, se i combattimenti avessero avuto luogo lontano dalla Francia — quanto si sa dei più alti comandanti francesi indica che questi avrebbero conosciuto più sconfitte che vittorie. La Rivoluzione e la trasformazione della guerra avrebbero fatto della Francia il Paese più potente in Europa, ma un Paese integrato all'interno di quella comunità politica piuttosto che quello capace di dominarla e — quasi — abolirla.

In realtà, Napoleone comprese tutte le potenzialità della rivoluzione della guerra, scoprì come le sue componenti potessero essere attivate contemporaneamente — secondo le parole di Clausewitz egli corresse quelle imperfezioni tecniche delle innovazioni che sino ad allora avevano limitato la loro efficacia — e mettendo le risorse della Francia al servizio del nuovo sistema, per un po', diede ad esso una assoluta superiorità[3].

II

Rampollo di una famiglia della piccola nobiltà che si era fatto strada nell'esercito della Repubblica, Napoleone personifica la rivoluzione militare, con le sue radici nell'*Ancien Régime* e la sua intensificazione con gli eventi successivi al 1789. Non un riformatore in sé, egli fece uso dell'opera dei riformatori che i nuovi leader non avevano completamente capito o che non avevano potuto sfruttare compiutamente. Sono sufficienti due esempi. Dal Consolato in avanti, la coscrizione fu applicata in maniera più regolare e più estesa che nei primi anni Novanta. La divisione dell'esercito in comandi largamente autosufficienti, che nelle guerre della Rivoluzione spesso aveva significato la frammentazione dello sforzo, fu portata avanti da Napoleone; ma egli impose un controllo centrale assai più fermo sui diversi comandi ed infuse in loro la propria fiducia nei rapidi movimenti e nell'offensiva. Il risultato fu una nuova mobilità, che rese possibile la concentrazione di una forza superiore sul punto decisivo[4].

Se Napoleone usò le istituzioni ed i metodi allora esistenti, anche la sua strategia — in un certo senso — doveva molto ad altri. Secondo le parole del più attento e profondo studioso della guerra napoleonica, Jean Colin, le cui analisi ispirano ancora direttamente o indirettamente ogni serio lavoro sul tema, «Se consideriamo i più brillanti progetti di Napoleone e li confrontiamo con i corrispondenti piani dei suoi avversari, noteremo a fatica una differenza». E ancora: «I contemporanei di Napoleone compresero quanto lui i vantaggi dell'aggirare o colpire ai fianchi l'avversario»[5]. A marcare una differenza non era talvolta ciò che Napoleone fece o tentò di fare in campagna od in battaglia, ma come lo fece e come usò la battaglia in quanto punto focale e climax di quei piani strategici semplici, ma lungimiranti che la rivoluzione della guerra gli permetteva di portare avanti. «L'arte della guerra è semplice», credette fino alla fine della sua vita, «è tutta questione di esecuzione»[6].

Napoleone non scrisse mai un resoconto complessivo delle sue idee sulla guerra. Per discernere i suoi pensieri sull'organizzazione e l'amministrazione dell'esercito, sulla condotta delle campagne e sulla funzione della guerra nelle relazioni fra gli Stati, dobbiamo rivolgerci ad altri tipi di documentazione: le sue scelte e le sue azioni, i suoi numerosi, anche se disparati, scritti (memorandum, ordini e corrispondenza ufficiale, nonché studi retrospettivi, discussioni storiche e le lunghe memorie dettate a Sant'Elena per giustificarsi agli occhi dei suoi contemporanei e delle future generazioni). La valutazione degli eventi e della personalità che se ne ricava poteva cambiare marcatamente, poiché egli trasformò i suoi ricordi in leggenda, ma le sue opinioni sulla guerra in quanto tale variarono poco sin dalle prime campagne. Questa costanza non si estese sempre alla sua scelta dei termini. Poté parlare di principi primi o di elementi fondamentali della guerra (sebbene anche questi potessero cambiare a seconda dell'occasione); ma per «principio» o per «regola» non intendeva esattamente elementi ben definiti di una teoria sistematica, la cui validità egli negò in ogni caso. Piuttosto termini come *un principe génerale* o *une grande règle de la guerre* semplicemente conferivano una maggiore autorità ad osservazioni maturate dall'esperienza e da un ispirato senso comune. L'unico concetto che invariabilmente dominò le sue azioni fu l'essere in battaglia il più forte possibile, anche se ciò significava lasciare non sorvegliate le basi secondarie e le linee di comunicazione. Inevitabilmente, egli fraintese spesso le intenzioni o le azioni del nemico in determinate situazioni particolari, interpretò erroneamente le possibilità delle proprie truppe e, specialmente negli ultimi anni, poté esser tratto in inganno dalle proprie speranze e dalla propria gigantesca ambizione. Ma errori e debolezze non poterono limitare od offuscare la sua comprensione della guerra, che si distinse sempre per un apprezzamento profondo e brutale della realtà.

Un tentativo di tratteggiare le caratteristiche salienti della condotta della guerra di Napoleone a partire dalle sue azioni e dalle sue riflessioni può iniziare in maniera appropriata esaminandone il contesto e lo scopo politico, passando poi alla strategia ed alla battaglia e concludendo con qualche commento sulle qualità individuali di leadership di Napoleone.

Il fatto che tutte le guerre siano causate da decisioni politiche ed abbiano uno scopo politico — sia o meno quella politica realistica e possa o meno essere vista come desiderabile — non significa che ogni guerra sia necessariamente appropriata per conseguire la politica che essa serve. Storicamente i governi ed i consiglieri o comandanti militari hanno trovato difficile e spesso impossibile decidere su aspetti delle relazioni fra politica estera e guerra quali la proporzione delle risorse da mobilitare o la maniera in cui queste debbano essere impiegate. Già da giovane ufficiale, simili problemi fondamentali occuparono Napoleone molto di più di quanto fecero questioni puramente militari come l'addestramento dei soldati od il loro impiego tattico. Lo storico tedesco Hans Delbrück ritenne che, nonostante la visione strategica di Napoleone ed il suo genio nella conduzione della battaglia, le sue capacità innate erano quelle di uno statista piuttosto che quelle di un soldato[7]. Ma il suo essere statista era di un tipo inusualmente aggressivo, guerriero. Non considerava la guerra una misura di emergenza, una misura di estremo rimedio con cui porre riparo ai fallimenti della diplomazia; essa rappresentava piuttosto l'elemento centrale della sua politica estera.

A meno che costretto dalle circostanze, Napoleone non perseguì mai grandi obiettivi politici con inadeguate risorse militari. Rifiutò di cadere nell'errore commesso contro di lui nel 1796-97, in Italia, dagli Austriaci che mobilitarono solo un segmento delle forze disponibili, mobilitandone poi un secondo dopo che il primo era stato sconfitto, e quindi un terzo. Se avessero operato in forze sin dall'inizio, gli Austriaci avrebbero anche potuto sopraffarlo. Al contrario, egli credette nel più pieno impiego di tutti i mezzi disponibili. Grandi obiettivi e risorse mobilitate per raggiungerli furono sempre, per quanto possibile, bilanciati. La sua strategia politica e militare soffrì di una debolezza diversa. Trovò difficile combattere guerre limitate con mezzi limitati; una guerra come quella tra Austria e Prussia nel 1778, in cui nemmeno una battaglia fu combattuta, era contro la sua natura. Nelle sue mani, tutti i conflitti tendevano a divenire illimitati perché, apertamente o per le loro implicazioni, essi minacciavano il persistere di un'esistenza indipendente dei suoi avversari.

Essere per quindici anni sia capo dello Stato sia comandante supremo, con poche o nessuna restrizione alla propria libertà d'azione, contribuì certamente alla stretta integrazione di politica e guerra. L'unità dell'autorità politica e militare eliminò la frizione al vertice altrimenti inevitabile. Soprattutto facilitò decisioni veloci e la loro rapida attuazione e rese possibile l'eccezionale flessibilità con cui accordò la propria diplomazia al mutare della situazione militare, ora alzando il tiro delle proprie richieste ora mostrando una propensione al compromesso, non appena gli sembrasse utile. L'unità del comando non garantiva, naturalmente, una buona politica. Negli ultimi anni di Napoleone, l'assenza di controlli e contrappesi al potere di un uomo solo condusse a critici errori e, infine, fece crollare l'impero. Ma fino all'invasione della Russia, la vasta portata dell'autorità imperiale gli diede un vantaggio sui suoi avversari, che non potevano sviluppare un comando politico-militare capace di tenere il passo, sempre più veloce, della guerra moderna.

Dove l'integrazione di diplomazia e violenza fu più efficace per Napoleone fu nella maniera in cui egli perseguì il tradizionale obiettivo di isolare politicamente un eventuale avversario. Sebbene non potesse impedire la formazione di alleanze contro la Francia — in buona parte perché le sue intenzioni ultime erano troppo chiare — egli continuò a giocare sugli interessi specifici di questo o quell'alleato per prevenire l'unione sul campo di battaglia delle forze avversarie alleate. Nel 1805, i suoi rappresentanti diplomatici insieme all'avanzata stupefacentemente rapida della *Grande Armée*, dalla Francia in Baviera, gli permisero di bloccare un'armata austriaca, mentre le truppe russe erano ancora centinaia di chilometri ad oriente. Nel dicembre di quell'anno, dopo aver persuaso la Prussia alla neutralità, sconfisse gli Austriaci ed i Russi. Nel 1806, l'Inghilterra e la Russia rimasero a guardare sino a che l'esercito prussiano fu distrutto. Nella primavera seguente, sconfisse ciò che rimaneva delle forze prussiane ed i loro alleati russi mentre l'Austria stava ancora riarmandosi; e nel 1809, l'Austria fu ancora una volta sconfitta mentre i suoi potenziali sostenitori stavano ancora discutendo se venire in suo aiuto.

Se era impossibile a Napoleone impedire la comparsa delle forze armate di due o più alleati su uno stesso teatro operativo, il loro punto di unione o di possibile unione gli forniva comunque ancora notevoli opportunità per valutare la loro interazione politica e militare. La presenza di eserciti di Stati diversi sollevava tutte le difficoltà politiche ed operative del comando di coalizioni. «Un cattivo generale sarebbe meglio di due buoni», scrisse a Carnot durante la prima campagna d'Italia: un'opinione ripetuta con parole quasi identiche a Sant'Elena[8]. Nel 1796, iniziò la campagna che lo avrebbe reso famoso con una penetrazione strategica in profondità, interponendo proprie forze fra quelle sarde ed austriache ed anticipando la loro unione; ciò fu seguito da quello che qualche analista ha chiamato una strategia della posizione centrale, prima cacciando i Piemontesi dalla guerra, poi volgendosi contro gli Austriaci. Adottò la stessa strategia nei Cento Giorni, operando per linee interne fra Blücher e Wellington allo scopo di eliminare i Prussiani, prima di attaccare l'esercito anglo-olandese appena credette di averlo isolato. A Waterloo, come a Dego e Mondovì venti anni prima, il fattore politico dell'alleanza avversaria aprì un'opportunità operativa.

Una complessa variante della stessa capacità di volgere a proprio vantaggio le difficoltà delle forze alleate può essere trovato nella campagna di Austerlitz. Sfruttando il desiderio degli Austriaci di rioccupare Vienna, Napoleone indusse il grosso dell'esercito austro-russo, la sua struttura di comando e le sue unità troppo poco integrate per un'effettiva cooperazione, a non aspettare i rinforzi russi ed austriaci che stavano avvicinandosi da Nord e da Sud, ma a lanciare una prematura offensiva la cui direzione, intesa a tagliare la strada fra Napoleone e Vienna, rifletteva considerazioni politiche piuttosto che militari.

La sua strategia ebbe sempre un chiaro scopo politico, ma almeno sino agli ultimi anni del suo potere non permise alla politica di inibire la più concreta minaccia, o l'applicazione, della forza.

Al contrario, Napoleone credette che il miglior metodo per raggiungere qualsiasi scopo politico egli desiderasse era quello di ridurre la capacità di resistenza dell'avversario nella maniera più decisa possibile.

Ciò significò soprattutto colpire gli eserciti del nemico più forte.

La presa di fortezze, l'occupazione di territori o delle capitali solo raramente aveva lo stesso impatto sul potenziale bellico del nemico di quello della sconfitta sul campo del suo esercito.

Una severa sconfitta creava una nuova situazione: dal punto di vista militare portando a perdite, ritiri e capitolazioni ulteriori, e da quello politico manovrando o forzando il governo avversario a negoziazioni in nuove e sfavorevoli circostanze.

I piani strategici di Napoleone — o più correttamente i suoi preparativi strategici, poiché egli non gradiva le implicazioni terminologiche di uno schema fisso ed immodificabile — puntavano ad una decisione tattica distruttiva, la grande battaglia (o battaglie) che eliminasse l'esercito combattente avversario. Nelle sue più grandi campagne, la battaglia culminante emerge naturalmente da lunghe e rapide avanzate in profondità nel territorio nemico; ma le avanzate non furono mai dirette ad un luogo o ad un obiettivo geografico particolare. Piuttosto, esse lanciarono un forte esercito così in avanti da non potere essere ignorato, ma necessariamente contrastato. Lo scopo della strategia di Napoleone fu di provocare la minaccia o la realtà della battaglia decisiva. La campagna in se stessa poteva avere come base l'occupazione di una posizione centrale ed interna che avrebbe permesso la frammentazione e la sconfitta delle forze avversarie, o prendeva la forma di una manovra contro le retrovie che aggirasse le posizioni avversarie e minacciasse le sue linee di comunicazione.

Un esempio dell'audacia e della coerenza con cui l'imperatore cercava la battaglia decisiva è rappresentato dalla breve campagna del 1806 che si risolse in un trionfo strategico, nonostante Napoleone fosse rimasto incerto sulla posizione e sulle intenzioni dell'esercito prussiano quasi fino alla fine. Che le due battaglie culminanti di Jena ed Auerstadt fossero combattute sulla base di assunti errati e potessero essere vinte solo con un'improvvisazione tattica sottolinea la forza del concetto di base.

Napoleone non voleva combattere la Prussia. La guerra scoppiò perché, dopo le vittorie del 1805 la Francia aveva raggiunto un tale predominio nell'Europa centrale che l'esistenza di un'altra grande potenza nell'area non era più praticamente possibile. Quando i Prussiani mobilitarono ed avanzarono a Sud, attraverso la Sassonia, verso la Foresta Turingia, il grosso dell'esercito francese era dislocato lungo il Reno e nella Germania meridionale. Nei primi giorni di ottobre, Napoleone concentrò le sue forze tra Bamberg e Würzburg ed iniziò a muovere verso Nord lasciando, tra l'altro, quasi indifese le proprie linee di comunicazione verso il Reno. Il suo piano di campagna consisteva, essenzialmente, nel mobilitare quante più forze possibili e nel creare poi un'opportunità per impiegarle avanzando verso Berlino. Se i Prussiani avessero preso l'offensiva, sarebbero stati deviati dalla necessità o dal desiderio di difendere la propria capitale e, una volta che gli eserciti si fossero incontrati la superiorità numerica e la maggiore mobilità francese avrebbero deciso la partita. Considerando la forza assai più consistente di cui disponeva, un'offensiva da qualsiasi direzione prometteva un successo. Ma un'avanzata da Occidente avrebbe respinto i Prussiani su Berlino e verso un possibile aiuto russo, mentre un'offensiva dal Sud avrebbe potuto essere lanciata più rapidamente ed avrebbe offerto la possibilità di separare il grosso delle forze prussiane dalla loro capitale, dalle basi di approvvigionamento e dalla frontiera russa.

La *Grande Armée*, con i suoi quasi 180.000 uomini, si divise in tre colonne di due corpi d'armata ciascuna, avanzò su un fronte di trenta-quaranta chilometri, con le colonne sufficientemente vicine per aiutarsi reciprocamente in caso di necessità. Con il 12 ottobre, questo gigantesco *bataillon carré* (secondo il nome che Napoleone impiegò per mettere l'accento sull'idea del coordinamento e dell'aiuto reciproco che ispirava la formazione) mosse su un lato ed al di là del fianco sinistro dei Prussiani, in quel momento lentamente in ritirata verso Nord tra Weimar e Jena, e tagliò le linee prussiane di comunicazione verso Lipsia, Halle e Berlino. Il 13, Napoleone lanciò la maggior parte delle proprie forze ad Occidente contro ciò che credeva essere la grande armata prussiana, pose il campo sulle alture oltre Jena mentre ordinava a Davout, già una quindicina di chilometri più a Nord, di dirigere l'assalto principale colpendo le retrovie del nemico. Il giorno successivo le due battaglie furono combattute a fronti rovesciati, con i Francesi che avanzavano da Oriente ad Occidente. Contrariamente ai suoi principi, Napoleone si trovò di fronte solo una piccola parte dell'esercito prussiano, che superava in numero quasi di due ad uno, mentre Davout lungi dal portare un attacco avvolgente fu egli stesso attaccato dall'assai più forte armata principale prussiana, la quale stava tentando di riguadagnare le proprie linee di comunicazione aprendosi un varco attraverso i Francesi. Tenendo i 26.000 uomini le loro posizioni, i Prussiani si ritirarono ad Occidente lontano da Berlino. Attraversarono la linea di ritirata dell'altra loro armata, che era stata sconfitta a Jena, ed un assai energico inseguimento francese completò la loro disorganizzazione e la loro virtuale distruzione.

L'enorme potenza militare piazzata da Napoleone vicino al centro dello Stato prussiano creò una minaccia a cui i Prussiani dovettero rispondere. Il risultato fu una vittoria di eccezionale portata. Il fatto che dopo un simile disastro la Prussia, nonostante tutto, avesse continuato a combattere per altri otto mesi indica sia l'espansione del fenomeno bellico che la rivoluzione della guerra aveva comportato, sia uno dei suoi nuovi limiti. La mobilitazione da parte della Repubblica e dell'Impero di risorse e di energie nazionali per la guerra stava iniziando ad evocare reazioni di dimensioni ed intensità analoghe.

Nell'età napoleonica ancor più di oggi, strategia significava pensare ed agire in uno spazio incerto in cui gli unici punti di riferimento definitivi ed affidabili stavano nella comprensione delle potenzialità e dei limiti delle forze armate e della Nazione da parte del comandante. Anche nella battaglia napoleonica c'era incertezza, ma il comandante disponeva di conoscenze più sicure di quanto oggi sia possibile circa la strategia e molti dei suoi elementi: il terreno, la forza e la posizione delle proprie truppe come di quelle del nemico, spesso anche le intenzioni della parte avversaria. Egli aveva anche un controllo diretto delle proprie forze e maggiore di quanto sia possibile in un'avanzata di corpi d'armata dispersi lungo centinaia di chilometri contro un avversario la cui posizione è conosciuta solo in termini generali. Napoleone visse intorno alla fine di quell'assai lungo periodo della storia in cui, durante la battaglia, il comandante poteva effettivamente vedere la maggior parte delle proprie truppe, oltre a molte di quelle del nemico. Con la rivoluzione industriale il carattere della battaglia cambiò: il campo di battaglia si allargò, le truppe si dispersero sul terreno ed il grado di controllo visivo delle proprie armate, che Napoleone e Wellington ancora davano per scontato, è esercitato oggi al massimo da un sergente sui suoi pochi uomini.

Se l'avversario era assai superiore numericamente, Napoleone si indirizzava ad una battaglia frontale, se possibile su un terreno rotto da ostacoli naturali, ad esempio corsi d'acqua che avrebbero inibito i movimenti laterali del nemico, mentre le proprie forze venivano dislocate in una forte posizione difensiva con il maggior numero di truppe possibile risparmiate e tenute in riserva. Una volta che il nemico era impegnato lungo tutto il fronte, le riserve — adesso *masse de rupture* — avrebbero attaccato e rotto una parte del fronte e, quindi, si sarebbero mosse contro i fianchi e le retrovie degli altri settori. Se le sue forze erano uguali o superiori a quelle del nemico, avrebbe tentato di prenderlo ai fianchi estendendo il proprio fronte o lanciando un attacco di fianco con corpi d'armata separati. Questa seconda situazione, a causa della sua più accentuata penetrazione in profondità, prometteva maggiori risultati, ma era più difficile da realizzare perché la comunicazione e il coordinamento tra unità, separate da distanze superiori a pochi chilometri, erano meno affidabili. Movimenti avvolgenti non erano affatto insoliti per la guerra del tempo, ed in realtà di ogni tempo. Della loro efficacia gli avversari di Napoleone erano coscienti quanto Napoleone stesso. Ma ciò che per questo era la norma fu da quelli tentato solo raramente: un incontro frontale era tecnicamente più semplice da controllare ed offriva minor spazio all'imprevisto. Da questo punto di vista, come da molti altri, la vera differenza tra Napoleone ed i generali che lo combattevano tendeva ad essere una questione di enfasi e di predisposizione psicologica.

Sebbene Napoleone talvolta fosse rimasto sulla difensiva finché i suoi avversari si furono impegnati ed ebbero eccessivamente esteso il proprio fronte, egli preferiva l'attacco. Disprezzava battaglie puramente difensive: conosceva il valore dell'iniziativa e temeva di perderlo. Ma fossero offensive, controffensive o difensive, tutte le battaglie ponevano complessi problemi nell'uso del tempo e dello spazio e nell'impiego delle forze; problemi di morale, di differenti risorse e di contrastanti «missioni» delle parti avverse, nonché problemi di carattere e volontà dei comandanti. All'inizio dell'Ottocento, questi problemi erano ancora risolti non solo con l'analisi di documenti che diremmo di seconda mano — lettura di rapporti e studio di mappe —, ma con l'intervento nella realtà direttamente percepita, spostando decine di migliaia di uomini che pur rimanevano nel campo visivo di uno solo. Gli obiettivi concreti dell'impiego di queste unità di energia militare, la vittoria e la distruzione dei suoi avversari (che egli avrebbe potuto vedere attraverso il fumo dei cannoni e dei moschetti), stimolavano il più profondo interesse di Napoleone ed eccitavano il suo più forte impegno psichico ed intellettuale. A renderlo il più grande soldato dell'epoca fu il suo sentire il conflitto politico e militare come un tipo di meccanica, al pari degli altri dominabile razionalmente — «in guerra, il tempo [...] è il grande elemento fra il numero e la forza» — insieme al riconoscimento ed all'utilizzazione delle passioni umane coinvoltevi[9].

L'impatto del proprio carisma e la fiducia nella propria assoluta superiorità passavano dalle sue truppe e dai suoi ufficiali e generali a quelli avversari. Wellington pensò che la sua presenza equivalesse a quella di 40.000 soldati. A truppe francesi, lontane chilometri da dove egli poteva trovarsi, era ordinato di gridare: «*Vive l'Empereur*!» per far credere agli avversari che Napoleone era di fronte a loro. Nell'autunno 1813, il piano di guerra dei diversi eserciti alleati nell'Europa centrale prevedeva senza mezzi termini la ritirata di qualsiasi armata contro cui egli fosse stato avanzato. Clausewitz, convinto che nessuna teoria della guerra potesse essere presa sul serio se non includeva la psicologia dei comandanti e dei soldati e le loro relazioni reciproche, arrivò ad affermare che nel 1796 in Italia il più grande risultato di Napoleone fosse stato non una battaglia vinta o una campagna trionfale, ma il morale risollevato del suo esercito[10].

III

Tra le ragioni della lunga serie di vittorie di Napoleone ci fu la difficoltà provata dai suoi avversari nel capire il suo modo di combattere e nell'escogitare risposte concrete. Questa incertezza di percezione è in larga parte spiegata dalla natura della rivoluzione della guerra[11]. Nella maggior parte dei suoi aspetti significativi questa rivoluzione, come sappiamo, non consisté in una improvvisa innovazione, ma nel più generale ed energico impiego di istituzioni e metodi esistenti da decenni o largamente discussi dalla pubblicistica. Nel lungo periodo, ciò portò a differenze sostanziali, ad un nuovo tipo di guerra, ma in un primo momento non era irragionevole pensare che qualunque modificazione si stesse realizzando fosse semplicemente un approfondimento di cose già familiari, e quindi non richiedesse aggiustamenti radicali nei propri pensieri ed atti. Due fatti rinforzarono questa impressione. I Francesi furono spesso sconfitti e di conseguenza non era opportuno prenderli a modello. Alcuni dei loro metodi — coscrizione universale, accesso aperto ai brevetti di ufficiali, sistematica applicazione del principio di «vivere sul paese» — difficilmente potevano coesistere con i valori e lo Stato dell'*Ancien Régime*. Un'analisi militare obiettiva di questi metodi fu resa molto più difficile dall'idea che adottarli significava trasformare il proprio sistema sociale e politico.

Ad un attento osservatore militare, nondimeno, appariva chiaro che, almeno in alcuni aspetti importanti, la guerra stava cambiando. Nelle guerre della Prima e della Seconda coalizione i Francesi impiegarono le nuove tecniche su grande scala, sebbene, per un momento, fosse rimasto il dubbio che si trattasse di improvvisazioni causate dall'agitazione politica del Paese, destinate a far posto ai metodi tradizionali, una volta tornata la normalità. Anche altri Paesi stavano conducendo esperimenti: per esempio, diversificando la forma delle unità militari, ampliando e riorganizzando gli Stati Maggiori, istituendo nuovi sistemi di istruzione militare. Un interesse per la fanteria leggera percorse gran parte dell'Europa militare. In questa agitazione generale, Napoleone, in un primo momento, non rimase isolato. Nell'ultimo decennio del Settecento, poteva ancora essere visto come un energico, competente e fortunato generale le cui idee sul combattimento non differivano significativamente da quelle di altri abili comandanti. Fino ad Ulm ed Austerlitz, un decennio dopo la sua prima comparsa come comandante in capo, gli aspetti essenziali del suo sistema non furono sufficientemente documentati ed analizzati al punto da divenire generalmente riconosciuti.

In reazione al suo successo ed ancor più a seguito di un guerreggiare costante dal 1792, le istituzioni militari di gran parte dell'Europa si modernizzarono, in gradi diversi. Alcune seguirono strettamente il modello francese: gli eserciti della nuova Confederazione del Reno ed i regni satelliti di Olanda e Napoli; altri costruirono a partire da proprie tradizioni stimolate ed influenzate dalla sfida francese: in particolare gli eserciti dell'impero asburgico e della Prussia. Queste innovazioni necessariamente implicarono un certo grado di mutamento nella società e nell'amministrazione civile. Ma sia l'impero napoleonico sia, dopo il 1807, la Prussia rivelarono che le innovazioni militari più radicali non avevano bisogno di essere sostenute da una rivoluzione sociale e politica come era successo in Francia nei primi anni Novanta; esse potevano essere imposte e mantenute da governi stabili e fortemente autoritari. La maggiore eccezione a questo processo di modernizzazione fu rappresentata dall'esercito britannico. Nonostante le numerose trasformazioni organizzative, rimase essenzialmente una forza armata settecentesca, una condizione resa possibile dalle sue limitate dimensioni, dal suo appoggiarsi su alleati e sulla Marina britannica, e dai suoi compiti operativi generalmente ristretti (se si eccettua la Spagna).

Se la modernizzazione delle istituzioni e della tattica investì anche altri eserciti oltre quello francese, sebbene mai senza acuti contrasti tra innovatori e tradizionalisti, le trasformazioni dei concetti strategici e dei comandi operativi furono più lente. Nessuno riuscì ad uguagliare Napoleone nella sua magistrale padronanza delle tecniche operative e nella sua passione per l'annientamento fisico dell'avversario. Dovunque però si divenne più esperti nell'usare strumenti militari nuovi o rinnovati ed in Prussia l'introduzione di un nuovo

Stato Maggiore generale — i cui membri, assegnati a varie unità, agivano con una certa indipendenza all'interno di un disegno strategico complessivo — costituì una prima, seppur ancora schematica, soluzione al problema del coordinamento dei movimenti e del combattimento di larghe armate schierate al di là del raggio di ogni veloce e continua comunicazione. Il risultato di questi sviluppi fu che, quando Napoleone decise l'invasione della Russia, i suoi potenziali ed effettivi avversari avevano iniziato a beneficiare della rivoluzione della guerra. L'assoluta superiorità, di cui Napoleone si era avvantaggiato per alcuni anni, impercettibilmente declinava.

Un punto di vista che dapprima lo aveva aiutato, adesso iniziava a lavorare a suo svantaggio. Da giovane aveva percepito l'efficacia del colpire al cuore il potere del suo avversario. Una volta sconfitti i maggiori eserciti del nemico e forse una volta occupati anche i suoi centri amministrativi ed economici, tutto il resto sarebbe venuto di conseguenza. Napoleone osservò, inoltre, che i mezzi più sicuri per raggiungere questi obiettivi stavano nell'accumulare forze armate il più consistenti possibile e nel concentrarle su obiettivi essenziali: due osservazioni che accuratamente coglievano aspetti della realtà politica e militare e, non a caso, riflettevano l'intenso bisogno psicologico di conquista e di assoluto dominio proprio di Napoleone.

Questa capacità di osservazione, tuttavia, restrinse poco realisticamente la gamma delle sue guerre a conflitti condotti con eserciti il più forti possibile per obiettivi il più grandi possibile. È singolare che la politica estera di uno Stato abbisogni solo di grandi guerre, eppure Napoleone escludeva guerre limitate per obiettivi circoscritti dal suo sistema politico militare. In questo modo non solo limitava le proprie scelte, ma era costretto a lanciarsi in guerre che erano al di là delle risorse dello stesso impero, che stimolavano i suoi avversari a sforzi straordinari e che, in ultima analisi, non potevano essere vinte né tatticamente, né strategicamente, né politicamente.

A livello strategico, la tendenza di Napoleone verso un tale gigantismo aprì due incrinature molto serie, al di là del difetto di base di una potenza insufficiente. Il sistema di comando che aveva funzionato bene nell'Italia settentrionale e nell'Europa centrale iniziò a vacillare sotto il peso delle guerre di Spagna e di Russia, nonché delle campagne contro la ricostituita e sempre più potente Coalizione, dal 1813 in avanti. D'altronde, sforzi e sconfitte sconvolsero il rapporto tra decisioni politiche e misure militari.

Poiché Napoleone insisteva non solo sul potere, ma anche sul comando di un uomo solo, lo spazio operativo per il suo Stato Maggiore si limitò ad assemblare le informazioni di cui il capo aveva bisogno ed a trasmettere rapporti ed ordini. Lo Stato Maggiore non stese piani strategici, né sviluppò una capacità istituzionale grazie alla quale prendere decisioni indipendenti all'interno del contesto delle intenzioni strategiche ed operative del capo. Fino a che l'esercito, pur diviso in corpi d'armata, combatté nella stessa area i danni causati furono limitati, ma poiché la dimensione degli eserciti ed il loro impegno in teatri di guerra assai lontani aumentarono, il controllo strategico da parte di Napoleone collassò. Né in Russia, né nelle campagne di primavera e di autunno del 1813, in Germania, poté fare assegnamento sulle interpretazioni date dai suoi marescialli ai suoi ordini, visto il continuo mutare delle situazioni. Egli non avrebbe mai tollerato quella particolare combinazione di indipendenza e subordinazione da parte di distinti comandi di armate che avrebbe potuto dirigere con successo migliaia di soldati contro una forte resistenza su ampie distanze. Anche un tale sistema in realtà sarebbe stato messo in difficoltà dai poveri strumenti di comunicazione propri del tempo. Le grandi armate degli ultimi anni di Napoleone, ed i compiti che egli assegnò loro, sottoposero la capacità tecnologica dei primi dell'Ottocento al massimo sforzo.

Mentre le sue vittorie divenivano più dubbie, l'unificazione dell'autorità militare e politica nella sua persona condusse a politiche disastrose, che una divisione di responsabilità fra due o più individui — od almeno l'esistenza di consiglieri che avrebbero dovuto essere ascoltati — avrebbe potuto evitare. Altri governanti, e poco prima Federico il Grande, avevano assunto un'autorità assoluta senza rovinare lo Stato. Ma Federico, seppur preparato a correre grandi rischi, fu in grado di limitare le proprie ambizioni. L'invasione della Russia da parte di Napoleone oltrepassò i limiti della ragione; al massimo, si trattò di un azzardo disperato e non necessario, come lo fu la decisione di avanzare su Mosca, sebbene l'esercito russo non fosse stato distrutto sul campo. Rimanere a Mosca sino alla metà di ottobre significò sacrificare la *Grande Armée* nella vana speranza che Alessandro avrebbe, dopo tutto, negoziato. Il rifiuto di siglare una pace di compromesso, nell'estate del 1813, impose ai Francesi una campagna d'autunno dai pronostici assai sfavorevoli. Ad un livello inferiore, operativo, non rinunziare a Dresda, nell'ottobre, per salvare l'alleanza con la Sassonia, comportò l'allontanamento dei corpi d'armata di St. Cyr dalla battaglia di Lipsia dove ve ne era urgente necessità e non riuscì, comunque, a preservare l'alleanza sassone. «La politica intervenne prima della battaglia decisiva e perse tutto»[12]. La campagna del 1814, generalmente esaltata come uno dei capolavori di Napoleone, pur brillante, fu un inutile salasso poiché il combattimento cadde in un vuoto politico. Prima che si incrociassero gli alleati in Francia, Napoleone aveva scartato un'ulteriore possibilità di dividerli politicamente e negoziare una pace tollerabile, nonostante che i pronostici militari adesso favorissero gli alleati di due o tre ad uno. I colloqui a Chatillon, aperti quando Glücher era quasi a metà strada verso Parigi, non furono sollecitati dai rappresentanti francesi con l'urgenza e la determinazione che la situazione sembrava esigere. L'intera campagna non rivela la *grandeur*, ma la miseria dell'unità di un comando politico e militare. Non è esagerato dire che nella loro mancanza di un razionale scopo politico, le operazioni di Napoleone dei primi mesi del 1814 ricordano alla lontana l'insistenza di Hitler, dopo il fallimento dell'offensiva di Rundstedt, nel continuare a difendere la Germania occidentale nella situazione senza speranza della primavera del 1945.

IV

Fino alle ultime campagne, parte integrante della strategia di Napoleone, fu una politica che avesse qualche ragionevole rapporto con la potenza della

Francia; tuttavia, le analisi delle sue guerre da parte dei contemporanei e delle generazioni successive si concentrarono quasi interamente sugli aspetti puramente militari. La grande maggioranza dei militari che studiarono le sue campagne, le guardarono come il culmine della guerra moderna, tentarono di scoprire i segreti del pensiero strategico e delle tecniche operative dell'imperatore per prepararsi a guerre future, piuttosto che comprendere cosa egli aveva fatto. L'impatto sull'Europa del suo regno e delle sue guerre era stato così ampio e profondo che la sequela di sconfitte dei suoi ultimi anni poté poco nell'intaccare la sua statura. Il fatto che alla fine lo avevano battuto avrebbe pur dovuto aiutare i suoi nemici di un tempo a riconoscerne più liberamente la grandezza. Si sviluppò una tradizione, o scuola, napoleonica che enfatizzò la forza del numero, la penetrazione strategica in profondità e la rapida concentrazione delle forze su un punto decisivo. Nell'ultimo decennio del Settecento si era trattato di concetti e prassi non condivisi; con l'incalzare della rivoluzione industriale iniziarono ad avere un loro senso.

Nel pensiero di molti militari, l'immagine di Napoleone in quanto esponente della massa e della mobilità, assunse una qualità eterna e paradigmatica che in sé non fu intaccata dallo sviluppo tecnologico. Al contrario, poté apparire che innovazioni come le ferrovie, il telegrafo od il fucile a retrocarica rendessero infine verosimili i più audaci progetti dell'imperatore, che quando furono concepiti potevano essere in anticipo sui tempi. In maniera analoga, infine, il nazionalismo manifesto della fine dell'Ottocento fornì ai nuovi eserciti di massa un'affidabile e forte motivazione che l'imperatore aveva conosciuto solo in una forma primitiva.

Per indicare la forza e la durata dell'impatto delle guerre napoleoniche sul pensiero militare può essere sufficiente citare tre opere apparse alla vigilia della Prima Guerra Mondiale ed una scritta successivamente. Nel 1910, un colonnello tedesco che ascese ad alti comandi durante la guerra pubblicò un volume intitolato *Die Heerführung Napoleons in ihrer Bedeutung für unsere Zeit*, nella cui introduzione dichiarava: «mentre molto dell'età napoleonica è ora sorpassato, lo studio delle sue guerre rimane per noi del massimo valore, perché le lezioni delle sue guerre formano oggi la base del pensiero militare»[13]. Due anni più tardi, il capo dell'Ufficio Storico dello Stato Maggiore tedesco affermò che gli ordini e la corrispondenza ufficiale di Napoleone durante la campagna d'autunno del 1813 rimanevano «anche oggi [...] una fonte inesauribile di osservazioni in ogni aspetto dell'attività militare, ed uno dei fondamenti delle teorie militari del XIX secolo»[14]. Che la campagna sia finita in un assoluto disastro per Napoleone rende la valutazione del generale Friederich solo più degna di nota, anche se è assai improbabile che molti dei suoi lettori ne fossero sorpresi. In Francia, nello stesso tempo, Jean Colin, confrontando gli attacchi laterali di Napoleone con analoghe operazioni della guerra russo-giapponese, scrisse: «mentre non possiamo copiare la vera e propria manovra di Napoleone ciò nondimeno dovremmo esserne ispirati». Proseguì dicendo: «per coloro che sanno far qualcosa di meglio del copiare servilmente, sarà ancora la guerra napoleonica ad offrire modelli cui ispirarsi, argomenti su cui riflettere, idee da applicare nel XX secolo»[15].

Lo stallo sul fronte occidentale durante la Prima Guerra Mondiale rese assurda per molti una interpretazione letterale di quest'ultima affermazione; semmai il rimprovero alla fissazione sulla mobilità «napoleonica» per la cecità dei comandanti di entrambe le parti, di fronte alla realtà della guerra di trincea, fu un tema frequente nelle recriminazioni successive al 1918. In difesa dell'ideale classico, il generale francese Hubert Camon, ufficiale di Stato Maggiore e storico, pubblicò invece una riaffermazione della ininterrotta validità della strategia napoleonica e — soprattutto — insisté sul fatto che essa aveva direttamente influenzato le operazioni belliche di maggior successo: «la guerra di trincea non divenne predominante sino a che l'iniziale manovra tedesca [l'invasione della Francia settentrionale attraverso il Belgio] non fu fermata, una manovra che era ispirata alle prime operazioni di Napoleone del 1812. Se questa manovra fu bloccata, ciò non avvenne perché i mezzi disponibili nel 1914 resero anacronistico il sistema della manovra napoleonica, ma perché essa fu malamente eseguita»[16]. Le operazioni di Ludendorff sul fronte orientale, continua Camon, furono «manovre napoleoniche». Se, d'altro lato, i Tedeschi non riuscirono a riportare una vittoria totale sulla Russia, fu perché «Falkenhayn, cui era poco familiare il modello napoleonico, non credette alla possibilità di un suo successo». «L'offensiva [di Ludendorff] nel marzo 1918 fu indubbiamente ispirata dalla fase iniziale della campagna di Napoleone in Belgio del 1815». Infine, «se ci spostiamo dalle manovre strategiche alla battaglia, riconosciamo che la battaglia della Marna fu una battaglia neo-napoleonica. L'unica cosa mancante [dalla parte francese] fu l'elemento definitivo: la *masse de rupture*»[17].

Queste e molte altre opere similari rendono evidente che, un secolo dopo Waterloo, Napoleone rimaneva una forza del pensiero militare. Ma in cosa consisteva concretamente questa sua forza? Come i brani citati suggeriscono, si dovrebbe distinguere fra ispirazione ed influenza. L'ispirazione deriva dalla suggestione del passato, che può stimolare, rafforzare ed approfondire la nostra comprensione del presente. L'influenza, d'altro lato, se pure qualcosa deve significare, deve indicare qualcosa di specifico: in questo caso, un legame fra la strategia di Napoleone e le strategie delle generazioni successive. Sarebbe difficile, probabilmente impossibile, dimostrare definitivamente l'esistenza di simili connessioni in un arco di tempo di cinquanta o cento anni in un campo come la guerra, in cui piani e decisioni sono dovute a diverse fonti e devono tener conto della massima varietà di fattori in un contesto costantemente ed inesorabilmente mutevole. Per ritornare ad uno degli esempi del generale Camon, è indubbio che Schlieffen studiò assai dettagliatamente talune campagne napoleoniche: l'invasione napoleonica della Germania centrale nel 1806, potrebbe essere definita un piano Schlieffen al contrario. Schlieffen, tuttavia, studiò anche Annibale, e più da vicino; e ci vorrebbe un coraggio particolarmente romantico per sostenere che l'offensiva tedesca del 1814 fu influenzata dalle operazioni cartaginesi nelle Puglie di circa duemila anni prima. Ciò che Schlieffen fece — e potrebbe non avere nemmeno un certo rilievo il fatto che la maggior parte dei suoi studi storici datino ad anni successivi al suo ritiro dal servizio attivo — fu il mettersi quanto più possibile nella posizioni dei soldati di altri tempi, di analizzare i problemi da loro affrontati e le soluzioni da loro raggiunte. Tali esercizi intellettuali e psicologici gli permisero un qualche distacco dai problemi e dalle soluzioni della strategia del proprio tempo, che poté anche essere arrivato a vedere in una prospettiva in qualche modo differente: essendo per qualche tempo distratto dal passato, poté aver intravisto possibilità nuove per il presente, o trovato conferme per idee già maturate. Ma tutto ciò è assai diverso dal rozzo rapporto di causa ed effetto e dalla ripetizione di modelli strategici asserita — quasi data per scontata — dal generale Camon.

Concretamente, anche le più radicali rivendicazioni di influenza, se seriamente esaminate, quasi sempre si rivelano essere qualcosa di assai meno specifico: per esempio, l'affermazione per cui Napoleone avrebbe scoperto taluni valori permanenti della guerra, che le sue campagne ed i suoi scritti hanno trasmesso ai militari moderni. Napoleone è visto come l'ispirato interprete di eterne verità tramandateci con osservazioni ed analisi dalla forma molto chiara, che anche altri uomini avrebbero potuto avere. Nell'Ottocento ed anche nel 1914 tale credenza poté essere facilitata da una parvenza di contemporaneità che l'era napoleonica ancora possedeva; in confronto a Federico o a Gustavo Adolfo, Napoleone stava all'inizio di ciò che allora si considerava essere l'età moderna. Al giorno d'oggi, le condizioni in cui egli visse e combatté sono remote come quelle del Seicento e del Settecento. Ma anche questa immagine di Napoleone è giustificata solo se interpretiamo le eterne verità nel senso più generale. La desiderabilità (di solito) della concentrazione delle forze, il vantaggio dato dall'economia degli sforzi, l'importanza del morale: sono osservazioni largamente tratte dal senso comune che l'età napoleonica e quella post-napoleonica trasformarono in mutevoli elenchi chiamati a definire «i principi della guerra». Nella pratica, questi principi sono spesso contraddittori e, in circostanze mutevoli, tendono ad assumere forme nuove e talvolta assai sorprendenti.

Ogni età ha la propria strategia. Le strategie del 1806, del 1870 e del 1914 furono prodotti del loro tempo: concessero certo una qualche attenzione alla storia, ma in primo luogo tentarono con vario grado di successo di far uso e di rispondere delle condizioni economiche, sociali, tecniche e politiche del tempo. Spesso — come in importanti fasi della Prima Guerra Mondiale — una strategia rimane arretrata rispetto alla realtà contemporanea. Napoleone, al contrario, sviluppò strategie che erano in sintonia con le possibilità del suo tempo e, per qualche anno, riuscì a sfruttarle in pieno. Quando le condizioni da lui comprese e padroneggiate iniziarono a mutare, talvolta in risposta a sue proprie azioni, anche i suoi concetti strategici dovettero cambiare per non essere sorpassati. Non è così interessante il fatto che Napoleone ebbe un'ambigua influenza sul pensiero strategico ed operativo delle generazioni successive, quanto il fatto che tanti militari credettero in tutto l'Ottocento, e più tardi, in quell'influenza. Il vero impatto di Napoleone può stare altrove. La sua fiducia nell'accumulare la massa e nell'uso della forza, la sua insistenza per una vittoria assoluta, il suo rifiuto di guerre limitate per obiettivi limitati: queste sono le idee e le politiche che sembrano avere avuto un qualche grado di autorità storica per attitudini che stavano in ogni caso rapidamente emergendo in tutto il mondo occidentale. In questo può consistere una ragione, non riconosciuta, delle affermazioni secondo le quali egli è il maestro della guerra moderna. Ma qui siamo nel campo delle congetture.

Quello che può essere determinato con certezza non è l'impatto che Napoleone può avere avuto sulle generazioni successive, ma ciò che riuscì o non riuscì a fare durante la sua vita. In quanto soldato dell'*Ancien Régime* vissuto e cresciuto nella Rivoluzione, nella sua educazione e nella sua esperienza egli riflette la rivoluzione della guerra con la sua miscela di innovazione e continuità. Più accuratamente di altri, egli riconobbe le potenzialità militari delle trasformazioni che stavano attuandosi e le cementò in un sistema di insuperata potenza distruttiva. Per qualche tempo, egli sopravanzò gli eventi dando loro forma e spingendoli in avanti, finché nei suoi ultimi anni affondò di nuovo nel flusso del generale sviluppo storico e nelle tendenze di grande portata della civiltà occidentale verso l'ulteriore espansione della guerra.

[1] CARL VON CLAUSEWITZ, *Vom Kriege*, Berlin 1832 (tr. ingl., da cui qui si cita, (a cura di), MICHAEL HOWARD e PETER PARET, *On war*, Princeton 1984, VI, cap. 30, 518; tr. it. *Della guerra*, Roma 1942).

[2] *Correspondance de Napoléon Ier*, Paris 1857-70, XII, n. 9944, 8 marzo 1806, a Giuseppe Bonaparte. La formula «la guerra nutre [o "deve nutrire"] la guerra», usata frequentemente durante la Rivoluzione si può trovare anche negli scritti di Napoleone; per esempio cfr. *Mémoire sur l'armée d'Italie* (del luglio 1795) in *Correspondance*, cit., I, n. 49.

[3] Cfr. C. VON CLAUSEWITZ, *On war*, cit., VIII, 3B, 592.

[4] A Sant'Elena, criticando l'azione di un generale francese durante la campagna del 1799 in Svizzera, Napoleone condannò la divisione delle forze in quanto cattiva abitudine che rendeva impossibile raggiungere importanti risultati. E aggiunse: «ma questa era la moda di quei giorni: combattere sempre a piccole dosi». CHARLES TRISTAN DE MONTHOLON, *Récits de la captivité de l'Empereur Napoléon*, Paris 1847, II, 432-433.

[5] JEAN COLIN, *Les transformations de la guerre*, Paris 1911 (tr. ingl., da cui qui si cita, *The Transformations of War*, tr. di L.H.R. Pope-Hennessy, London 1912, 253 e 290).

[6] *Oeuvres de Saint-Hélène. Evénements des six premiers mois de 1799*, in *Correspondance*, cit., XXX, 263. Cfr. anche *ivi*, 289.

[7] Cfr. HANS DELBRÜCK, *Geschichte der Kriegskunst*, Berlin 1962, ried., IV, 494.

[8] *Correspondance*, cit., I, n. 421, 14 maggio 1796, a Carnot; e cfr. *Oeuvres de Sainte-Hélène. Campagnes d'Italie*, cit., XXIX, 107.

[9] Il confronto fra guerra e meccanica secondo Napoleone si trova in *Notes sur la défense de l'Italie* (14 gennaio 1809), *ivi*, XXVIII, n. 14707.

[10] Cfr. C. VON CLAUSEWITZ, *Der Feldzug von 1796 in Italien*, in ID., *Hinterlassene Werke*, Berlin 1832-37, IV, 15.

[11] Sul problema della percezione cfr. di chi scrive *Revolutions in Warfare: An Earlier Generation of Interpreters* in BERNARD BRODIE, MICHAEL D. INTRILIGATOR, ROMAN KOLKOWICZ (a cura di) *National Security and International Stability*, Cambridge, Mass. 1983; e *Napoleon as Enemy*, CLARENCE B. DAVIS, *Proceedings of the Thirteenth Consortium on Revolutionary Europe*, Athens, Ga. 1985.

[12] J. COLIN, *The Transformations of War*, cit., 264.

[13] HUGO VON FREYTAG-LORINGHOVEN, *Die Heerführung Napoleons in ihrer Bedeutung für unsere Zeit*, Berlin 1910, v. Il lavoro fu dedicato a Schlieffen, «il patrono della guerra condotta secondo Napoleone e Moltke».

[14] RUDOLF FRIEDERICH, *Die Befreiungskriege 1813-1815*, Berlin 1911-13, II, 413.

[15] J. COLIN, *The Transformations of War*, cit., 167 e 226.

[16] HUBERT CAMON, *Le système de guerre de Napoléon*, Paris 1923, 1-2. Numerosi studi di Camon sulla guerra napoleonica erano assai letti sia prima sia dopo la Prima Guerra Mondiale.

[17] *Ivi*, 3.

Jomini

di John Shy

Dalla fase formativa del pensiero militare moderno spiccano tre nomi: Napoleone, Clausewitz e Jomini. Napoleone e Clausewitz sono nomi conosciuti anche ai profani di storia, Jomini invece risulta familiare solo agli specialisti militari sebbene la sua influenza sulla teoria militare e sulla concezione popolare della guerra sia stata enorme. Né un volume che abbia studiato le sue idee e la loro influenza, né un'adeguata biografia basata sulle sue carte inedite lo hanno riscattato dall'oscurità in cui la sua reputazione è lentamente scivolata[1]. La grande disparità tra il suo essere influente ed il nostro non esserne consapevoli è una chiave per comprendere il suo ruolo importante nella storia dell'Occidente a partire dalla Rivoluzione Francese[2].

Come i suoi contemporanei, Napoleone e Clausewitz, Antoine Henry Jomini fu un prodotto della grande Rivoluzione che scosse la Francia e l'intero mondo occidentale dal 1789 in poi. Nacque in Svizzera nel 1779. All'età di diciannove anni era già chiaramente indirizzato ad una carriera — sebbene poco gradita — nelle banche o nel commercio. Ma dall'età di 10 anni, si era appassionato alle notizie della Rivoluzione Francese. A diciassette anni, impiegato volontario di banca a Basilea, sulla frontiera francese, aveva visto da presso le truppe francesi. Nei due anni successivi a Parigi, era stato testimone del *coup d'état* del Fruttidoro ed aveva studiato i resoconti dall'Italia delle spettacolari vittorie militari del generale Bonaparte. Più tardi, nel 1798, gli Svizzeri ebbero la loro rivoluzione, sostenuta da un intervento militare francese, ed il giovane Jomini rinunciò a quella che avrebbe potuto essere una brillante carriera di banca per dedicare i successivi settant'anni della sua vita alla guerra ed al suo studio.

Guerra e rivoluzione erano strettamente connesse nel grande rivolgimento del 1789-1815, la natura della Rivoluzione Francese modellò potentemente il proprio seguito napoleonico. Ma sarebbe stato il lavoro dell'intera vita di Jomini, un lavoro iniziato quando ancora era un adolescente, quello di separare le teorie occidentali della guerra, così fortemente formate dall'esperienza napoleonica, dalle concrete situazioni storiche in cui quelle teorie operarono. Per rendere «scientifica» la guerra, egli concentrò il proprio studio sulla «strategia» elaborando un insieme di tecniche prescrittive per l'analisi e la pianificazione militare che ha continuato a dominare la riflessione sul tema, e lo ha fatto rompendo gli ovvi legami tra Napoleone e la Rivoluzione Francese. Molte delle idee caratteristiche di Jomini — quelle sulle «linee interne» di operazione, per esempio — sono oggi di puro interesse storico, ma il suo approccio generale al problema della guerra (astrazione dal contesto politico e sociale, enfasi sulle regole del processo decisionale e sui risultati operativi, trasformazione della guerra in una grande partita di scacchi) sono state sorprendentemente durature. Jomini, più di Clausewitz, merita l'ambiguo titolo di fondatore della strategia moderna.

Gli storici sono concordi sul fatto che il notevole successo delle armate rivoluzionarie contro le forze coalizzate del resto d'Europa durante l'ultimo decennio del Settecento dipese dall'altrettanto notevole mobilitazione della società francese. Le crescenti resistenze alla Rivoluzione dopo il 1789 da parte della corte, della maggior parte degli aristocratici e del clero, e di molta gente comune in larghe aree della Francia meridionale ed occidentale, portarono con sé tentativi di guadagnare un aiuto straniero per la controrivoluzione. Con il 1792 fu guerra aperta. Agli occhi dei dirigenti rivoluzionari, la guerra divenne presto una disperata, ideologica lotta per la sopravvivenza ed i loro tentativi di combatterla quasi inevitabilmente condussero all'abolizione della monarchia, all'esecuzione della famiglia reale ed al regno del Terrore contro i «nemici interni». La guerra portò con sé anche il caos militare. Interi reggimenti passarono al nemico e molti ufficiali dell'esercito regio — nobili e quindi sospettati di tradimento — emigrarono. Successivi appelli da Parigi al volontariato a difesa della Rivoluzione furono in parte accolti, ma l'avanzata alleata continuò e la Rivoluzione passò alla coscrizione[3]. La famosa *levée en masse* dell'agosto 1793 drammatizzò solamente un indirizzo già preso:

> Da questo momento fino a che i nostri nemici non saranno cacciati dal territorio della Repubblica tutti i Francesi sono permanentemente requisiti per il servizio militare.
> I giovani andranno in battaglia, gli uomini sposati forgeranno armi e porteranno munizioni, le donne cuciranno tende ed uniformi, i ragazzi trarranno bende dai vecchi lini ed i vecchi saranno portati nelle pubbliche piazze per incoraggiare i soldati auspicando l'unità della Repubblica e l'odio contro i re[4].

Non tutti i Francesi corsero alle armi, naturalmente, ma in un anno le armate francesi forti di più di un milione di uomini (su una popolazione di circa 25 milioni), una forza armata di dimensioni senza precedenti, avevano fermato la coalizione controrivoluzionaria ed erano passate all'offensiva.

All'interno di questa gigantesca massa di potere militare improvvisato c'era anche un nocciolo duro di professionalità militare, rappresentata da uomini come Lazare Carnot, Alexander Berthier e Napoleone Bonaparte: l'eredità militare dell'*Ancien Régime*. Gli storici non sono ancora concordi nel valutare la relativa importanza ai fini della sopravvivenza e della vittoria finale dei Francesi di questa eredità militare, da un lato, nonché la dimensione assoluta e l'entusiasmo del nuovo esercito rivoluzionario, dall'altro. Dal vecchio esercito passarono alla Rivoluzione la maggior parte dei sottufficiali e dei giovani ufficiali, e così anche buona parte della truppa; specialmente importante fu il sostegno ricevuto dalle armi «tecniche» (genio ed artiglieria). Ma solo una grande crescita numerica e nuovi livelli di motivazione, risultati ambedue della Rivoluzione, possono completamente spiegare gli eccezionali risultati militari[5]. Ciò che non si discute è che i Francesi segnarono una soluzione di continuità nella conduzione della guerra; usando le nuove forze con audace e crescente abilità, i generali francesi sconfissero e demoralizzarono ripetutamente i loro nemici. Dal 1794, negli anni in cui il giovane Jomini stava cercandosi una carriera, gli eserciti francesi frantumarono la coalizione antifrancese, iniziarono a trasformare la struttura politica dell'Europa e portarono alla massima carica della Francia uno dei loro comandanti: Napoleone Bonaparte.

Come avevano fatto? Rispondere a questa domanda in maniera persuasiva ed autorevole sarebbe stata la grande impresa di Jomini. Le guerre della Rivoluzione Francese e di Napoleone generarono un pubblico vasto e ricettivo per quel tipo di chiara, semplice, rassicurante spiegazione che egli avrebbe offerto. Richiamandosi apertamente al prestigio della «scienza», con un tono quasi religioso nel suo insistente appello evangelico alle verità eterne, la risposta di Jomini a quella problematica domanda sembrò disperdere la confusione e ridurre di molto la paura creata dalle vittorie militari francesi. Dopo Waterloo, con Napoleone sconfitto e con il potere militare della Rivoluzione umiliato, la sua risposta fu ancor più persuasiva, confermata dall'evidenza della storia. La premessa che sottostava alla sua risposta mutò poco nei decenni; egli affermò di esservi giunto all'età di diciotto anni e morì a novanta insistendo sulla validità delle stesse idee di fondo, per la prima volta definite nel 1803:

> La strategia è la chiave della guerra; ogni strategia è controllata da principi scientifici immutabili, questi principi prescrivono *l'azione offensiva* per *forze di massa* contro le forze più deboli del nemico in qualche *punto decisivo* se la strategia deve condurre alla vittoria[6].

La risposta di Jomini, quindi, suggeriva che per quasi due decenni Napoleone ed i Francesi avevano afferrato ed applicato questi principi meglio di quanto avessero fatto i loro avversari. Questo fu il cuore della teoria della guerra di Jomini. Per comprendere le ramificazioni e l'influenza di queste idee ingannevolmente semplici, possiamo iniziare esaminando come esse furono formulate e propagate.

I

I Jomini erano una vecchia famiglia svizzera, strettamente legata per vincoli matrimoniali ad altre antiche famiglie ed a gente importante di un piccolo luogo: la città di Payerne nel Vaud, tra Ginevra e Berna[7]. Il Vaud è francofono, ma prima del 1798 era istituzionalmente subordinato al cantone tedesco di Berna, che aveva guidato la «liberazione» del Vaud dal dominio burgundo nel XIV secolo. Durante l'ultimo decennio del Settecento il Vaud fu comprensibilmente filo-francese, ma era anche filo-rivoluzionario nel suo disegno di porre fine al rapporto «feudale» con Berna. Il padre di Jomini, Benjamin, come suo padre prima di lui, era stato sindaco di Payerne. Nella Rivoluzione Svizzera del 1798, Benjamin Jomini divenne deputato dell'Assemblea Provinciale del Vaud e più tardi fece parte del Gran Consiglio della nuova Repubblica Elvetica. Ma il nonno materno di Jomini, che aveva importanti legami finanziari con Berna, si oppose fortemente al «movimento patriottico» svizzero. Sebbene questa spaccatura politica familiare anticipi alcuni successivi aspetti della vita di Jomini, nel 1798 egli fu un deciso rivoluzionario. A Parigi aveva avvicinato emigrati svizzeri radicali, tra cui LaHarpe, e quando arrivarono notizie della Rivoluzione Svizzera egli tornò in fretta in patria per trovare impiego nel nuovo regime. Per quasi tre anni fu segretario del ministero svizzero della Guerra, acquistò il grado militare di capitano e più tardi di *chef de bataillon*, superò numerosi colpi politici e nel 1802 ritornò a Parigi presumibilmente per cercare spazi più ampi per il suo talento e la sua ambizione. Ciò che rimane di questi anni giovanili indica la surriscaldata atmosfera politica del tempo e la giovanile intossicazione di eccitamento rivoluzionario non dissimile da quella descritta da Stendhal nella sua autobiografia; si nota infatti lo stesso timore adolescenziale provato da Henry «Brulard» a Grenoble che un «momento d'oro nel grande mondo» avrebbe potuto passare prima che il giovane fosse riuscito a sfuggire alla sua provinciale prigione[8]. Più tardi, Jomini avrebbe ricordato questa storia a modo suo. Sostenne di essere stato uno dei primi, nonostante la sua giovane età, a firmare la petizione di LaHarpe del 1798 al Direttorio francese, la quale richiedeva una garanzia dei diritti del Vaud contro l'oppressione di Berna. In realtà, la sua firma sulla petizione non c'è. Inoltre, Jomini sembra aver dimenticato che fu a seguito di uno scandalo nato dalla sua domanda, fatta sotto banco ad un fornitore militare, di pagare i propri debiti di gioco a Berna, che egli si dimise dal ministero della Guerra svizzero e ritornò a Parigi. Non poté celare, tuttavia, la sua petizione del 1804 a Napoleone per una completa annessione francese della Svizzera. Il governo svizzero, infuriato, domandò l'espulsione di Jomini, descrivendolo come un «disonesto» ed un «noto giacobino». Talleyrand, il ministro degli Esteri francese, non rispose; forse perché Jomini, all'età di venticinque anni, già noto per il suo carattere instabile e presuntuoso, era stato preso sotto la protezione del generale Ney[9].

Nel 1803, Ney sostenne la pubblicazione del primo libro di Jomini. Divenuto ben presto leggendario come «il più coraggioso dei coraggiosi», Ney difficilmente potrebbe esser definito un soldato libresco, ma egli era stato vicerè francese in Svizzera durante la sollevazione antifrancese del 1802, quando il Vaud aveva compattamente sostenuto la Francia, e fu questa «Swiss connection» che portò il brillante dirigente ed ambizioso giovane all'attenzione di Ney. Jomini ricordò che furono i successi dell'armata francese in Italia sotto il generale Bonaparte nel 1796-97 a fare di lui un teorico militare. In un solo anno, Bonaparte aveva costretto il Piemonte ad una pace, aveva cacciato gli Austriaci dalla Valpadana, aveva tenuto in ostaggio il resto dell'Italia, aveva sconfitto quattro massicce controffensive austriache e le aveva battute avanzando, attraverso i passi alpini, verso la stessa Vienna. In questo non c'è ragione di dubitare della memoria di Jomini perché, in qualche modo, proprio nei cinque o sei anni precedenti il 1803, egli aveva trovato tempo di leggere e scrivere molto sulla guerra. Non solo Jomini sembrava ossessionato dalla visione della gloria militare, imitando l'incredibile ascesa di Bonaparte (di soli dieci anni maggiore di lui), ma ricordò anche, in un brano efficace, di essere stato posseduto allora da «le sentiment des principes»: la fiducia platonica per cui la realtà sta sotto il caos superficiale del momento storico in base a principi costanti ed invariabili, come quelli della gravitazione e della probabilità [10]. Per afferrare questi principi, oltre che per soddisfare il più semplice bisogno sentimentale dell'ambizione e dell'impazienza giovanile, si spinse allo studio della guerra. Voraci letture di storia militare ed una loro teorizzazione avrebbero rivelato il segreto della vittoria francese.

Secondo lo stesso Jomini, egli era in grande debito intellettuale con il generale Henry Lloyd [11]. Il gallese Lloyd era stato implicato nella Ribellione del 1745, abbandonò l'Inghilterra e servì in numerosi eserciti del continente prima di riappacificarsi con il governo britannico, qualche tempo prima della sua morte nel 1783. Egli può, in realtà, essere considerato una spia inglese od un *doppiogiochista*. Tenne un importante comando operativo nell'esercito austriaco durante la guerra dei Sette Anni e scrisse, tra altri lavori, una storia delle campagne tedesche di quella guerra. La sua critica di Federico II, in quanto stratega, suscitò un notevole interesse come le sue cosiddette *Military Memoirs*, pubblicate nel 1781, nelle quali forniva una discussione sistematica della guerra e dei suoi interni principi [12]. Queste memorie furono tradotte in francese e ripubblicate a Basilea nel 1798. Quasi certamente, fu in questa forma che esse fecero la più grande impressione sul giovane Jomini. Lloyd forniva sia un modello, sia una sfida per i tentativi del giovane di ricondurre il mondo fantastico della guerra della fine del XVIII secolo ad un qualche ordine razionale.

L'arte della guerra è fondata su «alcuni determinati principi, che sono per loro natura invariabili» [13]. Le parole sono di Lloyd, ma parole come queste furono ripetute più volte da Jomini e dai suoi discepoli. Quando cerchiamo nei libri di Lloyd lo specifico contenuto di questi «principi invariabili», troviamo sorprendentemente poco. Tutto sembra ridursi ad un unico punto: solo un esercito indiviso, che si muove su una singola linea di operazioni tenuta quanto più breve e più sicura possibile, può sperare di evitare la disfatta. Può vincere naturalmente solo se il nemico è così incauto da dividere le proprie forze e da estenderle su una linea lunga e vulnerabile. Lloyd, nella sua ricerca dei principi, fornì una razionalizzazione — quasi una parodia — della strategia manovriera cauta e difensiva che caratterizzò buona parte della guerra europea prima della Rivoluzione Francese. Jomini trovò in Lloyd la chiara espressione di quell'«ideale», che in lui stava maturando, della guerra come scienza, ma poté trovare poco o niente per spiegare come l'armata d'Italia alla fine di una lunga e vulnerabile linea di operazioni, non solo vinse, ma anche alterò l'equilibrio militare dell'Europa. Il richiamo di Lloyd all'Illuminismo è facile da notare; la sua scienza della guerra, se compresa ed osservata da tutti, avrebbe reso la battaglia virtualmente impossibile ed avrebbe persino prefigurato la fine della guerra. Ma è più difficile comprendere come Lloyd potesse offrire qualcosa ad un'età di rivoluzioni e drammatiche innovazioni militari. Lo stesso Napoleone lesse e postillò Lloyd; le sue note a margine meritano di essere citate: «Ignoranza [...] Ignoranza [...] Assurdo [...] Assurdo [...] Impossibile [...] Falso [...] Male [...] Molto male [...] Come è assurdo [...] Che assurdità!»[14] Eppure, fu con lo stampo creato da Lloyd che Jomini riformulò, in maniera più o meno definitiva, la leggenda militare di Napoleone.

Si è di fronte, quindi, ad un'ovvia contraddizione: Jomini ammirò Lloyd per la sua opera di critico e teorico militare ed usò Lloyd come modello per il suo lavoro sulla guerra rivoluzionaria e napoleonica; ma Napoleone giudicava chiaramente la teorizzazione di Lloyd alla stregua di un patetico scherzo, ed in realtà nessun passo dello studio critico di Lloyd sulla guerra dei Sette Anni indica come possibile qualcosa di analogo alla rottura militare [*military breakthrough*] operata dalla Francia nell'ultimo decennio del Settecento. Sarebbe anche semplicistico dire che Jomini usò le categorie militari dell'*Ancien Régime* per interpretare Napoleone: troppi militari, intelligenti ed esperti, tra cui lo stesso Napoleone, ammirarono l'opera di Jomini che, infatti, mise più volte l'accento sulla profonda differenza tra la guerra europea prima e dopo il 1789[15]. Qui si tratta di qualcosa di più di un rompicapo intellettuale. Risolvendo quest'apparente contraddizione possiamo fare un importante passo in avanti nell'esatta comprensione di ciò che Jomini diceva e perché, allora e più tardi, il suo messaggio fu così autorevole.

La ricerca da parte di Lloyd dei principi della guerra era inestricabilmente legata alla sua storia della guerra dei Sette Anni ed alla sua critica di Federico come comandante; questa era significativamente basata sull'applicazione di principi scientifici agli eventi storici. Durante l'Illuminismo, quasi tutti gli scritti seri sulla guerra erano stati francesi o tedeschi; in inglese, non c'era stato virtualmente contributo di un qualche valore alla discussione. L'opera di Lloyd non fu nuova solamente in questo senso, ma la sua critica di Federico produsse una lunga smentita tedesca da parte del colonnello Georg Frederick Tempelhof dell'esercito prussiano[16]. La controversia suscitò interesse in Francia, dove le amare lezioni della guerra dei Sette Anni erano oggetto di intenso dibattito e così l'opera di Lloyd venne ampiamente conosciuta in Europa. Quando il giovane Jomini iniziò i suoi studi militari per trovare il segreto di come la Rivoluzione faceva guerra, le opere di Lloyd e di Tempelhof erano già disponibili. Si trattava di ricostruzioni recenti, dettagliate e polemiche sulla più rilevante esperienza militare da parte di due veterani. Jomini trovò così sia in Lloyd, sia nel suo maggiore critico quella fiducia nei «principi generali» che lo attraevano così fortemente. Ma nel loro dibattito sulle alternative strategiche del 1756-1763, né Lloyd né Tempelhof avevano immaginato qualcosa di simile agli stupefacenti eventi militari del 1793-1801. Alzandosi sulle spalle di Lloyd e di Tempelhof, Jomini poté allargare la loro limitata visione della vera natura della guerra.

Un caso specifico può servire per illustrare il suo metodo. Jomini discusse la campagna del 1756 diffusamente nel suo primo libro, il *Traité de grand tactique*, i cui primi due volumi apparvero nel 1805[17]. Per ogni operazione, egli riassumeva la ricostruzione da parte di Lloyd e la risposta di Tempelhof al fine di fornire una base alla propria versione della guerra dei Sette Anni, insieme alla propria visione dei principi eterni della guerra e della loro corretta applicazione. Come ogni guerra, le campagne del 1756-1762 rivelavano naturalmente tali principi, ma Jomini attinse anche alle campagne delle guerre rivoluzionarie francesi per correggere gli incompiuti sforzi di Lloyd e Tempelhof di discernere ed applicare quei principi correttamente. Per la campagna del 1756, Lloyd aveva approvato l'invasione della Sassonia da parte di Federico in quanto prudente operazione per proteggere il suo fianco all'inizio della campagna con l'Austria. Ma Lloyd aveva anche suggerito che un'invasione della Boemia o della Moravia, minacciando direttamente Vienna, avrebbe potuto essere una scelta migliore, a condizione che Federico avesse distaccato una forza per coprire il suo fianco sassone. Tempelhof aveva criticato questa idea calcolandone le necessità logistiche, che egli riteneva l'avrebbero resa impossibile. Inoltre, Tempelhof aggiunse che quella rischiosa mossa diretta avrebbe violato il principio fondamentale di tenere linee di operazione brevi e sicure.

Il giovane Jomini criticò ambedue i suoi predecessori per la loro timidezza. Lloyd aveva avuto una buona idea nel muovere direttamente contro Vienna, ma la indebolì con la sua preoccupazione per la minaccia sassone. Piuttosto che inimicarsi i Sassoni invadendone il Paese, come Federico di fatto fece, od indebolire il grosso dell'esercito distaccandone una forza per coprire la Sassonia, come Lloyd aveva proposto, Jomini obiettò che un esercito prussiano unito avrebbe dovuto spingersi alla massima velocità per Olmütz sulla via di Vienna. I Sassoni, sollevati perché risparmiati dagli orrori di una invasione prussiana, sarebbero stati troppo preoccupati per muoversi. Chiaramente — sostenne Jomini — questo è ciò che Napoleone avrebbe fatto nel 1756, come in effetti fece più volte in Italia quarant'anni più tardi. In quanto alla critica di Tempelhof, basata su calcoli logistici e sui principi della guerra, Jomini fu sprezzantemente polemico. L'abitudine di legare tutti i piani e le operazioni militari ai vettovagliamenti ed ai magazzini fortificati provava semplicemente che, durante il XVIII secolo, «l'arte della guerra aveva fatto un passo indietro». Cesare aveva detto che la guerra poteva alimentare la guerra ed aveva ragione. Gli otto-dieci milioni di abitanti della Boemia e della Moravia avrebbero potuto facilmente rifornire un esercito prussiano di novantamila uomini. Nell'edizione del 1811 del suo *Traité*, Jomini citò «la campagna immortale dell'imperatore Napoleone nel 1809» come prova positiva che ciò avrebbe potuto esser fatto nel 1756 e che Napoleone era uno stratega migliore di Federico. In risposta all'invocazione da parte di Tempelhof del principio della linea di operazioni breve e sicura, Jomini chiese miglior giudizio e più audacia. L'applicazione letterale del principio di Tempelhof avrebbe potuto significare che nessun esercito avrebbe nemmeno attraversato le proprie frontiere. «In tutte le operazioni militari», scrisse Jomini, «c'è sempre qualche imperfezione od un punto debole, ma nel giudicare le operazioni noi dobbiamo applicare i principi in maniera obiettiva e chiedere se una data operazione offra la migliore possibilità per la vittoria»[18].

Niente nel primo libro di Jomini, velocemente tradotto ed ampiamente discusso, può suggerire che egli non riuscisse a rendersi conto del nuovo volto della guerra nell'ultimo decennio del Settecento o che, con qualche trucco, stesse sopravvalutando le campagne di Federico insieme a quelle di Napoleone in una indifferenziata arte della guerra. Al contrario, egli vide ed ammirò largamente il nuovo stile di guerra, incurante delle esigenze di truppe e degli obblighi di rifornimento, con tutte le energie indirizzate all'unico scopo della vittoria. Egli usò le esitazioni e le limitazioni della guerra di Federico il Grande come uno scenario su cui far riflettere il fulgore di Bonaparte, all'incirca come usò la costruita faziosità di Lloyd e di Tempelhof per dimostrare il proprio perspicace universalismo.

Nei capitoli sette, quattordici, trentaquattro e trentacinque del *Traité* (gli ultimi due capitoli apparvero per la prima volta nel 1809 nel quarto volume), Jomini si innalzava dai particolari della storia militare alla verità generale della guerra. Il suo linguaggio introduttivo era molto simile a quello di Lloyd: «l'idea di ridurre il sistema della guerra alle sue combinazioni fondamentali, da cui tutto il resto dipende e che fornirà la base di una semplice ed accurata teoria, fornisce numerosi vantaggi: renderà più semplice l'insegnamento, più chiaro il giudizio operativo e meno frequenti gli errori. Io credo che i comandanti non possano fare a meno di assimilare questo concetto e che esso dovrebbe guidare tutti i loro piani e tutte le loro azioni»[19]. Passando, poi, a più specifiche conclusioni e muovendo da riferimenti storici, Jomini sembrava ancora seguire Lloyd: un'unica linea unificata di operazioni[20]. Ma al di là di questo punto, Jomini appare come un uomo della Rivoluzione Francese, offrendo una nuova, radicale teoria della guerra: tutte le «combinazioni» strategiche sono erronee [*liceuses*] se non seguono il principio fondamentale «di operare con la maggior quantità di truppe possibile in uno sforzo combinato contro il punto decisivo»[21]. Decidere come attaccare — se frontalmente o se di fianco — dipenderà dalla situazione specifica, ma l'attacco in sé è essenziale; l'iniziativa non deve essere lasciata al nemico. Una volta impegnato in un'azione, il comandante non deve esitare. Egli ed i suoi ufficiali devono, con disprezzo del pericolo e con coraggio, spingere le proprie truppe al maggiore sforzo possibile. Se battuto, il nemico deve essere inseguito senza tregua. Se la vittoria per qualche ragione dovesse sfuggire al comandante, egli non deve attenderla da niente altro che non sia un rinnovato tentativo, usando i sani principi della guerra: ammassare truppe, attaccare, insistere nell'attacco. Secondo Jomini, l'immagine della guerra non potrebbe essere più diversa da quella delle caute strategie della guerra limitata proprie dell'*Ancien Régime*. Le parole con cui chiudeva la sua opera possono anche non essere tradotte: «*Voilà la science de la guerre en peu de mots*». L'ignoranza di questi principi portò alle sconfitte degli Austriaci nel 1793-1800 e, di nuovo, nel 1805, alla perdita francese del Belgio nel 1793 ed ai fallimenti francesi in Germania

(1796) nonché in Italia ed in Svevia (1799). Per contro «*Le système de l'Empereur Napoléon présente une application constante de ces principes invariables*»[22].

Ancora in servizio attivo, Jomini continuò a scrivere ed a pubblicare dal 1805, quando entrò a far parte dello Stato Maggiore di Ney, al 1813, quando lasciò l'esercito francese per passare ai Russi. Nel 1811, egli aveva scritto sei volumi del *Traité*, dalla guerra dei Sette Anni fino ai primi due anni delle guerre della Rivoluzione. Completò quindi i successivi due volumi, sulle campagne del 1794-1797, e li avrebbe pubblicati nel 1816. Pubblicò anche numerosi saggi e pamphlet, in tre dei quali condensò le proprie idee sui principi della guerra[23]. Ufficiale di Stato Maggiore di Ney e di Napoleone stesso, aveva raggiunto il grado di *général de brigade* ed era stato a Ulm, Jena, Eylau, nelle campagne di Spagna e di Russia. Si era distinto alla battaglia di Bautzen, nel 1813. Quando lasciò l'esercito francese poco dopo Bautzen, all'età di trentaquattro anni, aveva raggiunto una fama internazionale di storico e teorico della guerra moderna emergente, anche se il volume per cui egli è più noto doveva ancora essere pubblicato. Non si esagera molto dicendo che la sua rapida ascesa, fatta di decisione, energia e determinazione oltre che di un po' di fortuna all'interno dell'ambiente, per certi versi ristretto, degli studi militari del tempo, era stato di tipo napoleonico.

Dal 1813, sino alla sua morte nel 1869, Jomini, generale russo, continuò a scrivere ed a pubblicare difendendo ed affinando la sua teoria militare, incrementando la propria già considerevole reputazione[24]. Fu consigliere dello zar al Congresso di Vienna, di Aix-la-Chapelle e di Verona, oltreché durante la guerra russo-turca del 1828-29 e la guerra di Crimea. Prese parte all'istituzione di una nuova accademia militare russa e fu precettore del futuro Alessandro II. Ma negli ultimi cinquantasei anni della sua vita si può notare un'evoluzione intellettuale sorprendentemente contenuta. Vivendo per lo più a Parigi, completò la storia delle guerre della Rivoluzione Francese, pubblicata separatamente dal *Traité*, in quindici volumi. Dedicò altri quattro volumi ad una biografia militare di Napoleone. Nel 1830, su suggerimento dello zar Nicola I, raccolse frettolosamente i vari capitoli e saggi scritti sui principi della guerra in un *Tableau analytique des principales combinaisons de la guerre*. Un'edizione aumentata, in due volumi, pubblicata nel 1837-38 con il titolo di *Précis de l'art de la guerre*, fu il suo libro più famoso. Il *Précis* dimostra che egli aveva letto il *Vom Kriege* di Clausewitz pubblicato postumo e ne era stato spinto, in tarda età, a riconsiderare alcune delle sue idee. Ma il nuovo materiale incorporato nel *Précis*, tradotto poi in molte lingue, era nato morto in termini di influenza. Il pubblico di Jomini aveva ricevuto il suo messaggio di fondo già molto tempo prima e nessun nuovo argomento o capitolo, a meno che non fosse accompagnato da un radicale mutamento di accento o, forse, da un effettivo abbandono della sua enfasi per i principi prescrittivi, avrebbe potuto mutare la direzione della sua influenza sulla professione militare e sugli studiosi della guerra.

La più matura ed influente manifestazione delle sue idee, nel *Précis*, viene elaborata senza alterare i punti fondamentali già espressi nei primi lavori pubblicati. Il titolo avverte il lettore che argomento della pubblicazione non è la «guerra», ma «l'arte della guerra». Per quest'arte ci sono principi eterni, validi per Cesare come per Napoleone. Alla ricerca del segreto di questi principi, Jomini era riuscito a trovarlo, non nei «sistemi» teorici dei precedenti autori, ma nella storia militare di Federico II. Federico aveva vinto lanciando la massa del suo esercito contro un solo punto dell'esercito avversario. Tale tecnica, innalzata al più alto livello della conduzione della guerra, rappresentava l'essenza del segreto della strategia, da cui ogni altro principio derivava. I critici come Clausewitz, che dubitavano della validità di ogni teoria della guerra, non riuscivano a distinguere tra una teoria basata su *sistemi* ed una teoria basata su *principi*. I principi erano guide per l'azione, non calcoli matematici infallibili. L'applicazione specifica dei principi sarebbe mutata con il mutare di quelle migliaia di fattori fisici e psicologici che rendevano la guerra «un grande dramma». Il genio avrebbe sconfitto il militare pedante, proprio come talento ed esperienza avrebbero avuto la meglio sul principiante. I principi in se stessi, la cui verità era dimostrata da tutta l'esperienza militare, tuttavia, non potevano essere ignorati senza pericolo e, una volta seguiti, avevano «quasi invariabilmente» [*presque en tout temps*] condotto alla vittoria.

Il principio di far manovrare le masse di un esercito al fine di minacciare i «punti decisivi» del teatro di guerra e, quindi, di scagliare tutte le forze disponibili contro una frazione della forza avversaria posta a difesa di quei punti è, ammise Jomini, molto semplice. Ma, si erano chiesti i suoi critici, che cosa è un «punto decisivo»? È un punto, rispose Jomini, che attaccato o catturato avrebbe messo in pericolo o seriamente indebolito il nemico. Poteva essere un crocevia, un guado, un valico montano, una base di rifornimento o un indifeso fianco dello stesso esercito nemico. Il gran merito di Napoleone, come stratega, sta non nel manovrare solo per qualche vantaggio limitato, ma nel riuscire ad identificare quei punti che, se presi, avrebbero «disorganizzato e rovinato» il nemico. Tenendosi egli stesso informato di tutto, muovendo velocemente le proprie truppe per farle convergere sul punto decisivo ed inseguendo l'avversario battuto *à outrance*, il giovane Bonaparte aveva stabilito le basi della propria fama. In un teatro più ampio o in una guerra con scopi differenti, i principi avrebbero potuto essere applicati in maniera diversa, forse più cauta. Ma i principi di base non cambiavano mai. Quasi senza eccezione i fianchi e le linee di rifornimento del nemico avrebbero definito i punti decisivi per l'attacco; un esercito non poteva sopravvivere senza rifornimenti e minacciare la sua base lo avrebbe costretto a combattere, per quanto sfavorevoli potessero essere le circostanze. Pur riconoscendo la natura speciale della guerra di Napoleone, Jomini, con la grande varietà di esempi storici disseminati nella discussione teorica del *Précis*, sottolineò che sotto i caotici mutamenti della guerra moderna permaneva una strategica universalità[25].

II

Come avvenne che quest'uomo della Rivoluzione isolò la rottura francese nella storia della guerra dalle sue radici rivoluzionarie? Abbiamo già visto che egli era del tutto cosciente delle drammatiche differenze tra le vecchie forme di conduzione della guerra e le nuove, e che aveva sviluppato le proprie osservazioni mentre prestava servizio militare proprio durante le campagne napoleoniche. Jomini non fu per nulla lo stratega da poltrona della Restaurazione che riproponeva dagli scaffali della sua biblioteca teorie non provate, ma un veterano di molte campagne notevolmente ben collocato per osservare un decennio di intense guerre in tutta Europa. Comprendere come riuscì, con le sue opere ed ancor più con la sua influenza, ad estrapolare una propria concezione della condotta della guerra dall'ambiente in cui le guerre avevano avuto luogo richiede alcune considerazioni a livelli assai diversi.

La personalità e la carriera di Jomini costituiscono il primo livello per riflettere sull'originale indirizzo assunto dalle sue riflessioni e dalla sua opera. Da ragazzo aveva un carattere problematico, brillante ma scostante e da allora non cambiò mai. Era sempre in polemica con qualcuno per qualcosa ed era troppo sensibile per lasciarsi sfuggire l'occasione di una discussione. Il suo ritratto di giovane ufficiale della *Grande Armée* è tutto arroganza ed il vecchio che ci guarda da una fotografia assomiglia ad un rapace arrabbiato. Che egli abbia mantenuto una personalità polemica e priva di tatto è confermato da tutti coloro che lo conobbero, anche dai suoi ammiratori [26]. Niente esprime il suo carattere meglio di certe sue stesse parole, presentate come parole di Napoleone. Nella biografia di Napoleone, pubblicata anonima nel 1827, Jomini descrisse il proprio ruolo di capo di Stato Maggiore di Ney nella campagna del 1813. Fece dire a Napoleone che a Jomini doveva attribuirsi, nella battaglia di Bautzen, una manovra «perfetta» di «incalcolabile» valore e che il suo successivo passaggio ai Russi (in realtà, a quel tempo Napoleone lo aveva definito una «diserzione») rappresentò una grave perdita «perché egli era uno degli ufficiali che meglio comprese il mio sistema di guerra». In queste parole, la vanità di Jomini è sorprendente, ma perfettamente in linea con il suo carattere. Ancor più rivelatrici sono le parole da lui attribuite a Napoleone con le quali veniva scusato il suo passaggio al nemico: «Jomini era un uomo sensibile, violento, irritabile [*mauvaise tête*], ma troppo onesto [*franc*] per aver fatto parte di un complotto premeditato» [27]. Così per sua stessa ammissione, scritta e pubblicata quando aveva circa quarant'anni, Jomini era irascibile, vanesio ed eccessivamente suscettibile.

Al di là della sensibilità e dell'irascibilità stavano le più profonde componenti del carattere: ambizione, frustrazione, insicurezza e talvolta depressione. Da adolescente, Jomini era stato colpito ed affascinato dall'ascesa di Bonaparte ed aveva deciso anch'egli, diciannovenne, di cercare gloria, fama e potere. Al servizio di Ney e guadagnando per un po' persino la favorevole attenzione dello stesso Napoleone, aveva fatto carriera in fretta, ma non abbastanza. Non gli fu mai affidato il comando di truppe ed il suo presuntuoso intellettualismo strideva con taluni di quei duri generali al cui servizio egli era collocato. Se Ney e Napoleone furono le sue stelle polari, Berthier, capo di Stato Maggiore di Napoleone, fu la sua *bête noire*. Berthier lo aveva bloccato più di una volta e quando Ney lo segnalò per una promozione dopo Bautzen, Berthier ordinò il suo arresto per avere omesso la presentazione del periodico rapporto in qualità di capo di Stato Maggiore di Ney[28]. Fu tale incidente a spingerlo a passare all'esercito russo in quello che, retrospettivamente, appare come un momento opportuno, poco prima della lotta e della caduta finale del regime napoleonico.

Al servizio dei Russi, fu consigliere militare di Alessandro I e, dopo la morte di questi, nel 1825, di Nicola I. Ma la corte russa era troppo complicata ed intricata per Jomini per percorrerla molto a lungo o con molta sicurezza; ci fu sempre la solita ricerca di un protettore — lo stesso Alessandro per un periodo, poi Nicola, e alla fine il ministro riformatore Miliutin — ma c'era sempre anche un Berthier, un malvagio che bloccava le sue proposte[29].

I documenti suggeriscono l'immagine di un uomo che, per la sua reputazione, dipendeva sempre disperatamente da qualcosa: dalla sua posizione irregolare nello Stato Maggiore di Ney, dalla sua personale relazione con l'imperatore o con lo zar, dal suo grado e dalla sua paga come generale russo. Aveva litigato con il fratello e la sorella per via dell'eredità di famiglia ed i suoi non celati timori finanziari, nonostante le continue vendite dei suoi volumi, sembrano sinceri[30]. I documenti suggeriscono anche un uomo che sentiva, profondamente, di aver fallito. Non aveva mai avuto incarichi di comando e non poté mai trovare una completa soddisfazione nello scrivere libri sulla guerra. I militari potevano apprezzarlo e persino ricorrere a lui, ma egli era troppo un soldato per non sapere che cosa essi pensassero di chi della guerra scrive solamente. Troppo vanitoso per ammetterlo sinceramente, troppo intelligente per non saperlo, pare che Jomini guardasse a se stesso come ad un fallito. E il suo completo assorbimento nel lavoro, il profondo cruccio per la propria precaria ed, al fondo, insoddisfacente collocazione in un ambiente duro — un'impressione nata dalle eccitanti, ma difficili esperienze giovanili e rinforzata nel resto della sua vita — plasmò il suo pensiero sulla guerra. La guerra, o almeno quella parte che davvero lo interessava, concerneva il comandante in capo, il Federico od il Napoleone che dirigeva quel grande gioco sanguinoso che con acutezza di intelletto e di volontà dominava gli uomini a lui sottoposti e li usava per sconfiggere i suoi nemici. Questa era la guerra — e la vita — come l'aveva conosciuta Jomini, l'ufficiale di Stato Maggiore dei quartieri generali. Nei comandi e nei quartieri generali, il ruolo della personalità pare spesso prevalente, il successo od il fallimento appaiono dipendere dalle singolari abilità di pochi uomini — il comandante ed il suo Stato Maggiore — posti sotto grande pressione. Una prospettiva delle più ampie ed impersonali forze che plasmano gli eventi è notoriamente facile a perdersi proprio in quelle circostanze in cui Jomini aveva avuto esperienza della guerra.

Non c'è bisogno di esagerare l'elemento psicologico nelle opere di Jomini, per notare quanto naturalmente il suo pensiero rifletteva l'esperienza personale. Da molto presto, la sua vita era stata una smodata corsa per riuscire ad impressionare uomini importanti — il nuovo ministro della guerra svizzero, Ney, Napoleone, lo zar od alla fine della sua vita Miliutin — ed allo stesso tempo per mettere fuori gioco rivali e nemici: Berthier, Chernyshev, Clausewitz o chiunque poteva ostacolare il suo cammino[31]. Jomini si era comportato come un giovane arrivato in una giungla competitiva ed aveva sempre qualcosa dell'*outsider*. Il suo mondo fu fatto di collisioni continue con uomini ambiziosi piuttosto che dello scontro tra grandi forze.

A tale riguardo, è istruttivo confrontare Jomini con Clausewitz. Nato un anno più tardi, Clausewitz salì dalle sue modeste origini ad un alto grado dell'esercito prussiano, in parte per talento ed ambizione, in parte per il *patronage* di Scharnhorst. Ma al di là di tale somiglianza ci furono grandi differenze — tra Prussia e Francia, tra Scharnhorst e Ney come protettori, tra Clausewitz e Jomini in sé — a marcare la percezione della guerra moderna da parte di ognuno dei due. Clausewitz e la Prussia conobbero le avversità, la sconfitta e l'umiliazione; solo dopo grandi riforme, realizzate in seguito alla catastrofe militare di Jena, nel 1806, il sistema militare prussiano trovò i mezzi per confrontarsi con la potenza della Francia napoleonica. Fatto prigioniero durante la campagna di Jena, Clausewitz era un giovane membro del gruppo di riformatori. Dopo Waterloo, con Napoleone in salvo, ma esiliato, Clausewitz e gli altri riformatori prussiani furono visti con sospetto. Una monarchia ed un'aristocrazia conservatrici non dimenticarono e non perdonarono le loro richieste di trasformazioni in senso liberale successive al 1806, e negli anni Venti Clausewitz non poteva dubitare di essere stato relegato su uno scaffale, alla Scuola di guerra di Berlino. Se Clausewitz conobbe il fallimento, Jomini poté sospettarlo, ma trascorse un'intera vita a proclamare il successo delle proprie idee. Personalità più forte e più stabile, Clausewitz scrisse della guerra per soddisfare se stesso e forse lo spirito di Scharnhorst, ucciso nel 1813, il quale aveva rappresentato per il suo giovane protetto il più alto modello di integrità individuale ed intellettuale. Ney per contro, aveva dato a Jomini lavoro, denaro ed un notevole anche se sporadico aiuto, abbandonando il giovane quando si stancò della sua personalità di piantagrane. Jomini scrisse per pubblicare e pubblicò per impressionare, perché solo facendo una buona impressione poteva sperare di avanzare o di appoggiarsi a qualcuno. Dalla prospettiva delle loro contrastanti psicologie, non dovrebbe sorprendere che Clausewitz si avvicinasse alla guerra percependola come una complessa totalità, vedendovi quelle che possono essere chiamate le sue tragiche condizioni sempre pronte a sfuggire al controllo umano e che Jomini, invece, vedesse la guerra in senso lato, in termini individuali ed eroici, controllata dall'abile comandante.

Fin dove la sua ricerca di una scienza dei generali e dei comandanti potesse condurre Jomini, è testimoniato dalle campagne del 1793-1794. Era questo l'anno del Terrore, quando le forze francesi a Nord e ad Est finirono per trasformare la sconfitta in vittoria. Mentre era in fase di ricostruzione, l'esercito francese combatté una guerra a fondo su diversi fronti. Gli ammutinamenti erano frequenti e le teste dei generali francesi sconfitti — letteralmente — rotolarono. Fu un periodo di sforzo frenetico e di innovazione disperata. Di questo periodo, Jomini scelse la campagna del 1794 per illustrare la sua teoria delle «linee di operazione», nel famoso quattordicesimo capitolo del suo *Traité*.

Egli disse poco sulle condizioni politiche, emotive ed organizzative, esaminando invece in profondità le somiglianze tra il 1757 ed il 1794. In ambedue le campagne, due armate separate avevano mosso «concentricamente» su un singolo obiettivo: quelle di Federico, nel 1757, invadendo la Boemia dalla Sassonia e dalla Slesia, quelle francesi del 1794 avanzando verso Bruxelles dalle Fiandre e dalla valle della Mosa. Jomini era ben consapevole che altri avevano visto le operazioni del 1794 in una luce differente. «Ma si è esagerato nel presentare [la campagna del 1794] come un nuovo sistema militare, come un qualche tipo di miracolo senza precedenti negli annali della guerra. Gli eserciti francesi non abbisognano di esagerazioni, che solo oscurano la vera natura della loro vittoria»[32]. La vera natura della vittoria francese stava, secondo Jomini, nella manovra strategica, che da parte francese avrebbe potuto essere perfezionata per assicurare una vittoria ancora più decisiva e che da parte austriaca rappresentò un classico esempio di insuccesso nello sfruttare «le linee interne» e di mancata concentrazione di tutte le forze prima contro un'armata francese e poi contro l'altra (proprio come gli Austriaci avevano mancato di fare contro Federico nel 1757). L'insuccesso austriaco nel manovrare secondo i principi della guerra fu la prima causa della vittoria francese nel 1794.

Ma le operazioni che condussero alla conquista francese del Belgio, nel 1794, furono in realtà molto più complesse di un insieme di mosse di quella partita da cui gli Austriaci furono semplicemente messi fuori gioco. Praticamente tutti i resoconti, coevi o recenti, sottolineano il carattere continuo dell'offensiva francese, sostenuta dal flusso dei rinforzi per rimpiazzare le pesanti perdite ed incitata dalla personale presenza di Carnot e di Saint-Just[33]. La documentazione disponibile indica chiaramente la decisiva importanza sia della *quantità*, sia della *qualità* delle forze francesi impegnate nella campagna. Che Jomini abbia voluto scegliere di sottolineare il fallimento austriaco nello sfruttare il supposto vantaggio di una «linea interna di operazioni» contro le francesi «linee concentriche di operazioni» rappresenta quanto meno una semplificazione. Che abbia voluto andare oltre, negando chiaramente il valore esplicativo dei fattori istituzionali, politici e psicologici di questa campagna, pare bizzarro e scarsamente credibile, ma per quanto possa essere discutibile il suo uso di esempi specifici per illustrare un suo punto di vista generale, l'influenza del suo metodo teorico e la diffusa accettazione della sua versione della storia militare non possono essere negate.

L'accoglienza eccezionalmente positiva da parte dei lettori di Jomini è ciò che conferisce importanza alla sua opera. Senza questa risposta egli sarebbe divenuto poco più che una curiosità storica, come il suo contemporaneo Bülow. Ma chi, durante e dopo, l'epoca napoleonica ha studiato la guerra ha trovato ciò che cercava nel *Traité*, nella sua storia delle guerre della Rivoluzione, nella sua vita di Napoleone, e soprattutto nel suo *Précis de l'art de la guerre*. Jomini ha dato al suo pubblico ciò che questo evidentemente voleva.

I suoi volumi, nei loro aspetti sia narrativi sia teorici, si adattavano ad un'antica tradizione di storiografia militare: Cesare, Alessandro, Federico,

Napoleone, insomma la saga del re guerriero che, in possesso di qualità sovrumane, conduce il suo popolo alla vittoria. È una storia vecchia quanto la letteratura. Jomini si adagia comodamente nella tradizione per cui gli eserciti sono masse senza volto, armate ed alimentate in modi misteriosi, il cui comportamento in battaglia sembra riflettere il carattere tradizionale della loro razza, della loro nazione, del loro comandante. Alla fine, il giudizio è tradizionalmente tratto sulla base della prestazione del Grande Capitano e dei suoi nemici[34]. Sebbene i momenti migliori dell'analitica scrittura di Jomini si elevino al di sopra di questo tipo di storiografia militare, la maggior parte delle sue opere edite è fatta di narrazioni di campagne, centrate sulle decisioni dei comandi. Ancor oggi, tali narrazioni offrono resoconti delle operazioni militari in Europa dal 1756 al 1815 chiari, ben dettagliati e — all'interno dei loro limiti didattici — affidabili. Ma esse rafforzarono potentemente il modo tradizionale di vedere la guerra, con tutte le sue tendenze ad emettere giudizi astorici.

Anche altre forze, più attive e storicamente determinate, contribuirono a tenere insieme Jomini ed il suo pubblico. Durante la vita di Jomini, emerse nelle società europee la moderna professione militare, con la razionalizzazione del reclutamento, dell'istruzione, dell'avanzamento, delle pensioni e dei sistemi di Stato Maggiore: tutte caratteristiche di un «sacerdozio» separato e specializzato di tecnici, sempre più distinti da quell'ambiente civile che presumibilmente serviva e dalla tradizionale identificazione del ruolo militare con l'aristocrazia e la nobiltà. A questa professione emergente, la cui crescita e la cui fiducia in se stessa furono grandemente stimolate dalle lunghe guerre del 1792-1815, Jomini offrì il prestigio della scienza ed insieme una motivazione per la pretesa di un'autonomia professionale. Il desiderio da parte della nuova professione militare di rendere il suo sapere «scientifico» è semplicemente un capitolo della più ampia storia delle professioni nell'Ottocento, secolo nel quale ognuna cercava di definire e difendere la propria «scienza» speciale. Ma i militari avevano di fronte un altro problema: il loro rapporto con il potere e l'autorità. Finché gli ufficiali furono aristocratici o gentiluomini, il rapporto fu implicitamente definito dalle loro origini sociali. Quando la democrazia, la burocrazia e la meritocrazia iniziarono a trasformare i militari — cosa che stava percettibilmente accadendo quasi dovunque nell'Ottocento — il rapporto con la politica divenne problematico[35]. Non più parte del contratto, in base a cui monarchia ed aristocrazia dividevano il potere, sarebbero stati i militari semplicemente una parte subordinata dell'apparato dello Stato?

Eventi come il colpo di Stato militare che portò Napoleone al potere nel 1799, la defezione — politicamente motivata — degli ufficiali prussiani nella crisi del 1812 e la rivolta Decabrista del 1825 guidata da ufficiali russi resero questa domanda politica qualcosa di più che accademica. Conservatori non meno che liberali temettero militari professionalizzati al punto da allontanarsi dallo Stato e dalla società; i militari, a loro volta, cercarono i mezzi per evitare i controlli esterni che quei timori potevano imporre. In Jomini i militari trovarono proprio ciò che cercavano: buoni argomenti contro la stretta subordinazione all'autorità politica. Egli centrò i suoi studi su Federico e Napoleone, che nelle loro persone univano il potere politico e militare. Si trattava di casi unici, irrilevanti anche per gli Stati più autocratici dove mai più il sovrano regnante sarebbe in realtà sceso in campo come *generalissimo*, ma Jomini non affrontò esplicitamente il problema. Egli scelse anzi di esaminare l'opposto caso dell'Austria, che aveva perso così tante delle grandi campagne dal 1756 al 1815, e di conseguenza lanciò un forte messaggio per quanto riguarda questo aspetto dei rapporti tra politici e militari. I comandanti militari austriaci, scrisse Jomini, furono frequentemente paralizzati dalle «interferenze» da parte del «Consiglio Aulico» la cui ingenuità strategica ed il cui potere politico assoluto avevano spesso portato la casa degli Absburgo al disastro militare[36].

La lezione era chiara: un governo dovrebbe scegliere il suo più abile comandante militare, e quindi lasciarlo libero di condurre la guerra secondo i principi scientifici. I governi non dovrebbero dimenticare le proprie forze armate, ma non devono immischiarsi in questioni che solo colti ed esperti ufficiali comprendono. La professione militare naturalmente ha preso a cuore tale lezione, l'ha insegnata ai suoi allievi, l'ha invocata ogni qualvolta sia stata minacciata da «interferenze» politiche e — seguendo Clausewitz, di tutto ciò mentore — non ha mai sentito una grande necessità di esaminare le difficoltà che una formulazione così semplicistica ha creato. Tali difficoltà erano un tema centrale del *Vom Kriege*, ma i militari riuscirono a leggere persino Clausewitz secondo linee che travisavano il suo significato a favore della più confortevole formula jominiana[37].

Anche più ampie correnti di opinione contribuirono a creare un pubblico sensibile all'opera di Jomini. Egli scriveva per un'Europa scossa dalla Rivoluzione e da Napoleone eppure ancora così affascinata da quell'esperienza. Una generazione di rivolgimenti e di notevole impatto dell'impero francese sul mondo occidentale non poteva essere ignorata. Allo stesso tempo, era diffuso il desiderio di guidare quest'età conturbante all'interno di un ordine razionale, di normalizzarla, facendo ritornare in qualche modo il genio francese nella sua lampada. Jomini con la sua enfasi sulla strategia, la biografia e la scienza rispondeva a tale desiderio.

La grandezza di Napoleone, diceva Jomini, non stava nell'aver sfruttato le energie della Rivoluzione per scopi militari, ma nell'aver intuito ed applicato le verità scientifiche della guerra. In tal senso, Napoleone non aveva rappresentato una forza rivoluzionaria senza precedenti, ma il supremo esempio moderno di un fenomeno ricorrente: il condottiero di genio. La Rivoluzione Francese aveva reso possibile la sua rapida ascesa, ma non era stata la fonte del suo potere, che era venuto dalla potenza del suo intelletto e della sua volontà, i primi a riuscire a fermare gli effetti distruttivi e centrifughi della Rivoluzione prima che fosse costruito l'impero. Jomini non perse mai la sua giovanile ammirazione per Napoleone e ciò diede alla sua opera teorica e storica quell'ambiguità che fu una parte importante del suo ascendente sull'Europa del dopo-Waterloo. I conservatori trovarono in Jomini un'abile separazione dei rivolgimenti sociali e politici della Rivoluzione dalle cause e dalle conseguenze delle vittorie militari napoleoniche; poterono così pensare la guerra senza essere preoccupati dal suo possibile rapporto con la Rivoluzione. Le stesse scelte politiche di Jomini favorirono una simile lettura della sua opera: dopo essere stato messo in imbarazzo dalle critiche contro l'analisi favorevole data di Napoleone nella sua biografia di quattro volumi edita nel 1827, Jomini colse l'occasione di un altro volume di «aggiunte e rettifiche» alla breve ricostruzione della campagna del 1805 già contenuta nella biografia per esaltare le virtù della monarchia di diritto divino[38]. Aveva fatto una lunga strada dal giacobinismo di gioventù, ma lo aveva fatto senza alcun percettibile spostamento nel suo approccio allo studio della guerra.

C'è in Jomini, non sorprendentemente, un importante elemento di acuta tecnica commerciale; sapeva che cosa i suoi lettori volevano e lo dava loro. In alcune delle sue opere edite, compaiono rivelatrici digressioni sul problema tecnico di persuadere il lettore ad accettare il proprio punto di vista. Se in uno fra i suoi primi libri si era innalzato sulle spalle di Lloyd e Tempelhof, da tale posizione egli aveva aperto il fuoco sul malcapitato Heinrich Dietrich von Bülow. Quest'ultimo, certamente, si era reso incomprensibile a tutti tranne che ai matematici: un errore, non importa quali meriti la sua teoria potesse avere. In un primo tempo, Jomini aveva tentato di procedere con una continua rassegna critica degli studi di Lloyd e Tempelhof per delucidare i principi della guerra, ma vi rinunciò quando vide che tale metodo avrebbe prodotto un'opera lunga e noiosa. Tedioso, oscuro, pessimistico: tali erano anche alcuni dei grandi errori di Clausewitz, dal punto di vista di Jomini, sebbene egli ammettesse che qualche buona idea c'era, sepolta, nel *Vom Kriege*[39]. Il problema stava, quindi, nel trovare il formato che avrebbe attratto e persuaso, piuttosto che nell'aver ragione.

Jomini appare anche troppo moderno nella sua fiducia che scoprire la verità è un compito meno impegnativo del confezionarla e dello smerciarla. Mai scosso nella propria fiducia di mantenere una ferma presa sull'unica verità che importava a militari e strateghi, lavorò assai duro nel rendere le sue versioni di storia militare e la sua definizione della teoria militare quanto più attraenti possibile. Mantenne il messaggio chiaro, semplice e ripetitivo. Si collocò bene all'interno del filone tradizionale della storiografia militare. Pur dicendo ai soldati ed ai conservatori ciò che loro volevano sentire, sfuggì ad ogni accusa di pregiudizio contribuendo egli stesso alla crescente leggenda napoleonica. Per varietà e per un tocco di scientificità, introdusse diagrammi, schemi ed un po' di matematica, ma non troppo, evitando l'errore di Bülow[40].

In sostanza, Jomini fuse due grandi correnti culturali: una sensibilità romantica illimitata ed un'ossessione del potere della scienza ridotta ad affermazioni di senso comune e ad ordini prescrittivi. Il Napoleone di Jomini, prefigurato da Federico, era un genio militare in cui intelletto e volontà straordinari sfioravano, come in una rivelazione religiosa, la bellezza ed il potere della scienza: il romanzo della scienza. L'influenza di Jomini deve essere compresa nel contesto di altri influenti contemporanei che guardarono alla realtà per buona parte nello stesso modo, anche se i loro esiti od i loro programmi specifici potevano divergere: Bentham, Comte, Marx ed il divulgatore, adesso dimenticato, Victor Cousin, per scegliere solo alcuni esempi. Come Cousin, ma a differenza di Bentham e di Marx, Jomini non fu attratto dalla soluzione del problema concettuale da lui stesso prescelto, in quanto tale; egli lo aveva risolto in maniera soddisfacente già nella sua gioventù [41]. Piuttosto, egli voleva essere ascoltato, convincere, stabilire il modo in cui pensare la guerra; e a tale scopo fu devoto per tutta la vita e con tutta la sua instancabile energia. E in questo scopo, per quanti sentimenti segreti di fallimento e futilità potesse avere avuto, egli ebbe successo in maniera unica.

III

Le sue vere idee, soprattutto se viste attraverso il prisma mostruoso della guerra del XX secolo, si prestano facilmente alla parodia ed al ridicolo. Una schiera di narratori contro la guerra, ed anche taluni storici, hanno messo in bocca a moderni comandanti militari, variamente dipinti come stupidi o sadici (od ambedue), banalità jominiane. La sua insistenza sul fatto che nemmeno le più radicali trasformazioni della tecnologia militare possono alterare i principi della guerra sembra spiegare una mentalità che potrebbe ordinare alla cavalleria di attaccare le mitragliatrici o descrivere l'energia nucleare nei termini semplicistici di «un'altra arma». Ugualmente è preoccupante il suo contributo al lamento per quella lontananza tra la professione militare e l'autorità politica, che appare essere una malattia cronica del mondo moderno. Isolando la strategia dal suo contesto politico e sociale, Jomini contribuì a coltivare un tipo di pensiero sulla guerra che continua ad ossessionarci. Ma saremmo in errore ad accusarlo dei nostri successivi problemi militari. Come ogni insieme di concezioni potentemente influenti, il suo diede chiara espressione a dubbi, attitudini e sentimenti già prevalenti, nel suo caso durante e dopo le guerre napoleoniche. Possiamo meglio comprenderlo se, radunando ogni possibile simpatia, prendiamo le sue idee sul serio.

Oggi Jomini è conosciuto principalmente attraverso il suo *Précis de l'art de la guerre*, tradotto in molte lingue e spesso abbreviato, citato e plagiato. Cosa che egli sperava. Descrivendosi come il Copernico od il Colombo della teoria militare, amava dire che tutti i suoi libri — tra cui circa trenta volumi di storia militare — valevano meno di un suo breve saggio sui principi della guerra scritto intorno al 1804 e pubblicato nel 1807 [42]. Il saggio, ampliato e rielaborato, era il nucleo del *Précis*. I critici di Jomini, da Clausewitz nel suo tempo a Bernard Brodie nel nostro, hanno lamentato il fatto che egli cercò di ridurre la guerra ad un semplice insieme di regole [43]. Da questo punto di vista, egli non avrebbe potuto lamentare alcuna incomprensione. Ma l'accento assai didattico, il cui scopo esaspera i suoi critici, può aver oscurato altri aspetti importanti dell'opera.

La sua storiografia militare merita più che una rapida occhiata. La prima opera, sulla guerra dei Sette Anni, rappresentò un serio tentativo di superare l'evidente faziosità che affliggeva costantemente il genere. La storia militare era usata così spesso per celebrare un condottiero od un popolo, in quanto complemento del potere monarchico od espressione dell'orgoglio nazionale, che la richiesta di Jomini di una ricostruzione meno parziale e più critica della guerra è degna di nota. Anche i suoi mentori, Lloyd e Tempelhof, erano ovviamente faziosi; il primo aveva prestato servizio come generale dalla parte degli Austriaci ed il secondo fu incoraggiato da Federico a ribattere le critiche di Lloyd. Il pregiudizio di Jomini, naturalmente, sta nel credere che principi della guerra esistessero veramente e che il loro operato potesse essere compreso nella concreta condotta della guerra. Ma, almeno, egli rappresentò un nuovo modello in cui lodi ed ingiurie erano meno importanti dello stabilire su una qualche base realistica lo spettro delle possibilità storiche. La sua opera più tarda sulle guerre della Rivoluzione e di Napoleone è stata sicuramente sottovalutata. Jomini ebbe una certa facilità ad accedere ad archivi francesi, russi ed austriaci, prese parte personalmente a molte campagne e dopo il 1815, interrogò importanti comandanti, ad esempio il duca di Wellington al Congresso di Vienna. Qualsiasi storico interessato alla storia militare del periodo troverà tali volumi ancora di un certo valore per i loro dettagli, per la chiarezza e per la generale accuratezza. Cercando di esaminare le azioni di ogni belligerante, provò a sfuggire da quella ricerca unilaterale che ancora affligge la storia militare[44]. Detto tutto questo, la nostra attenzione deve volgersi a ciò che egli stesso insisteva essere la parte più importante della sua opera, la teoria della strategia.

Cruciale per l'affermazione di Jomini per cui esistono «principi» immutabili della guerra, validi per Cesare ed Alessandro come per Federico e Napoleone, è la sua enfasi sulle «linee di operazione»[45]. Per i critici moderni di Jomini, che deplorano la sua influenza duratura sul pensiero militare occidentale, le «linee di operazione» sono semplicemente riflessi della natura pseudoscientifica della sua teoria; nel migliore dei casi si tratta di termini strettamente tecnici, certamente obsoleti, che avrebbero potuto significare qualcosa nella guerra pre-moderna, ma che non hanno alcun serio interesse se non quando si applicano ad una particolare forma storica di guerra. Vedere le «linee di operazione» in tal modo significa perdere una parte vitale di ciò che Jomini cercava di dire.

Jomini ereditò il termine *lignes d'opérations* da Lloyd e da Tempelhof a cui egli accreditò le origini della propria seria riflessione sulla guerra. Egli, tuttavia, vide anche che il termine era stato usato dai suoi predecessori in una maniera disorientante e poco chiara e che necessitava di una rielaborazione e di una chiarificazione. Forse sbagliò nel non far cadere del tutto il termine, perché esso costrinse lui, i suoi lettori ed i suoi critici a nuovi livelli di confusione, di sterile polemica e talvolta — anche prima di morire — al ridicolo. Invece di iniziare da capo, provò un ovvio piacere, da giovane e fragile ufficiale di Stato Maggiore al servizio dei Francesi, nel correggere gli errori di Lloyd, Tempelhof e Bülow per la loro incomprensione di tale concetto crucialmente importante. Ed una volta legato alla parola scritta, con il 1805, fu preso per il resto della sua vita dalla propria natura combattiva in una trappola intellettuale che egli stesso aveva montato.

La trappola, una volta costruita e preparata per se stesso dall'ambizioso giovane, non cambiò mai. Se le *lignes d'opérations* vogliono significare *dove* una forza armata combatte, per *quale* obiettivo e con *quanta forza* relativamente all'insieme della potenza militare disponibile, allora Jomini insiste che una fondamentale distinzione deve essere fatta: ci sono, sostenne, due tipi di *lignes d'opérations*. Dapprima, vi è il tipo «naturale»: fiumi, montagne, coste, oceani, deserti e le pure e semplici distanze attraverso, sopra ed intorno cui le operazioni militari devono essere condotte. Ma c'è di più: l'ambiente abbastanza permanente, modellato dall'uomo, che influenza la guerra fa anche parte delle *lignes d'opérations* «naturali» o disponibili (fortificazioni, frontiere politiche, basi navali e reti stradali). Un tale argomento può sembrare banale ma, dal momento che storici e teorici militari hanno fatto confusione tra ciò che nella guerra era possibile nelle condizioni ambientali date e ciò che fu effettivamente fatto, valeva la pena farlo rilevare. Il secondo tipo di *lignes d'opérations*, una volta che i fattori condizionanti a livello ambientale siano identificati e messi da parte, richiama esclusivamente la scelta strategica: nella gamma di scelte permessa dall'ambiente prebellico, dove combattere? Per quale scopo? Con quali forze? Queste sono, oggi come nelle guerre napoleoniche, domande né banali, né facili.

Sfortunatamente, Jomini iniziò ad usare termini diversi per indicare la distinzione: la costrizione naturale od ambientale della scelta strategica fu indicata con la categoria di linee «territoriali» di operazione e le scelte propriamente strategiche divennero linee «di manovra». Quando inevitabilmente, l'analisi storica e più dettagliata mescolò queste due categorie, in riferimento a «basi» e «zone» o «teatri» di operazione, la confusione non fu eliminata, ma moltiplicata. Generazioni di militari frettolosi e di critici non simpatetici sono state imbarazzate ed esasperate da ciò che appare un uso ambiguo ed astratto di quei neologismi il cui significato sostanziale — ed importante — è assai meno comprensibile di quanto avrebbe potuto esigersi da un autore che sosteneva di essere soprattutto realistico, diretto, semplice e chiaro.

Jomini moltiplicò le occasioni di incomprensione quando, più avanti, divise le *lignes d'opérations* «di manovra» in non meno di dieci sottocategorie, che finivano con la non plausibile categoria di quelle «accidentali». Ma anche il termine «linea accidentale di operazione» contiene un punto vitale: in guerra, l'imprevisto deve essere previsto, potendo circostanze rapidamente mutevoli richiedere una nuova linea di operazione. Dovremo ritornare su alcune di queste sottocategorie più avanti, ma qui è sufficiente riconoscere che un giovanissimo Jomini — ambizioso, sensibile e fragile — fece correre in stampa la prima definizione completa dei suoi «principes généraux de l'art de guerre» a Glogau, durante una sosta in cui il sesto corpo d'armata di Ney era di guarnigione nella Slesia, inviando gran parte delle cinquecento copie a librai di Berlino e Breslavia, il resto a Napoleone e ad altri su cui egli sperava di far colpo. Il principale risultato fu di congelare prematuramente il suo pensiero, pur degno di nota, su un aspetto vitale di ogni guerra, con un linguaggio fuorviante ed oscuro[46].

La scelta strategica, vista nel tempo e nello spazio, rimane un problema fondamentale anche nell'età della microelettronica, dell'energia nucleare e dello stesso sfruttamento dello spazio per scopi militari. Tale era il problema che Jomini vide al centro del successo napoleonico, delle meno spettacolari vittorie di Federico II e dell'esito di ogni guerra passata e futura. Cercò di distinguere linee «territoriali» di operazione, cioè la guerra che può essere pianificata su una mappa per isolarla ed avere la possibilità di concentrarsi più chiaramente sulla strategia in se stessa. Analogamente, mentre elaborava le proprie idee, riconobbe che i livelli di azione militare più alti e più bassi (in cui valori ed emozioni, armi e tecniche, entrano in gioco: livelli che egli definì rispettivamente «politici e morali» e «tattici») erano fattori importanti dei risultati militari. Ma questi livelli «politici» e «tattici» erano qualitativamente diversi, sostenne, da quelli «strategici»: sistemi politici ed atmosfere emotive variavano grandemente mentre la tattica era più strettamente determinata dagli armamenti esistenti (e mutevoli). Nessuno dei due era soggetto a principi sottostanti e mutevoli: l'unico aspetto della guerra suscettibile di analisi scientifica è la strategia[47]. L'effetto a lungo termine della sua opera, quindi, sebbene egli ripetutamente abbia negato una simile intenzione, fu di ridurre il problema della guerra alle preoccupazioni professionali del comandante del tempo di guerra.

I suoi «principi» della guerra erano, e sono ancora (nelle varie versioni moderne), prescrizioni per la costruzione delle scelte strategiche. La «strategia», secondo il suo uso del termine, si applicava a tutti i livelli di azione militare al di sotto della decisione politica di fare la guerra contro certi nemici fino al combattimento stesso, pur non includendolo. Ad ogni livello il comandante deve decidere dove, quando e come muovere le proprie truppe per adempiere alla sua missione e combattere nelle migliori condizioni. Nel giudizio di Jomini, che affermò averlo maturato ancora adolescente guardando alla campagna d'Italia di Napoleone del 1796-97, gran parte dei comandanti faceva scelte sbagliate perché non comprendeva i principi della strategia. Tali principi possono essere riassunti in breve: portare forze più grandi a pesare su un punto dove il nemico è sia debole, sia esposto ad un danno paralizzante.

Di nuovo, pare una banalità, se non riusciamo a vedere perché Jomini dia così grande importanza all'argomento: gran parte dei comandanti fa cattive scelte strategiche perché ingannata dal «senso comune» (un'espressione non usata da Jomini, ma fortemente implicita nelle sue infinite analisi di casi storici). Tentando di difendere un territorio od un esercito più debole, essi lasciano decidere al nemico dove, quando e come attaccare. Incerti sul come proteggere o sfruttare varie linee «naturali» di operazione, moltiplicano i propri tentativi disperdendo la forza in varie direzioni. L'attitudine inusuale di Napoleone e spesso di Federico e di tutti i comandanti vittoriosi è sempre stata — dice Jomini — quella di attaccare in massa contro qualche punto nemico giudicato «decisivo». Un'azione aggressiva ed offensiva priva il nemico del tempo di pensare ed agire, mentre la superiorità delle forze nel tempo e nel luogo della battaglia è la migliore garanzia di una vittoria definitiva. Qualsiasi altro approccio alla strategia è, per usare uno dei termini preferiti da Jomini, «*vicieuse*». Per quanto semplici queste formulazioni possano apparire, egli le ripetè in tutti i suoi scritti poiché nella concreta condotta della guerra erano state così spesso ignorate con conseguenze disastrose.

La storia per Jomini era sia la fonte grazie a cui afferrò questi principi, sia la loro conferma e la loro chiarificazione nel mondo reale dell'azione militare. Sorge la domanda sul grado in cui le ricostruzioni storiche di Jomini furono semplicemente modellate per riflettere i suoi preconcetti teorici. Clausewitz, per dirne uno, fu in acuto disaccordo con molti singoli giudizi storici di Jomini e gli addebitò due colpe: pregiudizio teorico ed inadeguata conoscenza[48]. Ma l'enorme difficoltà a fare la giusta scelta strategica da parte delle varie coalizioni militari contro la Francia della Rivoluzione di Napoleone, come contro la Prussia durante la guerra dei Sette Anni, è provata al di là di ogni ragionevole dubbio.

Ad esempio, un recente studio della strategia britannica alla fine della Seconda Coalizione (1799-1802), basato su ricerche definitive negli archivi britannici, mostra un ministero — con ampi poteri navali e finanziari ed una considerevole forza militare a sua disposizione — completamente incapace di decidere dove o se attaccare: nel Mediterraneo? In America? Contro la stessa Francia, in qualche luogo tra le Fiandre ed il golfo di Biscaglia? Fossero stati coinvolti in questo grande fallimento strategico uomini meno capaci di William Pitt, Henry Dundas e Lord Grenville, avremmo potuto pensare a loro come a quegli sciocchi che Jomini — nelle sue più incondizionate ricostruzioni di una sconfitta militare — suggerisce che siano i perdenti di solito[49]. La difficoltà di fare e sostenere scelte strategiche, per quanto semplici e limitate possano apparire in seguito, è confermata guerra dopo guerra, sino al presente. Il cuore della difficoltà sta, come Jomini lo definì, nel soppesare correttamente rischi, benefici e possibilità e nel raggiungere qualche conclusione sufficientemente salda da essere realizzata. Se un'azione a massa sia sempre o di solito la giusta prescrizione è tutt'altra questione, ma almeno dobbiamo riconoscere a Jomini di aver dato al problema dell'elaborazione della decisione strategica l'attenzione che la sua storia e le sue conseguenze meritano.

Il concetto strategico che ha ricevuto la maggiore attenzione nella sua analisi è quello di linee di operazione «interne» od «interiori». Esso si riferisce alla semplice idea per cui un contendente può avere una posizione fra — «dentro» — forze nemiche divise. Attraverso una tale posizione «interna» è possibile colpire prima una parte della forza nemica e poi l'altra, sconfiggendone una per volta, sebbene il nemico — se unito — possa rappresentare il contendente più forte. Jomini non si stancò mai di dimostrare come un'armata comandata da un Federico o da un Napoleone possa sconfiggere un'armata più numerosa, forse più forte, operando su una «singola» (od unita) linea di operazione, mentre il nemico era impegnato su «multiple» o «concentriche» linee di operazione. Un abile comandante come Bonaparte, nel 1796, potè sfruttare con una rapida manovra la divisione del nemico, raggiungere una linea «interna» di operazione contro le linee «esterne» dell'avversario e guadagnare una vittoria decisiva.

Jomini affermò che tale idea lo aveva colpito per la prima volta studiando la vittoria di Federico del 1757 a Leuthen. In quel caso, Federico era riuscito a portare la massa del suo esercito a premere contro un fianco dello schieramento austriaco. Jomini vide che in Italia Bonaparte aveva fatto lo stesso su una scala strategica assai più ampia, per ripeterlo, poi, in una forma o in un'altra, nelle campagne successive. A Waterloo, solo il rifiuto prussiano di stare al gioco impedì a Napoleone di far di nuovo ricorso alla formula vittoriosa. Distanti dall'armata britannica di Wellington, i Prussiani erano stati battuti a Ligny, ma avevano dolorosamente imparato a non dare mai a Napoleone il tempo e lo spazio necessari per battere il loro alleato. Nel momento critico di Waterloo, i Prussiani, invece di ritirarsi lungo le proprie linee di operazione, ritornarono nell'area del combattimento, piegarono il fianco destro dei Francesi e trasformarono una battaglia indecisa in una vittoria decisiva degli alleati.

La linea «interna» di operazione rappresentò la forma più specifica e pratica data da Jomini al suo principio generale di ammassare forze contro un qualche punto vulnerabile dell'avversario. In quanto tale, essa sollevò grande interesse fra i militari, alla ricerca di concezioni strategiche utili. Naturalmente, la sua applicazione dipendeva, come a Waterloo, da un calcolo esatto di tempo e di spazio, oltre che dal comportamento del nemico. Se il nemico teneva unite le proprie forze, o lasciava troppo poco spazio o tempo perché le sue forze divise potessero essere attaccate e battute, allora la vittoria poteva non essere possibile. Jomini non affrontò tale problema, se non per dire che un grande capitano avrebbe indotto il suo avversario a dividere le forze, confondendolo ed ingannandolo, come era stato per gli Austriaci nel 1805 e per i Prussiani nel 1806. In tal senso, Jomini ammetteva che la scienza della guerra sarebbe sempre stata un'arte.

Nel suo scritto più maturo sulla strategia, Jomini ammise una grande eccezione al principio di fondo dell'azione di massa ed offensiva contro un unico punto. La chiamò — in vari modi — guerra civile, di religione, nazionale o guerra di opinioni. Si trattava di contese armate non con eserciti regolari da ambo le parti, ma guerre in cui un intero popolo era sollevato ed attivo. La fase più intensa delle guerre della Rivoluzione Francese, ai tempi della *levée en masse* e del regno del Terrore, era stata di tale tipo. Lo stesso Jomini aveva preso parte ad altre due guerre simili: le invasioni francesi della Spagna e della Russia. In tali campagne, era letteralmente inutile ammassare forze perché non c'era alcun singolo punto decisivo da attaccare; il nemico era dovunque, di solito nascosto dietro una cortina di ostilità popolare che accecava l'invasore. Jomini ricordò un'orribile notte nella Spagna nord-occidentale, dove si riteneva non ci fossero truppe spagnole per settanta chilometri, in cui un'intera compagnia di artiglieria di Ney fu cancellata. L'unico sopravvissuto disse che l'attacco era venuto da contadini guidati da preti. Tutto l'oro del Messico, scrisse Jomini, non avrebbe ripagato il servizio di informazioni tattiche necessario alle truppe francesi in Spagna[50]. Analogamente Jomini, che aveva perso tutte le carte nella disperata traversata del fiume Beresina, nel 1812, ricordò come i partigiani russi avevano indebolito le colonne francesi che si ritiravano. Guerre come queste, secondo lui, erano «pericolose e deplorevoli»; «sollevano sempre violente passioni che le rendono odiose, crudeli, terribili». Qualunque soldato preferisce una guerra «*loyale et chevaleresque*» all'«omicidio organizzato» delle guerre civili, nazionali ed ideologiche[51].

Egli aveva poco da dire sui principi, se pure ve n'erano, che informavano la corretta strategia in guerre così «pericolose e deplorevoli». Conquistare un popolo in armi significava inevitabilmente dividere le forze; ammassare truppe per una battaglia avrebbe sempre esposto al rischio di perdere il controllo in aree indebolite a favore di forze di insorti come i contadini spagnoli ed i partigiani russi. L'unica risposta sembrava essere il possedere sia un'armata mobile da combattimento, sia «divisioni» territoriali distinte, per stabilire guarnigioni e controllare ogni distretto conquistato. I comandanti delle divisioni avrebbero avuto bisogno di essere intelligenti e provati [*instruit*], perché il loro ruolo politico sarebbe stato importante come quello della forza armata, per assicurare la vittoria[52]. Che tale consiglio pratico, che non ambiva a possedere alcuno statuto scientifico, significasse ignorare la propria fondamentale prescrizione dell'azione offensiva di massa contro un singolo punto non pare aver turbato l'autore, il suo pubblico od i suoi critici. Invece, egli lasciò una forte impressione sul fatto che l'intero argomento lo disgustava, insieme alla chiara implicazione per cui ogni potere militare avrebbe fatto bene ad evitare di essere coinvolto in guerre nazionali o civili.

Vista come un problema militare o come un mezzo di difesa, la guerra di popolo era troppo distruttiva, troppo costosa ed incontrollabile per far parte di un qualsiasi studio scientifico della strategia. Al suggerimento per cui le guerre future sarebbero state — o avrebbero dovuto essere — «guerre nazionali», come nel 1793-94, Jomini replicò che la strategia, come la politica, doveva trovare qualche «*juste milieu*» tra le guerre del passato combattute tra eserciti di professione e la nuova (eppur vecchia e barbarica) guerra scatenata dalla Rivoluzione. La via di mezzo, sostenne, sta nell'incanalare le passioni popolari in una riserva militare addestrata ed organizzata che possa velocemente affiancare l'esercito regolare in tempo di guerra[53]. In un certo senso, la sua prescrizione si dimostrò essere profetica. Ma al fondo, egli tentennava con l'uso di uno scenario ipotetico. Se la Francia invadesse il Belgio e per rappresaglia truppe tedesche occupassero il territorio della Renania per impedire un'annessione francese delle Fiandre, il governo francese dovrebbe scatenare una *levée en masse* per difendere la sua frontiera orientale? No, naturalmente; chiaramente, gli scopi di ambo le parti sarebbero limitati e non avrebbero valso gli orrori di una guerra di popolo. Ma se forze tedesche ottenessero una vittoria ad Oriente, che cosa impedirebbe un'euforica decisione di annettersi il territorio francese occupato? Come potrebbe il rischio di una tale *escalation* modificare il primitivo calcolo francese? Si trattava, ammise, di una domanda difficile, ma lì finì la sua analisi[54].

Invecchiando, Jomini sembrò più preoccupato degli aspetti politici e psicologici della guerra che la sua stessa teorizzazione aveva spinto in secondo piano. Nelle prime opere, l'esame dei fattori politici in quanto tali era sporadica ed infrequente. Il *Tableau* del 1830, frettolosamente compilato, contiene circa cinquanta pagine sulla diplomazia della guerra [*politique de la guerre*] e sugli aspetti politici della strategia [*politique militaire*]. Il *Précis*, pubblicato sette anni più tardi, contiene sezioni assai più lunghe e più attentamente ponderate circa la dimensione politica della guerra. È probabile che la lettura del *Vom Kriege*, il capolavoro incompiuto di Clausewitz (che aveva accusato Jomini di ristrettezza mentale, semplicismo e superficialità e che aveva sottolineato la necessità di vedere la guerre come un'estensione della politica), abbia rappresentato un fattore importante per questa ampliata analisi del tema nel 1837. Fu allora che Jomini aggiunse un lungo capitolo sulle «guerre di opinione», oltre che nuove sezioni sul comando supremo e sul morale. Tuttavia, a pur dando di questi temi una più ampia analisi, egli non poteva scardinare il proprio, ormai definito, modo di pensare. Ad ogni passo, distingueva buoni e cattivi risultati, esortava i suoi lettori a seguire i buoni e ad evitare i cattivi, offriva varie tecniche per farlo. Ad esempio, il comandante supremo sarebbe stato ideale se, come Federico o Napoleone, avesse potuto riassumere in sé il potere politico e militare. Ma se il sovrano doveva nominare un comandante in capo, allora il problema era di evitare frizioni ed intrighi e di dare al comandante supremo ogni possibile aiuto politico perché questi potesse realizzare i suoi piani strategici[55]. C'era, comunque, una scarsa attenzione alla questione del perché nasca una frizione tra l'autorità politica ed il comando militare, eccetto che come sintomo di umana debolezza. Analogamente vedeva di buon occhio uno spirito militare nazionale, ma non c'era alcuna analisi del fenomeno: c'era solamente un appello perché i militari fossero onorati e rispettati.

Sebbene Jomini non pretendesse di fondare la sua discussione della politica su alcun principio scientifico, vi si trova la stessa banalizzante enfasi sulla prescrizione, piuttosto che sull'analisi. La sua descrizione del comandante supremo ideale è rivelatrice di tutta la sua discussione di questioni non strategiche contenuta nel *Précis*. Avrebbe dovuto essere un uomo di grande coraggio morale e fisico, ma non necessariamente di grande cultura: «deve conoscere poche cose molto bene [*il faut savoir peu mais bien*], specialmente i principi regolatori»[56]. Anche se Jomini cercò di ampliare il suo approccio alla guerra, non riuscì a sfuggire all'ossessione con la strategia ed i suoi principi.

La critica di fondo a Jomini è ovvia: era legato al riduzionismo ed alla prescrizione. Ma la sua risposta a tale critica sarebbe: «Esatto!» Le sue intenzioni costantemente mantenute furono, infatti, quelle di ridurre la complessità della guerra al più piccolo numero di fattori cruciali e di prescrivere quelle linee di azione che rendono più probabile la vittoria[57]. Avrebbe chiesto ai suoi critici se pensassero che la guerra non possa essere semplificata attraverso un'analisi o che un'analisi non può identificare i probabili risultati di varie opzioni. Una critica di Jomini deve fare qualcosa di più che insistere sul fatto che egli avrebbe dovuto avvicinare il suo argomento in un altro modo; deve prenderlo alla lettera e chiedersi dove la sua opera non risponde ai propri scopi.

Quattro debolezze interne sono evidenti. Una è che non riuscì a provare, come ogni buon scienziato dovrebbe, l'«ipotesi zero»: i casi storici in cui una concreta esperienza militare non rispose ad una predizione basata sui suoi principi. In realtà, egli analizzò tali casi — la campagna del 1794 era uno di questi, quando i Francesi vinsero pur avendo diviso le proprie forze e dato agli Austriaci il vantaggio potenziale delle «linee interne» — ma Jomini evidentemente era troppo impegnato a darne contezza e troppo poco interessato a quanto essi avrebbero potuto approfondire o arricchire la sua teoria. Tali casi furono, in breve, trattati come una minaccia alla sua posizione ed egli li discusse solo allo scopo di prevenire dubbi e critiche.

Una seconda debolezza è più strettamente correlata al suo metodo riduzionista. Per ridurre nella sua analisi i fattori rilevanti, partì dall'assunto che unità militari di dimensioni equivalenti fossero sostanzialmente uguali: ugualmente bene armate, addestrate, disciplinate, rifornite e motivate[58]. Erano di un certo interesse solo le differenze al vertice, nella capacità dei comandanti o nella qualità delle loro decisioni strategiche. Come i giocatori di scacchi o di un *war game*, i comandanti giocano con le unità di un esercito il cui «valore» nell'equazione della guerra è più o meno noto, costante, non variabile come Clausewitz avrebbe suggerito. Tale assunto facilita l'analisi all'interno di determinati limiti di validità, ma paralizza ogni ulteriore analisi al di là di tali limiti. Non era irragionevole da parte di Jomini assumere che un importante tipo di guerre fu combattuto tra Stati le cui forze armate erano moderne e di forza all'incirca uguale. Un troppo grande squilibrio e la parte più debole non avrebbe rischiato la guerra. Le guerre europee, dopo il 1815, seguono chiaramente questo modello, come era stato prima del 1789, cosicché gli assunti jominiani sembrarono realistici all'interno del sistema internazionale dell'Europa ottocentesca.

C'era un altro tipo di guerra, tuttavia, la cui importanza crebbe durante la stessa vita di Jomini, in cui il carattere asimmetrico delle forze armate in conflitto ha un ruolo cruciale per qualsiasi analisi appropriata. È l'assunto di forze simmetriche che porta Jomini ad avere così scarsi risultati nelle analisi di guerre di popolo, come in quelle di Spagna e di Russia, e ad ignorare di fatto i problemi intrinseci di una strategia di coalizione, come nelle campagne contro Napoleone, quando gli scopi contraddittori di Stati alleati non potevano essere conciliati nemmeno di fronte ad un nemico unito e pericoloso. È lo stesso assunto che rende la teoria jominiana dogmaticamente insensibile al tipo di trasformazioni tecnologiche ed organizzative che portarono alle vittorie prussiane del 1866 e del 1870, al disastro europeo nel 1914-1918 e nel 1939-1945 ed a taluni spettacolari risultati di guerre moderne extra-europee di liberazione e di rivoluzione. Tutte queste guerre sono dipese da squilibri o da mutamenti nelle *qualità* delle forze armate impiegate; ma la teoria jominiana è particolarmente inadatta ad un'analisi qualitativa, eccetto che per quanto concerne la formazione della decisione strategica.

La terza debolezza è correlata alla seconda: Jomini stesso aveva affermato che né le condizioni politiche in cui le guerre hanno luogo, né le tecniche militari con cui esse sono combattute sono suscettibili del tipo di analisi scientifica che egli condusse per la strategia e per la formazione della decisione strategica. La politica dipende troppo da condizioni variabili e dal rapporto sempre mutevole tra dirigenti politici e forze politiche. Analogamente, i dettagli della tattica militare dipendono dalla mutevolezza degli armamenti e da altri fattori che sfuggono ampiamente all'operato di principi determinati. Tuttavia, nella sua opera più matura, e apprezzabilmente in gran parte del suo *Précis*, Jomini presta molta minore attenzione alla collocazione ed all'importanza di questa distinzione, tra ciò che è e ciò che non è suscettibile di analisi scientifica. Spesso riconosciuto come l'inventore del concetto moderno di «strategia», (in quanto distinto dalla «politica» e dalla «tattica»), egli pare ora vagare dall'una all'altra, citando principi e prescrivendo azioni, come se egli stesso avesse dimenticato che tutte queste tre zone erano regolate da leggi diverse. Le pecche maggiori sono nella zona della tattica, dove gran parte dei suoi lettori di professione avrebbe naturalmente cercato utili istruzioni. Aveva basato la sua teoria precedente sulla battaglia di Leuthen, ed il campo di battaglia — dove «i principi eterni non si applicavano» — attrasse sempre il suo interesse[59]. Sviluppò schematiche opzioni di battaglia, invocando dovunque era possibile il principio di ammassare la forza contro un unico punto, notando il valore delle «linee interne», ammonendo contro il pericolo di esporre le proprie retrovie senza attaccare quelle del nemico. L'effetto fu di oscurare la vitale differenza tra i livelli di operazione militare e di non distinguere purtroppo il caso in cui un'unità subordinata — se opera come parte di un piano strategico più ampio e ben fondato — può difendersi abbastanza ragionevolmente in maniera passiva, dividere le proprie forze od esporre le proprie retrovie.

Un'ultima debolezza della sua opera, giudicata nei suoi stessi termini, è dimostrata dalla vaghezza su dove i principi della guerra si applicano, e dove no. La debolezza sta nella diffusa ambiguità in cui egli lascia i lettori, tra cui anche commentatori scientifici, alle prese con letture della sua opera assai diverse, talora contrastanti[60]. Anche Clausewitz è ricco di ambiguità, ma il *Vom Kriege* è consapevolmente provocatorio e riflette la percezione della guerra da parte del suo autore: complessa, dinamica, spesso ambigua. Jomini cercò, invece, la semplicità e la chiarezza, ma, se letto attentamente e non affrettatamente o selettivamente, il messaggio jominiano è ambiguo. Una volta la vittoria dipende dalla stretta aderenza ai principi strategici, un'altra l'elemento cruciale è il genio del comandante nell'applicarli (o nel sapere quando può tranquillamente ignorarli). La guerra è, o può essere resa, scientifica; eppure la guerra è un dramma caotico, piena di elementi casuali e forze irrazionali. Il variare dell'accento spesso sembra seguire la linea mutevole degli attacchi polemici di Jomini, intento ora a demolire lo scientismo estremo di Bülow e di tutti coloro che vorrebbero rendere la guerra un'operazione meccanica, ora a rifiutare Clausewitz e quelli che mettono in discussione il valore di principi operativi prescrittivi. In tale misura, la sua ambiguità non è né sorprendente, né seccante in maniera particolare. Ma nell'area critica della decisione strategica, la sua disamina è gravemente segnata dall'ambiguità. Attaccare la forza armata nemica è l'essenza della strategia, ma a quale scopo? Nonostante la sua enfasi sull'incessante inseguimento del nemico battuto, c'è molto in Jomini per suggerire che il controllo di territori è il vero obiettivo del conflitto armato. A differenza di Clausewitz, Jomini concepì la guerra in termini largamente spaziali, territoriali e tale predilezione divenne sempre più evidente nella sua opera più tarda e più influente. Strettamente correlata alla sua ambiguità sul punto se lo scopo dell'azione strategica debba essere il controllo del territorio o la distruzione della potenza nemica, è l'ambiguità sulle contrastanti esigenze dell'aggressività e della sicurezza. Egli non lasciò alcun dubbio sul fatto che solo un'azione offensiva può portare la vittoria, ma insisté anche sul fatto che l'azione deve essere intrapresa senza esporre forze amiche ad un'azione controffensiva. Nel mondo reale della guerra, come Jomini ben sapeva, è raramente possibile attaccare senza il rischio di un contrattacco, ma ancora una volta egli non affrontò direttamente il problema. I principi contrastanti della «offensiva» e della «sicurezza» furono lasciati senza una risoluzione soddisfacente, con il loro ambiguo rapporto esacerbato dall'incertezza sul significato operativo di un terzo principio, quello dell'«obiettivo».

Esaminando tali critiche, interne al suo approccio e, quindi, non considerabili un attacco all'approccio stesso, potremmo concludere che l'opinione di Jomini era superficiale o indisciplinata o che egli era psicologicamente incapace di controllare gli effetti della sua presa di posizione intellettuale di fondo, che a sua volta egli sembrava incapace di espandere o modificare. Tutto ciò pare abbastanza vero, se non si esagera. Sebbene la sua personalità irascibile e narcisistica renda semplice la riduzione a caricatura dell'uomo e della sua opera, in ogni ricostruzione e sulla base dei suoi scritti, Jomini rivela di possedere un'intelligenza pronta e penetrante. Sepolte nelle ripetitive polemiche dei suoi libri vi sono osservazioni notevoli, concezioni stimolanti ed un'idea sulla strategia che — almeno nei dubbi limiti della sua applicabilità — è certamente corretta.

In uno dei suoi ultimi saggi editi, sulla guerra austro-prussiana del 1866, prese in esame la nuova tecnica del trasporto per ferrovia[61]. Si chiese se l'effetto cogente della rete ferroviaria prebellica sulla scelta strategica — cioè delle nuove linee «territoriali» di operazione sulle linee di manovra, per usare la sua terminologia — potesse concretamente aumentare nel futuro il ruolo del caso nel determinare la vittoria o la sconfitta. L'interessante osservazione, tuttavia, lasciava velocemente il posto alla prevedibile insistenza sul fatto per cui né la potenza del vapore, né niente altro poteva mutare i principi della strategia, «che rimane immutabile»[62]. Egli semplicemente non voleva, forse non poteva, abbandonare il modello con cui la sua mente aveva lavorato per decenni. Ma quel modello era qualcosa di più che un sotterfugio personale: esso aveva attratto generazioni di militari. Questi facevano parte di una professione, conservatrice per natura, il cui impegno ai valori di lealtà, obbedienza ed ordine era assai rispondente all'insistenza di Jomini su una verità immutabile, sostanzialmente semplice e — una volta compresa — di grande utilità. Le sue idee sulla realtà militare permisero a loro e ad altri studiosi della guerra di soffocare i dubbi suscitati da esperienze come quella del 1866 e di frenare poco apprezzate critiche alla politica militare. Tale perdurante capacità di attrazione del pensiero jominiano merita un ulteriore esame.

IV

Le prove dell'influenza di Jomini durante il XIX secolo ed oltre sono impressionanti. Già nel 1808 il suo commento a Lloyd ed a Tempelhof fu tradotto in inglese ed il suo saggio sui principi della guerra fu pubblicato e favorevolmente recepito in Germania[63]. Nel 1811, l'intero *Traité* era stato pubblicato in Germania ed in Russia. Dopo Waterloo la sua reputazione crebbe, rafforzata dalla regolare comparsa di ogni suo nuovo volume sulle campagne della Rivoluzione e dall'opinione diffusa per cui la sua parola era stata di importanza cruciale nella campagna del 1813 della Coalizione contro Napoleone. Dopo la morte di Napoleone, nel 1821, furono pubblicate le sue note alla ricostruzione della campagna d'Italia del 1796-1797 scritta da Jomini: l'imperatore in esilio l'apprezzava, lo assolveva dal tradimento del 1813 (era, dopo tutto, uno svizzero e non un francese) ed offrì nuove informazioni solo su pochi aspetti fattuali concernenti la campagna, «per una nuova edizione». In un'altra occasione, durante il suo esilio, Napoleone pensò che in un suo futuro regime avrebbe incaricato Jomini dell'istruzione militare[64].

Anche se durante la sua vita Jomini tradì una certa anglofobia, da parte inglese non ci fu minore ammirazione. William Napier, studioso di punta delle campagne in Spagna, era un jominiano confesso[65]. Nel 1825, il tenente J.A. Gilbert, della Royal Artillery, pubblicò *An Exposition of Grand Military Combinations and Movements compiled from (...) Jomini*. Anche al di là dell'Atlantico, Jomini fu il più accreditato interprete di Napoleone ed il decano dei teorici militari. Nell'allora piccola accademia militare statunitense di West Point, in cui si poneva l'accento sulla formazione di tecnici per l'artiglieria e per il genio, gli allievi usavano una traduzione (*Tratise on the Science of War and Fortification*) del volume di Gay de Vernon. Ma aggiunta ad essa stava un'appendice sui principi della guerra, tratta principalmente da Jomini, la cui opera era elogiata dal curatore statunitense come «un capolavoro, e della più grande autorità. In realtà nessuno dovrebbe pretendere di essere capace di comandare un qualsiasi notevole corpo di truppe se non ha studiato e meditato sui principi tracciati da Jomini»[66]. Tali, caratteristici, giudizi su Jomini apparvero prima della pubblicazione del *Tableau* (1830) e del *Précis* (1837-1838). La più giovane, post-napoleonica, generazione di ufficiali fu impressionata tanto quanto la precedente dal valore dell'operazione di riduzione della guerra ad una manciata di massime strategiche. L'effetto principale delle opere successive, quindi, fu solo quello di incidere il messaggio jominiano sul granito.

Se ci può essere nella storia militare qualcosa come un'ironia, certo una — piccola — sta nella credenza per cui, con la pubblicazione postuma di Clausewitz nel terzo decennio dell'Ottocento, il *Vom Kriege* divenne la bibbia dell'esercito prussiano, la fonte delle sue grandi vittorie nel 1866 e nel 1870 e presto, quindi, la principale teoria militare del mondo occidentale. La verità è che molti studiosi tedeschi della guerra trovarono Clausewitz non meno difficile, oscuro e di dubbia utilità di quanto lo trovarono i non-tedeschi, gran parte dei quali lessero Clausewitz in scadenti traduzioni. Willisen, un importante scrittore militare tedesco che pubblicò una propria «teoria della grande guerra» nel 1840, si definiva «un ardente scolaro» di Jomini. Un più giovane ufficiale e teorico militare prussiano, Friedrich Wilhelm Rüstow, rappresentò un caso estremo che prova l'affermazione generale per cui l'influenza di Jomini fu pervasiva. Rüstow era politicamente un radicale che abbandonò la Prussia dopo la rivoluzione del 1848, prestò servizio come capo di Stato Maggiore presso Garibaldi, era ben noto a Marx ed Engels; si sarebbe potuto supporre quindi avrebbe attaccato Jomini in quanto teorico «borghese». Ma non lo fece. Come Willisen, Rüstow viene descritto come «davvero un fermo sostenitore» di Jomini ed i suoi studi strategici pubblicati nel 1857 e nel 1872 ripeterono il dogma per cui nuove armi non possono mai cambiare i principi della strategia. Molti scrittori militari minori avevano in Germania la stessa posizione[67].

Dopo la guerra franco-prussiana, quando in Francia ed in Gran Bretagna gli studiosi della guerra andarono «scoprendo» Clausewitz come una delle armi segrete dell'arsenale prussiano, influenti pubblicisti tedeschi mantennero la fede jominiana. Nel 1880, Albrecht von Bogulawski, dell'esercito tedesco, curò e tradusse di nuovo il *Précis* di Jomini. Spiegando il rapporto di Jomini con Clausewitz, Bogulawski asserì di non vedere alcuna ragione di mettere in opposizione fra di loro la teoria e la concezione della guerra dei due «eruditi pensatori»: un giudizio che avrebbe stupito ambedue[68]. Alla fine dell'Ottocento, un altro ufficiale prussiano, Yorck von Wartenburg, pubblicò una biografia di Napoleone: il suo messaggio era puro Jomini ed una sua traduzione era ancora usata a West Point alla fine degli anni Cinquanta di questo secolo. Anche se ci fu un intenso dibattito sulla teoria militare negli eserciti prussiano e tedesco, i documenti confermano il giudizio di Peter Paret sulla «scoperta» di Clausewitz da parte degli studiosi della guerra vittoriani, guglielmini e *fin de siècle*: «Sostanzialmente, un'attitudine jominiana piuttosto che clausewitziana dominò il pensiero militare e, nell'atmosfera intensamente empirista del tempo, il *Vom Kriege* poteva a mala pena evitare di essere considerato come un manuale operativo»[69].

Considerato un manuale operativo, il *Vom Kriege* semplicemente rafforzò l'enfasi di Jomini sull'uso aggressivo, a massa, della forza. Ma l'enorme differenza fra le due teorie consiste nell'insistenza di Clausewitz che, nella realtà, la guerra era estremamente complessa (per quanto semplice in teoria); che la teoria poteva solo gettare luce su questa complessità, identificandone e chiarendone i rapporti (ma non prescrivere azioni); e che la guerra era intrinsecamente politica e deve essere considerata in quanto tale (non era un attività autonoma, che aveva luogo all'interno di confini politici più o meno determinati). Quando il nome di Clausewitz, dopo il 1870, divenne un simbolo universalmente noto del valore militare tedesco, Jomini aveva già vinto con lui il proprio personale duello, di fatto devitalizzando ambedue le parti più vitali del messaggio clausewitziano.

La lista dei discepoli e degli ammiratori di Jomini è assai lunga ed anche i suoi pochi critici ottocenteschi accettarono il suo approccio di fondo allo studio della guerra. Intorno al 1890, la sua influenza generale fece un energico salto in avanti, attraverso l'opera di Alfred Thayer Mahan[70]. A differenza di Clausewitz, Jomini aveva dato una certa attenzione alla dimensione specificamente marittima della guerra, sebbene soprattutto come strumento di operazioni coloniali ed anfibie. Sia Clausewitz sia Jomini furono principalmente attirati dal classico problema europeo, posto dalla coesistenza di numerose grandi potenze militari in uno spazio ristretto. Mahan era, invece, un ufficiale della marina statunitense. Suo padre, Dennis Hart Mahan, insegnò per molti anni «arte militare» a West Point e fu l'esponente ed il rappresentante di punta delle concezioni jominiane negli Stati Uniti[71]. Quando il giovane Mahan, annoiato dalla pacifica routine del servizio navale degli anni Ottanta dell'Ottocento, si volse agli studi, decise coscientemente di fare per il «potere marittimo» ciò che Jomini aveva fatto per la guerra di terra. Il risultato, *Influence of Sea Power upon History, 1660-1783*, pubblicato nel 1890, ha lasciato un segno profondo sul mondo moderno, sulla moderna dottrina imperialista come sulla strategia e sulla politica navale. Ad altri compete in questo volume esaminare Mahan: qui è sufficiente notare come l'uso dei «principi» per inquadrare la sua analisi ed il suo reiterato accento sulla necessità di tenere il comando del mare attraverso un'azione navale offensiva e concentrata ne fanno la controparte marittima di Jomini: una definizione che Mahan stesso avrebbe accettato con piacere.

Semplificare, ridurre, prescrivere: questi erano divenuti gli aspetti inevitabilmente dominanti nel pensiero militare occidentale alla svolta del secolo. E, quasi invariabilmente, essi si combinarono fra loro per santificare il modello napoleonico di vittorie decisive ottenute con il concentramento di forze, l'attacco e la rapida decisione. Qualsiasi cosa in meno o di diverso fu giudicata un fallimento. Guerre difensive, d'attrito, protratte nel tempo e limitate erano forme d'azione militare non-napoleoniche e non-jominiane condannate in linea di principio ed ancor più nella pratica. Un approccio alternativo, rappresentato da Clausewitz (più consapevole della complessità e della varietà, più insistente sul carattere dinamico della violenza, meno interessato alla prescrizione che all'analisi), era a portata di mano, ma ricevette poca attenzione. Analogamente, la lettura dell'opera di Jomini fu altamente selettiva: pochi notarono che le «guerre di opinione» rimanevano al di fuori dei suoi fondamentali principi di strategia. L'accento poteva spostarsi — come fece nelle opere di Foch e di altri scrittori militari francesi — dagli aspetti fisici e meccanici della guerra a quelli psicologici, ma lo spostamento ebbe luogo all'interno del quadro di un'ortodossia jominiana[72].

Prima di accennare alla sua influenza oltre il sanguinoso spartiacque del 1914, possiamo riassumere ciò che sta dietro la sua duratura capacità di attrazione. Niente, meglio delle opere di Jomini, potrebbe rendere il traumatico effetto delle guerre napoleoniche nei confronti della successiva riflessione sulla guerra: in termini di natura, potenzialità, metodo. Jomini si era accreditato da sé, quasi subito, come il più autorevole interprete della guerra di Napoleone. La sua versione dell'esperienza napoleonica non fu solo persuasiva: fu, con i suoi limiti, acuta e chiara, tale da non poter essere accantonata neppure da coloro che la trovavano errata. Napoleone, disse Jomini, aveva riportato vittorie rapide e decisive grazie all'inflessibile applicazione della concentrazione delle forze militari contro punti deboli e sensibili. La critica più seria fatta a Jomini non era di aver detto cose sbagliate, ma di aver prodotto — omettendo ed esagerando — una ricostruzione grottescamente semplice di ciò che era accaduto dal 1796 al 1815 e quindi una teoria grossolanamente inadeguata, dalle conseguenze potenzialmente disastrose. Ma tale critica, prima del 1914, si fondava solo su ipotesi circa la guerra futura. Per un lungo secolo, l'esperienza militare occidentale fu limitata e delle potenziali debolezze della sua teoria non ci si rese conto. Le rapide vittorie del 1859, del 1866 e del 1870, insieme alla lunga guerra civile statunitense e la *débâcle* della guerra di Crimea potevano essere facilmente spiegate in termini di linee di operazione, della necessità di concentrare le forze e di usarle offensivamente, dei pericoli della divisione delle forze e della difesa passiva. Se, nel 1905, contro i Giapponesi l'esercito russo si era impantanato in una guerra di logoramento e di trincea, la spiegazione stava nell'ignoranza e nell'inefficienza russa. Le operazioni militari «coloniali», per molti versi così diverse dal classico problema militare europeo, potevano essere tranquillamente ignorate. Dopo Waterloo, poco o niente era successo per scuotere il paradigma della teoria jominiana, sino al 1914.

La Grande Guerra distrusse molte cose e nessuna più della teoria militare. Dopo gli orrori ed i fallimenti della guerra di trincea, la stessa idea di una «scienza militare» parve risibile. Su tutti i fronti, i comandanti militari avevano difeso a voce alta la loro evidente inettitudine con semplici massime strategiche riprese da Jomini, la cui reputazione conobbe un brusco declino da cui non si sarebbe mai più ripresa. I moderni armamenti, la mobilitazione totale delle economie e delle società, la guerra di logoramento con le sue rivoluzionarie conseguenze parvero togliere senso alle sue preoccupazioni per le linee di operazione per i suoi piccoli diagrammi di manovre strategiche.

Ma dalla Grande Guerra vennero anche nuovi sviluppi militari, almeno due dei quali ebbero l'effetto di riformulare e, così, di perpetuare la visione jominiana della guerra. Nessun critico militare della strategia del tempo di guerra fu più chiaro ed influente del capitano inglese B.H. Liddell Hart. Egli parlò direttamente a tutti coloro che erano rimasti inorriditi dall'inutile massacro del fronte occidentale e che erano determinati perché mai più gli europei si combattessero di nuovo in questo modo. Nient'affatto pacifista e pessimista circa le possibilità di una pace permanente, Liddell Hart vide il principale problema della guerra moderna nell'ossessione suicida di una Grande Battaglia, nell'urto diretto di grandi armate o flotte, con una vittoria definita in termini di sopravvivenza fisica. Accusò di tale ossessione non Jomini, ma Clausewitz. Una cieca ammirazione ed un'imitazione dei militari tedeschi dopo il 1870 ed in particolare l'influenza del loro profeta prussiano, «il Mahdi della massa» come Liddell Hart chiamò Clausewitz, sarebbero state le cause della terribile degenerazione della teoria e della prassi della guerra europea.

Contro una concezione clausewitziana della guerra — collisione di eserciti di massa, risultato deciso dal semplice numero e dalla potenza della volontà, ma costo umano più alto di quello che qualsiasi immaginabile «vittoria» potesse giustificare — Liddell Hart auspicò una rinnovata enfasi sulla mobilità, sull'audacia e sull'abilità. La sua strategia dell'approccio indiretto [*indirect approach*], elaborata in una serie di volumi e di articoli storici e teorici, sosteneva la guerra di manovra per sorprendere ed avvolgere il nemico, psicologicamente oltre che geograficamente, con il minimo rischio ed il minimo costo. Era una strategia che richiedeva — più che una nazione in armi — una forza di professione, abbastanza piccola ed equipaggiata con la più avanzata tecnologia. Sebbene non proclamandosi un jominiano, Liddell Hart (attraverso la sua caricatura di asperrimo critico di Jomini ed attraverso il suo accento sulla strategia come insieme di tecniche) in effetti diede di nuovo vita all'approccio didattico prescrittivo e riduzionista che aveva caratterizzato l'opera di Jomini[73]. Senza esagerare l'influenza dello stesso Liddell Hart, troviamo che idee simili alle sue risuonarono durante i decenni fra le due guerre nel pensiero militare di importanti contemporanei: J.F.C. Fuller, Charles de Gaulle, il giovane George Patton e soprattutto i giovani ufficiali tedeschi, come Heinz Guderian, che svilupparono una tecnica per vittorie rapide e limitate, la *Blitzkrieg*[74].

Di ancor maggiore significato, sul lungo periodo, rispetto alle strategie dell'approccio indiretto e della *Blitzkrieg* fu l'emergente concetto del bombardamento strategico. Anche qui ci fu un chiaro legame con la tradizione jominiana. Negli anni Venti, Giulio Douhet e gli altri primi teorici del «potere aereo» fecero per l'aeroplano ciò che Mahan trent'anni prima aveva fatto per la nave da guerra: svilupparono una dottrina per il suo massimo impiego strategico che richiamava strettamente la versione jominiana della guerra napoleonica[75]. Gli aeroplani, come le navi da guerra e gli eserciti, avrebbero dovuto essere ammassati contro il punto decisivo. Quel punto non era localizzato nella forza armata del nemico, ma nei suoi centri economici ed amministrativi, così vulnerabili ad un attacco aereo.

In questa definizione di «punto decisivo», la dottrina del bombardamento strategico pare divergere dalle più vecchie ortodossie di Jomini e Mahan che avevano sottolineato lo scontro tra eserciti e tra flotte [*the army-to-army and fleet-to-fleet confrontation*]. Un esame più ravvicinato mostra minori divergenze di quanto potrebbe sembrare. Sia Jomini, sia Mahan avevano sottolineato ciò che può essere chiamata l'economia militare dell'obiettivo. Per gli eserciti, si trattava della zona vitale dietro il fronte di combattimento, dove erano concentrati rifornimenti e comunicazioni. Per la marina, si trattava dei porti e del commercio che dava al potere marittimo il suo scopo. Colpire od anche minacciare tali centri avrebbe costretto il nemico a difenderli spesso in condizioni sfavorevoli. Il bombardamento strategico usava la nuova tecnologia per attaccare obiettivi ancora più vitali e più vulnerabili di quelli descritti da Jomini e Mahan ed in tal senso il potere aereo prometteva di essere la forma definitiva della strategia; concettualmente, tuttavia, i tre insiemi di idee militari erano molto simili.

In tutti e tre, c'è un'enfasi comune sull'uso della forza armata per attaccare i sistemi nervosi e circolatori della forza nemica. Assumendo che tali sistemi consistono di individui che non sono in prima istanza combattenti e sono, quindi, completamente indifesi di fronte alla violenza, tutte e tre le teorie rinviano alla classica distinzione occidentale tra militari e civili. Un guscio duro di militari sta a difesa, supportato da un molle nucleo di civili; rompere il guscio quindi conduce alla vittoria, poiché si assume che i non-militari abbiano scarse o nessuna capacità di resistenza militare. Anche gli eserciti, tuttavia, hanno fronti combattenti ed aree di retrovie deboli e vulnerabili, presidiate da militari resi simili ai civili [*civilianized soldiers*]. Presentata come una descrizione diretta ed evidente della realtà, è opportuno guardare a tale dicotomia come ad una metafora, dalla natura non provata e comportamentistica. Molte testimonianze della storia, come anche linee alternative di pensiero da Clausewitz a Marx sino alle teorie rivoluzionarie contemporanee, sostengono la concezione opposta: la gente comune, il «civile», anche in società complesse può manifestare grande capacità di recupero ed inflessibilità di fronte alla violenza. Ancora una volta l'approccio jominiano esclude la domanda; i risultati dei bombardamenti strategici nel 1940-1945 indicano alcune delle possibili conseguenze[76].

Tracciare la linea jominiana oltre il 1945 diviene più difficile e discutibile, ma è uno sforzo che ha un suo significato. I «principi della guerra» continuano a far parte delle affermazioni ufficiali della dottrina militare praticamente in tutte le forze armate moderne, incluse quelle del blocco sovietico[77]. Sebbene sia legittimo interrogarsi sulla concreta influenza e sulla funzione di una tale ritualistica affermazione dottrinaria, forse dall'effetto non più profondo di quella che insegna ai soldati a marciare al passo, non ci sono dubbi che questi principi — pur variando in modo insignificante da una forza armata ad un'altra — derivano direttamente da Jomini.

Più importante, e molto meno semplice, è la natura della riflessione militare dopo il 1945[78]. Sarebbe insensato affermare legami diretti; la strategia contemporanea non è il prodotto di qualche catena genealogica della teoria militare. Gli scienziati sociali che hanno dominato gli studi strategici moderni non leggono Jomini, se non forse come curiosità storica, e nessuno ammetterebbe di essere influenzato da un'opera così ovviamente antiquata. La persistenza dell'approccio jominiano dopo il 1945, comunque, è più visibile nella *critica* del pensiero strategico contemporaneo. Critici che non rifiutano la guerra come uno strumento della politica, ripetutamente esprimono una riflessione contemporanea molto simile al tipo di critica di Jomini. La critica è che gli strateghi dell'età nucleare impiegano metodi astratti come la costruzione di modelli e l'analisi sistemica per ridurre la guerra ad un esercizio operativo, trasformandola perciò in un gioco irreale, ma estremamente pericoloso. Il pericolo, sostengono i critici, non sta solo nella morte e nella distruzione che i moderni sistemi d'arma hanno innalzato a livelli inimmaginabili, ma nel metodo che innalza «la strategia» al di sopra del contesto del mondo reale, aumentando in maniera dimostrabile il rischio di un grande errore di calcolo. L'incremento del rischio è interno al metodo: tempo, spazio, livelli e potenzialità militari, più qualche descrizione generica degli «interessi» e degli «obiettivi» nazionali sono ritenute essere le variabili decisive dell'analisi strategica, mentre ogni altro fattore o possibilità è relegato dietro le quinte, naturalmente disponibile per un'ulteriore considerazione, ma visto sostanzialmente come trascurabile nel *business* dell'uso e del controllo della violenza. Un'analisi di questo limitato numero di variabili selezionate fornirebbe una limitata serie di opzioni strategiche possibili, poi valutate in termini di costi, benefici e possibilità. Anche quando le conclusioni raggiunte dagli strateghi contemporanei sono meno rigidamente prescrittive di quanto Jomini tendeva essere, c'è una somiglianza di fondo in questi due processi intellettuali. Difendendosi contro una tale critica, gli strateghi contemporanei riecheggiano Jomini (nella sua difesa contro Clausewitz), insistendo sul fatto che i critici non riescono a rispondere all'urgente richiesta — da parte della stessa strategia — di chiarezza, rigore ed utilità. La domanda qui non è su chi, in tale discussione, occupi la miglior posizione, ma su come e perché un modo di pensare la guerra emerso con la ricostruzione jominiana di Napoleone non si sia inaridito con la comparsa delle strade ferrate, delle mitragliatrici e del bombardamento aereo. Non è scomparso perché ha continuato a rispondere ad una necessità pressante ed ineludibile.

Una delle più potenti forze di trasformazione del mondo moderno è stata l'idea che, sotto l'apparente disordine dell'esistente, stiano leggi che regolano l'universo, principi che possono essere scoperti e compresi. Praticamente in ogni settore dell'attività umana, non conosce fine la ricerca di principi regolatori che una volta scoperti offrano nuovi mezzi per controllare e modellare l'esistente. Il crescente entusiasmo per questa ricerca rappresentò la caratteristica distintiva dell'Illuminismo settecentesco (e, certamente, il suo tratto più affascinante), e le indubbie scoperte delle leggi regolanti l'azione del mondo naturale convinsero molti che analoghe leggi dovevano governare ogni attività umana. La guerra fu tra le ultime di queste attività ad essere toccata dall'idea di leggi regolatrici. Da lungo tempo, i soldati avevano conosciuto varie «massime» militari — utili consigli basati su esperienze individuali — ma sino alla fine del XVIII secolo non era stata intrapresa una serie ricerca delle leggi o dei principi della guerra. I dubbi sul fatto che la violenza — apparentemente così antitetica all'idea di un mondo razionale — potesse essere governata da leggi si incrinarono di fronte alle impressionanti gesta militari di Federico II di Prussia e sparirono completamente quando gli eserciti francesi attraversarono l'Europa alla fine del secolo. Partecipando di tale fede proprio al suo ingresso nella maggior età, agli albori dell'Ottocento, Jomini affiancò, e presto avrebbe guidato, tutti coloro che vedevano la guerra nella stessa nuova ed eccitante prospettiva. Ogni vittoria napoleonica rafforzava il dogma di tale fede: nel terzo e nel quarto decennio del XIX secolo solo un occasionale eretico come Clausewitz poteva immaginare una prospettiva diversa, meno prescrittiva e strumentale, di vedere la guerra. Il fatto che i critici più rumorosi del dogma non siano stati pensatori militari dissenzienti, ma pacifisti ed altri che si opponevano alla guerra per motivazioni morali indica quanto saldamente Jomini ed i suoi successori avevano stabilito l'inattaccabile dottrina della loro scienza.

Nessuna parola definitiva pare possibile su un modo di pensare la guerra che si è dimostrato così duraturo, nonostante le sue crepe e le importanti trasformazioni della natura della guerra. Esso per quasi due secoli è rimasto, così profondamente incastonato nella coscienza occidentale che molti suoi adepti rifiutano di accettarlo in quanto «modo» di pensare, ma insistono che — se correttamente compreso — Jomini ed i jominiani dell'ultim'ora offrono niente di meno che la Verità sulla guerra, od almeno sulla strategia. L'uomo in sé e le sue opere edite possono essere anche ricadute — negli studi accademici — nell'oscurità, ma le sue idee di fondo, per quanto raramente riconosciute, sono sopravvissute. Forse non c'è un modo più appropriato per terminare uno studio su Jomini che il riconoscere la persistente presenza e la notevole tenacia di questa fede jominiana.

[1] Il resoconto più notevole su Jomini rimane il saggio di CRANE BRINTON, GORDON A. CRAIG, FELIX GILBERT, pubblicato più di quarant'anni fa in *Makers of Modern Strategy*. Saggi più recenti sono elencati nella nota bibliografica in fondo al volume.

[2] La biografia di riferimento rimane quella del discepolo di Jomini, FERDINAND LECOMTE, *Le général Jomini, sa vie et ses écrits*, Paris 1860, Lausanne 1888[3], che si avvalse delle lunghe conversazioni avute con Jomini oltre che del suo consistente archivio.

[3] Gli effetti della Rivoluzione sull'esercito sono descritti in LOUIS HARTMANN, *Les officiers de l'armée royale et la Révolution*, Paris 1910. R.R. PALMER, *Twelve Who ruled*, Princeton 1941, contiene una ricostruzione grafica della Rivoluzione in guerra.

[4] *Archives parlamentaires de 1787 à 1860*, Paris 1907, prima serie, LXXII, 688-690.

[5] Cfr. SAMUEL F. SCOTT, *The Response of the Royal Army to the French Revolution*, Oxford 1978, e JEAN-PAUL BERTAUD, *La Révolution armée*, Paris 1979.

[6] ANTOINE-HENRI JOMINI, *Traité des grandes opérations militaires, contenant l'histoire des campagnes de Frédéric II, comparées à celles de l'empereur Napoléon; avec un recueil des principes généraux de l'art de la guerre*, Paris 1811[2], II, 312n. Si tratta della prima edizione completa e sarà citata d'ora in avanti come *Traité*. Jomini non diede sempre la stessa data alla stesura del suo primo scritto sui principi, ma quella del 1803 pare meglio convalidata dai documenti.

[7] Cfr. JEAN-PIERRE CHUARD, *Les années d'enfance et de jeunesse*, in *Le général Antoine-Henri Jomini (1779-1869). Contributions à sa biographie*, Lausanne 1969, 11-24; e R.R. PALMER, *Age of the Democratic Revolution, 1760-1800*, Princeton 1959-1964, I, 358-364, e II, 395-421 (tr. it. *L'età della rivoluzione democratica*, Milano 1971).

[8] Stendhal, quattro anni più giovane di Jomini, ricordava di aver udito delle vittorie di Bonaparte a Lodi e ad Arcole nel 1796 e del suo ritorno dall'Egitto nel 1799, e di aver sperato che il bello e giovane generale si sarebbe nominato re di Francia. Cfr. HENRI MARTINEAU, *Vie de Henry Brulard*, Paris 1949, I, 388-389 (per una tr. it., cfr. *Vita di Henry Brulard*, Milano 1939).

[9] Cfr. JEAN-CHARLES BIAUDET, *Jomini et la Suisse*, in *Le général Antoine-Henri Jomini (1779-1869). Contributions à sa biographie*, cit., 25-52.

[10] Cfr. A.-H. JOMINI, *Tableau analytique des principales combinaisons de la guerre*, Paris 1830, vii.

[11] Cfr. MICHAEL HOWARD, *Jomini and the Classical Tradition*, in ID., *The Theory and Practice of War*, London-New York 1965, che per primo ha sottolineato l'influenza di Lloyd su Jomini. La ricostruzione più completa, basata su molta documentazione nuova, è FRANCO VENTURI, *Le avventure del generale Henry Lloyd*, «Rivista storica italiana», XCI (1979), 369-433. Per gli scritti militari di Lloyd è degno di nota anche MAX JÄHNS, *Geschichte der Kriegswissenschaften*, München 1889-1891, III, 2101-2114.

[12] Ciò che è spesso citato come H. LLOYD, *Military Memoirs*, fu pubblicato in origine come ID., *Continuation of the History of the Late War in Germany (...)*, London 1781. Sosteneva essere la parte seconda di ID., *The History of the Late War in Germany*, ma è di fatto un saggio di quasi duecento pagine sui «Principi Generali della Guerra» (*ivi*, vi).

[13] H. LLOYD, *Continuation of the History of the Late War in Germany*, cit., vi.

[14] ARISTE DUCAUNNÈS-DUVAL (a cura di), *Notes inédites de l'Empereur Napoléon Ier sur les mémoires militaires du Général Lloyd*, Bordeaux 1901.

[15] «In ultima analisi, per un uomo come Jomini, le grandi guerre erano quelle del Settecento [...]». C. BRINTON *et al.*, *Jomini*, cit., 92. Si tratta di un giudizio storico alquanto tipico che sottolinea la sua empatia con l'*Ancien Régime*. Scrivere il presente saggio mi ha convinto che tale sottolineatura è unilaterale e trascura il grado in cui Jomini stesso fosse un prodotto della Rivoluzione, un fervente ammiratore di Napoleone ed un esperto veterano delle guerre napoleoniche.

[16] Cfr. M. JÄHNS, *Geschichte der Kriegswissenschaften*, cit., III, 1873-1875.

[17] *Traité*, I, i-v, 24-43, 85. L'edizione originale dei primi due volumi apparve sotto il titolo di *Traité de grande tactique (...)*, Paris 1805.

[18] *Traité*, I, 35. In quest'edizione, pubblicata nel 1811, fu più critico verso Tempelhof di quanto lo era stato nell'edizione del 1805. In essa chiedeva (p. 40n) l'indulgenza dei lettori per aver errato nel suo «primo saggio», quando aveva avuto meno esperienza della guerra.

[19] *Ivi*, I, 288.

[20] Cfr. *ivi*, II, 271.

[21] *Ivi*, IV, 275

[22] *Ivi*, IV, 286.

[23] Il prezioso pamphlet di JOHN I. ALGER, *Antoine-Henri Jomini. A Bibliographical Survey*, West Point, N.Y. 1975, porta chiarezza in uno spesso confuso elenco di pubblicazioni.

[24] Tre filze di carte dei suoi ultimi anni sono conservate alla British Library (carte *Egerton*, 3166-3168). Un acuto resoconto del suo servizio presso l'esercito russo è quello di DANIEL REICHEL, *La position du général Jomini en tant qu'expert militaire à la cour de Russie*, in *Actes du Symposium 1982*, Lausanne, 1982, I, 59-75.

[25] Cfr. A.-H. JOMINI, *Précis de l'art de la guerre*, ried., Paris 1855 (ried., Osnabrück 1973, con un'introduzione in tedesco di H.R. Kurz) rappresenta l'affermazione definitiva. Cfr. I, 5-10, 16, 21-22, 27, 159, 191-205 e *passim*. D'ora in poi verrà citato come *Précis*.

[26] Il linguaggio di questa descrizione può sembrare duro, ma è ampiamente confermato dall'ammirata biografia di Lecomte, che fu vicino a Jomini per lunghi anni. *Général Antoine-Henri Jomini, 1779-1869*, Payerne 1969, è il catalogo di una mostra di ricordi di Jomini, per il centenario della sua morte, e raccoglie riproduzioni di suoi ritratti. Il generale George B. McClellan visitò Jomini nel 1868; descrisse il suo volto come «molto simile a quello di un'aquila stanca»: «The Galaxy», VII (1869), 887.

[27] [A.-H. JOMINI], *Vie politique et militaire de Napoléon, racontée par lui-même, au tribunal de César, d'Alexandre et de Frédéric*, Paris 1827, IV, 305, 368-370.

[28] La versione di Jomini circa la sua scelta, che egli non cessò mai di cercare di giustificare, sta in *ivi*, 370n. Abbondano versioni meno simpatetiche; recente è quella di FRANÇOIS-GUY HOURTOULLE, *Ney, les braves des braves*, Paris 1981, 140-143, il quale aggiunge il suggerimento

(da parte di un altro membro dello Stato Maggiore di Ney) che la condotta pretesa esemplare di Jomini a Bautzen era infondata e che il suo successivo comportamento stravagante poteva essere stato indotto da medicinali stupefacenti. Un resoconto dettagliato della vicenda, favorevole a Jomini, apparve nella «Revue historique vaudoise», I (1893), 65-80, suscitato dalla pubblicazione nel 1890 delle memorie del generale Marbot che accusava Jomini di avere offerto agli alleati i piani di Napoleone, tradendolo.

[29] In alcune lettere scritte in tarda età a suo figlio Alexandre, che aveva raggiunto posizioni di prestigio nel ministero degli Esteri russo, Jomini affermò di aver dato allo zar consigli di importanza cruciale nel 1813-14 e più tardi nella guerra contro la Turchia, ma che un «complotto» guidato da Chernyshev aveva guastato i suoi piani per un'accademia militare russa e che in Crimea egli non era stato nient'altro che un «suggeritore da teatro» [*un souffleur de comédie*]. British Library, carte *Egerton*, b. 3167, ff. 78-79, 30 aprile 1867. Lettere precedenti, scritte nel 1864, raccontano la vicenda dell'accademia militare (*ivi*, b. 3166, ff. 91-93, 112, 115, 122 e 126). Sulla situazione di Jomini in Russia cfr. D. Reichel, *La position du général Jomini*, cit.

[30] Si rilevano momenti di grande rabbia ed infelicità nei passi pubblicati delle sue carte private, la maggior parte delle quali sono ancora in mano a privati. Tornando a Payerne nel 1823 la descrisse come «questa terribile tana» [*cette horrible bicoque*]. Minacciò di inviare il suo giovane figlio Henry in marina come un semplice marinaio per la sua «perseveranza nel vizio che lo distruggerà». Henri Perrochon, *Jomini écrivain*, in *Le général Antoine-Henri Jomini (1779-1869). Contributions à sa biographie*, Lausanne 1969, 73-87.

[31] Nelle minute di lunghe lettere private al ministro della Guerra Miliutin nel 1864, in cui proponeva la riforma del sistema dell'istruzione militare, raccontò la vicenda dei suoi precedenti piani per un'accademia militare russa e di come furono ostacolati da Chernyshev. British Library, carte *Egerton*, b. 3168, ff. 43-57. Cancellò anche alcune righe in cui aveva sostenuto il sistema d'istruzione francese ed aveva difeso l'Ecole Polytechnique contro le accuse di essere un nido di sovversione.

[32] *Traité*, II, 305.

[33] Le *Observations sur l'armée française de 1792 à 1808*, pubblicate anonime nel 1808 e riedite nello «Spectateur militaire», XLVII (1902), 25-34, 93-103, sono esemplificative delle analisi coeve della campagna; cfr. Steven T. Ross, *Quest for Victory: French Military Strategy 1792-1799*, New York 1973, 58-87, un buon esempio di studio recente sull'argomento.

[34] Cfr. John Keegan, *The face of Battle*, London 1976 (tr. it. *Il volto della battaglia*, Milano 1979), cap. I, che rappresenta una buona discussione delle tradizioni della storiografia militare.

[35] Tra le numerose opere sulla professione militare nel XVIII e XIX secolo notevoli sono quelle di Samuel P. Huntington, *The Soldier and the State*, Cambridge, Mass. 1957; Gordon A. Craig, *The Politics of the Prussian Army, 1640-1945*, Oxford 1955 (tr. it. *Il potere delle armi. Storia e politica dell'esercito prussiano 1640-1945*, Bologna 1984); e Raoul Girardet, *La société militaire dans la France contemporaine, 1815-1939*, Paris 1953.

[36] Cfr. *Précis*, I, 135-136.

[37] Cfr. Peter Paret, *Clausewitz and the Nineteenth Century*, in Michael Howard (a cura di), *The Theory and Practice of War*, London-New York 1965, 21-41.

[38] Cfr. *Précis politique et militaire de la campagne de 1815*, «par le général J***», Paris 1839, 3, 15-41, 88ss. Jomini sostenne che nello scrivere la sua originale biografia di Napoleone il manoscritto riguardante il 1815 era andato perduto (*ivi*, 1-4).

[39] Cfr. *Traité*, I, iii-vi; e *Précis*, I, 17-18, 21-22.

[40] Cfr. *Précis*, I, 180, 183 (dove utilizzò un rettangolo ABCD per spiegare le proprie idee sulla «base di operazione»), o II, 25 (nella figura che rende in un diagramma i suoi dodici ordini di battaglia offensiva e difensiva).

[41] Cfr. D.G. Charlton, *Secular Religion in France, 1815-1870*, London 1963, cap. 3, *The Cult of Science*.

[42] Cfr. *Tableau analytique*, cit., vii; F. Lecomte, *Le général Jomini*, cit., xxxi.

[43] Cfr. P. Paret, *Clausewitz and the State*, New York 1976, 152-153 e *passim*; Bernard Brodie, *Strategy as a Science*, «Word politics», I (1949), 467-488, e più sinteticamente nella *Encyclopedia of the Social Sciences*, New York 1968, XV, 281-288.

[44] Esempi di buoni storici moderni fortemente influenzati da quella che potrebbe essere chiamata la concezione jominiana della storiografia militare sono David G. Chandler, *The Cam-*

paigns of Napoleon, New York 1966 (tr. it. *Le campagne di Napoleone*, Milano 1968), e HEW STRACHAN, *European Armies and the Conduct of War*, London-Boston 1983.

[45] Il titolo del cap. 14 del *Traité* (II, 269-328) è *Observations générales sur les lignes d'opérations. Maximes sur cette branche importante de l'art de la guerre*. In una nota al titolo dei concetti, Jomini disse di essere stato incerto sul dove collocare l'importante capitolo e di aver deciso, infine, di non lasciare alla fine dell'opera la sua definizione delle concezioni su cui tutti i suoi giudizi storici erano basati.

[46] Cfr. J.I. ALGER, *Antoine-Henri Jomini*, cit., 22, n. 20 indica che nessuna copia del fascicolo originale del 1807 è stata ritrovata. Ma il saggio fu ristampato sulla rivista «Pallas», I (1808), 31-40. Appare come cap. 35 del *Traité*, IV, 275-286.

[47] Questo aspetto è implicito nella sua analisi sia della politica sia della tattica nel *Précis*, I, 42-147, II, 195-197, ma come si è detto più sopra egli ignorò spesso le proprie distinzioni categoriche.

[48] Cfr. P. PARET, *Clausewitz and the State*, cit., 148-149.

[49] Cfr. PIERS G. MACKESY, *War Without Victory. The Downfall of Pitt, 1799-1802*, Oxford 1984.

[50] Cfr. *Précis*, I, 77-78.

[51] Cfr. *ivi*, I, 83.

[52] Tale specifico consiglio apparve assai presto nella sua opera: cfr. *Traité*, IV, 284-285n.

[53] Cfr. *Précis*, I, 81-82.

[54] Cfr. *ivi*, I, 80-81.

[55] Cfr. *ivi*, I, 121-136. In questa sezione egli deplorava anche i perniciosi effetti dei «consigli di guerra».

[56] *Ivi*, I, 128.

[57] Fu assai esplicito in questo suo scopo nei suoi attacchi a Clausewitz: cfr. *Précis*, I, 21ss.

[58] I suoi assunti sulla simmetria e sull'equivalenza appaiono chiaramente dal suo saggio *Sur la formation des troupes pour le combat* nel quale egli tenta di valutare l'impatto sulla tattica delle armi a canna rigata per la fanteria, edito come seconda appendice al *Précis*, II, 375-401.

[59] Cfr. *Précis*, I, 16.

[60] Per esempio in JOHN GOOCH, *Clio and Mars: The Use and Abuse of History*, «Journal of strategic studies», III, (1980), n. 3, 26, compare la seguente affermazione: «Jomini non voleva che la sua opera fosse vista in una luce normativa». Certamente, o Gooch o io, qualcuno deve essere in errore. Ma il punto più importante è che Jomini sia facilmente male interpretato.

[61] Cfr. *Questions stratégiques relatives aux événements de la guerre de Bohême*, «Revue militaire suisse», XI (1866), 577-586, firmato «Un invalide quasi nonagénaire».

[62] *Ivi*, 580. Ripeté il giudizio in una lettera al figlio Alexandre, inviata in risposta al ringraziamento di Miliutin per l'invio del saggio. Cfr. British Library, carte *Egerton*, b. 3167, f. 54-55, 4 ottobre [1866].

[63] Il noto scrittore militare Berenhorst, pur critico nei confronti della ricostruzione pubblicata da Jomini della battaglia di Jena, commentò favorevolmente il saggio sui principi della guerra edito su «Pallas» nel 1808. Cfr. E. VON BÜLOW (a cura di), *Aus dem Nachlasse von Georg Heinrich von Berenhorst*, Dessau 1847, parte II, 286. Il capitano Charles Hamilton Smith, dell'esercito britannico, tradusse *The History of the Seven Years War in Germany by Generals Lloyd and Tempelhof, with Observations and Maxims Extracted from the Treatise of Great Military Operations of General Jomini*, London s.d. [c. 1808]. Una sua nota a p. 81 dice che il resto del *Traité* di Jomini merita di essere tradotto.

[64] Cfr. CHARLES TRISTAN MONTHOLON, *Mémoire pour servir à l'histoire de France sous Napoléon*, Paris 1832, I, 1.

[65] Cfr. JAY LUVAAS, *The Education of an Army: British Military Thought, 1815-1940*, London 1964, 25-28.

[66] SIMON FRANÇOIS GAY DE VERNON, *A Treatise on the Science of War and Fortification (...)*, tr. di John Michael O'Connor, New York 1817, I, v. Nel vol. II, 386, si loda ancora Jomini per aver «superato ogni altro scrittore sulla guerra».

[67] Cfr. RUDOLPH VON CAEMMERER, *Die Entwicklung der strategischen Wissenschaft im 19. Jahrhundert*, Berlin 1904 (tr. ingl., da cui qui si cita, *The Development of Strategical Science during the 19th Century*, London 1905, 135, 142-143, 221).

[68] Cfr. Albrecht von Bogulawski (a cura di), *A.-H. Jomini, Abriss der Kriegskunst*, Berlin 1881, iv.

[69] Cfr. P. Paret, *Clausewitz and the Nineteenth Century*, cit., 31.

[70] Cfr. Russel F. Weigley, *The American Way of War: A History of United States Military Strategy and Policy*, New York-London 1973, 173-191.

[71] Cfr. Stephen E. Ambrose, *Duty, Honor, Country: a History of West Point*, Baltimore 1966, 99-102.

[72] Cfr. Ferdinand Foch, *Des principes de la guerre*, Paris 1903, 3-4. Foch riprese la descrizione della guerra nei termini di un grande «dramma» come il punto di partenza per questo suo lavoro sui «principi della guerra».

[73] Cfr. Brian Bond, *Liddell Hart: A Study of his Military Thought*, London e New Brunswick, N.J. 1977, 80.

[74] Cfr. i saggi sul XX secolo, in questo stesso volume.

[75] Cfr. B. Brodie, *Strategy in the Missile Age*, Princeton 1959, 71-106.

[76] Cfr. *ivi*, 107-144 oltre a Kent Roberts Greenfield, *American Strategy in World War II: A Reconsideration*, Baltimore 1963, 85-121.

[77] Cfr. J.I. Alger, *The Quest for Victory: The History of the Principles of War*, Westport, Conn. 1982, 195-270, che contiene un notevole compendio.

[78] Utili ricostruzioni in Laurence Martin (a cura di), *Strategic Thought in the Nuclear Age*, Baltimore 1979, e John Baylis et al., *Contemporary Strategy*, London 1975.

Clausewitz

di Peter Paret

Le domande cui Clausewitz, in definitiva, cercò di rispondere con i suoi scritti (Come possiamo analizzare la guerra? Che cos'è la guerra?) hanno finito per assumere un'importanza maggiore nell'età nucleare di quella avuta per i suoi contemporanei. Dal 1792 al 1815, ondate di violenza attraversarono tutta l'Europa, portarono morte e sofferenza a milioni dei suoi abitanti, spostarono frontiere, ma anche trasformarono e diedero nuove aperture alla sua società. Quando però la marea si fu ritirata, non rimase alcun pressante desiderio di studiare e spiegare il cataclisma. Come dopo ogni guerra, ci fu chi scrisse delle proprie esperienze e chi indicò quelle che avrebbero dovuto essere le lezioni per il futuro, ma ci fu scarso interesse per scavare sotto la superficie della tattica e della strategia al fine di esplorare il fenomeno della guerra in sé, di studiare la sua struttura, la sua dinamica interna, i suoi legami con gli altri elementi dell'esistenza sociale che potevano esserne le cause e che furono modificati o distrutti sotto il suo impatto. La guerra continuò ad essere accettata come una forza permanente dell'esistenza umana i cui aspetti tecnici potevano mutare nel tempo, ma che si era sempre in grado di padroneggiare. Anche Clausewitz continuò per questa via, con la sua serie di domande insolitamente innovative, senza un sentimento di crisi culturale o storica. Oggi, all'ombra della proliferazione nucleare, invece, non possiamo sfuggire ad un tale sentimento e la coscienza della crisi in cui viviamo condiziona non solo il nostro pensiero sulla guerra del futuro, ma anche quello sulla guerra nella storia. Esso intensifica il nostro interesse verso i primi tentativi di comprendere la natura della violenza fra gli Stati. La più importante opera teorica di Clausewitz, il *Vom Kriege*, è letta molto più oggi che in qualsiasi altro periodo da quando essa fu pubblicata per la prima volta, nel quarto decennio dell'Ottocento. Probabilmente, ciò accade non solo perché il libro ha gradualmente acquisito l'aura di un classico: un'opera unica che combina le qualità intellettuali ed estetiche dell'età di Goethe con un realismo senza compromessi che potrebbe essere definito moderno, se tale realismo non fosse anche oggi raro. Il libro è letto anche perché speriamo di trovarvi idee utili.

Se la guerra possa essere compresa e di conseguenza razionalmente conosciuta e posta sotto controllo è solamente una delle numerose domande, fra loro collegate, che potremmo porci. Ce ne sono altre: la guerra è uno strumento etico della politica estera? La guerra può essere limitata, se non eliminata? O, per un altro verso, come può essere condotta una guerra nel modo più efficace? Nel *Vom Kriege*, Clausewitz raramente si pone domande come le prime due. Fu consapevole del problema etico, ma lo affrontò in maniera differente da quella che noi vorremmo. Egli vide la guerra come un'estrema, ma naturale espressione della politica e mai deplorò il fatto che egli stesso aveva combattuto sette campagne. Egli considerò la sua prima guerra contro la Repubblica francese una difesa giustificata, anche se politicamente e strategicamente inefficace, degli interessi prussiani e germanici. Le altre, contro Napoleone, egli, con passione, le vide non solo giustificate, ma le considerò come un imperativo etico. Per quanto concerne la terza domanda — come combattere efficacemente — egli aveva molte cose da dire, molte delle quali non sono più rilevanti, od almeno non direttamente. Ma dopo che la minaccia napoleonica scomparve, egli considerò secondario l'aspetto prescrittivo rispetto a quello dell'analisi. Predisporre schemi strategici e misure tattiche fu per lui molto meno importante che identificare gli elementi permanenti della guerra e giungere a comprendere come essi funzionassero. È per questa ragione che il *Vom Kriege* può ancora essere importante [*relevant*] sui temi della guerra e della pace, temi che pure si presentano al lettore distanti da quelli dell'autore per via di una rivoluzione industriale e dei cataclismi militari del XX secolo.

Il rilievo dell'opera è comunque particolare: aspetto intuibile, questo, per teorie formulate in condizioni molto diverse da quelle attuali. Clausewitz amava comparare lo studio della guerra allo studio della pittura; ambedue si occupano di attività che richiedono specifiche esperienze tecniche, ma in cui procedimenti e conseguenze non sono prevedibili e non possono essere meccanicamente ottenuti, se si vuole giungere ad importanti risultati. Pochi artisti oggi leggerebbero un manuale di pittura dell'inizio dell'Ottocento per essere aiutati nella pratica della loro arte od anche per cercarne un inquadramento teorico. Un artista interessato alla storia ed alla teoria della pittura può, cionondimeno, leggere quel trattato per le sue osservazioni ed i suoi concetti, taluni forse di validità permanente, che egli può usare per costruire le proprie teorie e che potrebbero persino influenzare l'applicazione delle proprie idee.

Un ulteriore esempio può chiarire questo punto. Alcuni anni dopo che le guerre napoleoniche erano finite, Clausewitz iniziò a lavorare ad un manoscritto sulla strategia. «La mia intenzione originale», commentò più tardi, «era di mettere per iscritto le mie conclusioni sui principali elementi di questa materia in affermazioni brevi, precise e serrate, senza preoccuparmi di un sistema o di una connessione formale. Ricordavo vagamente il modo in cui Montesquieu trattò il suo argomento [...]»[1]. Quando si rese conto che un tale approccio non si adattava alle proprie tendenze, ad un'analisi sistematica e dilungata, rivide il manoscritto; poiché tutto questo non lo soddisfece, lo abbandonò e ne usò le parti come blocchi da costruzione per un'opera nuova ed a più largo respiro, il *Vom Kriege*. Ma la scelta di Montesquieu come modello dice qualcosa delle sue intenzioni e solleva un interrogativo circa le intenzioni e le aspettative dei suoi lettori. Forse che oggi leggiamo *Lo spirito delle leggi* con la speranza di incontrare una teoria complessiva dello Stato da poter far nostra, o, piuttosto, per ragioni diverse e meno immediatamente utilitaristiche? Da un lato vogliamo conoscere un'opera che ha attratto l'interesse dei lettori per più di due secoli; d'altronde, la leggiamo per far progredire il nostro pensiero sui fondamenti della politica, per essere stimolati dalle idee e dalle argomentazioni di Montesquieu. Nell'ambito bellico, il *Vom Kriege* richiede un analogo approccio.

Come *Lo spirito delle leggi*, l'opera di Clausewitz è un documento assai personale, per molti versi quasi autobiografico: una caratteristica che lo allontana ulteriormente dalle varie teorie moderne. Le due opere riflettono il passato dei loro autori, la loro posizione sociale, le loro professioni, taluni momenti di svolta delle loro vite (come i soggiorni di Montesquieu in Inghilterra e di Clausewitz in Francia), le loro interpretazioni della storia, le loro convinzioni politiche. Ambedue ricorrono a generalizzazioni, ad alti livelli di astrazione, che danno alle loro opere un valore duraturo, riflettendo e reagendo ai tratti peculiari delle loro condizioni ed esperienze, tratti questi che traspaiono chiaramente nelle loro opere. Prestare attenzione al suo ambiente storico ed alle sue personali vicende, aiuterà quindi la comprensione delle idee di Clausewitz.

I

Carl von Clausewitz nacque nel 1780 nella cittadina di Burg, settanta chilometri a Sud-Ovest di Berlino, quarto ed ultimo figlio di genitori borghesi che rivendicavano ascendenze nobili sulla base di una tradizione di famiglia. Suo padre, un tenente a riposo impiegato nel locale ufficio delle tasse, era figlio di un professore di teologia, a sua volta figlio e nipote di pastori luterani; la madre di suo padre conduceva una fattoria reale. Fu solo dopo la morte di Federico il Grande, che nei suoi ultimi anni si impegnò molto a tenere i borghesi fuori dal Corpo Ufficiali, che l'esercito accettò Clausewitz e due dei suoi fratelli come allievi ufficiali. Ambedue divennero generali e, nel 1827, il loro stato di nobili fu infine certificato con un decreto reale. Insieme a molte altre famiglie di questo periodo, i Clausewitz entrarono in nobiltà attraverso la Chiesa, l'esercito o la burocrazia di uno Stato prussiano in espansione.

Clausewitz vide per la prima volta un combattimento a dodici anni, durante la campagna che cacciò i Francesi dalla Renania, nell'inverno e nella primavera del 1793. Dopo che Magonza era stata ripresa nel luglio, il suo reggimento marciò a Sud dei Vosgi, dove combatté principalmente una guerra di presidii, incursioni ed imboscate. Quando l'esercito fu smobilitato nel 1795, Clausewitz ritornò in Prussia con qualche idea sulla fucileria e sulla tattica di piccole unità, in contrasto con la maggioranza degli ufficiali di fanteria il cui maggiore e quasi unico dovere in combattimento era di mantenere serrate le formazioni e rapide le scariche dei loro uomini. Dapprima impercettibilmente, la sua carriera iniziò a prendere una piega in qualche modo atipica. Per i successivi cinque anni prestò servizio in una piccola guarnigione, un incarico che comunque forniva taluni insoliti vantaggi. Il comandante del suo reggimento fu un pioniere dell'educazione militare in Prussia, organizzò scuole per i figli della truppa e per sottufficiali ed alfieri del suo reggimento, incoraggiò i suoi giovani ufficiali a studiare argomenti professionali, letteratura e storia. In questo ambiente incoraggiante, anche se provinciale, Clausewitz si distinse quanto bastava per far domanda di ammissione alla scuola militare di Berlino: nell'estate del 1801, poco dopo il suo ventunesimo compleanno, fu ammesso al corso triennale.

La scuola era stata da poco riorganizzata da un recente acquisto dell'esercito, Gerhard von Scharnhorst, che avrebbe svolto un grande ruolo nella storia della Prussia e nella vita di Clausewitz. Scharnhorst, figlio di un sergente di cavalleria a riposo, era stato militare sin da quando aveva sedici anni, prima in un piccolo principato tedesco, poi nell'esercito degli Hannover, dove si fece un nome come ufficiale di artiglieria e pubblicista militare. Dopo che l'Hannover entrò in guerra contro la Francia, nel 1793, Scharnhorst si rivelò anche un combattente eccezionalmente intraprendente. La sua reputazione portò ad un'offerta da parte della Prussia del grado di colonnello e di una patente di nobiltà; egli passò così al servizio prussiano nel 1801. Tra i numerosi altri incarichi, assunse la direzione della scuola militare di Berlino, facendone presto uno dei numerosi canali attraverso cui sperava di introdurre idee moderne sulla guerra nell'esercito prussiano. Scharnhorst fu tra i primi a notare ed analizzare obiettivamente l'interdipendenza fra innovazione militare e trasformazione sociale e politica nelle guerre della Rivoluzione. Secondo lui il problema delle potenze dell'Europa centrale, assai più deboli della Francia, era di appropriarsi di componenti essenziali della modernizzazione per impedire tempestivamente di essere travolti dalla Repubblica; ed aveva tanta fiducia in sé da credere di poter colmare il divario tra questa e la Prussia. Nessuno avrebbe potuto essere un migliore insegnante per Clausewitz di questo militare studioso che incoraggiò gli interessi teorici del giovane ed allo stesso tempo rinforzò la sua insoddisfazione per il tradizionalismo dell'esercito prussiano.

Nel 1804, Clausewitz primeggiò nella graduatoria del suo corso e fu nominato aiutante del principe Augusto di Prussia. I suoi orizzonti sociali e professionali si allargarono. Fu frequentemente a Corte dove incontrò quella contessa Marie Brühl, dama di compagnia della regina madre, che avrebbe sposato qualche anno più tardi. Scharnhorst lo raccomandò al direttore della più importante rivista militare in Germania, che nel 1805 pubblicò il suo primo articolo, una lunga confutazione delle teorie strategiche di Heinrich Dietrich von Bülow, in quegli anni l'interprete della guerra napoleonica più letto in Germania.

Bülow aveva il grande merito di riconoscere che le recenti trasformazioni della guerra costituivano una rivoluzione. Ma non riuscì a comprendere la natura di questa rivoluzione, in particolare non poté afferrare l'importanza nuova assunta dalla battaglia. Diversamente da altri scrittori, rifiutò di liquidare le novità come espedienti temporanei o come anarchia; cercò piuttosto dei principi matematici che avrebbero rilevato la struttura razionale sottostante quella superficie apparentemente caotica. Tipico di questi sforzi fu la sua affermazione per cui un'operazione militare era appropriata se largamente determinata dalla relazione geometrica tra il suo obiettivo geografico e la sua base. Clausewitz vide la guerra in maniera molto differente. Il suo articolo sollevava tre critiche di fondo, che sono degne di nota per illuminare la distanza che separa l'opera di un insolitamente dotato teorico del tardo illuminismo come Bülow, desideroso di trasformare la guerra in una specie di matematica applicata, dall'approccio realistico e pur metodologicamente rigoroso che Clausewitz stava tentando di sviluppare.

Soprattutto, obiettava Clausewitz, il metodo di Bülow era fallace. Per esempio, Bülow definì la strategia come «tutti i movimenti militari fuori dal tiro del cannone o dal campo di osservazione del nemico» e la tattica come «tutti i movimenti all'interno di questo raggio». Clausewitz respinse questa distinzione come superficiale, contingente — perché sarebbe stata intaccata dal mutamento tecnologico — e irrilevante, poiché l'ampiezza di questi due concetti rimaneva indefinita. Propose piuttosto definizioni che fossero funzionali ed applicate ad ogni guerra, passata, presente o futura: «la tattica costituisce la teoria dell'uso delle forze armate nella battaglia; la strategia forma la teoria dell'uso della battaglia per gli scopi della guerra»[2]. Non è necessario aggiungere che per Clausewitz il termine «uso» significava anche «minaccia di uso».

In secondo luogo, Clausewitz considerò irrealistica la visione della guerra di Bülow. Fondando la sua analisi sulla geografia e sulla matematica, Bülow ignorò le azioni del nemico e gli effetti fisici e psicologici del combattimento. «La strategia, comunque, non è niente senza la battaglia, perché la battaglia è la materia prima con cui essa lavora, è lo strumento che impiega»[3].

Infine, Clausewitz insistette sul fatto che ogni teoria significativa avrebbe dovuto abbracciare — cosa che quella di Bülow non faceva — tutta la sua materia. Per il bisogno di comprendere l'uso della violenza, di farne una scienza e di renderla prevedibile, Bülow escluse parti essenziali della guerra. Una teoria della guerra deve curarsi non dei soli elementi «che sono suscettibili di analisi matematica», per esempio distanze ed angoli di incontro, ma anche di quelli imponderabili come il morale dei soldati e la psicologia del comandante[4].

Sebbene Clausewitz, deciso a farsi un nome, non si fosse dimostrato riluttante a mettere in evidenza le confusioni e gli errori di Bülow, la sua maggiore preoccupazione era di costruire un metodo affidabile con cui provare le teorie di Bülow e di altri e con cui poter egli stesso sviluppare un'analisi della guerra che fosse intellettualmente sostenibile. Ciò che sottendeva le sue argomentazioni anche in questa prima fase era l'azione reciproca tra il presente osservabile e le ipotesi concernenti gli eterni fenomeni della guerra, rivelati dallo studio storico, dal senso comune e dalla logica. Ammise che l'idea di Bülow dell'importanza della relazione geometrica tra la base operativa ed il suo obiettivo era interessante e che poteva anche aiutare a spiegare questa o quella campagna napoleonica. Ma se la guerra dimostrava che le campagne erano state vinte da basi considerate inadatte da Bülow, e perse con basi che soddisfacevano invece ai suoi requisiti, se la logica ed il senso comune oltre che la storia e la realtà contemporanea suggerivano l'obiettiva necessità di non essere immobili, allora l'idea di Bülow non poteva reggere.

Clausewitz accolse la guerra del 1806 come l'unico mezzo per ostacolare il tentativo di Napoleone di dominare l'Europa, pur non essendo sicuro della vittoria. L'esercito prussiano era inferiore numericamente, i suoi alti comandi troppo divisi perché Scharnhorst — adesso capo di Stato Maggiore della maggiore armata — potesse imporre le proprie opinioni; la sua organizzazione, la sua amministrazione ed il suo sistema di rifornimento, oltre alla sua dottrina tattica, precludevano rapide operazioni. Nella battaglia di Auerstadt il principe Augusto, al comando di un battaglione di granatieri, e Clausewitz tentarono di opporre alla flessibilità dei Francesi una tattica analoga, trasformando un terzo della truppa in volteggiatori. Dopo che la battaglia fu persa, il battaglione costituì la retroguardia dell'esercito in ritirata, sino a che finì le munizioni e si arrese. In quanto nipote del re, il principe Augusto aveva un qualche valore per Napoleone. Il principe ed il suo aiutante furono inviati in Francia, dove fu concessa loro una relativa libertà di movimento, ma sino all'autunno del 1807 non ricevettero il permesso di fare ritorno in Prussia.

Escludendo il soggiorno in Prussia nel 1812, questi dieci mesi rappresentarono l'unico periodo lungo trascorso da Clausewitz fuori dalla Germania. Esso gli fornì una qualche diretta conoscenza della società e della cultura francesi, nonché l'opportunità di guardare alle condizioni della Prussia da una nuova prospettiva intellettuale e sentimentale. La sua critica delle attitudini e della politica, cui addebitava la sconfitta, era aspra: il governo non aveva usato la guerra come uno strumento della politica estera, ma aveva permesso che fosse isolato dai possibili alleati ed aveva infine dato ai suoi soldati un obiettivo impossibile. L'esercito, per quanto antiquato ed inefficiente, avrebbe potuto ottenere di più se i suoi capi avessero cercato la battaglia, invece di fare troppo affidamento sull'efficacia della manovra dentro e fuori le posizioni forti. Soprattutto, la società prussiana era rimasta inerte; il Paese vide nella guerra un affare del solo esercito. Poiché il governo aveva tenuto la società in una condizione di passività e di totale obbedienza, esso non poté attingere all'energia potenziale ed alle idealità della popolazione quando venne il momento della crisi. Solo trasformazioni rivoluzionarie avrebbero potuto adesso salvare lo Stato[5].

Durante le ultime fasi della guerra, Scharnhorst aveva ancora una volta dimostrato il suo valore in combattimento e nella pianificazione strategica: divenne il candidato naturale per la carica di presidente della commissione incaricata di disegnare piani per la riorganizzazione dell'esercito, una volta che i combattimenti cessarono. Scharnhorst rese, in breve, la commissione il centro di una nuova campagna per modernizzare le istituzioni militari del Paese, dal reclutamento al disegno dei fucili, allo sviluppo di aggiornate dottrine operative e tattiche. L'opposizione fu immediata e potente. Riforme lungimiranti come quelle proposte da Scharnhorst non solo avrebbero trasformato l'esercito, ma toccato l'economia e la società del Paese, avrebbero infranto il quasi-monopolio del corpo ufficiali da parte della nobiltà ed avrebbero liberato la truppa dalla schiavitù del vecchio e spesso inumano sistema di addestramento e di disciplina. Il conflitto per la riforma militare, di fatto una lotta per il carattere dello Stato prussiano, infuriò nei successivi cinque anni. Quando, nella primavera del 1808, Clausewitz lasciò Berlino occupata per Königsberg, sede temporanea del governo prussiano, fu subito attirato nel ristretto circolo dei riformatori ed acquisì un'aura di radicalismo potenzialmente pericoloso, che avrebbe mantenuto per il resto della propria vita.

Dapprima Clausewitz fu impiegato da Scharnhorst come assistente personale. Aiutò ad organizzare misure segrete di riarmo e scrisse articoli per spiegare e difendere innovazioni socialmente delicate come i concorsi e le selezioni per la scelta e le promozioni degli ufficiali. Quando il governo ritornò a Berlino, Clausewitz divenne il capo dell'ufficio di Scharnhorst, un incarico che lo pose al centro del movimento riformatore. Attraverso l'influenza di Scharnhorst, fu addetto allo Stato Maggiore Generale ed alla nuova Scuola di guerra dove insegnò strategia e guerra irregolare. Nell'ottobre del 1810, divenne precettore militare del principe ereditario ed alcuni mesi più tardi entrò a far parte della commissione che stese una nuova regolamentazione operativa e tattica per la fanteria e la cavalleria. L'ampiezza dei suoi incarichi per tutti questi anni diede a Clausewitz una rara opportunità di entrare in contatto e di conoscere i problemi intellettuali, tecnici, organizzativi e politici propri della ricostruzione di un esercito quasi dalle fondamenta.

Le nuove responsabilità non diminuirono il suo originario interesse per l'analisi scientifica della guerra. Con saggi ed annotazioni in questi anni si chiarì le idee su finalità e modalità di una teoria che affrontasse un'attività così complessa come la guerra. Distinse tra le possibilità cognitive, pedagogiche ed utilitaristiche della teoria.

Nel primo caso, la funzione della teoria è quella di strutturare razionalmente il passato e la realtà presente, di dimostrare «come una cosa è correlata a un'altra, e come tenere separato il rilevante dall'irrilevante», di definire gli elementi irriducibili del fenomeno della guerra, di scoprire i legami logici e dinamici che si legano in strutture passibili di conoscenza.

Una teoria che sia sostenibile logicamente e storicamente e che rifletta la realtà del presente ha la funzione pedagogica di aiutare chi la studia ad organizzare ed a sviluppare le proprie idee sulla guerra: idee che egli trae dall'esperienza, dallo studio e dalla storia. L'esplorazione del passato estende, infatti, la realtà di cui ogni individuo può fare esperienza.

Una teoria non può mai condurre ad una comprensione completa — cosa, questa, impossibile — ma può rafforzare ed affinare il giudizio. Generare una dottrina, regole o leggi per l'azione non è il compito primario di una teoria. Conoscenza ed esecuzione sono diverse; tuttavia utili benefici possono derivare da teorie valide.

Una teoria deve essere di vasta portata, cioè deve poter interessare tutti gli aspetti della sua materia, siano essi presenti o del passato. Deve essere basata sulle costanti o sugli assoluti della sua materia, non su fenomeni che possono.essere contingenti anche se correntemente sembrano essere questi a dominare la guerra. La guerra napoleonica è un fenomeno del suo tempo. Esempi di assoluti sono la natura sociale e politica della guerra e la psicologia del comandante. Gli assoluti servono come principi ordinatori di una teoria. Tutti gli altri fenomeni dipendono da questi e sono collegati — spesso indirettamente — tra essi, con legami che la teoria deve rivelare. Clausewitz notò, nel 1808, che il contrario di una simile struttura intellettuale, in cui c'è una collocazione per ogni osservazione ed analisi attuale o futura, è rappresentato dall'abitudine di scrittori come Bülow o Jomini a costruire dottrine ultimative a partire da riflessioni od osservazioni casualmente maturate, cioè di generalizzare a partire da idee che hanno solo una validità limitata o temporanea.

Una teoria deve costantemente superare la prova della realtà. In nome della logica, essa non può fondarsi su qualcosa che sia smentito dalla realtà. In qualsiasi momento, la realtà appare più limitata rispetto alla teoria; la guerra del XVIII secolo, ad esempio, non esaurisce tutte le possibilità di guerra, né lo fanno le campagne di Napoleone. D'altro lato, poiché la realtà muta costantemente ed è segnata dall'imponderabile e dall'imprevisto, nessuna teoria può mai completamente rifletterla o spiegarla da sola. Una teoria deve essere sufficientemente flessibile e disponibile a prendere atto dell'imponderabile, deve avere la possibilità di ulteriori sviluppi[6].

Molte di queste idee erano prese a prestito dalla filosofia dell'idealismo tedesco e dal pensiero scientifico del tempo, cosa, per altro ben diversa dal dire che Clausewitz era un profondo specialista in filosofia. Da giovane ufficiale, aveva frequentato corsi introduttivi alla logica ed all'etica di Johann Gotfried Kiesewetter, un divulgatore di Kant, e spesso lesse volumi e saggi di matematica, filosofia ed estetica, che egli pensò avessero qualche rilievo nell'analisi della guerra (ad esempio, nella sua trattazione del talento e del bene). Soprattutto egli attinse ad idee di seconda e terza mano dal proprio ambiente culturale, il suo uso del concetto di polarità, per esempio — la separazione ed il contatto di attivo e passivo, positivo e negativo, impiegati per analizzare la relazione fra attacco e difesa, — ed il suo sviluppo dialettico delle idee attraverso tesi ed antitesi erano di uso comune per un tedesco istruito del suo tempo. Ma se le componenti del sistema teorico formulato durante gli anni delle riforme non erano originali, egli fu unico nell'applicare sistematicamente queste idee a fenomeni che una filosofia idealistica non avrebbe considerato «reali» o reali solo in senso comune. La realtà che Clausewitz voleva comprendere non era la realtà astratta della ragion pura, ma le concrete componenti fisiche, intellettuali e psicologiche della esistenza politica e militare[7].

Lo scoppio della guerra tra Francia ed Austria, nel 1809, suscitò la speranza di Clausewitz che Napoleone si fosse infine sopravvalutato. Fece domanda come ufficiale per l'esercito austriaco e solo l'improvviso armistizio dopo la vittoria francese di Wagram lo trattenne in Prussia. Per tutti gli anni successivi, non rinunziò mai del tutto alla possibilità di un'insurrezione armata in Germania. Quando, alla fine del 1811, Napoleone obbligò la Prussia a rendere disponibile il suo territorio, quasi fosse una stazione di posta per l'invasione della Russia, ed a contribuire con ventimila uomini alla *Grande Armée*, Clausewitz fu tra i più espliciti oppositori di quella che egli definì una resa né eroica né politicamente saggia: con una trentina di altri ufficiali lasciò le spalline, un passo che confermò la sua fama di uomo che anteponeva i propri valori alla politica del suo re.

Durante la guerra del 1812, servì come colonnello russo in vari incarichi di Stato Maggiore, ma fu poco più che un osservatore per via della sua scarsa conoscenza della lingua. Verso la fine della campagna, comunque, colse l'opportunità di infliggere un colpo ai Francesi contribuendo a convincere il comandante del corpo d'armata di riserva prussiano, generale von Yorck, a defezionare dalla *Grande Armée* ed a neutralizzare la sua forza. La cosiddetta Convenzione di Tauroggen siglata da Yorck con il conte russo Wittgenstein, del cui Stato Maggiore Clausewitz faceva parte, non solo impedì ai Francesi di ammassarsi alla frontiera russa, ma lanciò il rivoluzionario messaggio per cui, in talune condizioni, la consapevolezza o la valutazione politica di un ufficiale prussiano poteva avere la precedenza sul suo giuramento di obbedienza.

Clausewitz ritornò con Yorck nella Prussia Orientale, dove redasse un piano per arruolare la milizia provinciale: un altro atto dal valore potenzialmente rivoluzionario, per via dei suoi ventimila uomini armati senza il permesso del re. Quando, infine, la Prussia entrò in guerra contro la Francia, nel marzo 1813, Federico Guglielmo III ripagò l'indipendenza di Clausewitz respingendone la domanda di rientrare al servizio della Prussia. Ancora in uniforme russa, egli svolse quindi le funzioni di assistente di Scharnhorst, fino a che questo non fu mortalmente ferito nella battaglia di Grossgörschen. Nell'autunno del 1813, fu capo di Stato Maggiore di una piccola forza multinazionale che allontanò i Francesi dalla costa baltica. Dopo essere stato infine, riammesso nell'esercito prussiano, fu nominato, durante i Cento Giorni, capo di Stato Maggiore del Terzo Corpo di Armata che fermando l'armata di Grouchi alla battaglia di Wavre gli impedì di soccorrere Napoleone a Waterloo.

Il sospetto con cui Clausewitz era visto dai conservatori a corte e nell'esercito indubbiamente lo tenne lontano da quei più importanti incarichi che i suoi amici volevano assegnargli; comunque, alla fine delle guerre napoleoniche pochi ufficiali della sua età potevano vantare esperienze varie come le sue, da compiti di combattimento e di Stato Maggiore alla pianificazione strategica alla partecipazione in decisioni politico-militari della massima importanza. Il movimento di riforma, di cui egli era stato un membro attivo anche se non di primo piano, riuscì in pochi anni a rivitalizzare l'esercito prussiano da una delle più goffe organizzazioni militari dell'*Ancien Régime* in una forza per molti aspetti adesso superiore a quella della Francia. Una trasformazione sociale era legata a queste innovazioni, ma essa non si spinse fin dove i riformatori avevano sperato. Con la Prussia che ritornava ad un conservatorismo sempre più rigido, Clausewitz reagì alle sue delusioni personali e politiche rinunciando alle eccessive aspettative un tempo riposte in una idealizzazione dello Stato riformato. Al patriottismo intenso anche se spesso critico del ventenne (o poco più che trentenne) fece seguito una visione più equilibrata del suo Paese, se già nel 1814 egli era in disaccordo con un amico che chiedeva una pace vendicativa. La Francia, sosteneva, non avrebbe dovuto essere indebolita oltre una certa misura perché essa era necessaria per mantenere l'equilibrio in Europa. Anche in politica stava diventando un teorico più che un partigiano.

Durante i primi anni di pace, Clausewitz fu capo di Stato Maggiore delle forze prussiane in Renania. Nel 1818, all'età di trentott'anni, gli venne offerta la direzione della Scuola di guerra a Berlino, un incarico amministrativo accettato senza entusiasmo, e la promozione a maggior generale. Per un po' cercò di essere nominato ambasciatore alla corte di S. Giacomo, ma ancora una volta la sua reputazione di indipendenza e di inaffidabilità politica indebolirono le sue possibilità. Nel 1816, era ritornato a quello studio intenso della storia e della teoria militare che il culmine della lotta contro Napoleone aveva interrotto. Negli ultimi quindici anni della sua vita, scrisse numerose storie di guerre e di campagne ed anche un saggio biografico su Scharnhorst, in seguito pubblicato da Ranke, alcuni articoli politici di eccezionale originalità ed una storia della Prussia prima e dopo la disfatta del 1806, che rimane una notevole interpretazione di quegli anni. Nel 1819, iniziò a scrivere il *Vom Kriege* e negli otto anni successivi completò le prime sei delle otto parti progettate, oltre a minute del Libro sesto e settimo. Con il 1827, tuttavia, era giunto alla convinzione che il manoscritto non faceva risaltare con sufficiente chiarezza le due costanti che egli — ancora ventenne — aveva già identificato e che rappresentavano elementi chiave della sua teoria: la natura politica della guerra, le due forme fondamentali che la guerra assume. Spiegando in una annotazione la necessità di profonde revisioni, scrisse:

> Considero i primi sei libri già messi a pulito come un materiale piuttosto informe che ha assoluto bisogno di subire un rimaneggiamento. In questo rimaneggiamento, la guerra dovrà essere tenuta costantemente sott'occhio *nella sua duplice forma* [...] Ecco che cosa intendo per *duplice forma della guerra*. Nella prima forma, lo scopo della guerra è di *atterrare l'avversario,* sia distruggendolo politicamente, sia mettendolo semplicemente nell'impossibilità di difendersi ed imponendogli quindi la pace che si vuole. Nella seconda forma, lo scopo della guerra si limita *al proposito di fare qualche conquista lungo le frontiere dello Stato*, sia che si intenda conservarla, sia che si voglia sfruttarla come mezzo vantaggioso di scambio nelle trattative di pace. Forme intermedie di guerra hanno pur tuttavia diritto di sussistere: ma il carattere ben distinto delle due tendenze di cui sopra deve risultare in ogni caso a nettamente distinguere questi due modi di azione bellica inconciliabili.
> Oltre a questa differenza di fatto che esiste fra le guerre, occorre porre esplicitamente ed esattamente un altro punto di vista altrettanto pratico ed indispensabile: e cioè che *la guerra non è se non la continuazione della politica con altri mezzi*. Attenendoci costantemente a tale punto di vista, otterremo maggiore unità nelle considerazioni e tutto riuscirà a districarsi più agevolmente[8].

Prima di apportare le correzioni, Clausewitz scrisse storie della campagna d'Italia di Napoleone e della campagna di Waterloo per comprendere più chiaramente come le sue idee sulla duplice forma della guerra e sul carattere politico della guerra operarono nella realtà. In seguito, poté revisionare solo alcuni capitoli prima di essere assegnato all'Ispettorato d'artiglieria nel 1830, e di essere costretto a lasciare da parte il manoscritto del *Vom Kriege*. Nello stesso anno, quando i moti francesi e la rivolta polacca contro la Russia prospettarono di nuovo la possibilità di una guerra europea, la Prussia mobilitò una parte del suo esercito e Clausewitz ne fu nominato capo di Stato Maggiore. La grande epidemia di colera del 1831 che si diffuse dalla Russia alla Polonia e poi all'Europa centrale ed occidentale causò la sua morte all'età di cinquantun anni, nel novembre del 1831.

II

Il *Vom Kriege* è diviso in 128 capitoli e sezioni, raggruppati in otto libri[9]. Il primo, *Dell'essenza della guerra*, definisce le caratteristiche generali della guerra nell'universo sociale e politico ed identifica quegli elementi che sono sempre presenti nella condotta della guerra: il pericolo, la fatica fisica e mentale, i fattori psicologici ed i molti impedimenti a realizzare le proprie intenzioni, che Clausewitz riunì sotto il concetto di «attriti». Il Libro secondo, *Della teoria della guerra*, delinea le potenzialità ed i limiti della teoria. Il Libro terzo, *Della strategia in generale* [o, secondo la traduzione italiana, *Della strategia quale argomento principale*, *NdT*], comprende non solo capitoli sulla forza, il tempo e lo spazio, ma anche una trattazione più dettagliata degli elementi psicologici: tutti, secondo Clausewitz, «elementi operativi in guerra»[10]. Il Libro quarto, *Il combattimento*, discute «l'essenza dell'attività militare, il combattimento, che per il suo effetto materiale e psicologico comprende in forma semplice o composta l'oggetto generale della guerra»[11]. Il Libro quinto, *Le forze combattenti*, il sesto, *La difensiva* ed il settimo, *L'offensiva*, illustrano ed elaborano (nelle tre parti più convenzionalmente militari dell'opera) argomenti già affrontati. Infine il Libro ottavo, *Il piano di guerra*, riprende di nuovo i più importanti temi del Libro primo, esplora il rapporto tra la guerra «assoluta» della teoria e la guerra reale ed in un rapido saggio teorico e storico di grande originalità analizza il carattere politico della guerra e l'interazione fra politica e strategia.

Eccetto forse che nel Libro quinto, *Le forze combattenti*, che non ha una collocazione completamente soddisfacente nella successione dei temi, il materiale è ordinato logicamente, iniziando con un panorama complessivo nel capitolo introduttivo e procedendo verso la natura della guerra, nonché verso lo scopo e le difficoltà della teoria. Dal Libro terzo al Libro settimo sono discusse la strategia e la condotta delle operazioni militari. L'opera si conclude con un'analisi delle più importanti funzioni del comando politico e militare in guerra ed integra, più ampiamente, la guerra fra le relazioni sociali e politiche.

Anche questa prima indicazione suggerisce che Clausewitz si pose due obiettivi fondamentali: da un lato, penetrare, attraverso un'analisi logica, l'essenza della guerra assoluta, la guerra «ideale» del linguaggio della filosofia del tempo; dall'altro, comprendere la guerra nelle varie forme che concretamente prende, in quanto fenomeno sociale e politico, e nei suoi aspetti strategici, operativi e tattici. Ma lo scopo filosofico e scientifico significava per lui molto di più che un esercizio intellettuale, che un gioco di astrazioni con scarsi rapporti con la realtà. L'analisi teorica da sola, Clausewitz ne era convinto, poteva fornire gli strumenti con cui la guerra concreta, nella sua incredibile varietà, poteva essere compresa. D'altronde, l'analisi della guerra reale prova continuamente la validità della teoria. Secondo il paragone di Clausewitz: «come molte piante non producono frutti se il loro fusto si slancia troppo in alto, così occorre che [...] le foglie ed i fiori teorici non prendano soverchio sviluppo. Occorre non allontanarsi troppo dal terreno che loro conviene: e cioè dall'esperienza»[12].

L'organizzazione dell'opera in otto grandi sezioni, comunque, non costituisce una guida sicura per il lettore. Le distinzioni fra le parti sono meno importanti della rete di temi e di argomentazioni che le lega. Un concetto è definito con chiarezza estrema ed unilaterale, per essere poi modificato qualche capitolo più avanti e per assumere una nuova dimensione nel momento in cui entra in contatto con altre proposizioni ed osservazioni. Una tesi è seguita da un'antitesi; le caratteristiche di un fenomeno sono stabilite in maniera definitiva analizzando il suo contrario. Discussioni sulla natura della guerra in astratto si alternano con applicazioni alla guerra reale di strumenti analitici quali la teoria dei fini e dei mezzi, di concetti importanti di attrito e di genio, di affermazioni di minore portata come quelle concernenti i rapporti fra attacco e difesa, nonché con dettagliate osservazioni operative e tecniche: il tutto impreziosito di riferimenti storici[13]. Il testo è caratterizzato da movimenti, rinvii ed allusioni non solo ad altre parti del volume, ma anche all'esperienza dell'autore e della sua generazione. Lungo l'intera opera, creando un'unità interna che supera quella dello schema esteriore, corrono due rapporti dialettici, ambedue presentati nel capitolo introduttivo: il rapporto fra guerra in teoria e guerra reale, il rapporto fra i tre fattori che insieme fanno la guerra (la violenza, il gioco del caso e della probabilità, la ragione).

La violenza organizzata di massa è l'unica caratteristica che distingue la guerra da tutte le altre attività umane. La guerra è «un atto di forza, all'impiego della quale non esistono limiti». Essa non è «il lavoro di una forza attiva contro una massa inerte, giacché un atteggiamento completamente passivo è incompatibile con qualsiasi condotta di guerra: consiste invece sempre nell'urto di due forze attive [...]». Nessuna delle due parti ha il controllo completo delle proprie azioni ed ogni contendente detta le proprie all'altro; di conseguenza, mentre cercano di eliminarsi a vicenda, i loro sforzi aumentano. «Uno scontro di forze che operano liberamente e che non obbediscono a nessun'altra legge che alla propria» può raggiungere l'estremo: la guerra assoluta, cioè una violenza assoluta che finisce con la totale distruzione di uno da parte dell'altro[14].

La tesi della guerra totale in quanto guerra ideale è seguita dall'antitesi per cui la guerra, anche nella teoria, è sempre influenzata da forze esterne ad essa. La guerra è condizionata dalle particolari caratteristiche degli Stati in conflitto e dalle caratteristiche generali del tempo: dai suoi elementi politici, economici, tecnologici e sociali. Essi possono inibire la scalata verso la violenza totale. Inoltre, se una certa guerra non cerca la sconfitta totale del nemico, ma un obiettivo minore allora anche la teoria non necessita la scalata verso gli estremi. La violenza continua ad essere l'essenza, il concetto regolatore, anche di guerre limitate combattute per scopi militari, ma in tali casi l'essenza non richiede la sua più piena espressione. Il concetto di guerra assoluta e di guerra limitata insieme costituiscono la duplice natura della guerra.

Nel mondo concreto, l'assoluto è sempre modificato, anche se talvolta ci si avvicina da presso, come in talune campagne napoleoniche o nel tentativo di una tribù primitiva di sterminarne un'altra. La guerra non è mai un atto isolato, ma è il risultato di altre forze che la condizionano e possono modificarne la violenza. Né consiste di un unico atto decisivo o di un insieme di atti simultanei. Se la guerra si riducesse ad un unico colpo ininterrotto, la sua preparazione tenderebbe verso la totalità perché «a nessuna omissione potrebbe essere rimediato». Ma, in realtà, la guerra consiste sempre in una più o meno lunga successione di atti violenti, interrotta da pause finalizzate alla pianificazione, alla concentrazione dello sforzo, al riaccumulo di energia: e ciò per ognuno dei due o più antagonisti, che interagiscono. Numerosi elementi dall'interno delle società contrapposte — la «libera volontà» dei capi che può essere o meno conforme alla realtà obiettiva ed i motivi politici della guerra — determineranno l'obiettivo militare e la quantità dello sforzo che per esso dovrà essere speso. «La guerra non è che la continuazione della politica con altri mezzi»[15].

La tesi di Clausewitz della duplice natura della guerra crea una base per l'analisi di tutti gli atti di violenza organizzata di massa, dalle guerre di annientamento alle dimostrazioni armate, differenti da altre manovre diplomatiche solo per via della loro diretta minaccia di violenze. La tesi impedisce di considerare un qualunque tipo di guerra come la norma che dovrebbe determinare la politica, un metro con cui tutte le guerre vengano misurate.

Il riconoscimento da parte di Clausewitz del carattere politico della guerra rafforza l'argomento espresso nel concetto di duplice natura della guerra per cui la guerra non è un atto autonomo ed isolato. La sconfitta della potenza armata del nemico e della sua volontà di usarla non è un fine in se stesso, ma un mezzo per raggiungere scopi politici. La violenza dovrebbe manifestare lo scopo politico e manifestarlo in una maniera razionale e proficua; non dovrebbe prendere il posto dello scopo politico, né dimenticarlo. Di conseguenza, la guida politica dovrebbe, in ultima analisi, controllare e dirigere la condotta della guerra. Ciò non significa che essa dovrebbe sostituire i militari nella pianificazione e nella condotta delle operazioni. Dovrebbe preoccuparsi di non chiedere l'impossibile e di collaborare con i più alti comandanti per sviluppare una politica generale; ma le forze armate non esistono per se stesse: sono uno strumento. Domandando la subordinazione dei militari alla guida politica, Clausewitz era ben lungi dal manifestare una preferenza ideologica; semplicemente, trasse la logica conclusione della sua analisi sulla natura politica e sullo scopo della guerra. Poiché la guerra è la continuazione della politica «non ci può essere nessuna valutazione *puramente militare* di un grande tema strategico né un progetto puramente militare per risolverlo»[16]. Se lo scopo politico lo richiede, le forze armate devono accontentarsi della mobilitazione parziale delle risorse e di realizzazioni limitate; o, nell'altro caso, devono essere preparate a sacrificarsi e né la società né il governo dovrebbero considerare tale sacrificio — se espressione di una politica razionale — come qualcosa al di là della loro missione.

Tali sono alcune delle più significative implicazioni della teoria di Clausewitz, sulla duplice natura e sulla natura politica della guerra, per la guerra reale. Il secondo grande rapporto dialettico che attraversa gli otto Libri del *Vom Kriege* è riassunto nell'affermazione per cui la guerra reale è composta da tre elementi. Le sue tendenze dominanti, dichiarò Clausewitz, «rendono sempre la guerra una trinità degna di nota», composta di violenza e passione, di incertezza, caso e probabilità, di scopo ed effetto politico[17].

Analizzare la guerra in generale o comprendere una guerra particolare, ma anche pianificare e condurre una guerra, richiede lo studio o l'impiego di tutti e tre questi elementi. Una teoria od una politica fallirebbe se ne ignorasse anche uno solo, o se prestasse attenzione solo ad alcune delle loro componenti, ad esempio solo all'aspetto militare del secondo elemento: come la pianificazione, i capi e lo sforzo possano avere successo nell'incerto processo che porta alla sconfitta del nemico. Altrettanto inadeguata sarebbe un'opinione che guardasse in maniera esclusiva agli aspetti politici della guerra od alle emozioni che fossero manifestate nella guerra o che da questa fossero causate.

La teoria ed il comando devono essere sospesi, per usare la metafora di Clausewitz, fra i tre magneti della violenza, del caso e della politica, che interagiscono in ogni guerra.

Avendo identificato le tre aree che insieme fanno la guerra, Clausewitz assegnò ognuna di esse ad un differente segmento della società, quale suo proprio campo d'azione. Nel complesso, pensava, il primo elemento — violenza e passione — concerne soprattutto il popolo. Il secondo — incertezza e caso — fornisce il campo d'azione in primo luogo al coraggio, alla determinazione ed al talento del comandante e delle sue forze militari. Il terzo — la politica — «è questione del solo governo»[18].

Tali assunti — probabilmente fatti nell'interesse della chiarezza teorica — sono, naturalmente, assai soggettivi. Essi illuminano l'autore del *Vom Kriege* nella sua collocazione storica: un soldato che guarda a se stesso come servitore dello Stato prussiano e protettore di una società i cui sentimenti devono essere sfruttati, ma anche controllati. Dal suo punto di vista, era compito della direzione politica riassumere le energie della società senza soccombere al loro potere irrazionale: il governo incanala energia psichica in una politica razionale, che l'esercito contribuisce a mettere in pratica.

Anche nei tentativi definitori di Clausewitz, le affinità ricordate (odio e violenza identificate soprattutto con il popolo, caso e probabilità con l'esercito e con il suo comandante, politica razionale con il governo) sono di discutibile validità. Nelle guerre napoleoniche, per ricorrere alla fonte di esempi favorita di Clausewitz, la passione e la violenza dell'imperatore ebbe certo più peso di qualsiasi odio che il popolo francese avrebbe potuto nutrire nei confronti del resto dell'Europa; ed almeno negli ultimi anni dell'impero il senso comune — una forma di razionalità che colpisce particolarmente [*particular impressive form of rationality*] — fu dalla parte del popolo, stanco di guerre, più che dalla parte di Napoleone. Le affinità suggerite da Clausewitz (ovviamente, un prodotto di un'esperienza personale che agiva sulla sua psicologia e sul suo modo, intellettuale e politico, di vedere), tuttavia, non diminuiscono la validità ed il potere analitico della definizione tripartita: la guerra è fatta di violenza, caso e politica.

III

La tripartizione di violenza, caso e politica avvolge la progressione di violenza fra gli Stati, dalla preparazione e dall'inizio delle ostilità sino alla conclusione di una pace ed oltre. All'interno di ognuno dei tre parametri, e spesso in tutti, le azioni e gli eventi che fanno una guerra trovano una loro collocazione. Ma per renderli suscettibili di analisi, per riconoscerne i legami e per impedire che prendano il sopravvento sul quadro analitico, la massa di dettagli concreti deve essere raggruppata e riassunta. A tale scopo, Clausewitz sviluppò concetti di varia portata, con un significato generale o con caratteristiche specificamente operative. Fra questi, i più pregnanti sono i concetti di attrito e di genio.

L'attrito rimanda alle incertezze, agli errori, alle difficoltà tecniche, all'imprevisto ed agli effetti di tutto ciò sulle decisioni, sul morale e sulle azioni.

> L'idea dell'attrito è la sola che abbia sufficiente analogia genuina con quanto distingue la guerra reale dalla guerra a tavolino. La macchina militare [...] è in fondo semplicissima e sembra appunto a causa di ciò facile a maneggiare. Ma non si deve dimenticare che ognuna delle sue parti forma un solo pezzo, che esse sono invece composte di singoli ingranaggi di cui ciascuna ha un attrito proprio [...] Il battaglione risulta pur sempre composto di un certo numero di uomini di cui il più insignificante può, se il caso lo vuole, cagionare un ritardo o qualche irregolarità. I pericoli inerenti la guerra, le fatiche corporali che essa esige, aumentano [...] questo male [...]
>
> Questo enorme attrito, che è impossibile concentrare come in meccanica su pochi punti, è perciò dovunque in contatto col caso, e produce fenomeni che sfuggono ad ogni previsione [...]
>
> Un gruppo di tali cause, ad esempio, si riferisce alle condizioni atmosferiche. Talvolta la nebbia impedisce che il nemico sia scorto in tempo, che un cannone cominci il fuoco al momento opportuno, che un messaggio pervenga all'ufficiale comandante; talvolta è la pioggia che impedisce ad un battaglione di arrivare o ne ritarda un altro per averlo obbligato a marciare forse per otto ore invece di tre; altrove questa stessa pioggia fa abortire le cariche di cavalleria perché frenate dal tempo stemperato ecc. [...]

L'azione in guerra è un movimento in un mezzo resistente. Come non si è in grado di compiere nell'acqua con facilità e precisione anche il più semplice movimento, quale è lo spostarsi, tanto meno è possibile in guerra, disponendo di energie normali, mantenersi sia pure sulla linea della mediocrità [...]
È dunque l'attrito, o qualsivoglia nome si voglia dare alla resistenza, che rende difficile ciò che sembra facile [...][19]

Il brano, che nelle sue alternanze fra l'astratto e lo specifico è caratteristico del modo di pensare e di esprimersi di Clausewitz, delinea talune delle molte possibilità, psicologiche oltre che impersonali, di attrito. In una forma o in un'altra, l'attrito è sempre presente. L'attrito dominerebbe la guerra se non fosse bilanciato dall'impiego creativo di un'energia, intellettuale ed emotiva. Almeno in una certa misura, l'intelletto e la determinazione possono avere il sopravvento sull'attrito, sfruttare il caso e trasformare l'imprevedibile in un vantaggio. In cambio, tali forze dovrebbero essere sottoposte ad analisi. Proprio come non deve ignorare l'imponderabile e l'unicità degli eventi — cosa «che distingue la guerra reale dalla guerra a tavolino» — così la teoria deve dedicarsi alle forze spesso non quantificabili che combattono l'attrito: le capacità intellettuali e psicologiche del comandante e dei suoi sottoposti; il morale, lo spirito e la fiducia in se stesso dell'esercito; taluni tratti temporanei o permanenti della società — quale è riflessa nei suoi soldati — come l'entusiasmo per la guerra, la lealtà politica, l'energia.

Il *Vom Kriege* esamina tali qualità in maniera diretta, come per «gli elementi morali o psicologici», o indiretta, attraverso la categoria del «genio». L'uso di quest'ultimo concetto in tale contesto avrebbe poco senso se non si ammette che per Clausewitz il termine si riferisce non solo ad individui eccezionali, ma anche a possibilità e sentimenti su cui si fonda il comportamento dell'uomo comune: «non possiamo qui riferirci al genio propriamente detto, caratterizzato da un talento eccezionale [...] Ma dobbiamo soprattutto esaminare ogni indirizzo comune delle energie spirituali verso la guerra, il cui insieme costituirà per noi *l'essenza del genio guerriero*»[20]. Originalità e creatività elevate alla massima potenza — ciò che la filosofia del tardo Illuminismo e quella idealista definivano genio — venivano così usate da Clausewitz per identificare ed interpretare qualità generali, intellettuali e psicologiche, proprio in quanto esse rappresentavano e contribuivano a spiegare la libertà di volontà ed azione potenzialmente presente in ogni essere umano. La configurazione psicologica del grande uomo, «il genio», era fatta per chiarificare le emozioni di tutti gli uomini, proprio come il concetto di guerra assoluta getta luce su tutte le guerre.

Tale modo di concettualizzare e discutere qualità psicologiche può apparire inutilmente complesso. Clausewitz vi fu spinto dal primitivo stadio della psicologia dei suoi tempi. Nel capitolo su *Il genio guerriero*, nel *Vom Kriege*, egli parla della psicologia come di un «campo oscuro» ed in un successivo capitolo si rammarica che gli elementi psicologici non siano sottomessi alla scienza accademica. Essi non possono essere classificati o contati. Devono essere visti, o percepiti[21]. Ma sebbene esistano buone motivazioni per il suo approccio, per alcuni versi esso finisce per essere insoddisfacente. La sua enumerazione di tratti psicologici rimane convenzionale; le sue osservazioni sulla loro rilevanza in guerra, sebbene piene di buon senso e segnate da passaggi brillanti, soffrono — come egli stesso ammette — dello stesso difetto impressionistico da lui condannato negli scritti di altri pensatori[22]. Le caratteristiche psicologiche del grande condottiero sono il prisma attraverso cui Clausewitz interpreta i sentimenti e le possibilità dell'uomo comune; ma nel fascino verso Napoleone o Federico, i soli ritenuti capaci di risultati supremi, la sua analisi si limita di solito a rimarcare il loro eccezionale talento.

Tale unilateralità, comunque, non diminuisce il significato del fatto che Clausewitz incorporava la psicologia, in quanto notevole componente, nella propria teoria. Sin dall'antichità si era scritto dell'importanza delle emozioni in guerra, ma oltre ad elenchi di caratteristiche desiderabili ed indesiderabili, poco era stato fatto. Più recentemente, a seguito delle guerre della Rivoluzione, taluni autori avevano posto l'accento sull'importanza dell'irrazionale, lo avevano messo in relazione con la potenza del caso, e ne avevano concluso che la psicologia del soldato era troppo oscura o che la guerra era troppo anarchica per essere un oggetto di analisi scientifica. Clausewitz ha compiuto il passo decisivo di situare l'analisi delle forze psicologiche proprio al centro dello studio della guerra. Secondo la filosofia kantiana, riconobbe che vi erano cose che non potevano essere comprese appieno, ma ciò non significava che dovessero essere ignorate. Il *Vom Kriege* fece della psicologia del soldato, del suo comandante e della società per cui prestavano servizio una parte essenziale della teoria della guerra. Poiché teorie più comprensive e dinamiche del comportamento umano sono state sviluppate dall'inizio di questo XX secolo, l'aspetto psicologico della struttura teorica di Clausewitz dovrebbe essere sottolineato senza danneggiare per questo la sua definizione tripartita della guerra, o la relazione dialettica che egli postulò fra il «genio» da un lato — le radici psicologiche dell'iniziativa e di altre tipi di creatività militare — e l'«attrito» dall'altro.

La loro interazione definisce ogni scontro fra avversari, ogni incidente del combattimento — grande o piccolo — che accada nel corso della guerra. Clausewitz categorizzò e concettualizzò queste parti fondamentali in una serie di affermazioni le quali, nonostante la loro importanza, hanno un rilievo minore dei concetti di attrito e di genio. Le due tesi già ricordate del rapporto reciproco fra gli avversari e delle tendenza dei loro sforzi a crescere danno origine alla tesi dell'interdipendenza di attacco e difesa nella strategia e nella tattica. Un'altra affermazione sostiene che per ragioni di tempo, spazio ed energia, l'offensiva gradatamente si indebolisce fino a che si giunge ad un «punto culminante»: lo stadio oltre il quale l'attaccante non può più facilmente difendersi a lungo da un contrattacco. Una terza affermazione dice che la difensiva è fatta, oltre che di resistenza, di contrattacchi: proprio come l'offensiva è fatta di attacchi, soste e resistenza.

Dall'analisi della guerra come un tutto, Clausewitz si era mosso verso lo studio delle varie forme in cui un conflitto è combattuto. Questa seconda serie di affermazioni continua ad essere applicata a tutte le guerre della storia, potendo il punto culminante di un attacco presentarsi in una lotta fra due tribù, come nell'avanzata tedesca verso la Marna nel settembre 1914 o nell'invasione nordcoreana del giugno 1950. Ma la discussione che Clausewitz fa di tali principi riflette la specifica esperienza della sua generazione molto più direttamente di quanto lo facciano le sue riflessioni sui fondamenti ultimi della natura della guerra. Poiché concerne l'azione di forze sul campo di battaglia, la sua analisi è espressa largamente nei termini delle guerre dell'età rivoluzionaria e napoleonica — per lui i più recenti casi di guerra su larga scala — mentre per quanto concerne l'illustrazione del carattere dei raid e di altre operazioni al livello di minori unità, Clausewitz fa riferimento ai propri esordi militari, nelle campagne contro la Francia dell'ultimo decennio del Settecento.

Tutto ciò, e la discussione su temi più dettagliati che ne scaturiva, costituisce la realtà che forniva a Clausewitz gran parte della materia prima per le sue teorie. Le affermazioni più sopra ricordate avevano anche un'altra funzione centrale nell'intero suo sforzo teorico. Esse dimostravano che — sebbene le più alte sfere della guerra (quelle in cui ragione, emozione ed il gioco degli imponderabili decidono il destino degli Stati e delle società) ponessero alla teoria tremende difficoltà — ampie, seppur subordinate, aree della guerra erano immediatamente suscettibili di analisi, provando così che una teoria della guerra era, nei fatti, possibile. Come scrisse verso la fine dei suoi giorni:

> Le grandi difficoltà che presenta una simile elaborazione filosofica [scientifica, nella traduzione di Howard e Paret, *NdT*] di un'arte della guerra ed il gran numero di tentativi infelicissimi fatti in questo senso, hanno indotto parecchi a sentenziare che tale teoria non è possibile, perché si tratta di argomenti che nessuna legge categorica riesce ad abbracciare. Noi aderiremmo a tale conclusione e rinunceremmo ad ogni tentativo teorico se non fosse che un gran numero di proposizioni può rendersi evidente senza alcuna difficoltà. Per esempio: «La difesa è la forma più forte, accompagnata da uno scopo negativo; l'attacco è la più debole, e corrisponde ad uno sforzo positivo»; «I grandi risultati si traggono dietro i piccoli; e gli effetti strategici possono quindi raccogliersi intorno a determinati centri di gravità»; «Un'azione dimostrativa è un impiego di forze meno vantaggioso di quello occorrente ad un vero e proprio attacco. Occorre dunque che essa sia imposta da motivi particolari»; «La vittoria non consiste esclusivamente nella conquista del campo di battaglia, ma nella distruzione materiale e morale [fisica e psichica, nella traduzione di Howard e Paret, *NdT*] delle forze combattenti [...]»; «Il risultato è sempre più fecondo nel punto in cui è stata riportata [...]»; «Il tentativo di aggirare il nemico è giustificato soltanto da una grande preponderanza, sia che questa si verifichi nelle forze in genere, sia che risulti dal raffronto delle linee di comunicazione o di ritirata»; «Le posizioni di fianco sono rette dalle stesse condizioni»; «Ogni attacco si indebolisce durante il suo progresso»[23].

Molte di queste proposizioni non erano così evidenti, di fatto, come Clausewitz sperava che i suoi lettori le avrebbero giudicate. Ad esempio, il suo giudizio per cui la difesa era la forma più forte di combattimento non fu compreso e fu ripudiato da numerose generazioni di militari tedeschi, le cui capacità analitiche furono oscurate dalla collocazione geopolitica del loro Paese. Per Clausewitz, tuttavia, la logica dialettica di azione e reazione, che nessuna prevenzione ideologica gli impedì di portare alla sua necessaria conclusione, forniva quell'assicurazione che il suo modo di vedere marcatamente pragmatico cercava con insistenza: la violenza a livello tattico ed operativo, e poi la violenza a tutti i livelli, poteva essere analizzata e padroneggiata intellettualmente.

Per concludere questo riassunto dei principali temi del *Vom Kriege*, dobbiamo ritornare alle concezioni di Clausewitz sulla funzione e sul rapporto di scopi, obiettivi e mezzi che attraversano l'intera opera. Lo scopo politico per cui una guerra è combattuta dovrebbe determinare i mezzi che vi sono impiegati nonché il tipo ed il grado di sforzo che vi è richiesto. Lo scopo politico dovrebbe anche determinare l'obiettivo militare. Talvolta i due sono identici e Clausewitz fa l'esempio di una guerra combattuta per conquistare un particolare territorio. In altri casi, «lo scopo politico non si presta di per sé solo a determinare l'obiettivo dell'azione bellica [militare, nella traduzione di Howard e Paret, *NdT*] e in tal caso si deve assumerne uno [un altro, nella traduzione di Howard e Paret, *NdT*] che possa aver valore di equipollenza collo scopo politico [...]»[24]. Per distruggere il sistema politico dell'avversario, può divenire necessario distruggere le sue forze armate, od occupare i suoi centri politici ed economici, od ambedue. Per difendersi contro un attacco, può essere sufficiente respingere la forza attaccante. O è possibile che le sue basi verranno distrutte, o può in altri casi divenire necessario alzare il prezzo da pagare per future ostilità così in alto che l'avversario desisterà.

L'obiettivo militare dipende dallo scopo politico, ma anche dalle scelte politiche e militari del nemico, dalle condizioni e dalle risorse dei due antagonisti, e dovrebbe essere proporzionato a questi due fattori[25]. I mezzi della guerra consistono nell'applicazione della forza, o nella minaccia della forza. La forza, inoltre, dovrebbe essere adatta e proporzionata all'obiettivo militare ed allo scopo politico.

I rapporti fra scopo, obiettivo e mezzi esistono nella tattica e nelle operazioni non meno che nella strategia e nella condotta generale della guerra.

> Quando un battaglione riceve l'ordine di scacciare il nemico da un'altura, da un ponte, ecc., di massima il possesso di queste località è lo scopo propriamente detto, e la distruzione delle forze nemiche relative non è che un semplice mezzo, o una questione secondaria. Se una dimostrazione basta per provocare la ritirata delle forze nemiche, lo scopo è ugualmente raggiunto, ma quell'altura e quel ponte non sono generalmente conquistati che per cooperare ad accrescere la distruzione delle forze nemiche.
>
> Se già questo si verifica sul campo di battaglia, a maggior ragione avverrà sull'intero teatro della guerra, ove non si scontrano solo eserciti, ma Stati, nazioni, paesi interi [...] a causa della graduazione progressiva degli scopi, la differenza fra il mezzo iniziale e lo scopo finale aumenta sempre più[26].

A livello tattico ed operativo, l'elemento politico è di solito lontano, ma sarà sempre potenzialmente presente. Inoltre, ogni singolo atto militare può avere implicazioni politiche immediate od indirette. Dal combattimento di pochi soldati allo scontro di armate sino ai campi di battaglia intellettuali ed emotivi della strategia e delle supreme decisioni politiche, la rete di scopi, obiettivi e mezzi determina gli eventi e dovrebbe guidare il pensiero ed il comportamento degli antagonisti.

IV

Buona parte del *Vom Kriege* può apparire, ad una lettura ravvicinata, ispirata dal senso comune. Anche brani dal tono assai astratto, se dissezionati, in genere conducono all'evidenza o rivelano implicazioni che quasi necessariamente ne conseguono. L'accento sul noto era, naturalmente, in sintonia con lo scopo che Clausewitz aveva in mente quando scrisse il volume. I problemi da lui studiati non erano nuovi e non era interessato a suggerirne nuove soluzioni. Ciò che voleva era la chiarificazione di fenomeni ben noti ed una loro riformulazione in modo che la teoria potesse affrontarli, mentre a sua volta la concettualizzazione dei fenomeni contribuisse alla complessiva struttura teorica. L'invenzione dell'«attrito» ne è un esempio. Tutti sanno che inaspettati mutamenti del clima, ordini mal compresi, incidenti possono condizionare gli eventi. Raggruppando tali eventualità sotto il concetto di attrito, Clausewitz le trasformò da idee di ovvia familiarità in salde componenti di una descrizione analitica che mira a spiegare il proprio oggetto di studio.

La sua descrizione però, si noti, è incompleta e non solo perché il manoscritto rimase incompiuto. Il *Vom Kriege* contiene una analisi di vasta portata della strategia, delle operazioni, della tattica delle guerre napoleoniche e del loro retroterra settecentesco. Rimangono a margine della ricostruzione buona parte dei fattori tecnologici, amministrativi ed organizzativi; significativamente, non è studiato nemmeno l'istituto della coscrizione, la grande leva del nuovo meccanismo generatore di energia militare, anche se spesso vi si fa riferimento e si pone l'accento sul suo ruolo nel rendere la guerra più dinamica e distruttiva. Il *Vom Kriege* è quasi interamente dedicato alle questioni fondamentali quali Clausewitz le vedeva: la pianificazione politica e strategica, la condotta delle ostilità.

La teoria della guerra che emerge, e accompagna, questa visione parziale può sembrare altrettanto incompleta. Non solo essa non affronta direttamente il ruolo degli elementi amministrativi ed istituzionali, quello delle trasformazioni tecnologiche o quello fondamentale dell'economia; se si esclude un paio di riferimenti alle operazioni anfibie, il *Vom Kriege* ignora la guerra navale. Clausewitz è stato spesso criticato per questa sua incapacità di andare al di là della propria esperienza di soldato di una monarchia continentale, e di riconoscere l'altra metà della guerra del suo tempo. Ma la critica confonde la sua teoria con le esperienze da cui essa si originò. È possibile sviluppare ed analizzare un concetto senza illustrarlo esaurientemente. Attrito, escalation, interazione di attacco e difesa esistono nella guerra per terra e per mare, e nell'aria. È erroneo considerare incompleta la struttura teorica del *Vom Kriege* sulla base del fatto che le sue esemplificazioni sono tratte solo dai tipi di conflitto che Clausewitz conosceva meglio e che lo interessavano di più.

Analogamente deve dirsi a proposito dell'assenza di un'analisi sistematica del ruolo della tecnologia e dell'economia in guerra. Clausewitz considerava evidente che lo sviluppo tecnologico, causato dalla trasformazione economica, sociale e politica condiziona costantemente la tattica e la strategia. Il *Vom Kriege* contiene numerosi riferimenti a tale dato di fatto fondamentale. Né egli ignorava la dipendenza delle istituzioni militari e della guerra in quanto tale dalle risorse e dalle politiche economiche, sebbene fosse troppo intelligente per fare equivalere la semplice ricchezza con la forza militare. La storia della Prussia era sufficiente per indicare quanti altri fattori potevano operare[27]. Le risorse economiche di uno Stato, insieme con la sua geografia e le sue condizioni sociali e politiche, determinano secondo Clausewitz o dovrebbero determinare le sue scelte militari. Finché la teoria conferma tale verità e ne fornisce un'adeguata sistemazione con la sua rappresentazione dinamica della guerra, un'analisi complessiva dell'economia non è necessaria. Se, in seguito, il rapporto dell'economia con la guerra è esaminato a fondo, l'analisi può essere inserita nello schema teorico già esistente. Le teorie concernenti le motivazioni ed il comportamento dei singoli, dei gruppi e delle società non devono, ed in realtà non possono mai, affrontare tutte le variabili del loro oggetto; è sufficiente che la teoria abbia la capacità di incorporare nuovi risultati e le ricerche in nuove aree quando queste sono sviluppate, senza che le ipotesi di fondo siano dimostrate inadeguate o false.

Taluni lettori hanno criticato Clausewitz per aver ignorato l'etica, nel *Vom Kriege*, per non aver discusso a fondo le cause della guerra e per non essersi interrogato sulla validità delle politiche che hanno condotto alla guerra. Si tratta di osservazioni che sollevano temi importanti; ancora una volta, comunque, esse paiono derivare da un'incapacità di accettare le intenzioni di Clausewitz ed a riconoscere i parametri logici della sua opera.

La moralità dell'andare in guerra, pensava Clausewitz, era una questione di etica politica, non una questione che avesse a che fare con la teoria della guerra. La guerra è un atto sociale e la decisione di ricorrere ad essa va al di là della guerra stessa. Ciò rimane vero anche se la decisione è influenzata o del tutto determinata dalla leadership militare: perché in quel caso i militari condividono, od assumono, l'autorità politica. Si muovono al di fuori della guerra.

Giustificazioni etiche del ricorso alla guerra possono certamente influenzare la condotta delle operazioni. Sino a quando condizionano i governi delle potenze belligeranti e la comunità internazionale, anche tali giustificazioni stanno al di fuori della teoria della guerra. Il loro impatto, se ne hanno uno, sui soldati concretamente impegnati in guerra è sussunto nelle discussioni di Clausewitz sul morale, sulla lealtà e sulla psicologia dell'uomo combattente.

Ciò è altrettanto vero a proposito dell'etica del comportamento in guerra. I codici etici, la loro osservanza o trasgressione possono influenzare il soldato. Fanno parte dei valori di una società, che secondo Clausewitz condizionano sempre la guerra. Ma in se stessi, pensava, hanno scarsa sostanza: la forza «è accompagnata da restrizioni insignificanti, che meritano appena di essere menzionate, alle quali si dà il nome di *diritto delle genti* [...] all'infuori dell'idea di Stato e di Legge non vi è forza morale»[28]. In breve, la teoria si occupa di ideali solo nella misura in cui tali valori influenzano concretamente il comportamento. Il *Vom Kriege* cerca di comprendere la realtà della guerra e di rivelare le richieste logiche delle forze coinvoltevi; non cerca di aggiustare questa realtà ad un particolare sistema etico. Clausewitz, come egli stesso riconosceva, è assai più vicino alla posizione di Machiavelli che a quella dei Padri della Chiesa e dei filosofi morali che vogliono definire la guerra giusta ed il giusto comportamento in guerra.

La politica [*Politik*] nel *Vom Kriege* si riferisce a quegli atti politici che conducono alla guerra, determinano il suo scopo, influenzano la sua condotta e portano alla sua cessazione. Negli scritti storici e nei saggi politici, Clausewitz analizzò frequentemente i fallimenti della politica, sia della Prussia sia di altri Stati. Nel *Vom Kriege* si pone uno scopo diverso. Qui non si discute della sostanza della politica; ciò che importa è l'efficacia con cui il governo dirige le sue risorse militari per raggiungere lo scopo politico, uno scopo che Clausewitz assume essere in generale realistico e responsabile. La politica, scrisse nel Libro ottavo, «altro non è se non una *mandataria* di questi interessi [di una singola società, compresi i suoi valori "spirituali"] [...] Qui non ci interessa il fatto che essa possa essere male orientata, che possa servire all'ambizione, agli interessi privati e alla vanità dei governanti, più che ai veri interessi della nazione; giacché in nessun caso l'arte della guerra può assumere il compito di precettore della politica, e nel nostro studio dobbiamo considerare la politica come rappresentante di tutti gli interessi dell'intero organismo sociale»[29]. Poiché la teoria della guerra ha a che fare con l'uso della forza contro nemici esterni, Clausewitz era corretto dal punto di vista logico nel non esaminare i problemi causati da politiche irrazionali od errate: questioni che egli lasciava alla teoria politica. Nei brani esplicativi ed esemplificativi della sua opera, egli avrebbe potuto naturalmente ampliare i brevi riferimenti alle maldestre politiche di uomini come Napoleone e Carlo XII, senza danneggiarne la struttura teorica. Se egli lo avrebbe fatto, se fosse vissuto più a lungo per completare la revisione del suo manoscritto, è impossibile dire[30].

V

Nella storia delle idee non è inusuale per l'opera di un autore essere ampiamente discussa ed influenzare il pensiero successivo sul tema — moralità privata, ad esempio, o forme di governo — mentre il tema in se stesso è scarsamente influenzato da quell'opera. Così accadde per Clausewitz. Ma forse perché egli scrisse in un campo in cui la letteratura teorica era rivolta quasi interamente a scopi pratici piuttosto che essere speculativa in un senso filosofico o scientifico, non è mancato il tentativo di ricercare l'impatto che le sue idee hanno avuto sulla realtà della guerra, sul modo in cui le guerre sono state effettivamente combattute: uno strano destino, si potrebbe pensare, per uno scrittore che sottolineò la natura non utilitaristica della sua opera.

L'influenza di un teorico — dalle intenzioni non prescrittive, nella sua opera maggiore — è forse assai difficile da determinarsi. Non sorprende quindi che la ricerca dell'influenza di Clausewitz, iniziata nella seconda metà dell'Ottocento, sia stata confusa ed inconcludente. Il fatto che una o due frasi del *Vom Kriege* siano entrate nell'uso comune o che taluni suoi argomenti siano stati male interpretati per sostenere le cangianti mode militari non prova che le idee abbiano avuto un impatto autentico. Al contrario, se esaminiamo la condotta della guerra dal momento in cui Clausewitz scrisse, troveremo deboli prove del fatto che militari e governi abbiano fatto uso delle sue teorie. Le guerre hanno ripetutamente dimostrato l'importanza delle teorie di Clausewitz, ma niente si è provato di più sfuggevole che il ricercare un'applicazione delle «lezioni» imparate dal *Vom Kriege*.

Un esame dell'influenza di Clausewitz può trarre vantaggio da una temporanea separazione di due aspetti correlati alla stessa domanda: come egli ha influenzato il modo in cui la gente pensa alla guerra; e come ed in che misura egli ha influenzato le azioni di militari e statisti. Leggere Clausewitz sembra, ad esempio, avere aiutato Marx, Engels e Lenin a chiarificare le proprie idee sulla natura politica della guerra; tuttavia è lungi dall'essere certo che i loro incontri con l'opera di Clausewitz furono essenziali per lo sviluppo del loro pensiero. Né è chiaro se altri personaggi politici ricavarono suggerimenti dal *Vom Kriege* che non avrebbero potuto prendere altrove. Punti di vista possono concordare senza che ci sia un'influenza degli uni sugli altri. La stretta interazione fra guerra e politica, per fare solo l'esempio più ovvio, non è dopo tutto un programma, ma una parte della realtà, un processo che in talune società è più prontamente compreso e meglio affrontato che in altre. Abraham Lincoln o Georges Clemenceau non ebbero bisogno di leggere Clausewitz per scoprire il rapporto tra l'obiettivo militare e lo scopo politico delle guerre che stavano combattendo. Taluni arrivarono a conclusioni simili a quelle di Clausewitz senza aver letto il *Vom Kriege*; d'altronde, molti dei suoi lettori non lo capirono o non furono d'accordo con lui.

Proprio agli aspetti politici delle teorie di Clausewitz fu data una risonanza nel migliore dei casi ambigua. Sino agli anni Trenta di questo secolo, i suoi più importanti lettori tedeschi non vollero o non poterono accettare la sua tesi della stretta interazione di politica e guerra e della supremazia delle considerazioni politiche anche durante i combattimenti. Anzi, lungo il XIX e la prima parte del XX secolo, i capi degli Stati Maggiori ed i comandanti in capo dell'esercito prusso-tedesco pensarono alla guerra, una volta che fosse scoppiata, come ad un'attività essenzialmente autonoma e fecero tutto quanto era in loro potere per proteggere l'esercito, la sua strategia e le sue operazioni dalle interferenze politiche. Persino lo stretto rapporto fra Bismarck e Moltke fu in più casi scosso dai tentativi dei militari di preservare la loro autonomia. Hindenburg e Ludendorff raggiunsero infine una considerevole misura di indipendenza durante la Prima Guerra Mondiale, sino a che il fallimento delle offensive della primavera e dell'estate del 1918 li costrinse ad abbandonare i propri posti di responsabilità nel grembo di un governo a quel punto senza più speranza. Il senso istintivo della permanente interazione fra politica e guerra, che Clausewitz aveva sviluppato sin da giovane e che ne aveva guidato il pensiero per tutta la vita, non fu più comprensibile per i Tedeschi, proprio mentre la loro società si fece industrializzata ed entrò nell'età dell'imperialismo. In una cultura modellata in maniera crescente da specialisti e tecnocrati, con militari dogmatici, ma ansiosi e non controllati dalla direzione politica, l'opinione generale espressa da Clausewitz nel *Vom Kriege* si oscurò ed andò perduta.

Forse le due più importanti eredità di Clausewitz accettate dai militari tedeschi, di grande rilievo nella dottrina dell'esercito fino al XX secolo inoltrato, furono la considerazione (in accordo con Napoleone) per cui una grande vittoria sarebbe stata più importante di molti piccoli successi ed il concetto di imponderabile. Non essere travolti dall'imprevisto richiedeva una flessibilità in tutti gli aspetti della guerra, dalla strategia (sebbene la decisione di mantenere il piano Schlieffen, nel 1914, non possa essere vista come un esempio di flessibilità) alla tattica. Ne risultò fra l'altro la *Auftragstaktik*, la prassi di emanare direttive che definissero le intenzioni generali del comando supremo lasciando però ai comandi in subordine un alto grado di iniziativa e la possibilità di emanare ordini. Poco prima del 1914, il noto ufficiale e storico francese Jean Colin ritrovava ancora un vantaggio notevole e pratico nella lettura degli scritti di Clausewitz: questi aveva avuto «l'incomparabile merito di scacciare il formalismo dall'educazione militare»[31]. Dal punto di vista di Colin, la convinzione per cui una teoria di azione non dovesse stabilire regole — convinzione che Clausewitz aveva per primo manifestato nella sua critica a Bülow — era di per sé una lezione pratica della più grande importanza.

Pur con tali eccezioni, l'influenza di Clausewitz sul modo in cui le guerre sono preparate e combattute è difficile da discernere ed anche più difficile da verificare. È più facile vedere un suo impatto sulla riflessione più teorica, o storica, sulla guerra; sebbene anche tra gli studiosi non si possa dire che egli abbia fondato una scuola[32]. In numerose discipline e campi di studio — l'etica o la teoria politica possono di nuovo servire da esempi — analisi generali di natura discorsiva e speculativa non sono rare; l'argomento della guerra, tuttavia, tende ancora ad evocare opere che condannino o cerchino di eliminare la guerra o che tentino di migliorare l'efficacia dei mezzi e delle strategie del conflitto. Che la guerra possa essere studiata con un diverso animo è forse la più importante lezione da trarsi dall'opera di Clausewitz. Egli ci ha dato una base su cui costruire. L'interpretazione distaccata della violenza organizzata di massa, tuttavia, continua a porre le più grandi difficoltà al mondo moderno.

Clausewitz si erge agli albori dello studio non prescrittivo e non preconcetto della guerra come fenomeno totale ed il *Vom Kriege* rimane ancora la più importante opera di questa tradizione di studi. Persino Machiavelli, cui egli forse più si avvicina con il suo appassionato interesse nel reale funzionamento della politica e della guerra, aveva più i caratteri di un patrocinatore. *Il principe* e *L'arte della guerra* sono ispirati da un determinato punto di vista dalle condizioni politiche dell'Italia e dall'insoddisfazione di Machiavelli verso di esse; ma il *Vom Kriege* non fu scritto per rafforzare la monarchia prussiana. Clausewitz va bene al di là dei parametri del successo e del fallimento in cui il pensiero strategico si muove per esaminare la natura e la dinamica della guerra. Sarebbe confortante credere non solo che questo sforzo intellettuale formi le basi per una concreta strategia, ma anche che conduca ad una politica militare e ad un'arte di governo responsabili. Clausewitz non ebbe mai questa presunzione e la storia antecedente e successiva al momento in cui egli scrisse ha suggerito che si tratta di una presunzione invariabilmente non corretta. Ciononostante la guerra, in quanto problema che domina il nostro tempo ed in quanto forza ancora non perfettamente compresa del nostro passato, richiede ancora ulteriori e più profonde analisi. Il fatto che così pochi studiosi e militari si siano impegnati con uno spirito di indagine obiettiva simile a quello di Clausewitz e con la sua capacità di congiungere realtà e teoria rappresenta una misura, non secondaria, della sua opera.

[1] Carl von Clausewitz, *Author's comment* (1818?), in Id., *On war*, tr. e cura di Michael Howard e Peter Paret, Princeton 1984, 63.
[Come si noterà, pur conoscendo l'originale tedesco, Paret fa spesso riferimento a questa versione in inglese del *Vom Kriege*. Purtroppo, come dovrebbe esser noto, la vecchia traduzione italiana del 1942 non corrisponde adeguatamente all'originale tedesco e non possiede i pregi dell'edizione accurata e critica propri della versione inglese di Howard e Paret. Ove possibile, cioè ove la traduzione italiana collimava con quella inglese, qui si è cercato di rinviare il lettore alla per lui più nota traduzione italiana, edita dallo Stato Maggiore dell'Esercito nel 1942; negli altri casi, il rimando bibliografico andrà alla versione critica di Howard e Paret, *NdT*.]

[2] [Carl von Clausewitz], *Bemerkungen über die reine und angewandte Strategie des Herrn von Bülow*, in «Neue Bellona», IX (1805), n. 3, 271.

[3] *Ivi*.

[4] Cfr. *ivi*, 276.

[5] Cfr. in particolare le lettere di Clausewitz alla fidanzata tra il dicembre 1806 e l'ottobre 1807 in *Karl und Marie von Clausewitz: Ein Lebensbild in Briefen und Tagebuchblättern*, Berlin 1917, 67, 149 e la sua successiva storia della Prussia di questo periodo *Nachrichten über Preussen in seiner grossen Katastrophe*, vol. X della serie dello Stato Maggiore tedesco *Kriegsgeschichtliche Einzelschriften*, Berlin 1888.

[6] Questo riassunto è tratto da taluni scritti del periodo delle riforme militari, come le aggiunte di Clausewitz fra il 1808 ed il 1809 ad un saggio sulla strategia originariamente scritto nel 1804 e pubblicate da E. Kessel con il titolo *Strategie*, Hamburg 1937; ed il saggio *Über den Zustand der Theorie der Kriegskunst*, pubblicato da W. Schering nella sua antologia di scritti di Clausewitz *Geist und Tat*, Stuttgart 1941. Altre riaffermazioni e sviluppi di queste idee possono essere trovate in tutto il *Vom Kriege*, particolarmente nel Libro primo, nel secondo e nell'ottavo. Si notino anche brani come: «Il nostro scopo non è fornire principi e metodi nuovi di condotta della guerra; piuttosto siamo intenti ad esaminare il contenuto essenziale di ciò che è per tanto

tempo esistito ed a ricondurlo ai suoi elementi di base» (*Ivi*, Libro VI, cap. 8); o «noi non possiamo formulare principi, regole o metodi [tuttavia] mentre la storia non può fornire formule essa offre un *esercizio per il giudizio*, qui come in qualsiasi altro caso» (*Ivi*, Libro VI, cap. 30).

[7] La relazione tra le idee di Clausewitz e la filosofia tedesca è discussa nel mio *Clausewitz and the State*, Oxford-New York 1976, ried. Princeton 1985: cfr. in particolare pp. 147-208.

[8] C. VON CLAUSEWITZ, *Vom Kriege*, Berlin 1832 (tr. it. *Della guerra*, Roma 1942, ried., da cui qui si cita, Milano 1970, 9, *Avvertenza*, del 10 luglio 1827).

[9] L'analisi che segue si poggia in parte sul mio esame del *Vom Kriege* in *Clausewitz and the State*, cit., 356-381.

[10] C. VON CLAUSEWITZ, *On war*, cit., Libro IV, 1, 225.

[11] *Ibidem*.

[12] ID., *Della guerra*, cit., «Premessa dell'autore», 14.

[13] Clausewitz definisce le quattro funzioni teoriche dell'esemplificazione storica: «1. L'esempio può servire semplicemente come *spiegazione* del pensiero [...] 2. L'esempio può servire come *applicazione* del pensiero [...] 3. Ci si può riferire ad un fatto storico per corroborare quanto si è affermato [...] per constatare la possibilità di un fatto o di un effetto». Infine, un'opinione o un'affermazione può essere derivata da un'analisi dettagliata e circostanziata di un evento storico. ID., *Della guerra*, cit., Libro II, 6, 164.

[14] Cfr. *ivi*, Libro I, 1, 22.

[15] *Ivi*, 38.

[16] C. VON CLAUSEWITZ, *Two Letters on Strategy*, a cura di P. Paret e Daniel Moran, Carlisle, Penn. 1984, 9. Corsivo originale. Cfr. anche ID., *Della guerra*, cit., Libro VIII, 6b.

[17] Cfr. ID., *Della guerra*, cit., I, 1, 40.

[18] *Ibidem*.

[19] *Ivi*, Libro I, 7, 87-89.

[20] *Ivi*, Libro I, 3, 58. [Si noti che la traduzione italiana, del 1942, parla di «genio guerriero» mentre la più accurata traduzione inglese di M. Howard e P. Paret parla più semplicemente di «military genius», *NdT*.]

[21] Cfr. *ivi*, 64; ma cfr. anche *ivi*, Libro III, 3.

[22] *Ibidem*.

[23] *Ivi*, 12-13: si tratta di una *Nota incompiuta*, databile intorno al 1830.

[24] *Ivi*, Libro I, 1, 28.

[25] *Ivi*, Libro VIII, 3b.

[26] *Ivi*, Libro I, 2, 51-52.

[27] Un buon esempio della consapevolezza di Clausewitz circa il ruolo dei fattori economici in guerra è la sua analisi della natura della guerra settecentesca, che inizia con la frase «Quest'organizzazione militare era basata sul denaro e sul reclutamento». *Ivi*, VIII, 3b.

[28] *Ivi*, Libro I, 1, 19-20.

[29] *Ivi*, Libro VIII, 6b, 814.

[30] James E. King osserva che Clausewitz «lasciò ad una teoria politica, elaborata così come la sua teoria della guerra, questioni analitiche circa il perché e il come valori politici (l'obiettivo), controllino le forze armate ed il loro impiego in guerra (i mezzi)».

[31] JEAN COLIN, *Les transformations de la guerre*, Paris 1911 (tr. ingl., da cui qui si cita, *The Transformations of War*, London 1912, 298-299). È caratteristico della ricerca dell'influenza di Clausewitz che anche questo brillante storico credette scontato l'impatto delle idee di Clausewitz sulla strategia prussiana nel 1866 e nel 1870 (*ivi*, 303-304), un assunto che avrebbe reso perplesso lo Stato Maggiore generale prussiano ed i comandanti in capo prussiani di queste guerre.

[32] Uno storico il cui pensiero fu fortemente influenzato da Clausewitz e che tentò di applicare e sviluppare le concezioni di Clausewitz nella sua interpretazione della guerra nella storia fu Hans Delbrück.

Moltke, Schlieffen e la dottrina dell'aggiramento strategico

di Gunther E. Rothenberg

Due grandi soldati, Helmut von Moltke il vecchio ed Alfred von Schlieffen, dominarono il pensiero militare prusso-tedesco dalla metà del XIX secolo fino alla Prima Guerra Mondiale, e oltre. Diffusero e praticarono un tipo di guerra offensiva che ha adattato all'età industriale il precetto napoleonico di cercare una soluzione decisiva per mezzo della battaglia ed in battaglia di cercare di distruggere il nemico. Per far fronte alla paralisi prodotta dalle nuove armi e da fronti sempre più estesi, Moltke, capo di Stato Maggiore dal 1857 al 1887, sviluppò il concetto dell'aggiramento del nemico in una sequenza strategico-operativa continua in cui si combinavano mobilitazione, concentrazione, movimento e combattimento. Prendendo l'iniziativa fin dal principio, egli intendeva spingere l'avversario all'interno di una manovra avvolgente parziale o completa, distruggendo il suo esercito in una grande e decisiva battaglia di annientamento o di accerchiamento, *Vernichtungs* — o *Kesselschlacht*. Per controllare l'esecuzione di questa sequenza, Moltke portò a compimento la creazione, già avviata, del moderno sistema di stati maggiori ed introdusse la *Auftragstaktik*, o tattica per missione, un metodo di comando che poneva l'accento sull'iniziativa decentralizzata all'interno di un disegno strategico globale.

Se Moltke dimostrò la potenzialità dei suoi nuovi metodi nel 1866 e nel 1870, Schlieffen, suo successore dal 1891 al 1906, non comandò mai eserciti in battaglia. Tuttavia divenne storicamente importante come maestro ed assertore dell'aggiramento strategico, che egli descrisse e glorificò come il concetto di Canne, fino a considerarlo l'unico metodo realmente efficace per condurre la guerra. Il suo grande progetto per ottenere una vittoria rapida e decisiva contro la Francia sfiorò il successo nel 1914, anche se alla fine fallì, mentre sul fronte orientale sortì alcune straordinarie vittorie. Le idee di Schlieffen influenzarono la successiva generazione di strateghi tedeschi i quali aggiornarono il concetto di aggiramento strategico e lo applicarono con sorprendente successo nella fase della guerra lampo della Seconda Guerra Mondiale. Il generale Hans von Seekt, capo dello *Heeresleitung* e personalità influente sul piano della formazione dell'esercito tedesco tra il 1919 e il 1926, credeva che l'insegnamento di Schlieffen fosse ancora valido, perché con un piccolo esercito di professione l'unica possibilità di successo della Germania stava in vittorie rapide e decisive all'inizio della guerra. La cornice tattica di questa concezione strategica venne perfezionata da Ludwig Beck, capo di Stato Maggiore dal 1933 al 1938, e definita nella sua variante corazzata e meccanizzata dal generale Heinz Guderian e da altri. Guidato dalla punta di lancia di tali forze, sostenuto sul piano tattico dalla forza aerea, l'aggiramento strategico ottenne rapide vittorie nelle campagne di Polonia e di Francia e la nuova combinazione di potenza di fuoco e di manovra consentì alla Germania di distruggere, una dopo l'altra, le armate russe nel 1941. Ma dopo di allora, la guerra lampo cominciò a vacillare. Efficace contro avversari poco preparati e mal comandati e nell'ambito di un teatro di operazioni limitato, non poteva reggere su distanze più lunghe o portare ad una vittoria definitiva contro un nemico che poteva scambiare lo spazio con il tempo e che disponeva di ampie riserve. Nell'ultima parte della guerra, dal 1943 in poi, il concetto di aggiramento strategico cominciò ad essere usato contro la Germania, ancora una volta non ottenendo un successo totale a causa di problemi logistici, di controllo e di comando. Rimanendo un ideale strategico, ebbe un ruolo in alcuni conflitti successivi alla Seconda Guerra Mondiale, ma nella seconda metà del secolo nuovi sviluppi sociali, politici e tecnologici si sono combinati per privarlo della sua capacità di ottenere risultati rapidi e decisivi.

I

Moltke può essere considerato lo scrittore militare più incisivo e importante d'Europa dall'età napoleonica alla Prima Guerra Mondiale. Clausewitz fu un pensatore più profondo, ed altri alti militari meritano un posto tra i grandi come tattici o come comandanti, ma Moltke si distinse non solo nella pianificazione strategica ed organizzativa, ma anche nel comando operativo: capacità combinate con una profonda consapevolezza di ciò che fosse o non fosse possibile in guerra. Moltke aveva vasti interessi culturali ed è stato ritratto «fondamentalmente come un umanista dell'età che seguì a Goethe»[1]. Forse si è un po' esagerato. Moltke, infatti, condivise molte caratteristiche intellettuali del classicismo tedesco, ma fu soprattutto un militare e ciò che veramente contava per lui era l'uso controllato della forza al servizio della monarchia prussiana.

Come molti militari prussiani, attribuì alcune sue idee a Clausewitz e si definì un suo discepolo. In realtà, è difficile determinare il contributo di Clausewitz alla dottrina ed alla pratica militare prussiana. Nel caso di Moltke, ci può essere una qualche convergenza con Clausewitz sul rapporto tra Stato ed esercito, ma già molto meno sulle questioni operative ed organizzative. Mentre Clausewitz fu sempre il filosofo che cercava di scoprire la natura universale della guerra servendosi di esempi concreti, soprattutto illustrazioni, Moltke è stato essenzialmente un grammatico della guerra molto poco impegnato sul piano della speculazione astratta. Come molti altri militari della sua generazione considerava la guerra inevitabile, un elemento essenziale dell'ordine divinamente predeterminato, cercando prima di tutto il modo di condurla con successo. Per questo si preoccupò sempre degli aspetti concreti della situazione politico-militare piuttosto che degli aspetti generali della guerra.

Non è stato un grande teorico e tra i suoi numerosi scritti Moltke non ha mai prodotto un sistema teorico generale sulla guerra o sulla strategia; è necessario studiare le sue idee attraverso la corrispondenza, le istruzioni e gli appunti. La sua posizione più completa in merito alla politica, alla guerra e alla strategia può leggersi nelle *Istruzioni per i comandanti superiori di truppe* del 1869 e nel saggio *Sulla strategia* del 1871[2]. Negli aspetti più generali, Moltke seguiva strettamente Clausewitz ed in alcune affermazioni fondamentali parafrasava il maestro. Le *Istruzioni* proclamano che «l'obiettivo della guerra è quello di realizzare la politica del governo attraverso l'uso della forza». Sebbene Clausewitz sottolineò sempre la subordinazione della strategia alla politica anche in guerra, poneva tuttavia l'accento sulla necessità per la politica di essere realistica: «Il primo dovere ed il diritto dell'arte della guerra è quello di impedire alla politica di chiedere cose che vanno contro la natura della guerra»[3]. Moltke concordava pienamente anche con questa affermazione. Ma si spinse molto più in là di Clausewitz nella sua interpretazione di ciò che era o non era in accordo con la natura della guerra. Nel saggio *Sulla strategia*, completato subito dopo lo scontro con Bismarck sul bombardamento di Parigi, sostenne che, una volta che l'esercito era impegnato in guerra, la direzione dello sforzo militare doveva essere definita soltanto dai militari. «Le ragioni politiche», scrisse, «possono essere prese in considerazione finché non avanzano richieste che sono militarmente improprie o impossibili»[4]. Moltke è stato accusato di sostenere una dottrina pericolosa quando esclude che la politica possa avere un qualunque ruolo significativo nella condotta effettiva della guerra. Tuttavia, l'insistenza sul perseguimento della vittoria, definita come «l'obiettivo più alto che possa conseguirsi con i mezzi disponibili», attraverso l'uso esclusivo di mezzi militari, non era così automaticamente da condannare come hanno fatto molti scrittori successivi. Moltke considerava l'esercito come uno strumento del sovrano, che per lui rappresentava lo Stato. I due principali consiglieri del re, il capo di Stato Maggiore per la sfera militare ed il cancelliere per la sfera politica, avevano pari importanza nelle loro rispettive giurisdizioni, anche se avevano l'obbligo di tenersi reciprocamente informati[5]. Si dovette alla debolezza civile non meno che alla presunzione militare il fatto che negli anni seguenti una sopravvalutazione fatale degli aspetti militari puramente tecnici e delle loro necessità impedirono scelte diplomatiche e governative responsabili[6].

Moltke sottoscrisse anche la tesi di Clausewitz secondo cui l'obiettivo della guerra era il conseguimento di un risultato politico soddisfacente, il che richiedeva una strategia malleabile e flessibile. Moltke detestava i sistemi rigidi e sosteneva che in guerra niente era certo. Era convinto, perciò, che fosse impossibile stabilire delle regole fisse. Affermava che «in guerra, come nell'arte, non esistono regole generali; in nessuna delle due il talento può essere sostituito dai precetti»; date le incertezze della guerra, si doveva concludere che la strategia non può essere altro che un «sistema di espedienti»[7]. Secondo lui difficilmente gli elementi fondamentali della strategia andavano oltre le affermazioni di senso comune, ma una loro corretta attuazione richiedeva forza di carattere ed abilità nel prendere decisioni rapide in situazioni di emergenza. I suoi modelli ideali erano Federico il Grande e Gneisenau anche se, e questo è abbastanza interessante, Moltke includeva tra «i più grandi strateghi del mondo» anche George Washington, un comandante in campo di non grande successo, ma risoluto nelle situazioni avverse e con un senso profondo delle dimensioni psicologiche e politiche della guerra[8].

Nella più limitata sfera delle operazioni militari, Moltke riconobbe assai bene che i cambiamenti determinati dagli enormi miglioramenti nelle armi da fuoco, nei mezzi di trasporto e di comunicazione, uniti alla capacità degli Stati di formare e mantenere eserciti sempre più grandi, richiedevano corrispondenti mutamenti nella strategia, nella tattica, nel comando e nell'organizzazione. La Guerra Civile americana aveva dimostrato che i nuovi fattori potevano creare una paralisi tattica ed operativa e la Prussia, sotto la costante minaccia di un conflitto su più fronti, non poteva sostenere una guerra prolungata. La velocità di decisione, tuttavia, richiedeva un'offensiva aggressiva in grado di distruggere le forze avversarie, mentre il forte incremento di potenza delle armi a ripetizione aveva reso proibitivi gli attacchi frontali ed i fronti estesi avevano reso impossibile l'aggiramento tattico. La soluzione di Moltke, un «aggiramento strategico» che partisse direttamente sin dai primi concentramenti, univa esigenze tattiche ed operative. Pur essendo consapevole del fatto che «nessun piano di operazioni sopravvive alla prima collisione con il grosso dell'esercito nemico», era tuttavia deciso a prendere ed a mantenere l'iniziativa ed a predisporre la battaglia decisiva combinando in un'unica sequenza strategia ed operazioni[9]. Si era reso conto che i progressi tecnici non rafforzavano soltanto la difensiva, ma consentivano anche di dare attuazione ad un ampio schema offensivo. La flessibilità della sua «strategia degli espedienti», usando linee esterne nel 1866 e linee interne durante la prima fase della guerra nel 1870, tese per quanto possibile a concentrare forze numericamente superiori più rapidamente del nemico. Una volta raggiunto l'obiettivo con le truppe disposte ad una distanza che permettesse l'appoggio reciproco, esse avevano la forza necessaria per attaccare contemporaneamente il fronte ed i fianchi dell'avversario e per distruggerlo tramite l'aggiramento[10]. Questa azione combinata di movimento e combattimento, che culminava nella convergenza di varie armate per la battaglia decisiva, divenne la caratteristica distintiva delle guerre di Moltke.

All'interno di questa sequenza strategico-operativa i passaggi più difficili erano il concentramento e lo spiegamento [*Aufmarsch*] iniziali ed il controllo delle varie armate che, da varie direzioni, si riunivano per la battaglia decisiva. Altri problemi, quale quello della logistica, un aspetto di assai difficile trattazione all'epoca del trasporto operativo per mezzo di quadrupedi, occupava un posto assai inferiore nella scala delle priorità dello schema operativo di Moltke[11]. La pianificazione e la preparazione, le strade ferrate ed il telegrafo potevano rendere più veloce la mobilitazione, ma il concentramento iniziale e lo spiegamento delle armate erano il punto critico. «Un errore nel concentramento iniziale dell'esercito», scrisse Moltke, «può difficilmente essere rettificato nel corso dell'intera campagna»[12]. L'apparente dilemma stava nel fatto che il concentramento iniziale richiedeva un controllo fortemente centralizzato, mentre i movimenti in campo delle diverse armate richiedevano un decentramento del comando. L'approccio di Moltke alla direzione della guerra moderna, consolidatosi nello studio della campagna del 1859 nell'Italia settentrionale, suggeriva che l'Alto Comando, in questo caso il capo di Stato Maggiore, doveva limitarsi ad impartire istruzioni a grandi linee ai più alti comandanti suoi subordinati indicando obiettivo generale e missioni specifiche, ma consentendo ad essi di occuparsi dei dettagli. «La guerra», osservava, «non può essere condotta da un tavolo verde»[13].

Alcuni hanno condannato nei loro scritti il sistema di comando di Moltke. J.F.C. Fuller, per esempio, ha affermato che mentre Napoleone guidava e controllava le sue truppe, «Moltke le portava alla posizione di partenza e poi abdicava al comando e le lasciava senza guida»[14]. A prima vista, l'accusa sembra avere una qualche validità. Un più sciolto sistema di comando richiedeva comandanti subordinati di alta qualità e, sia nel 1866, sia nel 1870, i generali prussiani rivelarono una deplorevole tendenza a gettarsi in attacchi frontali, una pratica incoraggiata dagli insuccessi della loro cavalleria nel fornire un'adeguata ricognizione. Ma, considerato il quadro militare prussiano, con il re comandante in capo ed i principi comandanti d'armate, i poteri di comando di Moltke difficilmente potevano essere paragonati a quelli di Napoleone. Spesso Moltke dovette improvvisare perché venivano impartiti ordini che interferivano con il suo schema generale. Inoltre le forze che Moltke dirigeva erano molto più grandi degli eserciti napoleonici, oltre che più frammentate sul territorio; anche se il telegrafo elettrico si rivelò uno strumento di direzione strategica, non era abbastanza flessibile per il controllo operativo.

Per controbilanciare le evidenti costrizioni del sistema di comando quale egli lo trovò, Moltke trasformò lo Stato Maggiore prussiano in un eccezionale strumento che combinava la flessibilità e l'iniziativa a livello locale con l'adesione ad una condivisa dottrina operativa ed alle intenzioni dell'Alto Comando. Questa trasformazione, non completata fino al 1873, inaugurò l'era moderna dell'organizzazione e del lavoro di stato maggiore. Lo Stato Maggiore prussiano, una volta riformato e denominato dopo il 1871 Stato Maggiore Generale (per distinguerlo dagli Stati Maggiori del Württemberg, della Sassonia e della Baviera, che continuarono ad esistere), ebbe funzioni sia di unificazione sia di decentramento. Nel suo ruolo centrale, era il cervello dell'esercito e sviluppava piani strategici e metodi operativi. Le funzioni decentrate erano affidate agli ufficiali di stato maggiore, i *Truppen Generalstab*, assegnati al livello di divisione, di corpo e di armata. Mentre in altri eserciti dell'epoca questi ufficiali erano semplici consiglieri tecnici, in Germania svolsero un ruolo di veri e propri funzionari (anche se di rango inferiore) nella catena del comando. Il comandante conservava l'autorità suprema, ma ci si aspettava che le decisioni operative venissero prese insieme al suo capo di Stato Maggiore, che aveva il diritto, o meglio il dovere, di opporsi a quei giudizi operativi che considerava erronei. Al meglio, il sistema di stato maggiore prussiano tendeva ad istituzionalizzare l'efficienza di combattimento, con l'assicurare che in una data situazione diversi ufficiali di stato maggiore, istruiti secondo una stessa dottrina di combattimento, sarebbero arrivati approssimativamente ad una stessa soluzione nello sfruttare nella maniera più efficiente le forze disponibili[15].

La trasformazione dello Stato Maggiore Generale prussiano (ancora un ufficio subordinato al ministero della Guerra, nel 1857) nella più importante istituzione di comando dell'esercito implicò il pieno riconoscimento del ruolo centrale di Moltke ed un nuovo indottrinamento ed addestramento degli ufficiali di stato maggiore. Però, considerando l'ampiezza dei suoi compiti, la sua dimensione rimase modesta. Lo Stato Maggiore Generale tedesco, non arrivando mai a contare più di poche centinaia di ufficiali tra tutte le sue branche e dipartimenti, costituì un'élite consapevole di sé ed altamente selezionata, che si distingueva per una notevole capacità intellettuale, per il duro lavoro e per la dedizione. Il nuovo sistema di comando e controllo, oltre che sull'eccellenza del proprio personale, si basò sull'obbedienza ad una stessa dottrina di combattimento ed a stesse procedure operative. Il loro apprendimento veniva garantito dall'Accademia di guerra, i cui corsi rappresentavano un requisito indispensabile per la successiva ammissione allo Stato Maggiore, e da un continuo addestramento che si alternava ad incarichi di comando di reparto. Consapevole che solo pochi militari potevano avere l'opportunità di sperimentare una vasta gamma di situazioni operative, Moltke sottolineò l'importanza della storia militare come strumento per preparare gli ufficiali di stato maggiore ad affrontare le molte possibili situazioni. Insieme ad una accurata formazione di base negli aspetti pratici del loro lavoro, lo studio della storia divenne uno dei punti fissi della preparazione degli ufficiali tedeschi di stato maggiore. Nel 1870-1871, il sistema di Moltke era già ampiamente segnalato sia per la spettacolare riuscita sui campi di battaglia, sia per l'eccezionale professionalità. Nei tre decenni successivi, anche se con importanti modifiche, fu adottato da tutti i principali eserciti.

II

La campagna del 1866 rappresentò per molti aspetti l'ideale «moltkiano» di guerra. La battaglia decisiva venne combattuta dopo settimane dall'apertura delle ostilità ed il suo esito privò l'avversario sia dei mezzi, sia della volontà di combattere ancora. Nonostante ciò, Moltke considerò la guerra contro l'Austria un deplorevole, anche se inevitabile, conflitto fratricida. Desiderava, invece, la guerra contro la Francia, un Paese del quale diffidava profondamente e che considerava come «il nemico più pericoloso ed anche meglio preparato»[16]. Quello di Napoleone III, considerato ancora da molti il migliore d'Europa, era un esercito di professione e di veterani, provato al combattimento, con armi moderne ed esperti comandanti. Non appena divenuto capo dello Stato Maggiore prussiano, Moltke preparò il suo primo piano di guerra contro la Francia: uno spiegamento difensivo lungo il Meno, pronto ad attaccare sul fianco un colpo francese che mirasse al Nord o al Sud della Germania. Adottò una posizione difensiva perché a quel tempo l'esercito prussiano era ancora debole, ma con il progredire della riforma dell'esercito il concentramento delle forze combattenti venne avanzato fino al Reno e Moltke cominciò a prendere in considerazione un possibile aggiramento del nemico in quella regione. La guerra austro-prussiana mutò la sua prospettiva. I successi prussiani, uniti alla forza della nuova Confederazione tedesca del Nord, e dopo il 1867 la prospettiva dell'appoggio degli Stati tedeschi meridionali gli misero a disposizione una forza mobilitata di dodici provati corpi d'armata della Germania del Nord, circa 740.000 combattenti, seguiti da più di 200.000 soldati di *Landwehr* di seconda linea e da circa 80.000 uomini provenienti dalla Germania meridionale. Contro questa forza, l'esercito francese di professione poteva al massimo radunare 350.000 uomini [17]. Dal 1867 in poi, Moltke si preparò per una guerra offensiva contro la Francia ed arrivò persino a considerare l'ipotesi di un colpo preventivo. Il suo schema di base era semplice. Intendeva cercare il nemico e distruggerlo con le forze numericamente superiori messe a disposizione dalla mobilitazione della popolazione nazionale, da una pianificazione accurata e sfruttando un sistema ferroviario molto sviluppato. «Il piano delle operazioni contro la Francia», scrisse Moltke nel 1868, «consiste semplicemente nel localizzare il grosso dell'esercito nemico e nell'attaccarlo dovunque venga trovato. L'unica difficoltà sta nell'eseguire questo semplice piano con masse molto grandi» [18].

La Francia, tuttavia, aveva un vantaggio significativo. Almeno in teoria il suo esercito di professionisti sarebbe stato pronto prima delle truppe di coscritti-riservisti della Prussia e Moltke temeva un rovinoso attacco francese dal Reno. Ma anche di fronte a tale eventualità avrebbe potuto disporre di forze più numerose. Egli calcolava che nelle fasi iniziali della guerra i Francesi non avrebbero potuto radunare più di 250.000 uomini contro i suoi 380.000, mentre con le riserve di coscritti prussiani il numero delle forze a sua disposizione si sarebbe triplicato. Uno studio della rete ferroviaria francese aveva rivelato che il nemico, per radunarsi rapidamente, avrebbe dovuto concentrarsi in due zone divise dai Vosgi, un gruppo a Metz e l'altro a Strasburgo. Per difendersi dalla rovinosa offensiva francese, Moltke ammassò le sue tre armate sul Reno fra Treviri a Nord e Landau a Sud, cosicché se i Francesi avessero attaccato, i tre corpi tenendo una posizione centrale avrebbero potuto intervenire a sostegno l'uno dell'altro più rapidamente dei separati comandi francesi di Alsazia e Lorena. La rapidità nella mobilitazione era estremamente importante e quando, la notte del 15 luglio 1870, il re mise il suo esercito sul piede di guerra, lo Stato Maggiore Generale prussiano dimostrò di avere saputo tenere sotto controllo i problemi relativi all'organizzazione ed allo spostamento di vaste masse di uomini. Una volta completata la mobilitazione, l'esercito prussiano avrebbe contato più di un milione di uomini; nel frattempo, sei linee ferroviarie principali e tre linee aggiuntive per le truppe del Sud trasportarono alla frontiera, in diciotto giorni, 426.000 uomini, dieci corpi d'armata. La guerra fu dichiarata il 19 luglio, ma i Francesi non riuscirono a riunire in tempo le loro forze e si limitarono soltanto a lanciare un modesto attacco nella Saar il 4 agosto, quando il concentramento tedesco era ormai quasi completo[19].

I combattimenti rivelarono che rimanevano delle debolezze nel sistema di comando di Moltke, realizzato solo in parte. I suoi subordinati, trascurando l'indicazione di attirare i Francesi in posizioni dove potevano essere aggirati, reagirono troppo presto e con troppo vigore, respingendo il nemico in Lorena. Seguì un'avanzata tedesca, della quale si può dire che «pochi comandanti hanno combattuto più battaglie che non avevano intenzione di combattere e che non intendevano combattere nel modo o nel momento in cui si svolsero»[20]. La ricognizione fu ancora una volta scarsa ed i generali insistettero nel gettarsi in attacchi frontali. Tuttavia, la tattica per missioni si rivelò efficace; marciando ed avvicinandosi guidate dal suono dei cannoni le unità conversero sulla scena del combattimento senza attendere ordini e fornendo il numero necessario per attaccare ai fianchi le posizioni francesi. Il 18 agosto uno dei due principali corpi francesi era stato spinto a Metz, dove capitolò dopo un lungo assedio; il secondo, che cercava di soccorrere la città fortificata, venne intercettato e sospinto verso la frontiera belga a Sedan, dove fu costretto ad arrendersi il 1° settembre. Napoleone III, che aveva accompagnato il suo esercito, e 104.000 uomini furono fatti prigionieri. Un superiore lavoro di Stato Maggiore, la rapidità di mobilitazione e, a parte qualche caso di disorientamento, un comando operativo efficiente ed aggressivo che aveva saputo sfruttare il vantaggio di più grossi battaglioni, avevano ridotto in frantumi l'esercito imperiale francese. Le difficoltà di controllare i comandanti in subordine avevano costretto l'Alto Comando ad assumere in diverse occasioni il controllo diretto, e problemi logistici causati dalla rapida avanzata erano stati ben risolti con l'improvvisazione. Da parte francese, un'eccessiva sicurezza, la mancanza di una pianificazione ed un'organizzazione superata avevano contribuito al disastro.

Fu una vittoria spettacolare, raggiunta meno di sette settimane dopo la dichiarazione di guerra da parte della Francia, ma ci vollero ancora cinque mesi per spezzare la volontà di resistenza dei Francesi. Quando la notizia di Sedan raggiunse Parigi, si costituì un governo provvisorio di difesa nazionale che riuscì ad organizzare quattro armate nelle province ed una nella capitale, con l'appoggio di numerose forze irregolari. I Tedeschi calarono su Parigi il 18 settembre mentre i Francesi cercarono di levare l'assedio e di interrompere le loro linee di comunicazione. I Tedeschi avevano in mano soltanto uno stretto corridoio che conduceva a Parigi. I Francesi disponevano ancora di risorse significative ed il controllo del mare consentì loro di essere riforniti dall'estero. Avevano soltanto bisogno di tempo, quel tempo che Bismarck volle negar loro, allarmato per l'abbassarsi del morale tedesco e per la possibilità di un intervento straniero. Chiese infatti un bombardamento immediato della città e questo provocò uno scontro tra lui e Moltke. Fin dall'inizio della guerra, Bismarck era irritato perché Moltke non lo teneva pienamente informato sull'andamento delle operazioni; soltanto in seguito all'insistenza del re, il capo di Stato Maggiore acconsentì a farlo. Nonostante ciò, Moltke si rifiutò di rendere partecipe il cancelliere della pianificazione delle operazioni successive. Per questo la questione del bombardamento assunse grande importanza; mise in luce le tensioni esistenti tra civili e militari all'interno dei quartieri generali prussiani[21].

I militari consideravano Bismarck un intruso e la sua richiesta di essere tenuto in considerazione nella pianificazione operativa semplicemente come un paravento che celava il progetto di guadagnare influenza nella sfera militare. Moltke sosteneva di non avere cannoni sufficienti per un bombardamento di Parigi in piena regola e che un debole tentativo ne avrebbe semplicemente rafforzato la resistenza. E data la situazione dei rifornimenti ancora critica, considerava controproducente sovraccaricare le ferrovie con il trasporto di convogli per un assedio massiccio. Dunque Bismarck chiedeva qualcosa che era «militarmente improprio od impossibile». Alla fine il re si schierò ancora una volta dalla parte del cancelliere, anche se a quel punto il conflitto si era risolto da solo. In dicembre, la situazione dei rifornimenti migliorò e cominciò ad arrivare l'artiglieria pesante. Il bombardamento ebbe inizio il 5 gennaio 1871. Nel frattempo, i Francesi avevano ripetutamente attaccato le linee tedesche, ma le loro forze improvvisate, male addestrate, prive di equipaggiamenti e di comandanti non potevano competere con quelle tedesche e nessun tentativo ebbe buon esito. Il 23 gennaio si aprirono i negoziati per l'armistizio, cinque giorni dopo che un nuovo *Reich* era stato proclamato a Versailles, e il 28 gennaio del 1871 Parigi si arrese.

L'inaspettata resistenza popolare francese disorientò Moltke che aveva sempre immaginato la guerra come un confronto tra forze convenzionali. Rimase sbalordito di fronte agli eserciti improvvisati, agli elementi irregolari ed agli appelli alla passione popolare, che descrisse come un «ritorno alla barbarie». Fu turbato anche dallo spettacolo di sangue della Comune di Parigi, e si preoccupò di fare una chiara distinzione tra la «nazione in armi» francese ed il sistema di coscrizione prussiano. La Francia, armando indiscriminatamente la popolazione, aveva evocato lo spettro della rivoluzione sociale. «I fucili», osservò Moltke, «si distribuiscono velocemente, ma è difficile riaverli indietro»[22]. Il sistema prussiano, al contrario, ha instillato nei suoi soldati «la disciplina oltre che le vere virtù militari». La guerra popolare e la rivoluzione lasciarono su Moltke una profonda impressione che lo gettò nell'incertezza. Da un lato, quando dopo il 1871 le altre potenze seguirono l'esempio della Prussia introducendo la coscrizione, temette che la Germania avrebbe perso il vantaggio del numero e notò che «il successo duraturo si può ottenere soltanto quando si entra in guerra con un numero di uomini superiore fin dall'inizio». D'altro lato, da convinto conservatore, temeva che il socialismo stesse minando la lealtà dei lavoratori delle industrie. Per questo si oppose a forti aumenti del contingente annuale di coscritti a meno che non fosse stata garantita una disponibilità di quadri regolarmente addestrati[23]. Le sue idee erano ampiamente condivise dalle élite sociali e militari, con il risultato che fino a due anni prima dello scoppio della guerra del 1914 la Germania chiamava alle armi soltanto la metà circa degli idonei.

III

La Prussia aveva sempre temuto una guerra su più fronti e questa possibilità continuava a preoccupare Moltke. Subito dopo essere stato nominato capo di Stato Maggiore aveva considerato la possibilità di un'alleanza tra «l'Oriente slavo e l'Occidente latino contro il centro dell'Europa». Riflessioni di questo tipo erano tra le ragioni principali del suo favore per una guerra breve e decisiva e lo avevano impegnato e preoccupato nelle prime settimane della campagna del 1870. Questo potenziale pericolo continuò a preoccupare Moltke anche quando si trovava ancora all'apice della vittoria, tanto che, tre mesi dopo la caduta di Parigi, definì una alleanza franco-russa come «la minaccia più pericolosa per il nuovo impero tedesco» e fece piani dettagliati per affrontarla[24]. Riconosceva che le differenze politiche rendevano una simile alleanza piuttosto improbabile, ma considerava suo dovere prepararsi ad ogni possibile eventualità. Fino al 1879 lo Stato Maggiore Generale preparò anche dei piani per una guerra contro un'ancor meno probabile coalizione franco-austro-russa[25].

La guerra con la Francia modificò anche le prospettive strategiche di Moltke. Già nel suo primo piano di guerra contro la Francia e la Russia, preparato nell'aprile 1871, Moltke aveva avvertito che una vittoria rapida era divenuta improbabile. «La Germania non può sperare di sbarazzarsi di un avversario con una vittoria rapida ad Ovest per poter poi rivolgersi contro l'altro. Abbiamo appena visto quanto sia difficile far finire anche una guerra vittoriosa come quella contro la Francia». Rendendosi conto della potenza delle difese ed essendo abbastanza realistico da riconoscere che la ricerca di una vittoria totale avrebbe provocato una resistenza prolungata, Moltke era ora a favore di una strategia basata su operazioni controffensive. Abbandonando la ricerca di una decisione rapida contrassegnata da battaglie decisive, Moltke elaborò piani per attacchi offensivi che penetrando nel territorio nemico ad Ovest e ad Est ostacolassero la mobilitazione ed occupassero le linee facilmente difendibili per poi lasciare che il nemico si lanciasse in inutili attacchi contro il fuoco delle difese tedesche, subendo in tal modo pesanti perdite. A questo scopo si proponeva di distribuire all'incirca lo stesso numero di uomini sui due fronti[26]. Non si aspettava la vittoria totale, né cercava di conquistare altri territori, ma contava sulla diplomazia per portare il conflitto ad una conclusione accettabile.

Fondamentalmente tutti i piani successivi di Moltke derivavano da queste premesse controffensive, anche se gli sviluppi concreti vanificarono presto la distribuzione approssimativamente equilibrata delle forze ad Est e ad Ovest. In verità, dopo il 1873, la Lega dei Tre Imperatori di Bismarck riaffermò la solidarietà monarchica contro la Francia repubblicana ed almeno per un po' allontanò il pericolo di una guerra su due fronti. Ma neanche le grandi capacità diplomatiche del cancelliere potevano allontanare il pericolo che derivava alla Germania dalla sua posizione geografica. La sorprendentemente rapida ripresa militare della Francia aumentò le preoccupazioni di Moltke. Nel 1872, la Francia introdusse il servizio militare obbligatorio, addestrando quasi i quattro quinti degli idonei e, allo stesso tempo, promuovendo un sistema di mobilitazione ed uno Stato Maggiore efficienti. Nel 1873, Moltke dichiarò assolutamente «imperativo accelerare il nostro processo di mobilitazione» e decise di aumentare l'effettivo delle truppe ad Ovest a spese dell'Est[27]. Egli intravvedeva ora la possibilità che i Tedeschi potessero essere ricacciati da un esercito francese mobilitato con maggiore rapidità. Di fronte a questa eventualità, Moltke intendeva fare la radunata sul Reno e poi, sicuro che i Francesi si sarebbero ancora una volta ammassati in due gruppi, contrattaccarli al centro, spingendo il gruppo a Nord verso Parigi e quello a Sud verso la Loira. Se il piano fosse riuscito si sarebbero offerte alla Francia condizioni generose ed anche se queste fossero state rifiutate, la Francia sarebbe stata così indebolita che il grosso delle forze poteva ritornare ad Est[28]. A quel punto, la proposta dislocazione delle forze non era ancora pesantemente sbilanciata verso Ovest e, non più tardi del 1877, Moltke si aspettava che nel caso di una guerra su due fronti si sarebbe combattuta una battaglia decisiva in Lorena, la terza settimana dopo la mobilitazione. Ancora una volta, tuttavia, non cercava una vittoria completa, sottolineando che «non possiamo arrivare a comprendere nei nostri obiettivi anche Parigi. Si deve lasciare alla diplomazia il compito di vedere se può raggiungere una risoluzione di pace su questo fronte»[29].

Un'altra ragione che spingeva Moltke a limitare le proprie aspettative in caso di guerra contro la Francia era che le migliorate capacità militari della Russia, dimostrate durante la guerra russo-turca del 1877-78, unite al fatto che era quasi completa una solida cintura di fortificazioni lungo la frontiera francese, rendevano più promettenti e necessarie le operazioni difensive ad Ovest e le operazioni offensive ad Est. «Se dobbiamo combattere una guerra su due fronti», osservava Moltke, «[...] dobbiamo sfruttare il vantaggio difensivo del Reno e delle nostre solide fortificazioni ed impiegare tutte le forze non assolutamente indispensabili [ad Ovest] per un'imponente offensiva ad Est»[30]. Con questo, egli non voleva dire che la Germania dovesse essere passiva ad Ovest. La distribuzione delle forze proposta era equamente bilanciata, 360.000 uomini contro la Russia e 300.000 contro la Francia, e Moltke decise che si doveva fare uno sforzo per battere l'offensiva francese da posizioni avanzate in Lorena e nella Saar. Una ritirata verso il Reno senza un grande combattimento avrebbe messo in pericolo il morale e creato una situazione strategica difficile. «Sono dell'opinione», concluse, «che anche di fronte a forze numericamente superiori, dobbiamo rischiare una battaglia al di là del Reno prima di ritirarci al di qua di esso»[31]. Sul fronte russo intendeva condurre un'offensiva limitata su linee interne, penetrando tra le armate russe in radunata ad Occidente a Kovno ed a Varsavia per ostacolare la loro mobilitazione. Cercando altresì di incoraggiare in maniera sistematica le insurrezioni tra i popoli soggetti, il piano si proponeva di mettere in crisi l'equilibrio della Russia e di indurre il governo zarista a negoziare con la Germania a condizioni ragionevoli. Inoltre, già dal 1871, Moltke pensò talvolta alla possibilità dell'appoggio austro-ungarico contro la Russia e la Duplice Alleanza firmata nell'ottobre del 1879 aprì la prospettiva di un'offensiva congiunta a Nord dalla Galizia austriaca verso la Polonia centrale. Ma dal punto di vista militare il patto del 1879 aveva un grande punto debole: non prevedeva impegni militari specifici. Per Bismarck, esso doveva servire soprattutto a rassicurare l'Austria-Ungheria contro la Russia; di qui il suo carattere puramente difensivo. Nel trattato si prometteva un appoggio reciproco nel caso in cui uno dei due partner venisse attaccato dalla Russia, ma non si prevedeva alcun meccanismo per programmare una guerra di coalizione. In ogni caso, Moltke rimase scettico sull'eventualità di prendere in anticipo impegni militari. «È inutile», scrisse, «stabilire operazioni comuni in anticipo, perché nella pratica non saranno realizzate»[32]. Fondamentalmente egli dubitava che l'esercito austro-ungarico, piuttosto debole e lento da mobilitare, fosse realmente preparato ad affrontare grandi operazioni offensive.

Tuttavia, colloqui a livello di Stato Maggiore iniziarono nel 1882 e continuarono ad intervalli per più di un decennio su richiesta dell'Oberquartiermeister conte Alfred von Waldersee, nuovamente nominato primo vice di Moltke. Moltke aveva chiesto di lasciare il servizio nel 1881, ma l'imperatore Guglielmo I lo aveva convinto a rimanere, affiancandogli un elemento più giovane che ne dividesse i compiti. Waldersee, un ufficiale ambizioso ed irrequieto, che divenne il successore di Moltke nel 1888, non elaborò mai una politica strategica coerente e spese molte energie in intrighi che andarono contro il dichiarato proposito di Bismarck di mantenere buoni rapporti sia con l'Austria-Ungheria che con la Russia. Nel 1882, seguendo i ripetuti suggerimenti del nuovo capo di Stato Maggiore austro-ungarico, barone Friedrich Beck, i due ufficiali si incontrarono e Waldersee promise che nel caso si verificasse una guerra su due fronti, la Germania era preparata ad assistere l'Austria-Ungheria con circa venti divisioni attive e sei divisioni di riserva per realizzare un duplice accerchiamento degli eserciti russi nel saliente polacco. Beck fu deluso da questa proposta specialmente perché il suo esercito sarebbe stato pronto soltanto due settimane più tardi rispetto a quello tedesco ed egli aveva contato sul fatto che il suo alleato assumesse la parte più consistente nel combattimento iniziale. Ulteriori conversazioni tra Moltke e Beck non portarono a cambiamenti di rilievo. Waldersee e Moltke stavano per muovere il grosso del contingente tedesco contro la Francia e quando Beck, alla fine del 1886, chiese un chiarimento, Moltke gli disse che in caso di guerra, un'eventualità a quel punto più che probabile, la Germania avrebbe impegnato ad Est soltanto un terzo del suo esercito. Il piano finale di Moltke, operativo dal 1° aprile 1888, prevedeva che l'offensiva iniziale francese sarebbe stata respinta e che ne sarebbe seguito un forte contrattacco dei due terzi dell'esercito tedesco. Soltanto diciotto divisioni dovevano rimanere ad Est[33]. La preferenza per un'offensiva ad Ovest era già chiara nel 1887-1888, anche se non ancora nel modo completo che si avrà più tardi con Schlieffen.

Il mutamento delle priorità rifletteva anche il punto di vista di Bismarck. Il cancelliere aveva sempre ritenuto che la Francia fosse un pericolo più grande della Russia e, in risposta agli interrogativi posti da Vienna all'inizio del

1887, aveva affermato che pur rimanendo la Germania fedele alla sua alleanza, l'Austria-Ungheria doveva trattenersi dal provocare la Russia e che se si fosse arrivati ad una guerra su due fronti la Germania avrebbe per prima cosa cercato la decisione con la Francia. I negoziati segreti di Bismarck con la Russia che portarono al Patto di Controassicurazione, del quale Moltke venne informato soltanto dopo che era stato firmato, contribuirono ad un ulteriore allontanamento dei due alleati. Quando Waldersee succedette a Moltke nel 1888, i negoziati tra gli Stati Maggiori della Germania e dell'Austria-Ungheria continuarono, anche se il nuovo capo di Stato Maggiore che era stato favorevole ad un attacco preventivo contro la Russia nel 1887 propose ora di portare il massimo sforzo ad Ovest. Tenendo conto della forza crescente della Russia, le truppe tedesche assegnate al fronte orientale erano chiaramente inadeguate anche per offensive limitate e Schlieffen, successore di Waldersee dal 1891, informò con franchezza Beck nel 1895 che la Germania aveva abbandonato la progettata offensiva congiunta in Polonia. Schlieffen consigliò piuttosto che fosse l'Austria-Ungheria ad attaccare autonomamente in direzione di Varsavia, una proposta chiaramente al di là delle possibilità austriache e che confermava i persistenti sospetti di Vienna sulle intenzioni tedesche. Su questa nota, le discussioni tra gli Stati Maggiori si interruppero nel 1896 e non furono riprese fino al 1908. Anche allora non fu raggiunto alcun chiaro accordo riguardo alle disposizioni iniziali, di importanza assoluta[34].

Le mutevoli, persino confuse, relazioni tra i due Stati Maggiori alleati riflettevano almeno in parte una crescente incertezza operativa. Negli ultimi anni del suo incarico, l'ormai ottuagenario Moltke non era più in grado di trovare una soluzione al fondamentale dilemma strategico-operativo della Germania. Era stato abbastanza flessibile da capire le crescenti difficoltà della guerra offensiva e dopo il 1871 sviluppò il concetto di posizione controffensiva che mirava ad ottenere vittorie limitate ed un divario strategico. Ma poiché tanto l'esercito francese quanto quello russo diventavano sempre più potenti la necessità di ottenere una prima vittoria contro almeno un avversario divenne, ancora una volta, chiara. Tuttavia Moltke non vedeva più la possibilità di raggiungere questo obiettivo ed al tempo stesso di evitare una guerra di logoramento lunga e distruttiva. Nel 1890, nel suo ultimo discorso pubblico, avvertì il *Reichstag* che con la sollevazione delle passioni popolari i futuri conflitti avrebbero potuto durare «sette e forse trent'anni» e mandare in frantumi l'ordine sociale costituito[35].

Moltke fu profetico, naturalmente, ma non poté fornire alcuna indicazione per evitare che la guerra si deteriorasse in una lunga e sanguinosa situazione di stallo. D'altronde, nessuno dei pensatori militari tedeschi dopo il 1871 poté risolvere il conflitto tra la necessità di un'azione offensiva e la capacità della fanteria trincerata con armi moderne di infliggere perdite insostenibili alle forze attaccanti. Le esperienze del 1870 furono rafforzate da quelle della guerra russo-turca, dalle guerre balcaniche e da quella anglo-boera. Scrittori come il generale Wilhelm von Blume, il principe Kraft zu Hohenlohe-Ingelfingen e Colmar von der Goltz concordavano sul fatto che un attacco poteva riuscire solo se l'aumentata potenza di fuoco della fanteria veniva neutralizzata dal perfezionamento delle artiglierie, tra cui l'artiglieria pesante mobile che accompagnava le forze da campo. Al contempo essi, più giovani di lui, non accettavano completamente le pessimistiche idee di Moltke sul futuro della guerra. Senza diventare rigidamente dogmatici nelle loro dottrine operative, tutti ritenevano che l'offensiva rimanesse il modo migliore di fare guerra, anche se convenivano che doveva essere combinata con una difesa preliminare allo scopo di indebolire l'avversario. Sentivano che anche nelle condizioni moderne l'aggiramento strategico, specialmente negli spazi ristretti dell'Europa occidentale, offriva ancora le migliori possibilità di raggiungere una grande vittoria, sebbene forse non della portata di quella di Sedan. Infine, tutti erano dell'idea che la superiorità numerica fosse di assoluta importanza ed erano a favore di un più forte sfruttamento del gettito della coscrizione in Germania[36]. Alfred von Schlieffen, che prese servizio come capo di Stato Maggiore il 7 febbraio 1891, condivideva ampiamente tutte queste idee, prima di tutte quella della ricerca di una rapida decisione.

IV

Discendente da una vecchia famiglia prussiana, Schlieffen era nato a Berlino il 28 febbraio 1833. Educato secondo i principi del pietismo protestante, si diplomò al ginnasio Joachimsathler e nel 1853 si presentò al secondo Reggimento Ulani della Guardia come volontario per un anno. Passò al servizio regolare in meno di un anno ed ottenne le spalline nel dicembre del 1854. Presto selezionato per frequentare l'Accademia di Guerra, entrò nello Stato Maggiore Generale nel 1865 ed ebbe vari incarichi di reparto e di stato maggiore tra i quali il comando del primo Reggimento Ulani della Guardia dal 1876 al 1884. Lo stesso anno riprese servizio nello Stato Maggiore Generale e, dopo averne diretto varie sezioni, divenne il primo vice di Waldersee nel 1899. Quando Waldersee fu costretto a dimettersi a causa dei suoi tentativi di interventi in politica, Schlieffen divenne il suo successore fino a che a sua volta cedette il posto a Helmuth von Moltke (il Giovane) il 1 gennaio 1906. In pensione, Schlieffen continuò a perfezionare il suo grande piano per un decisiva manovra avvolgente ad Occidente, ma non influenzò più le grandi scelte. Morì il 1 gennaio 1913, diciannove mesi prima dello scoppio della Prima Guerra Mondiale[37].

Schlieffen divenne lo stratega più conosciuto e controverso del suo tempo. Rappresentò una nuova generazione di comandante militare di professione, combinando attitudini amministrative di prim'ordine con una solida educazione, anche se i suoi interessi culturali non erano così vasti come quelli di Moltke. Era uno specialista che preferiva un calcolo concreto alle speculazioni astratte, un uomo solitario ed austero che dopo la morte della moglie si dedicò esclusivamente alla propria professione. Il generale Erich Ludendorff lo definì «uno dei più grandi militari mai esistiti» ed i suoi numerosi discepoli erano convinti: aveva trovato al dilemma strategico della Germania una risposta che avrebbe procurato una rapida vittoria nella Prima Guerra Mondiale[38]. I suoi critici lo hanno accusato di «ristretto scolasticismo militare» e di irresponsabile disprezzo delle più varie articolazioni politiche. Schlieffen, affermano, «sembra avere assunto il punto di vista del tecnico che considera assolto il proprio dovere quando ha fatto il possibile con i mezzi disponibili e "ha fatto buon viso a cattivo gioco" seguendo le consuetudini e le prescrizioni della sua professione»[39]. La sua fiducia in piani esclusivamente militari, per giunta difettosi, è stata «niente di meno che all'origine delle sventure della Germania e dell'Europa»[40]. Tanto i critici che gli ammiratori di Schlieffen ritengono che la sua prassi strategica, se non i suoi concetti di fondo, ha rappresentato una soluzione di continuità rispetto a Clausewitz e Moltke. Un suo ammiratore, il generale Wilhelm Groener, notò con soddisfazione che gli scritti di Schlieffen, al contrario di quelli di Clausewitz, erano privi di «verbose speculazioni teoriche [...] ma riflettevano la vita e la realtà», anche se i suoi tentativi per eliminare l'elemento di «frizione» dalle operazioni militari erano stati definiti come «un'antitesi a Clausewitz»[41]. Nell'ultima parte della sua carriera, Schlieffen si differenziò da Moltke anche per la decisione di comandare piuttosto che dirigere gli eserciti in guerra, oltre che per la decisa ricerca di sviluppare una strategia per una iniziale e decisiva vittoria su uno degli avversari di una guerra su due fronti[42].

Soprattutto la mutata situazione politico-militare era all'origine della rinnovata ricerca di una vittoria rapida. L'ipotesi di una guerra su due fronti si fece molto più verosimile già qualche mese dopo che Schlieffen aveva assunto l'incarico. Tra il 1891 e il 1894, una serie di colloqui tra gli Stati Maggiori francesi e russi, di accordi e di trattati mutarono l'equilibrio delle forze in Europa. L'opinione popolare considerava la Germania un accampamento militare, ma la Francia addestrava ogni anno un numero maggiore di uomini, mentre l'esercito russo, già molto grande, continuava a crescere. La forza militare della Duplice Intesa, reale o prevista, superava decisamente nel numero quella della Triplice Alleanza. La superiorità numerica era considerata fondamentale. «Le nostre passate vittorie», scriveva Schlieffen nel 1891, «sono state ottenute grazie alla superiorità numerica». L'«elemento essenziale nell'arte della strategia», continuava, è «fare entrare in azione un numero di uomini superiore. Ciò è relativamente facile quando si è più forti sin dall'inizio, più difficile quando si è più deboli e probabilmente impossibile quando lo squilibrio numerico è molto grande»[43]. Per questo, Schlieffen rifiutò la strategia di logoramento implicita nei piani di guerra controffensivi. Se questa venisse adottata «le forze tedesche dovrebbero far la spola tra i due fronti respingendo il nemico ora qua ora là [...] [mentre] la guerra si trascina con svantaggi crescenti ed indebolimento delle nostre forze»[44]. In una guerra su due fronti il tempo non era dalla parte della Germania ed era indispensabile distruggere un nemico fin dall'inizio. Questo non si poteva fare con un assalto frontale, che tutt'al più avrebbe prodotto una vittoria «ordinaria» seguita da una guerra prolungata. Era necessaria una battaglia di annientamento. «Una Solferino non ci aiuterebbe; deve essere una Sedan o almeno una Königgrätz»[45].

Il capo di Stato Maggiore avrebbe potuto guardare alla diplomazia per ridurre lo svantaggio militare che giocava a sfavore della Germania, ma Schlieffen si attenne rigidamente alla ormai tradizionale separazione delle competenze. Forse era servito da avvertimento l'esempio di Waldersee che, avventuratosi in questioni politiche e messo in guardia l'imperatore sul fatto che il potenziamento navale tedesco era sbagliato e solo radicalizzava l'antagonismo con la Gran Bretagna, era stato obbligato a lasciare l'incarico. In ogni caso, Schlieffen si rinchiuse nella sua sfera professionale. Nel 1904-1905, «quando per la Germania si fece più forte la tentazione [...] di rompere l'alleanza franco-russa per mezzo di un colpo preventivo», Schlieffen si astenne dal fare pressione in quella direzione[46]. E anche per questioni come l'ampliamento dell'esercito attraverso l'aumento del contingente di reclutamento annuale di coscritti rifiutò di entrare nella battaglia politica. Quando le sue proposte incontravano l'opposizione del ministero della Guerra, istituzionalmente responsabile, si tirava indietro. Secondo Schlieffen, il ruolo del capo di Stato Maggiore, in tempo di pace, doveva essere limitato alla preparazione di piani, al miglioramento della dottrina e delle capacità di combattimento e a dare consigli quando richiesti.

V

Schlieffen dedicò uno sforzo considerevole a rendere più efficienti le forze militari disponibili. Alla fine del secolo, il miglioramento delle armi da fuoco, delle mitragliatrici, dell'artiglieria da campo a tiro rapido, della polvere infume così come i nuovi sviluppi delle comunicazioni, della radio e del telefono stavano cambiando la natura della guerra terrestre, quantunque gli eserciti di tutte le potenze non capissero ancora completamente la portata delle innovazioni. La cavalleria prediligeva ancora la carica montata, la tattica della fanteria dava ancora troppa importanza all'urto e l'artiglieria da campo non era sufficientemente potente. La necessità di una artiglieria pesante più mobile, l'arma centrale e forse decisiva della guerra futura, era stata percepita, ma Schlieffen dovette lottare per l'introduzione del materiale più pesante contro l'opposizione degli artiglieri vecchio stile. Come vice di Waldersee aveva già appoggiato con forza l'adozione dei nuovi regolamenti per la fanteria nel 1888, riconoscendo formalmente la tattica per missione, e nella sua nuova carica cercò di migliorare le capacità di ricognizione della cavalleria. Inoltre, aumentò il numero delle unità tecniche ed appoggiò l'introduzione delle mitragliatrici, della moderna apparecchiatura di segnalazione e dei veicoli motorizzati. All'interno dello Stato Maggiore, prestò un'attenzione particolare alla preparazione degli ufficiali subalterni al comando autonomo. Nel complesso, i suoi sforzi contribuirono in maniera sostanziale al rendimento dell'esercito tedesco negli anni a venire[47].

Tutto ciò aveva lo scopo di rendere possibile una battaglia decisiva. Schlieffen credeva che certi principi basilari della guerra — soprattutto l'offensiva, la manovra, la massa, l'economia della forza — valevano tanto per le grandi azioni che per quelle piccole. Come Napoleone e Moltke prima di lui, riteneva che per evitare perdite proibitive si dovesse prendere il nemico ai fianchi e che l'obiettivo delle operazioni fosse quello di distruggere le forze avversarie. Lo studio della storia militare lo convinse che anche un esercito più debole poteva raggiungere questo obiettivo concentrandosi contro uno od entrambi i fianchi dell'avversario. Annibale, Federico il Grande, Napoleone, Moltke lo avevano dimostrato tanto in battaglia che in intere campagne, e Sedan ne era stato l'esempio più recente. Schlieffen temeva, tuttavia, che sotto la pressione della battaglia i comandanti dell'esercito potessero perdere di vista l'obiettivo centrale. Dopotutto, affermava, questi generali avevano fallito nel realizzare pienamente «il piano semplice e grandioso di Moltke per un accerchiamento ed una distruzione completa del nemico», ed egli dubitava che dal 1870 fosse migliorata la loro capacità di comprensione e di autocontrollo. Parte del problema era costituito dalla «strategia degli espedienti». Schlieffen rimproverava a Moltke di pensare che il capo di Stato Maggiore «potesse dirigere piuttosto che comandare»[48]. Andando ben al di là di Clausewitz e di Moltke, che ammettevano gli effetti imprevedibili dell'«attrito» e della «volontà indipendente» del nemico, Schlieffen sosteneva che si poteva costringere l'avversario a conformarsi sostanzialmente ai propri disegni operativi. Assumendo l'offensiva, contava con ciò di prendere l'iniziativa ed ammassandosi contro i fianchi del nemico intendeva non solo disorientarlo, ma altresì privarlo di opzioni strategiche praticabili. Lo schema richiedeva una stretta integrazione dell'intera sequenza, dalla mobilitazione fino alla battaglia culminante, inclusa una rigida aderenza ai programmi ed agli obiettivi operativi assegnati. Egli considerava la possibilità di taluni sviluppi inaspettati, ma il suo controllato sistema strategico, la *manovra a priori*, cercava di escluderli il più possibile con la pianificazione e con un comando centralizzato[49]. Schlieffen riconosceva che gli eserciti moderni potevano diventare troppo grandi per essere controllati da un solo uomo, ma contava sulla tecnologia per risolvere il problema. Un «moderno Alessandro», scrisse nel 1909, deve sfruttare al massimo i nuovi mezzi di comunicazione, «il telegrafo, la radio, i telefoni [...] le automobili e le motociclette», per comandare a distanza dal quartier generale[50].

Non mancarono i critici del sistema di Schlieffen sia all'interno dello Stato Maggiore che tra i più anziani comandanti maggiori. Il generale von Schlichting, capo di Stato Maggiore dei Corpi della Guardia fino al 1896, pubblicò molti attacchi contro le operazioni prestabilite e contro il concetto dell'offensiva a tutti i costi e difese fortemente il diritto-dovere degli ufficiali prussiani di agire di loro iniziativa assumendosi la responsabilità personale delle loro azioni[51]. Anche un altro scrittore influente, il generale von Bernhardi, all'epoca capo dell'Ufficio Storico dello Stato Maggiore Generale, era contrario al concetto di *manovra a priori*. Sosteneva che un simile approccio meccanicistico e spersonalizzato riduceva l'arte della guerra a poco più di un mestiere e lo stratega ad un semplice tecnico. Metteva in discussione l'enfasi posta sulla massa ed insisteva sul fatto che la qualità del comando e delle truppe era altrettanto importante. Inoltre, riteneva che, invece di fare affidamento soltanto sull'aggiramento, lo sfondamento — se non tattico almeno operativo — fosse ancora possibile ed efficace. Anche il generale von Bülow, uno dei vice di Schlieffen, ed il generale von der Goltz, allora comandante nella Prussia Orientale, si opposero alle idee di Schlieffen[52]. Schlieffen, tuttavia, non si curava dei suoi critici. Col passare del tempo si convinse sempre di più che la Germania doveva vincere la battaglia iniziale a qualunque costo e mettere da parte tutte le considerazioni che potevano interferire con l'esecuzione dell'unico progetto che secondo lui poteva condurre alla vittoria.

VI

Il grande schema delineato nel memorandum noto come «Piano Schlieffen», che il capo dello Stato Maggiore da poco in pensione aveva consegnato al suo successore nel febbraio del 1906, mirava alla disfatta totale e rapida dell'esercito francese. Era solo il più recente di una serie di piani strategici tracciati da Schlieffen. Ogni anno lo Stato Maggiore Generale sviluppava piani per differenti eventualità i quali, se venivano adottati dopo essere stati verificati in esercitazioni di Stato Maggiore ed in «giochi di guerra», diventavano effettivi il 1° aprile dell'anno successivo. Schlieffen, nel corso della sua attività, aveva formulato in tutto sedici piani contro la Francia, quattordici contro la Russia e diciannove per una guerra su due fronti, che negli ultimi anni era diventata quasi una certezza[53]. I problemi più pressanti erano il dover decidere contro quale nemico lanciare lo sforzo maggiore e quale forza sarebbe stata adeguata a difendere l'altra frontiera. Le linee interne facilitavano un ridispiegamento delle truppe, ma ci si rendeva conto che sarebbe stato difficile, e probabilmente impossibile, cambiare l'*Aufmarsch* iniziale una volta messa in movimento. Per questo motivo le decisioni militari avevano conseguenze politiche enormi e restringevano fortemente il campo delle scelte diplomatiche. Tuttavia è imprecisa l'impressione, persistente, per cui negli anni precedenti il 1914 i militari imposero i loro schemi alle autorità civili. Schlieffen mantenne stretti legami con Friedrich von Holstein, un esperto diplomatico molto influente al ministero degli Esteri, e sia il cancelliere Bülow sia il cancelliere Bethmann Hollweg erano informati circa le linee generali dei piani di guerra. Tuttavia, non erano a conoscenza di alcuni dettagli specifici ed importantissimi, come il *coup de main* pianificato contro Liegi dal 1912 in poi. Diversamente da Bismarck, questi uomini politici non fecero alcuno sforzo per essere informati e poiché non esisteva alcun meccanismo formale per coordinare pianificazione strategica e politica estera la divisione delle competenze portò a fare troppo affidamento sui soli schemi militari, cosa questa pericolosa e forse fatale.

Quando Schlieffen divenne capo dello Stato Maggiore ereditò i piani tracciati da Moltke e solo lievemente modificati da Waldersee. Tuttavia, i presupposti sui quali si basava lo schema controffensivo di Moltke per una guerra su due fronti non lo soddisfacevano. Soprattutto temeva che la Germania potesse non riuscire a superare la crisi di un'offensiva francese prima di contrattaccare. Nello stesso tempo, metteva in dubbio le prospettive di successo di un attacco contenuto (quale era previsto dal piano) nelle province occidentali della Russia. Nel 1894 apportò un cambiamento fondamentale. Per conservare l'iniziativa e per prevenire l'offensiva francese, decise di muovere più ad Ovest l'iniziale concentramento tedesco anche a rischio di una battaglia di incontro. Se i Francesi decidevano di rimanere sulla difensiva egli intendeva spezzare le loro fortificazioni di frontiera per mezzo di un attacco contro la posizione avanzata Frouard-Nancy-St. Vincent, mirando ad impadronirsi dell'altopiano di Nancy[54]. Presto, però, riconobbe che non era un piano soddisfacente. Anche se fosse riuscito, quella penetrazione non eliminava l'esercito francese, né consentiva di trasferire il grosso dell'esercito ad Est: ciò richiedeva operazioni successive piuttosto lunghe che avrebbero dato alla Russia il tempo necessario per completare la mobilitazione. Il piano non offriva neanche il vantaggio della sorpresa; un attacco in quell'area era previsto dallo Stato Maggiore francese[55].

Schlieffen rimase convinto, tuttavia, che la Francia rappresentava la minaccia più grande e che doveva essere eliminata per mezzo di un'offensiva schiacciante; per questo interruppe lo sviluppo della pianificazione per operazioni congiunte con l'Austria-Ungheria contro la Russia. Nel 1897 prese in considerazione, e poi scartò, l'idea di una penetrazione immediatamente a Nord di Verdun. Decise che l'aggiramento strategico doveva avere più spazio per dispiegarsi. «Un'offensiva che cerca di girare intorno a Verdun», concludeva, «non deve esitare a violare la neutralità del Belgio così come quella del Lussemburgo»[56]. Questa nuova indicazione venne spiegata nei dettagli nel memorandum del 1899 che fino al 1904-1905 rimase la base per l'offensiva ad Occidente in caso di guerra su due fronti. Sette armate in totale, tre in Lorena e due per ogni ala, dovevano riunirsi tra Aachen e Basilea. Presumendo che i Francesi sarebbero stati pronti ad avanzare per primi, o attraverso il Belgio o contro la Lorena, Schlieffen intendeva rispondere con un attacco contro la loro ala sinistra. «Se questo riesce», osservava Schlieffen, «ci consentirà di allontanare l'intero esercito francese dalle sue fortificazioni e di spingerlo verso l'alto Reno». Se i Francesi rimanevano sulla difensiva, prevedeva di immobilizzarli per mezzo di un attacco frontale nel settore Belfort-Verdun e di sconfiggerli con un attacco improvviso ai fianchi attraverso il Belgio. Qui non si aspettava grandi difficoltà. «Il Lussemburgo», osservava Schlieffen, «non ha un esercito, e l'esercito belga che è piuttosto debole vorrà ritirarsi nelle sue fortezze»[57]. Anche se negli anni successivi Schlieffen esaminò ripetutamente opzioni alternative, ritornò sempre al passaggio attraverso il Belgio[58]. Per mantenere la velocità ed il concentramento era necessario tenere tutto ben saldo e da principio Schlieffen considerò un rapido movimento ristretto all'area a Sud della Mosa. Ma si chiese se una manovra così limitata sarebbe stata sufficiente ad attirare i Francesi fuori dalle loro fortificazioni. Inoltre, l'esercitazione di Stato Maggiore del 1904 dimostrò che l'ala destra era troppo debole, mentre il centro del previsto schieramento tedesco era troppo forte. E alla fine dell'estate le sconfitte della Russia in Manciuria eliminarono per il momento il pericolo di una forte minaccia da Est. Di conseguenza, Schlieffen alleggerì ulteriormente il fronte orientale e decise di destinare il 75% delle forze mobilitate allora disponibili ad una estesa manovra avvolgente sulla linea Verdun-Lille[59].

La rivoluzione russa del 1905 rafforzò la sua decisione di assegnare il grosso dell'esercito tedesco all'ala che avrebbe marciato e fatto perno a Nord di Metz. Parlando al suo Stato Maggiore, nell'ottobre del 1905, Schlieffen ricordò il *bataillon carrée* di Napoleone e dichiarò che l'aggiramento da lui progettato avrebbe seguito lo stesso modello, «soltanto in una forma più potente, massiccia e concentrata»[60]. Spiegò questo progetto dettagliatamente nella sua critica alla fine dei «giochi di guerra» del 1905. Una situazione di stallo come quella in Manciuria poteva essere evitata, secondo Schlieffen, con una manovra avvolgente massiccia ed a largo raggio, unita ad un attacco frontale e coronato da un implacabile inseguimento. Tuttavia, egli non trascurò completamente il fronte orientale ed avvertì che «l'idea che all'indomani di una battaglia decisiva possiamo mettere sul treno l'esercito per mandarlo ad Est non è realistica. Sedan è stata una battaglia decisiva, ma chi può sostenere che il 2 settembre il grosso dell'esercito tedesco avrebbe potuto essere trasportato ad Est?»[61]. Il suo ultimo piano di guerra ufficiale, operativo dal 1° aprile 1906, assegnava tre corpi d'armata al fronte orientale presumendo che, pur in assenza di un accordo preciso, un'offensiva austro-ungarica a Nord dalla Galizia avrebbe offerto ulteriori rinforzi. Eppure, con il grosso dell'esercito massicciamente spiegato sull'ala destra, ad Occidente, questo piano conteneva gli elementi essenziali del famoso memorandum datato 31 dicembre 1905 (però non venne trasmesso al suo successore fino al febbraio successivo).

Sapendo già dalla fine del 1903 che presto sarebbe andato in pensione, Schlieffen redasse un memorandum sulla «guerra contro la Francia» come suo testamento strategico. Non era un piano di guerra completo, ma piuttosto un'esposizione dettagliata ed una guida per il suo successore. Omettendo tutte le considerazioni politiche ed ignorando la Russia, il piano si concentrava sugli aspetti operativi. Questi riflettevano la determinazione di Schlieffen a dimostrare la fattibilità di una guerra decisiva e dell'offensiva contro il crescente potere difensivo. Questa determinazione a cercare l'offensiva, piuttosto che la questione molto dibattuta se l'ipotetico piano avrebbe potuto avere successo nel caso in cui fosse stato applicato nella sua forma originale, rappresenta il vero problema ed il contributo più importante di Schlieffen allo sviluppo del pensiero strategico[62].

Nel memorandum si descriveva la Francia come una grande fortezza quasi inespugnabile lungo le 150 miglia di frontiera con la Germania. Per aggirare le posizioni francesi Schlieffen voleva allargare l'ala destra tedesca, trentacinque corpi di armata divisi in cinque armate, su un ampio fronte che si estendeva fino a Dunkerque passando per il Belgio e l'Olanda meridionale. Lasciando delle truppe a proteggere Anversa, si doveva passare Amiens, attraversare la Somme ad Abbeville e la Senna ad Ovest di Parigi e, poi, girare a Sud-Ovest per spingere i Francesi contro i Vosgi e la frontiera svizzera. Si immaginava una Canne su scala gigantesca, con una frontiera neutrale e le catene di montagne al posto della seconda ala dell'aggiramento. Seguendo il modello di Canne, la debole ala sinistra costituita soltanto da cinque corpi di armata, doveva attirare i Francesi ad Est verso il Reno. Uno scrittore militare ha paragonato lo schema ad una porta girevole: più forte un uomo spinge un lato della porta e più è difficile che questa si chiuda di scatto per colpirlo alle spalle[63].

Una spinta ininterrotta dell'ala destra era di fondamentale importanza e Schlieffen non prevedeva una vittoria facile. Tutto dipendeva dal miglioramento dello stato militare della Germania. La fortezza di Metz, l'ancora, doveva essere rinforzata, era necessaria più artiglieria pesante mobile per abbattere i forti nei quali ci si imbatteva nel corso della marcia e, soprattutto, l'esercito doveva avere più uomini. Schlieffen si preoccupava molto delle truppe necessarie per investire «la gigantesca fortezza di Parigi» e aveva ben presente le lezioni del passato per capire che la guerra offensiva «richiede molte forze ma ne consuma molte». Le forze dell'attaccante, scriveva, «diminuiscono costantemente, mentre quelle del difensore aumentano». Erano necessari almeno altri otto corpi d'armata, altrimenti l'esercito tedesco era «troppo debole per questa impresa». D'altro lato, egli credeva che l'intervento di una forza di spedizione britannica poteva essere respinto e, alquanto sorprendentemente, era ottimista riguardo al problema dell'affaticamento delle truppe e dei rifornimenti. Ammetteva che l'estrema ala destra avrebbe «dovuto fare grandi sforzi», ma, a quanto pare, si aspettava che le ferrovie francesi e belghe sarebbero cadute sostanzialmente intatte nelle mani dei Tedeschi. Ed anche se era stata quasi dimezzata dal 1870, la possibile distanza delle truppe operanti dal loro punto di smistamento ferroviario, Schlieffen presumeva che i rifornimenti operativi potessero essere improvvisati. «La parte logistica del suo disegno», è stato osservato, «sembra aver poggiato su basi straordinariamente traballanti»[64].

Non più in carica, Schlieffen si occupò della revisione del suo memorandum, rendendo il documento ancora più rigido. Il margine per l'«attrito» era molto ristretto o non c'era affatto, e l'intera operazione divenne in pratica un'enorme *manoeuvre a priori*. Convinto che la grande battaglia in Belgio ed in Francia fosse tutto ciò che contava, Schlieffen trascurò la ripresa militare della Russia e dichiarò che il destino delle province orientali sarebbe stato deciso sulla Senna e non sulla Vistola. Nell'ultima revisione, che porta la data del 1912, Schlieffen propose di allargare il raggio delle operazioni fino ad includervi l'occupazione di tutta l'Olanda, mentre la marcia intorno a Parigi da pericolosa necessità divenne parte di una tabella oraria rigidissima. Schlieffen aumentava i rischi e, peggio ancora, sottovalutava i suoi avversari. Il successo dell'aggiramento strategico dipendeva quasi tanto dal nemico, quanto dai Tedeschi. Avversari competenti, che mantenessero la calma e potessero impegnare le riserve, avrebbero messo l'impresa in grave pericolo. Le vittorie del 1866 e del 1870, i modelli seguiti da Schlieffen, furono ottenute contro avversari che avevano sistemi di comando scadenti, un'organizzazione inadeguata ed un numero di uomini inferiore. Questa volta il sistema di comando del nemico era migliorato molto, la sua organizzazione eguagliava quella della Germania ed anche con otto corpi di armata in più, disponibili dopo l'approvazione della legge sull'esercito del 1912, l'esercito imperiale non godeva di un decisivo vantaggio numerico ad Occidente. Liddell Hart aveva ragione a definire il piano «esempio di audacia napoleonica», ma osservava che, se poteva essere realizzato al tempo di Bonaparte, nel 1914 la velocità di marcia della fanteria tedesca poteva essere contrastata da un più rapido movimento ferroviario francese. «Il piano», concludeva, «diventerà di nuovo possibile con la prossima generazione, quando la forza aerea potrebbe paralizzare il tentativo della difesa di muovere le proprie forze, mentre lo sviluppo di forze meccanizzate ha accelerato fortemente la velocità delle mosse di accerchiamento ed esteso il loro raggio. Ma il piano di Schlieffen aveva una scarsissima probabilità di successo al tempo in cui fu concepito»[65].

Naturalmente, tutte le operazioni militari comportano dei rischi; tuttavia, non è improprio affermare che il piano era «opera di un genio, una formula infallibile per la vittoria sfortunatamente caduta nelle mani di un successore inadeguato»[66]. Queste asserzioni poggiano essenzialmente sull'assunto della superiorità militare tedesca, degli «immensi vantaggi dell'addestramento e della leadership», e della «bravura dell'esercito imperiale del 1914»[67]. Se questi vantaggi di fatto esistevano e sebbene l'esercito tedesco si fosse avvicinato al successo, tuttavia, essi non furono sufficienti a controbilanciare la debolezza numerica e logistica nonché la risoluta resistenza di un nemico battuto, ma non domato. Inoltre, anche se l'offensiva iniziale avesse avuto successo, sembra improbabile che la Francia, la Gran Bretagna e la Russia avrebbero rinunciato a combattere. I militari tedeschi continuarono a lottare con il problema basilare presentato dal problema di una guerra su due fronti, la necessità di rovesciare rapidamente un nemico, e ciò indusse i suoi maggiori generali ad affermare che il Piano Schlieffen avrebbe potuto vincere la guerra. Non più tardi degli anni Quaranta, uno stratega equilibrato come il feldmaresciallo von Rundstedt sostenne che la grande battaglia venne persa perché il disegno originale era stato annacquato, ed il generale Ludwig Beck era dell'opinione che la decisione di cercare una vittoria rapida ad Occidente era stata giusta. Tuttavia, biasimava Schlieffen per aver pensato in termini puramente militari, trascurando più ampie considerazioni di carattere economico e politico[68].

VII

Benché frequentemente liquidato come un comandante timido e poco capace che non era riuscito ad applicare in modo corretto il grande schema di Schlieffen, il generale Helmuth von Moltke, nipote del grande feldmaresciallo, era in realtà un militare coscienzioso ed abile. Si era distinto combattendo nel 1870, si era licenziato con ottimi voti all'Accademia di Guerra ed aveva ricoperto diversi incarichi di comando e di Stato Maggiore. Benché fosse in confidenza con il partito di corte a Berlino, era però pronto ad affermare le proprie prerogative di capo di Stato Maggiore; tuttavia, gli mancavano la forza di carattere, la fiducia in se stesso e la salute necessarie per resistere allo stress dell'alto comando in guerra.

In tempo di pace, il giovane Moltke fu un amministratore competente che cercò con tutti i mezzi di migliorare le capacità di combattimento dell'esercito. Innanzitutto, rompendo con il precedente di Schlieffen, promosse attivamente la legge militare del maggio 1912, che aumentò da 624.000 a 650.000 uomini l'esercito attivo. Egli dovette affrontare una situazione militare in via di peggioramento, con la Gran Bretagna che si univa all'Intesa e la Russia in rapida ripresa, per cui era suo diritto e dovere modificare i piani di guerra lasciati dal suo predecessore. Certamente non era vincolato alle direttive del memorandum del dicembre 1905.

Moltke aveva una buona conoscenza dei principali problemi strategici ed era più consapevole di Schlieffen della più delicata posizione della Germania. Forse era il tipo di generale che secondo Napoleone «vedeva troppo», non voleva puntare tutto su una carta e cercava di mantenersi aperte più strade. Convinto che la sicurezza della Germania ad Est richiedeva uno sforzo attivo dell'Austria-Ungheria, salutò con piacere un'iniziativa del barone Franz Conrad von Hötzendorf per riaprire i contatti tra gli Stati Maggiori e, dopo qualche esitazione, promise che l'Ottava Armata nella Prussia Orientale — forte delle sue dieci-dodici divisioni — avrebbe appoggiato attivamente un'offensiva austriaca dalla Galizia. Inoltre, affermò che in un «periodo di tempo ragionevole», dopo che la Francia fosse stata eliminata, forze consistenti sarebbero state spostate ad Est, un'affermazione che Conrad volle interpretare come riferita ad un periodo tra le quattro e le sei settimane. Cionondimeno, i rinnovati contatti militari tedesco-austrungarici non fecero realmente luce sugli obblighi reciproci, né portarono al coordinamento dei piani al più alto livello[69].

Moltke era consapevole dei rischi che correva la Germania nell'imbastire una campagna lampo che eliminasse la Francia dalla scena bellica: così, facendo buon viso a cattiva sorte, introdusse alcuni mutamenti nello schema operativo. Seguendo l'esempio dello zio, favorì un sistema strategico «aperto» e si preparò a dirigere più che a comandare. Come vice di Schlieffen dal 1903 al 1905, si era opposto all'insistenza del suo capo per una rigida aderenza alle operazioni prepianificate e non ne aveva condiviso il giudizio sull'efficacia delle previste demolizioni delle ferrovie belghe e francesi[70]. In realtà, Moltke riteneva inadeguati i supporti logistici della campagna ad Occidente. Divenuto capo di Stato Maggiore, ordinò una serie di esercitazioni logistiche e di comunicazioni che confermarono il suo giudizio. Da allora in poi, a differenza di Schlieffen, prestò particolare attenzione ai piani logistici: nel 1914, l'avanzata verso la Marna si giovò molto dei suoi preparativi[71].

Come suo zio e come Schlieffen, Moltke era convinto che la strategia ottimale per la Germania fosse di raggiungere la decisione nelle prime fasi della guerra. Il suo primo obiettivo rimase la battaglia di annientamento, ma sui modi di ottenerla voleva mantenersi più flessibile. «La marcia attraverso il Belgio», dichiarò, «non è in sé un fine, ma solo un mezzo». Sottolineò che la Francia aveva la possibilità di scegliere se stare sulla difensiva od attaccare. Nel suo schema strategico, l'avanzata attraverso il Belgio era perciò da considerarsi semplicemente la mossa di apertura, che metteva le armate tedesche nella posizione sia di proseguire verso un'ampia manovra avvolgente sia di calare sul fianco od alle spalle degli eserciti francesi attaccanti in Lorena. «Non c'è alcuna ragione», spiegò, «di continuare la marcia attraverso il Belgio quando il principale esercito francese è in Lorena. Una sola idea può perciò essere presa in considerazione: calare sull'esercito francese con tutta la forza possibile e colpirlo ovunque si trovi». Moltke mise a punto questo concetto durante il suo viaggio di stato maggiore nel 1912. Non appena fosse evidente, affermava, che la massa dell'esercito francese era impegnata in un'offensiva tra Metz ed i Vosgi, a nessun altro fine strategico sarebbe servito continuare l'avanzata tedesca in Belgio. Invece, «mentre l'ala sinistra tedesca si tiene sulla difensiva [...] tutte le forze non necessarie a contenere Belgi ed Inglesi dovrebbero marciare in direzione Sud-Ovest per attaccare lungo una linea che va da Metz ad Ovest»[72].

Per sostenere questa rotazione ridotta, Moltke ed il capo dell'ufficio operazioni dello Stato Maggiore, il colonnello Erich Ludendorff, stabilirono di rafforzare il centro in modo da inchiodare il nemico ed anche contrattaccare, creando la premessa per una doppia manovra avvolgente. Il rafforzamento del centro allontanava allo stesso tempo l'inaccettabile minaccia di una profonda penetrazione francese nella industrializzata regione del Reno e nelle retrovie dell'ala destra, in Belgio. Questa redistribuzione delle forze, il presunto «annacquamento» dello schema di Schlieffen, non spostava in realtà le truppe già dislocate sull'ala destra, che rimanevano forti di quarantaquattro divisioni, ma rafforzava il centro e la sinistra via via che si rendevano disponibili nuove unità[73]. Moltke facilitò, inoltre, il compito dell'ala destra quando, per ragioni economiche ma anche strategiche, abbandonò la marcia attraverso l'Olanda meridionale, depennando così dalla lista degli avversari, sempre più lunga, l'esercito olandese, considerato da alcuni più efficiente di quello belga.

La restrizione del fronte iniziale dell'avanzata verso il settore di Liegi creò nuovi problemi logistici, ma questi non erano insormontabili a condizione che si riuscisse con un attacco di sorpresa in quel settore fortificato a conservare integre le linee ferroviarie. Insomma, i mutamenti introdotti da Moltke e Ludendorff, in primo luogo la scelta di accorciare il movimento di aggiramento sui fianchi a Nord e di avvolgere l'esercito francese in un'operazione a doppia tenaglia in prossimità del confine tedesco, erano promettenti. Il risultato fu un nuovo piano di guerra, che incorporava dichiaratamente gli elementi principali dei precedenti schemi di Schlieffen, ma era cionondimeno un piano di Moltke e non semplicemente una versione del primo[74].

Quando arrivò la guerra, nell'agosto del 1914, il piano di Moltke fallì, anche se non mancò del tutto i suoi obiettivi. Il fallimento fu il risultato dei problemi intrinseci di velocità, resistenza e logistica, ma anche dell'incapacità di Moltke di trovare un equilibrio tra comando e controllo. Durante la prima fase, i Francesi furono completamente sopraffatti da un punto di vista strategico e la British Expeditionary Force venne ricacciata indietro, anche se non distrutta. Nella prima settimana di settembre, comunque, l'estrema ala destra dell'avanzata tedesca — la Prima Armata sotto il comando del Generale von Kluck — si trovò pericolosamente vicina ad essere avvolta dai Francesi i quali, facendo buon uso delle linee ferroviarie che si irradiavano da Parigi, lanciarono un'armata improvvisata contro il suo fianco, che da allora conservò con difficoltà i contatti con la contigua armata di von Bülow. Da allora Moltke, nel suo lontano quartier generale in Lussemburgo, non ebbe più efficaci comunicazioni con la sua ala destra e non fu più in grado di coordinare le operazioni. Prive di contatti con l'Alto Comando, con le truppe esauste ed a corto di viveri, von Kluck fu fermato e, quindi, con una decisione in linea con la dottrina del comando operativo tedesco, si ritirò per sottrarsi al tentativo di aggiramento. Pur non subendo una seria sconfitta tattica, la disfatta segnò la fine del piano di Moltke: dopo qualche mese di inutili tentativi di reciproca sopraffazione tattica, entrambi gli eserciti contendenti stabilizzarono i propri fronti dalla Manica alle Alpi svizzere[75].

In verità, il fallimento del piano di Moltke fu in parte questione di dettagli tecnici ed operativi, non dimostrò di per sé che la strategia dell'aggiramento era radicalmente difettosa. In realtà, le operazioni ad Est dimostrarono che essa aveva le proprie basi. L'Ottava Armata nella Prussia Orientale, agendo in segretezza e velocemente, riuscì verso la fine di agosto a sorprendere in una manovra avvolgente e distruggere un'armata russa a Tannenberg. In una prospettiva più ampia, però, questa strategia tedesca «classica» era minata da difetti di base, che derivavano dal credere che una crescente minaccia politico-militare potesse essere eliminata con i soli mezzi militari. Malgrado tutte le loro differenze, sia i due Moltke che Schlieffen erano convinti che la posizione geo-strategica della Germania richiedesse una risoluzione rapida e contavano su operazioni militari culminanti in una battaglia di annientamento. Questa premessa non era stata abbandonata neppure dalla posizione controffensiva di Moltke il vecchio, adottata dopo il 1870, che l'aveva semplicemente modificata. Già all'inizio del XX secolo, comunque, l'esito di una guerra non poteva più essere previsto mediante calcoli basati sul numero dei coscritti, sullo stato delle comunicazioni ferroviarie o sugli schemi operativi. Al contrario, l'impossibilità (determinata dalla tecnologia) di una rapida vittoria fece sì che la guerra fosse sempre più dominata da forze quali il morale nazionale, la stabilità sociale e le risorse economiche. La natura della guerra era cambiata, anche se ciò non fu riconosciuto da molti, meno che mai dai militari. Anche se un esercito fosse stato distrutto sul campo da qualche capolavoro di pianificazione operativa, come accadde a Sedan ed a Tannenberg, un governo risoluto che potesse attingere a risorse nazionali ancora non sfruttate avrebbe potuto probabilmente riorganizzarsi militarmente e continuare a combattere. Qualsiasi piano di guerra basato soltanto su considerazioni di tipo militare era divenuto inadeguato ed era ora essenziale una cooperazione politico-militare al più alto livello.

Nel passato, grandi comandanti come Gustavo Adolfo, Federico il Grande e Napoleone avevano coordinato politica e strategia riunendo tutto il potere in una sola mano, ma alla metà del XIX secolo ciò era diventato impossibile. Uno statista eccezionale come Bismarck (che godeva della piena fiducia e dell'appoggio del sovrano) ed un militare del calibro del primo Moltke, potevano ancora arrivare, sia pure di malavoglia, ad un'intesa comune su ciò che fosse necessario, desiderabile e possibile in guerra. Ma una volta che questi uomini uscirono di scena, la pianificazione strategica in Germania e nella maggior parte degli Stati europei divenne dominio esclusivo di considerazioni di ordine militare e non fu più sottoposta ad alcun serio esame e valutazione di ordine politico. È stato giustamente osservato come l'esigenza di Clausewitz, per cui i governi non dovrebbero chiedere ai loro militari di fare l'impossibile, esigeva a sua volta che i militari informassero i propri governi sui limiti delle azioni militari. Perciò, si osserva ancora, lo Stato Maggiore tedesco avrebbe servito meglio la sua nazione se avesse riconosciuto, dopo il 1894, che la situazione non poteva più essere risolta con mezzi militari e che la diplomazia avrebbe dovuto trovare almeno parziale rimedio al sempre più grave dilemma strategico. Queste osservazioni mettono l'accento su un punto importante, ma prestano troppo poca attenzione alle circostanze prevalenti nel periodo. L'ammettere tali limiti non soltanto sarebbe stato in contrasto con le profonde convinzioni dei principali esponenti dello Stato Maggiore circa il ruolo dell'esercito, ma avrebbe anche richiesto un grande cambiamento nella politica interna ed estera della Germania. In tali circostanze, e sia pure con crescente pessimismo relativamente alle probabilità di successo finale, lo Stato Maggiore tedesco continuò a perfezionare il proprio concetto di aggiramento strategico e finì, nel 1914, per tentare disperatamente la sorte.

[1] GERHARD RITTER, *Staatskunst und Kriegshandwerke*, München 1964 (tr. ingl., da cui qui si cita, *The Sword and the Scepter*, Coral Gables, Fla. 1969-73, I, 189; tr. it. *I militari e la politica nella Germania moderna*, Torino 1967-1973).

[2] Cfr. i brani di GERHARD PAPKE, *Helmut von Moltke*, in W. HAHLWEG (a cura di), *Klassiker der Kriegskunst*, Darmstadt 1960, 311-316.

[3] PETER PARET, *Clausewitz and the State*, New York-London 1976, ried. Princeton 1985, 369.

[4] G. PAPKE, *Helmut von Moltke*, cit., 316. Cfr. (a cura di) FERDINAND VON SCHMERFELD, *Moltke. Ausgewählte Werke*, Berlin 1925, I, 35.

[5] Un punto di vista diverso è presentato in GORDON A. CRAIG, *The Politics of the Prussian Army 1640-1945*, New York 1964, 214-216 (tr. it. *Il potere delle armi: storia e politica dell'esercito prussiano, 1640-1945*, Bologna 1984).

[6] Cfr. G. RITTER, *The Sword and the Scepter*, cit., I, 196; EBERHARD KESSEL, *Moltke*, Stuttgart 1957, 508-509.

[7] Oberkommando des Heeres, *Gedanken von Moltke*, Berlin 1941, 13; *Moltkes Militärische Werke*, in *Kriegsleheren*, a cura del Grosser Generalstab, Abteilung für Kriegsgeschichte, Berlin 1892-1912, III, 1 (cit. d'ora in poi come *Kriegslehren*).

[8] E. Kessel, *Moltke*, cit., 507.

[9] Cfr. *Kriegslehren*, cit., III, 3.

[10] Cfr. E. Kessel, *Moltke*, cit., 514.

[11] Cfr. Martin van Creveld, *Supplying War: Logistics from Wallenstein to Patton*, Cambridge 1977, 79-82, 91-96, 103-108.

[12] Cit. in G. Papke, *Helmut von Moltke*, cit., 316.

[13] *Kriegslehren*, cit., III, 42-43.

[14] J.F.C. Fuller, *A Military History of the Western World*, New York 1954, III, 134 (tr. it. *Le battaglie decisive del mondo occidentale e loro influenza sulla storia*, Roma 1988).

[15] Cfr. Theodore Ropp, *War in the Western World*, Durham 1959, 137-139.

[16] E. Kessel, *Moltke*, cit., 536.

[17] Cfr. *ivi*, 534-538.

[18] *Kriegslehren*, cit., I, 98-99, 106-107.

[19] Cfr. il classico Michael Howard, *The Franco-Prussian War*, New York 1961.

[20] Cyril Falls, *The Art of War from the Age of Napoleon to the Present*, New York 1961, 78 (tr. it. *L'arte della guerra*, Bologna 1965, 86).

[21] Cfr. M. Howard, *The Franco-Prussian War*, cit., 325-326.

[22] Clara Bell, Henry W. Fischer (a cura di), *Letters of Field-Marshall Helmut von Moltke*, New York 1892, 204, 209.

[23] Cfr. *Kriegslehren*, cit., III, 25-26; E. Kessel, *Moltke*, cit., 741-747.

[24] G. Ritter, *Der Schlieffenplan: Kritik eines Mythos*, München 1956 (tr. ingl., da cui qui si cita, *The Schlieffen Plan*, London 1958, 18); Schlieffen, *Die deutschen Aufmarschpläne 1871-1890*, a cura di Ferdinand von Schemerfeld, Berlin 1928.

[25] Cfr. Schlieffen, *Die deutschen Aufmarschpläne 1871-1890*, cit., 62-67; E. Kessel, *Moltke*, cit., 649-650.

[26] Cfr. G. Ritter, *The Schlieffen Plan*, cit., 18.

[27] Cfr. Schlieffen, *Die deutschen Aufmarschpläne 1871-1890*, cit., 19; G. Ritter, *The Sword and the Scepter*, cit., I, 227.

[28] Cfr. Schlieffen, *Die deutschen Aufmarschpläne 1871-1890*, cit., 21, 29, 38, 52-55.

[29] *Ivi*, 64-66; G. Ritter, *The Schlieffen Plan*, cit., 19.

[30] Schlieffen, *Die deutschen Aufmarschpläne 1871-1890*, cit., 77; G.A. Craig, *The Politics of the Prussian Army 1640-1945*, cit., 274-275.

[31] E. Kessel, *Moltke*, cit., 651-652, 672-675; F. von Schmerfeld, *Moltke. Ausgewählte Werke*, cit., I, 250.

[32] F. von Schmerfeld, *Moltke. Ausgewählte Werke*, cit., I, 44. Cfr. l'eccellente studio di Dennis E. Showalter, *The Eastern Front and German Military Planning, 1871-1914 - Some Observations*, «East European Quarterly», XV (1981), 163-180.

[33] Cfr. G. Ritter, *The Sword and the Scepter*, cit., I, 232-234; F. von Schmerfeld, *Die deutschen Aufmarschpläne 1871-1890*, cit., 144-145; E. Kessel, *Moltke*, cit., 708-709.

[34] Cfr. Gunter E. Rothenberg, *The Army of Francis Joseph*, W. Lafayette 1976, 112-117, 155; G.A. Craig, *The Military Cohesion of the Austro-German Alliance, 1914-1918*, nel suo *War, Politics and Diplomacy*, New York 1966, 47-51.

[35] Cfr. E. Kessel, *Moltke*, cit., 747-748; cfr. *Kriegslehren*, cit., I, 7.

[36] Cfr. Heinz-Ludger Borgert, *Grundzüge der Landkriegsführung von Schlieffen bis Guderian*, in Militärgeschichtliches Forschungsamt, *Handbuch zur deutschen Militärgeschichte*, München 1979, IX, 435-437, 462-466 (cit., d'ora in poi, come *Handbuch*). Cfr. Jay Luvaas, *European Military Thought and Doctrine*, in Michael Howard (a cura di), *The Theory and Practice of War*, London-New York 1965, 73-76; Hermann Teske, *Colmar Freiherr von der Goltz*, Göttingen 1958, 32-56 *passim*.

[37] Cfr. Friedrich von Boetticher, *Schlieffen*, Göttingen 1957.

[38] Cfr. Erich Ludendorff, *Meine Kriegserinnerungen, 1914-1918*, Berlin 1919 (tr. ingl., da cui qui si cita, *My War Memories 1914-1918*, London 1920, 24; tr. it. *I miei ricordi di guerra, 1914-1918*, Milano 1920); Wilhem Groener, *Lebenserinnerungen*, Osnabrück 1972, 85-91.

[39] G. Ritter, *The Schlieffen Plan*, cit., v, vii.

[40] *Ivi*, 88; Jehuda L. Wallach, *Das Dogma der Vernichtungsschlacht*, Frankfurt a.M. 1967, 55-56.

[41] WILHEM GROENER, *Das Testament des Grafen Schlieffen*, Berlin 1927, 11; WERNER HAHLWEG, *Clausewitz*, Göttingen 1957, 95.
[42] Cfr. G. RITTER, *The Sword and the Scepter*, cit., II, 198.
[43] A. VON SCHLIEFFEN, *Briefe*, a cura di E. Kessel, Göttingen 1958, 296-297.
[44] Generalstab des Heeres, *Dienstschriften des Chefs des Generalstabes der Armee General Feldmarschall Grafen von Schlieffen*, Berlin 1937-1938, I, 86-87.
[45] *Ivi*, II, 222-223.
[46] Cfr. G. RITTER, *The Sword and the Scepter*, cit., II, 194; L.F.C. TURNER, *The Schlieffen Plan*, in P.M. KENNEDY (a cura di), *The War Plans of the Great Powers, 1880-1914*, London 1979, 207-210. Ma si confronti G.A. CRAIG, *The Politics of the Prussian Army 1640-1945*, cit., 283-285.
[47] Cfr. F. VON BOETTICHER, *Schlieffen*, cit., 57-60; *Handbuch*, cit., IX, 427-434.
[48] A. VON SCHLIEFFEN, *Gesammelte Schriften*, Berlin 1913, I, 163-184; A. VON SCHLIEFFEN, *Briefe*, cit., 312.
[49] Cfr. J.L. WALLACH, *Das Dogma der Vernichtungsschlacht*, cit., 90; *Handbuch*, cit., IX, 444.
[50] Cfr. A. VON SCHLIEFFEN, *Gesammelte Schriften*, I, 15-16.
[51] Cfr. i sommari in RUDOLPH VON CAEMMERER, *Die Entwicklung der strategischen Wissenschaft im 19. Jahrhundert*, Berlin 1904, (tr. ingl., da cui qui si cita, *The Development of Strategic Science during the 19th Century*, London 1905, 248-267); HERBERT ROSINSKI, *The German Army*, New York 1966, 135-156.
[52] Cfr. *Handbuch*, cit., IX, 465-466; G. RITTER, *The Schlieffen Plan*, cit., 51-52.
[53] Cfr. F. VON BOETTICHER, *Schlieffen*, cit., 61.
[54] Cfr. *Handbuch*, cit., IX, 447-448; G. RITTER, *The Schlieffen Plan*, cit., 38.
[55] Cfr. *ivi*, 38.
[56] *Ivi*, 41.
[57] *Handbuch*, cit., IX, 449-451.
[58] Cfr. F. VON BOETTICHER, *Schlieffen*, cit., 63-65.
[59] Cfr. G. RITTER, *The Schlieffen Plan*, cit., 44-45.
[60] HANS MEIER WELCKER, *Graf Alfred von Schlieffen*, in HAHLWEG (a cura di), *Klassisker*, cit., 335-336.
[61] *Ibidem*; *Handbuch*, cit., IX, 451-453.
[62] Cfr. G. RITTER, *The Schlieffen Plan*, cit., 134-160.
[63] Cfr. BASIL H. LIDDELL HART, *A History of the World War 1914-1918*, London 1934, 68-69.
[64] LARRY H. ADDINGTON, *The Blitzkrieg Era and the German General Staff, 1865-1914*, New Brunswick, N.J. 1971, 19-20; M. VAN CREVELD, *Supplying War: Logistics from Wallenstein to Patton*, cit., 113, 118.
[65] Cfr. G. RITTER, *The Schlieffen Plan*, cit., vi-vii.
[66] *Ivi*, 48.
[67] H. ROSINSKI, *German Army*, cit., 138; WALTER GOERLITZ, *History of the German General Staff 1657-1945*, New York 1966, 135.
[68] Cfr. GÜNTHER VON BLUMENTRITT, *Von Rundstedt: The Soldier and the Man*, London 1952, 22; LUDWIG BECK, *Studien*, a cura di H. Speidel, Berlin 1955, 63, 106-107.
[69] Cfr. G.E. ROTHENBERG, *The Army of Francis Joseph*, cit., 157-158; N. STONE, *Moltke and Conrad: Relationships between the Austro-Hungarian and German General Staffs, 1909-1914*, in P.M. KENNEDY (a cura di), *The War Plans of the Great Powers*, cit., 225-228. Si confronti anche D.E. SHOWALTER, *Eastern front*, cit., 173-174.
[70] Cfr. *Handbuch*, cit., IX, 467-468.
[71] Cfr. M. VAN CREVELD, *Supplying War: Logistics from Wallenstein to Patton*, cit., 119-121; HELMUT HAEUSSLER, *General William Groener and the Imperial Army*, Madison 1962, 34-36.
[72] WOLFGANG FOERSTER, *Aus der Gedankenwerkstatt des deutschen Generalstabes*, Berlin 1931, 38, 66; *Handbuch*, cit., IX, 470-473.
[73] Cfr. J.L. WALLACH, *Das Dogma des Vernichtungsschlacht*, cit., 113, 136-137.
[74] Cfr. *Handbuch*, cit., IX, 474.
[75] Un buon riassunto lo si può trovare in L.H. ADDINGTON, *The Blietzkrieg Era and the German General Staff*, cit., 17-22.

Alfred Thayer Mahan: lo storico navale

di Philip A. Crowl

Henry L. Stimson, scrivendo degli anni trascorsi a Washington come segretario per la Guerra (1940-1945), ricordava con rimpianto «la particolare psicologia della marina, che molto spesso sembrava ritirarsi dal regno della logica per entrare in un oscuro mondo religioso nel quale Nettuno era Dio, Mahan il suo profeta e la marina degli Stati Uniti l'unica chiesa riconosciuta»[1]. Il «profeta», cui Stimson alludeva nel suo equivoco omaggio, era nella tomba da trent'anni: aveva trascorso quasi tutta la sua vita al servizio attivo della marina, come ufficiale, ed era andato in pensione con il grado di capitano, nel 1896. Soltanto quando ebbe passato i cinquant'anni emerse dall'oscurità di un'anonima carriera per raggiungere fama internazionale come storico, stratega, imperialista e navalista, venendo a contatto con presidenti, primi ministri e persino reali europei, mentre il suo nome veniva venerato negli ambienti navali di tutto il mondo. La sua è la storia straordinaria del potere della parola scritta.

I

Alfred Thayer Mahan nacque il 27 settembre 1840 a West Point, nello Stato di New York, dove il padre, Dennis Hart Mahan, era preside della facoltà e professore di ingegneria civile e militare all'Accademia Militare degli Stati Uniti. Il vecchio Mahan era l'autore di due classici militari minori, *Field Fortifications* e *An Elementary Treatise on [...] the Rise and Progress of Tactics*, ed era stato personalmente responsabile dell'istruzione militare di centinaia di cadetti poi destinati al comando delle truppe dell'Unione e della Confederazione nella Guerra Civile. Fonte principale dei suoi scritti e dei suoi insegnamenti era lo stratega svizzero Antoine-Henri barone di Jomini, anche se non è provato che egli avesse trasmesso i suoi insegnamenti al figlio maggiore, poi divenuto il più eminente jominiano d'America. E, infatti, poche sarebbero state le occasioni per farlo, perché, all'età di dodici anni, Alfred venne mandato in collegio alla St. James School di Hagerstown nel Maryland e, nel 1854, iscritto al Columbia College di New York, dove trascorse due anni nella casa dello zio, Milo Mahan, professore di storia ecclesiastica al General Theological Seminary. Fino alla morte, avvenuta nel 1870, questo pastore episcopale anglo-cattolico, storico della chiesa e numerologista cristiano fu il consigliere spirituale del nipote ed avrebbe influenzato profondamente le sue convinzioni religiose, in particolare la sua visione della storia come manifestazione di un piano divinamente preordinato[2].

Dopo due anni trascorsi alla Columbia, il giovane Mahan, contro il consiglio del padre entrò alla Naval Academy di Annapolis nel Maryland e, tre anni più tardi, nel 1859, si licenziò secondo del suo corso. Si fece più nemici che amici tra i compagni del corso per guardiamarina, cominciando così una carriera isolata: un pesce fuor d'acqua nella marina, una figura solitaria ed appartata in una professione che dava molta importanza alla socializzazione ed al cameratismo. Tuttavia, Annapolis gli diede la sua prima gioiosa esperienza con le navi a vela — un'emozione destinata presto a scomparire con il passaggio dalla vela al vapore. Della sua crociera come allievo ufficiale a bordo della *Plymouth*, una fregata a tre alberi con vele quadre, scrisse: «Con una forte brezza, quando la nave raggiunge la sua massima inclinazione, si prova una sorta di piacere selvaggio che non avevo mai sperimentato prima»[3]. Ventisei anni più tardi, a bordo dell'incrociatore a vapore più moderno della marina, il *Chicago*, si lamentò: «avevo dimenticato quanto fosse bestiale una nave e quanto fosse sciocco un uomo che la frequenta»[4]. Più tardi, quando cominciò a scrivere di storia navale, l'originaria passione di Mahan per i grandi vascelli a vele quadre della sua giovinezza avrebbe ispirato ed informato la sua affettuosa trattazione della tattica navale nell'età della vela. Allo stesso modo, la sua avversione per le goffe, rumorose e fumose navi a carbone della sua maturità lo indusse ad evitare, appena possibile, incarichi di bordo per dedicarsi all'attività, a lui più congeniale, di scrivere libri e articoli, a terra.

Due anni dopo che si era diplomato scoppiò la Guerra Civile, che per Mahan significò soprattutto monotone missioni al largo delle coste della Confederazione. Una parentesi come docente di arte della navigazione alla Naval Academy (temporaneamente trasferita a Newport, Rhode Island) gli consentì di lavorare per un breve periodo sotto il comando di Stephen B. Luce, più tardi suo mentore ed angelo custode. Alla fine della guerra, Mahan aveva ventisei anni ed era capitano di corvetta, un grado troppo alto per potervi rinunciare a cuor leggero. Così, nonostante i dubbi, Mahan rimase in marina e per i vent'anni successivi, alla fine dei quali ottenne il grado di capitano di fregata, prestò servizio negli arsenali della marina, nello Stato Maggiore della Naval Academy (ora di nuovo ad Annapolis) ed a bordo di navi nella Stazione Asiatica ed al largo delle coste occidentali del Sud-America. Proprio mentre si trovava al largo del Perù, al comando del *Wachusett* — una decrepita corvetta a vapore, ad una sola elica ed attrezzata a goletta — ricevette da Luce, allora commodoro, l'invito a far parte del Naval War College, che da lì a poco sarebbe stato affidato al comando di Luce, a Newport. La qualificazione principale di Mahan per quell'incarico gli derivava dall'essere autore di un libretto sulla storia navale della Guerra Civile, *The Gulf and Inland Waters*, pubblicato l'anno precedente. Non poteva sapere di essere stato il terzo incaricato contattato da Luce quando, desideroso di tornare in patria e stanco del mare, il 4 settembre 1884 rispose: «Sì, mi piacerebbe venire»[5].

Dopo un estenuante ritardo a bordo del *Wachusett*, seguito da un inverno di intensi studi nelle biblioteche di New York, il novello storico prese servizio a Newport nell'estate del 1886. Una volta là, scoprì che Luce era stato richiamato in mare e che, capitano di fresca nomina, avrebbe dovuto ricoprire sia l'incarico di insegnante di storia e strategia navale, sia quello di direttore del Naval War College. Fu quella la svolta più importante della sua vita. Il War College sarebbe stato il trampolino di lancio per una nuova carriera come storico navale, stratega, pubblicista ed «evangelista del potere marittimo», come venne universalmente riconosciuto[6].

Quando prese possesso di quello che era stato un ospizio e che era ora la sede della prima scuola di guerra navale del mondo, il nuovo direttore trovò i locali quasi vuoti, se si escludono sedie e banchi presi in prestito, ed una carta murale di Trafalgar, la sua battaglia navale preferita. Il primo corso era formato da otto tenenti di vascello, quello dell'anno successivo da venti: tutti assegnati a Newport per due o tre mesi di studi, per lo più contro la loro volontà. Mahan teneva lezioni sulla storia e la strategia navale (principalmente britannica); il piccolo gruppo dei suoi collaboratori dava lezioni sulla tattica e la strategia militare, il diritto internazionale, la logistica, l'artiglieria e la tattica navale, il significato strategico dei Caraibi e l'igiene navale[7]. Il direttore, tuttavia, spese molte delle sue energie per procurare alla scuola le attrezzature necessarie, per trovare i fondi per pagare il carbone e per respingere le pressioni burocratiche che volevano unire la scuola alla vicina Stazione Navale Torpedini, o trasferirla ad Annapolis od abolirla del tutto. Nello stesso tempo, cercava di dare alle sue prime lezioni la forma di libro. Questo sforzo portò alla pubblicazione nel 1890 di *The Influence of Sea Power upon History, 1660-1783*, subito dopo che aveva evitato di stretta misura gli ordini del Bureau of Navigation di ritornare ad imbarcarsi. «Scrivere libri non è compito di un ufficiale di marina», diceva il capo del Bureau, il commodoro Francis M. Ramsay, un luogo comune su cui si scherzò molto negli anni a venire, ma che lo stesso Mahan trovava «senza dubbio innegabile» dato che «il mio turno per il servizio in mare era arrivato»[8]. Nella marina era forte l'opposizione alla scuola, non necessariamente a causa di animosità personali nei confronti di Mahan, come egli sospettava, o per pura ottusità burocratica. In un epoca di rapidi mutamenti tecnologici, molti ufficiali di marina consideravano arcaiche ed irrilevanti questioni quali le manovre di Nelson a Trafalgar. Per costoro l'importanza attribuita da Mahan alla storia appariva reazionaria, e ancor peggio, inutile sul piano pratico. La risposta di Mahan era che niente poteva essere più pratico per un ufficiale di marina della «formulazione dei principi e dei metodi per mezzo dei quali la guerra può essere condotta nel migliore dei modi» attraverso lo studio della storia[9].

Per il momento, almeno, la questione si risolse in favore di Mahan. Fu direttore del Naval War College per due cicli (1886-1889 e 1892-1893) e quando se ne andò per assumere il comando del *Chicago* il suo programma di lezioni a Newport era ormai consolidato, al punto che in sua assenza le sue lezioni venivano lette ad alta voce ad ogni nuovo corso. Questa curiosa pratica spinse il commodoro Ramsay ad osservare che, per quanto egli apprezzasse pienamente il valore dei libri del capitano Mahan, «sembra assai sciocco mandare degli ufficiali (...) [al Naval War College] perché si leggano fra di loro»[10]. La mancanza di entusiasmo di Ramsay non era condivisa in Gran Bretagna, dove *The Influence of Sea Power upon History, 1660-1783* aveva ricevuto un pronto riconoscimento. Quando Mahan attraccò con il *Chicago* nel porto di Southampton alla fine di luglio del 1893, trovò al suo sbarco di essere diventato la celebrità della stagione. Allora, e l'anno seguente in occasione della sua seconda visita, venne ricevuto dalla regina Vittoria, da suo nipote in visita, il Kaiser Guglielmo II, dal Principe di Galles (futuro Edoardo VII), dal primo ministro Lord Rosebery, dal barone Rothschild e dal Royal Navy Club, il primo straniero ad avere tale onore. Le università di Oxford e Cambridge gli conferirono nella stessa settimana la laurea *honoris causa*, ed il «Times» di Londra lo proclamò «il nuovo Copernico». I Britannici naturalmente si sentivano gratificati del fatto che un autore americano avesse acclamato senza riserve l'ascesa del loro Paese a grandezza imperiale e lo sarebbero stati ancora di più con la pubblicazione, nel 1892, del secondo libro di Mahan, *The Influence of Sea Power upon the French Revolution and Empire, 1793-1812*. Di quest'opera, in due volumi, lo storico navale John Knox Laughton scrisse che era «in ogni sua parte una splendida apoteosi del coraggio inglese, della resistenza inglese, della capacità inglese e della potenza inglese»[11]. Una tale adulazione arrivava come una ventata di aria fresca per una nazione che già cominciava a dubitare di se stessa mentre l'era della *Pax Britannica* stava avvicinandosi alla fine.

Di ritorno negli Stati Uniti, Mahan tenne lezioni al Naval War College nel 1895, e poi di nuovo nel 1896, anno in cui si ritirò dal servizio attivo. Ora poteva dedicarsi quasi a tempo pieno ai suoi scritti, numerosi e ben pagati. Il *corpus* completo della sua opera ammonta a 20 libri e 137 articoli, questi ultimi scritti di solito su richiesta di direttori di periodici come l'«Atlantic Monthly», il «Forum», la «North America Review» ed il «Century Magazine». Di questi i più importanti vennero ripubblicati in volume; le altre pubblicazioni comprendono cinque storie navali, due storie della guerra Boera, tre studi biografici, un'autobiografia ed un trattato religioso. Era il momento della fama. Lauree *honoris causa* gli arrivarono dalle università di Harvard (1896), Yale (1897), Columbia (1900), McGill (1909) e dal Dartmouth College (1903). La American Historical Association lo elesse presidente nel 1902. Né tardarono i riconoscimenti ufficiali. Quando, nel 1898, scoppiò la guerra con la Spagna, Mahan venne richiamato da un viaggio in Italia per prestare servizio nel Naval War Board, da poco istituito per fornire consigli strategici al segretario della marina ed al Presidente. Nel 1899, venne nominato consigliere della delegazione statunitense alla Prima Conferenza per la Pace dell'Aia. Secondo il presidente della delegazione, Andrew D. White, le sue opinioni furono un «eccellente tonico» in grado di prevenire «ogni caduta nel sentimentalismo»[12].

Da allora, nonostante la fama crescente, non furono più molti gli inviti per incarichi pubblici. Un vecchio amico, il presidente Theodore Roosvelt lo nominò membro di parecchi comitati per favorire la riorganizzazione del Dipartimento della marina, ma ogni suo sforzo fu vano. Nel 1906, una legge del

Congresso promosse al grado di contrammiraglio a riposo tutti i capitani di marina in pensione, che avevano prestato servizio durante la Guerra Civile. Mahan accettò la promozione, ma conservò il grado di capitano come *nom de plume*. Con lo scoppio della Prima Guerra Mondiale, mise immediatamente la sua penna al servizio della causa britannica. Il 6 agosto 1914, tuttavia, su ordine del presidente Woodrow Wilson, a tutti gli ufficiali attivi od in pensione venne ordinato di astenersi da ogni pubblico commento sulla guerra. Al segretario della marina Josephus Daniels, Mahan replicò: «Personalmente, all'età di settantaquattro anni, mi trovo costretto al silenzio in un momento in cui il risultato di quasi trentacinque anni di lavoro [...] potrebbe essere messo al servizio del pubblico»[13]. Tutto fu inutile. Non sarebbe stata ammessa alcuna eccezione alla regola, nemmeno per il più famoso storico e stratega navale del mondo. Tre mesi e mezzo più tardi, il 1° dicembre 1914, Mahan morì per un attacco cardiaco all'ospedale navale di Washington.

II

La reputazione di Mahan come storico poggia principalmente sui suoi due libri *The Influence of Sea Power upon History, 1660-1783* e *The Influence of Sea Power upon the French Revolution and Empire, 1793-1812*, pubblicati rispettivamente nel 1890 e nel 1892. Insieme contano più di 1.300 pagine, dedicate principalmente alla storia navale della Gran Bretagna dal 1660 al 1812, con un piccolo salto di anni dal 1784-1793. Narrano per lo più battaglie navali combattute contro avversari olandesi, spagnoli, danesi e soprattutto francesi, nonché gli eventi politici che hanno condotto ad esse e le conseguenze militari, economiche e politiche che ne sono derivate. Sebbene queste opere siano nate originariamente come lezioni da tenere al Naval War College è evidente che Mahan sperava fin dall'inizio di farle pubblicare in volume[14].

L'idea originale di istruire gli ufficiali di marina in storia marittima era stata del commodoro Luce nella sua qualità di primo presidente del Naval War College. Anche se non se ne ha più traccia, il contenuto della sua lettera di invito a Mahan, datata 1884, si può evincere da un suo articolo pubblicato l'anno precedente negli «United States Naval Institute Proceedings». In esso, Luce afferma che l'ufficiale di marina deve essere «avviato allo studio filosofico della storia navale, in modo che possa essere messo in grado di esaminare le grandi battaglie navali del mondo con l'occhio freddo del critico professionale e di riconoscere dove i principi della scienza sono stati rispettati o dove l'inosservanza delle norme accettate dell'arte della guerra ha condotto alla sconfitta ed al disastro»[15]. Più tardi, nel discorso di apertura rivolto agli studenti del War College, Luce avrebbe sviluppato il concetto: «La storia navale abbonda oggi di materiale sul quale erigere una scienza [...] senz'alcun dubbio le battaglie navali del passato forniscono una quantità di fatti ampiamente sufficiente per la formulazione di leggi o principi che, una volta enunciati, eleverebbero la guerra marittima al rango di scienza [...] per mezzo del metodo comparativo»[16]. Il «metodo comparativo» significava per Luce tracciare analogie tra la guerra terrestre e la guerra marittima, tra la «scienza» militare e quella navale, e tra passato e presente. In breve, cercava un passato da usare: la storia deve tenere lezioni nella forma di principi fondamentali.

Questi erano gli ordini di marcia per Mahan e questi i vincoli che egli accettò nell'acconsentire ad insegnare al Naval War College. La sua conoscenza della materia gli derivava dalla lettura casuale delle opere di John Lothrop Motley, Leopold von Ranke, François Pierre Guillaume Guizot e Robert Cornelis Napier. Mentre la sua nave era ancorata nel porto di Callao, nell'autunno del 1884, visitò il circolo inglese di Lima nella cui biblioteca trovò una copia della *Storia di Roma* di Theodor Mommsen. In seguito, a proposito di questo libro scrisse: «Improvvisamente mi colpì [...] come avrebbero potuto essere diverse le cose se Annibale avesse potuto invadere l'Italia dal mare [...] od avesse potuto, dopo il suo arrivo, comunicare liberamente con Cartagine via mare»[17]. Questo era il punto fondamentale dell'ascesa e della caduta degli imperi: il controllo del mare, o la sua assenza. Di ritorno a New York, l'uomo di mare trasformatosi in studioso si immerse nello studio di altre opere secondarie: le storie della Royal Navy di sir George Augustus Elliot, sir John Montague Burgoyne e sir Charles Ekins; il «Journal of the Royal United Service Institution»; l'*Histoire de la marine française* di Leonard R. La Peyrouse Bonfils e l'opera in tre volumi di Henri Martin sulla «storia popolare della Francia»[18]. Da ultimo, verso la fine di gennaio del 1886, sei mesi prima dell'inizio della sua serie di lezioni, si dedicò al barone Jomini[19]. Da questi apprese «i pochi, molto pochi» principi della guerra terrestre applicabili per analogia alla guerra marittima[20]. Ma a nessuna di queste fonti, a suo parere, Mahan dovette l'ispirazione più significativa. Mentre era ancora a bordo del *Wachusett*, una luce aveva rischiarato la sua «coscienza interiore» e «dall'interno» era venuta l'intuizione per cui «il controllo del mare era un fattore storico che non era mai stato valutato e spiegato in modo sistematico». «Una volta formulato con maggior consapevolezza», dichiarò Mahan, «questo pensiero divenne il nucleo di tutti i miei scritti nei vent'anni successivi [...] non lo dovevo a nessun altro uomo»[21].

L'obiettivo di Mahan era, secondo quanto scrive nell'introduzione al suo primo libro, *Influence*, quello di valutare «l'effetto del potere marittimo sul corso della storia e sulla prosperità delle nazioni»[22]. In seguito, scrisse di avere inventato lui stesso il termine «potere marittimo» allo scopo di «attirare l'attenzione»[23]. Sfortunatamente trascurò di definire il termine con una qualsiasi precisione. Giacché il termine ricorre in tutta la sua opera, ne emergono due significati principali: *a)* il comando del mare per mezzo della superiorità navale; *b)* la combinazione del commercio marittimo con i possedimenti oltremare e con un accesso privilegiato ai mercati stranieri che produca «la ricchezza e la grandezza» di una nazione. I due concetti, naturalmente, si sovrappongono. Pensando al primo, Mahan avrebbe scritto di «quello schiacciante potere sul mare [*power on the sea*] che allontana la bandiera del nemico, consentendogli di apparirvi solo come un fuggitivo». Il secondo significato fu definito in maniera più concisa: «*a)* Produzione; *b)* Marina; *c)* Colonie e Mercati — in una parola, potere marittimo»[24]. Tuttavia, il lettore molto spesso non sa a quale di questi significati, se non a tutti e due, l'autore si riferisce nelle sue esemplificazioni. Ma in un altro senso ancora, Mahan, il cristiano impegnato, avrebbe parlato di «questo meraviglioso e misterioso Potere» come di «un complesso organismo, dotato di vita propria, che riceve e trasmette innumerevoli impulsi, che si muove in mille correnti che si intrecciano l'una con l'altra in un'infinita flessibilità». Del potere che stava dietro a quel Potere l'autore non aveva alcun dubbio: esso era «la manifestazione di una Volontà Personale, che agiva in tutti i tempi, con un proposito deliberato e conseguente, verso fini non ancora compresi», ma nel passato «tendenti verso un fine: il predominio marittimo della Gran Bretagna»[25].

Il «predominio marittimo della Gran Bretagna», il massimo esempio di potere marittimo in azione, è quindi l'argomento delle due opere principali di Mahan. Il loro tema centrale è semplice: in ogni fase della lunga contesa tra la Francia e l'Inghilterra, dal 1688 alla caduta di Napoleone, il comando del mare per mezzo del dominio navale o la sua assenza ha determinato il risultato. Così, nella guerra della Lega di Augusta (1688-1697) il fallimento di Luigi XIV nel fornire un adeguato supporto navale all'invasione dell'Irlanda da parte dello spodestato re inglese Giacomo II, unito alla «graduale scomparsa dall'oceano delle grandi flotte francesi», portò alla pace di Ryswick che «fu molto svantaggiosa per la Francia»[26]. La guerra di Successione Spagnola (1703-1713), anche se fu combattuta principalmente da eserciti sul continente europeo, si concluse portando vantaggi soprattutto all'Inghilterra, che aveva «finanziato quella guerra continentale e l'aveva persino sostenuta con proprie truppe, ma che allo stesso tempo stava potenziando la sua marina, rafforzando, estendendo e proteggendo i suoi commerci, guadagnando posizioni marittime: in una parola, fondando ed erigendo il proprio potere marittimo sulle rovine di quello dei suoi rivali»[27]. Di nuovo, nella guerra dei Sette Anni (1756-1763), il potere marittimo dettò il risultato, non direttamente, «ma indirettamente [...] con i sussidi che l'Inghilterra, sulla base dell'abbondanza della ricchezza e del credito, fu in grado di dare a Federico [il Grande] [...] e, poi, con le difficoltà causate alla Francia dagli attacchi inglesi alle sue colonie e alle sue coste, alla distruzione dei suoi commerci, e dal denaro [...] che la Francia stessa fu costretta a destinare alla sua marina»[28]. Per quanto riguarda la guerra di Indipendenza Americana, il «suo successo finale» a Yorktown era da ascriversi al controllo del mare, «al potere marittimo nelle mani della Francia» che impedì l'intervento della Royal Navy a sostegno di Lord Cornwallis[29].

Il trionfo finale del potere marittimo, sia sul piano economico sia sul piano militare, si ebbe con la sconfitta di Napoleone. Su questo punto Mahan raggiunse l'apice della sua non trascurabile retorica. Persino prima della famosa vittoria di Lord Nelson a Trafalgar (19 ottobre 1805), mentre Bonaparte stava allestendo una forza di spedizione a Boulogne per uno sbarco in Inghilterra, le «navi [della marina britannica] lontane e battute dalle tempeste, sulle quali la Grande Armata non aveva mai posto il suo sguardo, si interposero fra questa ed il dominio del mondo». Dopo Trafalgar fu il potere marittimo, «quella silenziosa pressione sugli organi vitali della Francia», a ridurre drasticamente le risorse della Francia e a distruggerla, «come cade una fortezza quando è stretta d'assedio». Nel caso specifico, secondo Mahan, fu lo strangolamento economico della Francia dovuto al blocco navale a constringere Napoleone a rispondere, impedendo alle merci ed alle navi inglesi l'accesso ai porti europei; il «Sistema continentale», a sua volta, impose all'Europa privazioni tali da indurre lo zar Alessandro I ad aprire i suoi porti, sfidando l'imperatore francese, che per questo marciò contro la Russia — e così verso la sua rovina. «Non fu tentando grandi operazioni militari sulla terraferma, ma ottenendo il controllo del mare e, attraverso il mare, del mondo fuori dall'Europa», che gli statisti inglesi «assicurarono il trionfo del loro Paese»[30].

Le successive generazioni di storici hanno trovato alquanto inesatta quest'analisi, soprattutto eccessivamente semplificatrice e lacunosa[31]. In primo luogo, si obietta, le teorie generali di Mahan sull'influenza del potere marittimo sulla storia non tengono conto dell'ascesa di imperi chiaramente non marittimi quali la Russia, l'Austria-Ungheria, la Turchia ottomana e la Germania di Bismarck. Tuttavia, più significativa è l'opinione per cui molti altri fattori, oltre alla superiorità navale, devono essere tenuti in considerazione per spiegare le vittorie della Gran Bretagna sulla Francia nel periodo che va dal 1688 al 1815. Il controllo del mare fu senza dubbio determinante, ma lo furono anche le operazioni militari (dell'esercito) dell'Inghilterra e dei suoi alleati nel continente europeo. E lo furono anche i successi diplomatici britannici, condizionando l'assetto delle relazioni internazionali in senso avverso alla Francia, organizzando e sostenendo coalizioni ad essa ostili tra le potenze confinanti, nel continente.

Nella guerra della Lega di Augusta, per esempio, la Gran Bretagna inviò oltre Manica un esercito piuttosto consistente e sovvenzionò contingenti ancora più grandi di truppe olandesi e tedesche, cosicché «fu la lunga emorragia delle forze francesi sul continente che più di ogni altra cosa costrinse Luigi XIV a concludere la pace nel 1697»[32]. Nella guerra di Successione Spagnola fattori fondamentali nel determinare il risultato furono le vittoriose campagne sulla terraferma del duca di Marlborough e del principe Eugenio di Savoia. Così, anche il genio militare di Federico il Grande non può essere considerato un derivato degli aiuti britannici, possibile grazie ad una supremazia marittima. Né, secondo Gerald S. Graham, esiste alcuna dimostrazione che l'impedimento del commercio coloniale [da parte della Royal Navy] alterò materialmente la posizione strategica della Francia sul continente [...] La perdita del "comando del mare" diminuì, ma non ridusse mai pericolosamente le risorse della Francia e la sua capacità di resistere. Non ci fu [...] uno "strangolamento" della Francia ad opera del potere marittimo britannico»[33]. Nella guerra di Indipendenza Americana, malgrado il significato dell'intervento navale francese nella baia di Chesapeake al largo delle coste di Yorktown, «il potere marittimo da solo» — per dirla con le parole di Paul M. Kennedy — «fu insufficiente a piegare la ribellione americana»[34]. Dati la natura della resistenza, le dimensioni del Paese nel quale si combatteva, le sue scarse vie di comunicazione, gli oneri finanziari imposti alla madrepatria, l'opposizione politica contro la guerra in patria, c'è seriamente da dubitare che Yorktown sia stato il fattore critico che decise le sorti della Rivoluzione. In questo caso, a differenza delle altre cinque guerre anglo-francesi combattute tra il 1688 ed il 1815, più significativa forse fu l'assenza di un nemico continentale a distrarre la Francia, che avrebbe reso impossibile l'invio di decisivi aiuti finanziari e militari — oltre che navali — alle colonie.

Per quanto riguarda le guerre napoleoniche e la grande importanza attribuita da Mahan a Trafalgar, è sufficiente far notare che Bonaparte aveva abbandonato i piani per un attacco dalla Manica contro l'Inghilterra prima di questa battaglia e non dopo; che le sue grandi vittorie ad Ulm, Austerlitz, Jena e Wagram risalgono agli anni 1805-1809, quando la Gran Bretagna era padrona incontestata dei mari; e che proprio in questi anni l'imperatore francese godette di un dominio quasi incontrastato sull'Europa. Né fu il sistema continentale il solo responsabile della ripresa delle ostilità franco-russe nel 1812. Altre questioni del tutto ignorate da Mahan entrarono in gioco: la forte francofobia di gran parte dell'aristocrazia russa, il risentimento di Napoleone allorché vennero deluse le sue speranze di matrimonio con la sorella dello zar e, più importante di tutti, la rivalità franco-russa sulla Polonia. Infine, chiudendo la sua narrazione con il 1812, Mahan non considera affatto il disastroso fallimento della campagna di Bonaparte in Russia, la «guerra di liberazione», la battaglia di Lipsia dove i Francesi persero quasi 300.000 uomini e, naturalmente, la catastrofe finale a Waterloo. In questi eventi, fu lo scontro degli eserciti e non le «lontane navi, battute dalle tempeste», a decidere il risultato[35].

Dobbiamo concludere che Mahan fu, coerentemente, colpevole di quello che David Hackett Fisher chiama «errore per riduzione, [che] riduce la complessità a semplicità, o la diversità all'uniformità» confondendo *una* causa necessaria con *la* causa sufficiente[36]. Il potere marittimo fu una causa necessaria — forse persino la causa più importante — del trionfo della Gran Bretagna sulla Francia nei secoli XVII e XVIII. Esso non fu, tuttavia, la causa sufficiente. Il fallimento di Mahan come logico (e, dunque, come storico) fu una conseguenza diretta della sua metodologia: iniziò i suoi studi per un'intuizione, una luce venuta a rischiarare la sua «coscienza interiore»; quell'intuizione si irrigidì poi in una conclusione predeterminata; i fatti furono richiamati, quindi, in quanto illustrazione e prova.

Non ci fu, bisogna dirlo, da parte dello storico alcuna pretesa di obiettività scientifica, né la presunzione di aver raggiunto le sue conclusioni sulla base di una ricerca esauriente. Nel suo discorso in qualità di presidente della American Historical Association, nel 1902, Mahan sostenne chiaramente che la storia scritta doveva consistere «nell'artistica raccolta di dettagli subordinati intorno ad un'idea centrale»; che «non valeva la pena darsi tanto da fare» per fare ricerca intorno ad alcuni fatti; che «l'appassionata ricerca della certezza da parte dello studioso poteva scivolare nell'incapacità di decisione»; e che «i fatti devono essere ammassati come le truppe» e tenuti in subordine rispetto «all'idea centrale»[37]. Quest'ultima affermazione si avvicina in modo imbarazzante a quell'altra, grossolana, sul giusto rapporto tra le parole e colui che le usa: «la questione è [...] quale dei due abbia la precedenza, niente altro». In ogni caso, è ben lontana dalla spesso citata aspirazione di Leopold von Ranke «a mostrare solo ciò che è realmente accaduto».

III

«Se, come tutti riconoscono, le navi ci sono per proteggere il commercio, ne segue inevitabilemente che in guerra si deve mirare a privare il nemico di questo gran mezzo; perché non è facile concepire un altro uso militare, a cui le navi possano meglio servire, che alla protezione ed alla distruzione del commercio». Così scrisse il capitano Mahan in uno dei primi fra i numerosi articoli nati dalla sua penna dopo il 1890[38]. Anche se talvolta rivolse la sua attenzione all'impiego della marina nella difesa costiera, quell'affermazione costituisce il fondamento principale del pensiero strategico di Mahan. «Il blocco del commercio», scrisse in seguito, «impone la pace». Le guerre si vincono con lo strangolamente economico del nemico dal mare, con l'affermazione di quello «schiacciante potere sul mare che allontana da esso la bandiera del nemico o gli consente di apparirvi solo come fuggitivo», e si perdono per l'impossibilità di prevenire lo strangolamento economico del proprio Paese. Il controllo del commercio marittimo per mezzo del comando del mare è la funzione primaria della marina[39].

Questa è stata per Mahan la più grande lezione della storia, dimostrata dal trionfo finale dell'Inghilterra sui suoi nemici continentali in un secolo e mezzo di guerre continue. Ma le strategie seguite dagli ammiragli britannici nell'età della vela erano ancora applicabili all'età del vapore[40]? «L'esperienza delle navi in legno ed a vela, con i loro piccoli cannoni era utile nel presente momento navale»? Non esisteva alcuna prova materiale. Ad eccezione della poco istruttiva battaglia di Lissa, combattuta nel luglio 1866, non c'era stato alcun esempio recente di scontri tra flotte con navi da guerra a vapore[41]. Per mancanza di esempi ed anche per inclinazione, Mahan fu spinto a cercare analogie che rivelassero gli immutabili e fondamentali principi della guerra, quegli «insegnamenti alla scuola della storia che rimangono costanti e, essendo universalmente applicabili, possono essere elevati al rango di principi generali»[42]. Tali principi, applicati alle operazioni degli eserciti, erano già stati illustrati da Jomini. Luce aveva propugnato l'adozione del «metodo comparativo», cioè «il ricorso alle ben note leggi dell'arte militare nell'ottica della loro applicazione ai movimenti militari di una flotta»[43]. Mahan promise a Luce di «tenere l'analogia tra la guerra terrestre e quella marittima davanti ai miei occhi»[44]. Quindi, si rivolse a Jomini.

La storia militare in ventisette volumi del grande stratega svizzero, sulle guerre di Federico il Grande, della Rivoluzione Francese e di Napoleone, avrebbe fornito un ampio *corpus* di informazioni per tracciare analogie tra le operazioni militari terrestri e quelle navali. Neanche un lavoratore tanto diligente come Mahan tuttavia avrebbe avuto tempo per esplorare a fondo queste opere, prima di preparare le sue lezioni per il War College. In ogni caso, il *Précis de l'art de la guerre* offriva in forma succinta i principi fondamentali che egli stava cercando. Tra questi, il più importante era il principio della concentrazione delle forze, delineato da Jomini in quattro massime:

1. Lanciare con movimenti strategici la massa di un esercito in successione sui punti decisivi di un teatro di guerra ed anche sulle vie di comunicazione del nemico, per quanto possibile senza compromettere le proprie.
2. Eseguire manovre, per attaccare frazioni dell'esercito avversario con il grosso delle proprie forze.
3. Sul campo di battaglia lanciare la massa delle forze sul punto decisivo, o su quella porzione della linea avversaria la cui distruzione è di primaria importanza.
4. Fare in modo che queste masse non siano soltanto lanciate sul punto decisivo, ma che attacchino al momento giusto e con forza[45].

Anche se a volte aveva sottolineato il carattere «decisivo» di posizioni geografiche favorevoli, Jomini, come Clausewitz, vedeva nell'esercito nemico il principale obiettivo strategico delle operazioni militari. «L'esercito offensivo», scrisse, «deve cercare in particolare di distruggere l'esercito nemico selezionando abilmente come obiettivi i punti di manovra; sceglierà, quindi, come obiettivi delle sue azioni successive, punti geografici più o meno importanti». Ne discendeva come corollario un altro principio jominiano circa la scelta della «linea di operazioni» per raggiungere il fine di «portare in azione sul punto decisivo [...] il maggior numero di forze». La scelta dipendeva naturalmente dagli schieramenti del nemico sul campo, ma nell'eventualità che egli avesse frazionato le sue forze ogni frazione avrebbe dovuto essere attaccata in successione dalla porzione più grande del proprio esercito, mentre un «corpo di osservazione» sarebbe stato distaccato per tenerne in scacco le altre. Tale manovra avrebbe potuto essere condotta nel modo migliore da una posizione centrale lungo «linee interne»[46].

Infine, anche se l'argomento era troppo complesso per essere ridotto a semplice massima o principio, Jomini dava grande importanza alla logistica, termine generico da lui usato per descrivere una moltitudine di funzioni militari di supporto, tra le quali l'approvvigionamento delle truppe, il rifornimento delle munizioni, i servizi medici e la garanzia delle linee di comunicazione tra le sezioni separate dell'esercito combattente e tra la base delle operazioni dell'esercito ed il teatro della guerra[47].

Questi tre ingredienti dell'arte della guerra di Jomini — il principio della concentrazione delle forze, il valore strategico della posizione centrale e delle linee interne, la stretta relazione tra logistica e combattimento — furono ripresi da Mahan e formano la struttura del suo sistema di strategia navale. Ma «sistema» è un termine troppo forte. A differenza di Jomini, Mahan non fu sistematico. Le sue idee sulla strategia sono largamente disseminate nelle varie storie navali, nelle biografie e negli articoli su periodici. In certa misura, tuttavia, furono condensate in una serie di lezioni tenute la prima volta al Naval War College nel 1887 ed in seguito ripetute, o dallo stesso autore o da qualche altro ufficiale che leggeva i suoi testi. Rivista e corretta, essa è stata pubblicata nel 1911 in un volume dal complicato titolo *Naval Strategy: Compared and Contrasted with the Principles and Practice of Military Operations on Land*.

Rifacendosi a Jomini, Mahan continuava a ritenere la concentrazione «il principio predominante» della guerra navale. «Come la α e la β dei greci, che hanno dato il nome a tutto il loro alfabeto ed al nostro, la concentrazione riassume in sé tutti gli altri fattori, l'intero alfabeto dell'efficienza militare in guerra». Questo, diceva, era vero sia per la tattica navale che per la strategia. La linea di demarcazione tra le due fu da lui tracciata in base al contatto tra le forze opposte cioè «quando le flotte entrano in collisione». In entrambi i casi, sia se impegnati nel dispiegamento strategico o nella manovra tattica, l'azione deve tendere a «distribuire le forze in modo da essere superiori al nemico in un settore, tenendolo in scacco in un altro abbastanza a lungo da consentire all'attacco principale di raggiungere il suo pieno risultato». Qui sta il vantaggio principale di una posizione centrale, come quella dell'Inghilterra rispetto ai suoi rivali continentali: rende possibile un'offensiva navale lungo linee interne a partire dal centro e consente all'attaccante di tenere il nemico diviso e dunque in una posizione inferiore, «concentrandosi contro una unità e tenendo l'altra in scacco»[48].

La posizione centrale è però «complementare, non principale [...] Serve a poco avere una posizione centrale se il nemico è più forte su tutti e due i fronti. In breve, è il potere più la posizione a costituire un vantaggio sul potere senza la posizione [...] La posizione interna consentirà di arrivare prima all'obiettivo, ma il suo vantaggio finisce lì». Gli «unici elementi realmente determinanti in una guerra navale» sono le flotte combattenti[49].

Se costruire una marina con «poche navi molto grandi, o con navi di media grandezza ma più numerose», può essere oggetto di discussione[50], non può esservi, invece, alcun dubbio che, per essere decisiva in una guerra, una marina deve avere principalmente grandi navi, che nel linguaggio di Mahan significava navi da battaglia[51]. Né poteva esservi alcun dubbio sul fatto che «la massima potenza offensiva *della marina* [...], e non la massima potenza della singola nave, è il vero obiettivo della costruzione di navi da guerra»[52]. Da questa proposizione seguiva il citatissimo motto mahaniano: «Mai dividere la flotta!». Se il Naval War College «non avesse prodotto altro risultato che quello di aver fatto comprendere a fondo agli ufficiali di marina quanto sia folle dividere la flotta da battaglia, in tempo di pace come in tempo di guerra, soltanto con questo avrebbe giustificato la sua esistenza e ripagato le spese»[53].

Se il fuoco concentrato della flotta da battaglia è il mezzo principale per affermare la potenza navale, l'obiettivo privilegiato di questo fuoco è la flotta nemica. Su nessun altro punto Mahan insiste di più: la missione primaria di una flotta da battaglia è impegnare la flotta nemica. «L'unico risultato particolare ed obiettivo di tutta l'azione navale è la distruzione della forza organizzata del nemico, e l'affermazione del proprio controllo sulle acque». E, ancora, afferma «il sano principio generale per cui la flotta nemica, se può essere raggiunta, è l'obiettivo che prevale su tutti gli altri; perché il controllo del mare, per mezzo della riduzione della flotta nemica, è il fattore determinante in una guerra navale»[54].

Dunque, sia sul piano strategico sia sul piano tattico, le flotte devono avere un impiego offensivo. «Nella guerra navale», secondo Mahan, «la difesa della costa è il fattore difensivo, l'armata l'offensivo». Citando Farragut: «La migliore protezione contro il fuoco nemico è il fuoco ben orientato dei nostri cannoni». Il grande errore dei Francesi nel XVIII secolo fu quello di avere deliberatamente e costantemente «usato la loro flotta per azioni difensive». Dal punto di vista tattico, ciò significò lasciare agli Inglesi un vantaggio, cioè prendere posizione con il vento a favore: la condizione migliore per interrompere l'azione nel corso di un combattimento navale, o per evitarla del tutto. Dal punto di vista strategico, significò fare troppo affidamento su *la guerre de course*, definita come guerra «che usa piccole navi lanciate contro i convogli avversari, piuttosto che mandare grandi flotte contro il nemico»; una prassi che secondo Mahan «equivale all'abbandono di qualunque tentativo di controllare il mare»[55].

Data l'importanza da lui attribuitagli, Mahan sarebbe stato l'ultimo a minimizzare il valore dell'impedimento del commercio marittimo del nemico. «I problemi e le difficoltà causate ad un Paese da una seria ingerenza nel suo commercio saranno riconosciuti da tutti». Ma, aggiungeva: «come prima e fondamentale misura, sufficiente in se stessa a piegare un nemico, essa [la distruzione del commercio] è probabilmente un'illusione ed un'illusione molto pericolosa». Depredare le navi mercantili del nemico non era il modo per prosciugarne le risorse e per realizzarne lo strangolamento economico. Questo si poteva ottenere soltanto impegnando e sconfiggendo o, in alternativa, immobilizzando le sue forze navali. Allora il mare sarebbe divenuto indifeso per le sue navi mercantili. Certo, un blocco totale poteva riuscire a tenere la flotta mercantile e militare imbottigliata nei porti. Ma quando le navi da guerra nemiche fossero inevitabilmente uscite in mare, esse avrebbero dovuto essere inseguite e distrutte. Come disse Jomini in un contesto diverso, il principio fondamentale della guerra era quello di lanciare le proprie forze sul punto decisivo di un teatro di guerra e fare in modo che esse «attacchino al momento giusto e con forza»[56].

Jomini aveva anche dato grande importanza alla logistica. Mahan, per ragioni a noi ignote, preferiva il termine «comunicazioni». Come nel caso di «potere marittimo», usava questo termine liberamente. Da una parte, definì le comunicazioni come «un termine generale, che designa le linee di movimento per mezzo delle quali un organismo militare [...] è tenuto a stretto contatto con la potenza nazionale»[57]. D'altra parte, dichiarò: «comunicazioni si riferisce sostanzialmente non alle linee geografiche, come le strade che un esercito deve seguire, ma a quelle necessità, il cui approvvigionamento le navi non sono in grado di garantire se non in quantità limitata». Queste sono, specificava Mahan, «primo, il carburante; secondo, le munizioni; e da ultimo, il cibo»[58]. Per ambedue le definizioni, appropriate basi navali e l'accesso ad esse da parte della flotta sono ingredienti essenziali per il successo di una strategia marittima. Ciò era diventato ancor più necessario con l'introduzione del vapore, per l'ovvia ragione che nessuna nave poteva percorrere grandi distanze senza dover fare rifornimento.

Lontane stazioni per il rifornimento di carbone erano dunque assolutamente necessarie per una flotta, se doveva allontanarsi molto dalle acque territoriali, almeno in tempo di guerra. Tuttavia Mahan, pur riconoscendo la necessità di tali stazioni, fu piuttosto scettico sulla loro acquisizione, se non per motivi di difesa emisferica. Riconobbe che «basi di operazioni fortificate sono necessarie per una flotta come per un esercito», ma «il numero dei punti da tenere seriamente deve essere ridotto all'essenziale, in modo da disperdere il meno possibile la forza della madrepatria e da permetterle di concentrarsi su quelli di vitale importanza». Altrove egli avvertì che «la moltiplicazione di queste basi, non appena si oltrepassano i limiti di una ragionevole necessità, diventa una fonte di debolezza, moltiplicando i punti esposti e richiedendo una divisione delle forze»[59].

La divisione delle forze navali era naturalmente un anatema per Mahan. Per questo, probabilmente, dedicò così poca attenzione alle necessità della guerra anfibia ed al suo posto nella strategia navale. La negligenza è ancor più sorprendente se si pensa che Jomini aveva incluso nel suo libro *Précis de l'art de la guerre* un'intera parte su quelle che chiamava «incursioni» militari sulle spiagge nemiche[60]. In ogni caso, nel considerare le «spedizioni marittime in acque lontane» Mahan fu molto cauto. Fece notare che la «caratteristica peculiare» di queste operazioni era «l'impotenza del contingente militare imbarcato fintanto che rimaneva a bordo». Avvertì che «non si può ritenere sicura una conquista fino a che non si è stabilita la propria superiorità navale» e sostenne l'immediata sollevazione di responsabilità della marina dopo un'operazione di sbarco, cosicché la flotta potesse prendere il controllo delle comunicazioni «ed in tal modo del suo più proprio elemento, il mare»[61]. Se il ruolo della flotta, avvertiva Mahan, è ridotto semplicemente a quello di difendere «una o due posizioni a riva, la marina diventa una semplice branca dell'esercito», mentre «il vero fine della guerra navale [...] è quello di avere il sopravvento sulla marina nemica ed in tal modo controllare il mare», assalendo le navi e le flotte nemiche ogni volta che si presenta l'occasione[62].

A dire il vero, Mahan aveva dei dubbi sull'impiego delle forze navali contro la terraferma. La sua esperienza e la sua conoscenza dei bombardamenti delle navi dell'Unione contro le fortificazioni della Confederazione durante la guerra Civile lo avevano reso scettico sull'efficacia dell'artiglieria navale contro l'artiglieria costiera. «Una nave non può più resistere contro un forte che costa lo stesso prezzo», scrisse Mahan, «non più di quanto il forte poteva competere con la nave». E, ancora: «la difesa dalla riva contro un attacco navale diretto è relativamente facile perché [...] le navi [...] sono, come è riconosciuto, in svantaggio quando combattono contro i forti»[63].

La proiezione del potere dal mare, una missione navale di crescente significato nel XX secolo, fu dunque fortemente trascurata da Mahan. Ancora più notevole è il fatto che Mahan non abbia prestato seria attenzione all'interdipendenza degli eserciti e delle marine militari in tempo di guerra. Avendo dedicato circa mezza pagina alla spedizione di sir John Moore in Spagna, nel 1808, nei suoi due libri sulla *Influence* trattò in genere la Royal Navy come un attore autonomo che agiva indipendentemente dalle operazioni militari sul continente e che non si occupava molto, né era interessata, dall'esito delle battaglie sulla terraferma[64]. Certo, il coordinamento tra le forze di terra e quelle navali non era una caratteristica saliente della guerra del XVII e del XVIII secolo. Tuttavia, in uno studio dedicato ad illustrare i principi fondamentali ed immutabili della guerra navale, l'avere quasi del tutto ignorato l'utilità dell'artiglieria navale e degli assalti della fanteria imbarcata contro obiettivi sulla costa appare una grave omissione[65].

Se Mahan pose troppa enfasi sull'autonomia del potere marittimo come strumento di guerra, tuttavia, non trascurò di ricordare ai suoi lettori ed uditori che si trattava appunto di uno *strumento*. Ancora una volta la sua fonte era Jomini, che aveva dedicato il primo capitolo del *Précis* a «quelle considerazioni sulla base delle quali uno statista decide se una guerra è conveniente, opportuna od indispensabile e stabilisce le varie operazioni necessarie per raggiungere l'obiettivo della guerra»[66]. È da Jomini, dichiarava Mahan, che «ho ereditato una ferma sfiducia nella massima accettata con leggerezza secondo cui lo statista ed il generale occupano campi senza alcuna relazione tra loro». «A questo giudizio erroneo», aggiungeva Mahan, «ho sostituito una mia convizione, secondo cui la guerra è semplicemente un movimento politico violento»[67]. La subordinazione della strategia alla politica era centrale al suo schema di pensiero, come lo era per quello di Carl von Clausewitz, il cui trattato *Vom Kriege* non fu esaminato da Mahan fino al 1910, ed anche allora solo in una versione ridotta[68]. «La guerra», scrisse Mahan nel 1896, «è semplicemente un moto politico, sebbene di carattere violento ed eccezionale». E ancora: «fino a quando la suddetta determinazione non sia stata presa, non si hanno i dati per stabilire il problema militare, giacché in questo, come in tutti gli altri casi, la forza militare serve agli interessi politici ed è subordinata al potere civile dello Stato»[69].

Per Mahan, inoltre, le marine militari erano strumenti migliori degli eserciti per una politica nazionale. Meno diretta, meno simbolo di scopi aggressivi, più mobile e dunque più sensibile alle direttive politiche, l'influenza di una marina militare poteva «essere sentita dove gli eserciti nazionali non possono arrivare». Ciò era particolarmente vero per gli Stati Uniti, che non avevano «né la tradizione né l'intenzione di muoversi in modo aggressivo oltre i mari», ma nello stesso tempo avevano «interessi transmarini molto importanti che necessitavano di protezione»[70]. Poiché Mahan si rivolgeva ad un pubblico molto più vasto degli allievi del Naval War College, la definizione di questi «interessi transmarini molto importanti» sarebbe divenuta una delle sue più grandi preoccupazioni.

IV

«Per quanto posso ricordare», scrisse retrospettivamente Mahan nel 1901, «posso dire che fino al 1885 sono stato tradizionalmente un anti-imperialista; ma nel 1890 lo studio dell'influenza del potere marittimo e delle attività espansioniste ad esso collegate sul destino delle nazioni mi aveva convertito». Se si fa eccezione per una precoce preoccupazione per gli interessi statunitensi nei Caraibi ed in America Centrale, la memoria non aveva tradito Mahan. «Non so come ti senta tu», aveva scritto al suo unico vero amico Samuel A. Ashe, alla fine di luglio del 1884, «ma ritengo odioso anche solo il sospetto di una politica imperialista [...] Sebbene sfortunatamente identificato con la professione militare, io ho paura di colonie o di interessi lontani, per mantenere i quali sono necessari grandi apparati militari». Ma nel 1890 cominciò a cambiare opinione, almeno in un senso. I lettori del suo primo libro sulla *Influence*, pubblicato quello stesso anno, non potevano non aver notato l'ammirazione dell'autore per l'impero britannico od essersi lasciati sfuggire il forte suggerimento a che gli Stati Uniti guardassero alla Gran Bretagna come ad un modello da emulare. Anche se la maggior parte delle pagine sono dedicate alle operazioni navali inglesi, il primo capitolo è senza alcun dubbio didattico. Qui l'autore, sotto la parvenza di discutere «gli elementi del potere marittimo», estrapolandole dalla storia della Gran Bretagna nei secoli XVII e XVIII, postula sei «condizioni generali che riguardano il Potere Marittimo», secondo Mahan con caratteristiche universali e senza tempo. Esse sono: *a)* la posizione geeografica, *b)* la conformazione fisica, *c)* l'estensione del territorio, *d)* la quantità di popolazione, *e)* il carattere nazionale, *f)* il carattere e la politica dei governi[71].

Questa parte del libro ha ricevuto molta più attenzione da parte dei critici di quanto non ne meriti, probabilmente perché Mahan qui è più sistematico che nella maggior parte degli altri suoi scritti. In realtà, l'argomento è tangenziale alla linea principale del suo pensiero e lo schema delle sei «condizioni generali» può essere meglio compreso se considerato semplicemente come un astuto stratagemma per poter parlare di una triste arretratezza degli Stati Uniti. L'autore vi sostiene che, come la Francia, gli Stati Uniti hanno trascurato gli interessi marittimi a favore di uno sviluppo interno; il governo, essendo un governo democratico, è meno incline dell'aristocrazia terriera inglese a sostenere spese militari; la marina mercantile è scomparsa e la marina militare ha perso importanza; non abbastanza cittadini seguono «vocazioni legate al mare»; non ci sono «basi all'estero, né coloniali né militari» e dunque neanche «luoghi di sosta» dove le navi da guerra possono fare rifornimento di carbone ed essere riparate. Ma c'è qualche speranza. Con l'imminente costruzione di un canale attraverso l'istmo centro-americano, il mar dei Caraibi diventerà «una delle più grandi vie di comunicazione del mondo». La posizione degli Stati Uniti «somiglierà a quella dell'Inghilterra rispetto alla Manica». Gli Stati Uniti saranno, allora, motivati a costruire una marina militare e costretti ad ottenere basi in quell'area che «consentirà alla loro flotta di rimanere vicina alla scena quanto un suo qualunque avversario»[72].

Questo è il principio di fondo dell'«imperialismo» di Mahan. Nessun'altra prospettiva di espansione americana oltremare attirò tanto la sua attenzione ed il suo entusiasmo. Già nel 1880 aveva scritto al suo amico Ashe che un canale nell'istmo «può portare i nostri interessi a scontrarsi con quelli di altre nazioni straniere» e dunque «dobbiamo cominciare senza alcun ritardo a costruire una marina militare che eguagli almeno quella dell'Inghilterra [...] e dobbiamo comiciare a costruirla al primo colpo di vanga sulla terra di Panama». Nel decennio successivo, via via che crebbe l'interesse degli Americani verso l'istmo, anche l'interesse di Mahan si faceva più forte. Nel suo primo articolo, per una rivista, dal titolo *Gli Stati Uniti e la politica estera*, pubblicato dallo «Atlantic Monthly» nell'agosto 1890, mise in guardia contro i «molti pericoli, latenti e non ancora preveduti a cui va incontro la pace nell'emisfero occidentale», che attendevano l'apertura del canale nell'istmo centro-americano; accennò alla possibilità di un'ingerenza tedesca nell'area; predisse «un grande aumento nell'attività del commercio e dei trasporti traverso il mar dei Caraibi»; notò che «gli Stati Uniti [...] non sono preparati [...] a far valere nel mar dei Caraibi e nell'America centrale un'influenza proporzionata all'importanza dei loro interessi»; ed auspicò l'espansione navale degli Stati Uniti per far fronte alla minaccia[73].

Tre anni più tardi, lo stesso periodico pubblicò di Mahan *The Isthmus and Sea Power*. Qui, egli sostenne che i Paesi europei intraprendenti e, ancora una volta, in particolare la Germania avrebbero mirato senza alcun dubbio al predominio navale su una regione così critica come quella dei Caraibi; il principale risultato politico del canale dell'istmo sarà di rendere la *West Coast* più vicina alle grandi marine militari d'Europa e dunque «ci procurerà un elemento di debolezza dal lato militare»; un corso d'acqua artificiale navigabile attraverso l'America Centrale avrebbe consentito alla «costa atlantica [degli Stati Uniti] di competere a parità di distanza coll'Europa sui mercati dell'Asia orientale»; ed infine «dobbiamo anche ammettere che la libertà del transito interoceanico dipende dal predominio nel [...] mar dei Caraibi», assicurato in primo luogo dalla presenza navale[74].

Nel 1899, dopo che la guerra contro la Spagna sembrò aver giustificato le sue preoccupazioni per quell'area, Mahan dichiarò che Porto Rico rappresentava per il futuro canale di Panama e per la *West Coast* ciò che Malta rappresentava per gli interessi britannici in Egitto ed oltre. Né si fermò qui. Nel 1909, sei anni dopo che Teddy Roosevelt «aveva preso Panama», Mahan avrebbe scritto che la posta in gioco nei Caraibi per gli Americani era «ancora più alta ora di quanto non lo fosse quando cominciai per la prima volta a studiarne l'importanza strategica, più di venti anni fa»[75].

Seconde, nell'ordine degli interessi statunitensi oltremare, erano le isole Hawaii. Nel 1890, Mahan avvertì che l'apertura del canale avrebbe messo immediatamente in pericolo la *West Coast* e che «dovrebbe essere un principio inviolabile della nostra politica nazionale che nessuno Stato estero possa quindi innanzi acquistare basi per il carbone entro un raggio di tremila miglia da San Francisco, comprendente le isole Sandwich, le Galapagos e la costa dell'America Centrale». Nel gennaio del 1893, dopo che i residenti americani a Honolulu avevano rovesciato la regina Liluokalani ed insediato una repubblica, Mahan scrisse una lettera al «New York Times» in cui propugnava l'annessione agli Stati Uniti delle isole Sandwich e «un grande aumento della nostra potenza navale» in previsione del giorno in cui la Cina «può rompere le sue barriere [...] ad Est [...] sotto l'onda dell'invasione barbarica»[76].

In seguito, Walter Hines Page, il direttore di «Forum», chiese all'autore della lettera un intero articolo sulla questione. Mahan esaudì la richiesta con *Hawaii and Our Future Sea Power*, che venne pubblicato nel numero di marzo. Dopo essersi soffermato sull'importanza della posizione delle isole poste sulle maggiori rotte commerciali del Pacifico, Mahan ritornò ad insistere sull'urgenza della loro immediata annessione in nome della vulnerabilità militare della *West Coast*, e della necessità dell'America di dominare il commercio che sarebbe, alla fine, confluito nel canale. Quattro anni più tardi, in *A Twentieth Century Outlook* pubblicato nel settembre 1897 da «Harper's Magazine», richiamava ancora una volta l'attenzione sul «Pericolo Giallo» che proveniva dalla Cina e sui rischi insiti nell'acquisto da parte di una potenza straniera di stazioni per il rifornimento di carbone nel raggio di autonomia di navigazione dalla costa occidentale americana[77].

Dunque, prima del 1898, se si escludono taluni riferimenti a non ben chiarite opportunità commerciali per l'America in Asia orientale, la visione imperialista di Mahan non andava oltre i Caraibi, l'istmo centro-americano e le isole Hawaii. Poi, il 1° maggio 1898, il commodoro George Dewey fece audacemente rotta nella baia di Manila e in meno di dodici ore distrusse la debole squadriglia spagnola che si trovava al largo di Cavite. Per la fine di luglio quasi undicimila militari statunitensi erano stati inviati a Luzon su richiesta di Dewey. Ne seguì la conquista dell'intero arcipelago. Guam, nelle Marianne meridionali, fu presa dalla *Charleston* in rotta verso Manila. Le Hawaii alla fine furono annesse e così le Filippine. L'isola di Wake venne occupata con l'intenzione di costruirvi una stazione telegrafica anche se, al suo posto, venne poi usata Midway. Tutto ad un tratto gli Stati Uniti erano diventati un impero. Come ha detto James Field: «L'"imperialismo", possiamo dire, fu il prodotto della vittoria di Dewey»[78].

L'adattamento di Mahan al rapido fluire degli eventi fu più lento di quanto si sarebbe potuto aspettare dall'antesignano dell'imperialismo che alcuni storici hanno visto in lui[79]. Il 27 luglio 1898, quando le truppe dell'esercito statunitense si trovavano ancora fuori Manila, egli informò Henry Cabot Lodge che «sebbene piuttosto espansionista [...] non si era del tutto adattato all'idea» di prendere le Filippine e pensava che sarebbe stato un «saggio compromesso prendere soltanto le Ladrones [Marianne] e Luzon, cedendo all'"onore" ed alle esigenze della Spagna le Caroline ed il resto delle Filippine». Prima che passasse molto tempo, l'adattamento tuttavia arrivò e Mahan, come il presidente McKinley, vide l'annessione come una volontà di Dio. Con parole più terrene, difese il possesso americano dell'intero gruppo di isole, ritenendole un supporto necessario alla base navale nel porto di Manila. Per Mahan, come forse per molti suoi contemporanei, tuttavia, fu la guerra con la Spagna a provocare preoccupazioni per il dominio americano nel Pacifico occidentale, e non viceversa. Fino a quel momento la sua visione, come riconobbe, analogamente a quella di altri espansionisti e fautori del potere marittimo, «non andava oltre le Hawaii»[80].

Ma *l'appétit vient en mangeant* ed in brevissimo tempo i pensieri di Mahan, come quelli di altri, si spinsero ancora più ad Occidente, fino al continente asiatico. Mentre il segretario di Stato, John Hay, faceva circolare le sue note sulla «Porta Aperta» e la ribellione dei Boxer scoppiava in Cina, il capitano Mahan — ora in pensione, ma sempre occupato — scrisse quattro articoli, ristampati e pubblicati con il titolo *The Problems of Asia*. Il problema più «pressante», per lui era la Russia, le cui mire espansionistiche in Asia orientale dovevano tuttavia essere tenute in scacco dal Giappone. Considerando la Manciuria già nelle mani del grande Stato slavo, Mahan suggerì una sorta di coalizione tra i quattro «Stati marittimi» della Germania, del Giappone, della Gran Bretagna e degli Stati Uniti, i quali «con le loro basi dell'Asia orientale impedissero seriamente un'avanzata dal Nord». Pensava in particolare, come spiegò al vice presidente Theodore Roosevelt, alla proiezione della potenza navale nella valle dello Yangtze. Guardando ad un futuro più lontano, Mahan previde un pericolo più inquietante persino della minaccia russa: cioè la stessa Cina. «È difficile guardare con tranquillità», scrisse, «ad una massa così vasta come i quattrocento milioni di Cinesi concentrati in un'unica efficiente organizzazione politica, dotata di moderne attrezzature e stipata in un territorio per lei già stretto». Per le potenze occidentali la risposta avrebbe dovuto essere quella di portare i popoli asiatici «nell'ambito della famiglia degli stati cristiani», non tanto con la forza militare quanto attraverso una pacifica penetrazione commerciale, sulla scia della quale «possiamo sperare che seguiranno quegli ideali spirituali e morali la cui pratica è più importante del benessere materiale». Quanto ai benefici economici derivanti da tale penetrazione, «non inverosimilmente potranno avvicinarsi alle rosee speranze di commercio suggerite dalle semplici parole "quattrocento milioni di abitanti"»[81].

Quest'ultima affermazione solleva la questione del contenuto economico del pensiero di Mahan in relazione alle marine, alle colonie ed all'espansione imperialista. Come dice Kenneth Hagan, egli «non fu particolarmente chiaro su ciò che precisamente rendeva le colonie così preziose per la madrepatria»: né, se è per questo, su qualunque altro aspetto economico dell'imperialismo[82]. Ma la questione non può essere ignorata, non fosse altro perché alcuni storici americani della *New Left* — in particolare Walter LeFeber — hanno assegnato a Mahan un posto preminente tra i propugnatori del cosiddetto «Nuovo Impero»[83]. In breve, la questione è la seguente: Mahan credeva che la produzione eccedente i bisogni degli Stati Uniti doveva cercare nuovi mercati esterni e che tra questi i più promettenti dovevano essere trovati in Sud-America ed in Cina, soprattutto in quest'ultima. Per sfruttare queste possibilità, egli sostenne la necessità del controllo degli Stati Uniti sul Canale di Panama, sulle Hawaii e sulle Filippine come «punti di partenza per ottenere i due grandi premi: i mercati latino-americani ed asiatici». Il ruolo della marina in questo scenario doveva essere quello di «fornire e proteggere le vie di comunicazione e risolvere i conflitti che inevitabilmente sorgono dalla rivalità commerciale, assicurando così alle merci in eccedenza l'accesso ai mercati stranieri»[84].

La tesi della *New Left*, è senza dubbio, un bell'esempio di mahaniana «subordinazione nella trattazione storica». Proprio come gli studi di Mahan, essa ha il difetto di essere eccessivamente selettiva e pecca di omissione. Che l'evangelista del potere marittimo riconoscesse l'interdipendenza tra le marine, il commercio oceanico ed i mercati d'oltremare è abbastanza chiaro. Come Mahan stesso dice: «le necessità militari, commerciali e politiche sono così intrecciate che la loro interazione reciproca costituisce un unico problema»[85]. Che le sue esagerate aspettative di un flusso di traffico attraverso il canale di Panama, per le Hawaii e verso l'Oriente, presumessero l'esistenza di un mercato orientale ricettivo è ovvio. Ma egli era men che ottimista sulle possibilità commerciali dell'Asia orientale e, sebbene sostenitore della Porta Aperta, era preoccupato della minaccia militare di una Cina modernizzata più che allettato dalla prospettiva di quattrocento milioni di clienti. Quanto al potenziale mercato sudamericano, gli era così indifferente che consigliò di escludere l'intero continente a Sud della valle amazzonica dalla Dottrina di Monroe[86]. Infine, la sua costante preoccupazione per i Caraibi derivava principalmente dall'importanza strategica riconosciuta, a quell'area, per la sicurezza degli Stati Uniti e per il futuro della marina militare statunitense.

Effettivamente, come ha affermato Walter Millis, «è difficile resistere all'impressione per cui il ruolo maggiore di Mahan fu semplicemente quello di produrre una giustificazione per un incremento delle costruzioni navali». Peter Karsten ritiene che egli fu «prima di tutto un mero navalista, e tutto il resto venne poi». William E. Livezey aggiunge che «per lui la marina era fondamentale e lo sviluppo della sua forza armata di primaria importanza». Anche il suo primo mentore, Stephen B. Luce, riconobbe che, nel 1897, Mahan aveva ormai «lasciato che le idee dello stratega navale avessero il sopravvento su quelle del cultore dell'economia politica». Parlando a proposito della marina statunitense e di se stesso, Mahan chiarì la sua posizione: «la nostra flotta deve essere [...] adeguata, considerando coloro che potrebbero mettersi contro di noi, in Oriente o nei Caraibi [...] dobbiamo essere in grado di esercitare la potenza navale sia nel Pacifico sia nell'Atlantico, ricordando anche che il futuro canale è [...] esposto all'interruzione, per mezzo della forza o del tradimento». Cosa non sorprendente per un ufficiale navale, una politica di difesa nazionale attraverso il comando del mare stava in cima ai suoi interessi[87].

Tuttavia, c'è un altro tema dominante negli scritti di Mahan, talvolta trascurato dagli intellettuali laici. È quello del suo cristianesimo militante: la fiducia nella guerra come forza spirituale rigeneratrice; la considerazione dell'espansione imperiale come manifestazione della Volontà Divina; la convinzione che l'impero avrebbe portato taluni doveri cristiani più importanti delle relative ricompense materiali. Sebbene Mahan fosse a conoscenza dei *clichés* del darwinismo sociale e non fosse contrario alla loro applicazione, non fu da Herbert Spencer che trasse maggiore ispirazione per la sua *Weltanschauung*, ma dalla Bibbia. Citando «la religione di Cristo» come sua fonte, poteva scrivere: «il conflitto è la condizione della vita, materiale e spirituale; la vita spirituale applica le sue metafore più vivide e le sue più alte ispirazioni all'esperienza del soldato». Riferendosi alla «riluttanza ad acquisire le Filippine» da parte dell'America, Mahan scrisse che «la preparazione fatta per noi, piuttosto che da noi [...] è così evidente da incoraggiare anche il meno presuntuoso a vedere in essa la mano della Provvidenza». E per quanto riguardava i territori recentemente acquisiti dagli Stati Uniti, una «superficie [...] insignificante se paragonata con i nostri precedenti possedimenti, e con le annessioni degli Stati europei in pochi anni», non sapeva se il guadagno materiale sarebbe stato considerevole, ma affermava: «quello che la nazione ha guadagnato dall'espansione è un'idea rigeneratrice, l'elevazione dello spirito, un seme per una futura attività di beneficenza, l'uscita del sé nel mondo per trasmettere il dono così generosamente ricevuto»[88].

Sono parole come queste a ricordarci quanto sia datata la visione del mondo di Mahan. Quale figura pubblica oggi, dopo la carneficina delle due guerre mondiali e le guerre nel Terzo Mondo, oserebbe parlare in questo modo? Questa è la voce di un uomo vissuto prima di Serajevo. Tuttavia la sua reputazione di sagace ingegno nelle questioni navali ha resistito bene nel XX secolo; ed è possibile che, almeno negli ambienti navali, la sua influenza sia stata persino più grande dopo la morte, avvenuta nel 1914.

V

Nel saggio apparso nella prima edizione di *Makers of Modern Strategy*, Margaret Sprout affermò chiaramente: «nessun'altra persona ha influenzato così direttamente e profondamente la teoria del potere marittimo e della strategia navale quanto Alfred Thayer Mahan. Egli ha provocato e guidato una rivoluzione per lungo tempo indecisa nella politica navale americana»[89]. Ad un esame più attento, pare in realtà che Mahan non sia stato solo nel «provocare» il cambiamento della politica navale degli Stati Uniti nell'ultima decade del XIX secolo. Comunque, è abbastanza vero che questa «rivoluzione» sia stata «per lungo tempo indecisa».

Nei cinque anni che seguirono la resa di Lee ad Appomattox, la marina americana si ridusse da 700 vascelli per 500.000 tonnellate complessive ed armate di quasi 6.000 cannoni, ad un totale di 200 navi per 200.000 tonnellate con soltanto 1.300 cannoni. Mentre i Paesi europei, nonché quelli sudamericani costruivano o compravano navi a vapore, corazzate, dagli scafi di acciaio e le armavano con cannoni rigati a retrocarica, gli Stati Uniti continuavano a tenersi incrociatori di legno di prima della guerra, armati con cannoni ad avancarica a canna liscia, che trasportavano attrezzature complete per usare la vela come riserva. La strategia navale americana, così com'era, consisteva nella difesa dei porti per mezzo di monitori corazzati e nel dispiegamento di incrociatori in acque lontane per mostrare la bandiera[90].

Meno navi significava meno uomini. Il personale in servizio attivo, circa 58.000 tra ufficiali e comuni nel 1865, scese in tempo di pace ad una quota di sole 9.361 unità[91]. Per il personale di carriera questo significò un allarmante rallentamento delle carriere, particolarmente per i più giovani ufficiali nominati dopo la fine della guerra. I dodici migliori licenziati della Naval Academy del corso del 1868, per esempio, erano ancora tenenti di vascello nel 1889[92]. Per gente come questa, la sola speranza in un futuro avanzamento di carriera risiedeva in un ampio programma di costruzioni navali. Mahan, diplomato nel 1859, era naturalmente riuscito a sfuggire a questa strettoia. Era stato promosso tenente di vascello nel 1861, capitano di corvetta nel 1865 e capitano di fregata nel 1872[93]. Per lui la marina non era stata senza sbocco ed il suo crescente navalismo degli anni Ottanta non può essere attribuito ad ansie di carriera[94]. Può essere stato diverso, tuttavia, per i più giovani ufficiali che accesero la miccia di una nuova professionalità, a partire dall'United States Naval Institute fondato ad Annapolis nel 1873.

Al Naval Institute si tenevano mensilmente incontri dove venivano lette relazioni destinate ad essere edite ed a circolare tra un pubblico crescente di iscritti, tra cui Mahan che era stato vice-presidente dell'organismo. Venivano assegnati premi per i migliori saggi prodotti su determinati argomenti professionali. Gli articoli pubblicati nei «Proceedings» del Naval Institute mettevano in luce l'intima relazione tra il commercio oceanico e la potenza navale, spiegavano il rapporto storico tra forza marittima e grandezza nazionale, dimostravano l'urgente bisogno di più numerose stazioni di rifornimento di carbone per la marina statunitense, sostenevano la necessità del controllo americano dell'istmo in America Centrale e propugnavano la rapida costruzione di grandi navi e la loro integrazione nella flotta da combattimento. In realtà, tutti i principali temi e le idee esposte da Mahan nelle sue prime opere vennero anticipati negli anni Ottanta dai collaboratori del Naval Institute. Di questi, Stephen B. Luce era tra i più regolari, anche se non era certo un ufficiale subalterno. Le sue pubblicazioni (1883-1889) auspicavano un'istruzione superiore per gli ufficiali della marina, la riorganizazzione del Dipartimento navale, una forte spinta per la costruzione di una flotta di navi da guerra. Dunque, la strada che consentì a Mahan di formulare la sua filosofia della potenza navale era già stata preparata nella marina. Egli non si mosse in acque inesplorate, né era senza compagnia[95].

Tuttavia, negli Stati Uniti, gli ufficiali di marina non decidono la politica navale né autorizzano la costruzione di nuove navi. Queste responsabilità sono di competenza del Congresso e dell'esecutivo del governo federale. La «rivoluzione nella politica navale americana» fu «provocata» dunque non da Mahan, ma da Benjamin Franklin Tracy, segretario della marina (1889-1893) e continuata dal suo successore, Hilary A. Herbert (1893-1897). Entrambi, bisogna dire, furono debitori di Mahan e della sua impressionante razionalizzazione della necessità di navi da guerra per il Paese. Dopo avergli riaffidato la presidenza del Naval War College nel 1889, Tracy si consultò con Mahan ed è possibile che abbia letto il manoscritto del suo primo libro *Influence* prima di sottoporre al presidente Benjamin Harrison, nel novembre dello stesso anno il rapporto in cui sollecitava la costruzione di venti nuove navi da battaglia corazzate, da organizzare in due squadre[96]. Harrison chiese al Congresso otto navi e ne ottenne tre — *Indiana*, *Massachusetts* e *Oregon* — ciascuna con più di 10.000 tonnellate di stazza ed armata di cannoni rigati da 13 e da 8 pollici.

Il Naval Act del 1890 aveva segnato la nascita della nuova marina militare[97]. L'amministrazione successiva (la seconda amministrazione Cleveland, 1893-1897), tuttavia, entrò in carica con l'intenzione di ridurre le spese navali. Hilary Herbert era, inoltre, determinato ad abolire il Naval War College. Fortunatamente, diretto a Newport nell'agosto del 1893, fu persuaso a leggere il secondo libro di Mahan sulla *Influence* e cambiò idea. Più tardi, lesse il primo dei due volumi e decise, come spiegò più tardi all'autore, «di usare nel mio prossimo rapporto le vostre informazioni nelle mie argomentazioni a favore della costruzione di navi da guerra»[98]. Prima che Cleveland lasciasse l'incarico, Herbert aveva convinto il Congresso a stanziare fondi per altre cinque navi da guerra. Egli fu il primo grande convertito di Mahan, e forse, il più importante.

Theodore Roosevelt e Henry Cabot Lodge non ebbero bisogno di convertirsi al navalismo, cionondimeno furono lieti di vedere le loro opinioni rafforzate dall'autorevole ed apparentemente esauriente lavoro di Mahan. Lodge aveva inserito l'articolo *Hawaii and Our Future Sea Power* nel rapporto del Committee on Foreign Relations del Senato e citò frequentemente Mahan nei dibattiti al Senato. Lo stesso fecero altri membri del Congresso favorevoli alla marina, tra i quali il senatore John T. Morgan ed il deputato William McAdoo[99]. Altri suoi influenti ammiratori erano Albert Shaw, direttore della «Review of Reviews» e l'ambasciatore e poi Segretario di Stato John Hay, anche se quest'ultimo una volta osservò di essere «contento che Mahan fosse stato pubblicamente apprezzato, così Theodore ora non si sentirà più obbligato a mandare tutti [noi] [...] a sentire le sue lezioni»[100].

«Theodore» considerava Mahan una sua scoperta personale. La prima volta che lesse *Influence of Sea Power upon History*, Roosvelt scrisse al suo autore: «È l'opera generale più chiara ed istruttiva che io conosca sull'argomento. È un libro *molto* buono, ammirevole». La sua recensione nell'«Atlantic Monthly» dell'ottobre 1890 ebbe lo stesso tono elogiativo. Quando Roosevelt divenne il vice-Segretario per la marina di McKinley, incitò Mahan a scrivergli «di tanto in tanto». «Vorrei tanto avere l'occasione di incontrarla», aggiunse, poiché «ci sono molte cose sulle quali voglio avere il vostro consiglio». In particolare, chiese a Mahan le sue osservazioni sui piani del Dipartimento della marina militare per l'imminente guerra contro la Spagna e, quando li ricevette, gli si rivolse con queste parole: «Senza alcun dubbio voi siete superiore a tutti noi! Ci avete dato proprio i suggerimenti che volevamo». Poi, alla sua partenza per unirsi ai Rough Riders, Roosevelt fece in modo che Mahan lo sostituisse nel Naval War Board[101].

È tuttavia esagerato affermare che «la filosofia di Mahan sul potere marittimo fece il suo ingresso alla Casa Bianca con Theodore Roosevelt». Il presidente, come già aveva fatto in passato, considerò Mahan una fonte autorevole da citare nel sostenere la causa della preparazione navale. Ma il suo navalismo superava ora quello di Mahan. Roosevelt spinse per la costruzione di navi da battaglia armate con cannoni esclusivamente di grosso calibro, paragonabili ai nuovi *Dreadnoughths* britannici, di 18.000 tonnellate di stazza e con a bordo batterie di cannoni da 12 pollici. Mahan, da sempre sospettoso della nuova tecnologia, propose di investire in un maggior numero di navi di dimensioni più piccole. Discusse la questione nelle pagine dei «Naval Institute Proceedings» con William S. Sims, un capitano di corvetta giovane e brillante. Roosevelt si schierò con quest'ultimo. Sopraffatto dalla superiorità delle conoscenze tecnologiche del suo oppositore, Mahan abbandonò la disputa. A sessantasette anni, il più eminente stratega della marina dovette ammettere: «Sono troppo vecchio e troppo occupato per tenere il passo con i tempi»[102].

L'episodio è indicativo del declino dell'influenza di Mahan nella marina, nel decennio che precedette lo scoppio della Prima Guerra Mondiale. Bradley Fiske, nel 1903 affascinato dalle lezioni di Mahan a Newport, nel 1907 lo ritenne «detronizzato dalla sua posizione di cervello della marina». Un altro vecchio sostenitore, il capitano Caspar F. Goodrich, scrisse «mi trovavo di solito d'accordo con Mahan, ma un paio di anni fa ho cambiato idea». Anche Luce ruppe con il suo vecchio discepolo sulla questione delle navi armate solo con cannoni di grosso calibro[103]. E non era tutto. Quando, nel 1911, il contrammiraglio Raymond P. Rodgers gli chiese di commentare il nuovo piano strategico del Naval War College per la sconfitta del Giappone (Piano Arancione), Mahan rispose con un elaborato schema per un attacco navale dalla Kiska, attraverso il Pacifico settentrionale. Il College lo respinse perché non realistico. Mahan accusò il colpo con grazia, ma la sua perdita di prestigio era evidente[104].

All'estero i suoi primi libri furono accolti con favore, specialmente negli ambienti navali e governativi[105]. Come è già stato notato, in Gran Bretagna l'autore venne accolto con acclamazioni. Ma non si può dire che i suoi scritti influenzarono il corso della politica navale britannica, se non per confermare e rendere popolari decisioni già prese. Nel 1899, un anno prima della pubblicazione del primo volume sulla *Influence,* il Parlamento aveva approvato il Naval Defence Act in cui si stabiliva il principio che la Royal Navy «doveva almeno eguagliare la forza navale di altri due Paesi». La minaccia, nel 1889, era costituita da una possibile alleanza della marina francese e di quella russa nel Mediterraneo. Alla fine del secolo fu rappresentata dalla Germania[106].

Anche in questo Paese le opere di Mahan erano diventate molto famose. L'Imperatore Guglielmo II, un appassionato di marina fin dall'infanzia, lesse il primo volume sulla *Influence* e ne rimase incantato. Nel maggio del 1894, telegrafò a Poultney Bigelow del «New York Herald»: «Proprio in questo momento sto leggendo, anzi divorando l'opera del capitano Mahan; e sto cercando di impararla a memoria. È un lavoro di prim'ordine e classico da tutti i punti di vista. È a bordo di tutte le mie navi e citato costantemente dai miei capitani ed ufficiali»[107]. Il Kaiser, tuttavia, doveva essersi lasciato sfuggire una delle tesi più importanti dell'autore. Nel discorso da lui tenuto alla Kriegsakademie, nel febbraio del 1896, avanzò la proposta di costruire una nuova flotta di *incrociatori*. L'ammiraglio Alfred von Tirpitz, ministro della marina dal giugno 1897, comprese meglio le necessità del potere marittimo. Nel suo primo memorandum all'Imperatore sottolineò che «la situazione militare contro l'Inghilterra richiede navi da battaglia nel più gran numero possibile» e che «la proporzione tra gli incrociatori e le corazzate deve essere tenuta la più bassa possibile»[108]. Non si sa se Tirpitz abbia letto Mahan prima di formulare queste opinioni. Nelle sue memorie, scritte nel 1919, affermò che la sua dottrina tattica per lo schieramento di navi da battaglia era stata sviluppata indipendentemente da Mahan e che, quando in seguito lesse l'opera del capitano americano, rimase colpito dalla «straordinaria coincidenza» delle loro identiche opinioni[109]. Comunque, l'ammiraglio accolse favorevolmente la stampa di duemila copie dell'*Influence of Sea Power upon History* ad opera della Società Coloniale Tedesca, come parte della sua campagna propagandistica per persuadere il Reichstag ad autorizzare una flotta di navi da battaglia. La conseguente legge sulla marina del 1898 fu la prima delle quattro che diedero il via alla corsa navale con la Gran Bretagna, con tutte le sue ben note conseguenze. Tuttavia, il ruolo di Mahan in tutto questo fu marginale e l'affermazione di sir Charles Webster (se è stata correttamente riportata da Gerald Graham) per cui «Mahan fu una delle cause della Prima Guerra Mondiale» non va presa alla lettera[110].

Nella sua autobiografia Mahan scrisse che, per quanto ne sapeva, le sue opere erano state tradotte in giapponese più che in altre lingue. Questo è possibile: di sicuro i suoi due volumi sulla *Influence* furono salutati con grande entusiasmo. Nel 1897, l'Associazione Orientale di Tokyo lo informò che il primo dei volumi era stato tradotto dal Club degli Ufficiali di marina e circolava tra i 1.800 membri della società, tra i quali ministri di Stato, membri della Dieta, ufficiali e funzionari civili, direttori di giornali, banchieri e commercianti. Alcune copie erano state presentate all'imperatore ed al principe ereditario e, per editto imperiale, erano state collocate in tutte le scuole giapponesi. Forse la cosa ancor più importante, alla luce degli eventi futuri, è che *Influence of Sea Power upon History* venne adottato come testo in tutte le scuole navali e militari del Giappone[111].

Dopo la fine della Prima Guerra Mondiale Mahan, ormai morto da quattro anni, sarebbe divenuto una specie di eroe sacro negli ambienti della marina statunitense. Ad Annapolis una sala venne intitolata al suo nome ed al Naval

War College una biblioteca. Altra questione è, invece, stabilire fino a che punto i suoi insegnamenti continuarono ad influenzare il pensiero navale, e questo non è facile. Nel 1918, il professor Allan Wescott della Naval Academy pubblicò una raccolta di estratti dalle opere di Mahan, che per tre anni fu lettura obbligatoria nel corso di storia navale seguito da tutti gli allievi del terzo anno (subalterni). Dopo il 1922, tuttavia, essa fu sostituita con un più tradizionale manuale di cui il professor Wescott era coautore[112].

Negli anni Venti e Trenta, al Naval War College lo studio della storia venne ridimensionato. Le opere di Mahan continuarono a figurare nel «corso di lettura obbligatorio», ma non avevano più un posto preminente rispetto a quelle di altri pensatori navali come sir Julian Corbett, sir Herbert W. Richmond e l'ammiraglio Raoul Castex. In realtà, a Newport, nel periodo tra le due guerre, gli studi accademici convenzionali di ogni genere passarono in secondo piano per dare la precedenza ai giochi di guerra [*war gaming*]. Gli allievi, anno dopo anno, ripetevano la battaglia dello Jutland al *gaming board*[113].

Forse, in questa grande preoccupazione per un inconcludente duello tra le flotte da battaglia della Prima Guerra Mondiale, può scorgersi l'ombra di Alfred Thayer Mahan. Questa, in ogni caso, era l'opinione di un disilluso ufficiale il quale vide nell'avversione di Mahan per *la guerre de course* la causa che portò la marina statunitense a trascurare lo studio della guerra sottomarina a dispetto dell'amara lezione della Prima Guerra Mondiale. «La ragione dell'evidente mancata comprensione del peso delle perdite inflitte al commercio dalle incursioni navali durante la Prima Guerra Mondiale», concluse, «fu [...] la fissazione materiale per le grandi navi, appoggiata da una dottrina strategica incentrata sul concetto mahaniano della battaglia decisiva, nella quale la nave da battaglia aveva un'importanza suprema»[114]. La stessa «fissazione» a quanto pare governava l'annuale rappresentazione di «The Game», la simulazione di una guerra navale tra i Blu (gli Stati Uniti) e gli Arancioni (il Giappone). Anche se si dava per scontata la partecipazione delle navi portaerei, il *climax* tattico della simulazione era sempre uno scontro tra squadre di navi da battaglia. Nessuno di questi giochi prevedeva l'invasione finale od il bombardamento aereo del Giappone; la missione si concludeva con l'attuazione di un blocco economico da parte della vittoriosa marina militare statunitense[115]. Forse queste esercitazioni mantennero in vita, tra coloro che vi parteciparono, la concezione mahaniana della strategia, in un momento in cui l'interesse per gli scritti di Mahan sembrava declinare. Ciò può spiegare perché il capitano William D. Puleston poté affermare con sicurezza nel 1939: «oggi, nella marina americana, ogni ufficiale che si prepara per la guerra o discute di essa, segue i metodi ed invoca le idee di Mahan»[116]. Forse ciò spiega anche l'accusa levata contro il Dipartimento della marina da parte del segretario per la Guerra Stimson, citata all'inizio di questo saggio.

È sorprendente, tuttavia, che alcuni storici abbiano continuato a descrivere la vittoria degli Stati Uniti sull'Impero giapponese nella Seconda Guerra Mondiale come la conferma del «principio di strategia che Mahan aveva così abilmente spiegato e reso noto» o come «il trionfo mahaniano del potere marittimo»[117]. Anche se il capo delle operazioni navali in tempo di guerra, il grande ammiraglio Ernest J. King, può a ragione, essere definito un mahaniano, la guerra nel Pacifico non venne condotta interamente secondo i suoi desideri[118]. Né fu interamente condotta secondo il rigido canone mahaniano, che contemplava una battaglia decisiva tra flotte di navi maggiori nemiche. Questa battaglia decisiva non ci fu, neanche tra navi portaerei: non nelle Midway, non nel mare filippino, non nel golfo di Leyte. Inoltre, la dottrina mahaniana non può essere dilatata fino ad includere la riconquista, ad opera del generale MacArthur, dei vasti territori nel Pacifico sudoccidentale in mano ai Giapponesi, i successivi attacchi anfibi nel Pacifico Centrale, resi possibili dal prolungato cannoneggiamento navale contro le fortificazioni sulla riva od il bombardamento del Giappone con i B-29 dell'aeronautica statunitense, od il successo della *guerre de course* condotta dai sottomarini statunitensi contro la marina mercantile giapponese. La vittoria nel Pacifico è stata il prodotto delle operazioni combinate delle varie forze e non delle operazioni autonome della marina.

Gli avvenimenti successivi al 1945 hanno ulteriormente rafforzato l'interdipendenza di tutte le forze armate ed hanno attenuato le precedenti divisioni tra armi di terra, armi dell'aria e armi di mare fino ad un punto inconcepibile per Mahan. Laurence W. Martin espone la questione in questi termini:

> Nella seconda metà del secolo, i miglioramenti nel campo della propulsione navale, degli aerei, dei missili, degli esplosivi e nelle tecniche di calcolo hanno stravolto completamente il contesto nel quale l'azione della marina era al centro della strategia. I sottomarini, gli aerei ed i missili sono diventati i nemici pericolosi delle più grandi navi di superficie, mentre esse trovano i loro principali obiettivi a terra. Il bombardamento della terraferma, una volta uno dei compiti navali meno importanti, è divenuto la preoccupazione dominante delle grandi flotte (strategicamente, con missili lanciati dai sottomarini; tatticamente, con aerei con base in mare)»[119].

Tuttavia, negli ambienti navali, il nome di Mahan, nei decenni successivi alla Seconda Guerra Mondiale, ha continuato a suscitare rispetto e persino venerazione. È comparso con una certa regolarità negli articoli pubblicati negli «U. S. Naval Institute Proceedings» e nella «Naval College Review». A Newport, lezioni su argomenti del tipo «Mahan nell'età nucleare» non sono state infrequenti. Ancora nel 1972, all'inizio della sua presidenza al Naval War College, persino l'illuminato ed innovativo vice-ammiraglio Stansfield Turner si è inchinato alla tradizione fino al punto di annunciare che «può esserci un'altro Alfred Thayer Mahan nel corso di quest'anno od in quello dell'anno prossimo. Non possiamo permetterci di perderlo»[120].

Tradizionalismo a parte, tuttavia, ci sono scarsi segni che la marina statunitense sia ancora legata a quella visione mahaniana della strategia che eleva il potere marittimo al di sopra di tutte le altre forme di azione militare, rivendica per le flotte un territorio autonomo nel regno della guerra e considera il comando del mare l'equivalente della vittoria. «La nostra strategia marittima», secondo il «rapporto ufficiale» del capo delle operazioni navali per l'esercizio finanziario 1984, «non conta solo sulle forze navali statunitensi, ma dipende anche dai contributi di altre attività di aria e di terra e dalle forze dei nostri amici ed alleati»[121]. Il segretario Stimson avrebbe approvato. Marte e non Nettuno è di nuovo il dio della guerra.

Bisogna dire, tuttavia, che se le risposte di Mahan non sono più pertinenti, i problemi da lui sollevati lo sono ancora. Egli ha chiesto costantemente ai suoi ascoltatori e lettori di riflettere seriamente su questioni quali il significato del concetto di interesse nazionale, la dimensione morale della forza militare, le responsabilità — oltre alle opportunità — di una grande potenza mondiale, la naturale dipendenza americana da linee di comunicazione marittime, la composizione delle flotte, le necessità logistiche della guerra e, soprattutto, l'impiego delle marine militari come strumenti di politica nazionale. «Tutto il mondo sa, signori miei», annunciava agli allievi del corso del 1892 del Naval War College, «che stiamo costruendo una nuova marina militare [...] Bene, quando avremo la nostra marina, che cosa ne faremo?»[122]. Questo era — ed è tuttora — il problema.

[1] HENRY L. STIMSON, MCGEORGE BUNDY, *On active service*, New York 1948, 506.

[2] Sull'influenza di Milo Mahan, cfr. ROBERT SEAGER II, *Alfred Thayer Mahan: The Man and His Letters*, Annapolis 1977, 10, 39-40, 68-70, 445-452.

[3] R. SEAGER II, DORIS D. MAGUIRE (a cura di), *Letters and Papers of Alfred Thayer Mahan*, Annapolis 1975, I, 4.

[4] *Ivi*, II, 114.

[5] *Ivi*, I, 578.

[6] La definizione è di Margaret Sprout. Cfr. ID., *Mahan: Evangelist of Sea Power*, in EDWARD MEAD EARLE (a cura di), *Makers of Modern Strategy*, Princeton 1943.

[7] Cfr. A.T. MAHAN, *Naval Administration and Warfare*, Boston 1906, 199-213.

[8] ID., *From Sail to Steam: Recollections of Naval Life*, London-New York 1907, 311-312.

[9] Cfr. ID., *Naval Administration and Warfare*, cit., 241.

[10] RONALD SPECTOR, *Professors of War: The Naval College and the Development of the Naval Profession*, Newport, R.I. 1977, 66.

[11] Cit. in CHARLES CARLISLE TAYLOR, *The Life of Admiral Mahan*, New York 1920, 50.

[12] R. SEAGER, *Alfred Thayer Mahan: The Man and His Letters*, cit., 411.

[13] R. SEAGER II, D.D. MAGUIRE (a cura di), *Letters and Papers of Alfred Thayer Mahan*, cit., III, 540.

[14] Cfr. *ivi*, lettera di Mahan a Luce, 16 maggio, 1885, I, 606-607.

[15] STEPHEN B. LUCE, *War Schools*, «United States Naval Institute Proceedings», IX (1883), n. 5, 656.

[16] S.B. LUCE, *On the Study of Naval Warfare as a Science*, *ivi*, XII (1886), n. 4, 531-33.

[17] A.T. MAHAN, *From Sail to Steam: Recollections of Naval Life*, cit., 277.

[18] Cfr. R. SEAGER II, D.D. MAGUIRE (a cura di), *Letters and Papers of Alfred Thayer Mahan*, cit., I, 616-619.

[19] Relativamente alla preparazione di Mahan per le sue prime lezioni, cfr. A.T. MAHAN, *From Sail to Steam: Recollections of Naval Life*, cit., 281-282, 384-385; WILLIAM E. LIVESEY, *Mahan on Sea Power*, Norman, Okla. 1981, 40-44; WILLIAM D. PULESTON, *Mahan: The Life and Work of Captain Alfred Thayer Mahan, USN*, New Haven 1939, 74-80; R. SEAGER, *Alfred Thayer Mahan: The Man and His Letters*, cit., 164-167.

[20] Cfr. A.T. MAHAN, *From Sail to Steam: Recollections of Naval Life*, cit., 282-283.

[21] *Ivi*, 275-276.

[22] Id., *The Influence of Sea Power upon History, 1660-1783*, Boston 1890, v-vi.

[23] R. Seager II, D.D. Maguire (a cura di), *Letters and Papers of Alfred Thayer Mahan*, cit., II, 494, lettera di Mahan a Roy B. Marston, 19 febbraio, 1897.

[24] A.T. Mahan, *The Influence of Sea Power upon History, 1660-1783*, cit., I, 138, 71.

[25] A.T. Mahan, *The Influence of Sea Power upon the French Revolution and Empire, 1793-1812*, Boston 1892, II, 372-373; Id., *The Interest of America in Sea Power, Present and Future*, Boston 1897, 307-308 (tr. it. *L'interesse degli Stati Uniti rispetto al dominio del mare presente e futuro*, Torino 1904).

[26] Id., *The Influence of Sea Power upon History, 1660-1783*, cit., 179, 180, 185-187, 197.

[27] *Ivi*, 222-223.

[28] *Ivi*, 295.

[29] *Ivi*, 397.

[30] Id., *The Influence of Sea Power upon the French Revolution and Empire, 1793-1812*, cit., II, 108, 118, 184-185, 400-402.

[31] Cfr., per esempio, Charles A. Beard, *A Foreing Policy for America*, New York 1940, 75-76; Gerald S. Graham, *The Politics of Naval Supremacy: Studies in British Maritime Ascendancy*, Cambridge 1965, 6-8, 19-27; Paul M. Kennedy, *The Rise and Fall of British Naval Mastery*, New York 1976, capp. 3-5, *passim*.

[32] *Ivi*, 76.

[33] G.S. Graham, *The Politics of Naval Supremacy: Studies in British Maritime Ascendancy*, cit., 19.

[34] P.M. Kennedy, *The Rise and Fall of British Naval Mastery*, cit., 114.

[35] Cfr. Vincent Cronin, *Napoleon Bonaparte: An Intimate Biography*, New York 1972, 305-310; Andrej A. Lobanov-Rostovsky, *Russia and Europe, 1789-1825*, ried. Westport, Conn. 1968, 152-197.

[36] Cfr. David Hackett Fischer, *Historians' Fallacies: Toward a Logic of Historical Thought*, New York - Evanston - London 1970, 172.

[37] A.T. Mahan, *Subordination in Historical Treatment*, in Id., *Naval Administration and Warfare*, cit., 245-272.

[38] Id., *The Interest of America in Sea Power, Present and Future*, cit., 128 (tr. it. *L'interesse degli Stati Uniti rispetto al dominio del mare presente e futuro*, cit., 87).

[39] Cfr. Id., *Lessons of the War with Spain and Other Articles*, Boston 1899, 106 (tr. it. *Lezioni della guerra ispano-americana*, La Spezia 1900); Id., *The Influence of Sea Power upon History, 1660-1783*, cit., 138; William Reitzel, *Mahan on the Use of the Sea*, «Naval War College Review» 1973, 73-82.

[40] R. Seager II, D.D. Maguire (a cura di), *Letters and Papers of Alfred Thayer Mahan*, cit., II, 9, lettera di Mahan a W.H. Henderson, 5 maggio, 1890.

[41] Cfr. R. Seager, *Alfred Thayer Mahan: The Man and His Letters*, cit., 167, 172.

[42] A.T. Mahan, *The Influence of Sea Power upon History, 1660-1783*, cit., 2.

[43] S.B. Luce, *On the Study of Naval Warfare as a Science*, «United States Naval Institute Proceedings», XII (1886), n. 4, 534. Tenuta per la prima volta come lezione al Naval War College nel 1885 e nel 1886, ristampata in John D. Hayes, John B. Hattendorf (a cura di), *The Writings of Stephen B. Luce*, Newport, R.I. 1975, I, 47-68.

[44] R. Seager II, D.D. Maguire (a cura di), *Letters and Papers of Alfred Thayer Mahan*, cit., I, 619, lettera di Mahan a Luce, 6 gennaio 1886.

[45] Antoine-Henri Jomini, *Précis de l'art de la guerre*, Paris 1838 (tr. ingl. *The Art of War*, Philadelphia 1862; rist., da cui qui si cita, Westport, Conn. 1966, 63).

[46] *Ivi*, 296, 104, 106.

[47] Cfr. *ivi*, 232-234.

[48] A.T. Mahan, *Naval Strategy: Compared and Contrasted with the Principles and Practice of Military Operations on Land*, Boston 1911, 6; Id., *The Influence of Sea Power upon History, 1660-1783*, cit., 8-9; Id., *Naval Strategy*, cit., 49, 31.

[49] *Ivi*, 53, 55; Id., *Lessons of the War with Spain*, cit., 262.

[50] *Ivi*, 37.

[51] Cfr. *ivi*, 264; Id., *Naval Administration and Warfare*, cit., 165; Id., *The Interest of America in Sea Power, Present and Future*, cit., 198 (tr. it. *L'interesse degli Stati Uniti rispetto al dominio del mare presente e futuro*, cit., 134).

[52] Id., *Lessons of the War with Spain*, cit., 38-39.

[53] Id., *Naval Strategy*, cit., 6.

[54] Id., *Sea Power in Its Relations to the War of 1812*, New York 1903, II, 51; Id., *Lessons of the War with Spain*, cit., 167, 137; Id., *Naval Strategy*, cit., 189, 199, 254; Id., *The Influence of Sea Power upon History, 1660-1783,* cit., 287-288; Id., *The Influence of Sea Power upon the French Revolution and Empire, 1793-1812,* cit., I, 155-156; Id., *Sea Power in Its Relations to the War of 1812*, II, 52, 301.

[55] Id., *The Interest of America in Sea Power, Present and Future,* cit., 194 (tr. it. *L'interesse degli Stati Uniti rispetto al dominio del mare presente e futuro*, cit., 131); Id., *Admiral Farragut*, New York 1892, 218; Id., *Naval Administration and Warfare*, cit., 194; Id., *The Influence of Sea Power upon the French Revolution and Empire, 1793-1812*, cit., I, 355.

[56] Id., *The Influence of Sea Power upon History, 1660-1783,* cit., 539; A.-H. Jomini, *The Art of War*, cit., 63.

[57] A.T. Mahan, *The Major Operations of the Navies in the War of American Independence*, Boston 1913, 33.

[58] Id., *Naval Strategy*, cit., 166.

[59] *Ivi*, 191-192; Id., *Retrospect and Prospect: Studies in International Relations, Naval and Political*, Boston 1902, 46.

[60] Cfr. A.-H. Jomini, *The Art of War*, cit., 226-230.

[61] A.T. Mahan, *Naval Strategy*, cit., 205, 213, 218, 243.

[62] Id., *The Influence of Sea Power upon History, 1660-1783,* cit., 287-288.

[63] Id., *Naval Strategy*, cit., 139, 435.

[64] Cfr. Id., *The Influence of Sea Power upon the French Revolution and Empire, 1793-1812*, cit., II, 296.

[65] Cfr. James A. Barber, *Mahan and Naval Strategy in the Nuclear Age*, «Naval War College Proceedings», 1972, 83-85.

[66] A.-H. Jomini, *The Art of War*, cit., 12.

[67] A.T. Mahan, *From Sail to Steam: Recollections of Naval Life*, cit., 283.

[68] Anche se una traduzione inglese del *Vom Kriege* era conservata nella biblioteca del Naval War College fin dal 1908, Mahan con ogni probabilità venne per la prima volta a conoscenza di Clausewitz soltanto due anni più tardi leggendone una sintesi scritta dal maggiore Stewart L. Murray dei Gordon Highlanders, dal titolo *The Reality of War* (cfr. W.D. Puleston, *Mahan*, cit., 293).

[69] A.T. Mahan, *The Interest of America in Sea Power, Present and Future*, cit. 177, 180 (tr. it. *L'interesse degli Stati Uniti rispetto al dominio del mare presente e futuro*, cit., 118, 120-121).

[70] Id., *Armaments and Arbitration, or the Place of Force in the International Relations of States*, New York-London 1912, 66-67.

[71] Cfr. Id., *Retrospect and Prospect*, cit., 18; R. Seager II, D.D. Maguire (a cura di), *Letters and Papers of Alfred Thayer Mahan*, cit., I, 154, lettera di Mahan ad Ashe, 26 luglio 1884; A.T. Mahan, *The Influence of Sea Power upon History, 1660-1783,* cit., 29-87.

[72] *Ivi*, 33-34.

[73] Cfr. R. Seager II, D.D. Maguire (a cura di), *Letters and Papers of Alfred Thayer Mahan*, cit., I, 482, lettera di Mahan ad Ashe, 12 marzo 1880; A.T. Mahan, *The Interest of America in Sea Power, Present and Future*, cit., 11-15, 20-21 (tr. it. *L'interesse degli Stati Uniti rispetto al dominio del mare presente e futuro*, cit., 8-9).

[74] Id., *The Interest of America in Sea Power, Present and Future*, cit., 66, 81-87, 100-103 (tr. it. *L'interesse degli Stati Uniti rispetto al dominio del mare presente e futuro*, cit., 59-60, 68-69, 70).

[75] Id., *Lessons of the War with Spain and other Articles*, cit., 29; Id., *Naval Strategy*, cit., 111.

[76] Id., *The Interest of America in Sea Power, Present and Future*, cit., 26, *ivi*, 31-32 (tr. it. *L'interesse degli Stati Uniti rispetto al dominio del mare presente e futuro*, cit., 18, 22).

[77] Cfr. *ivi*, 32-58, 217-270.

[78] James A. Field, Jr., *American Imperialism: The «Worst Chapter» in Almost Any Book*, «American Historical Review», LXXXIII (1978), n. 3, 666.

[79] Cfr., per esempio, Julius Pratt, *Expansionists of 1898*, Baltimore 1936, 12-22. 222-283; Walter LaFeber, *The New Empire: An Interpretation of American Expansion, 1860-1898*, Ithaca-London 1963, 85-101.

[80] R. SEAGER II, D.D. MAGUIRE (a cura di), *Letters and Papers of Alfred Thayer Mahan*, cit., II, 569, lettera di Mahan a Lodge, 27 luglio 1898; A.T. MAHAN, *Retrospect and Prospect*, cit., 44-45; ID., *The Problem of Asia and Its Effects upon International Policies*, Boston 1900, 7-9.

[81] *Ivi*, 67; R. SEAGER II, D.D. MAGUIRE (a cura di), *Letters and Papers of Alfred Thayer Mahan*, cit., II, 707, lettera di Mahan a Roosevelt, 12 marzo 1901; A.T. MAHAN, *The Problem of Asia*, cit., 88, 154, 163, 34.

[82] Cfr. KENNETH J. HAGAN, *Alfred Thayer Mahan: Turning America Back to the Sea*, in FRANK J. MERLI, THEODORE A. WILSON, *Makers of American Diplomacy*, New York 1974, I, 284.

[83] W. LAFEBER, *The New Empire*, cit., *passim*. Tuttavia un altro importante membro di questa scuola, saggiamente, evita quasi di fare accenni a Mahan in tale contesto: cfr. THOMAS MCCORMIK, *China Market: America's Quest for Informal Empire, 1893-1901*, Chicago 1967.

[84] W. LAFEBER, *The New Empire*, cit., 91-93.

[85] A.T. MAHAN, *Retrospect and Prospect*, cit., 139-140.

[86] Cfr. ID., *The Problem of Asia*, cit., 85-86, 138.

[87] WALTER MILLIS, *Arms and Men: A Study of American Military History*, New York 1958, 144; PETER KARSTEN, *The Naval Aristocracy: The Golden Age of Annapolis and the Emergence of Modern American Navalism*, New York 1972, 337; W.E. LIVEZEY, *Mahan on Sea Power*, cit., 343; JOHN D. HAYES, *The Influence of Modern Sea Power*, «United States Naval Institute Proceedings», 1971, 279; A.T. MAHAN, *The Problem of Asia*, cit., 198-199.

[88] ID., *The Interest of America in Sea Power, Present and Future*, cit., 268; ID., *The Problem of Asia*, cit., 175; ID., *Retrospect and Prospect*, cit., 17.

[89] M.T. SPROUT, *Mahan: Evangelist of Sea Power*, cit., 416.

[90] Cfr. HAROLD SPROUT, M.T. SPROUT, *The Rise of American Naval Power*, Princeton 1939, 169-176.

[91] Cfr. BENJAMIN FRANKLIN COOLING, *Benjamin Franklin Tracy: Father of the American Fighting Navy*, Hamden, Conn., 1973, 48.

[92] Cfr. P. KARSTEN, *The Naval Aristocracy*, cit., 280.

[93] Cfr. R. SEAGER II, D.D. MAGUIRE (a cura di), *Letters and Papers of Alfred Thayer Mahan*, cit., I, 371-372.

[94] Un punto di vista opposto è espresso in P. KARSTEN, *The Naval Aristocracy*, cit., 331.

[95] Cfr. R. SEAGER II, *Ten Years before Mahan; the Unofficial Case for the New Navy 1880-1890*, «Mississippi Valley Historical Review», 1953, 491-512; R. SEAGER II, *Alfred Thayer Mahan: The Man and His Letters*, cit., 199-203; K.J. HAGAN, *Alfred Thayer Mahan: Turning America Back to the Sea*, cit., I, 287-293; LAWRENCE C. ALLIN, *The Naval Institute, Mahan and the Naval Profession*, «Naval War College Review», 1978, 29-48; i riassunti degli articoli di Luce sono in J.D. HAYES, J.B. HATTENDORF (a cura di), *The Writings of Stephen B. Luce*, cit., 191-205.

[96] Cfr. H. SPROUT, M.T. SPROUT, *The Rise of American Naval Power*, cit., 205-213; R.S. WEST, JR., *Admirals of American Empire*, Indianapolis-New York 1948, 147; B.F. COOLING, *Benjamin Franklin Tracy: Father of the American Fighting Navy*, cit., 72-74; W.R. HERRICK, JR., *The American Revolution*, Baton Rouge 1966, 3-11.

[97] Nel 1883 erano stati autorizzati tre incrociatori non corazzati, con scafo metallico, *Atlanta*, *Boston* e *Chicago*, più l'esploratore *Dolphin* (il «White Squadron»), ma nessuno di questi superava le le 6.000 tonnellate e tutti portavano vele ausiliarie. Durante la prima amministrazione Cleveland (1885-1889), furono ordinati altri otto incrociatori, tra i quali il *Texas* ed il *Maine* (chiamati talvolta «navi da guerra di seconda classe») ed il *Charleston*, il primo a non avere vele a bordo. Nessuna di queste, tuttavia, era una vera nave da battaglia; furono progettati principalmente per l'interdizione o la distruzione del naviglio commerciale e non per i combattimenti contro altre flotte.

[98] R. SEAGER, *Alfred Thayer Mahan: The Man and His Letters*, cit., 274.

[99] Cfr. W.E. LIVEZEY, *Mahan on Sea Power*, cit., 181; GEORGES T. DAVIS, *A Navy Second to None: The Development of Modern American Naval Policy*, New York 1940, 75-76.

[100] P. KARSTEN, *The Nature of Influence: Roosevelt, Mahan and the Concept of Sea Power*, «American Quarterly», XXIII (1971), 590.

[101] Cfr. R. SEAGER, *Alfred Thayer Mahan: The Man and His Letters*, cit., 209-210; W.E. LIVEZEY, *Mahan on Sea Power*, cit., 123-124, 143-144.

[102] H. Sprout, M.T. Sprout, *The Rise of American Naval Power*, cit., 20. Sull'«uso» di Mahan da parte di Roosevelt e viceversa, cfr. P. Karsten, *The Nature of Influence: Roosevelt, Mahan and the Concept of Sea Power*, cit., 585-600 e M. Corgan, *Mahan and Theodore Roosevelt: The Assessment of Influence*, «Naval War College Review», 1980, 89-97; R. Seager, *Alfred Thayer Mahan: The Man and His Letters*, cit., 519-532; R. Seager II, D.D. Maguire (a cura di), *Letters and Papers of Alfred Thayer Mahan*, cit., III, 203, lettera di Mahan a Bouverie F. Clark, 15 gennaio 1907.

[103] Cfr. R. Seager (a cura di), *Alfred Thayer Mahan: The Man and His Letters*, cit., 532-533.

[104] Cfr. *ivi*, 466-468; R. Seager II, D.D. Maguire (a cura di), *Letters and Papers of Alfred Thayer Mahan*, cit., III, 380-394, lettera di Mahan a Rodgers, 22 febbraio e 4 marzo 1911.

[105] Cfr. W.E. Livezey, *Mahan on Sea Power*, cit., 60-82.

[106] Cfr. Ronald B. St. John, *European Naval Expansion and Mahan, 1899-1906*, «Naval War College Review», 1971, 76-78; Arthur J. Marder, *The Anatomy of British Sea Power*, New York 1940, 24-43.

[107] C.C. Taylor, *The Life of Admiral Mahan*, cit., 131.

[108] Jonathon Steinberg, *Yesterday's Deterrent: Tirpitz and the Birth of the German Battle Fleet*, New York 1965, 72-74, 125-127 (tr. it. *Il deterrente di ieri: Tirpitz e la nascita della flotta da battaglia tedesca. 1890-1914*, Firenze 1968, 146, 147).

[109] Gordon A. Craig, *Germany 1866-1945*, Oxford-New York 1978, 307; A.V. Tirpitz, *My Memoirs*, New York 1919, I, 72 (tr. it. *Memorie. La marina tedesca in guerra. 1914-1918. La marina tedesca prussiana dal 1866 al 1914*, Milano 1932).

[110] Cfr. G.S. Graham, *The Politics of Naval Supremacy: Studies in British Maritime Ascendancy*, cit., 5.

[111] Cfr. A.T. Mahan, *From Sail to Steam: Recollections of Naval Life*, cit., 303; C.C. Taylor, *The Life of Admiral Mahan*, cit., 114-115; W.E. Livezey, *Mahan on Sea Power*, cit., 76.

[112] Cfr. Allan Wescott (a cura di), *Mahan on Naval Warfare*, Boston 1918; William O. Stevens, Allan Wescott, *A History of Sea Power*, New York 1920; U.S. Naval Academy Archives, Record Group 5, Division of English and History, Academic Course Materials.

[113] Cfr. Michael Vlahos, *The Blue Sword: The Naval War College and the American Mission, 1914-1941*, Newport, R.I. 1980, 72-73; R. Spector, *Professors of War*, cit., 144-148.

[114] R. A. Bowling, *The Negative Influence of Mahan on Anti-Submarine Warfare*, Rusi «Journal of the Royal United Service Institute for Defense Studies», 1977, 55.

[115] Cfr. M. Vlahos, *The Blue Sword*, cit., 146.

[116] W.D. Puleston, *Mahan: The Life and Work of Captain Alfred Thayer Mahan*, cit., 333.

[117] W.E. Livezey, *Mahan on Sea Power*, cit., 313; Russel F. Weigley, *The American Way of War: A History of United States Miltiary Strategy and Policy*, New York-London, 1973, 311.

[118] Cfr. Thomas B. Buell, *Master of Sea Power: A Biography of Fleet Admiral Ernest J. King*, Boston-Toronto 1980, 34-35, 51-52.

[119] Laurence W. Martin, *The Sea in Modern Strategy*, New York 1967, 10.

[120] John B. Hattendorf, *Some Concepts in American Naval Strategic Thought, 1940-1970*, «The Yankee Mariner & Sea Power», The Center for Study of the American Experience, Annenberg School of Communications, University of Southern California, Los Angeles 1981, 95; Stansfield Turner, *Challenge*, «Naval War College Review», 1972, 2.

[121] *A Report by Admiral James D. Watkins, U.S. Navy, Chief of Naval Operations on the Posture of the U.S. Navy*, «Department of Navy Fiscal Year 1984 Report to the Congress», Washington, D.C. 1983, 16.

[122] A.T. Mahan, *Naval Administration*, cit., 229.

Parte seconda

Il leader politico in quanto stratega

di Gordon A. Craig

È difficile definire teoricamente il ruolo proprio di un leader politico nella direzione dello sforzo bellico di una nazione. L'affermazione di Clausewitz — per cui «la politica è l'intelligenza che guida e la guerra è solo lo strumento [...] Non esiste altra possibilità, quindi, che subordinare il punto di vista militare a quello politico» — sebbene di grande significato teorico è di scarsa utilità per chiunque cerchi di formulare delle regole per il processo di formazione delle decisioni della guerra del XX secolo o di delineare la responsabilità per la determinazione della strategia[1]. Se, come ha sostenuto David Fraser, «l'arte della strategia sta nel determinare lo scopo che è o dovrebbe essere politico; nel dedurre da quello scopo una serie di obiettivi militari da raggiungere; nel valutare questi obiettivi per quanto concerne le esigenze militari che essi creano ed i prerequisiti verosimilmente necessari per il loro raggiungimento; nel misurare rispetto alle esigenze le risorse disponibili e potenziali e nel disegnare da tale processo un modello coerente di priorità ed una razionale linea di azione», la difficoltà della domanda sta nello stabilire quanto della deduzione, della valutazione, della misurazione e del disegno cada nella sfera del leader politico e quanto di tutto ciò diventi una funzione militare[2]. È chiaro che a questo non si può rispondere con alcuna formula categorica, nemmeno con una che sia dotata dell'autorità del nome di Clausewitz.

Analogamente può dirsi del rapporto tra autorità civile e militare in quel momento del processo della guerra in cui la strategia è tradotta in operazioni. Sir Edward Spears ha scritto con una certa rudezza che

> L'immagine [...] dei [...] civili che esaminano pianificazioni e carte geografiche e danno un senso alla moltitudine di ordini basati su quelle, emanati da Gruppi di Armate e da Armate all'artiglieria di ogni possibile tipo, all'aeronautica, alla cavalleria, alla fanteria, ai carri armati ecc. è ridicola [...] Solo chi sia posseduto dal più pericoloso e squalificante dei demoni, il pressapochismo del dilettante, [suggerirebbe] che degli statisti, lontani da ogni preparazione militare, [possano essere] capaci [...] di valutare elementi come la propria potenza di fuoco e la capacità di resistenza del nemico, la forza dell'urto dell'attacco di fanteria e le sue formazioni tattiche, senza alcuna conoscenza del terreno, né la possibilità di assimilare di fatto [...] quell'opera altamente tecnica del lavoro di Stato Maggiore che rappresenta molte settimane di studio di professionisti altamente specializzati[3].

Tutto ciò è molto giusto, ma si sente l'esagerazione. Tutte le operazioni hanno conseguenze politiche. Possono aumentare o diminuire la possibilità di una nazione di raggiungere le sue mete; possono impegnarla senza criterio in nuovi ed imprevisti obiettivi; possono, per errore di calcolo o di esecuzione, scoraggiare i propri alleati o portare nuovo sostegno alla parte dell'avversario. Se un'interferenza eccessiva nella pianificazione e nella formulazione delle decisioni operative da parte dei leader politici può avere conseguenze dirompenti, un'incapacità o una riluttanza da parte di questi ad esercitare un controllo critico su quei piani e su quelle decisioni espongono al rischio di porre nelle mani militari poteri che possono mettere a repentaglio la sicurezza nazionale di cui la leadership politica ha la responsabilità finale. Anche in questo caso, insomma, è difficile strutturare una definizione teorica dei ruoli appropriati che non sia così generale da essere insignificante.

Nella pratica, tali domande sono state risolte dall'interazione di fattori come la natura del sistema politico, l'efficienza ed il prestigio dell'istituzione militare ed il carattere e la personalità del leader politico. Quest'ultimo, nelle due guerre mondiali di questo secolo, è stato il più importante.

I

Il caso del primo cancelliere tedesco nella Grande Guerra, Theobald von Bethmann Hollweg, può servire come esempio estremo, ma niente affatto unico, delle difficoltà che impegnarono i leader politici di tutti gli Stati belligeranti nel 1914. Appena iniziarono le ostilità, si trovò in una situazione in cui quasi tutti i partiti politici, la comunità degli affari, un'ampia porzione del ceto accademico ed una parte significativa della classe operaia desideravano un'espansione territoriale fra le più ambiziose ed erano sicuri che la guerra l'avrebbe resa possibile. Simultaneamente, dovette confrontarsi con un establishment militare che aveva una libertà dal controllo politico più vasta ed un grado di venerazione pubblica più alto di qualsiasi altro organismo analogo al mondo.

Giudicato dal punto di vista dell'intelligenza e del talento amministrativo, Bethmann fu certamente il migliore dei successori di Bismarck ma fu anche, come ha indicato Gerhard Ritter, «un intellettuale cui mancava un istinto del tutto sicuro del potere [...], cui non piaceva averlo e che [rimase al suo posto solo perché] lo considerava come una ferrea responsabilità, al servizio dello Stato nazionale e delle tradizioni della monarchia prusso-tedesca»[4]. Non era un combattente, il tipo dotato di quella forte volontà che persegue i propri obiettivi senza scrupolo o distrazione. La sua naturale diffidenza lo disarmava quando si trovava di fronte all'arroganza ed alla fiducia in sé, e nei momenti di crisi era portato ad essere vinto dal fatalismo.

Non è quindi sorprendente se, nell'agosto 1914, Bethmann si lasciò impressionare dagli argomenti tecnici dei militari e scivolò in una guerra che, comunque, egli era convinto essere tutto fuorché inevitabile. Egli non aveva avuto alcuna parte nel predisporre il piano strategico per la guerra e non pare che abbia discusso chiaramente le sue ipotesi di fondo, secondo le quali un massiccio movimento avvolgente ad Ovest avrebbe fatto uscire la Francia dalla guerra in sei settimane e scoraggiato gli Inglesi da un qualsiasi intervento, per cui la maggior parte delle forze tedesche avrebbe potuto quindi essere spostata verso Est per sostenere l'operazione di contenimento austriaca e distruggere l'avanzata russa.

Potrebbe comunque dirsi di Bethmann che, una volta fallita la strategia del primo Alto Comando ed iniziato lo stallo delle trincee, egli cercò valorosamente di sottomettere la guerra ad un controllo razionale e di dirigerla verso fini raggiungibili. Per un po' parve che potesse riuscire. Non accolse le richieste del capo di Stato Maggiore Falkenhayn che voleva essere consultato su tutte le materie di politica estera che potevano anche alla lontana interessare le operazioni sul campo, un chiaro tentativo di ampliare i poteri dei militari a spese del cancelliere. Riportò una notevole vittoria su Tirpitz e sugli ammiragli nel 1915, prevenendo in quel momento l'introduzione di una guerra sottomarina illimitata. Usò tutti i propri poteri di persuasione per prevenire l'imperatore dal cadere completamente sotto l'influenza dei militari e, sino al 1917, tale sforzo non fu senza risultati.

Fu meno efficace nei confronti degli annessionisti, le cui ambizioni considerava irrealistiche e pericolose, poiché minacciavano di allargare la prospettiva della guerra sino ad un punto in cui ogni negoziato di pace sarebbe divenuto impossibile. Infine, ne divenne così preoccupato che finì per adottare una tattica che contribuì a minare la sua stessa posizione. Concepì l'idea di usare i militari contro le lobby espansioniste, di trovare un generale che avrebbe sostenuto le sue posizioni moderate e che fosse abbastanza popolare da tenere sotto controllo gli annessionisti. Egli decise di dover persuadere l'imperatore a licenziare Falkenhayn — il cui favore popolare si era prosciugato durante la rovinosa campagna di Verdun — e di fare entrare al suo posto Hindenburg, l'eroe di Tannenberg. In un'udienza con Guglielmo II, nel luglio 1916, disse chiaramente che Hindenburg doveva essere fatto subito comandante supremo. «È una questione che coinvolge il destino della dinastia degli Hohenzollern. Con Hindenburg Voi potreste fare una pace di compromesso, senza di lui Voi non potreste»[5]. Poche settimane dopo l'imperatore accettò e la sostituzione fu compiuta.

Ciò si rivelò un grave errore. Hindenburg non voleva una pace di compromesso, né la voleva il suo primo generale Erich Ludendorff, che risultò essere ancor più fanatico degli stessi annessionisti rispetto alle acquisizioni territoriali. Soprattutto, i capi del nuovo comando supremo non furono ostacolati dall'intervento nelle decisioni politiche come lo era stato Falkenhayn. In poco tempo, essi pretesero ed ottennero il diritto di essere ascoltati su tutte le questioni di più alta politica e premettero per un'azione che non poteva fare a meno di prolungare ed allargare la guerra. Nel novembre 1916, Ludendorff sconfisse la possibilità di una pace negoziata con la Russia insistendo sul fatto che bisogni militari necessitavano della creazione di un regno satellite di Polonia nelle terre russe occupate dalle truppe tedesche sin dal 1914, una decisione che condusse al fallimento dell'incontro di pace di San Pietroburgo e tenne i Russi in guerra per un altro anno. E non contento di ciò il comando supremo, nella primavera del 1917, richiese l'avvio immediato di una guerra sottomarina illimitata.

Bethmann aveva combattuto fermamente contro l'ampliamento delle operazioni sottomarine nel 1915. Questa volta la sua resistenza fu più debole ed alla fine cedette. Le sue motivazioni dimostrano il dilemma di uno statista civile in tempo di guerra, in tutta la sua crudezza. Nella riunione cruciale del Consiglio della Corona, Bethmann fu attorniato da esperti navali che brandirono tavole statistiche e carte tecniche, ognuna delle quali provava che dare il via ai sottomarini avrebbe condotto alla vittoria in un determinato numero di mesi. Non era un uomo intellettualmente arrogante e, di fronte a massicce e generali assicurazioni, non poté fare a meno di dubitare delle proprie stesse idee. Si convinse gradualmente che l'Ammiragliato poteva, dopo tutto, avere ragione e diede il via libera. Si trattò senza dubbio di un atto di debolezza, ma Ritter ha ragione quando scrive che ci sarebbe voluta una persona dalla volontà e dalla fiducia in se stesso del tutto straordinarie per opporsi ad una linea di condotta richiesta da tutti i capi militari responsabili, oltreché dall'imperatore, dalla maggioranza del Reichstag e dai tedeschi più politicamente consapevoli, tra cui i socialdemocratici[6]. La capitolazione di Bethmann su questo punto non fu sufficiente a soddisfare né il comando supremo, irritato dalla pretesa del cancelliere di opporsi alle sue opinioni in materia di sicurezza nazionale, né gli annessionisti, consapevoli che egli ancora sperava in una pace di compromesso, e quindi «*soft*». Nei mesi che seguirono, queste forze si allearono e lanciarono un'accurata campagna contro la «debolezza» di Bethmann, insistendo che la prosecuzione ed il successo della guerra sarebbero stati impossibili se non se ne fosse andato. I loro intrighi ebbero successo e l'uomo che si era sforzato di tenere la guerra entro limiti razionali fu cacciato dall'incarico. La cosa che colpì della sua caduta non è il modo in cui essa fu realizzata, ma piuttosto che nessuna voce si alzò in suo favore. Non fu solo l'interesse dei militari e del mondo degli affari che fece cadere Bethmann. Futuri capi della democrazia di Weimar come Matthias Herzberger e Gustav Stresemann parteciparono attivamente alle sporche manovre che portarono alle sue dimissioni; la maggioranza del Reichstag diede la sua approvazione, i socialisti furono muti e la pubblica opinione in generale salutò l'evento con soddisfazione, apparentemente convinta che Hindenburg e Ludendorff avrebbero portato la vittoria totale che chiedevano con insistenza.

Con una notevole convalida della visione di Clausewitz, per cui una fortunata prosecuzione della guerra dipende dall'appropriata coordinazione della leadership politica, delle forze armate e delle passioni del popolo, fu la disarticolazione di queste forze a sconfiggere Bethmann. La combinazione della fiducia in sé dei militari e della disattenzione dell'opinione pubblica rese vani tutti i tentativi di coordinare razionalmente le strategie politiche e militari della Germania e di dirigere la pianificazione operativa verso mete raggiungibili. Il risultato fu un'ostinata continuazione della guerra, che causò milioni di vittime non necessarie, un'offensiva mal concepita nel 1918 per sostenere la quale la nazione non aveva le risorse, e infine la sconfitta e la rivoluzione.

II

Per quanto si pensi che gli Inglesi siano più raffinati dei Tedeschi e più decisamente avversi ad investire di ampi poteri i militari, tale differenza è poco provata dalla loro esperienza della Prima Guerra Mondiale. In realtà, si può dire chiaramente che il primo dei primi ministri del tempo di guerra non tentò così strenuamente come Bethmann Hollweg di concepire la guerra come strumento della politica e di tenere i grandi problemi strategici sotto il controllo della leadership politica.

H.H. Asquith era un parlamentare dotato ed un eccellente leader di partito, ma non seppe, né ebbe l'energia di essere un grande ministro di guerra. A.J.P. Taylor ha detto di lui che «non comprese i grandi problemi che la condotta della guerra provocava. Sebbene deciso alla vittoria, credette che l'unico contributo che gli statisti potevano dare era di tenersi da parte, mentre una libera imprenditoria forniva le armi con cui i generali avrebbero vinto le battaglie»[7]. Si trattava di una curiosa attitudine per uno statista britannico, perché la Gran Bretagna era una potenza marittima e, impegnata in una guerra contro potenze principalmente continentali, disponeva di opzioni strategiche la cui scelta non poteva, e non doveva, essere fatta dai soli militari. L'incertezza di Asquith nell'adottare una ferma linea d'azione significò che le decisioni di fondo del conflitto (che ne avrebbero determinato natura, localizzazione, durata, costo umano e finanziario) ed il futuro dell'impero britannico non sarebbero stati scelti logicamente e responsabilmente. Piuttosto, sarebbero stati contrattati fra ministeri, comitati e stati maggiori vari; sarebbero state adottate soluzioni di compromesso, che non soddisfecero nessuno e che si dimostrarono inefficaci (come il piano per i Dardanelli, che fallì per assenza di convinzione, energia e risorse); ed alla fine il Paese si sarebbe spinto in una posizione strategica da cui fu impossibile ritirarsi, fosse essa razionalmente sostenibile o meno.

Ciò è proprio quanto accadde sotto la allentata direzione di Asquith nei primi due anni di guerra. Dopo tante marce indietro e pasticci e dopo lo sfortunato affare dei Dardanelli, il comando dell'esercito passò sotto il saldo controllo di Douglas Haig e di William Robertson, una combinazione che dimostrò essere refrattaria alla supervisione civile quasi quanto quella della squadra Hindenburg-Ludendorff e che impose alla nazione un insieme di concetti strategici quasi altrettanto fatali nei loro risultati di quelli della loro controparte tedesca. Sia Haig sia Robertson erano «*westerners*», cioè credevano di vincere la guerra solo uccidendo Tedeschi nelle Fiandre e di essere preparati ad accettare le pesanti perdite, e vittime, inglesi che ciò avrebbe comportato. Sotto la loro direzione la guerra non divenne di movimento, ma di logoramento. Come ha scritto Roy Jenkins nella sua biografia di Asquith, e le sue parole ne sono un giudizio ed una critica: «In queste circostanze il mestiere di un politico cessò di essere quello di cercare alternative strategiche e fu ristretto a quello di rifornire uomini e munizioni per il macello»[8]. A meno che non si guardi allo spargimento di sangue che continuò sulla Somme o ad Arras come ad un uso razionale della guerra per uno scopo riconoscibile (ed è difficile fare così), si è costretti a concludere che il primo ministro aveva rinunciato allo sforzo di tenere la guerra dentro i limiti della ragione molto prima di quanto fece Bethmann, e che aveva reso le proprie funzioni ai militari, prima a Kitchener, poi al duovirato Robertson-Haig.

Asquith era un politico acuto e fu, probabilmente, la sua conoscenza delle correnti della pubblica opinione, piuttosto che un personale letargo, ad ispirare tale abdicazione. Pochi giorni prima dello scoppio della guerra, aveva scritto sdegnato nel suo diario: «C'è una larga folla che assiepa le vie e salutano il Re a Buckingham Palace, e se ne può sentire il rombo lontano sino alle una o alle una e mezzo di notte. La guerra o qualsiasi cosa che pare condurre alla guerra è sempre popolare per la plebe [*mob*] di Londra... Come odio questa incoscienza!»[9].

Una volta iniziata la guerra, le passioni della «plebe» divennero più infiammate ed Asquith probabilmente sentì che qualsiasi tentativo di rivendicare i propri diritti nelle questioni strategiche avrebbe incontrato la disapprovazione popolare e condotto ad una crisi governativa. E, in ogni caso, sarebbe stato possibile provare che i militari sbagliavano nelle loro stime delle potenzialità militari? Era tutto così difficile! Nel primo giorno della battaglia della Somme, nel luglio 1916, più di 1.000 ufficiali e di 20.000 uomini furono uccisi, gravemente feriti o dati per dispersi, e più di 1.300 ufficiali e di 34.000 altri feriti. Prima che la battaglia fosse finita, gli Inglesi avevano subito 420.000 perdite. Erano cifre impressionanti e scoraggianti. Eppure, quando il governo si lamentò con il comandante in capo in Francia, Haig diede loro quel tipo di risposta che è stato udito da parte di molti comandanti in molte occasioni anche dopo il 1916 e con cui è sempre difficile per un politico trattare. La battaglia della Somme, disse, aveva alleggerito la pressione su altri punti della linea alleata ed aveva distratto forze nemiche da altri fronti. Al tempo stesso, per dimostrare che la Gran Bretagna poteva montare un'offensiva nel maggior teatro della guerra e scacciare dalle sue posizioni l'élite delle truppe tedesche, aveva avuto importanti effetti psicologici ed aveva fortificato la volontà di giungere alla vittoria. Elemento assai importante, infine, gli attacchi avevano consumato il trenta per cento delle divisioni del nemico cosicché in altre sei settimane «sarà difficile per lui trovare uomini [...] Mantenere una costante pressione offensiva condurrà alla fine alla sua completa rovina»[10]. Chi avrebbe potuto negare la validità di tali fiduciose affermazioni? Messovi a confronto, Asquith scivolò semplicemente in un tacita acquiescenza.

Il suo successore nella carica di primo ministro, David Lloyd George, possedeva convinzioni più forti in fatto di strategia ed un maggior desiderio di portare una logica direzione nello sforzo bellico, ma soffrì dello stesso timore di una disapprovazione o di una sconfessione pubblica, se avesse dovuto parlar troppo franco. Polemizzò con i militari. Disse a Robertson: «Non condurrò migliaia di uomini al macello, come bestiame. Per tre anni ci è stata promessa la vittoria in Francia e nel Belgio. Cosa c'è che dimostri l'utilità di questo attacco senza fine? Dobbiamo colpire ancora un muro di gomma!»[11]. Quando ciononostante l'Alto Comando dell'esercito pianificò nuove offensive nelle Fiandre, borbottò contro una «selvaggia speculazione militare», le «pazze imprese» e le «avventure fangose e confuse», ma non tentò di proibire ai militari di continuare a sperperare le risorse della nazione, né spinse per un loro richiamo. Come ha scritto Leon Wolff, sapeva troppo bene che «se Haig fosse stato sommariamente allontanato, Robertson avrebbe lasciato l'incarico per solidarietà e l'intera nazione, il Parlamento e perfino il War Cabinet sarebbero andati su tutte le furie. Licenziare Haig avrebbe anche implicato che l'impero britannico stava perdendo la guerra, avrebbe incoraggiato il nemico ed avrebbe certamente inferto un duro colpo al morale degli Alleati»[12]. Con tali pensieri in mente, e con quello del proprio futuro politico, Lloyd George non insistette troppo e la carneficina continuò.

In tali circostanze, l'idea di cercare una pace negoziata fu liquidata in Gran Bretagna in non minor tempo che in Germania. Nel 1916, quando lord Lansdowne inviò un memorandum al governo per una vigorosa ricerca delle possibilità di un negoziato, Asquith fu meno interessato a seguirne il consiglio di quanto lo fosse nell'impedire che la notizia filtrasse ai militari od all'opinione pubblica in generale. Un anno più tardi, Lansdowne scelse una via più diretta e rese pubblica la sua proposta in una lettera al «Daily Telegraph». Fu seguita, nelle parole del suo biografo, da «una corrente di insulti ed un'incredibile massa di lettere ingiuriose, pur spesso incoerenti, ma segnate da una violenza rara nella vita politica inglese»[13]. Il «Times», allora di proprietà di lord Northcliffe, denunciò Lansdowne con una mancanza — assolutamente eccezionale — di moderazione e la stampa di Rothmere e Hulton si associò nello stigmatizzare la sua lettera come «paurosa», «inetta» e «inopportuna». Prima del diluvio di denunce, né il governo di Lloyd George, né le opposizioni ebbero alcun desiderio di far propria la causa del negoziato. Come in Germania, ai militari — che avevano già soffocato la discussione sulle alternative strategiche — fu concesso di condurre la guerra in Francia ai suoi estremi di irrazionalità, con conseguenze non meno drastiche di quelle sofferte dal nemico.

III

L'esperienza dei leader politici francesi nei primi anni della Grande Guerra quasi duplicò quella delle loro controparti in Germania ed in Gran Bretagna, ed in quell'anno critico che fu il 1917 la Francia fornì una rappresentazione concentrata di sfiducia e di capitolazione dei civili di fronte all'opinione tecnica dei militari. Nell'ultimo anno della guerra, comunque, la leadership politica riaffermò la propria autorità e, come risultato, la Francia conobbe nella direzione della guerra un grado di collaborazione politico-militare non raggiunto né dalla Gran Bretagna, né dalla Germania.

La Francia iniziò la guerra con qualcosa che assomigliava ad una dittatura militare, per le ragioni notate da Jere King:

Il fatto che la Francia non era stata meglio preparata per affrontare i problemi di una democrazia in guerra era dovuto ad un insieme di circostanze storiche. Il grande prestigio per secoli goduto dai militari diede loro un vantaggio rispetto ai civili al principio della guerra. La stessa idea della «unione sacra» avvantaggiava soprattutto i conservatori, di cui i militari erano una parte assai importante. Criticare il Comando Supremo sarebbe stato considerato atto di slealtà — se non addirittura di tradimento — durante le settimane cruciali dell'agosto e del settembre 1914. Il governo ed il Parlamento erano deferenti verso il Comando Supremo rispettando così un'aspettativa popolare. Si prevedeva una guerra breve, e un'eclissi solo temporanea del potere civile[14].

Ma la Francia aveva anche una tradizione rivoluzionaria e si aspettava che i suoi generali vincessero, o sarebbero stati sostituiti. L'inconcludente battaglia della Marne e l'avvento della guerra di logoramento sollevarono intorno ai comandanti francesi dubbi sufficienti a prevenire che l'ascesa dei capi militari fosse così pronunciata come in Germania ed in Gran Bretagna. L'emergere di un generale che avesse conosciuto un vero successo, un altro Napoleone, avrebbe potuto cambiare le cose. Ma almeno sino al 1917, i leader politici furono cauti con i potenziali Napoleoni ed i generali conservarono un'autorità ed un'autonomia sufficienti in questioni operative, come fu tragicamente dimostrato nell'aprile di quell'anno all'incontro di Compiègne. A questa riunione il presidente della Repubblica, Raymond Poincaré, il primo ministro Ribot ed il ministro della Guerra Painlevé esaminarono i piani del generale Nivelle per un'altra grande offensiva contro le linee tedesche. Non avevano alcuna fiducia nel progetto. Avevano l'autorità per impedirlo. Eppure non riuscirono ad indicare le sue debolezze od a suggerire alternative e, quindi, furono impotenti a bloccarlo. Sir Edward Spears ha scritto: «il governo fu ostacolato dalla sua mancanza di conoscenze tecniche ed incatenato dalla pubblica opinione che, consapevole della propria ignoranza in materia militare, non avrebbe tollerato un'intrusione civile nella sfera militare. [La riunione] rivela la terribile incapacità da cui le democrazie, anche quando combattono per la loro esistenza, non riescono a liberarsi. Quanto questa debolezza nella suprema direzione della guerra sia costata agli alleati in vite umane ed in denaro non poté mai essere calcolato»[15].

Il disastro seguito a quella riunione, comunque, impedì ai Francesi di seguire l'esempio degli altri Paesi già esaminati. I dubbi dei civili erano più che giustificati. Nei primi dieci giorni dell'offensiva di Nivelle, 34.000 soldati morirono in combattimento, 90.000 furono feriti — di cui una buona parte morì — e 20.000 furono i dispersi. In breve tempo, l'esercito francese fu scosso dagli ammutinamenti e la simpatia del pubblico abbandonò in maniera decisiva l'establishment militare. Nel rimescolamento che ne seguì, l'uomo che emerse per dirigere lo sforzo bellico fu Georges Clemenceau.

Strana miscela di cinico condottiero delle guerre parlamentari degli ultimi due decenni dell'Ottocento e di patriota appassionato, egli non era un grande ammiratore dei militari. Assumendo l'incarico, non nascose di considerare la guerra una questione troppo seria per essere lasciata ai generali. Non esitando a far sentire le proprie opinioni in tutti i rami dell'amministrazione militare, oltre che in questioni operative, trattò le avventurose intrusioni militari nello spazio politico con brutalità. Con un «*Taisez-Vous!*» investì il maresciallo Foch ad una riunione del Consiglio Supremo di Guerra, a Londra, nel marzo 1918: «Io qui parlo per la Francia!»[16]. Oltre che un'arroganza talvolta ostinata, Clemenceau possedeva tutta l'abilità politica necessaria per ottenere un sostegno parlamentare ed acquistò (in larga misura dal suo aiutante militare, il generale Mordacq) il tipo di esperienza necessaria per permettergli di discutere con autorevolezza questioni di scelte strategiche e tattiche, colpendo così lord Alfred Milner per la chiarezza e la forza delle proprie opinioni al punto che, nel marzo 1918, lo statista inglese propose la nomina di Clemenceau a *generalissimo* degli eserciti alleati[17].

Il premier francese aveva forse un senso troppo spiccato dei propri limiti per incoraggiare questo piano, ma ciò in nessun modo sminuì la sua eccezionale autorità nella direzione dello sforzo bellico francese nel 1918. Tra i risultati a lui attribuiti da Mordacq, vi sono la riorganizzazione del ministero della Guerra, l'abolizione di molte sinecure militari e di inutili commissioni, la scelta di nuovi ed energici comandanti di truppa, la riorganizzazione su una base logica dello Stato Maggiore generale, la rivitalizzazione delle strutture francesi di comando in Italia ed a Salonicco, ed una grande espansione della produzione di carri e di veicoli corazzati[18]. Più importante di ognuna di tutte queste fu certamente la sua reazione al distruttivo impatto dell'offensiva tedesca nella primavera del 1918. Il disordine strategico nei circoli alleati seguito al colpo di maglio di Ludendorff convinse Clemenceau che una continuazione della duplice leadership di Pétain e Haig avrebbe condotto inevitabilmente alla sconfitta bellica. Divenne il più determinato e convincente sostenitore di un comando unificato sotto Foch ed il suo successo nel realizzarlo e, una volta che la forza dell'offensiva tedesca iniziò ad affievolirsi, la sua insistenza per attacchi coordinati contro le linee di comunicazione tedesche rappresentarono grandi contributi all'offensiva strategica alleata del luglio-novembre 1918[19].

Non c'è dubbio che il ruolo più pronunciato del leader politico nel dirigere la guerra in Francia fu influenzato dal fatto che l'opinione pubblica era più volubile e critica che in Germania ed in Gran Bretagna, e dall'elemento addizionale per cui nessun generale francese possedeva il carisma di Hindenburg o Haig. Ma più di questi fattori poté il caso della personalità [*the accident of personality*]: fu la forza di volontà di Clemenceau che si impose ai suoi contemporanei e richiese da loro cooperazione od obbedienza.

IV

Nell'ultimo volume delle sue memorie di guerra, riflettendo sull'andamento generale dei rapporti civili-militari nelle varie nazioni belligeranti, David

Lloyd George scrisse: «Guardando indietro a questa guerra devastante ed osservando il ruolo avuto nella sua direzione rispettivamente da statisti e militari, sono giunto alla definitiva conclusione per cui i primi hanno dimostrato una cautela eccessiva nell'esercizio della propria autorità sopra i capi militari»[20]. Che ciò fu molto meno vero nella Seconda Guerra Mondiale risulterà evidente dai tre esempi che seguono, in ciascuno dei quali è di nuovo il caso della personalità a fornire la spiegazione, anche se importanza non trascurabile ebbe il quadro costituzionale in cui quell'autorità fu esercitata.

Adolf Hitler, il primo dei nostri esempi, rappresentava la suprema autorità politica del suo Paese, in virtù del suo doppio ruolo di cancelliere (un incarico cui erano stati aggiunti i poteri del vecchio Reichspräsident nell'agosto 1934) e di leader incontestato del partito politico unico di Germania, essendo stati eliminati gli altri, insieme ad altri elementi potenzialmente dissidenti, nel corso della *Gleichschaltung* degli anni 1933-1934. La sua autorità sull'esercito era saldamente fondata sul giuramento di fedeltà (che tutti gli ufficiali avevano fatto personalmente a lui, già dall'agosto 1934, in quanto capo del Reich e del Volk tedeschi e comandante supremo della Wehrmacht) e sulla riorganizzazione dell'Alto Comando delle forze armate del febbraio 1938, che aveva stabilito un Comando Supremo della Wehrmacht (OKW) sotto la sua diretta autorità. Nel dicembre 1941, Hitler rese il proprio comando sopra le operazioni dell'esercito ancora più diretto, congedando il generale von Brauchitsch dalla carica di comandante in capo dell'esercito (OKH) e sostituendolo nei suoi incarichi, spiegando al capo di Stato Maggiore dell'OKH che «le bagattelle» del comando operativo erano qualcosa che «chiunque poteva eseguire»[21].

In tali circostanze, non c'era alcuna possibilità di predominio militare sul processo di formazione della decisione strategica. Il problema fu piuttosto se e fino a che punto il Führer poteva concedere agli Stati Maggiori dell'OKW e dell'OKH il ruolo di consiglieri strategici. Divenne assai presto evidente che egli era poco incline a pensare in termini di vera collaborazione. Il generale Alfred Jodl, capo dello Stato Maggiore operazioni dell'OKW, scrisse in un memorandum dettato alla moglie durante i processi di Norimberga:

> Hitler desiderava avere uno Stato Maggiore di servizio che gli traducesse le decisioni in ordini, che a sua volta egli avrebbe emanato in quanto Comandante Supremo della Wehrmacht, ma niente di più. Il fatto che le riflessioni e le decisioni anche di uomini come Federico il Grande erano state provate e riesaminate alla luce delle idee, spesso contrastanti, dei loro generali non significava niente per Hitler, il quale si offendeva per ogni forma di consiglio riguardante le maggiori decisioni della guerra. Non si curava di ascoltare altri punti di vista; se anche erano accennati, egli esplodeva in attacchi di irascibilità, rabbia, agitazione[22].

Già notevole prima della guerra (fu dopo il successo del colpo in Renania del marzo 1936 che disse «Vado per la mia via con la sicurezza di un nottambulo»), la mistica convinzione di Hitler nella sua infallibilità di leader della marcia del proprio Paese verso il potere mondiale fu rafforzata dai successi della sua strategia nel 1939 e nel 1940. Secondo quanto Jodl testimoniò:

L'uomo che riuscì ad occupare la Norvegia sotto gli occhi della flotta britannica e della sua supremazia marittima, e che con forze numericamente inferiori rovesciò in una campagna di quaranta giorni la temuta potenza militare della Francia come un castello di carta, dopo tali successi non desiderava più ascoltare i consiglieri militari i quali lo avevano già ammonito su una così eccessiva estensione dei suoi poteri militari. Da quel momento in avanti egli non richiese a loro nient'altro che il supporto tecnico necessario per dar corso alle proprie decisioni e all'organizzazione militare solo l'ordinario lavorio necessario per eseguirle[23].

In realtà, la fiducia in se stesso non era niente più che una forma avanzata di megalomania. Il talento strategico di Hitler, una volta dedicatosi a concrete operazioni, era limitato e guidato da apprezzamenti niente affatto realistici delle possibilità e dei costi.

Il piano strategico generale di Hitler per il futuro della Germania è stato ben descritto da Andreas Hillgruber[24]. Abbozzato per la prima volta in quel volume del 1928 rimasto a lungo sconosciuto, il sogno di Hitler consisteva nel fare della Germania la potenza dominante mondiale, dapprima con la conquista e l'annessione dell'Europa e della Russia, preferibilmente con una benevola neutralità della Gran Bretagna, e in un momento successivo (dopo l'acquisto di basi coloniali e la costruzione di una potente marina) con una guerra — forse in alleanza con la Gran Bretagna — contro l'unica potenza che poteva minacciare ancora la Germania, gli Stati Uniti d'America.

Per il completamento della prima fase dell'ambizioso programma, Hitler fece notevoli progressi negli anni tra il 1933 ed il 1939 inizialmente dietro la maschera di una certa abilità diplomatica, con la quale riuscì a nascondere i suoi reali obiettivi alle potenze occidentali ed a sfruttare abilmente tutte le loro divisioni e distrazioni, e poi dopo la primavera del 1938, attraverso una sagace combinazione di pressioni militari e politiche. Non è certo se nell'autunno del 1939 egli aveva esaurito le possibilità di una tale strategia fatta di strumenti diversi, quando pare abbia deciso che le vittorie riportate senza la diretta applicazione della potenza militare tedesca potevano non essere abbastanza soddisfacenti. Risulta evidente, comunque, che una volta abbandonata l'arma politica e scelto di perseguire i suoi obiettivi solo con le armi, il suo talento strategico si dimostrò spesso inadeguato a risolvere i problemi che egli stesso creava.

Ciò fu abbondantemente chiaro già nel giugno 1940, cioè proprio quando il generale Keitel stava salutando il vincitore in Scandinavia, nei Paesi Bassi ed in Francia come «il più grande comandante di tutti i tempi». Il capo dell'OKW avrebbe potuto guardare al suo Führer, più correttamente, nei termini di un fallimento strategico, poiché il fatto che la Gran Bretagna rifiutò di arrendersi — come aveva fatto la Francia — infranse il suo grande disegno e Hitler non aveva alcun piano per risolvere le difficoltà che con ciò si ponevano. Il feldmaresciallo Erich von Mannstein scrisse, dopo la guerra, che Hitler era sempre così fiducioso che la propria forza di volontà avrebbe potuto superare ogni possibile ostacolo ai suoi desideri da dimenticare che anche i nemici possedevano una loro volontà[25]. Adesso la terribile verità stava di fronte a lui, per la prima volta, aggiungendo alla guerra una dimensione che egli non capiva e non poteva padroneggiare. L'effetto di ciò sulla sua strategia fu conturbante e permanente. Da questo momento in avanti, essa fu segnata in maniera crescente dall'impazienza, da piani mal concepiti, perseguiti senza convinzione e quindi abbandonati, da un cattivo uso delle risorse umane e materiali, nonché da un'ostinazione impulsiva che condusse a risultati disastrosi[26].

La straordinaria labilità della riflessione strategica di Hitler nella seconda metà del 1940 è indicativa dell'assenza di un chiaro indirizzo di direzione. Il piano per un assalto alle Isole Britanniche era errato nella sua stessa concezione e l'offensiva aerea da cui esso dipendeva inadatta agli obiettivi che cercava di raggiungere. Ci sono indizi che Hitler non si impegnò mai a fondo in questa operazione che fu chiamata Sea Lion, se fin dal luglio fece sapere ai suoi più alti comandanti che la chiave per porre termine alla partecipazione della Gran Bretagna alla guerra stava nella possibile distruzione, per prima, della Russia. In ottobre, quando fu chiaro che il bombardamento aereo della Gran Bretagna non era sufficientemente efficace, imboccò un'altra strada errata e tenne riunioni con Mussolini, Pétain, Laval e Franco tentando di indurli a partecipare ad una serie di attacchi tesi a tagliare del tutto le linee di comunicazione britanniche nel Mediterraneo; e nello stesso mese, prese in attenta considerazione l'ipotesi di cercare di persuadere i Russi ad un'offensiva contro i possedimenti britannici in Medio Oriente. Gli Stati Maggiori addetti alla pianificazione dell'OKH, avevano buone ragioni per essere perplessi dei continui ribaltamenti di fronte del loro capo, essendo stato loro ordinato — nel corso di cinque mesi — di tracciare piani per la Sea Lion, per la cattura di Gibilterra, delle Azzorre e delle Canarie, per la difesa delle miniere finlandesi di nichel, per il sostegno all'Italia in Africa settentrionale e per l'invasione della Russia[27].

Una chiarificazione venne alla fine dell'anno, dopo che la visita a Berlino del ministro degli Esteri Molotov aveva convinto Hitler che il patto russo-tedesco aveva perso la sua utilità e che era giunto il tempo per l'attacco, a lungo desiderato, all'Unione Sovietica. Mentre la dettagliata pianificazione dell'Operazione Barbarossa andava sviluppandosi, nello Stato Maggiore di Hitler i più previdenti avevano comunque qualche difficoltà nel comprendere quale dovesse essere il suo scopo strategico, ed il capo dello Stato Maggiore dell'OKH Halder temette sempre più, come rivela il suo diario, che gli obiettivi militari fossero subordinati a quelli ideologici e che la distruzione del sistema bolscevico e lo sterminio degli Ebrei prendessero il sopravvento su una strategia clausewitziana di ricerca dei mezzi più celeri per indebolire la volontà del nemico di proseguire la lotta[28].

Che ci fossero basi per quei timori divenne palesemente chiaro una volta iniziato l'attacco nel giugno 1941 e poi quando le campagne del 1941 e del 1942 in Russia furono segnate da aspri, ma inefficaci tentativi dei militari di convincere Hitler ad ammettere l'importanza della coerenza e della costanza. È stato sostenuto che le armate tedesche non riuscirono a prendere Mosca nel 1941 per via dei ritardi causati dalle campagne in Iugoslavia ed in Grecia, necessari ad eliminare un potenziale pericolo sul fianco destro tedesco; ma ciò sottovaluta la più grave perdita di tempo (fra luglio e settembre) nelle discussioni sui compiti dei tre gruppi di armate tedesche in Russia e sulle reciproche priorità. Sia Jodl sia Harder preferivano concentrarsi sulla presa di Mosca, non solo perché era la capitale dell'Unione Sovietica, ma perché i Russi l'avrebbero difesa con tutte le loro risorse: e ciò forniva un'opportunità per la distruzione della loro forza militare. Hitler scartò questa soluzione, insistendo a varie riprese che Leningrado era il suo principale obiettivo o che era essenziale catturare il bacino del Donet, immobilizzare la Crimea e far cessare la minaccia ai campi petroliferi rumeni. Rifiutò sdegnato un memorandum Brauchitsch-Halder, del 18 agosto 1941, in cui questi prendevano posizione per un immediato colpo su Mosca, prima che il vicino inverno lo rendesse impossibile: descrisse sarcasticamente l'OKH come pieno di cervelli «fossilizzati» su teorie obsolete[29], un insulto che spinse Halder a proporre a Brauchitsch di presentare ambedue le dimissioni. Fu solo dopo il 30 settembre, dopo che le armate più a Sud avevano preso Kiev, che Hitler autorizzò l'avanzata sulla capitale sovietica ed il lungo ritardo si dimostrò fatale per l'impresa.

Lo stesso tipo di nervosa irresolutezza caratterizzò la condotta di Hitler della campagna del 1942. Invece di riprendere l'attacco su Mosca, il Führer dichiarò in aprile che il colpo principale sarebbe stato verso Sud, allo scopo di distruggere le unità dell'Armata Rossa nel bacino del Don e, quindi, impadronirsi dei campi petroliferi del Caucaso. Le preoccupazioni sulla mancanza di combustibili nel Reich davano una certa plausibilità al piano operativo, ma una volta che questo fu avviato, alla fine di giugno, Hitler mostrò di nuovo la sua tendenza ad essere distratto da condizioni locali ed a sacrificare mete strategiche a successi tattici. Un esempio fatale sta nella sua direttiva di guerra n. 45 del 23 luglio che divideva le forze a Sud, ordinando al Gruppo di Armate B comandato dal generale Maximilian von Weichs di muovere su Stalingrado, mentre il gruppo di armate A del feldmaresciallo Wilhelm List — indebolito dalla perdita di due divisioni corazzate distaccate ed inviate alla Sesta Armata di Weichs ed all'Undicesima Armata in Crimea, a sua volta riassegnata all'assedio di Stalingrado — doveva attraversare il basso Don e lo stretto di Kerc dalla Crimea e penetrare nel Caucaso[30].

Fu un ordine verso il disastro. Halder scrisse nel suo diario: «La tendenza cronica a sottovalutare le potenzialità del nemico sta gradualmente assumendo dimensioni grottesche e si trasforma in un concreto pericolo. Un lavoro serio sta diventando impossibile, qui. La cosiddetta guida è caratterizzata da patologiche reazioni alle impressioni del momento»[31]. Infatti, lo schieramento delle forze, adesso gravemente ridotte, da parte di Hitler e la sua scelta degli obiettivi furono sempre più determinate da ostinazione ed umoralità: i nomi di Leningrado e Stalingrado parevano esercitare una funesta attrazione, del tutto sproporzionata alla loro importanza strategica; mentre le difficoltà del Führer crescevano i suoi disegni divenivano più grandiosi ed irrealistici ed egli diveniva sempre più irrazionale nella reazione agli scacchi subiti, sperperando risorse per un'ostinata cecità di fronte ai fatti o per ragioni di prestigio. Il rifiuto di permettere alla Sesta Armata di von Paulus di uscire da Stalingrado quando ancora c'era tempo e — in un altro teatro di guerra — la decisione di continuare a rinforzare di truppe e materiali la testa di ponte in Tunisia molto dopo che la sua caduta era divenuta prevedibile sono segni di un disordine nel giudizio strategico.

La decisione di dichiarare guerra agli Stati Uniti nel dicembre 1941, dopo l'attacco giapponese a Pearl Harbor, è più difficile da spiegare. Una lettura del discorso di Hitler al Reichstag del 10 dicembre, con i suoi lunghi brani di insulti e di invettive verso il presidente Franklin Roosevelt, dà fondamento all'opinione per cui l'atto fu motivato da un risentimento a lungo covato per l'azione promossa da Roosevelt in favore degli Inglesi nell'Atlantico nel 1940 e nel 1941. Senza dubbio una parte l'ebbe anche il desiderio di dimostrare solidarietà verso i Giapponesi, nella speranza che questi fossero indotti ad attaccare le province sovietiche in Estremo Oriente. È assai probabile, tuttavia, che Hitler fece quel passo critico solo per il gusto del gesto in quanto tale e per gli effetti che poteva produrre sulla popolazione tedesca, e perché pensava che non poteva far danno. Egli cioè si rese conto che doveva vincere la guerra con la Russia nel 1942 e che — in tal caso — non ci sarebbe stato niente che gli Stati Uniti avrebbero potuto fare per impedire che lui raggiungesse il desiderato dominio globale. Altrimenti — se non ci fosse riuscito — il destino della Germania sarebbe stato certo, e meritato.

«Prima di qualsiasi altra persona al mondo», scrisse Jodl nel suo memorandum di Norimberga, «Hitler sentì e seppe che la guerra era perduta». Dopo la catastrofe di Stalingrado, la sconfitta di Rommel ad El Alamein e gli sbarchi alleati a Casablanca, Orano ed Algeri, lo slancio bellico era passato dalla parte del nemico e, nelle parole di Jodl, «l'attività di stratega [di Hitler] era sostanzialmente finita. Da allora in avanti, intervenne sempre più frequentemente in decisioni operative, spesso in materie di mero dettaglio tattico, per imporre con ostinata volontà ciò che egli pensava i generali semplicemente rifiutassero di comprendere: che si doveva stare in piedi, o cadere, che ogni volontario arretramento era un male in se stesso»[32]. La guerra raggiunse ora il culmine dell'irrazionalità, con i generali comandanti tedeschi ridotti, come disse uno di loro, a «sottufficiali assai ben pagati», e con il Führer che dava ordini per ogni settore di ogni fronte e che insisteva che la forza della volontà era sufficiente a trionfare sulla superiorità del numero e dei materiali.

Fu un tipo di guerra ben caratterizzata nelle parole di un subordinato di Paulus a Stalingrado, il quale descrisse gli ordini di combattere e morire sul posto «non solo come un crimine da un punto di vista militare ma un atto criminale in quanto riguarda la nostra responsabilità di fronte alla nazione tedesca». Hitler, per cui la guerra era sempre stata un dramma personale, non aveva mai sviluppato un alto senso di quella responsabilità e forse, al fondo, questo rappresentò la sua più grande deficienza in quanto stratega.

V

Non si potrebbe assolutamente dire lo stesso di Winston Churchill le cui riflessioni furono profondamente influenzate, in primo luogo, dal ricordo del significato per il proprio Paese delle perdite subite nella Prima Guerra Mondiale e dalla convinzione per cui la sconfitta di Hitler non avrebbe dovuto essere raggiunta allo stesso prezzo; e, in secondo luogo, dalla consapevolezza del tipo di problemi che avrebbero dovuto essere affrontati dopo la vittoria. Di conseguenza, le sue concezioni strategiche ebbero un segno più enfaticamente politico di quelle, come vedremo più avanti, del suo amico ed alleato a Washington, Franklin Roosevelt.

Di tutti i leader politici dei maggiori Paesi belligeranti nella Seconda Guerra Mondiale, Churchill possedeva la maggiore esperienza di guerra. Ufficiale del quarto Ussari nel 1895, nell'arco di tempo di otto anni aveva visto combattere a Cuba, alla frontiera nordoccidentale dell'India, nel Sudan ed in Sud-Africa, o come combattente o come corrispondente di guerra. Eletto alla Camera dei Comuni all'età di venticinque anni, si fece conoscere prima come convinto critico dei bilanci militari e poi come forte sostenitore delle costruzioni navali: un mutamento di attitudine che coincise con il suo passaggio nel 1911 dall'incarico di ministro degli Interni nel governo liberale di Asquith a quello di Primo Lord dell'Ammiragliato. Durante la Grande Guerra dimostrò il suo polso di ministro, affidandosi audacemente nel 1914 all'uso delle potenzialità anfibie per prevenire la cattura tedesca dei porti della Manica e, un anno più tardi, divenendo un forte sostenitore del piano per i Dardanelli e di far uscire la Turchia dalla guerra. Quando il fallimento dell'operazione condusse ad un rimpasto ministeriale ed alla perdita del suo incarico, egli ritornò nell'esercito e gli fu dato il comando del sesto Royal Scots Fusiliers, guadagnandosi il favore dei suoi superiori. A malincuore, ritornò in Parlamento nella primavera del 1916 quando apparve chiaro che non avrebbe potuto attendersi il comando di una brigata, con Haig comandante in capo[33]. Nell'ultimo anno di guerra, Lloyd George lo nominò ministro delle Munizioni, al di là delle obiezioni mosse da coloro che ancora lo ritenevano responsabile per il fallimento dell'operazione dei Dardanelli.

Una così varia esperienza ebbe due effetti nettamente diversi sulla riflessione di Churchill sulla guerra e sulla sua direzione. In primo luogo, il ricordo degli infelici risultati del fiacco e ridondante sistema di commissioni [*committee system*] dei giorni di Asquith-Kitchener lo condusse, appena divenuto primo ministro nel 1940, ad introdurre strutturali trasformazioni che centralizzarono nettamente le attività del governo e che ebbero l'effetto di incaricarlo sia della guida del governo sia del comando supremo delle forze armate. Lavorando con un ristretto *War Cabinet*, formò alle sue dipendenze un *Defence Committee (Operations)* di cui facevano parte il vice primo ministro, i tre ministri militari e, più tardi, il ministro degli Esteri, con la presenza eventuale — se necessaria — di altri ministri e con quella fissa dei capi di Stato Maggiore. All'interno del nuovo ministero della Difesa [*Ministry of Defence*], di cui pure assunse la guida, i capi di Stato Maggiore formarono un quartier generale interforze [*combined battle headquarters*] che si incontrava quotidianamente alla presenza di Churchill o del suo vice ministro della Difesa, il generale Ismay. Il ministro della Difesa aveva diretta autorità sul *Joint Planning Committee* e sul *Joint Intelligence Committee* oltre che sul *Joint Planning Staff*, il quale era indipendente dai diversi ministeri militari e si riuniva sotto la presidenza di Ismay, presso il *War Cabinet Secretariat*. Durante la guerra, la concentrazione del potere nelle mani di Churchill e dei capi di Stato Maggiore escluse gradatamente sia il War Cabinet sia il Parlamento da ogni ruolo effettivo nella formulazione della strategia, un dato che originò a più riprese proteste e lamentele, rese però senza conseguenze dalla constatata efficienza del sistema. La pianificazione coordinata degli Stati Maggiori resa così possibile fu di gran lunga superiore ad ogni analogo tentativo della controparte statunitense, come questa imparò — sconcertata — nelle conferenze di Washington (Arcadia), Casablanca e del Tridente nel 1942 e nel 1943. Ronald Lewin ha scritto: «la personificazione in Churchill dell'autorità sia politica sia militare fornì la chiave di volta di una nuova struttura dell'Alto Comando, che dimostrò di essere il sistema centrale più efficiente di condurre una guerra mai sviluppato, in Gran Bretagna come in qualsiasi altro Paese»[34].

Per i primi due anni in cui Churchill fu al potere, gran parte delle energie dei capi di Stato Maggiore dovette essere indirizzata nel limitare l'impetuosità del creatore di questo sistema e nel cercare di mantenere un rapporto di lavoro tollerabile fra Churchill ed i generali comandanti sul campo. Poiché, se la Grande Guerra gli aveva insegnato molto in tema di concreta organizzazione della direzione dello sforzo bellico, essa gli aveva lasciato uno scarso rispetto per i militari di professione che poco si conciliava con la sconfinata fiducia nel proprio giudizio militare e nel proprio talento per le decisioni strategiche e tattiche. Dal momento che aveva anche una personalità robusta e combattiva, intollerante degli aspetti sistematici e non esaltanti del comando operativo, fornita inoltre di una potente immaginazione (che spaventava i professionisti, costretti a mantenere una scrupolosa attenzione al rapporto fra mezzi e fini), il contrasto fra Churchill ed i suoi comandanti era inevitabile. Il feldmaresciallo Archibald Wavell disse una volta che Churchill «non si rese mai conto della necessità di un equipaggiamento completo prima di portare le truppe alla battaglia. Ricordo le sue affermazioni per cui, poiché un numero relativamente limitato di Boeri a cavallo aveva fermato una divisione britannica nel 1899-1900, non era necessario per la South African Brigade disporre di qualcosa di più dei fucili prima di scendere in campo nel 1940. In realtà, pensai che gli ideali tattici di Winston si erano in qualche misura cristallizzati al tempo della guerra Anglo-Boera. La sua mente fertile era sempre pronta ad inventare od a recepire idee ed armi per una nuova tattica, ma credo che sino alla fine non comprese mai il lato amministrativo della guerra; accusò sempre i comandanti di organizzare *all tail and no teeth*»[35].

Poiché sospettava che i suoi generali mancassero di iniziativa e di spirito aggressivo, Churchill li inondò di ordini, memorandum e direttive su questioni che erano in realtà affar loro piuttosto che suo. Il 16 agosto 1940, ad esempio, per la meraviglia del capo dello Stato Maggiore Generale imperiale sir John Dill e del maggior generale sir John Kennedy, capo dell'ufficio operazioni militari, inoltrò una direttiva per la condotta della campagna in Medio Oriente che era di fatto un ordine di operazione, con dettagliate istruzioni tattiche, sino alla distribuzione dei battaglioni in avanguardia ed in retroguardia, e con ordini minuziosamente dettagliati per l'impiego delle forze[36]: esattamente lo stesso tipo di sostituzione di autorità del comandante sul campo cui Hitler fu incline nelle ultime fasi della guerra. Egli era costantemente in guardia circa segni di debolezza da parte dei suoi generali e nell'aprile 1941, avendo saputo da Kennedy che Wavell aveva un piano per il ritiro dall'Egitto se a ciò fosse stato costretto, ebbe uno scatto d'ira: «Wavell ha 400.000 uomini! Se perdono l'Egitto, scorrerà del sangue! Convocherò plotoni d'esecuzione per sparare ai generali!». E, quando Kennedy protestò che ogni prudente generale deve avere a disposizione un piano simile, aggiunse: «Ciò mi colpisce come un fulmine. Non ho mai sentito idee simili! La guerra è una contesa fra volontà! È puro disfattismo parlare come voi avete fatto!»[37].

Non c'è dubbio che la Gran Bretagna fu ben servita dall'indomabile spirito di Winston Churchill nei foschi anni del 1940 e del 1941 e che il suo disprezzo del pericolo, che avrebbe scoraggiato tanti uomini, non solo sostenne il coraggio dei suoi connazionali, ma anche riscosse l'ammirazione ed il sostegno materiale degli Stati Uniti. Anche così, la sua combattività aveva un prezzo ed il suo ardore nell'affrontare il nemico, dovunque se ne presentasse un'opportunità, condussero ad una grave confusione delle priorità. La decisione di andare in aiuto della Grecia nel marzo 1941, senza una razionale valutazione di quanto pesantemente ciò avrebbe intaccato la forza del Middle East Command e quanto deboli fossero le possibilità di successo, pare in prospettiva essere stato un esercizio quasi frivolo di spirito cavalleresco, e la responsabilità di Churchill nella sconfitta che ne seguì non è alleviata dal fatto che Dill e Wavell, contro il loro miglior giudizio, condivisero la decisione. E il successivo fascino di Churchill verso Rommel, senza dubbio dovuto alla sua inclinazione a vedere il conflitto in termini di combattenti individuali, lo condusse ad elevare il rango dell'Egitto nella lista delle priorità strategiche della Gran Bretagna dal quarto posto (dopo la sicurezza del suolo patrio, della Malacca e del Capo di Buonasperanza) al secondo ed a dichiarare, in una direttiva emanata senza aver consultato i capi di Stato Maggiore, che la sua perdita sarebbe stata di una gravità seconda solo ad un'invasione e ad una conquista finale: una conclusione che Kennedy violentemente contestò[38]. Né si trattava solo di retorica del momento. Essa influenzò l'opinione di Churchill sull'allocazione delle risorse: privò in particolare la Malacca del necessario rinforzo, condusse alla caduta di Singapore, un evento che affrettò quella dissoluzione dell'impero britannico alla quale Churchill aveva giurato che non avrebbe presieduto.

Dopo che sir Alan Brooke successe a Dill, le incursioni di Churchill in campo operativo furono gradatamente contenute, poiché Brooke era più incline del suo predecessore a fare resistenza contro affermazioni che egli riteneva pericolose ed era abbastanza astuto per tenere lontana l'attenzione del primo ministro da questioni che egli pensava potessero avere un effetto eccitante sopra il burrascoso temperamento di Churchill. «Più parli della guerra a quell'uomo», disse a Kennedy dopo avergli drasticamente tagliato una minuta per Churchill, «più ne ritardi la vittoria»[39]. Allo stesso tempo l'entrata degli Stati Uniti nella guerra, avvenuta nello stesso mese della nomina di Brooke, segnò l'apertura di una nuova fase in cui il requisito più importante fu il coordinamento della pianificazione strategica: e la risposta di Churchill a questa sfida non fu indebolita dall'impulsività o dalla mancanza di misura dimostrate nel 1940 e nel 1941.

Grazie al rapporto speciale instaurato dal primo ministro con Franklin Roosevelt già dall'inizio della guerra (favorito da principio dal comune interesse sulle questioni navali[40]), un certo lavoro di pianificazione era stato già compiuto ancor prima che gli Stati Uniti entrassero nelle ostilità. Così furono tenuti a Washington dei colloqui anglo-statunitensi di Stato Maggiore, dal 29 gennaio al 29 marzo 1941, per determinare «i metodi migliori con cui le forze armate degli Stati Uniti e del Commonwealth britannico [...] potessero sconfiggere la Germania e le Potenze a lei alleate, qualora gli Stati Uniti fossero costretti a ricorrere alla guerra». I colloqui (ABC-1) erano stati guidati dalle conclusioni cui era giunto un precedente memorandum dell'ammiraglio Harold Stark, capo operazioni navali statunitensi, per cui nel caso di una guerra gli Stati Uniti avrebbero adottato uno schieramento offensivo nell'Atlantico in quanto alleati della Gran Bretagna ed uno difensivo nel Pacifico[41].

Temendo che quest'ordine di priorità fosse invertito dallo spirito degli Statunitensi dopo Pearl Harbor, Churchill si preoccupò e si decise a precipitarsi a Washington «con la più grossa squadra di esperti consiglieri che poté essere messa insieme [...] per persuadere il presidente e responsabili militari statunitensi che la sconfitta del Giappone non avrebbe significato la sconfitta di Hitler, ma che la sconfitta di Hitler avrebbe reso il colpo di grazia al Giappone solo una questione di tempo»[42]. A giudicare da quanto accadde, i suoi timori furono infondati. Alla conferenza (Arcadia) di Washington del gennaio 1942, il concetto del «Germania per prima» [*Germany first*] fu riaffermato, e così la continuazione della campagna dei bombardamenti, il blocco e le misure sovversive per indebolire la Germania, fino a che potessero effettuarsi in qualche luogo grandi sbarchi nell'Europa occidentale, presumibilmente nel 1943. Nessuna concreta proposta fu fatta per il Pacifico, oltre alla costituzione di un comando supremo (ABDA) per una forza alleata operante nell'area che andava dalla Birmania al mar della Cina, un piano che presto si dimostrò irrealizzabile.

Durante il viaggio verso gli Stati Uniti sul *Duke of York*, Churchill mise insieme una serie di carte che quasi giustificherebbero l'affermazione di Ismay per cui «nella sua comprensione dell'ampio orizzonte strategico [egli] sopravanzava di molto i suoi consiglieri, militari di professione» ed impersonificava quella che sarebbe stata al fondo la strategia britannica per i due anni successivi[43]. Riconobbe le limitate potenzialità degli alleati nell'immediato futuro. «I fallimenti di Hitler e le perdite in Russia sono i fatti fondamentali della guerra in questo momento». Le aree per un'azione più favorevole anglo-statunitense stavano sulle rotte atlantiche e nell'aria, per mantenere le linee di rifornimento e per inibire la produzione tedesca, nonché sul teatro dell'Africa settentrionale. La maggiore azione offensiva del 1942 avrebbe dovuto essere «l'occupazione di tutti i possedimenti francesi nell'Africa settentrionale ed occidentale, [...] un più avanzato controllo britannico dell'intera costa nordafricana da Tunisi all'Egitto fornendo così, se la situazione lo permette, libero transito nel Mediterraneo sino ad Oriente ed al Canale di Suez». Simultaneamente, avrebbero dovuto essere pianificati sbarchi, per l'estate del 1943, in Sicilia ed in Italia, oltre che in Scandinavia, nei Paesi Bassi, in Francia e nei Balcani, rinviando la scelta concreta dei numerosi obiettivi specifici. Rese esplicito il suo pensiero per cui la guerra poteva essere vinta solo «attraverso la sconfitta in Europa delle armate tedesche od attraverso sommovimenti interni in Germania». Prefigurò un esercito d'invasione di quaranta divisioni corazzate, garantite dal controllo del mare e del cielo e la cui via sarebbe stata preparata da un'intensa offensiva dall'aria, con i bombardamenti[44].

Questa fu in effetti la strategia seguita dagli alleati nel 1942 e nel 1943, anche se — durante il percorso — ci furono momenti burrascosi con i capi di Stato Maggiore statunitensi i quali, dopo le consultazioni con i colleghi Inglesi dell'aprile, pensarono di averli persuasi ad accordarsi per un'invasione attraverso la Manica nel 1943 (od anche nel 1942, se fosse apparso che i Russi fossero sul punto di collassare) e sospettarono gli Inglesi di rinnegare tutto ciò ed addirittura di non avere il coraggio per un tale sbarco. In tali frangenti, l'amicizia di Churchill con Roosevelt si dimostrò di un valore inestimabile. Nella conferenza di Washington del giugno 1942 con la propria eloquenza persuase Roosevelt sul punto per cui un rinvio del passaggio della Manica era preferibile ad uno sbarco fallito; con la propria capacità di persuasione, lo convinse ad accettare la fattibilità e la vantaggiosità di uno sbarco e di un'invasione in Africa settentrionale; e, a Casablanca, presentando abilmente le possibilità offensive di una stabile conquista dell'Africa del Nord, ottenne l'appoggio di Roosevelt per uno sbarco in Sicilia e, per estensione, in Italia[45].

In un senso concreto, quindi, le opinioni strategiche di Churchill furono determinanti per le operazioni alleate nel 1942 e nel 1943 ed ebbero la conseguenza di impedire l'avvio di Overlord sino a che il logoramento della forza tedesca ed il miglioramento della propria condizione navale lo fece apparire fattibile agli occhi dei capi di Stato Maggiore inglesi. Fino alla conferenza di Teheran del novembre 1943, quando gli Statunitensi — anche con il forte sostegno di Stalin — fissarono una data certa per Overlord e per un'invasione di alleggerimento in Francia (Anvil), l'ascendente di Churchill non conobbe una fine. Prima di accordarsi su tutto ciò, a Churchill ed a Brooke fu fatto ben capire che le operazioni in Italia non sarebbero state alleggerite sino a quando gli altri sbarchi non avessero avuto luogo (poiché si trattava dell'unico mezzo per inchiodare divisioni tedesche che altrimenti avrebbero potuto essere impiegate in Russia o in Francia) e che sarebbe stata disattesa la promessa fatta con leggerezza da Roosevelt a Chiang Kai-shcek alla prima conferenza del Cairo per una operazione anfibia contro le isole Andamane nei mesi successivi (l'operazione Buccaneer, su cui, come disse Brooke, gli Inglesi «non erano stati d'accordo e dei cui benefici non erano convinti»)[46].

La diminuzione dell'influenza strategica di Churchill nel periodo successivo fu da questi sopportata virilmente, ma fra crescenti presagi. Per quanto grande fosse la sua ammirazione degli Statunitensi, era esasperato dalla loro insensibilità per il fatto che le guerre creano altrettanti problemi di quanti ne risolvano e che l'arte della *grand strategy* sta nel prevedere le grandi linee del futuro e di essere preparati ad affrontarlo. Dopo Stalingrado, quando ad Est lo slancio passò dalla parte dei Russi, egli iniziò a temere una pressione sovietica troppo pronunciata sull'Europa del dopoguerra ed a pensare a piani per contenerla con accordi sui confini o con sfere di influenza reciprocamente riconosciute. Tali suggerimenti furono, comunque, contrastati fortemente dal segretario di Stato Cordell Hull, che era tornato dalla conferenza dei ministri degli Esteri del novembre 1943 a Mosca convinto che nel futuro non ci sarebbe «stato più alcun bisogno di sfere d'influenza, di alleanze, di equilibrio, o di ogni altra combinazione particolare attraverso cui, nello sfortunato passato, le nazioni si erano sforzate di salvaguardare la propria sicurezza o di promuovere i propri interessi»[47].

Né Hull era solo nel contrastare l'intrusione dei concetti della vecchia diplomazia nel seguito della conduzione della guerra. I militari statunitensi, convinti che la loro preferenza per un approccio diretto piuttosto che periferico alla prospettiva dello scontro dimostrasse la loro adesione alle dottrine di Clausewitz, erano anche troppo ovviamente male informati circa l'insistenza del pensatore tedesco sul fatto che in tempo di guerra le considerazioni politiche possono essere dimenticate solo a prezzo di grandi pericoli[48], come Eisenhower avrebbe dimostrato nell'aprile 1945 rifiutando di pensare ad un'avanzata su Berlino[49]. Per quanto concerneva lo stesso Roosevelt — cui Churchill in un appello a non precludersi alcuna opzione strategica aveva telegrafato nel luglio 1944: «In un'ottica politica di lungo periodo, [Stalin] potrebbe preferire che Inglesi e Statunitensi debbano fare la loro parte in Francia in questo duro combattimento che ha da venire, mentre l'Europa orientale, centrale e meridionale debba cadere naturalmente sotto il suo controllo»[50] — egli non era più disponibile all'idea per cui la strategia aveva un risvolto politico del suo segretario di Stato o dei suoi militari. Dal suo punto di vista, vincere la guerra rappresentava la prima priorità; la politica sarebbe venuta più tardi.

VI

Se Franklin D. Roosevelt era stato lento nel rendersi conto delle sconfinate ambizioni di Hitler e se, di conseguenza, la sua diplomazia prima del 1939 era stata nel migliore dei casi indifferente[51], la sua direzione della politica statunitense dopo lo scoppio della guerra in Europa (pur esitante, fatta di tentativi ed anche contraddittoria nella tattica, ed inevitabilmente tale per via dei suoi freni interni) fu magistrale nella sua strategia generale. Alla situazione militare, egli corrispose con vigore e sicurezza. Era stato da tempo interessato da questioni navali e di geografia, ed il suo incarico di vice ministro per la Marina dal 1913 al 1920 lo aveva rassicurato sulla propria abilità nel prendere decisioni su questioni militari e di *grand strategy*[52]. Nel luglio 1939, quando la certezza di una guerra divenne evidente, aveva emanato una direttiva militare nella sua prerogativa di comandante in capo, spostando nel nuovo ufficio esecutivo [*Executive Office*] del presidente il *Joint Board of the Army and Navy* (l'organismo di coordinamento della pianificazione strategica delle due forze armate), l'*Army and Navy Munitions Board* (che controllava i programmi di munizionamento) e l'agenzia civile incaricata della supervisione della produzione militare. Ciò significava che intendeva tenere sotto il proprio personale controllo il potere militare degli Stati Uniti, poiché in quanto membri del *Joint Board* i capi di Stato Maggiore rispondevano adesso direttamente a lui, e i ministri della Guerra e della Marina, H.L. Simons e F. Knox, erano ampiamente esclusi dall'area delle decisioni strategiche.

Per gli Inglesi, si trattava di un sistema di sconcertante scioltezza. Sir John Dill scrisse a Brooke il 3 gennaio 1942 che i capi di Stato Maggiore statunitensi sembravano non aver mai riunioni regolari e, quando si incontravano, non c'era alcuna segreteria che ne registrava gli atti. A differenza degli Inglesi, non avevano una pianificazione coordinata, o Stati Maggiori congiunti che dessero corso a quella pianificazione, ed i contatti con il presidente erano intermittenti e, di nuovo, non registrati. «Mi pare», scrisse Dill, «che tutta questa organizzazione appartenga ai tempi di George Washington, il quale fu nominato Comandante in Capo di tutte le forze, e lo fu. Oggi è il presidente il comandante in capo di tutte le forze ma non è così semplice l'esserlo»[53]. Il sistema americano fu, in effetti, più efficiente di quanto Dill pensasse, ma non c'è dubbio che fosse meno coordinato del suo omologo britannico. Roosevelt preferì sempre tenere aperte le opzioni possibili e celati i propri pensieri, con il diritto di prendere decisioni definitive saldamente nelle proprie mani: e, sebbene col tempo divenne dipendente dal generale George Catlett Marshall e si basò in maniera crescente sui suoi giudizi militari, ciò fu meno vero nel periodo fra la sua direttiva del luglio 1939 e Pearl Harbor, durante il quale, ha scritto Kent Roberts Greenfield, «FDR prese tutte le sue importanti decisioni sull'uso del potere militare statunitense, o indipendentemente dai suoi capi militari o contro il loro parere o nonostante le loro proteste»[54].

Anche prima dello scoppio delle ostilità nel 1939, il presidente era giunto alla conclusione per cui, se la guerra fosse giunta, gli Stati Uniti sarebbero stati costretti, nel loro interesse, a sostenere la Gran Bretagna. Sperava che, fatto ciò con forza sufficiente, un vero e proprio intervento militare del suo Paese potesse non essere necessario. Tale concetto strategico fu concretato in tre decisioni. La prima fu l'ordine di Roosevelt per la creazione di una potenzialità industriale capace di produrre diecimila velivoli da combattimento all'anno, poi incrementata nel maggio 1940 a cinquantamila, per l'indignazione dei capi di Stato Maggiore che temevano che il riarmo delle tre forze armate ne sarebbe rimasto rovinosamente sbilanciato. La seconda decisione fu quella del maggio-giugno 1940 di impegnare il Paese in una assistenza totale alla Gran Bretagna, un passo rivelato al pubblico per la prima volta nel discorso di Charlottesville del 6 giugno e più tardi concretatosi nell'accordo sulle basi dei cacciatorpedinieri e sulla «legge affitti e prestiti» [*Lend-Lease legislation*]. Anche questo fu ritenuto pericoloso da parte dell'esercito e della marina, prevedendo l'imminente collasso della Gran Bretagna e preferendo una politica di difesa «emisferica». La terza decisione fu quella della primavera 1941, contro le forti riserve di Marshall, di determinare stazioni e convogli dell'Atlantico e di ampliarli fin quanto necessario per tenere libere le linee di rifornimento verso la Gran Bretagna[55]. Tali atti e l'ostinato rifiuto da parte del governo inglese di prendere in considerazione la resa furono i fattori decisivi che infransero il grande piano strategico di Hitler e che lo costrinsero lungo la china disperata che condusse alla sua distruzione.

Dopo Pearl Harbor, la più grande preoccupazione di Roosevelt fu che il sentimento popolare potesse costringere una concentrazione dello sforzo statunitense nella guerra contro il Giappone, compromettendo fatalmente così gli assunti strategici dei colloqui di Stato Maggiore del gennaio-marzo 1941 (ABC-1), su cui era in completo accordo. Si spiega così la linea seguita nei dibattiti sulla pianificazione fra gli Stati Maggiori statunitensi ed inglesi. Roosevelt fu sempre scettico sulle possibilità del successo di un'invasione del continente europeo a partire dalle Isole Britanniche nel 1943 in misura maggiore di quello che egli ritenne opportuno dimostrare ai suoi capi di Stato Maggiore, e per ragioni di politica interna fu attratto dalla tesi di Churchill della necessità di impegnare i Tedeschi prima della fine del 1942 e della fattibilità di farlo in Africa settentrionale. Nel luglio 1942, quando Marshall — esasperato da quello che considerava un rallentamento britannico dei piani operativi di attraversamento della Manica — si alleò con l'ammiraglio Ernest L. King e propose di spostare il grosso dello sforzo statunitense verso il Pacifico, Roosevelt si impose loro fermamente, dicendo con parole acide che ciò avrebbe significato fare come bambini arrabbiati «che tirano su i loro coccini e tornano a casa». Ordinò a Marshall, insieme a King ed al suo maggior consigliere civile Harry Hopkins, di andare a Londra e di raggiungere qualche decisione che avrebbe condotto in azione in quel 1942 le forze combattenti statunitensi di terra contro i Tedeschi e diede loro un insieme di direttive che lasciava scarsa libertà di manovra. «Vi prego di ricordare tre principi cardinali: velocità di decisione sui piani, unità dei piani, attacco combinato con difesa, ma non difesa da sola. Questo coinvolge l'obiettivo immediato delle forze combattenti statunitensi contro i Tedeschi nel 1942. Conto su un accordo generale nell'arco di una settimana dal vostro arrivo»[56]. Poiché i capi di Stato Maggiore inglesi avevano già espresso il loro voto fermamente contrario ad un tentativo nella Manica nel 1942, queste istruzioni finirono per originare la pianificazione dell'operazione Torch, lo sbarco in Africa settentrionale del novembre 1942.

Il primo movente di Roosevelt era stato di assicurare un sostegno all'interno del concetto strategico complessivo degli alleati e ciò lo guidò in due altre decisioni che potevano, come il sostegno alla stessa Torch, posticipare l'invasione attraverso la Manica nel 1943. La prima, che Roosevelt convinse gli Inglesi ad accettare alla conferenza di Casablanca, fu di autorizzare l'ammiraglio King a continuare l'offensiva nel Pacifico qualora se ne presentasse l'opportunità; la seconda, attivata nel 1943, fu di far seguire la sconfitta tedesca in Tunisia da un'invasione della Sicilia e dell'Italia. Eccellente politico, Roosevelt aveva una notevole capacità di presentire lo spirito pubblico ed era cosciente che, nel 1943, il pericolo di un maremoto nell'opinione pubblica, orchestrato dalla lobby cinese in favore di un impegno esclusivo nei confronti della guerra del Pacifico, non era più grande come nel passato; esso era stato semmai rimpiazzato da un'altra fonte di preoccupazione. C'era una tendenza crescente nel Paese a vedere la guerra come quasi vinta ed una crescente irritazione perché non era stata già completamente vinta.

Un tale stato d'animo si rifletteva in questioni come il minacciato sciopero alle *Railway Brotherhoods* del dicembre 1943, il diffuso risentimento contro la proposta di legislazione sulla manodopera civile, l'aumentata spinta al rinvio del servizio di leva nelle forze armate e la tendenza di parte della stampa a dare rilievo a notizie che gettavano discredito sull'amministrazione delle forze armate. Gran parte del tempo del generale George Marshall fu dedicato a bloccare tali tendenze, spiegando al Congresso, alla stampa, al mondo degli affari e del lavoro, a gruppi privati il carattere colossale dei compiti e l'importanza di un vero sforzo bellico: un incarico svolto così abilmente che, quando venne il momento di scegliere un comandante per Overlord, Roosevelt sentì di non poter fare a meno di Marshall a Washington e scelse Eisenhower, per quanto il capo di Stato Maggiore fosse considerato la scelta più ovvia[57]. Preoccupazioni circa lo stato d'animo dell'opinione pubblica influenzarono anche le scelte strategiche di Roosevelt, convincendolo a sostenere le proposte di Churchill sull'Italia perché non ci fossero tempi morti nel conflitto europeo e perché ci fosse un quotidiano e dimostrabile progresso verso la vittoria finale.

Fu per la stessa ragione che egli fu poco incline, nei due ultimi anni di guerra, a condividere le preoccupazioni di Churchill a proposito di una albeggiante minaccia sovietica e della necessità di accordi su sfere d'influenza per l'Europa meridionale ed orientale e di una ferma e comune posizione contro le intenzioni sovietiche sulla Polonia. Era ben consapevole che simili aspetti di equilibrio internazionale e di sfere d'influenza erano visti con sospetto da gran parte degli Americani e che molti di questi erano disinteressati da ciò che accadeva in altri Paesi e poco intenzionati a considerare i problemi interni di altre nazioni come legittime fonti di preoccupazione per gli Stati Uniti. Temeva che ogni avvisaglia di rottura della Grande Alleanza avrebbe causato in patria costernazione ed indignazione, deleterie per lo sforzo bellico. Era consapevole del fatto che, dopo che la Germania fosse stata sconfitta, sarebbe rimasto il compito di sconfiggere il Giappone, in cui sembrava indispensabile la collaborazione dell'Unione Sovietica. Infine, si rese conto del forte sentimento diffuso negli Stati Uniti per un nuovo ordine internazionale per il dopoguerra che assicurasse la pace così duramente conquistata. Sotto la forma di un direttorio delle Grandi Potenze (come in quel curioso *Four Policeman plan* di cui era così innamorato[58]) o modellato sull'esempio della Lega delle nazioni, la partecipazione sovietica sarebbe stata indispensabile.

Nella mente del presidente, queste grandi mete impedivano le dispute sulle linee di frontiera in Europa o le pretese di contrastati governi polacchi. Era fiducioso, in quel suo modo noncurante, che su questioni di grande rilievo sarebbe stato capace di tenere in pugno «Uncle Joe», e non aveva alcuna intenzione nel frattempo di seguire i consigli cautelativi di Winston Churchill. Non si doveva permettere alla *Realpolitik* di interferire con la vittoria della guerra. Il popolo americano non l'avrebbe tollerato.

VII

Queste nostre osservazioni sono iniziate con una citazione di Clausewitz sulla necessità, per la strategia di una nazione, di subordinare i militari al punto di vista politico, ed è divenuto chiaro dai casi qui scelti che i leader politici che più riuscirono in questo furono Clemenceau, Hitler, Churchill e Roosevelt. Si tratta di un gruppo così singolarmente vario che di per sé illustra chiaramente la fragilità delle regole generali. Non tenendo conto di Clemenceau — poiché più che imprimere un qualche marchio distintivo alla strategia delle potenze dell'*Entente* fu un *animateur de la victoire* —, il caso di Hitler sembrerebbe provare che la subordinazione del punto di vista militare a quello politico può essere disastrosa nei suoi risultati tanto quanto il suo opposto. Il caso di Roosevelt, d'altro canto, suggerisce che le legittime preoccupazioni politiche del più responsabile dei capi di guerra possono essere contraddittorie, ma utili per la legittima difesa, poiché considerazioni di politica interna rendono inopportuno affrontare questioni politiche create dalla guerra stessa e che minacciano, se non affrontate, di rendere inefficace sul lungo periodo la strategia.

Ancora più ambiguo, è il caso di Winston Churchill, che fu sia *animateur de la défiance* sia leader di ampie visioni strategiche, e che riuscì a padroneggiare il proprio establishment militare e a farne un efficace collaboratore nel perseguimento dei propri obiettivi. Si trattò di un risultato notevole, ma imperfetto. Poiché Churchill, dopo tutto, fu costretto dalle circostanze a combattere fianco a fianco con alleati più potenti e, alla fine, le loro opposte strategie per la vittoria e per il tempo di pace sconfissero la sua.

[1] Cfr. CARL VON CLAUSEWITZ , *Vom Kriege*, Berlin 1832, tr. ingl., da cui qui si cita, *On war*, a cura di Michael Howard e Peter Paret, Princeton 1984, 607 (tr. it. *Della guerra*, Roma 1942).

[2] Cfr. DAVID FRASER, *Alanbrooke*, London 1982, 215.

[3] EDWARD SPEARS, *Prelude to Victory*, London 1939, 377ss.

[4] GERHARD RITTER, *Staatskunst und Kriegshandwerk*, München 1964, III, 586 (tr. it. *I militari e la politica nella Germania moderna*, Torino 1967-73).

[5] *Ivi*, 241.

[6] *Ivi*, 383ss.

[7] A.J.P. TAYLOR, *Politics in Wartime*, New York 1965, 21.

[8] ROY JENKINS, *Asquith: Portrait of a Man and an Era*, New York 1964, 387.

[9] *Ivi*, 328.

[10] E.L. WOODWARD, *Great Britain and the War of 1914-1918*, London 1967, 148-149.

[11] Cit. in ROBERT GRAVES, «The Observer», 1° marzo 1959.

[12] LEON WOLFF, *In Flanders Fields*, New York 1958, 184.

[13] Lord NEWTON, *Lord Lansdowne: A Biography*, London 1929, 468.

[14] JERE KING, *Generals and Politicians*, Berkeley 1951, 242.

[15] E. SPEARS, *Prelude to Victory*, cit., 377.

[16] C. BUGNET, *Rue St. Dominique et GHQ*, Paris 1937, 273.

[17] Su tutto ciò cfr. HARVEY A. DEWEERD, *Churchill, Lloyd George, Clemenceau*, in E.M. EARLE (a cura di), *Makers of Modern Strategy*, Princeton 1943, 303.

[18] Cfr. JEAN JULES MORDACQ, *Le ministère Clemenceau*, Paris 1930, II, 363-367.

[19] Cfr. *ivi*, specialmente alle pp. 308ss.

[20] DAVID LLOYD GEORGE, *War Memoirs*, London 1933-37, VI, 3421.

[21] FRANZ HALDER, *Kriegstagebuch*, a cura di Hans-Adolf Jacobsen, Stuttgart 1962, III, 354 e 356-359; cfr. ID., *Hitler als Feldherr*, München 1949, 15, 45.

[22] PERCY ERNST SCHRAMM, *Hitler: The Man and the Military Leader*, Chicago 1971, 198.

[23] *Ivi*.

[24] Cfr. ANDREAS HILLGRUBER, *Hitlers Strategie: Politik und Kriegführung 1940-1941*, Frankfurt a.M. 1965 (tr. it. *La strategia di Hitler*, Milano 1986), e ID., *Deutsche Grossmacht und Weltpolitik im 19. und 20. Jahrhundert*, «Der Faktor Amerika in Hitler's Strategie 1938-1941», Düsseldorf 1977.

[25] Cfr. ERICH VON MANSTEIN, *Verlorene Siege*, Bonn 1955, 305ss.

[26] Qui ripeto ciò che ho detto nel mio *Germany, 1866-1945*, Oxford-New York 1978, 721 (tr. it. *Storia della Germania*, Roma 1983).

[27] Cfr. BARRY A. LEACH, *German Strategy against Russia, 1939-1941*, Oxford 1973, 78ss.

[28] Cfr. F. HALDER, *Kriegstagebuch*, cit., II, 261, 320, 336. Che una larga parte dei comandi dell'esercito non si preoccupasse di simili distinzioni è dimostrato da Jürgen Förster nel suo saggio *Das deutsche Reich und der zweite Weltkrieg*, IV, *Angriff auf die Sowjetunion*, Stuttgart 1983.

[29] Cfr. TRUMBULL HIGGINS, *Hitler and Russia*, New York 1966, 156.

[30] Cfr. *ivi*, 209-210.

[31] F. HALDER, *Kriegstagebuch*, cit., III, 489.

[32] P.E. SCHRAMM, *Hitler: The Man and the Military Leader*, cit., 203ss.

[33] Cfr. BASIL H. LIDDELL HART, «The Military Strategist», in A.J.P. TAYLOR, ROBERT RHODES JAMES, J.H. PLUMB, B.H. LIDDELL HART, ANTHONY SHORE, *Churchill Revisited*, New York 1962, 197. Cfr. anche RONALD LEWIN, *Churchill as a Warlord*, New York 1973, 13.

[34] Cfr. GORDON WRIGHT, *The Ordeal of Total War*, New York 1968, 238ss.; e R. LEWIN, *Churchill as a Warlord*, cit., 32.

[35] JOHN CONNELL, *Wavell: Soldier and Statesman*, London 1964, 256.

[36] Cfr. R.W. THOMPSON, *Generalissimo Churchill*, New York 1973, 100.

[37] J. CONNELL, *Wavell: Soldier and Statesman*, cit., 421.

[38] Cfr. R.W. THOMPSON, *Generalissimo Churchill*, cit., 120ss.

[39] JOHN KENNEDY, *The Business of War*, London 1957, 108. Dovrebbe essere tenuto presente che Churchill continuò ad essere eccessivamente critico verso i suoi comandanti sul campo e che Brooke, dopo aver ascoltato le sue ingiurie a Montgomery e ad Alexander nel luglio 1944 «si infiammò e gli chiese se non poteva piuttosto fidarsi dei suoi generali per cinque minuti, invece di ingiuriarli e di disprezzarli continuamente». D. FRASER, *Alanbrooke*, cit., 442.

[40] Per lo sviluppo di di questo rapporto cfr. FRANCIS L. LOEWENHEIM, HAROLD D. LANGLEY, MANFRED JONAS (a cura di), *Roosevelt and Churchill: Their Secret Correspondence*, New York 1975. Cfr. anche WARREN F. KIMBALL (a cura di), *Churchill and Roosevelt, the Complete Correspondence*, Princeton 1984, 3 voll.

[41] Cfr. soprattutto MARK S. WATSON, *Chief of Staff: Pre-War Plans and Preparations*, Washington, D.C. 1950.

[42] Cfr. WINSTON CHURCHILL, *The Grand Alliance*, Boston 1950, 625, 643.

[43] Cfr. Lord ISMAY, *Memoirs*, London 1960, 163.

[44] Cfr. D. FRASER, *Alanbrooke*, cit., 231-232; e R. LEWIN, *Churchill as a Warlord*, cit., 127ss.

[45] Cfr. B.H. LIDDELL HART, *The Military Strategist*, cit., 215; e D. FRASER, *Alanbrooke*, cit., 311ss.

[46] Cfr. *ivi*, 384-392.

[47] MAURICE MATLOFF, EDWIN S. SNELL, *Strategic Planning for Coalition Warfare, 1941-1942*, Washington, D.C. 1953, 272-273.

[48] Cfr. C. VON CLAUSEWITZ, *Della guerra*, Libro I, cap. 1, e specialmente Libro VIII, cap. 6.

[49] Cfr. ALFRED CHANDLER (a cura di), *The Papers of Dwight David Eisenhower: The War Years*, a cura di Alfred Chandler, Baltimore 1970, IV, 2592-2595.

[50] F.L. LOEWENHEIM, H.D. LANGLEY, M. JONAS (a cura di), *Roosevelt and Churchill: Their Secret Correspondence*, cit., 548. Sui timori di Churchill al riguardo cfr. HERBERT FEIS, *Churchill, Roosevelt, Stalin: The War They Waged and the Peace They Sought*, Princeton 1957, 338ss.

[51] Cfr. GORDON A. CRAIG, *Roosevelt and Hitler: The Problem of Perception*, in K. HILDEBRAND, REINER POMMERIN (a cura di), *Deutsche Frage und europäisches Gleichgewicht: Festschrift für Andreas Hillgruber zum 60. Geburstag*, Köln-Wien 1985.

[52] Cfr. ROBERT DALLEK, *Franklin D. Roosevelt and American Foreign Policy, 1932-1945*, New York 1979, 321.

[53] D. FRASER, *Alanbrooke*, cit., 230.

[54] KENT ROBERTS GREENFIELD, *American Strategy in World War II: A Reconsideration*, Baltimore 1963, 52ss.

[55] Cfr. *ivi*, 53.

[56] H. FEIS, *Churchill, Roosevelt, Stalin: The War They Waged and the Peace They Sought*, cit., 54-55.

[57] Su tutto ciò cfr. FORREST G. POGUE, *George C. Marshall: Organizer of Victory, 1943-1945*, New York 1973.

[58] Cfr. GORDON A. CRAIG, ALEXANDER L. GEORGE, *Force and Statecraft: Diplomatic Problems of Our Time*, New York 1983, 101ss.

Uomini di fronte al fuoco: la dottrina dell'offensiva nel 1914

di Michael Howard

Quando nell'agosto del 1914 scoppiò la guerra in Europa, tutte le grandi potenze belligeranti si mossero contemporaneamente all'offensiva. L'esercito austro-ungarico invase la Polonia, i Russi invasero la Prussia orientale, i Tedeschi invasero la Francia attraverso il Belgio ed i Francesi cercarono di riconquistare le perdute province dell'Alsazia e della Lorena. Alla fine dell'anno, tutte queste offensive erano state arrestate o respinte al prezzo di circa 900.000 tra dispersi, prigionieri, feriti o morti. Gli attacchi continuarono per tutto il 1915, quando l'Italia iniziò ad affrontare l'Austria ottenendo risultati altrettanto disastrosi, e per tutto il 1916, con l'attacco di Verdun da parte dei Tedeschi e con la grande offensiva sulla Somme che segnò l'entrata in guerra del nuovo esercito inglese. Cominciarono ad indebolirsi soltanto nel 1917 quando le truppe francesi, in seguito alla disastrosa offensiva di Nivelle dell'aprile, si rifiutarono di attaccare ancora e l'impero russo crollò sotto il peso della guerra. Tutti questi disastri, ai quali si aggiunse il fallimento dell'offensiva inglese su Passchendaele, durata quattro mesi, dall'agosto al novembre del 1917, hanno lasciato un'immagine storica di cecità tattica e strategica senza eguali nella storia, immagine che neppure il successo delle offensive tedesche sul fronte orientale e gli attacchi finali degli alleati sul fronte occidentale, nel 1918, sono riusciti a riscattare.

Tuttavia i capi militari che pianificarono queste operazioni ed i capi politici che le sanzionarono, sebbene possano apparire insensibili alla luce di standard più recenti, non erano né ciechi riguardo alle possibili conseguenze dei loro attacchi, né male informati circa la potenza difensiva delle armi del XX secolo. Nessuno di loro si aspettava di vincere la guerra senza gravi perdite. «Chiunque pensasse che in una guerra moderna si possa ottenere un grande successo tattico senza mettere a repentaglio un alto numero di vite umane, commetterebbe un grave errore», aveva scritto il generale Friedrich von Bernhardi nel 1912. «La paura di perdite sarà sempre garanzia di fallimento, mentre possiamo sostenere con certezza che le truppe che non temono perdite manterranno sempre un'enorme superiorità su quelle più avare di sangue»[1]. Gli specialisti di altre nazioni non la pensavano diversamente. «Il successo di un assalto dipende tutto da come prima addestri i tuoi soldati, se insegni loro a "sapere come morire o evitare la morte"», scrisse il colonnello britannico F.N. Maude, «nel secondo caso, nulla può esserti d'aiuto e sarebbe stato più saggio non andare in guerra»[2]. Molto spesso venivano citate le crude parole di Clausewitz: «Il fatto che il massacro sia uno spettacolo spaventoso ci deve indurre a prendere la guerra molto più seriamente e non a trovare una scusa per spuntare a poco a poco le nostre spade nel nome dell'umanità»[3].

I

La crescente capacità distruttiva delle armi era stata studiata e tenuta in considerazione dagli esperti militari fin dall'epoca dei grandi massacri bellici della metà dell'Ottocento di qua e di là dell'Atlantico: ad Antietam e Fredericksburg nella Guerra Civile Americana, a Gravelotte-St. Privat nella Guerra Franco-Prussiana. Il problema era stato ulteriormente complicato dagli sviluppi tecnologici degli anni Ottanta e Novanta. La sostituzione con esplosivo ad alto potenziale della polvere da sparo come propulsore nelle armi portatili e nel munizionamento dell'artiglieria ebbe conseguenze radicali sia sulla gittata sia sulla precisione di queste armi. Una maggiore potenza esplosiva rese possibile l'uso di fucili di calibro più piccolo con una traiettoria radente ed una gittata di oltre 2.000 metri, molto più efficaci non solo contro la fanteria d'assalto, ma anche contro i vecchi cannoni da campagna che, con una gittata di circa 1.000 metri, avevano fino allora appoggiato tali assalti. Calibri più piccoli permisero, inoltre, ai soldati di fanteria di portare in battaglia un maggior numero di munizioni, mentre l'uso di cartucce a pallottole e di caricatori aumentarono la rapidità e la capacità di fuoco.

Comunque, la gittata, il peso e la precisione migliorarono di pari passo per l'artiglieria. L'artiglieria da campagna aumentò la sua portata fino a 6.000 metri, gli affusti senza rinculo consentirono una rapida e continua cadenza di fuoco, mentre una mobile artiglieria pesante divenne utilizzabile per un raggio di 10.000 metri e forse più. In seguito a queste innovazioni, la dimensione della battaglia si estese da pochi chilometri a decine di chilometri ed anzi, grazie alla capacità delle ferrovie di trasportare le truppe sul campo di battaglia, a molte centinaia. Inoltre, poiché i nuovi esplosivi avevano una combustione virtualmente senza fumo, i combattenti, fin tanto che rimanevano immobili, rimanevano anche invisibili.

Gli esperti militari hanno molto discusso se nel complesso questi sviluppi favorissero l'attacco o la difesa. Da un lato si era sostenuto, ed in particolare lo aveva fatto Ivan Bloch nel suo studio su *La guerre future*, pubblicato in più volumi nel 1898, che gli assalti frontali sarebbero stati in futuro non solo insostenibili a causa dei costi proibitivi, ma anche statisticamente impossibili: «Tra i due combattenti ci sarà sempre una zona di fuoco insuperabile e mortale in egual misura per entrambi»[4]. Ma Bloch era un civile, mentre la maggior parte dei militari sosteneva che la nuova tecnologia avrebbe favorito l'attacco, non meno della difesa. Tutti erano d'accordo nel ritenere che nessun assalto poteva andare a buon fine se gli attaccanti non disponevano di una decisa superiorità di fuoco; ma il miglioramento della gittata, della potenza e della precisione dell'artiglieria lo avevano reso possibile. Era compito della fanteria in avanzata muoversi sotto copertura passando di posizione in posizione fino ad avere sotto tiro le difese e sopraffarle prima che queste potessero contrattaccare. Il colonnello (poi maresciallo) Ferdinand Foch nelle lezioni da lui tenute alla Scuola Francese di Guerra, nel 1900 scrisse:

È evidente che oggi la direzione di fuoco ed il suo controllo hanno un'importanza enorme. Il fuoco è l'argomento supremo. Le truppe più ardimentose, quelle più infiammate nel morale, saranno sempre desiderose di guadagnare terreno con ondate successive. Ma incontreranno grandi difficoltà e subiranno gravi perdite ogni volta che la loro offensiva parziale non sia stata preceduta da una pesante preparazione di fuoco. Saranno respinte indietro fino al punto di partenza con perdite ancora più pesanti. *La superiorità di fuoco [...] diviene l'elemento più importante nel valore di combattimento della fanteria* [5].

Malgrado ciò, sarebbe arrivato pur sempre il momento in cui la fanteria attaccante non poteva procedere oltre, coperta né dal proprio fuoco, né da quello dell'artiglieria. «Davanti ad essa», scrisse Foch, «si stende una zona quasi insuperabile; non sono più possibili avvicinamenti coperti; grandinate di piombo si abbattono sul terreno» [6]. In che modo, se pure era possibile, poteva essere attraversata questa «zona di morte»?

Tradizionalmente, fin dai tempi delle guerre napoleoniche, l'assalto di fanteria muoveva in tre ondate. Per primi si muovevano i volteggiatori in formazione sparsa che, sfruttando ogni copertura possibile, procedevano cercando di guadagnare posizioni dalle quali coprire l'avanzata di quelli che venivano dietro di loro. Seguiva il grosso della fanteria in formazione chiusa con gli ufficiali in testa per incoraggiare i soldati ed i sergenti in coda per minacciarli, al rullo dei tamburi ed al suono delle trombe, con le bandiere del reggimento ben alte da piantare poi sulle posizioni conquistate. Da ultimo, venivano i rinforzi, riserve alle quali si attingeva a discrezione del comandante. Si trattava di una formazione che si dimostrò efficace fino al 1870, quando il fuoco dei fucili francesi fermò i battaglioni tedeschi attaccanti sterminandoli letteralmente sul posto. L'esercito tedesco non tornò mai più alle formazioni tradizionali. Al contrario i Tedeschi stabilirono che la seconda linea dovesse avanzare non più in formazione chiusa ma aperta, come la prima. La sua funzione non fu più quella di assalire, ma quella di intensificare ed allargare la linea di fuoco, fino a lambire i fianchi degli avversari. Soltanto dopo che le difese erano state piegate dal fuoco ed accerchiate dalle formazioni operanti sui fianchi (ruolo questo affidato sempre più alla cavalleria) quelle posizioni potevano essere superate. Era una dottrina tattica che il piano Schlieffen trasformò poi in strategia.

Immediatamente dopo la disfatta del 1870, anche i Francesi adottarono queste procedure. I loro regolamenti di fanteria del 1875 proibirono l'uso di formazioni chiuse all'interno del raggio di fuoco del nemico, sostennero l'ordine sparso (o diradato) per poter trarre vantaggio dalla copertura e prescrissero per la linea dei volteggiatori una funzione non più semplicemente di preparazione dell'attacco, ma di sua conduzione. Questa dottrina, però, trovò aspri avversari sia nell'esercito francese sia in tutti gli altri. C'era, infatti, una sensazione generale per cui astenersi dall'attacco alla baionetta fosse «poco virile», punto di vista espresso molto eloquentemente dal generale russo Dragomirov. Ancor di più, però, pesava un (fondato) dubbio sulla saldezza della fanteria: se cioè i soldati, una volta sparpagliati e lasciati a se stessi, avrebbero colto l'occasione per «andarsene», o per buttarsi a terra e non rialzarsi più. Analisi accurate delle operazioni tedesche nel 1870 avevano rilevato numerose occasioni in cui ciò era accaduto. Sui campi di battaglia, resi più vasti dalle nuove armi da fuoco, e di fronte alla minaccia invisibile che ora rappresentavano, sembrava verosimile che, in eserciti costituiti per gran parte da coscritti a ferma breve, un tale comportamento diventasse la regola piuttosto che l'eccezione.

Il colonnello Charles-Ardent du Picq, ucciso in combattimento nel 1870, il cui *Etudes sur le combat* è uno dei pochi grandi classici della letteratura militare, aveva osservato questa tendenza persino nei campi di battaglia del suo tempo, dove «il soldato è spesso uno sconosciuto anche ai suoi compagni più vicini. Li perde nel fumo che disorienta e nella confusione della battaglia che egli combatte, possiamo dire, da solo. La coesione non è più assicurata dalla sorveglianza reciproca»[7].

La solidarité n'a plus la sanction d'une surveillance mutuelle: è questo, da allora, il problema del morale sul campo di battaglia. Lo stesso Du Picq credeva che per far fronte a queste nuove condizioni fosse necessario creare una élite militare molto diversa dagli eserciti di massa che si sarebbero sviluppati nell'ultimo quarto del XIX secolo. Le autorità militari della Terza Repubblica, tuttavia, non vedevano alcuna possibilità di soluzione in questa direzione. Nel 1884, prescrissero ancora una volta, per un esercito costituito ancora da giovani contadini delle province, formazioni d'attacco vecchio stile, che dovevano marciare «a testa alta, incuranti delle perdite [...] sotto il fuoco più feroce, anche contro trinceramenti fortemente difesi, e conquistarli». Dieci anni dopo, i noti regolamenti del 1894 prescrissero specificamente che la fanteria doveva avanzare all'attacco «gomito a gomito in formazioni di massa, al suono delle trombe e al rullo dei tamburi». Sembra assurdo, ma in quale altro modo potevano costringere i loro coscritti a spingersi alla carica fino all'estrema «zona di morte»[8]?

Sei anni più tardi Foch, nelle sue lezioni, avrebbe suggerito la stessa soluzione allo stesso problema: «Gli allori della vittoria sono appesi alle baionette dei nemici e devono essere strappati, combattendo se necessario corpo a corpo [...] Scappare o attaccare, non c'è altra scelta. Attaccare, ma attaccare in gran numero, come una massa, è solo lì la salvezza. Perché le quantità, se sappiamo come impiegarle, ci consentono, grazie alla superiorità del materiale a nostra disposizione, di sopraffare il fuoco nemico. Con un maggior numero di cannoni possiamo ridurre i suoi al silenzio, e la stessa cosa vale per i fucili e le baionette, se sappiamo come usarli»[9].

Troppa enfasi è stata posta sull'importanza e l'influenza di Foch come pensatore militare. In realtà, egli non fece altro che riecheggiare opinioni diffuse non solo nell'esercito francese, ma anche in altri eserciti. Il colonnello G.F.R. Henderson, forse il teorico più intelligente e colto dell'esercito inglese alla fine del secolo, osservò con soddisfazione come nei regolamenti inglesi per la fanteria del 1880 «la baionetta si è imposta ancora una volta. Alla seconda linea, che si appoggia solo al freddo acciaio, come ai tempi della Penisola, è affidato il compito di concludere rapidamente la battaglia [...] La confusione delle battaglie prussiane fu in gran parte dovuta all'aver trascurato i principi immutabili della tattica e [...] dunque, riguardo alla tattica, esse non sono per noi un modello da imitare»[10].

Il modello che Henderson aveva davanti per il suo esercito era quello degli eserciti nella Guerra Civile Americana, che avevano sempre attaccato in formazioni di massa, dopo aver imparato che «per evitare che una battaglia degeneri in una lotta prolungata tra due eserciti fortemente trincerati, e per ottenere un risultato rapido e decisivo, un semplice aumento della potenza di fuoco era insufficiente»[11]. Certo, negli ultimi venticinque anni le armi erano cambiate, ma Henderson affermava con fiducia che «né la polvere senza fumo, né i fucili a ripetizione renderanno necessari radicali cambiamenti. Se la difesa ha ottenuto dei vantaggi da queste invenzioni, come è stato detto, il fuoco degli obici doterà l'attacco di una forza più che proporzionale. E se il fucile a ripetizione ha introdotto un elemento nuovo e formidabile nella battaglia, l'elemento morale rimane lo stesso»[12].

L'elemento morale rimane lo stesso. È questo il tema che ritroviamo in tutta la letteratura militare della fine del secolo e che venne enfatizzato ancor di più nel decennio precedente la Prima Guerra Mondiale. I lavori di Clausewitz furono studiati con estremo interesse tanto dagli eserciti russi e francesi che da quello tedesco, e le parti più spesso citate furono quelle nelle quali egli enfatizzava l'assoluta importanza dei fattori morali in guerra e la relativamente scarsa importanza degli elementi materiali. I lavori di Ardent du Picq, più brevi e stilisticamente più eleganti, ricchi di profonde intuizioni di psicologia militare, guadagnarono una crescente popolarità in Francia. Essi contenevano la stessa lezione. Le battaglie, secondo du Picq, venivano vinte non dalle armi ma dagli uomini e non si poteva realmente pianificare niente in un esercito «senza conoscere esattamente questo strumento primario, l'uomo, e la sua condizione morale nel momento estremo [*cet instant définitif*] del combattimento»[13]. In battaglia, sostenne du Picq,

> due attività morali piuttosto che due attività materiali si trovano una di fronte all'altra, e la più forte riporterà la vittoria [...] Quando la fiducia riposta nella superiorità del materiale, incontestabile per tenere il nemico a distanza, viene tradita dalla determinazione del nemico nell'avvicinarsi alle postazioni, sfidando la superiorità dei vostri mezzi di distruzione, l'effetto morale del nemico su di voi sarà potenziato dalla perdita di fiducia e la sua attività morale sopraffarrà la vostra [...] Ne consegue che l'attacco di baionette [...] in altre parole la marcia in avanti sotto il fuoco, avrà sempre un effetto proporzionalmente più grande[14].

Du Picq precisò questa sua affermazione in un passo meno citato. «Non trascurate l'azione *distruttiva* prima di ricorrere all'azione *morale*; dunque impiegate il fuoco fino all'ultimo momento possibile; data l'odierna potenza di fuoco, nessun attacco raggiungerà il suo obiettivo»[15]. Questo era esattamente il punto sottolineato da Bloch: data quella potenza di fuoco, nessun attacco sarebbe riuscito od avrebbe potuto riuscire.

II

L'anno successivo a quello in cui Bloch pubblicò *La guerre future*, la Guerra Anglo-Boera in Sud-Africa fornì il primo test dell'uso delle nuove armi da parte di entrambi gli avversari. Come abbiamo visto, l'esercito inglese era giunto alla conclusione che il vantaggio portato alla difesa dalla polvere senza fumo e dai fucili a ripetizione sarebbe stato annullato dall'impiego della nuova artiglieria a tiro rapido, le cui granate esplodenti avrebbero annientato i difensori non protetti dalle trincee, e le cui granate mina ad alto potenziale avrebbero fatto saltar fuori quelli che erano dentro. Di conseguenza, era tornato alla formazione chiusa «affidando alla seconda linea, che si appoggia solo al freddo acciaio, il compito di concludere rapidamente la battaglia»[16]. Il risultato fu che a Modder River, Colenso, a Magersfontein ed a Spion Kop, soldati inglesi restarono inchiodati, vennero decimati ed in alcuni casi furono costretti ad arrendersi al fuoco delle difese boere che essi non riuscivano neanche a vedere, né tantomeno ad avvicinare abbastanza da poterle attaccare. Secondo gli osservatori continentali, ciò fu dovuto all'inadeguata preparazione di un esercito che non era abituato a combattere contro avversari «civili»; il colonnello Henderson, che aveva seguito le operazioni militari dal quartier generale di Lord Robert, chiamato in causa, reagì aspramente a queste critiche. «È con grande sorpresa», scrisse, «che notiamo un rifiuto ostinato ad ammettere che la traiettoria radente del fucile a piccolo calibro, unita all'invisibilità degli uomini che lo usano, ha rivoluzionato completamente l'arte di combattere le battaglie»[17]. Le formazioni chiuse sotto il fuoco non erano ormai più possibili, affermò il colonnello. La fanteria attaccante in campo aperto avrebbe dovuto muoversi ora in linee successive, come i vecchi volteggiatori, disposte a grandi intervalli; mentre «una cavalleria armata ed equipaggiata come la cavalleria del Continente è superata quanto i crociati». A chi sosteneva che le formazioni chiuse fossero necessarie per tenere alto il morale, il colonnello fece notare: «Quando la massa preponderante subirà perdite enormi; quando i soldati si renderanno conto, perché se ne renderanno conto, che avrebbero potuto essere adottati mezzi diversi e meno costosi per raggiungere lo stesso fine, che ne sarà del loro morale?»[18]. Era un'osservazione davvero anticipatrice.

In seguito alle sue esperienze belliche, l'esercito inglese riformulò i regolamenti di fanteria seguendo le indicazioni di Henderson. L'esercito tedesco non dovette rivedere una dottrina che già prevedeva il vantaggio dell'accerchiamento di posizioni nemiche rispetto agli assalti frontali. I Francesi, un po' sorprendentemente, imitarono gli Inglesi. I regolamenti di Fanteria francesi introdotti nel dicembre del 1904 abbandonarono esplicitamente le formazioni *coude à coude* del 1894 adottando una tattica più vicina a quella dei volteggiatori degli eserciti della Rivoluzione Francese: la fanteria avanza a piccoli gruppi che, sfruttando al massimo il terreno, si coprono l'un l'altro con il fuoco e gli spostamenti, mentre l'iniziativa scendeva quanto più possibile lungo la catena di comando. Molti alti ufficiali francesi videro tuttavia in queste riforme, sostanzialmente liberali, l'influenza radicale se non socialista dei dreyfusardi, che cominciavano a prendere il controllo dell'esercito in seguito all'infelice *affaire*. Il generale Langlois fondò una nuova rivista, la «Revue militaire générale», principalmente per combattere la «transvaalite acuta», termine da lui stesso coniato per descrivere «quest'anormale timore di perdite sul campo di battaglia». Egli sosteneva che un tale sparpagliamento era estraneo alla tradizione militare francese, perché privava il comandante «del diritto o persino della possibilità di assicurare un risultato decisivo attraverso gli sforzi congiunti delle forze morali e materiali a sua disposizione»[19]. In ogni caso, sembra che i nuovi regolamenti abbiano avuto uno scarso impatto sulla pratica quotidiana di un esercito molto confuso e diviso al suo interno, mancando accordo, in quel momento, su ogni cosa.

La reazione contro la «transvaalite acuta» venne in seguito fortemente rafforzata dagli insegnamenti del successivo grande conflitto combattuto con armi moderne: la Guerra Russo-Giapponese del 1904-1905. Fu una campagna seguita con estremo interesse non solo dagli specialisti militari e navali dell'Europa e degli Stati Uniti, ma anche dai loro rispettivi governi, perché tutti quanti erano profondamente preoccupati per i cambiamenti che avrebbe provocato nell'equilibrio dell'Estremo Oriente e per le conseguenze che ne sarebbero derivate all'Europa. I lettori dei quotidiani dei due continenti erano tenuti costantemente informati da corrispondenti di guerra, accompagnati da fotografi e da «artisti di guerra», sul corso di questa prima grande guerra di un nuovo secolo che nessuno pensava sarebbe stato molto pacifico. Si poteva liquidare la guerra in Sud-Africa come atipica, perché combattuta da un esercito addestrato secondo i metodi della guerra coloniale, contro un avversario che ben poco aveva dell'esercito organizzato. L'esercito russo, invece, era uno dei più notevoli in Europa e l'esercito giapponese era stato addestrato da esperti tedeschi così come la sua marina lo era stata dagli Inglesi. Entrambi gli eserciti avevano in dotazione tutte quelle armi che secondo Bloch avrebbero da allora reso la guerra impossibile, o perlomeno suicida: fucili di piccolo calibro ed a ripetizione, artiglieria da campagna a tiro rapido, artiglieria pesante mobile e mitragliatrici. I Russi fortificarono le proprie posizioni a Port Arthur e Mukden con linee di trincee difese da filo spinato e da ridotte di mitragliatrici, proteggendo il proprio fronte con campi minati a detonazione elettrica e servendosi di riflettori per illuminarli di notte. Entrambi gli eserciti furono forniti di telegrafo e di telefoni da campo. In realtà, le uniche armi di cui gli eserciti europei non disponevano nel 1905 e che, invece, avrebbero avuto nel 1914 erano gli aerei che nei primi mesi della Grande Guerra cominciarono a sostituire la cavalleria nei compiti di ricognizione.

L'insegnamento principale tratto dagli osservatori europei dalla Guerra Russo-Giapponese fu che, nonostante i vantaggi che le nuove armi davano alla difesa, l'offensiva era ancora interamente possibile. I Giapponesi presero con successo l'iniziativa fin dall'inizio della guerra e con una serie di attacchi singoli cacciarono le forze russe, di poco superiori alle loro, dalla Manciuria meridionale. Il costo era stato alto, ma il Giappone si era conquistato il titolo di grande potenza; ogni nazione che desiderava rimanere una grande potenza, facevano notare i commentatori europei, doveva essere preparata a pagare simili prezzi.

Gli insegnamenti tecnici vennero seguiti con molta attenzione. L'artiglieria era stata usata con grande effetto da entrambe le parti, ma solo in batterie mascherate che usavano fuoco indiretto. Il fuoco delle granate esplodenti così come quello dei fucili della fanteria metteva fuori questione ogni mossa nel raggio di azione e di avvistamento del nemico e costrinse a rinunciare definitivamente all'idea di formazioni chiuse che manovrassero sul campo di battaglia. L'artiglieria da campagna, tuttavia, aveva poco effetto su una fanteria ben trincerata e soltanto la concentrazione dell'artiglieria pesante poteva rompere la sua resistenza. Nessun attacco della fanteria aveva alcuna speranza di riuscita se non preparato, anzi accompagnato fino all'ultimo momento, dall'artiglieria; ma grazie ad una preparazione adeguata gli attacchi della fanteria giapponese ottenevano ripetuti successi. I Giapponesi dimostravano che la miglior risposta alla difesa invisibile era l'attacco invisibile. Per questo conducevano la loro avanzata di notte, scavando trincee prima dell'alba e rimanendo immobili durante il giorno. Giunti alle ultime tappe dell'avanzata procedevano scavando metro dopo metro come se stessero conducendo un assedio. Poi si muovevano all'attacco. Le perdite erano ancora spaventose: negli attacchi di Port Arthur i Giapponesi persero cinquantamila uomini e nei dieci giorni di battaglia a Mukden settantamila. Ma essi dimostrarono che attenta preparazione e coraggio fanatico potevano risolvere il problema dell'attacco nei moderni campi di battaglia.

Il commento di un autorevole ufficiale dello Stato Maggiore inglese (il maggiore generale E. A. Altham), scritto alla vigilia della Prima Guerra Mondiale, riassume la generale reazione europea:

> Alcuni dedussero dall'esperienza in Sud Africa che l'assalto, o almeno l'assalto alla baionetta era cosa del passato, la manovra di un mucchio di ferraglia [...] La campagna in Manciuria dimostrò ancora una volta che la baionetta non era affatto un'arma obsoleta e che il fuoco da solo non poteva sempre bastare a smuovere dalla sua posizione un nemico determinato e ben disciplinato [...] L'assalto è persino più importante del conseguimento della supremazia del fuoco che lo precede. È il momento supremo della battaglia. Il risultato finale dipende tutto da esso[20].

La vera lezione che molti videro stagliarsi dalla Guerra Russo-Giapponese fu che l'elemento davvero importante di una guerra moderna non fosse la tecnologia, ma il *morale*; ed il morale non solo dell'esercito, ma dell'intera nazione da cui questo era levato. Si trattava di una questione sulla quale i comandanti militari delle nazioni industrializzate dell'Europa occidentale cominciavano a nutrire seri dubbi. Il colonnello tedesco Wilhelm Balck nel suo ampio manuale sulla tattica ammoniva:

> Il costante miglioramento degli standard di vita tende ad aumentare l'istinto all'autoconservazione ed a diminuire lo spirito di auto-sacrificio [...] il veloce ritmo della

vita odierna tende ad indebolire il sistema nervoso, manca il fanatismo e l'entusiasmo nazionale e religioso del passato ed infine anche le forze fisiche della specie umana stanno parzialmente diminuendo [...] Dovremmo [dunque] mandare in battaglia i nostri soldati con una riserva di ardimento morale grande abbastanza da impedire il prematuro deprezzamento mentale e morale dell'individuo[21].

Nell'esercito tedesco si ebbe una reazione, guidata dall'eloquente ed influente generale von Bernhardi, contro la tattica prudente e la strategia dell'aggiramento sui fianchi dell'era Schlieffen, che Bernhardi descrisse come «una dichiarazione di bancarotta dell'arte della guerra». Egli sostenne che l'importanza data da Schlieffen ai fattori materiali e la sua fiducia sulla superiorità numerica non avevano tenuto conto del fatto «che si dimostreranno superiori quelle truppe che sopporteranno il più alto numero di perdite ed avanzeranno più gagliardamente delle altre; o che il coraggio, l'audacia ed il genio del comandante hanno un ruolo in guerra»[22].

Nell'esercito tedesco i critici di Schlieffen rimasero una minoranza sia pur rumorosa. I loro corrispondenti nell'esercito francese divennero, invece, molto potenti quando il generale Joffre fu nominato capo di Stato Maggiore nel 1911. Joffre aveva trascorso gran parte della sua carriera nell'esercito coloniale francese, che si considerava un'élite avventurosa la quale doveva le sue conquiste più all'iniziativa individuale ed alla forza del carattere che alla forza delle armi. I suoi ufficiali disprezzavano l'esercito metropolitano, considerato indolente, inefficiente e (negli anni successivi all'*affaire* Dreyfus) fortemente politicizzato: una condizione tipica in realtà della Francia nel suo insieme[23]. Era necessaria, a loro parere, una vera e propria crociata morale per restaurare la grandezza e lo spirito dell'esercito francese e della nazione francese alla vigilia di uno scontro con il loro vecchio nemico: scontro che, a partire dal 1911, veniva generalmente considerato inevitabile. Per questo era necessario, secondo Joffre, «dotare l'esercito di una chiara dottrina di guerra, a tutti nota ed unanimemente accettata»: la dottrina dell'offensiva.

Dopo la guerra in Sud-Africa, Joffre scrisse:

Tutta una serie di dottrine false [...] intervennero a togliere ai nostri ufficiali il debole sentimento offensivo che aveva fatto la sua apparizione nelle nostre dottrine di guerra, e nello spirito dell'esercito fecero venire meno la fiducia nei Capi e nei regolamenti [...] l'incompleto studio degli eventi della guerra conduceva la parte migliore dell'intellettualità militare di allora a pensare che i perfezionamenti dell'armamento e la potenza del fuoco avevano aumentata la potenza della difesa a tal punto che nei suoi riguardi l'offensiva aveva perduto ogni virtù [...] [dopo la campagna di Manciuria] il fiore della giovane schiera intellettuale di allora si liberò di tutta la fraseologia che aveva sconvolto il mondo militare e tornò ad una sana concezione delle condizioni generali della guerra[24].

La «concezione più sana» consisteva nel porre l'accento sullo «spirito dell'offensiva». Questa, come riconobbe Joffre nelle sue memorie, assunse «un carattere piuttosto irragionevole», specialmente quale fu esposta dal colonnello de Grandmaison, il capo delle operazioni militari, in due sue famose conferenze tenute nel febbraio del 1911. Non mise in discussione la validità del regolamento di Fanteria del 1904, che poneva l'accento sulle formazioni in ordine sparso. In realtà, esso fu non solo conservato, ma anche ripubblicato fino all'aprile del 1914. Ma «è più importante», scrisse de Grandmaison, «sviluppare una mentalità conquistatrice che cavillare sulla tattica», ed è questa mentalità che egli si propose di sviluppare. «In battaglia si deve essere capaci di fare cose che sarebbero assolutamente impossibili a sangue freddo. Un esempio: avanzare sotto il fuoco [...] Niente è più difficile da concepire nella nostra attuale mentalità [...] Dobbiamo allenarci a farlo ed addestrare gli altri, coltivare con passione tutto quello che porta l'impronta dello spirito dell'offensiva. Dobbiamo spingerlo all'estremo: e forse persino questo non sarà sufficiente».

Due anni dopo de Grandmaison redasse il regolamento per la condotta delle grandi unità dell'ottobre 1913, contenenti le famose parole: «L'esercito francese, ritornando alla sua tradizione, non riconosce altra legge all'infuori di quella dell'offensiva»[25].

Questa dottrina si adattava bene allo stato d'animo del momento. Piaceva alle élite militari che credevano, con Ardent du Picq, che tale spirito potesse essere coltivato solo all'interno della struttura di un esercito di professione e motivato; le loro idee furono espresse dal romanziere Ernest Psichari, il cui romanzo *L'appel aux armes*, predicando la necessità di «un esercito violento e fiero», godette di enorme popolarità alla vigilia della guerra[26]. Non piaceva meno alla sinistra dei radicali la quale da sempre sosteneva che il morale militare dipendeva dalla passione patriottica del popolo e non dalla durata del servizio militare[27]. Più in generale, essa fu riecheggiata nelle popolarissime lezioni tenute dal filosofo Henri Bergson alla Sorbona, che divulgavano ad un vasto pubblico i concetti nietzschiani della volontà creatrice nella più elegante formulazione dell'*élan vital*.

De Grandmaison, come Foch, è stato messo alla berlina dagli storici e dai critici successivi ma, grazie a una certa bravura gallica, ritroviamo quasi le stesse idee espresse da autori inglesi e tedeschi del tempo. In Inghilterra, il generale sir Ian Hamilton, uno dei più sensibili, intelligenti ed influenti militari di professione della Gran Bretagna, ragionava piò o meno negli stessi termini: «Tutta quella robaccia scritta da Bloch prima del 1904 sulle zone di fuoco attraverso le quali nessun essere umano poteva passare non annunciava altro che disastri. La guerra è essenzialmente il trionfo non del chassepot sul fucile ad ago, non di una linea di uomini trincerati dietro reti di filo spinato e dietro zone protette dal fuoco su uomini che invece avanzano allo scoperto, ma di una volontà su una volontà più debole [...] la miglior difesa per un Paese è un esercito formato, addestrato, ispirato dall'idea dell'attacco»[28].

Né c'era alcun dubbio, nelle menti dei militari prima del 1914, circa il costo di tutto ciò in termini di vite umane. «È sempre sospetto», scrisse Balck, «se le truppe si sono abituate a considerare perdite insignificanti [...] come segno di un buon comando. Di regola le grandi vittorie sono accompagnate da grandi perdite»[29]. Maude si spinse persino più avanti: «Le possibilità di vittoria dipendono interamente dallo spirito di sacrificio di coloro che devono essere immolati per ottenere vantaggi per chi rimane [...] in altre parole, la vera forza di un esercito poggia essenzialmente sulla capacità di ciascuna o di tutte le frazioni che lo compongono di resistere alla sofferenza, se necessario anche al limite dell'annientamento [...] Con truppe addestrate a giudicare i loro capi semplicemente sulla base dell'abilità mostrata nel risparmiare le vite dei loro uomini, quale può essere mai la speranza di una resistenza adeguata?»[30].

Così, gli eserciti e le nazioni d'Europa entrarono in guerra nel 1914 aspettandosi pesanti perdite. I loro giovani furono indottrinati non semplicemente a combattere per il loro Paese, ma a morire per esso. Il concetto di «sacrificio», soprattutto del «sacrificio supremo», avrebbe dominato la letteratura, i discorsi, i sermoni e la stampa delle società belligeranti per tutti i primi anni della guerra. E gli elenchi dei morti che la generazione successiva troverà tanto spaventosi non furono considerati dai contemporanei indicatori di incompetenza militare, ma una misura della determinazione nazionale, dell'adeguatezza al rango di grande potenza.

III

Nel discutere il corso della Prima Guerra Mondiale gli storici europei ed americani hanno concentrato la loro attenzione prevalentemente sul fronte occidentale, e noi seguiremo qui il loro esempio. All'Est le perdite degli eserciti russi ed austriaci salirono rapidamente a centinaia di migliaia, ma è stato detto che esse furono dovute principalmente alle malattie, alla prigionia ed alla diserzione, piuttosto che al sacrificio eroico sul campo di battaglia. La previsione di Bloch di una guerra futura nella quale i due eserciti si sarebbero trovati paralizzati al di qua e al di là di una «zona di morte» frapposta tra loro dovette paradossalmente rivelarsi applicabile a quell'area geografica che gli era più familiare. Nell'Europa orientale il conflitto non si impantanò mai in una guerra di posizione; rimase fino alla fine una guerra di movimento.

La speranza e l'intenzione del generale von Schlieffen era che questo fosse anche il caso dell'Europa occidentale. Il piano Schlieffen, come abbiamo visto, estendeva alla strategia la dottrina tattica che aveva prevalso nell'esercito tedesco fin dal 1870: evitare l'attacco frontale e raggiungere l'obiettivo per mezzo di un aggiramento, anche se questo richiedeva eserciti di milioni di soldati. Così gli eserciti tedeschi marciarono attraverso il Belgio e la Francia senza incontrare quasi alcuna resistenza e quando la incontrarono la coprirono con il fuoco dell'artiglieria, cercando di aggirarla. In questo modo, conquistarono vasti territori ad un prezzo davvero basso, ma alla lunga i critici di Schlieffen dimostrarono di aver ragione. La sua strategia non conduceva ad una decisione.

In Francia, tuttavia, ad avere il potere erano i grandi sacerdoti dell'offensiva, l'equivalente degli oppositori di Schlieffen in Germania, e fu sotto la loro influenza che l'Alto Comando realizzò il suo famoso piano XVII. L'idea generale che stava alla base del piano, cioè che i Francesi dovessero prendere l'iniziativa strategica piuttosto che aspettare passivamente l'assalto tedesco, aveva buone ragioni dalla sua. Possedeva, ad esempio, la flessibilità che consentì a Joffre di riprendersi tanto rapidamente dai suoi disastri iniziali e di riorganizzare le sue forze per vincere la cosiddetta battaglia della Marna. Il problema dell'esercito francese nel 1914 non era tanto quello di essere offensivista, quanto quello di essere inefficiente. La confusione burocratica rese inutili gli insegnamenti della Guerra Russo-Giapponese. Nessun provvedimento fu preso per il rifornimento dell'artiglieria pesante, il che comportò che i cannoni tedeschi superavano abbondantemente quelli francesi. Non esisteva alcuna dottrina di stretta cooperazione tra l'artiglieria e la fanteria e non venne effettuato un serio addestramento in termini di condotta sul campo, indipendentemente da quello che era stabilito dai regolamenti. Di conseguenza, quando arrivò la guerra, i comandanti francesi a tutti i livelli risposero d'istinto anziché secondo i programmi sistematici di addestramento. Come ha detto un ufficiale: «Prima di essere esposti alla prova del fuoco, l'idea di trovarsi faccia a faccia con il nemico gettò troppi nostri ufficiali in uno stato di eccitazione selvaggia che chiunque abbia sperimentato momenti simili può ben capire. L'uomo che riesce a mantenere il sangue freddo in simili circostanze è un genere di animale molto raro. Più che una questione di dottrina è un problema di temperamento»[31].

Di conseguenza, del milione e mezzo di uomini che costituivano le truppe francesi in campagna all'inizio dell'agosto 1914, ben 385.000 (circa uno su quattro) furono le vittime dopo sei settimane di battaglia. Tra queste, 110.000 erano i morti[32].

Gran parte di queste perdite furono subite non in attacchi isolati contro posizioni fortificate, ma in battaglie d'incontro in cui entrambi gli eserciti erano in movimento e la fanteria francese venne sorpresa allo scoperto e distrutta dal fuoco dell'artiglieria. Il secondo grande scontro sul fronte occidentale nel 1914, quello del novembre a Ypres dove gli eserciti tedeschi ed inglesi subirono gravi perdite, fu anch'esso una battaglia d'incontro nella quale ciascuna parte cercò di aggirare l'altra nella cosiddetta corsa al mare. Soltanto dopo questa battaglia gli eserciti tedeschi cominciarono a fortificare le posizioni che avevano conquistato, trasformando le trincee che avevano frettolosamente scavato nel terreno in un elaborato sistema di fortificazioni, rafforzato con filo spinato, utilizzando per la prima volta una grande quantità di mitragliatrici in un ruolo difensivo.

La forza di queste difese fu messa alla prova dagli attacchi britannici e francesi per tutto il 1915, e sempre con lo stesso magro risultato. Non che questi attacchi non riuscissero mai. Spesso, anzi, riuscivano. Ma le teste di ponte piazzate nelle difese tedesche non potevano essere tenute abbastanza a lungo o rinforzate abbastanza in fretta da resistere ai rapidi contrattacchi lanciati dai Tedeschi per riguadagnare le posizioni perdute; di solito gli alleati venivano respinti alle linee di partenza, con gravi perdite. L'unica risposta possibile sembrò l'attacco su un fronte abbastanza ampio da costituire una posizione invulnerabile al contrattacco, dietro una cortina di fuoco d'artiglieria così spessa da distruggere ogni capacità di resistenza dei difensori. La lezione del 1914 era stata ben assimilata; la fanteria non sarebbe stata più impegnata nell'azione senza l'appoggio massiccio dell'artiglieria.

Quando, all'inizio del 1915, al generale sir Douglas Haig venne chiesto se pensava che il popolo inglese avrebbe potuto tollerare le pesanti perdite necessarie per infrangere le linee tedesche, egli rispose con incauto ottimismo che tali perdite non sarebbero state necessarie; «credeva che non appena fossimo stati riforniti di abbondanti munizioni di artiglieria [...] avremmo potuto attraversare le linee tedesche in molti punti»[33]. Quattro mesi più tardi, dopo il fallimento dell'assalto inglese a Festubert nel maggio 1915, invece, cambiò idea. «Le difese sul nostro fronte sono costruite così accuratamente e così solidamente», annotò sul suo diario, «ed il sostegno fornito loro dalle mitragliatrici è così completo che per demolirle sarà necessario *un lungo e metodico bombardamento* di artiglieria pesante [...] prima che la fanteria venga mandata all'attacco»[34]. Quell'autunno, nell'offensiva che lanciò per allentare la pressione sull'alleato russo, Joffre tentò di mettere in pratica questa dottrina. Circa cinque milioni di colpi di artiglieria furono sparati in appoggio alla fanteria, un milione dall'artiglieria pesante. Ma anche quell'attacco venne frenato. Tuttavia furono ottenuti successi locali sufficienti ad incoraggiare gli alleati a credere che «fosse possibile, con dati elementi di sorpresa, armi, munizioni ed altri dispositivi in numero sufficiente, e con truppe adeguatamente addestrate, rompere il fronte nemico»[35].

Nella primavera del 1916, gli stessi Tedeschi misero a punto un piano per riuscire nella stessa impresa. Lanciarono un'offensiva limitata a Verdun preceduta da un bombardamento così pesante che ogni resistenza fu letteralmente ridotta in frantumi. Ma invece di rimanere sulla difensiva, secondo le intenzioni dell'Alto Comando, e lasciare che i Francesi si spezzassero in una serie di contrattacchi, i comandanti in campo tedeschi continuarono ad attaccare, soffrendo così forti perdite. Verdun divenne un incubo sia per i Francesi che per i Tedeschi. Ma la tecnica tedesca di attacco sotto un fuoco così pesante che, con le parole della storia ufficiale inglese, «l'uomo non era scagliato contro l'uomo ma contro materiali», venne presa a modello dagli Inglesi per la preparazione della loro prima grande offensiva sulla Somme, nell'estate del 1916[36]. Tutta la forza lavoro disponibile nell'industria inglese venne assegnata alla produzione di fucili e munizioni nella quantità richiesta, sotto l'energica direzione di Lloyd George allora ministro delle Munizioni. Alla fine di giugno, 1.437 cannoni erano stati piazzati lungo un fronte di più di venti chilometri ed in una settimana di bombardamenti vennero sparate più di un milione e mezzo di granate[37]. Il generale sir Henry Rawlinson, comandante delle truppe attaccanti, assicurò ai suoi ufficiali che «alla fine del bombardamento niente può continuare ad esistere in quella zona e che per la fanteria si tratterà solo di una passeggiata per prenderne possesso»[38]. E così, il 1°

giugno, la fanteria saliva verso la cima non come una forza d'assalto, ma come un'enorme folla di portatori, dove ogni uomo aveva su di sé un equipaggiamento di circa 35 chili, aspettandosi alla peggio di dover eliminare pochi storditi sopravvissuti.

Il risultato fu uno dei giorni più terribili della storia della guerra. Lo sbarramento non era stato abbastanza pesante da raggiungere le trincee coperte che i Tedeschi avevano scavato in profondità nelle colline di gesso sopra la Somme. Nonostante la spaventosa esperienza, la fanteria tedesca fu in grado di uscire in tempo dalle trincee per piazzare le sue mitragliatrici e falciare la fanteria inglese che avanzava ad ondate. L'artiglieria tedesca operò una devastazione tale delle linee inglesi che passarono molti giorni prima che l'Alto Comando capisse la portata della catastrofe che aveva di fronte. Dei 120.000 uomini attaccanti, quasi la metà venne ferita e 20.000 morirono[39].

Gli attacchi continuarono fino a novembre, quando l'esercito francese e quello inglese avevano perso quasi mezzo milione di uomini. Ormai, comunque, l'obiettivo della battaglia era cambiato. Non si trattava più di guadagnare terreno, ma di costringere i Tedeschi ad impegnare ed a logorare le loro truppe: l'obiettivo iniziale degli stessi Tedeschi quando avevano attaccato a Verdun. «Altre sei settimane ed al nemico sarà difficile trovare uomini», scrisse Haig in risposta agli ansiosi interrogativi che giungevano da Londra; «il mantenimento di una pressione offensiva costante avrà come conseguenza ultima il completo rovesciamento dell'avversario»[40]. In breve, si utilizzò la paralisi tattica ai fini di una strategia di logoramento, con la quale venne messa alla prova la resistenza ed il morale non solo dell'esercito, ma dell'intera nazione. Per chi era cresciuto nell'atmosfera di quel darwinismo sociale dominante il primo decennio del secolo, questa non fu una sorpresa. Essere preparati a subire perdite enormi rimase il criterio per stabilire la capacità di sopravvivenza di una grande potenza, e questo permise alle più avanzate, industrializzate e colte nazioni d'Europa di continuare a combattere per altri due estenuanti anni.

Alla fine della guerra, la tattica di entrambe le parti si era trasformata. Gli Inglesi perfezionarono le prudenti tecniche della guerra d'assedio degli eserciti di Plumer e Monash, adesso realizzate con sostegni corazzati ed aerei. I Tedeschi sfruttarono nuove armi per la guerra di trincea — mitragliatrici leggere, granate, gas — al fine di dare alla loro fanteria una flessibilità che la mettesse in grado di sfondare i fronti tenuti da avversari più deboli e più appesantiti.

Sarebbe un errore tentare di stabilire un legame troppo stretto tra la dottrina dell'offensiva così diffusa prima del 1914 e le spaventose perdite avute durante la Prima Guerra Mondiale. È vero che, a causa della potenza delle nuove armi da fuoco, pesanti perdite venivano considerate inevitabili. È anche vero che nella frenetica atmosfera del 1914, analizzata con tanta cura dagli storici delle idee, vi era una sorprendente e diffusa predisposizione ad accettarle[41]. Ma molto di ciò che era stato scritto prima del 1914 sull'importanza suprema del morale in guerra e sulla necessità di conservare una mentalità offensiva di fronte ad ogni ostacolo, non fece altro che riaffermare verità che sono sempre state valide in tutti i periodi di guerra. L'influenza della potenza di fuoco sulla tattica era stata esaurientemente analizzata dagli Stati Maggiori prima del 1914 e le forze regolari bene addestrate sapevano già che la miglior risposta al fucile era la vanga. Le perdite peggiori non furono quelle dovute ad una imperfetta dottrina, ma all'inefficienza, all'inesperienza ed ai veri e propri problemi organizzativi cui far fronte per combinare capacità di fuoco e capacità di movimento, a seconda delle esigenze. Fin dai primi giorni di guerra, i militari di professione in Europa tentarono di adattarsi alla nuova realtà del campo di battaglia. Impiegarono un tempo tragicamente lungo a risolvere i problemi tattici che si presentarono loro. Fino a che questo non avvenne la strategia restò paralizzata dal contrastato equilibrio tra la forza dell'offensiva e quella della difensiva, in una misura assai rara nella storia della guerra.

[1] FRIEDRICH VON BERNHARDI, *Vom heutigen Kriege*, Berlin 1912 (tr. ingl., da cui si cita, *On War Today*, London 1912, II, 53; tr. it. *La guerra dell'avvenire*, Roma 1923).

[2] F.N. MAUDE, *The Evolution of Infantry Tactics*, London 1905, 146.

[3] CARL VON CLAUSEWITZ, *Vom Kriege*, Berlin 1832 (tr. ingl., da cui qui si cita, *On War*, Libro I, cap. 11, 260; tr. it. *Della guerra*, Roma 1942).

[4] JEAN DE BLOCH, *La guerre future*, Paris 1898 (tr. ingl., da cui qui si cita, *The Future of War in its Technical Economic and Political Relations*, Boston 1899, xxx).

[5] FERDINAND FOCH, *Des principes de la guerre*, Paris 1918 (tr. ingl., da cui qui si cita, *The Principles of War*, New York 1918, 362). Il corsivo è aggiunto.

[6] *Ivi*, 365.

[7] CHARLES ARDENT DU PICQ, *Etudes sur le combat: combat antique et moderne*, Paris 1942, 110.

[8] EUGENE CARRIAS, *La pensée militaire française*, Paris 1960, 275-276.

[9] F. FOCH, *The Principles of War*, cit., 365.

[10] G.F.R. HENDERSON, *The Science of War*, London 1905, 135, 148.

[11] *Ivi*, 150.

[12] *Ivi*, 159.

[13] C.A. DU PICQ, *Etudes sur le combat: combat antique et moderne*, cit., 3.

[14] *Ivi*, 121.

[15] *Ivi*, 127.

[16] G.F.R. HENDERSON, *The Science of War*, cit., 135.

[17] *Ivi*, 371.

[18] *Ivi*, 372-373.

[19] JOSEPH C. ARNOLD, *French Tactical Doctrine 1870-1914*, «Military Affairs», XLII (1978), n. 2.

[20] E. A. ALTHAM, *The Principles of War Historically Illustrated*, London 1914, 295.

[21] WILLIAM BALCK, *Tactics*, Fort Leavenworth, Kans. 1911[4], 194.

[22] F. VON BERNHARDI, *On War Today*, cit., II, 158, 179.

[23] Cfr. DOUGLAS PORCH, *The March to the Marne*, Cambridge 1981, 151-168.

[24] JOSEPH JOFFRE, *Mémoires du Maréchal Joffre (1910-1917)*, Paris 1918 (tr. it. *Memorie*, Milano 1932-1933, I, *L'anteguerra (1910-1914). La guerra di movimento (1914-1915)*, 30-32.

[25] E. CARRIAS, *La pensée militaire française*, cit., 296; HENRI CONTAMINE, *La revanche 1871-1914*, Paris 1957, 167.

[26] Cfr. RAOUL GIRARDET, *La société militaire dans la France contemporaine*, Paris 1953, 305.

[27] Cfr. D. Porch, *The French Army and the Spirit of the Offensive 1900-1914*, in B. Bond, I. Roy (a cura di), *War and Society: A Yearbook of Military History*, London 1975.

[28] I. Hamilton, *Compulsory Service*, London 1911², 121. La stessa idea è espressa nei Field Service Regulations dell'esercito inglese, pubblicati nel 1909: «Il successo di una battaglia decisiva non è predeterminato da cause materiali od ambientali, ma dall'esercizio delle qualità umane guidate dal potere della volontà degli individui» (citato in T. H. E. Travers, *The Offensive and the Problem of Innovation in British Military Thought 1870-1915*, «Journal of Contemporary History», XIII (1978), n. 3.

[29] W. Balck, *Tactics*, cit., 109.

[30] F.N. Maude, *The Evolution of Infantry Tactics*, cit., x.

[31] H. Contamine, *La revanche 1871-1914*, cit., 249.

[32] Cfr. *ivi,* 276.

[33] R. Blake (a cura di), *The Private Papers of Sir Douglas Haig, 1914-1919*, London 1952, 84.

[34] *Ivi,* 93.

[35] J.E. Edmonds, G.C. Wynne, *Military Operations France and Belgium 1915*, London 1927, II, 399.

[36] Cfr. *ivi,* 357.

[37] Cfr. J.E. Edmonds, *Military Operations France and Belgium 1916*, London 1932, I, 486.

[38] *Ivi,* 289.

[39] Cfr. *ivi,* 483.

[40] R. Blake (a cura di), *The Private Papers of Sir Douglas Haig, 1914-1919*, cit., 157.

[41] Cfr. in particolare Roland N. Stromberg, *Redemption by War: The Intellectuals and 1914*, Lawrence, Kans. 1982 e Robert Wohl, *The Generation of 1914*, Cambridge, Mass. 1979 (tr. it. *La generazione del 1914*, Milano 1984).

Liddell Hart e de Gaulle: le dottrine della responsabilità limitata e della difesa mobile

di Brian Bond e Martin Alexander

Nonostante la netta sconfitta nel 1918 e le severe restrizioni imposte alle sue forze armate ed ai suoi armamenti dal trattato di Versailles, l'inevitabile ripresa della Germania e la sua determinazione a riscattare le umiliazioni subite costituirono il punto focale dei pensatori militari francesi, per tutto il periodo intercorso fra le due guerre.

La Prima Guerra Mondiale costò alla Francia perdite militari per più di 1.300.000 uomini e l'occupazione di dieci dei suoi dipartimenti economicamente più ricchi. Nessun'altra potenza impegnata nel conflitto aveva subito perdite tanto gravi. La Francia era uscita nominalmente vincitrice dalla guerra, anche se in realtà non aveva vinto: era solo sopravvissuta. Di conseguenza, politica e dottrine militari si svilupparono naturalmente in senso difensivo e gli anni Venti testimoniarono del ritorno al tradizionale credo militare della Terza Repubblica: un atto di fede nella trinità composta da una frontiera orientale fortificata, alleanze con Paesi stranieri e coscrizione universale.

In linea con questa autolimitazione in senso difensivo, le autorità militari erano convinte che se mai vi fosse stata un'altra guerra europea, essa avrebbe probabilmente assunto di nuovo la forma della guerra di logoramento. La memoria dello stato di esaurimento dell'esercito francese e degli ammutinamenti del 1917 era viva quanto l'esempio dell'importanza delle forze statunitensi per la sconfitta della Germania nel 1918. La vittoria in un nuovo conflitto avrebbe richiesto un'altra coalizione multinazionale che garantisse capacità di ripresa economica e potenzialità militari immense. Per la Francia, ciò si traduceva sia nelle legioni di riservisti mobilitabili, sia nell'industria bellica, sia nelle azioni diversive da parte dei suoi alleati dell'Europa centrale ed orientale. Molto, tuttavia, dipendeva dallo sviluppo e dalla organizzazione della motorizzazione e della meccanizzazione, di quei mezzi che nel 1917-1918 si erano rivelati ai generali come possibili strumenti decisivi di vittoria in guerra, qualora fossero stati sfruttati per mantenere l'esercito francese sulla linea del fronte.

La Gran Bretagna degli anni Venti, al contrario, non avvertiva la presenza di alcun nemico concreto nell'immediato futuro e la pianificazione di circostanza — se così si può dire — allora studiata contro la Francia, l'Unione Sovietica e gli Stati Uniti assume oggi un aspetto irreale. Sotto la forte pressione della situazione finanziaria e per la condizione di stanchezza seguita alla guerra, la Gran Bretagna smobilitò le sue grandi armate con una rapidità notevole. Nel novembre del 1918 più di tre milioni e mezzo di uomini erano in uniforme (escludendo quelli assoldati dal Governo dell'India); due anni più tardi erano stati ridotti a 370.000. Da quel momento in poi, nonostante gli onerosi nuovi impegni imperiali ed europei assunti con i trattati che seguirono il 1918, il bilancio annuale per la difesa e gli effettivi militari vennero costantemente ridotti fino al 1932. Non vennero tagliati drasticamente soltanto le spese e i contingenti: la maggior parte delle industrie di armamenti venne chiusa o riconvertita alla produzione civile; le unità militari sopra il livello della divisione scomparvero; e non fu fatto alcuno sforzo sistematico per registrare le principali lezioni dello sforzo bellico nazionale, senza precedenti, del 1914-18[1]. Il rapporto dell'unico Comitato del War Office che consigliava di mantenere almeno l'organizzazione necessaria per formare un esercito di quarantuno divisioni nel caso di una futura emergenza nazionale rimase lettera morta. Anche se vennero mantenute forze di occupazione in varie parti d'Europa fino al 1930, l'esercito britannico venne pienamente destinato al suo ruolo tradizionale di polizia dell'impero. Tale priorità fu giustificata dalla stipulazione del Ten Year Rule, una direttiva del governo indirizzata originariamente ai ministeri militari nel 1919 per il nuovo anno finanziario, ma più tardi adottato su base mobile (cosicché la fine dei dieci anni non arrivava mai) e mantenuto fino al 1932. La direttiva affermava: «Bisogna supporre, per inquadrare il riesame del bilancio preventivo dello Stato, che l'Impero britannico non sarà coinvolto in nessuna grande guerra nei prossimi dieci anni e che nessuna Forza di Spedizione sarà richiesta per questo scopo»[2]. Una direttiva così chiara in effetti rifletteva le realtà strategiche e finanziarie del 1920, ma essa era molto meno pertinente alla fine di quel decennio. Gli effetti del Ten Year Rule sono stati discussi, ma non può esservi alcun dubbio che esso costituisse un freno per idee radicali e per la sperimentazione all'interno delle forze armate.

Date queste restrizioni e la crescente disillusione pubblica per le conseguenze della Prima Guerra Mondiale, fu forse sorprendente che negli anni Venti la Gran Bretagna producesse alcuni eminenti pensatori militari ed anche che aprisse la strada a prove concrete con forze meccanizzate sperimentali. Come può essere spiegato questo fenomeno? I principali pensatori militari in Gran Bretagna avevano sperimentato l'incompetenza e gli sprechi delle operazioni nella Prima Guerra Mondiale, la maggior parte come ufficiali subalterni. Convinti che ci sarebbe stata presto un'altra grande guerra e riponendo poca fiducia nei trattati internazionali o nella Società delle Nazioni, erano ossessionati dal dover imparare le «corrette lezioni» dalla Prima Guerra Mondiale, sottoponendo ad esame accurato la struttura dell'esercito e restituendo mobilità alle operazioni. Sembra probabile che riflessioni sulla tattica e sulla strategia fiorirono in Gran Bretagna negli anni Venti per due ragioni principali: c'era una forte spinta pubblica, dietro la preoccupazione dei pubblicisti di analizzare e trarre profitto dalla dolorosa esperienza del 1914-1918; e l'assenza di un nemico concreto nell'immediato futuro garantiva quell'atmosfera relativamente tranquilla nella quale le teorie potevano essere sviluppate in modo quasi scientifico. C'era un forte contrasto tra le generiche esercitazioni degli anni Venti «Rossi contro Blu» e le realtà concrete, divenute fin troppo chiare dopo il 1933, quando fecero la loro comparsa i probabili nemici. Esamineremo più avanti nei dettagli le difficoltà che un autore illustre, Basil H. Liddell Hart, ha dovuto affrontare nel passare dalla discussione delle teorie generali sulla meccanizzazione e sulla guerra corazzata alla formulazione di una specifica strategia nazionale.

Prima che si verificasse questa crisi, tuttavia, il fermento di idee e la grande libertà di sperimentazione, in particolare sul tema della meccanizzazione, vennero invidiati dai Francesi che consideravano J.F.C. Fuller e Liddell Hart come grandi pionieri[3]. Come sosterremo in questo saggio, Fuller e Liddell Hart ed il loro più prossimo corrispettivo francese, Charles de Gaulle, non furono «creatori di strategia moderna» [*makers of modern strategy*] nel senso di riuscire ad influenzare in modo determinante le politiche di difesa delle loro rispettive nazioni, ma certamente meritano di essere inclusi in questa illustre serie per i contributi vasti ed originali portati alla teoria militare ed al modo di condurre la guerra, sia nel periodo tra le due guerre sia in seguito.

Con questo non si vuole dire che gli anni tra le due guerre furono caratterizzati dalla lotta eroica, ma inutile di un manipolo di brillanti iconoclasti (che in seguito si dimostrò aver ragione) contro una maggioranza compatta di conservatori antidiluviani, fanatici della cavalleria. Un più attento esame dei documenti e dei periodici militari, sia in Gran Bretagna sia in Francia, mostra che la realtà era più complessa. Critici progressisti o radicali non si trovarono d'accordo su tutti i punti e per certi aspetti le loro predizioni si rivelarono erronee od inadeguate. Inoltre, anche se certamente non mancarono i conservatori od i reazionari, la maggior parte degli ufficiali di cui si possono ricostruire le idee, potrebbero essere definiti progressisti cauti o moderati [*cautious or moderate progressives*]; essi, cioè, riconoscevano che macchine quali i carri armati avrebbero avuto un ruolo sempre più importante in una guerra futura, ma tendevano ad enfatizzare soprattutto le molte incertezze ed i numerosi problemi. Per esempio, come avrebbero potuto essere rifornite e riparate le forze corazzate quando si trovavano lontano dalla base? Non sarebbero state subito contrattaccate dai cannoni anticarro? E soprattutto quale parte avrebbero avuto le unità corazzate nell'organizzazione militare nel suo insieme, data la scarsità di fondi e di equipaggiamenti e le tradizionali rivalità tra le forze armate[4]?

I

Nel complesso ambiente del pensiero militare tra le due guerre, i maggiori sostenitori dei carri armati — ed in particolare il colonnello J.F.C. Fuller — precorsero i tempi con spavalderia e sicurezza di sé impressionanti. Fuller si era già fatto un nome come autore del rivoluzionario «Piano 1919», che prevedeva l'impiego di circa cinquemila carri armati pesanti e medi con un appoggio aereo ravvicinato, per un attacco a fondo di circa venti chilometri, al fine di paralizzare il sistema di comando tedesco. Per tutti gli anni Venti, con numerose pubblicazioni controverse ed eterodosse, Fuller continuò ad essere il principale portavoce dei sostenitori radicali della meccanizzazione. In un saggio del 1919, vincitore di un premio, Fuller asserì per esempio che i carri armati potevano rimpiazzare completamente la fanteria e la cavalleria e che l'artiglieria, per sopravvivere, avrebbe dovuto trasformarsi in una specie di carro armato. Calcolò che ci sarebbero voluti cinque anni per trasformare l'esercito in divisioni meccanizzate ed altri cinque per vincere i pregiudizi e gli interessi costituiti. In questa previsione, Fuller fu fin troppo ottimista[5]. Liddell Hart, di diciassette anni più giovane di Fuller e con molta meno esperienza come soldato, ebbe una parte minore nel dibattito sulla meccanizzazione fino ai tardi anni Venti. Attraverso incontri frequenti ed una voluminosa corrispondenza i due si aiutarono l'un l'altro a sviluppare ed a raffinare le rispettive idee. Tra i due, Fuller era il pensatore più audace, più dinamico e più originale; Liddell Hart era più equilibrato, aveva più tatto ed era meno stravagante come polemista militare. Due differenze sostanziali, a questo stadio, possono essere delineate nel pensiero dei pionieri della meccanizzazione. Primo: Liddell Hart propose piani più dettagliati e realistici per la conversione graduale, in quattro tappe, verso un «Nuovo Modello» di esercito [*«New Model» army*], anche se egli non tenne pienamente conto delle rigide restrizioni imposte dal Tesoro. Secondo: pur dando la precedenza ai carri armati, sottolineò sempre la necessità della fanteria (o *«tank marines»*) come parte integrante delle forze meccanizzate, mentre Fuller relegava la fanteria al ruolo strettamente subordinato di protezione delle linee di comunicazione e delle basi fisse[6].

Anche se Fuller venne ingiustamente associato all'idea di eserciti *«all tank»*, il suo interesse per la meccanizzazione fu fin dai primi anni Venti solo parte di un interesse più vasto per l'impatto della scienza e della tecnologia sulla guerra. Egli credeva che il futuro fosse nei piccoli eserciti professionali. Sviluppò anche l'idea di una battaglia di terra analoga alle operazioni navali, tra forze meccanizzate. Predisse, con precisione, che quando i mezzi corazzati fossero diventati vulnerabili questo avrebbe portato non alla loro obsolescenza, ma a dare una maggiore importanza alla potenza di fuoco ed alla mobilità a spese della protezione. Per tutto questo periodo, la sua preoccupazione principale fu quella di assicurare le forze armate che avrebbero potuto ottenere la vittoria al minimo costo, e persino che avrebbero potuto prevenire o dissuadere dalla guerra. Sfortunatamente, come sottolinea il suo biografo, il temperamento e le frustrazioni professionali portarono Fuller ad assumere un tono sempre più prepotente ed aspro. Egli sosteneva che, poiché la guerra era una questione di sopravvivenza razziale, e poiché le democrazie non volevano realizzare le riforme essenziali nel campo militare, poteva essere necessario un sistema più autoritario. Non fu dunque sorprendente che, subito dopo essere andato in pensione nel 1933 con il grado di maggiore generale, decidesse di tentare la fortuna con sir Oswald Mosley ed il Movimento fascista in Gran Bretagna[7].

Alla metà degli anni Venti Liddell Hart, che dopo aver lasciato l'esercito divenne rapidamente un noto scrittore di questioni militari, sviluppò l'idea di un «Nuovo modello» di esercito in grado di operare indipendentemente da strade e ferrovie e di avanzare più di cento chilometri al giorno. Nel libretto *Paris*, egli espose le sue idee sul futuro della guerra e tratteggiò prospettive eccitanti per gli eserciti meccanizzati:

> Una volta capito che i carri armati non sono un'arma aggiuntiva ed un mero aiuto alla fanteria, ma la forma moderna della cavalleria pesante e divenuto chiaro il loro vero impiego militare — essere concentrati e usati in masse quanto più possibile grandi per un colpo decisivo contro il tallone di Achille dell'esercito nemico e contro quei centri di comunicazione e di comando che costituiscono il suo sistema nervoso — allora potremmo assistere non soltanto al riscatto della mobilità dalla durissima guerra di trincea, ma con essa anche al ritorno di un ruolo per i comandanti e dell'arte della guerra, in contrapposizione con la sua pura meccanica[8].

Anche la Francia fece considerevoli progressi negli anni Venti nello studio e nello sviluppo della meccanizzazione. Incoraggiati da un innovatore capo di Stato Maggiore quale il generale Edmond Buat, che coprì questa carica dal 1920 al 1923, gli ufficiali francesi saggiarono il potenziale di mobilità consentito dai nuovi mezzi: il trasporto a motore, i veicoli per il trasporto della fanteria, le auto blindate ed i carri armati. La motorizzazione prosperò sotto capi sognatori come i colonnelli Emile Alléhaut, Charles Chedeville e Joseph Doumenc. L'esercito venne equipaggiato con la produzione militare del tempo di guerra ad opera di una fiorente industria automobilistica guidata da Renault e Citroën che, con il militare, trassero beneficio dalla necessità di provvedere a rifornimenti a lunga distanza e spedizioni nell'Africa francese. Nello stesso tempo Doumenc, basandosi sulla sua esperienza di organizzazione di colonne motorizzate lungo la *voie sacrée* per far fronte alla crisi di rifornimenti a Verdun, durante l'assedio del 1916, sperimentò le strutture necessarie per le grandi unità corazzate.

La meccanizzazione prosperò in modo analogo. La Francia aveva rapidamente sviluppato una forza corazzata dopo il 1915-1916, arrivando a possedere, alla fine della guerra, tremila carri armati leggeri Renault FT-17 ed i più pesanti Schneider e St. Chamond. Il generale Jean-Baptiste Estienne, «padre» di quest'arma corazzata, rimase responsabile della sperimentazione meccanizzata nei primi anni di pace. Insieme a Buat propugnò la causa della mobilità tattica e l'utilità della potenza d'urto dei mezzi corazzati, sia nell'offensiva sia nel contrattacco. Ufficiale profetico ed anticonformista, di un tipo che venne significativamente rigettato dai corpi corazzati nei decenni successivi, Estienne era convinto che «il carro armato è innegabilmente la più potente arma di sorpresa e dunque di vittoria». Egli sosteneva la necessità che le unità corazzate divenissero una sezione indipendente, distinte dalla fanteria alla quale non erano «in nessun modo analoghe» sia per i loro armamenti, sia per le modalità di combattimento, sia per l'organizzazione logistica. Riteneva «essenziale [...] che i carri armati rimangano nella riserva generale sotto il comandante in capo, che li assegna temporaneamente ad un'armata attaccante o ad una missione del tipo precedentemente eseguito dalla cavalleria»; non era «né razionale, né praticabile assegnare organicamente i carri armati a una divisione di fanteria il cui compito è quello di resistere, qualunque cosa accada, con la potenza di fuoco e con le fortificazioni». Un corpo motorizzato di soli ventimila uomini sarebbe assai mobile, «avendo in tal modo un formidabile vantaggio sugli ingombranti eserciti del recente passato»[9].

Ispirati da questi modelli, più giovani ufficiali come i colonnelli Jean Perré, Joseph Molinié e Pol-Maurice Velpry studiarono l'impiego, sia sul piano pratico sia sul piano dottrinale, delle formazioni motorizzate del futuro. Le sale per convegni della Ecole de Guerre e i campi di addestramento di Coetquidan, Mailly e Mourmelin risuonarono negli anni Venti della teoria e della pratica della sperimentazione. Via via che il decennio passava, tuttavia, l'innovazione finì per vanificarsi. La sperimentazione diminuì, pur progredendo sul piano tecnologico, e così queste costose attività finirono vittima delle riduzioni dei bilanci militari che si accompagnarono al clima di pace del dopoguerra. Il riavvicinamento franco-tedesco nel 1925 rafforzò l'ottimismo politico in vista di un ordine europeo più pacifico. In Francia, la meccanizzazione e la motorizzazione, sembrando più adatte all'azione militare «offensiva» o «aggressiva», vennero politicamente giudicate inappropriate a una strategia apertamente difensiva.

Il decennio culminò, infine, con la grande influenza del maresciallo Philippe Pétain e del generale Eugène Debeney sulla politica e sul pensiero militari. Il primo, il «salvatore di Verdun», ed il secondo, divenuto capo di Stato Maggiore alla morte di Duat nel 1923, influenzarono il corpo ufficiali propugnando il dogma delle difese statiche preparate. Estienne, il cui Ispettorato dei Carri armati era subordinato alla fanteria fin dal 1920, venne bloccato al grado di generale di divisione e costretto a lasciare il servizio nel 1927. Ridotto al ruolo di osservatore esterno, un po' come Fuller in Gran Bretagna, poté proporre progetti solo come privato cittadino, progetti che molto spesso venivano semplicemente ignorati. Prima della sua morte, nel 1936, i mezzi meccanizzati pesanti della Francia sarebbero stati minacciati di liquidazione.

Gli anni dal 1927 al 1930, dominati da Pétain e Debeney, videro la soppressione sistematica dell'iniziativa tattica a favore di un controllo centralizzato del comando. La manovra intorno alle regioni fortificate, con una certa enfasi sul contrattacco mobile prescritto dal precedente regime del maresciallo Foch e di Buat, cedette il suo primato alla nozione di «continui campi di battaglia preparati» alle frontiere ed all'artiglieria difensiva concentrata. La parola d'ordine di Pétain, *le feu tue* (la potenza di fuoco uccide), divenne lo slogan di un esercito il cui pensiero militare si era temporaneamente congelato in una sorta di era glaciale della mente[10].

Le fortificazioni permanenti dalla Svizzera al Lussemburgo rappresentarono il simbolo del nuovo metodo ed insieme la sua sistematicità. Questa fu la linea decisa formalmente dalle commissioni militari tra il 1922 e il 1927, anche se sempre attribuita al ministro della guerra André Maginot, che pilotò in Parlamento le leggi per il loro finanziamento. Presidiata stabilmente, la linea non fu avversata sul piano politico perché appariva strettamente difensiva. Fu un investimento prudente perché offriva non soltanto sicurezza a regioni industriali vulnerabili, solo di recente riprese alla Germania, ma anche protezione durante le due settimane di mobilitazione e radunata delle riserve dell'esercito. Nonostante questa giustificazione razionale, il sistema e l'istituzione del servizio militare di dodici mesi significò che la Francia da quel momento fece poco per sviluppare una più grande mobilità operativa.

II

Alla fine degli anni Venti, il War Office e lo Stato Maggiore Generale si preoccupavano sempre più della restrizione dei contingenti e degli equipaggiamenti dell'esercito britannico e della sua incapacità a far fronte a possibili impegni. La progettata forza di spedizione per missioni extra-europee era assai piccola e molto meno preparata a scendere in campo di quella precedente il 1914. Fu in queste condizioni sfavorevoli che ebbero luogo tra il 1927 e il 1931 importanti esperimenti con unità meccanizzate e miste. Anche se queste esercitazioni vennero fatte su scala relativamente ridotta e si rivelarono una falsa partenza, suscitarono all'epoca considerevole interesse ed ammirazione tra gli altri Paesi.

Le cosiddette forze meccanizzate che eseguirono la prima serie di esercitazioni nella piana di Salisbury nell'agosto del 1927 erano costituite da un insieme male assortito di auto blindate, carri armati pesanti e medi, cavalleria, artiglieria autotrasportata e fanteria trasportata su carri e su veicoli semicingolati. Il comandante di brigata, il colonnello Jack Collins, la articolò in gruppi «veloci», «medi» e «lenti» a seconda della velocità su strada dei loro veicoli, ma questo non coincise con il loro rendimento in campagna. Il risultato, così come venne riportato da Liddell Hart sul «Daily Telegraph», fu una tortuosa colonna che si attorcigliava lungo una distanza di più di trentacinque chilometri e rimaneva frequentemente imbottigliata. La mancanza di comunicazioni radio e di efficaci cannoni anticarro (rappresentati da bandierine colorate) erano solo due delle più gravi lacune, ma anche così le esercitazioni dimostrarono la superiorità delle unità meccanizzate sulle tradizionali unità di fanteria e cavalleria.

Per le esercitazioni del 1928 l'«*Armoured Force*», come venne allora ribattezzata, si avvantaggiò di 150 apparecchi senza fili, ma c'era ancora una deficienza cronica di carri armati e di veicoli adatti. Erano disponibili soltanto sedici carri armati leggeri, sprovvisti di torrette e armati solo di mitragliatrici. Per i vecchi Vickers Medium furono progettati ottimi sostituti, ma la mancanza di denaro ne impedì lo sviluppo. Il trasporto motorizzato della fanteria non fu sufficiente a consentirle di tenere il passo con i carri armati, in campagna. L'aspetto più riuscito delle esercitazioni del 1928 fu l'esecuzione ben preparata delle manovre per il colpo finale, studiate per impressionare alti ufficiali, dignitari in visita e membri del Parlamento.

Il culmine di questa fase sperimentale si ebbe nel 1931 con le esercitazioni della 1st Brigade Royal Tank Regiment. A differenza di quelle che l'avevano preceduta, questa unità era composta interamente di veicoli cingolati. Un'altra sua caratteristica significativa era che ogni compagnia dei battaglioni corazzati aveva una sezione di carri armati medi ed una di carri armati leggeri, dimostrando che i due tipi di carro potevano lavorare insieme. Il brigadiere Charles Broad, usando una combinazione di radio e di bandierine per la comunicazione tra i carri, sviluppò un sistema che consentì all'intera brigata di circa 180 carri armati di muoversi come un'unica unità in risposta ai suoi ordini. Broad portò le esercitazioni ad una conclusione trionfale muovendo la brigata per molti chilometri attraverso la piana di Salisbury, in una fitta nebbia fino a farla riemergere in tempo per farla sfilare davanti all'Army Council «con una precisione quasi inumana».

Importante almeno quanto queste prime esercitazioni sul campo fu la pubblicazione, nel 1929, del primo manuale ufficiale sulla guerra meccanizzata. Si trattava del libretto di Broad, *Mechanized and Armoured Formations*, noto come «Purple Primer» per il colore della sua copertina. Il manuale esercitò un'importante influenza sulla dottrina delle forze corazzate nella Gran Bretagna degli anni Trenta e venne studiato attentamente in Germania. Al centro del pensiero di Broad era la convinzione che i carri armati dovessero essere usati soprattutto per sfruttare la loro potenza di fuoco e la loro azione d'urto nell'attacco e che dovessero essere idealmente impiegati in formazioni indipendenti. Nonostante la comprensibile cautela, il disegno di Broad di forze corazzate usate indipendentemente per irrompere nelle linee del fronte del nemico, tagliare le sue comunicazioni e creare il caos nelle retrovie era veramente utopistica alla luce delle reali possibilità dei carri armati e della loro organizzazione a quel tempo[11].

Dopo questo breve e vivace periodo di sperimentazione vi fu una perdita notevole di slancio e di ispirazione da parte dei capi dell'esercito, spiegabile in parte con la crescente cautela di sir George Milne, capo dello Stato Maggiore Imperiale. Quando nel 1933 andò in pensione vi erano ancora soltanto quattro battaglioni permanenti di carri armati rispetto ai 136 battaglioni della fanteria; e solo due dei venti reggimenti di cavalleria erano passati dall'uso dei cavalli a quello dei veicoli corazzati. Insieme al tradizionale conservatorismo militare, anche la crisi finanziaria del 1931 pose un limite severo alla spesa e scoraggiò grandemente ulteriori innovazioni ed esperimenti.

Nella Francia dei primi anni Trenta, la battaglia per la riforma dell'esercito fu dominata dai generali Maxime Weygand e Maurice Gamelin e dal colonnello Charles de Gaulle. Tutti e tre giocarono un ruolo decisivo nel modo e nel grado della conversione francese alla mobilità, e nel dramma del 1940. Weygand, un ufficiale di grande energia, di notevole abilità e di grande esperienza, proveniente dalla cavalleria e dalla carica di capo dello Stato Maggiore del maresciallo Foch per tutta la Prima Guerra Mondiale, succedette a Debeney nel 1930 come capo dello Stato Maggiore Generale. Gamelin, un ufficiale di fanteria ed aiutante del maresciallo Joffre, venne contemporaneamente nominato vice capo dello Stato Maggiore. Un anno dopo essi raggiunsero insieme il vertice, Weygand sostituendo Pétain come ispettore generale dell'esercito e Gamelin diventando prima capo dello Stato Maggiore Generale e poi, quando Weygand nel 1935 andò in pensione, ricoprendo entrambe le cariche fino alla Seconda Guerra Mondiale. Tutti e due i generali si impegnarono nello sfruttamento del rivoluzionario potere d'urto e della mobilità consentita dalla meccanizzazione del trasporto e delle armi in vista di un esercito più efficace, altamente addestrato e pronto al combattimento.

La rinascita di un incoraggiamento alla «modernità» da parte dei più alti comandanti rifletteva la preoccupazione nei confronti di tre nascenti minacce per la Francia: la crescente evidenza di una accumulazione clandestina di mezzi militari nella Germania durante la Repubblica di Weimar, in contravvenzione con il trattato di Versailles; la crescita e l'ascesa al potere nel gennaio 1933 del nazionalsocialismo, con le sue ambizioni in politica estera dichiaratamente aggressive e revisioniste; ed infine l'esaurimento della prospettiva di un controllo verificabile sugli armamenti come stabilito dalla Conferenza di Ginevra sul Disarmo, che si arenò rapidamente sul problema della «uguaglianza di diritti» della Germania. Ad aggravare queste difficoltà contribuirono le emergenti debolezze demografiche e finanziarie della Francia. Lo sforzo francese per la difesa risentì non solo del freddo vento della depressione economica mondiale seguita al 1929, ma fu anche avversato dal sopravvenire di «anni magri» per i contingenti dei coscritti, a due decenni dal dimezzamento del tasso di natalità occorso durante la Prima Guerra Mondiale. «L'opinione pubblica francese», notava il Foreign Office britannico nel 1933, «è [...] molto apprensiva sul livello degli effettivi durante gli *années creuses*, 1936, 1937, 1938»[12].

Weygand, appoggiato politicamente da Maginot, aveva dato inizio ad un programma di modernizzazione militare che comprendeva la motorizzazione di sette delle venti divisioni di fanteria attive in tempo di pace, nel giugno 1930. A fare da contrappeso a questo vi fu tuttavia, nello stesso mese, la prematura evacuazione della Francia dalla Renania, secondo gli accordi Briand-Stresemann. Inoltre, si cominciò a godere dei benefici sul piano difensivo della linea Maginot solo a partire dal 1934, a causa della complessità e della portata dei lavori di costruzione necessari. Il vigoroso spirito di Weygand poté immediatamente essere messo alla prova; il settembre del 1930 fu testimone delle prime manovre a livello di corpo d'armata dalla fine della Prima Guerra Mondiale. Esse segnarono, secondo l'addetto militare britannico, in precedenza piuttosto critico, «il cambiamento della mentalità militare francese da un eccessivo attaccamento ai metodi della guerra di trincea praticati nel 1918 ad una politica più vigorosa [...] diretta specialmente a risolvere i problemi legati alla guerra di movimento». Anche se le unità coinvolte furono ostacolate dalla mancata distribuzione di semicingolati, l'addetto britannico rimase impressionato «dai migliorati metodi di movimento e di dissimulazione dei carri armati che fino allora erano di solito a livelli puerili». Egli concludeva che i Francesi si erano «veramente svegliati» alla trasformazione di una guerra moderna per mezzo della mobilità[13].

I primi anni Trenta in Francia furono ricchi di riflessioni dottrinali e tecniche nonché di esperimenti, sia a livello ufficiale sia a livello semiprivato. Le manovre del 1932 a Mailly Camp misero alla prova una brigata sperimentale di cavalleria meccanizzata. Il suo successo incoraggiò Weygand a creare una nuova divisione di cavalleria leggera «Type 32». Essa comprendeva una brigata meccanizzata di auto blindate e di semicingolati, dragoni autoportati ed artiglieria, ma anche due brigate montate. La divisione continuava a richiedere 5.600 cavalli, che non si «integravano» facilmente con i veicoli. Per tale ragione quattro delle cinque divisioni di cavalleria dell'esercito vennero modificate, ma tre avevano ancora questa forma quando scoppiò la guerra nel 1939.

Incoraggiato, Weygand si assicurò dal nuovo ministro della Guerra, Edouard Deladier, l'approvazione della meccanizzazione sperimentale della Quarta divisione di cavalleria di stanza a Reims. Con un decreto del 30 maggio 1933 questa divenne la prima divisione meccanizzata leggera (DLM). Essa incarnava le idee più progressiste dell'esercito, essendo equipaggiata con 240 veicoli corazzati da combattimento, appoggiati da quattro battaglioni motorizzati di dragoni, oltre a sezioni di genio, artiglieria, genio trasmissioni e logistiche integralmente motorizzate. Divenuta permanente nel dicembre 1933, sostanzialmente in anticipo sulla prima divisione Panzer della Germania, questa DLM era comandata da Jean Flavigny, esponente ortodosso ed esperto della meccanizzazione. La nuova unità era «in ogni cosa salvo che nel nome [...] la versione 1934 di una divisione corazzata». Secondo quanto prescriveva il manuale di dottrina generale dell'esercito, e cioè le Istruzioni provvisorie sull'impiego tattico di grandi unità dell'agosto 1936, la DLM aveva tre compiti: di sicurezza, di impiego e di intervento diretto nella battaglia principale[14].

L'appoggio di Weygand alla politica di mobilità fu forte e significativo. Egli formò un Gabinetto Tecnico per consigliare direttamente l'ispettore generale sull'approvvigionamento dei materiali per l'equipaggiamento ed una commissione di studi sui carri armati per esaminare gli aspetti organizzativi relativi alle grandi formazioni corazzate. Non solo, egli riuscì a conservare gli stanziamenti per armamenti nonostante la fortissima pressione al risparmio che veniva dai governi di sinistra dal 1932 al 1934, che cercavano di tirar fuori la Francia dalla depressione economica attraverso una politica deflattiva dei costi e dei prezzi ed un bilancio in pareggio. Infine, impaziente di mettere a confronto le riforme militari della Francia con gli sviluppi più moderni in atto tra i suoi vecchi alleati, Weygand visitò la Gran Bretagna nelle estati del 1933 e del 1934, verificando l'applicabilità dei mezzi di trasporto della fanteria Vickers Carden-Lloyd, osservando le manovre dei carri armati a Sandhurst e Tidworth, e ripartendo doppiamente sicuro dell'importanza della sua attività di promozione della mobilità. In breve, Weygand operò per dotare la Francia di una capacità di intervento rapido in difesa di interessi vitali: forse per portare aiuto al suo partner militare in Belgio o per rioccupare la Renania demilitarizzata al fine di «somministrare ciò che egli definì una *fessée* ai Tedeschi per fermare il loro riarmo»[15].

Meno incoraggianti furono le battute d'arresto in questo periodo. Prima fra tutte la persistente divisione delle forze mobili francesi di fanteria e cavalleria, ciascuna dipendente dagli interessi particolari dell'organismo emanatore nel campo degli armamenti meccanizzati. Le prove fatte a Mailly nel 1932 con un «distaccamento meccanizzato da combattimento» non riuscirono a dare evidenza indiscutibile della necessità di grandi formazioni autonome di carri armati. In effetti, l'insoddisfacente riuscita dell'operazione, anche se in realtà in presenza di sfavorevoli condizioni artificiali, provocò critiche così severe da parte dell'ispettore generale della fanteria Joseph Dufieux, che Weygand e Gamelin furono costretti a sciogliere l'unità. Il cammino verso la costituzione in via permanente di divisioni corazzate pesanti autonome subì così un grave ritardo; non si arrivò ad avere un'altra unità sperimentale fino al novembre del 1936, dietro l'insistenza di Gamelin perché la Francia acquisisse uno «strumento più potente della Panzer Division». Cessò anche la produzione del carro armato pesante da battaglia Char B; i tre prototipi usati nel 1932 erano quattro anni più tardi soltanto quindici tra i carri armati in dotazione dell'esercito. Allo stesso modo la produzione del carro armato medio D1 cessò dopo la distribuzione di soltanto 160 esemplari. Il suo successore perfezionato, il D2, raggiunse una produzione di soli 45 veicoli prima di essere fermata per convertire nel 1937 la capacità produttiva in carri armati leggeri.

L'ufficio operazioni dello Stato Maggiore Generale riconobbe l'idea di economizzare sulle forze corazzate utilizzandole come riserva strategica autonoma sotto la direzione del comandante supremo, ma nello stesso tempo ne negò l'approvazione. «Quest'idea», si scriveva nel 1935, «offre il vantaggio di un uso razionale dei carri armati [...] permettendo al Comandante di impegnare le divisioni con l'appoggio dei carri armati necessari per le loro manovre ed in conformità con il principio dell'economia delle forze». Comunque, questa era soltanto una «soluzione da poveracci», poiché richiedeva solo dai quindici ai venti battaglioni di carri armati moderni; sarebbe stata sostituita, appena la produttività industriale lo avesse permesso, dall'assegnazione di un battaglione corazzato a ciascuna divisione di fanteria. Fu il generale Maurin, in precedenza ispettore della motorizzazione ed ora ministro della Guerra, ad informare il comitato sulle forze armate della camera dei deputati della ragione di questa scelta: «carri armati leggeri per l'appoggio ravvicinato sono indispensabili poiché oggi è impossibile lanciare all'attacco una unità di fanteria se essa non è preceduta da mezzi corazzati»[16]. Queste, dunque, erano alcune delle difficoltà in termini di risorse e di atteggiamenti che gli esponenti ortodossi della mobilità dovevano fronteggiare ciascuno nel proprio grado.

III

L'avvento di Hitler al potere in Germania nel 1933 portò ad una profonda revisione delle forze armate britanniche in relazione a possibili impegni strategici, ma l'idea di una punta di lancia costituita da potenti divisioni corazzate non incontrò un grande favore. Invece, alla metà degli anni Trenta, il War Office optò per la graduale meccanizzazione delle armi tradizionali (compreso il passaggio dalla cavalleria a veicoli corazzati o carri armati leggeri) invece di espandere i Royal Tank Corps. Ferventi sostenitori di quest'ultima soluzione e favorevoli più generalmente a potenti divisioni corazzate, come Charles Broad, Pile, Martel, Percy Hobart e soprattutto Liddell Hart, tesero a considerare la frustrazione dei loro sogni come il risultato di una cospirazione deliberata da parte di uno Stato Maggiore reazionario. Il successo delle operazioni tedesche nella guerra lampo del 1939 e del 1940 aggiunse peso alle loro accuse, poiché la Wehrmacht aveva adottato la filosofia della guerra corazzata precisamente quando l'esercito britannico la stava rigettando. Una prospettiva più ampia, comunque, ci permette di capire perché gli sforzi pionieristici della Gran Bretagna prima del 1931 non conobbero, in seguito, sviluppi più concreti. Primo: il governo decise nel 1934 che la Germania era il nemico potenziale più pericoloso e che le spese per la difesa nei cinque anni a venire sarebbero state in primo luogo dirette a contrastare la minaccia tedesca. In teoria, questa decisione avrebbe dovuto aiutare l'esercito, specialmente perché la necessità di una forza di spedizione continentale veniva ora accettata in linea di principio. In pratica, però, un tale ruolo per l'esercito risultò politicamente impopolare e finanziariamente difficile da conciliare con i programmi di spesa delle altre due forze armate. Dopo lunghe discussioni ministeriali, le già magre risorse dell'esercito ammontanti a 40 milioni di sterline in cinque anni, necessarie per rimediare alle sue più gravi debolezze, vennero tagliate a 19 milioni. Poco venne fatto per preparare una forza di spedizione in vista di una guerra in Europa.

Secondo: pur concedendo ogni giustificazione per la mancanza di fondi e per problemi di prestigio politico, si deve dire che la leadership dell'esercito alla metà degli anni Trenta era del tutto priva di immaginazione. Montgomery-Massingberd (capo dello Stato Maggiore Imperiale, 1933-1936) non fu certamente un sostenitore entusiasta dei carri armati e della guerra corazzata; detestava Fuller e bloccò l'avanzamento di carriera di altri ufficiali superiori progressisti. Lo Stato Maggiore si preoccupò assai poco di quale ruolo avrebbe potuto giocare una forza di spedizione se inviata nel continente. I critici possono sostenere, con qualche giustificazione, che l'esercito sembrava propenso a ripetere l'esperienza del 1914, anche se questa volta con i carri armati leggeri dei vecchi reggimenti di cavalleria, nel ruolo di ricognizione in precedenza svolto dalle divisioni di cavalleria.

Terzo, e forse più importante: i principali teorici militari e i generali erano contrari ad un ruolo europeo per una serie di ragioni. Nel 1936, Fuller, ormai in pensione, espresse le sue vedute, condivise da ufficiali in servizio quali Ironside, Burnett-Stuart, Pile e Bernard Montgomery, quando scrisse a Liddell Hart: «Sono pienamente d'accordo che *in nessuna circostanza* dovremmo usarlo [l'esercito] in una guerra continentale perché, se lo facessimo, si dimostrerebbe senz'altro un suicidio». Ufficiali in servizio presso lo Stato Maggiore quali Gort (CIGS, 1937-1939) e Henry Pownall (Director of Military Operations, 1938-1939) riconobbero che al di là di quello che veniva detto in tempo di pace, la forza di spedizione sarebbe stata quasi sicuramente inviata in Francia allo scoppio della guerra; ma essi rimasero inquieti e scoraggiati, non riponendo alcuna fiducia né nell'esercito francese, né nei propri politici. L'unico alto ufficiale a dichiarare inequivocabilmente che l'impegno europeo era di vitale importanza ed a richiedere potenti forze corazzate per il ruolo di contrattacco fu il generale di divisione sir Percy Hobart ma, secondo quanto si dice, egli venne ammonito per queste sue idee sovversive e, poco dopo, inviato in Egitto[17].

L'opposizione di Liddell Hart ad un impegno continentale dell'esercito britannico rifletteva la sua interpretazione del ruolo giocato dalla Gran Bretagna nella Prima Guerra Mondiale. La patetica impreparazione dell'esercito britannico per ogni genere di guerra, alla metà degli anni Trenta, contribuì certamente a far pesare questo punto di vista, ma l'avversione di Liddell Hart a quel ruolo era precedente sia l'avvento di Hitler sia la verifica della mancanza di divisioni corazzate in Gran Bretagna. Liddell Hart fu il sostenitore di primo piano di quella che venne definita la politica della «responsabilità limitata» (l'impegno in un'alleanza europea di un numero il più possibile basso di truppe e se possibile di nessuna), ma egli esprimeva più chiaramente i timori di un vasto numero di persone di ogni ceto[18].

Un tema importante delle pubblicazioni di Liddell Hart su questo problema è che nella moderna guerra di terra la difesa è nettamente superiore all'attacco e che i progressi fatti negli armamenti aumentano addirittura questa superiorità. Nel libro *Europe in Arms*, egli criticò il punto di vista secondo cui le divisioni meccanizzate sarebbero state in grado di sfondare le difese nei primi giorni della guerra; a meno che, precisò, il nemico non venga colto di sorpresa e le sue forze non siano meccanizzate. Né credeva che il potere aereo potesse far pendere decisamente la bilancia in favore dell'attaccante. Questa sua confortante deduzione si basava sul fatto per cui era improbabile che le vittime di un'aggressione potessero essere battute se avessero evitato di cadere scioccamente nella tentazione dell'attacco. Anche Fuller, nel suo ultimo lavoro sulla meccanizzazione, *Lectures on Field Service Regulations*, sostenne che si sarebbe trovato un antidoto alle offensive dei carri armati e gli eserciti avrebbero dovuto nuovamente fronteggiare guerre d'assedio. In contrasto con la difesa lineare statica della Prima Guerra Mondiale, risultante dall'impiego di eserciti «orde», Fuller previde che una situazione di stallo tra le forze meccanizzate sarebbe stata trasformata nella difesa mobile di grandi aree. Da queste aree o zone sicure si sarebbero potuti lanciare attacchi aerei sul nemico e sulla sua popolazione[19].

Un aspetto curioso del pensiero di Liddell Hart relativo all'impegno britannico verso la Francia era il suo credere che i Francesi fossero propensi a ripetere un'offensiva iniziale a fondo come quella del 1914 e che se la Forza di Spedizione britannica fosse arrivata in tempo vi sarebbe stata fatalmente coinvolta. Era una strana interpretazione del pensiero strategico francese, alla luce del profondo impatto delle perdite e delle devastazioni della Prima Guerra Mondiale, della costruzione della costosa linea Maginot, sulla fiducia in un esercito di coscritti a ferma breve e della mancanza di potenti forze corazzate offensive. L'informazione di Liddell Hart della dottrina militare francese del suo tempo era evidentemente difettosa ed inaffidabile, ma bisogna notare che un analogo inganno lo subì nel ritenere che lo Stato Maggiore Generale britannico avesse sposato la dottrina offensiva, pur avendo egli l'opportunità di poter verificare i fatti. L'adozione nel 1937, da parte del governo, della politica di responsabilità limitata di Liddell Hart si tradusse in una riduzione degli ordinativi di carri armati[20].

L'equivalente francese più vicino alle posizioni di Liddell Hart negli anni Trenta fu Charles de Gaulle, che aveva prestato servizio nello Stato Maggiore di Pétain negli anni Venti e che fece parte del Segretariato del Consiglio Superiore di Difesa Nazionale dal 1931 al 1936. Come era accaduto per la polemica giornalistica in Gran Bretagna sui problemi militari britannici del tempo, la campagna di de Gaulle per un corpo meccanizzato, autonomo e professionalmente addestrato (la sua *armée de métier*) risultò politicamente controversa. Egli rese pubblico per la prima volta il suo punto di vista sulla trasformazione dell'esercito nel libro *Le fil de l'épée*, nel 1932. Questo fu seguito un anno dopo da un articolo sulla «Revue politique et parlementaire», *Vers l'armée de métier*, a cui poi diede una forma più estesa in un libro, dallo stesso titolo, nel 1934. Questi lavori testimoniano della preoccupazione di de Gaulle che l'ansia degli «anni magri» fosse diventata così assorbente da far trascurare ai responsabili politici della difesa francese la necessità di un'analisi accurata delle inadeguatezze qualitative e dottrinali dell'esercito, oltre che di quelle semplicemente numeriche. Egli richiamò l'attenzione su ciò che considerava la decadenza delle istituzioni francesi, della vitalità e della coesione del Paese ed invocò riforme radicali dell'esercito.

La sua prima raccomandazione, quasi come nel progetto in corso di elaborazione da parte di Weygand, era per una massiccia espansione delle forze motorizzate mobili con una loro organizzazione permanente in tempo di pace e con un addestramento che ne facesse una formazione d'urto omogenea. La seconda era la costituzione di un corpo interamente professionale di uomini per questa forza motorizzata e meccanizzata. De Gaulle premeva per avere sei divisioni di fanteria meccanizzata, una divisione più leggera per la ricognizione, qualche riserva (una brigata corazzata d'assalto, una brigata di artiglieria pesante e un gruppo di perlustrazione aerea). L'unità avrebbe dovuto essere fornita di veicoli cingolati e avrebbe richiesto centomila soldati di carriera specializzati. Come un sasso nello stagno, la proposta mosse le acque generalmente placide dello Stato Maggiore.

Quest'ultimo giudicò il matrimonio tra meccanizzazione e *métier* come innaturale, inutile ed impraticabile. Per impedire altre discussioni su ciò che avvertiva come un legame disdicevole il generale Louis Colson, capo dello Stato Maggiore dell'esercito, si diede da fare per impedire la diffusione del progetto nei circoli militari. Nel dicembre del 1934 si rifiutò di pubblicare nella ufficiale «Revue militaire française» un articolo di de Gaulle sui mezzi per dar vita ad un esercito professionale. Colson pensava che quell'intervento avrebbe rischiato «di mettere nella mente degli ufficiali un esercito professionale in conflitto con l'esercito nazionale» quando, invece, il ministero «rifiutava inequivocabilmente qualsiasi distinzione»[21]. Intralciato, de Gaulle si rivolse quello stesso mese a Paul Reynaud, un parlamentare indipendente di destra ed ex-ministro, conosciuto come un fautore della necessità del rafforzamento delle difese francesi contro la Germania. Dopo che il colonnello venne a conoscenza, nel gennaio 1935, della formazione delle prime divisioni Panzer, Reynaud fu reclutato come propagandista politico in favore del progetto di riforma di de Gaulle.

Il 15 marzo 1935, esso venne inserito per la prima volta in una piattaforma nazionale, in occasione del dibattito alla camera dei deputati sull'applicazione di articoli di emergenza alla legge sul reclutamento militare del 1928, per reintrodurre la coscrizione di due anni così da far fronte alla carenza di uomini degli «anni magri». Reynaud affermò polemicamente che lo Stato Maggiore cercava «solo il numero più grande possibile di unità organizzate in modo identico». Egli sosteneva «il bisogno, come per la marina e l'aeronautica, della specializzazione nella parte motorizzata delle nostre forze di terra»[22]. La prima accusa era tendenziosamente imprecisa; trascurava la costituzione operata da Weygand e Gamelin di una fanteria motorizzata specializzata, di mezzi corazzati leggeri e di divisioni di fortezza. Appoggiato soltanto da un dissidente socialista, Philippe Serre e dall'indipendente Jean Le Cour-Grandmaison, Reynaud non riuscì a scuotere la maggioranza di governo. Ripresentò le sue richieste a titolo personale in un emendamento parlamentare che raccomandava la concentrazione degli elementi mobili in sole sette divisioni. Riaffermò che «lo sviluppo tecnologico richiede la specializzazione dei nostri militari [...] e dunque richiede un personale tecnico e di adeguata professionalità per le sezioni meccanizzate delle nostre forze armate»[23].

Gli scritti di de Gaulle trascurarono di riconoscere il contributo di pionieri della mobilità a lui precedenti o contemporanei, come Estienne, Doumenc e Velpry. Cionondimeno l'antipatia che egli suscitò tra i leader militari della Francia poteva essere evitata. Weygand e Gamelin avevano un dichiarato interesse nella guerra mobile. In realtà avrebbe potuto esserci un ampio sostegno se de Gaulle e Reynaud avessero richiesto a chiare lettere un riarmo urgente basato sul primato di un apparato motorizzato e corazzato. Al contrario, essi provocatoriamente sostennero che la meccanizzazione e la professionalizzazione erano prerequisiti e sinonimi della modernizzazione dell'esercito. La vaghezza di de Gaulle circa i mezzi per creare le nuove strutture militari suscitò il dileggio da parte di più alti ufficiali. Gamelin non poteva ignorare il fatto che una forza di sette divisioni non teneva sufficiente conto delle complesse necessità di difesa dei territori della Francia metropolitana, del Nord Africa e del Levante, di cui l'esercito era responsabile. Più decisamente, il colorito romanticismo di de Gaulle riaccese la sfiducia politica nelle forze corazzate, ritenute «aggressive». «In fondo», sottolineò successivamente Gamelin, «fu la combinazione che si realizzò tra il problema delle grandi unità corazzate ed il problema dell'esercito professionale a danneggiare in parlamento ed all'interno di una sezione dell'opinione militare la prospettiva della creazione di divisioni di carri armati»[24].

Paradossalmente, l'intervento di de Gaulle produsse un effetto esattamente opposto alle sue intenzioni. Mettendo in moto freni politici e dottrinali allo sviluppo della mobilità negli anni cruciali dal 1935 al 1937, egli ostacolò il riequipaggiamento dell'esercito. Le predizioni sulle offensive mobili meritavano innegabilmente una maggiore attenzione di quella che ricevettero, poiché esse indicavano il problema chiave di una precoce rottura delle difese francesi. Che questo fosse un pericolo di eccezionale gravità era stato avvertito dallo stesso Maginot e riconfermato non più tardi del 1934 dal colonnello André Laffargue, un aiutante di campo superiore di Weygand. Anche Reynaud lo sottolineò all'inizio del 1937: «Le nostre ricchezze industriali sono concentrate principalmente lungo le nostre frontiere [...] purtroppo il nostro capitale non è né a Bourges, né a Clermont-Ferrand»[25]. Uno sfondamento rapido poteva annullare di colpo ogni scrupolosa preparazione in vista di un prolungarsi del conflitto di coalizione, che era la sola speranza di successo contro la Germania.

Comunque questi avvertimenti vennero soffocati dall'aspra controversia generata dall'attacco indiscriminato di de Gaulle e Reynaud alla competenza nell'addestramento dei soldati, agli obiettivi dell'Alto Comando ed all'idea di nazione in armi considerata politicamente sacra. Vennero così offerte gratuitamente le armi della retorica a generali come l'ispettore di cavalleria Robert Altmayer, ostili o al massimo indifferenti ad una meccanizzazione su larga scala.

Tra le cause principali di difficoltà dell'esercito vi era la scarsità di uomini e di materiali. Alti ufficiali, da scettici celebri come Debeney e Colson ad entusiasti come Flavigny, respinsero per ragioni militari la richiesta di istituire un corpo completamente professionale. Essi ritenevano che la professionalizzazione dovesse essere limitata a quanti necessitavano di una qualificazione speciale, come i meccanici ed i radiotelegrafisti. Lo Stato Maggiore del ministro della Guerra Deladier sosteneva: «L'esercito riflette la nazione sia tecnicamente sia socialmente; con più di un milione di automobili nel Paese non dovrebbe essere [...] difficile reclutare ed addestrare autisti [...] Non è forse vero che anche nel carro armato più moderno a dover essere soldati di carriera sono solo il comandante e l'autista?»[26]. Alcuni studi dello Stato Maggiore rivelarono poi che senza ricorrere ad improbabili forti aumenti delle spese per migliorare la paga e le condizioni dei soldati, la Francia aveva un «tetto di reclutamento» troppo basso perché si rendesse disponibile una forza completamente professionale in aggiunta ai 106.000 soldati di carriera richiesti dalla linea Maginot e dai quadri della fanteria. Nel 1936, il 70% dei professionisti a termine non si raffermavano; di conseguenza il grosso del reclutamento serviva solo a mantenere e non ad espandere i quadri esistenti. Tuttavia, fino al 1937 de Gaulle e Reynaud continuarono a non dar peso a queste difficoltà di paga e di reclutamento, suggerendo di formare il corpo attingendo dalle fila dei disoccupati e facendo dirottare una quantità sproporzionata di energia dello Stato Maggiore in una battaglia continua a colpi di memorandum sulle statistiche e sulle strutture dell'esercito.

Altrettanto dannoso per la meccanizzazione fu il sospetto politico alimentato dai carri armati pesanti. La percezione che si ebbe di essi come armi «aggressive», inappropriate alle pretese difensive della Francia democratica, trascese le tradizionali divisioni politiche. In tutto lo spettro politico, dal conservatore Jean Fabry, ministro della Guerra nel 1935, al radicale Daladier l'anno successivo, si premette su Gamelin perché abbandonasse il programma Char B. I carri armati pesanti, inoltre, quando venivano associati con i militari di carriera, assumevano connotazioni da *coup d'état* [27].

Senza dubbio, l'atteggiamento politico di molti ufficiali fu ambiguo, nonostante i tentativi di Gamelin di conservare un «esercito apolitico» secondo la tradizione della *grande muette*. Inevitabilmente, nel fermento dell'epoca del Fronte Popolare, i leader francesi erano preoccupati ed impegnati in piani di emergenza per fronteggiare le agitazioni civili, e lo Stato Maggiore venne trascinato alla polemica con un «apprensivo» Roger Langeron, prefetto di polizia di Parigi, in occasione del *Rassemblement Populaire* della sinistra: una manifestazione senza precedenti, che si tenne nell'anniversario della presa della Bastiglia nel 1935. Fabry, responsabile come ministro della guerra della parata militare svoltasi quello stesso giorno lungo gli Champs Elysées, rifletté con tristezza che «Parigi, patriottica al mattino, cantava l'*Internationale* il pomeriggio». Nel maggio 1936, quando le occupazioni delle fabbriche fecero seguito alla vittoria elettorale della sinistra, il generale Colson venne nuovamente consultato dal prefetto e da Albert Sarraut, primo ministro uscente. Lo stesso de Gaulle pensò nel 1935 che lo scivolamento della Francia verso una crisi generale stava «a poco a poco portando il problema dell'ordine pubblico al centro delle preoccupazioni». Si chiedeva: «come era possibile, nel crescente tumulto del Fronte Popolare e delle leghe di destra, prevenire l'anarchia, se non la guerra civile [...]?» [28].

Con la Germania che stava introducendo in quel momento la coscrizione di due anni ed il «piano Goering» per un'economia di guerra, Gamelin richiese l'adozione di un programma di riarmo in quattro anni, non ostacolato in questo da controversie politiche sulla modernizzazione militare. La convinzione dei comandi militari era condivisa dai gruppi politici dominanti. Roger Salengro, ministro socialista degli Interni, pose l'accento sul fatto che sebbene la Francia non potesse rimanere passiva di fronte alla rimilitarizzazione tedesca, un equilibrio «sarebbe stato ristabilito non tanto tenendo ancora più a lungo i giovani francesi lontani dalle loro famiglie, ma piuttosto con uno sforzo eccezionale per motorizzare l'esercito francese». Deladier, a nome dei radicali, confermò alla camera nel febbraio del 1937 che egli «non poteva concordare con coloro [...] che chiedevano un esercito professionale né con quelli che invocavano un corpo specializzato di divisioni corazzate» perché era «essenziale conservare un giusto equilibrio ed una giusta proporzione tra le varie componenti dell'esercito» [29].

Nell'estate del 1937 vide la luce l'ultima incarnazione dei progetti de Gaulle-Reynaud nel libro di quest'ultimo *Le problème militaire français*. La reazione che ne seguì rifletteva l'ormai avvenuta adesione dell'ufficialità alla mobilità. Il generale Duchêne, in una recensione apparsa su «L'echo de Paris», sostenne a tutta voce: «un esercito difensivo è un esercito votato alla sconfitta», esortando «a respingere inequivocabilmente il semplicistico sistema della Grande Muraglia cinese»; Gamelin informò confidenzialmente Reynaud: «stiamo lavorando ormai da molto tempo per istituire un numero di divisioni motorizzate, meccanizzate e corazzate più grande persino di quello da lei proposto»[30].

IV

Alla metà degli anni Trenta l'indecisione politica sulle priorità dell'esercito in caso di guerra, complice il conservatorismo dello Stato Maggiore, fece sì che la Gran Bretagna perdesse l'opportunità di creare una forza corazzata di élite con il ruolo di contrattacco che era stato propugnato da teorici come Fuller e da militari pratici come Hobart. Alla fine del 1936, la grande maggioranza dei carri armati esistenti erano modelli leggeri adatti soltanto alla guerra coloniale. Il War Office preparò una «lista della spesa» di carri armati leggeri per la cavalleria, di modelli medi e di carri armati pesanti d'assalto per la fanteria, ma per tutto il 1937 e il 1938 poco fu fatto per produrre questi nuovi tipi. L'unica divisione mobile esistente allo scoppio della guerra era poco più che un insieme di unità senza un chiaro ruolo. Nel maggio del 1940 la Forza di Spedizione Britannica in Francia disponeva di soli due battaglioni del Royal Tank Regiment e di reggimenti di cavalleria leggera. La prima divisione corazzata si stava ancora componendo nella piana di Salisbury ed arrivò in Francia un po' alla volta, troppo tardi, comunque, per partecipare agli eventi che condussero a Dunkerque[31].

Visto retrospettivamente, vi è un elemento di ironia nel fatto che i capi di Stato Maggiore, e ancor più lo Stato Maggiore Generale, erano giustamente convinti che la Gran Bretagna avesse ancora interessi vitali nell'Europa occidentale che non potevano essere adeguatamente difesi da una politica di responsabilità limitata, ma avevano posizioni conservatrici sul problema della meccanizzazione ed idee vaghe su ciò che la Forza di Spedizione avrebbe dovuto fare una volta arrivata in Francia. Liddell Hart, al contrario, aveva idee progressiste sulla necessità della meccanizzazione e sul tipo di operazioni mobili che essa poteva consentire, ma tendeva a negare la necessità di un impegno continentale [*continental commitment*] che solo avrebbe potuto giustificare spese più alte nell'esercito per creare una forza di combattimento accuratamente equipaggiata, capace di prender parte alle operazioni contro una potenza europea di primo livello[32].

Visto con gli occhi di oggi è più facile per gli storici apprezzare i limiti di critici come Liddell Hart e de Gaulle ed avere qualche simpatia per gli alti comandi francesi ed inglesi. Per ironia della sorte fu solo quando de Gaulle venne assegnato ad una delle creature di Gamelin, il gruppo sperimentale di mezzi corazzati pesanti in Lorena alla metà del 1937, che egli si rese conto dei molti problemi pratici che comportava lo sviluppo delle forze mobili e della loro dottrina. Le lettere del periodo in cui egli comandò il 507° reggimento di carri armati a Metz tradiscono quale rivelazione fossero state per lui le inadeguatezze tecniche, le incompatibilità nell'equipaggiamento e le fondamentali carenze dei soldati tradizionali. Questi semplici, ma importanti ostacoli furono quelli che sia lui sia Reynaud avevano ignorato o sottovalutato nella loro politicizzata e tendenziosa campagna per l'*armée du métier*.

Per Gamelin, il periodo dal 1935 al 1938 fu caratterizzato da continui ritardi rispetto alle tabelle di marcia dei programmi di riequipaggiamento. Al fondo, i problemi stavano in una insufficienza della capacità produttiva delle industrie di munizioni francesi; l'espansione verificatasi dopo il 1936 fu prima interrotta dalle agitazioni e dalla riforma industriale durante il Fronte Popolare e poi ostacolata dall'emergere di carenze di manodopera specializzata nei settori dell'acciaio, della meccanica e degli armamenti essenziali. Il risultato fu che l'esercito si trovò privo per tutto il 1937 ed il 1938 dei previsti livelli di equipaggiamento. Le carenze nei veicoli corazzati furono così gravi da comportare la cancellazione delle manovre meccanizzate del 1937 e da ritardare la disponibilità della seconda divisione leggera meccanizzata, approvata nell'aprile 1936, fino all'autunno 1938.

In tali circostanze, l'inaccettabilità dello schema di de Gaulle comportò che il suo riemergere nel gennaio e nel febbraio del 1937, per mano di Reynaud, finì con l'imporre fardelli politici aggiuntivi a coloro che come Gamelin, Doumenc, Flavigny e Velpry si stavano sforzando di ottenere uno sviluppo ed un'espansione delle forze corazzate prudente, ma efficace. La maniera in cui venne presentata la proposta gollista la espose alla denuncia di essere militarmente impraticabile, strategicamente pericolosa e politicamente provocatoria fino al limite della perversione. L'unione, militarmente irrilevante, che si ebbe nel 1935 tra carri armati e militari professionisti si rivelò di capitale importanza. Qui non vi fu semplicemente un de Gaulle che si muoveva propagandisticamente su terreni di fatto incerti (come nel caso della incerta disponibilità di reclute), ma anche un Reynaud che, mettendo in agitazione parlamentari già sospettosi, finì col peggiorare materialmente la posizione di quei sostenitori ortodossi della meccanizzazione che operavano all'interno dell'establishment civile e militare.

Le prescrizioni di de Gaulle contenevano un errore critico finale nel loro apparente assegnare alla meccanizzazione un valore *alternativo* alla guerra totale industrializzata del tipo 1914-1918. Si prevedeva che la qualità avrebbe preso il posto della quantità. Anche Fuller aveva sostenuto nelle sue *Lectures* che gli eserciti sarebbero diventati più piccoli poiché la meccanizzazione avrebbe allargato il divario tra le forze realmente combattenti e quelle occupanti[33]. Con un gruppo mobile professionale di sei o sette divisioni era implicito che le rimanenti forze nazionali francesi sarebbero state pressoché relegate a ruoli di milizia territoriale adatte soltanto per compiti di seconda linea o di fortificazione. Reynaud accantonò questo inaccettabile corollario solo nel 1937, rimodellando le sue idee in favore di una grande, elitaria forza mobile *accanto* a un esercito convenzionale di riserva. Anche l'atteggiamento di Gamelin era ambiguo, benché ciò fosse comprensibile alla luce dell'incerta natura della guerra futura. Egli insistette perché la Francia desse vita ad una unità più potente della divisione Panzer, ma suggerì altresì che i miglioramenti nelle armi anticarro avrebbero considerevolmente limitato il ruolo delle forze corazzate sui campi di battaglia. Nonostante l'atteggiamento equivoco di Gamelin, l'esercito francese stava preparandosi per operazioni sia offensive sia difensive. Aveva perciò ragione lo Stato Maggiore nel protestare contro l'accusa di aver «consegnato l'esercito a un atteggiamento di difesa invariabilmente passiva»[34].

Tuttavia de Gaulle trascurò di presentare una qualsiasi forma di struttura del «nuovo modello» per la completa panoplia della forza armata della nazione, nonostante le sue riflessioni all'Ecole de Guerre e al Consiglio Superiore della Difesa Nazionale sulla guerra economica e sulla mobilitazione nazionale. L'obiettivo di Gamelin consisteva nel modernizzare l'esercito francese pur tenendo conto di quelle complessità dei piani generali di difesa e delle probabili caratteristiche del futuro conflitto ignorate in maniera così insoddisfacente dall'analisi parziale di de Gaulle. L'Alto Comando era decisamente «più complessivo e razionale» di de Gaulle, il cui «*Vers l'armée de métier* [...] non prende in considerazione neppure una volta la possibilità che il suo corpo meccanizzato possa essere fermato», prefigurando entusiasticamente «soltanto offensive sempre vittoriose»[35].

Allo scoppio della guerra, nonostante le digressioni intorno alla controversia sul *métier* e le deficienze dell'industria, le unità mobili francesi stavano rapidamente formandosi. Vi erano sei divisioni corazzate, più la quarta *Division Cuirassée de Réserve* pronta a diventare la settima, il 10 maggio 1940: insieme a sette divisioni motorizzate della fanteria ed alla Forza di Spedizione Britannica anch'essa motorizzata. Contro di loro la Germania muoveva un esercito di fanteria in gran parte non motorizzato con alla testa dieci divisioni Panzer. Questo equilibrio tra le forze, forse sotto l'influenza dell'idea che una superiorità almeno di tre a uno in attacco è normalmente necessaria per assicurare il successo, è alla base di molte interpretazioni della campagna del 1940 in cui le questioni della collocazione, del coordinamento e del comando di queste forze alleate «di qualità» assumono enorme importanza[36].

Ma se la messa in scacco della volontà tedesca di vittoria può essere dovuta alle formazioni mobili disponibili, per il trionfo finale alleato non fu meno essenziale il processo di riarmo in profondità che la Gran Bretagna e la Francia stavano preparando nel 1939-1940. Data la loro profonda consapevolezza della difficoltà di prepararsi in poco tempo, a fronte del rapido riarmo tedesco — e con la prospettiva reale di un conflitto globale contro la Germania, l'Italia ed il Giappone — era comprensibile che i governi francesi ed inglesi facessero affidamento sulla capacità di dissuasione della Royal Air Force, della linea Maginot e del grande esercito francese *in being*, mentre sulla lunga distanza venivano mobilitati uomini e risorse materiali su vasta scala.

V

Questo saggio mette in dubbio la tesi attraente, ma assai semplificata che pone in contrapposizione gli apparati militari francesi e britannici (orientati ossessivamente e piattamente alla difesa) con i brillanti «outsider» Fuller, Liddell Hart e de Gaulle (le cui idee sulla guerra lampo vennero respinte nei loro Paesi, ma prontamente adottate dalla Germania). Benché certamente esposti alla critica per la loro gestione del riarmo, gli Alti Comandi francesi e britannici erano in realtà comprensibilmente preoccupati, nel 1939, dalla possibilità di una brusca sconfitta proprio all'inizio della guerra. Nonostante i difetti dei piani strategici alleati, e in particolare le disposizioni per una rischiosa avanzata nei Paesi Bassi e l'incapacità di creare una riserva corazzata centrale con il ruolo di contrattacco, le forze messe insieme avrebbero dovuto essere sufficienti a mettere in scacco l'iniziale offensiva tedesca. È possibile, ed anzi probabile, che vi sarebbero riusciti se il piano tedesco di attacco non fosse stato drasticamente cambiato nelle prime settimane del 1940[37].

Per quanto riguarda coloro che proponevano forze meccanizzate e guerre corazzate, l'aver respinto le loro idee fu dovuto a ragioni più complesse che non quelle della mentalità reazionaria dell'establishment militare francese e tedesco. Il tipo di eserciti ed i concetti strategici richiesti dai sostenitori dei mezzi corazzati erano politicamente inaccettabili, mentre in termini militari non tenevano conto o, semplicemente, non erano a conoscenza di molti dei problemi finanziari, materiali e di risorse umane a cui dovevano far fronte gli Stati Maggiori francesi ed inglesi. Per ironia della sorte, come si è visto, la polemica piena di buone intenzioni di Liddell Hart e de Gaulle in realtà ostacolava la modernizzazione dei loro rispettivi eserciti.

Soprattutto, non si dovrebbe sostenere che l'idea dei critici sulla guerra futura fosse interamente derivata dalle prime campagne della Seconda Guerra Mondiale. In un moto di ripulsa contro la statica fissità delle trincee del 1914-1918, essi cercarono di ripristinare la mobilità, di ridurre le perdite e di assicurare una rapida vittoria utilizzando piccoli eserciti meccanizzati, di élite, professionali. Anche Fuller, che prevedeva una probabile situazione di stallo quando le due parti si fossero completamente meccanizzate, sostenne che cinquecento carri armati avrebbero costituito una grandissima forza. Con forze di tale dimensione sarebbe stato possibile aggirare il fianco nemico ed attaccarne le retrovie: l'arte del comando sarebbe di nuovo diventata decisiva e le battaglie sarebbero state «opere d'arte e non semplicemente bagni di sangue»[38]. Persino nelle campagne del 1939-1941, ad esempio, le grandi forze non meccanizzate giocarono una parte più importante di quanto i teorici dell'esercito corazzato avessero previsto.

Con questo non si vuole mettere in dubbio il valido ruolo di «pungolo» o di catalizzatore che può essere giocato dai teorici. Anzi, in uno studio di più ampio respiro, si potrebbe sostenere che iconoclasti come Fuller, Liddell Hart e de Gaulle furono di enorme beneficio per la loro influenza formativa sul grande pubblico come sulle forze armate. In generale, si può concludere che nella pratica gli «outsider» possono solo raramente esercitare una influenza diretta sul processo di riforma militare, poiché essi mancano della piena conoscenza delle difficoltà e delle scelte praticabili. Liddell Hart, per esempio, alla fine dovette accettare che la «responsabilità limitata» non era una strategia realistica per la Gran Bretagna rispetto alla Francia. D'altra parte, le autorità militari responsabili tendono ad essere fin troppo consapevoli dei problemi e ad accettare come praticabili soltanto misure parziali o di compromesso. Un esempio può essere costituito dalla debolezza delle forze corazzate britanniche e dalla loro mancanza di una chiara dottrina allo scoppio della guerra. Soprattutto, il periodo tra le due guerre conferma l'intuizione clausewitziana secondo cui gli atteggiamenti, le priorità e le pressioni politiche esercitano un'influenza decisiva sullo sviluppo delle forze armate e sulle dottrine strategiche.

[1] Cfr. Public Record Office, London, (d'ora in poi PRO), WO, A2227, 1919, *Committee on the Organisation of the After War Army*. Per ulteriori dettagli sulle fonti britanniche alle quali facciamo riferimento in questo saggio, si confrontino i saggi di BRIAN BOND, *Liddell Hart: A Study of His Military Thought*, London 1977, e ID., *British Military Policy between the Two World Wars*, Oxford 1980.

[2] PRO, Cab, 23/15, 15 agosto 1919. Cfr. B. BOND, *British Military Policy*, cit., 23-26, 94-97.

[3] Cfr. ten. col. GEMEAU, *Les tanks dans l'Armée Britannique: passé, présent, avenir*, «Revue d'infanterie», 1923, n. 63, 520-535; EMILE ALLÉHAUT, *Motorisation et conceptions militaires britanniques*, «Revue d'infanterie», 1927, n. 81, 481-631; Service Historique de l'Armée de Terre, Vincennes (d'ora in poi SHAT), 7N2798 e 7N2800, i rapporti del colonnello R. Voruz, addetto militare francese, Londra, n. 124, 1930 e del maggiore Cuny, vice addetto militare, Londra, 23 gennaio 1932.

[4] Cfr. B. BOND, *British Military Policy*, cit., 127-133. L'analisi migliore dei punti di vista degli ufficiali britannici sulla meccanizzazione è quella di H.R. WINTON, *General sir John Burnett-Stuart and British Military Reform 1927-1938*, tesi di dottorato, Stanford University, 1977.

[5] Il «Piano 1919» è pubblicato come appendice in J.F.C. FULLER, *Memoirs of an Unconventional Soldier*, London 1936. Cfr. anche JAY LUVAAS, *The Education of an Army*, London 1964, 335-375, e A.J. TRYTHALL, *'Boney' Fuller: The Intellectual General*, London 1977.

[6] A.J. TRYTHALL, *'Boney' Fuller: The Intellectual General*, cit., 92-93. B. BOND, *Liddell Hart: A study of His Military Thought*, cit., 27-30, e ID., *British Military Policy*, cit., 137.

[7] Cfr. A.J. TRYTHALL, *'Boney' Fuller: The Intellectual General*, cit., 99, 146.

[8] Cfr. B.H. LIDDELL HART, *Paris, or the Future of War*, New York 1925, 79-85. Relativamente ai perspicaci commenti di Liddell Hart sulle dottrine militari francesi e tedesche negli anni Venti, si veda il suo *The Remaking of Modern Armies*, Boston 1927, 250, 276.

[9] JEAN BAPTISTE ESTIENNE, prefazione (datata 9 aprile 1931) a G. MURRAY WILSON, *Les chars d'assaut au combat, 1916-1919*, tr. di A. Thomazi, Paris 1931, 14-15. Cfr. anche J.B. ESTIENNE, «Conférence faite le 15 février 1920 sur les chars d'assaut: Histoire technique, histoire tactique, vues d'avenir», Paris 1920, ristampato in «Bulletin trimestriel de l'Association des Amis de l'Ecole de Guerre», XIV (1961), 22-30. Cfr. PIERRE-ANDRÉ BOURGET, *Le général Estienne. Penseur, ingénieur, soldat*, Paris 1956; E. ALLÉHAUT, *Etre prêts: Puissance aérienne, forces de*

terre, Paris 1935; CHARLES CHEDEVILLE, *Etude sur l'emploi des chars de combat*, «Revue d'infanterie», (1921), n. 59, 35-61, 174-188, 290-305, 395-405, 529-542, 650-675: JOSEPH E.A. DOUMENC, *Les transports automobiles dans la guerre de mouvement*, «Revue militaire française», (1922), n. 6, 61-76, 191-210, e ID., *Puissance et mobilité*, «Revue militaire française», (1923), nn. 8 e 9, 342-365, 44-45.

[10] Cfr. MAURICE GAMELIN, *Servir*, II, *Le prologue du drame (1930- août* 1939), Paris 1946, 10, 120-130 (tr. it. *Al servizio della patria*, Milano 1947); HENRI-PHILIPPE PÉTAIN, *La bataille de Verdun*, Paris 1941, 143-154; VICTOR BOURRET, *La tragédie de l'Armée Française*, Paris 1947, 56-61; MARIE-EUGÈNE DEBENEY, *Sur la sécurité militaire de la France*, Paris 1930, e ID., *La guerre et les hommes. Réflexions d'après-guerre*, Paris 1937, 44-106, 127-145, 163-171, 194-200, 263-308; RICHARD GRIFFITHS, *Marshal Pétain*, London 1970, 3-75, 97-103, 127-139, 156-157. Cfr. JEAN PERRÉ, *Essai sur la défense contre les chars*, «Revue militaire française», 1924, n. 12, 119-134, 235-255; PAUL-MAURICE VELPRY, *Emploi des chars dans la bataille*, «Revue d'infanterie», 1922, n. 61, 41-55, 183-212. Cfr. anche gli articoli di Velpry sulle unità corazzate nella «Revue militaire française», (1923), n. 9, 205-230; (1924), n. 12, 92-118; (1925), n. 17, 52-71; (1927), n. 1, 305-328.

[11] B. BOND, *British Militay Policy*, cit., 141-158; B.H. LIDDELL HART, *Memoirs*, London 1965, I, 86-136; KENNETH MACKSEY, *The Tank Pioneers*, London 1981, 3.

[12] PRO, FO, 371, 17652, C85/85/17, M.G. Creswell, minuta del 28 dicembre 1933 sul dispaccio del colonnello T.G.G. Heywood, addetto militare britannico a Parigi. Cfr. JEFFREY A. GUNSBURG, *Divided and Conquered: The French High Command and the Defeat of the West, 1940*, Westport, Conn. 1979, 13-17; H.PH. PÉTAIN, *La sécurité de la France au cours des années creuses*, «Revue des deux mondes», 1° marzo 1935, i-xx; GEORGES CASTELLAN, *Le réarmement clandestin du Reich, 1930-35, vu par le 2e Bureau Français*, Paris 1954; EDWARD W. BENNET, *German Rearmament and the West, 1932-1933*, Princeton 1979; MAURICE VAÏSSE, *Sécurité d'abord: La politique française en matière de désarmement, 9 décembre 1930-17 avril 1934*, Paris 1918; JUDITH M. HUGHES, *To the Maginot Line: The Politics of French Military Preparation in the 1920s*, Cambridge, Mass. 1971; PAUL-EMILE TOURNOUX, *Défense des frontières. Haut commandement, gouvernement, 1919-39*, Paris 1960.

[13] PRO, FO, 371, 14902, W9268/38/17, Henri Needham, rapporto sulle manovre in Lorena, 8 settembre 1930. Cfr. MAXIME WEYGAND, *Mémoires*, II, *Mirages et réalité*, Paris 1957, 313, 340-360; M. GAMELIN, *Servir*, II, *Le prologue du drame*, cit., 11-53; FRANÇOIS-ANDRÉ PAOLI, *L'armée française de 1919 à 1939*, III, *Les temps des compromis, 1924-1930*, Vincennes 1974, 155-169, 188-192.

[14] Ministère de la Défense Nationale et de la Guerre, Etat Major de l'Armée (d'ora in poi MDNG-EMA), *Instruction provisoire sur l'emploi tactique des grandes unités*, 12 agosto 1936 (pubbl. Parigi 1940), artt. 204-205. Cfr. JEFFREY JOHNSTONE CLARKE, *Military Technology in Republican France: The Evolution of the French Armored Force, 1917-1940*, Ann Arbor 1970, microfilm, 109-118; FRANÇOIS-ANDRÉ PAOLI, *L'armée française de 1919 à 1939*, IV, *La fin des illusions, 1930-35*, Vincennes 1977, 78-83.

[15] Col. Heywood, rapporto del 25 ottobre 1933, nei *Documents on British Foreign Policy* (d'ora in poi DBFP), a cura di E. L. Woodward, Rohan Butler, London 1946, II serie, V, doc. n. 508, 737. Si veda il rapporto di Ronald H. Campbell, consigliere, Ambasciata a Parigi, su un colloquio con Weygand, 30 aprile 1934, in *ivi*, VI, doc. n. 415, 681-682; M. WEYGAND, *Memoires*, cit., II, 407-425; R. GRIFFITHS, *Marshal Pétain*, cit., 151-154; PHILIP C.F. BANKWITZ, *Maxime Weygand and Civil-Military Relations in Modern France*, Cambridge, Mass. 1967, 86-89, 99-115.

[16] Archives de l'Assemblée Nationale, Paris (d'ora in poi AAN), b. XV/739/48 bis, *Commission de l'Armée de la Chambre des Députés* (d'ora in poi *CACD*), XV Legisl., 1932-36, seduta del 5 dicembre 1934. *Audience de M. le Général Maurin, Ministre de la Guerre*, 8-10. Il punto di vista di Gamelin è espresso in SHAT, *M. Gamelin*, IK224/8, Conseil supérieur de la guerre: incontro di studio, 14 ottobre 1936, *Soir — La division cuirassée*. Il punto di vista dello Stato Maggiore si trova in SHAT, *J. Fabry*, IK93/2, EMA, Bureau des Opérations Militaires et Instruction Générale de l'Armée, *Note concernant l'emploi des chars modernes*, 8 gennaio 1935. Cfr. M. GAMELIN, *Servir*, cit., II, 81-83, 186-190, 244-245, 289-294.

[17] Cfr. B. BOND, *British Military Policy*, cit., 162-163, 172-175, 189-190; e ID., *Liddell Hart*,

cit., 78, 106-107. Il memorandum di sette pagine di Hobart, *AFV's and the Field Force*, venne allegato ad una lettera a Liddell Hart il 21 ottobre 1937 (ora in King's College, London, Centre for Military Archives, *Liddell Hart Papers*). Su Hobart si confronti anche K. MACKSEY, *Armoured Crusader*, London 1967. Per le opinioni del generale di divisione Henry Pownall, un ufficiale di Stato Maggiore capace ma conservatore, si confronti B. BOND (a cura di), *Chief of Staff*, I, London 1972.

[18] B. BOND, *Liddell Hart*, cit., 91-97. Cfr. anche MICHAEL HOWARD, *The Causes of Wars*, Cambridge, Mass. 1983, 198-208.

[19] B. BOND, *Liddell Hart*, cit., 97-98; J. F. C. FULLER, *Lectures on Field Service Regulations III*, 106-107, 118.

[20] B. BOND, *Liddell Hart*, cit., 98-99; ID., *British Military Policy*, cit., 176-177. Quando il governo approvò la politica di responsabilità limitata nel dicembre del 1937, si calcolò che la riduzione delle spese per la produzione dei carri armati avrebbe da sola superato l'insieme di tutti gli altri tagli economici. Nel 1937, l'esercito in realtà spese quasi sei milioni di sterline in meno dei fondi assegnatigli per i rifornimenti militari.

[21] Archives Nationales de France, Paris (d'ora in poi AN), *Paul Reynaud*, b.74 AP.12, Colson a de Gaulle, 17 dicembre 1934. Cfr. anche C. DE GAULLE, *Vers l'armée de métier*, Paris 1934, 87-92 (tr. it. *Verso l'esercito di mestiere*, Roma 1945).

[22] «Journal Officiel de la République Française: Chambre des Députés» (d'ora in poi JOC), *Débats*, 16 marzo 1935, 1042. Cfr. C. DE GAULLE, *Lettres, notes et carnets*, II, *1919-juin 1940*, Paris 1980, 376-381; ID. *Mémoires de guerre*, I, *L'Appel, 1940-42*, Paris 1954, 18-25 (tr. it. *Memorie di Guerra*, I, *L'appello (1940-1942*), Milano 1959; PAUL REYNAUD, *La France a sauvé l'Europe*, Paris 1947, I, 308-321.

[23] *Amendement par M. Paul Reynaud, Député, au Projet de Loi portant modification à la Loi du 31 mars 1928 sur le recrutement de l'armée*, Paris, 28 marzo 1935, 5. Cfr. anche P. Reynaud, *La France*, cit., I, 322-324; C. DE GAULLE, *Lettres, notes et carnets*, cit., II, 382-386; EVELYNE DEMEY, *Paul Reyanud, mon père*, Paris 1980, 287-291.

[24] M. GAMELIN, testimonianza del 2 dicembre 1947, in *Commission chargée d'enquêter sur les événements survenus en France de 1933 à 1945. Annexes: Dépositions de témoignages et documents recueillis par la Commission d'Enquête Parlementaire*, Paris 1951-52, II, 385. Cfr. MARIE-EUGÈNE DEBENEY, *Encore l'armée de métier*, «Revue des Deux Mondes», 15 luglio 1935, 279-295, e ID., *La motorisation des armées modernes*, *ivi*, 15 marzo 1936, 273-291.

[25] JOC, *Débats*, 27 gennaio 1937, 169. Cfr. E. DEMEY, *Paul Reynaud, mon père*, cit., 310 (de Gaulle a Reynaud 28 gennaio 1937); P. REYNAUD, *La France*, cit., I, 401-415; intervista a Maginot da parte di Louis Béraud in «Le journal», 16 agosto 1930 (anche in PRO, FO, 371, 14902, W8604/38/17); ANDRÉ LAFFARGUE, *Fantassin de Gascogne. De mon jardin à la Marne et au Danube*, Paris 1962, 179-187; HENRY LÉMERY, *D'une république à l'autre: Souvenirs de la mêlée politique, 1894-1944*, Paris 1964, 165-166; C.F. BANKWITZ, *Maxime Weygand*, cit., 121-131.

[26] Fondation Nationale de Sciences Politiques, Paris (d'ora in poi FNSP), *Daladier*, b. 4DA3, f. 4, sf. b, MDNG, Cabinet du Ministre, *Analyse d'interpellation de M. Reynaud sur la politique militaire du gouvernement*. Cfr. anche *ivi*, *Note complémentaire au sujet des difficultés de recrutement d'une armée de métier*, 21 luglio 1936; C. DE GAULLE, *Lettres, notes et carnets*, cit., II, 387-391, 401-407; M. GAMELIN, *Servir*, cit., II, 153, 186, 217, e vol. III, *La guerre (septembre 1939-19 mai 1940*), Paris 1947, 516-527; M. WEYGAND, *En lisant les mémoires de guerre du Général de Gaulle*, Paris 1955, 13.

[27] Cfr. R. GRIFFITHS, *Marshal Pétain*, cit., 139-140; PERTINAX [A. GÉRAUD], *Les fossoyeurs: Défaite militaire de la France, armistice, contre-révolution*, New York 1943, I, 49; SHAT, 5N581, f. 2, J. FABRY, *Journal*, cit., 11-20 settembre, 3-4 ottobre 1935; AN, *Victor-Henri Schweisguth*, b. 351 AP3/1SC2, f. 9, «Memento», 4 luglio 1936; AN, *CACD*, XVI Legisl., 1936-40, seduta 1° dicembre 1937: *Audience de M. Deladier, MDNG*, 15-16, b. XV, f. «1937»; J.J. CLARKE, *Military Technology*, cit., 189; M. GAMELIN, *Servir*, cit., I, 263-264.

[28] C. DE GAULLE, *Lettres, notes et carnets*, cit., II, 393, 404-405, 411-412; AN, *V.H. Schweisguth*, b. 351 AP2/1SC2, f. 5, e b. 351 AP3/1SC2, f. 9, «Mementos», 16 luglio 1935, 28 maggio 1936; J. FABRY, *De la Place de la Concorde au Cours de l'Intendance, février 1934-juin 1940*, Paris 1942, 62-65. Cfr. R. GRIFFITHS, *Marshal Pétain*, cit., 161-165, 169, 175-188, 195-196, 207-211, e JACQUES NOBÉCOURT, *Une histoire politique de l'armée*, I, *De Pétain à Pétain, 1919-1942*, Paris 1967, 226-248.

[29] Dichiarazione riportata in PRO, FO, 371, 20693, C1597/122/17, sir George Clerk (ambasciatore britannico a Parigi) al ministero degli Esteri, 24 febbraio 1937. La promessa di Salengro venne fatta in un discorso a Denain, riportato in *ivi*, 19859, C6327/1/17, dispaccio di de Clerk del 7 settembre 1936. Cfr. M. WEYGAND, *L'état militaire de la France*, «Revue des Deux Mondes», 15 ottobre 1936, 721-736, e ID., *L'armée d'aujourd'hui*, *ivi*, 15 maggio 1938, 325-326.

[30] AN, *P. Reynaud*, AP. 12, f. 74, M. Gamelin, lettera del 1° giugno 1937. L'articolo di Duchêne, datato 17 giugno 1937, si trova in *ivi*. Cfr. P. REYNAUD, *La France*, cit., I, 419-428; M. GAMELIN, *Servir*, cit., I, 257-262.

[31] B. BOND, *British Military Policy*, cit., 172-178, 186-188, 255-257.

[32] B. BOND, *Liddell Hart*, cit., 98-99.

[33] J. F. C. FULLER, *Lectures on Field Service Regulations III*, 8, 29, 38.

[34] FNSP, *Daladier*, 4DA3, f. 4, sf. b, EMA, *Note au sujet de l'armée de métier*, giugno 1936. Si veda anche il memorandum di Gamelin del 17 aprile 1936, in *ivi*, 1DA7, f. 4, sf. b; SHAT, 1N22, b. 17, 86, 100-103, 120-129, 133-134, *Conseil supérieur de la guerre*, minute, 29 aprile 1936, 15 dicembre 1937, 2 dicembre 1938; V. BOURRET, *La tragédie*, cit., 53-55; C. DE GAULLE, *Memoires*, cit., I, 27-34, e ID., *Lettres, notes et carnets*, cit., II, 452-461. Cfr. A. LAFFARGUE, *Fantassin de Gascogne. De mon jardin à la Marne et au Danube*, cit., 122-132; GEORGES LOUSTAUNAU-LACAU, *Mémoires d'un français rebelle, 1914-1948*, Paris 1948, 54-58.

[35] RICHARD D. CHALLENER, *The Military Defeat of 1940 in Retrospect*, in EDWARD MEAD EARLE (a cura di), *Modern France: Problems of the Third and Fourth Republics*, Princeton 1951, 417n. Si veda anche C. DE GAULLE, *Lettres, notes et carnets*, cit., II, 363-365, 370-372, 415-438.

[36] Cfr. R.H.S. STOLFI, *Equipment for Victory in France in 1940*, «History», LV (1970), n. 183, 1-20; G.A. GUNSBERG, *Divided and Conquered*, cit.; ROBERT J. YOUNG, *In Command of France: French Foreign Policy and Military Planning, 1933-1940*, Cambridge, Mass. - London 1978; PAUL HUARD, *Le Colonel de Gaulle et ses blindés: Laon, 15-20 mai 1940*, Paris 1980; PIERRE LE GOYET, *Le mystère Gamelin*, Paris 1975; DONALD W. ALEXANDER, *Repercussions of the Breda Variant*, «French Historical Studies», VIII (1974), n. 3, 459-488; JOHN C. CAIRNS, *Along the Road back to France 1940*, «American Historical Review», LXIV (1959), n. 3, 583-603; e ID., *Some Recent Historians and the «Strange Defeat» of 1940*, «Journal of Modern History», XLVI (1974), 60-81.

[37] Per un'eccellente analisi sull'evoluzione della pianificazione tedesca per un'offensiva ad Occidente tra l'ottobre 1939 ed il maggio 1940, si veda JOHN J. MEARSHEIMER, *Conventional Deterrence*, Ithaca 1983, 99-133.

[38] J.F.C. FULLER, *Lectures on Field Service Regulations III*, cit., 8, 29, 38. Il generale von Blomberg fece suo questo punto di vista quando rivolgendosi a Liddell Hart osservò che egli era in favore del disarmo (nel 1932) perché «ripristinando eserciti piccoli e manovrabili» avrebbe «restituito alla guerra il vero spirito guerriero, la "raffinatezza", la leadership e l'arte». Cfr. B. BOND, *Liddell Hart*, cit., 79-80.

Voci dal profondo blu: i teorici del potere aereo

di David MacIsaac

Sono passati ormai quasi ottanta anni da quando l'avvento degli aerei ha portato ad estendere nei cieli le forme tradizionali di guerra, al di sopra — anzi al di là — degli eserciti e delle flotte. Il potere aereo, termine generico ampiamente usato per identificare questo fenomeno, deve tuttavia ancora trovare una collocazione chiaramente definita nella storia del pensiero militare o strategico. Non sono mancati i teorici, ma hanno avuto un'influenza limitata in un campo in cui gli effetti della tecnologia e le azioni dei professionisti hanno giocato fin dall'inizio ruoli più importanti delle idee. Per lo storico delle idee, ulteriori difficoltà nascono dalla confusione e dalla controversia dovute ai discordanti punti di vista sulle molteplici possibilità di impiego delle forze aeree: se, per esempio, sia meglio usarle in cooperazione con le forze di superficie, oppure in operazioni indipendenti dagli eserciti e dalle flotte. Per queste ed altre ragioni, dividiamo il nostro saggio in cinque parti di ineguale ampiezza.

La prima parte presenta alcune riflessioni sul potere aereo in generale e sui problemi (tra i quali il suo vocabolario, la sua mistica e la sua distanza dall'esperienza quotidiana di molti studiosi) che esso ha posto agli storici. Una seconda parte replica ad un saggio, già accolto con molto favore da pubblicisti ed insegnanti del settore, assumendo pertanto un'importanza particolare. La terza parte tratta principalmente del ruolo svolto dal potere aereo nella Seconda Guerra Mondiale, un argomento oggetto di controversie apparentemente senza fine. Le ultime due sezioni, infine, prendono in esame in via del tutto sperimentale il periodo più difficile di tutti, i decenni del secondo dopoguerra, durante i quali concetti fondamentali, da tempo formulati ed esaurientemente provati, hanno dovuto essere adattati alle armi atomiche, al volo transatmosferico (o spaziale) ed alla rivoluzione elettronica.

I

Clausewitz iniziò quel suo innovativo paragrafo sulla «Guerra di popolo» con l'osservazione per cui la guerra nella forma di sollevazioni popolari fu un fenomeno del XIX secolo. Se sostituiamo il potere aereo alle guerre di popolo, possiamo cominciare prendendo a prestito la sua osservazione secondo cui «quel popolo che saprà valersene in modo razionale verrà a trovarsi in relativo vantaggio rispetto a quelli che lo trascurano. Se così è, rimane solo da chiedersi se questo nuovo rinvigorimento del fattore bellico dell'umanità sia salutare o no: una domanda seria, alla quale si dovrebbe rispondere analogamente a quella concernente la guerra in genere; e quindi lasciamo ai filosofi di rispondere ad entrambe...[per procedere ad una discussione che è] piuttosto una presa di contatto con la realtà, che non una discussione obiettiva»[1].

Se consideriamo quanto poco le nazioni occidentali — in particolare gli Stati Uniti — sono arrivate a capire la guerra di popolo, nonostante vari tentativi succedutisi in duecento anni, non dovremmo essere sorpresi se il «potere aereo», il contributo distintivo del XX secolo alla guerra, continua a sfuggire ai nostri tentativi di analisi. Perfino il primo passo nell'analisi — l'individuazione di un vocabolario condiviso — continua a confondere i nostri sforzi. Termini comuni come bombardamento strategico, interdizione e superiorità aerea significano cose diverse per scrittori diversi; e talvolta cose diverse per gli stessi scrittori in diversi contesti. Altri termini che molto spesso generano confusione sono: supremazia aerea, comando dell'aria ed una grande quantità di ingombranti, ma apparentemente necessari neologismi come, per esempio, contro-contromisure elettroniche [*electronic counter-countermeasures*]. Essi verranno presi in esame via via che si presentano, ma il lettore dovrà intendere fin dall'inizio che l'elemento aereo della strategia moderna non è ancora un soggetto con un vocabolario comunemente accettato, «con il quale, sulla base di un attento studio del suo uso, la grammatica del potere aereo può alla fine essere compilata»[2]. Molte sono le ragioni che danno conto di tale situazione.

L'idea del volo, la cui espressione può farsi risalire alla mitologia greca, dovette lottare fin dal suo apparire con il sentimento per cui era in qualche modo presuntuoso per l'uomo trastullarsi con le prerogative degli dei, e più tardi degli angeli. Nel XIX secolo, tuttavia, si affermarono due visioni distinte circa le possibili conseguenze della conquista dei cieli da parte dell'uomo. Una prima visione, ponendo l'accento su immagini di morte e di distruzione che piovono dal cielo, sostenne che la natura della guerra sarebbe presto enormemente cambiata ed implicò spesso che eserciti e flotte sarebbero divenuti impotenti. L'altra visione, riflettendo la prima ma in forma nell'insieme più ottimistica, ritenne che «l'effetto ultimo sarà quello di diminuire grandemente la frequenza delle guerre e di sostituirle con metodi più razionali per risolvere i contrasti internazionali. È possibile che questo avvenga non solo a causa degli orrori addizionali ora prodotti da una battaglia, ma anche perché nessun contendente sarà al sicuro, qualunque sia la sua distanza dalla scena del conflitto»[3]. Così, ancor prima che un aeroplano prendesse il volo, esistevano già elementi di controversia, con risvolti di sentimenti e passioni.

Non appena i fratelli Wright (ed altri) svelarono i segreti del volo a motore, l'aviazione divenne prevalentemente un gioco per giovani maschi: per la sua intrinseca natura attrasse spiriti avventurosi che dovevano essere fisicamente idonei, intellettualmente svegli ed inclini a considerazioni pragmatiche piuttosto che filosofiche. Quando questi individui parlavano o scrivevano delle loro esperienze, lo facevano di solito considerando l'aria un nuovo ambiente di sperimentazione, del tutto libero dagli usi e dalle consuetudini del passato.

Mossi dalla passione per il volo e per il progresso generale dell'aviazione, coloro che emersero come scrittori tra i primi pionieri raramente riuscirono ad essere analitici e distaccati. I loro punti di vista sul ruolo che il potere aereo poteva giocare in una guerra si spingevano regolarmente oltre la realtà del momento, provocando disappunto tra i convertiti e derisione da parte degli scettici. Sempre a questo riguardo, il fatto che gli aviatori spesso si ritenessero una razza a parte, possessori, per dirla con le parole di Tom Wolfe della «roba giusta», scoraggiò molti di coloro che si trovavano al di fuori della loro cerchia ristretta dal tentare di penetrare i segreti dei sacerdoti del volo.

Un altro fattore che spingeva contemplativi o filosofi a tenersi lontani dall'aeronautica — sia come professionisti sia come storici od analisti — fu un certo disagio verso quella che appariva come una incallita convinzione degli aviatori, secondo i quali il genere di guerra futura di cui parlavano poteva in qualche modo fornire soluzioni rapide, pulite, meccaniche ed impersonali a problemi con i quali altri avevano lottato per secoli[4]. Queste impressioni sono state all'origine di una certa riluttanza da parte degli estranei al gruppo, specialmente da parte degli storici accademici, a specializzarsi nel campo dell'aeronautica, lasciando così per molti anni il campo agli storici ufficiali e delle varie forze armate aeree ed agli autodefinitisi semplicemente «scrittori dell'aviazione» [*aviation writers*], un gruppo che va dagli appassionati, entusiasti ma inesperti, ai veterani che vogliono rivivere con la penna i loro giorni gloriosi. All'inizio della nostra discussione dobbiamo dar voce alle loro riflessioni sulla natura del potere aereo, considerandole oggetto di un serio studio analitico, anche se possono apparire incomplete od ingiustificate. Hanno avuto implicazioni non sempre evidenti per quanti sono nuovi in questo campo, peraltro troppo spesso presto scoraggiati nei loro sforzi[5].

Lo stesso termine potere aereo[6] risale almeno al 1908, alla *War in the Air* di H.G. Wells (1908; tr. it. *La guerra nell'aria*, Milano 1909); altri termini del vocabolario, ancora in formazione, sono persino precedenti. Per esempio, l'idea per cui il mezzo aereo richieda ai governi di essere preparati a una guerra lampo, in cui la guerra marittima e terrestre è possibile solo se una nazione ha «il comando dell'aria», fu per la prima volta esposta dal maggiore J.D. Fullerton del British Royal Engineers ad un convegno di esperti militari tenutosi a Chicago nel 1893 durante l'Esposizione Colombiana Universale. Dieci anni prima del volo dei fratelli Wright, Fullerton parlò di una «rivoluzione nell'arte della guerra» che avrebbe richiesto cambiamenti nel modello delle navi, il frazionamento degli eserciti sui campi di battaglia e nuovi standard per la costruzione delle fortezze. In ogni caso «il lavoro principale sarà fatto nell'aria, e l'arrivo della flotta aerea sulla capitale nemica concluderà probabilmente la campagna»[7]. Gran parte di queste lungimiranti predizioni ricevettero tuttavia scarsa attenzione nella ristretta cerchia dei sognatori dell'aeronautica.

Due decenni più tardi, alla vigilia della Prima Guerra Mondiale, i primi fragili velivoli — costruiti principalmente di legno, tela e corda — non furono semplicemente presi sul serio dalla maggior parte degli ufficiali, che avevano abbastanza problemi a cercare di capire in che modo utilizzare le mitragliatrici, le possibilità del trasporto motorizzato di terra e le concomitati rivoluzioni negli armamenti e nei mezzi corazzati della marina. Al massimo, pensarono, i nuovi aerei avrebbero potuto essere sfruttati come modesto ausilio ai mezzi di guerra tradizionali. I limiti esistenti nell'autonomia, nella velocità, nella capacità di raggiungere alte quote sarebbero stati superati più in fretta di quanto si potesse immaginare. All'alba della Prima Guerra Mondiale, tuttavia, si riteneva che gli aerei potessero essere usati al massimo per estendere la capacità visuale dei comandanti a terra, proprio come erano stati usati talvolta gli aerostati a partire dalla Rivoluzione Francese.

La grande mobilità ed autonomia degli aerei a motore, soprattutto rispetto agli aerostati, fece sì che venissero usati nella ricognizione — allora chiamata osservazione — fin dall'inizio della guerra. Presto gli aerei da ricognizione dotati di qualche artiglieria rappresentarono una seria minaccia per le truppe di terra. Dato che prima della guerra non era stata ancora messa a punto un'artiglieria specifica contro gli aerei, l'unico modo per cacciare intrusi in ricognizione sulle proprie posizioni era quello di tentare di abbatterli con le armi — dapprima pistole e fucili, poi mitragliatrici — montate a bordo dei propri aerei. Dunque, il ruolo di ricognizione e quello di inseguimento furono i primi ad emergere chiaramente. Altri seguirono rapidamente.

Una prima innovazione fu quella di appoggio tattico alle forze impegnate nello scontro, dove le armi e le bombe venivano dirette contro le posizioni delle truppe a terra, con il duplice scopo di aiutare l'avanzata delle proprie truppe e di ostacolare l'avanzata del nemico. Usati in tal modo, di solito definito ruolo di attacco [*attack-role*], aerei operarono sia a ridosso delle truppe sia a breve distanza dalle retrovie nemiche: contro punti di raduno delle truppe, depositi degli approvvigionamenti, incroci importanti, quartieri generali, punti di smistamento dei rifornimenti e via dicendo. (Oggi, descriviamo queste operazioni come appoggio aereo ravvicinato ed interdizione.) Alla fine della guerra, soprattutto in seguito alle incursioni aeree tedesche contro l'Inghilterra, si cominciò a pensare alla forza aerea come ad una forza operante in maniera indipendente dagli eserciti e dalle marine. Il suo compito sarebbe stato quello di attaccare obiettivi molto lontani dal fronte di combattimento con lo scopo di distruggere gli elementi essenziali della capacità del nemico di condurre la guerra, bombardando le sue industrie, i suoi nodi di trasporto ed i suoi centri di governo. Il memorandum Smuts dell'agosto 1917, che condusse direttamente alla creazione della Royal Air Force, discusse la guerra aerea in questi termini:

> Per quanto è oggi possibile prevedere, non c'è assolutamente alcun limite al suo futuro uso indipendente in guerra. E non può essere lontano il giorno in cui le operazioni aeree, devastando terre nemiche e distruggendo su vasta scala centri industriali e popolosi, potranno diventare le operazioni più importanti di una guerra, rispetto alle quali le più vecchie forme di operazioni militari e navali potrebbero diventare secondarie e subordinate[8].

Alla fine della guerra, nel novembre 1918, il potere aereo non aveva tuttavia raggiunto questo primato. Come strumento di guerra era ancora ai suoi inizi avendo avuto un ruolo talvolta straordinario e sempre più importante, ma nondimeno largamente inessenziale nella determinazione del risultato. Più grande dell'impatto del potere aereo sulla guerra era stata l'influenza della guerra sui successivi sviluppi del potere aereo. Ciò è particolarmente vero nel senso che ogni teoria, opinione, ideale, speranza, sogno e dibattito che avrebbe segnato il corso della guerra aerea un quarto di secolo più tardi era stata prefigurata nel corso del conflitto.

II

«È solo in un senso molto limitato che si può parlare, con precisione letterale, di teorie sul potere aereo». Così cominciava il saggio di Edward Warner, *Douhet, Mitchell, Seversky: Theories of Air Warfare*, scritto nel 1943, la cui ampia utilizzazione nelle scuole militari gli ha assegnato un significato tutto speciale[9]. Warner partì dal fatto per cui i primi teorici, cambiando disinvoltamente i tempi dal futuro al presente del dopo-1919, non si resero bene conto che i dibattiti del periodo tra le due guerre erano meno interessati alle scelte tra le varie teorie per l'impiego delle forze aeree che all'accettazione od al rifiuto di una dottrina fondamentale: «che l'aeroplano è dotato di una tale ubiquità, ed ha tali vantaggi in termini di velocità e di elevazione, da possedere il potere di distruggere tutte le installazioni e le strumentazioni di superficie, in terra come in mare, pur rimanendo relativamente al sicuro da ogni efficace rappresaglia da terra»[10]. Visto sotto questa luce, sosteneva Warner, ciò che stavano scrivendo era in realtà una teoria che postulava il potere fondamentale di un'arma particolare — l'aereo — come lo strumento principe della guerra.

Dopo questa premessa, Warner passava ad analizzare le opere edite di Giulio Douhet (1869-1930), di William Mitchell (1879-1936) e di Alexander de Seversky (1894-1974), dedicando nove pagine al primo, cinque al secondo e solo due al terzo. Per questo lavoro Warner utilizzò le proprie conoscenze di ingegnere aeronautico, insieme con la propria esperienza di incarichi governativi di alto livello, come quello precedente di professore al Massachusetts Institute of Technology (dove, durante gli anni tra il 1923 e il 1925, aveva avuto come suo studente di dottorato un giovane tenente dell'aeronautica di nome James H. Doolittle): un background che già da solo lo qualificava per analizzare i limiti pratici e teorici degli strumenti allora esistenti di guerra aerea[11].

Forse con una sola eccezione, le pagine di Warner su Douhet rimangono ancora oggi valide ed utili. La teoria sulla guerra di Douhet, così come egli la tratteggiò, conduceva ad alcuni punti chiave che possono essere sintetizzati nel modo seguente: *a)* la guerra moderna non consente alcuna distinzione tra combattenti e non combattenti; *b)* il successo di offensive ad opera delle forze di superficie non è più possibile; *c)* nell'arena tridimensionale della guerra aerea i vantaggi della velocità e dell'elevazione hanno reso impossibile prendere misure difensive contro una strategia aerea offensiva; *d)* dunque, una nazione deve essere preparata fin dall'inizio a lanciare massicci bombardamenti contro le concentrazioni nemiche di popolazione, governo ed industria: si tratta, quindi, di colpire prima e colpire duramente per distruggere il morale dei civili nemici, non lasciando al governo nemico altra scelta che quella di chiedere la pace; *e)* per far questo, la necessità primaria è quella di una forza aerea indipendente dotata di bombardieri a lungo raggio, mantenuta costantemente pronta[12].

Warner riconobbe giustamente che la teoria di Douhet rifletteva la posizione geografica dell'Italia più di quanto molti avessero notato; anche se l'incapacità di Douhet di prevedere l'uso del radar lo portò a sottovalutare le possibilità di difesa contro attacchi aerei. Parlando degli eventi degli anni 1940-1943, tuttavia, Warner potrebbe aver in un caso rimproverato Douhet ingiustamente. Mi riferisco a quella che egli ha definito la sopravvalutazione di Douhet dell'effetto distruttivo e disgregante del bombardamento sul morale dei civili. Qui sembra che Warner ed altri autori che lo hanno seguito[13] non abbiano tenuto in debito conto l'affermazione di Douhet secondo cui gli attacchi contro la popolazione ed i centri industriali dovevano impiegare tre tipi di bombe — esplosive, incendiarie e con gas venefici — ognuno dei quali usato, ci dice senza spiegarsi, «nelle giuste proporzioni». Il rifiuto dei contendenti nella Seconda Guerra Mondiale di impiegare le bombe chimiche — per paura di ritorsioni — non dovrebbe, sul piano puramente logico, essere ignorato quando si criticano le previsioni di un autore che presumeva esplicitamente che quelle sarebbero state usate.

Le pagine di Warner su «Billy» Mitchell non hanno resistito alla prova del tempo altrettanto bene della sua analisi su Douhet. In parte ciò può essere dovuto alla tendenza di Warner ad esagerare, trattando di Mitchell e Seversky come di Douhet, il grado in cui ciascuno di questi autori riteneva obiettivo principale delle operazioni di bombardamento la base industriale e la struttura economica del nemico. Questo aspetto dell'opera di Mitchell è divenuto importante solo piuttosto tardi; esagerarlo può significare distogliere l'attenzione dai numerosi contributi che egli diede come leader, innovatore, sostenitore e simbolo di tutto ciò di cui si può servire il potere aereo per dominare la guerra di superficie. Mentre Douhet aveva considerato gli aerei non bombardieri come strumenti ausiliari — piacevoli da avere, forse, ma non assolutamente necessari — Mitchell potè sostenere l'utilità di tutti i tipi. La cosa importante per lui non era il bombardamento strategico, ma piuttosto il coordinamento centralizzato di tutte le attività aeree sotto il controllo di un comando aereo autonomo, sciolto dalla sua dipendenza dall'esercito. Egli sentiva che se questo obiettivo si fosse potuto raggiungere, ogni altra cosa avrebbe trovato la sua giusta collocazione.

Ancora un punto: quando Warner si riferisce a Mitchell come ad «un iniziatore», l'espressione non va intesa nel senso di pensatore originale, cosa questa non compresa a pieno fino alla pubblicazione di *Billy Mitchell: Crusader for Air Power*, di Alfred F. Hurley [14]. Il sottotitolo di Hurley, mentre mette in luce il ruolo di crociato di Mitchell, tende tuttavia a nascondere il vero tema del volume, cioè le idee sull'aeronautica del più importante aviatore militare d'America. Hurley arriva alla conclusione per cui le conquiste di Mitchell non furono originali; piuttosto «egli riprese largamente le sue idee da quella comunità internazionale di aviatori della quale aveva fatto parte durante la Prima Guerra Mondiale» [15]. (La stessa conclusione potrebbe valere anche per Douhet la cui importanza, molto simile a quella di Alfred Thayer Mahan, non sta tanto nella sua originalità quanto nell'essere stato il primo a riunire in un ordine strutturato idee ampiamente diffuse nel suo tempo.) [16]

L'inserimento nel saggio di Warner di alcune osservazioni su *Victory through Air Power* (1942) di Alexander de Seversky era certamente attuale a quel tempo, ma col passare degli anni ha avuto l'effetto di portare i giovani studiosi ad assegnare al Seversky teorico un posto più grande di quanto non meriti. Come promotore di una tesi generale che favoriva il potere aereo a scapito di tutti gli altri mezzi di guerra, la sua popolarità fu più grande di quanto chiunque sia nato dopo il 1935 possa immaginare, a seguito di un film propagandistico sulla guerra prodotto da Walt Disney [17].

Se oggi diamo uno sguardo agli anni tra le due guerre ed allarghiamo il tema centrale di Warner *a)* dal potere aereo in generale alle teorie specifiche per l'impiego degli aerei in battaglia, e *b)* dai contributi individuali a quelli più generali, molti sviluppi importanti meritano almeno una breve menzione [18].

Certamente, un posto importante in questo elenco occupa il lavoro che J.F.C. Fuller e Basil H. Liddell Hart hanno fatto per stabilire la cornice teorica alla collaborazione terra-aria nella guerra corazzata. La guerra lampo quale venne condotta dalla Germania deve molto alle loro idee e, contrariamente a quanto comunemente si crede, coinvolse le forze aeree al pari dei carri armati e della fanteria motorizzata. La sua conduzione in Francia ed in Russia nel 1940 e nel 1941 dipese fortemente da attacchi aerei coordinati — di fatto preminenti — che usarono gli aerei in un modo che Mitchell avrebbe ben compreso, ma che Douhet e Seversky avrebbero creduto inefficiente [19].

Negli Stati Uniti ed in Giappone, si ebbero nello stesso periodo importanti sviluppi teorici e tecnologici riguardanti l'aviazione marittima, trasportata dalle portaerei: in essi Mitchell, con l'affondamento dell'*Ostfriesland* nel 1921 e le sue prime profezie — nel 1912 e di nuovo nel 1924 — di una guerra imminente con il Giappone, giocò il ruolo di involontario catalizzatore. All'inizio, la marina statunitense ritenne che gli aerei con base sulle portaerei sarebbero stati utilizzati principalmente a fini di ricognizione per la flotta, nella battaglia principale. Alcuni pensatori ribelli avevano idee più ampie su quello che oggi viene definito ruolo di proiezione di potenza contro obiettivi a terra, ma nessuno ebbe molto successo nel parlare di velivoli lanciati da portaerei ad affondare navi corazzate in uno scontro tra flotte. Il Giappone, meno legato alle grandi navi da guerra tradizionali ed interessato alla proiezione di potenza più che alla pura difesa, dimostrò la sua preparazione tattica a Pearl Harbor nel dicembre del 1941.

In Gran Bretagna, dopo la Prima Guerra Mondiale l'aeronautica, creata nel 1918 scorporando le armi aeree dalle tradizionali forze armate di terra e di mare, cominciò una battaglia ventennale per conservare il suo status di entità separata. Nel dicembre 1919, Winston Churchill, allora ministro della Guerra e dell'Aeronautica, dichiarò: «il primo dovere della RAF è presidiare l'Impero Britannico». Il generale d'armata aerea sir Hugh Trenchard (capo dello Stato Maggiore dell'Aeronautica dal 1919 al 1929) fu il primo a suggerire, in riferimento alla Somalia britannica, che l'aeroplano avrebbe potuto essere adatto alle funzioni di polizia coloniale dell'impero. Nel 1920, Churchill chiese che venisse elaborato uno schema pratico per il «controllo aereo» anche per la Mesopotamia (Iraq). La sostituzione delle forze terrestri con quelle aeree in Medio Oriente — attuata per la prima volta nel 1922 enfatizzando la presenza, il controllo e l'applicazione minima della forza — già nel 1923 gravava per 750.000 sterline sulle spese annuali per il mantenimento dell'ordine. Fin dalla metà degli anni Trenta era stata elaborata un'apposita dottrina d'impiego, insegnata al RAF Staff College ed all'Imperial Defence College[20].

L'altro tema che dominò lo sviluppo della RAF tra le due guerre guardava al futuro e poneva l'accento sulle operazioni aeree indipendenti, contro le risorse materiali e morali del nemico. Un'altra carneficina come quella della Prima Guerra Mondiale doveva essere evitata a tutti i costi, recitava un'opinione largamente diffusa in Gran Bretagna e particolarmente allo Stato Maggiore della RAF. Si sosteneva che attacchi aerei diretti contro le fonti anziché contro le manifestazioni di forza del nemico avrebbero restituito un carattere di decisività alla guerra e favorito una risoluzione molto più rapida e, dunque, in definitiva più umana. Anche qui Trenchard ebbe un ruolo essenziale, arrivando ad enfatizzare sempre di più il carattere decisivo di un attacco diretto contro il morale del nemico. Per Trenchard, anche se non per il governo, il presunto nemico negli anni Venti era la Francia, sostituita dalla Germania solo dopo l'ascesa di Hitler. Le idee etnocentriche di Trenchard fecero sì che egli non si preoccupasse di una guerra aerea in due direzioni: egli era convinto che la Francia avrebbe «strillato per prima». Le menti più lucide del governo, soprattutto al Tesoro, non riuscirono ad aver la meglio sull'insistenza della RAF di impegnare la maggior parte delle risorse a favore del Bomber Command prima del 1936-1937. La decisione di dare più importanza alla difesa aerea, ed al Fighter Command, venne presa appena in tempo e non rifletté le vedute della maggioranza dello Stato Maggiore dell'Aeronautica.

Negli Stati Uniti fu ad opera della U.S. Army's Air Corps Tactical School che i concetti generali di Douhet e Mitchell vennero tradotti in un'elaborata dottrina per l'impiego delle operazioni aeree contro la rete industriale nemica. Fin dalla sua istituzione nel 1920, nel programma della Tactical School erano trattati tutti gli aspetti della tattica e della strategia aerea. Ma intorno al 1926 il tema del ruolo strategico degli aerei da bombardamento operanti indipendentemente dalle forze di superficie cominciò a prevalere e, dopo il 1932, divenne dominante. Forse perché non riuscirono ad immaginare flotte di bombardieri delle dimensioni suggerite da Douhet, alcuni istruttori cominciarono a chiedersi se sarebbe stato possibile, con un accurato studio scientifico dell'industria di una nazione, individuare obiettivi specifici la cui distruzione avrebbe portato all'arresto di un'intera industria o di una serie di industrie. Se fosse stato possibile identificare e distruggere un certo numero di questi «colli di bottiglia», si sarebbe potuto, con l'impiego di una forza relativamente piccola, portare all'arresto della produzione bellica del nemico con una precisione quasi chirurgica, rendendo in tal modo il nemico incapace di resistere ancora. Vennero approntati allora *case studies* utilizzando come test il caso degli Stati Uniti, per determinare il grado di concentrazione industriale, le parti componenti delle varie industrie, l'importanza delle rispettive parti e la vulnerabilità all'attacco aereo di quelli che apparivano come gli obiettivi più critici.

Identificare gli obiettivi era una cosa, altra cosa invece era colpirli dal cielo. Tuttavia la tecnologia sembrò tenere il passo, almeno per gli ottimisti. I nuovi B-17 avevano l'autonomia di volo, la velocità, la capacità di volare ad alte quote e di trasportare bombe secondo quanto era stimato necessario. E quando, nel 1933, vennero ordinati modelli perfezionati del dispositivo di puntamento Sperry e del nuovo Norden Mark XV, sembrò possibile che un giorno non lontano una flotta di forse 100 B-17 avrebbe potuto decollare da qualche base amica (per esempio in Inghilterra), volare ad alta quota per molte centinaia di chilometri (forse 25.000 piedi, così da volare al di sopra della quota raggiungibile dall'artiglieria contraerea e dai caccia nemici). Allora, raggruppati in una grande formazione, così da moltiplicare sia la forza lanciata sull'obiettivo, sia la potenza di fuoco difensiva delle armi dei bombardieri, essi avrebbero accuratamente inquadrato l'obiettivo con i nuovi dispositivi di puntamento e sganciato il loro carico di bombe, per ritornare quindi alle loro basi percorrendo parecchie centinaia di miglia. Alle loro spalle, essi avrebbero lasciato un'industria gravemente mutilata se non devastata (magari solo uno stabilimento, ma scelto in modo tale che la sua distruzione avrebbe comportato inevitabilmente la mutilazione di un'intera industria). Si decise che questi attacchi avrebbero avuto luogo di giorno, cosicché essi ne avrebbero guadagnato in accuratezza. La questione se la flotta di bombardieri dovesse essere scortata fino all'obiettivo dai caccia venne sciolta negativamente, soprattutto perché non esistevano ancora caccia con una sufficiente autonomia di volo[21].

Questa, in breve, è la teoria del «bombardamento di precisione diurno e da alta quota, di obiettivi selezionati» che l'aeronautica statunitense introdusse nella Seconda Guerra Mondiale. Gli eventi che seguirono avrebbero mostrato molte manchevolezze in questa teoria, tra le quali dobbiamo includere: *a)* l'assunto, non dichiarato, secondo cui sarebbero state disponibili precise informazioni circa gli obiettivi nemici; *b)* il prevalere della tendenza ad esagerare le possibilità attese da piani ancora tracciati sulla lavagna, nello stesso tempo minimizzando i probabili effetti di fattori limitanti, non ultimo dei quali si sarebbe dimostrato l'impatto delle condizioni atmosferiche sulle operazioni di volo; *c)* un modo di guardare alle parti di un problema a spese del tutto (una forma di riduzionismo sicuramente non limitata ai teorici dell'aria, ma del tipo che porta a concentrarsi sui mezzi piuttosto che sui fini) in parallelo con una tendenza a confondere la distruzione con il controllo e, allo stesso tempo, a ridurre la strategia ad un problema di individuazione di obiettivi; infine *d)* una stima eccessiva della capacità di autodifesa degli aerei da bombardamento contro una forza aerea che si difenda con audacia e motivazione. Sul piano teorico, comunque, dovrebbe esser chiaro che la primitiva idea americana, con la sua eccessiva enfasi sull'economia della forza applicata con intelligenza, non può essere liquidata come una fantasia douhettiana.

Negli anni tra le due guerre mondiali, i differenti approcci alla guerra aerea da parte dei vari teorici e delle maggiori potenze mondiali non trassero origine da principi comunemente accettati sul potere aereo. A dispetto dei loro sforzi, né Douhet né Mitchell si dimostrarono all'altezza di un Mahan o di un Jomini, e da loro gli entusiasti fautori del potere aereo non poterono trarre i segreti della terza dimensione nella guerra. Piuttosto, l'uso dell'aereo fu il prodotto di scelte diverse all'interno di ciascuna delle principali nazioni e rifletteva lo sforzo di integrare le peculiari qualità dell'aeroplano — in appoggio alle forze di terra e di mare o per operazioni indipendenti — nel modo concretamente perseguibile ed in sintonia con il conseguimento degli obiettivi nazionali. Un secondo elemento trainante, specialmente negli Stati Uniti, fu il tentativo di creare un'arma aerea indipendente la cui affermazione sarebbe dipesa dalla sua capacità di portare a termine una missione unica, che nessuna delle altre forze armate sarebbe stata in grado di compiere.

III

Due anni dopo la pubblicazione del saggio di Edward Warner in *Makers of Modern Strategy*, le potenze alleate posero fine alla guerra. Come avrebbe scritto più tardi Bernard Brodie: «Il potere aereo si prese una completa rivincita nella Seconda Guerra Mondiale. Ma fu la concezione di Mitchell — qualunque cosa che voli [*anything that flies*] — piuttosto che quella di Douhet ad affermarsi. Il successo più straordinario fu raggiunto nell'impiego tattico ed in esso le forze aeree si guadagnarono il pieno rispetto e l'ammirazione delle altre forze armate. Al contrario, i successi puramente strategici, per quanto di grande portata in particolari circostanze, non furono mai completamente convincenti per gli osservatori esterni»[22].

La massa di informazioni di cui i teorici ed i critici poterono rapidamente disporre non aveva precedenti nella storia delle guerre passate. Le attività aeree delle maggiori potenze partecipanti, ad eccezione dell'Unione Sovietica, vennero messe completamente a nudo: quelle della Germania e del Giappone, perché le due nazioni non ebbero altra scelta; quelle dell'Italia e della Francia, perché non c'era molto da dire; e quelle degli Stati Uniti, perché il loro governo, i quadri superiori dell'aviazione e l'opinione pubblica si sentirono sicuri dietro il nuovo «scudo atomico». Nel Regno Unito, il governo esercitò il suo abituale riserbo, ma non fino al punto da ostacolare la franca dichiarazione del generale d'armata aerea sir Arthur Harris[23].

L'interpretazione di Brodie circa le fortune delle teorie di Douhet e di Mitchell fu quella di un critico delle campagne aeree strategiche condotte contro la Germania ed il Giappone; anzi, di un critico che alla metà degli anni Cinquanta era arrivato a considerare quelle campagne come l'inevitabile conseguenza di una tendenza (diffusa tra le nazioni industrializzate nel XIX e nel XX secolo) ad impiegare la forza oltre ogni ragione. Inoltre, egli era convinto che quelle campagne indicavano la strada ad un futuro ancora più devastante. Ma la critica di Brodie, anche se venata dai timori per un futuro dotato di armi atomiche e termonucleari, fu circoscritta e limitata tuttavia a valutare ciò di cui era stato testimone. Lo stesso si può dire di molti altri, per i quali il memorabile commento di Noble Frankland appare molto appropriato: la gente ha preferito i sentimenti alla conoscenza rispetto al bombardamento strategico. Anche se questa non è la sede per riassumere l'interminabile dibattito sull'efficacia del bombardamento strategico nella Seconda Guerra Mondiale, alcuni dei suoi temi principali debbono essere menzionati[24].

Per quanto riguarda la guerra in Europa occidentale, il dibattito si è incentrato su: *a)* l'inefficacia e la crudeltà della tattica dichiarata del Bomber Command della RAF di effettuare bombardamenti a tappeto [*area bombing*] diretti contro il morale dei civili tedeschi; *b)* l'efficacia a lungo ritardata dei tentativi statunitensi di arrivare ad un bombardamento di precisione [*precision bombing*]; *c)* lo spostamento degli attacchi americani all'inizio del 1945 verso un tipo di bombardamento più simile al colpo di clava che a quello di spada; *d)* l'interrogativo se (dato che la vittoria per mezzo del solo potere aereo si rivelò irragiungibile nella maggior parte delle circostanze) le immense risorse materiali ed umane consumate nelle operazioni di bombardamento avrebbero potuto essere meglio impiegate in altri modi. Per quanto riguarda il Giappone, il dibattito si è incentrato sulla decisione di usare la bomba atomica. La sua efficacia risultò un punto controverso, dato che la resa fu ottenuta senza la temuta invasione. L'adozione da parte degli Stati Uniti, nel marzo 1945, di una nuova tattica che si è tradotta nell'incenerimento delle città giapponesi ha ricevuto negli anni molte meno critiche di quanto fosse prevedibile. Sia Pearl Harbor sia le successive atrocità giapponesi contro i prigionieri di guerra sembravano giustificare pressoché ogni reazione e, in ogni caso, il problema della bomba atomica ha finito con l'inghiottire rapidamente tutti gli altri.

Anche se le campagne di bombardamenti strategici decise dagli Stati Uniti e dalla Gran Bretagna hanno ricevuto un'attenzione generalizzata e, anzi, hanno formato la base della maggior parte dei piani militari del dopoguerra in entrambi i Paesi, altrettanto importanti furono alcuni aspetti non douhettiani della guerra aerea, soprattutto se misurati in termini di energie impegnate e di successo tattico in tutti i teatri di guerra.

Nonostante il suo status tecnico di arma separata, la Luftwaffe rimase, dall'inizio alla fine, rigidamente sotto il controllo dell'Alto Comando, sia per quanto riguarda il suo sviluppo dottrinale sia la sua dotazione tecnica. I suoi aerei da combattimento, i suoi paracadutisti ed il suo trasporto aereo vennero tutti destinati ad appoggiare le operazioni della Wehrmacht. La capacità della Germania di condurre operazioni aeree a lungo raggio che avessero una qualche speranza di essere decisive, indipendentemente dalle forze di superficie, fu nulla per tutta la guerra. Con questo non si vuole insinuare che fu facile per la RAF vincere la battaglia di Gran Bretagna, ma la dotazione tecnica, la dottrina di impiego e la leadership tedesche privarono la Luftwaffe di ogni reale possibilità di successo, proprio come fecero più tardi nelle operazioni per il ponte aereo a Stalingrado. È vero che in Germania negli anni Trenta avevano fatto la loro apparizione di tanto in tanto alcuni (per così dire) «douhettisti» — il più importante dei quali fu, fino alla morte avvenuta nel 1936, il generale Walter Wever — ma si trovarono spiazzati. Lo stesso Hitler, almeno fino al 1943, bisogna ricordarlo, pensava a conquiste che non fossero macerie inutili, ma che potessero portare alla Germania forza economica e militare.

Sia l'esercito sia la marina giapponese erano dotati di un contingente aereo, ma solo l'aeronautica di marina sviluppò una forza, capace di colpire a lungo raggio, di formidabili dimensioni. A meno di quattro mesi dal successo di Pearl Harbor, l'incursione Halsey-Doolittle lanciata dalla portaerei *Hornet* (da Shangri-La, disse il presidente Roosevelt) contro la città di Tokyo, nell'aprile 1942, rivelò una nuova vulnerabilità che i pianificatori giapponesi non avevano preso in considerazione. In maggio, la battaglia del Mar dei Coralli divenne il primo scontro navale in cui le flotte avversarie non furono mai in vista l'una dell'altra. Ed a Midway, nel giugno 1942, l'affondamento di quattro portaerei giapponesi, risultato del coraggio unito alla fortuna, rese chiaro a tutti che la guerra navale era entrata in una nuova fase.

I contributi delle forze aeree dell'URSS alla vittoria finale restano avvolti in un'oscurità meglio rivelata, all'indomani della guerra, dallo spostamento d'accento dal tipo di forza aerea sviluppata negli Stati Uniti immediatamente dopo il 1945. Allora come ora, le forze aeree sovietiche erano composte principalmente, anche se non esclusivamente, da aerei destinati ad appoggiare altre forze di superficie (durante la Seconda Guerra Mondiale, soprattutto forze terrestri; adesso, anche unità navali). L'inesistenza di un gap tra i bombardieri negli anni Cinquanta, come l'inesistenza di un gap tra i missili negli anni Sessanta fu, non diversamente dalla superiorità psicologica della Luftwaffe del 1936-1940, più un prodotto della mente degli osservatori che delle forze in questione.

Un aspetto della teoria del potere aereo di grande significato per l'aeronautica statunitense dopo il 1945, largamente trascurato dagli storici, riguarda quello che viene ora chiamato potere aereo tattico: in particolare, con riferimento al problema del comando e del controllo, quando essa viene impiegata in appoggio alle forze di terra. Nella Air Corps Tactical School degli anni Trenta, all'aviazione d'attacco (*attack aviation*, come veniva chiamata allora) venivano assegnate tre funzioni. La prima era il conseguimento della superiorità aerea nel teatro di operazioni, con l'assistenza quando necessario di una *pursuit aviation*. Stabilire il dominio (se possibile, la supremazia) sulla forza aerea nemica era considerato, in sé e per sé, il contributo più grande che una forza aerea potesse portare alle forze alleate di superficie. Secondi, in ordine di importanza, venivano gli sforzi per isolare il campo di battaglia colpendo le forze nemiche ed i rifornimenti fuori della portata effettiva dell'artiglieria, quella che si chiama oggi interdizione del campo di battaglia. Terzi ed ultimi venivano gli attacchi direttamente contro le truppe nemiche sul campo di battaglia, o appoggio aereo ravvicinato.

Le esperienze in Africa settentrionale, alla fine del 1942 e all'inizio del 1943, sembrarono confermare questa classificazione delle priorità, almeno agli occhi degli aviatori. I comandanti delle forze terrestri rimasero scettici fino alla fine della campagna tunisina, nel maggio 1943, in parte perché irritati dai tentativi dei comandanti dell'aviazione di stabilire un controllo centralizzato su tutte le attività aeree, e in tal modo, di aumentare la flessibilità d'impiego contro quelli che il comandante generale di teatro vedeva come punti decisivi. Gli ambienti dell'aviazione misero a segno un buon colpo con la pubblicazione ad opera del War Department, nel luglio 1943, del Field Manual 100-20, *Command and Employment of Air Power*, un documento preparato dall'aeronautica dell'esercito senza l'aiuto delle forze di terra. Questo si apriva affermando a chiare lettere: il potere terrestre ed il potere aereo sono uguali ed indipendenti, nessuno dei due è ausiliario dell'altro.

Il manuale procedeva a spiegare nei dettagli che un'«intima flessibilità» doveva essere considerata come il più grande vantaggio di una forza aerea; che tale flessibilità poteva essere efficacemente sfruttata solo se il comando fosse stato nelle mani di un esponente dell'aeronautica responsabile esclusivamente verso il comandante generale di teatro. Non vi sarebbe stato più lo spreco di potenziale capacità di decisione che si verificava dividendo le attività del potere aereo ai livelli subordinati dei comandanti di divisione o di corpo d'armata. Il manuale stabilì anche una chiara gerarchia delle priorità per le forze aeree tattiche: *a)* superiorità aerea, *b)* interdizione, *c)* appoggio aereo ravvicinato. In Europa, dopo lo sbarco in Normandia del giugno 1944, l'abbondanza di aerei e di equipaggi disponibili (contro una già zoppicante Luftwaffe) rese superfluo agli occhi dell'aeronautica sventolare l'FM 100-20 in faccia ai suoi partner di terra; lo scorrere del tempo e le circostanze avevano fatto sì che le forze aeree arrivassero a fare tutto ciò che volevano ed i dibattiti che seguirono riguardarono le specifiche operazioni piuttosto che le differenze dottrinali, anche se queste ultime conservarono molta importanza per i teorici di entrambe le parti.

Per i nostri scopi, è importante tenere presente due aspetti della maturazione della teoria del potere aereo nella sua applicazione alle forze aeree tattiche: nell'immediato dopoguerra, a causa dell'enfasi posta sullo sviluppo di forze a lungo raggio per la «nuova Era Atomica dell'Aria» [*«the new Air Atomic Age»*], le forze aeree tattiche e la dottrina tattica vennero trascurate, ed alla metà degli anni Sessanta, in Indocina, la battaglia del 1943 per il controllo centralizzato dovette essere combattuta di nuovo, non con le forze di terra, ma con altre tre forze aeree: quelle della marina, dell'esercito e dei corpi dei marines[25].

IV

Sono ormai passati decenni da quando due bombe atomiche vennero sganciate sul Giappone nell'agosto del 1945. Nel frattempo, teorizzare sulla guerra aerea — e ora spaziale — è diventato quasi un'industria in se stessa, densamente popolata di teorici dei giochi, studiosi behavioristi inclini alle statistiche, economisti ed altri scienziati sociali, molti dei quali sembrano succubi di un gergo che pare essere inconsciamente destinato a fare apparire razionale l'impensabile. Anche se il tema della strategia in rapporto alle armi nucleari esula dal campo di questa discussione, essa si lega così strettamente al problema del potere aereo dopo il 1945 che alcune osservazioni si rendono a questo punto inevitabili.

La lista di coloro le cui idee hanno avuto nel campo della strategia nucleare un impatto molto forte, anche se talvolta solo momentaneo, è molto lunga[26]. Seppur in modi diversi, la maggior parte di questi autori si è occupata della questione della *guerra* nell'età nucleare, piuttosto che della guerra *aerea* in senso specifico o esclusivo: simili, in questo, agli entusiasti sostenitori dell'aviazione dell'inizio del secolo. Gran parte degli scritti più importanti risalgono al periodo che va dalla metà degli anni Cinquanta alla fine degli anni Sessanta; il gruppo nel suo insieme forma il cuore dei cosiddetti *strategy intellectuals*. Non è certo dai piloti che ci si può aspettare un esame paziente dei loro sforzi collettivi. Ciò probabilmente è anche giusto, poiché il loro innato scetticismo nei confronti delle teorie li porterà a domandarsi il perché di tanto chiasso. Per coloro che lo sforzo di riflessione lo conducono, può tranquillamente prevedersi uno di questi due risultati: o essi finiscono impigliati nella rete delle complicazioni intellettuali che dividono le varie «scuole», oppure arrivano quasi alla deprimente conclusione per cui la quantità di idee veramente nuove emerse dopo l'autunno del 1945 è desolatamente scarsa.

Bernard Brodie, in uno studio del novembre 1945, *The Atomic Bomb and American Security*, poi inserito in forma ampliata nella sua opera *The Absolute Weapon* (dove occupa due capitoli), ritenne la dissuasione il concetto dominante della strategia nucleare. «Fino ad ora lo scopo principale del nostro establishment militare è stato vincere le guerre. Da ora in poi il suo scopo principale deve essere evitarle. Non può avere quasi nessun altro scopo»[27]. Nei due decenni che seguirono, Brodie dettò il passo tra i pensatori del campo. La sua opera *Strategy in the Missile Age* rimane ancora oggi l'unico vero classico sulle fondamentali questioni della struttura delle forze militari (quante ne servono?) e della loro destinazione (offensiva, difensiva, di rappresaglia, preventiva, ecc.). A differenza degli autori che per primi si sono occupati del problema atomico, Brodie non eluse il dato di fatto della probabile impossibilità di far girare indietro le lancette dell'orologio, e ritenne che il problema fondamentale sarebbe diventato come regolare le nuove armi in modo da ridurre al minimo sia le occasioni per un loro uso sia i livelli di devastazione raggiungibili nel caso che fossero usate. Il suo grande realismo lo distinse da certi altri teorici — non ultimo Edward Mead Earle — che proponevano un'argomentazione più disperante secondo la quale non esisteva altra risposta se non quella di mettere al bando la guerra, un tema ora deplorevolmente, ma inevitabilmente screditato ed i cui attivi sostenitori si possono rintracciare nella scuola del pensiero strategico contemporaneo che si occupa del controllo degli armamenti e del disarmo[28].

Inizialmente, il dibattito teorico sulla guerra aerea, tra il 1945 ed il 1953, ebbe un posto di second'ordine rispetto ai problemi più urgenti della ricostruzione postbellica e dell'inasprirsi della guerra fredda tra Stati Uniti ed Unione Sovietica. La smobilitazione delle forze militari americane fino al limite della disgregazione portò rapidamente il governo nella direzione di una politica di dissuasione attraverso la minaccia di una rappresaglia atomica e poi nucleare, una posizione che negli anni è passata attraverso numerosi cambiamenti di forma e di dettaglio, ma mai sostanziali sul piano concettuale[29]. All'inizio il «monopolio atomico» dell'America era costituito da poche armi che potevano essere lanciate solo da imponenti bombardieri e richiedevano processi elaborati e lunghi, per i quali, nei tardi anni Quaranta, non erano disponibili più di sei squadre di montaggio qualificate nello stesso tempo. Alla metà degli anni Cinquanta, tuttavia, una combinazione di innovazioni tecniche, e l'allentamento dei cordoni della borsa, come conseguenza dalla guerra di Corea, aprì un'era di «abbondanza nucleare» che si rifletté nella «dottrina» della rappresaglia massiccia.

Le origini concettuali della rappresaglia massiccia [*massive retaliation*] attraverso l'uso di armi nucleari possono rintracciarsi nella testimonianza dei generali Henry H. Arnold e Carl A. Spaatz davanti al Congresso degli Stati Uniti nell'autunno del 1945[30]. La possibilità di metterla in atto sul piano militare nasce dalle decisioni relative al bilancio ed alla struttura delle forze armate prese nell'estate del 1951. E l'annuncio datone all'inizio del 1954, dopo il riesame — durato un anno — della politica di difesa da parte della nuova amministrazione Eisenhower, fu la conseguenza delle frustrazioni dell'esperienza coreana e dei timori di Eisenhower relativi alla temuta futura vulnerabilità dell'economia americana. Sostanzialmente, si trattò di una decisione più economica che strategica, che cercava — come allora si disse — *«more bang for the buck over the long haul»*.

Alcuni teorici misero immediatamente in discussione la credibilità della rappresaglia massiccia in casi diversi da quelli di uno scontro finale tra Stati Uniti ed Unione Sovietica. Altri misero in dubbio la ragionevolezza di aprire una «età dello sterminio» [*«age of overkill»*][31], sostenendo che un utilizzo abile e sicuro di un numero relativamente piccolo di armi nucleari sarebbe stato sufficiente ai fini della dissuasione. La scuola della «dissuasione limitata» [*«finite deterrence»*], malgrado il grosso sforzo della marina statunitense nel 1957, non prese mai realmente piede negli Stati Uniti; in Europa, in particolare in Francia, ma anche in qualche misura nel Regno Unito, venne adottata per necessità. Sotto Eisenhower si arrivò gradualmente a mettere sotto silenzio la minaccia di rappresaglia massiccia e si fecero dei passi avanti per migliorare le forze militari convenzionali (con armi non nucleari) adatte a conflitti meno letali. Questa tendenza si sviluppò ancor di più sotto l'amministrazione Kennedy («la risposta flessibile»), ma allo stesso tempo venne presa un'altra decisione, quella di potenziare le forze nucleari strategiche a livelli prima impensabili, in primo luogo ridimensionando il ruolo dei bombardieri rispetto a quello dei missili balistici intercontinentali lanciati dal mare e da terra, consistenti di 1.000 Minuteman e di 54 ICBM Titan e di una flotta di 41 sottomarini di tipo Polaris ciascuno armato di 16 SLBM.

Gli storici futuri forse giudicheranno le decisioni di Kennedy/McNamara del 1961 come veri e propri spartiacque; giudicheranno il miglioramento della capacità di risposta flessibile in relazione alla volontà, se non semplicemente alla smania, di sperimentarla in Vietnam; giudicheranno il potenziamento della forza strategica, ostentato con molta freddezza durante la crisi dei missili a Cuba, nell'ottobre del 1962, che portò i Sovietici a prendere la decisione di non sottostare mai più all'enorme superiorità delle forze strategiche in mano americana. Questa tesi — non molto diffusa tra i sovietologi — avrà da resistere alle accuse che essa non rappresenti altro che un argomento *post hoc, ergo propter hoc*; dovrà dimostrare che lo sviluppo del potenziale militare russo negli anni Settanta derivò da una sindrome del «mai più», piuttosto che dalla volontà di creare forze capaci di un primo colpo disarmante o di un «ricatto nucleare» fondato sulla percezione da parte degli Stati Uniti della vulnerabilità delle proprie forze e dei meccanismi di comando-e-controllo dei loro alleati[32].

La discussione sulla guerra aerea e spaziale con armi nucleari, e le relative teorizzazioni sull'argomento, sono attualmente accantonate, in contrasto con il «livello di rumorosità» anche troppo elevato raggiunto nei primi anni Ottanta. Nessuna superpotenza sembra in grado di avere il sopravvento sulla spinta di gruppi di sostenitori interni che tendono ad innalzare la deterrenza prospettando come reciprocamente suicidi i costi di un suo fallimento. Come ogni altra iniziativa dai tempi di Eisenhower di riportare sul piano della ragionevolezza lo sviluppo delle armi nucleari, le proposte del SALT II del 1978-1979 si arenarono sui due problemi della politica presidenziale e delle crisi internazionali. Gli storici e gli analisti futuri dovranno aver bene in mente almeno un fatto indesiderato: il tentativo di districare gli sviluppi della teoria sulla guerra aerea e nucleare dai mutamenti degli schieramenti strategici via via emersi dalla guerra fredda è un compito praticamente impossibile.

V

La guerra aerea convenzionale, negli anni successivi al 1945, ha attirato assai poco l'attenzione dei teorici, nonostante essa abbia avuto frequenti manifestazioni: specialmente in Corea (1950-1953), nelle guerre arabo-israeliane (1967 e 1973) ed in Indocina (1960-1975). I miglioramenti nell'autonomia, nella velocità, nel carico utile e nella precisione nell'uso delle armi sono stati prodigiosi, ma hanno solo raramente ottenuto effetti decisivi sul corso della guerra terrestre, in particolare in Egitto nel 1967 e, discutibilmente, ad Hanoi nel dicembre del 1972.

Le circostanze predominanti nei primi mesi della guerra di Corea richiesero un impiego immediato dei pochi aerei disponibili in appoggio diretto alle forze di terra. La scarsa importanza data alle forze aeree tattiche tra il 1945 e il 1950 si riflettè anche nel campo della dottrina, portando il generale O.P. Weyland, comandante delle forze aeree statunitensi in Estremo Oriente, a sostenere per anni in proposito che ciò che si ricordava della Seconda Guerra Mondiale non era stato scritto o se era stato scritto non si era diffuso o se si era diffuso non era stato letto o capito. Tranne che per i territori settentrionali della Corea del Nord in seguito all'intervento cinese, la superiorità aerea non fu mai un problema ed il più grosso sforzo dell'aeronautica fu diretto ad interdire gli approvvigionamenti e gli aiuti militari al nemico. In proposito la lezione dell'Italia settentrionale del 1944 e del 1945 dovette essere imparata nuovamente: affinché l'interdizione aerea potesse essere efficace le forze di superficie dovevano avere il controllo dell'iniziativa tattica. Operando da soli senza la pressione esercitata sul nemico dalle forze di terra cooperanti, gli aerei potevano infastidire il nemico e ritardare il movimento dei rifornimenti, ma non potevano vincere da soli[33].

All'indomani della guerra di Corea, le forze aeree tattiche americane entrarono ancora una volta in una fase di declino. Un'enfasi eccessiva era stata data allo sviluppo dello Strategic Air Command. L'esperienza coreana venne ritenuta atipica, un'esperienza che difficilmente si sarebbe ripetuta in futuro. Nel 1955, Thomas K. Finletter, segretario per l'Aeronautica durante la guerra coreana, scrisse che la guerra era stata «un caso speciale, ed il potere aereo ha poco da imparare da essa sul suo ruolo futuro nella politica estera degli Stati Uniti in Oriente». Il rapporto finale delle Far East Air Forces fu dello stesso avviso, affermando che «senza dubbio ogni tentativo di costruire una forza aerea secondo un modello disegnato sulle esigenze coreane potrebbe essere fatale agli Stati Uniti»[34]. Benché alla fine siano prevalse queste vedute, altri teorici militari cercarono di ridimensionare l'enfasi eccessiva data allo Strategic Air Command.

Il generale Weyland, al suo ritorno dall'Estremo Oriente per assumere il controllo del Tactical Air Command, nel 1954, cominciò una battaglia durata cinque anni e destinata all'insuccesso per dare alle forze aeree tattiche pari dignità. I suoi sforzi furono diretti in gran parte verso la creazione di una capacità nucleare per i cacciabombardieri. (Per tutta la seconda metà degli anni Cinquanta si dette per scontato che nella «prossima guerra» si sarebbero usate le armi nucleari «tattiche».) Di conseguenza, si trascurarono gli aerei destinati rigorosamente ad un ruolo aria-aria (o di superiorità aerea) e venne bloccato lo sviluppo del munizionamento convenzionale. Tutto questo avvenne in contrasto con il punto di vista espresso da Weyland nel 1956, secondo cui «il conflitto più probabile nell'immediato futuro sarà di tipo periferico. In questa eventualità, si tratterà fondamentalmente di una guerra aerea tattica»[35]. In Gran Bretagna, il generale d'armata aerea sir John Slessor si spinse più avanti: «dobbiamo aspettarci altre Coree [...] L'idea che, dall'alto, un potere aereo possa in qualche modo sostituire il duro lavoro e la capacità professionale a terra è per questo tipo di guerre allettante, ma illusoria; [...] si tratta di un magro conforto per chiunque speri che il potere aereo costituisca una specie di scorciatoia verso la vittoria»[36].

Nelle guerre coloniali seguite alla Seconda Guerra Mondiale (per esempio in Indocina, 1945-1954; in Malesia, 1948-1960, ed in Algeria, 1954-1962), il potere aereo ha avuto una funzione quasi eclusivamente di supporto. I pochi analisti che hanno studiato questi eventi sono arrivati in genere alla conclusione che l'impiego più efficace del potere aereo è stato nei ruoli non di combattimento: ricognizione, trasporto, collegamento ed in generale nel fornire una maggiore mobilità alle altre forze. Queste conclusioni ebbero scarsa risonanza negli Stati Uniti. Il grido «Non più Coree!» coprì altre considerazioni e, di fatto, tutta la preparazione venne concentrandosi in direzione di una guerra su larga scala, molto probabilmente contro l'Unione Sovietica e forse in Europa. Quando l'aviazione israeliana condusse un attacco, alla Pearl Harbor, contro la forza aerea egiziana nel 1967, nella guerra dei Sei Giorni, gli ambienti dell'aeronautica americani, allora completamente frustrati dalle limitazioni imposte in Indocina, videro nei piani israeliani e nella loro esecuzione il tipo di guerra aerea che loro apprezzavano.

Considerati dal punto di vista della teoria e della dottrina del potere aereo, gli sforzi degli Stati Uniti in Indocina dal 1956 al 1972 presentano molti problemi. Il modo in cui si sviluppò nel tempo il sistema di comando-e-controllo, in conseguenza delle preoccupazioni diplomatiche esterne e degli imperativi istituzionali interni alle forze armate statunitensi, finì col creare una situazione nella quale sembrava che cinque distinte guerre aeree fossero in corso simultaneamente: una nel Vietnam del Sud, dove si registrava il massimo livello di impegno e di successi militari; un'altra nel Vietnam del Nord; altre due, per lo più segrete all'epoca, nel Laos settentrionale ed in Cambogia; ed una quinta nel Laos meridionale lungo il sentiero di Ho Chi Minh.

Gli obiettivi iniziali di questa campagna furono: *a)* spingere il governo di Hanoi a ritirare il suo appoggio ai rivoltosi del Sud; *b)* interrompere il flusso di rifornimenti e di uomini al Sud; *c)* rafforzare il morale delle forze filogovernative nel Vietnam del Sud dimostrando l'impegno degli Stati Uniti nella lotta. Le decisioni circa il modo in cui tutto ciò doveva realizzarsi erano rigidamente controllate dal governo di Washington, che determinava tempi e ritmi, stabiliva priorità degli obiettivi e persino *sortie rates*. Fin dall'inizio, rigide «regole di ingaggio» [*«rules of engagement»*] limitarono le scelte dei comandanti locali e proibirono persino di fare le mosse necessarie per raggiungere una superiorità aerea, impedendo, per esempio, attacchi contro basi di missili terra-aria (SAM) in allestimento ed anche contro campi d'aviazione nemici (per il timore di uccidere consiglieri russi o cinesi in quelle località, cosa che avrebbe portato ad una possibile escalation nelle tensioni tra le superpotenze). Se la preoccupazione del governo per le possibilità di un'involontaria escalation era giustificata, lo stesso non può dirsi della sua decisione di impegnare le forze aeree (compresi i mezzi aerei della marina e dei marines) in uno sforzo poco convinto di un «controllato e graduale aumento di pressione limitata». Non esistevano precedenti all'uso del potere aereo per ottenere obiettivi limitati ed essenzialmente psicologici: e tanto meno in una campagna nella giungla diretta da un quartier generale lontano diecimila miglia.

L'aeronautica fu irritata per queste restrizioni, ma non si ribellò. Al contrario, fece il meglio che poté nelle circostanze date, nella speranza che il governo avrebbe aperto gli occhi. Spesso nel Vietnam del Sud, per esempio nell'assedio di Khe Sahn del 1968, e talvolta nel Vietnam del Nord, come per esempio durante le operazioni Linebacker nel 1972, il potere aereo da solo si era rivelato decisivo nelle limitate circostanze del momento. Nel suo insieme tuttavia l'esperienza indocinese, con tutta la sperimentazione di nuove tattiche e nuove armi (quali le tecniche di soccorso aria-mare, gli elicotteri ed i grossi elicotteri con armamento pesante ad ala fissa, la defoliazione, le armi guidate con precisione), disturbò sia i teorici sia i professionisti. Tranne, naturalmente, che per ricordarci che il successo od il fallimento non sono il metro per misurare l'eroismo, che in Indocina non può mai essere messo in discussione.

Il successo di Israele nel 1967 non poté ripetersi nel 1973 per la sorpresa raggiunta dagli Egiziani e per i grandi miglioramenti nelle difese antiaeree con base a terra (missili terra-aria ed artiglieria contraerea a tiro rapido e guidata dai radar). Gli Americani, in Indocina, si erano trovati di fronte ad una prima generazione di SAM e, dato un ambiente aereo relativamente indisturbato nei confronti di molti (ma non di tutti) bersagli a terra, si erano dimostrati capaci di tenere loro testa. Tuttavia soltanto gli sviluppi tecnologici dell'ultimo decennio, specialmente quelli derivanti dai progressi quasi quotidiani nella microelettronica, hanno messo in dubbio l'intera questione dell'offesa e della difesa.

Questo è evidente in Europa più che altrove, dove gli Americani, con l'esperienza dell'Indocina alle spalle, hanno incoraggiato una forte espansione del potere aereo della NATO come contromisura rispetto alla superiorità del Patto di Varsavia negli equipaggiamenti della guerra terrestre meccanizzata (come anche ad un allarmante potenziamento dell'aviazione sovietica frontale ed a lungo raggio). I caccia e cacciabombardieri della NATO, dotati di capacità sia convenzionali sia nucleari, hanno in primo luogo e prevalentemente una funzione di dissuasione. Chiamata in azione, nessuna delle due parti è tuttavia sicura di ciò che accadrà, dato *a)* quello che probabilmente è lo spazio aereo più affollato mai esistito e date *b)* le incertezze delle tecniche di guerra elettronica e di una tecnologia, quella SAM, che sta evolvendosi con grande rapidità.

L'unica cosa certa al momento attuale, dato il rapido e disordinato progredire della tecnologia nella guerra convenzionale, è la spirale dei suoi costi, che sta portando il prezzo di un singolo velivolo a superare le decine di milioni di dollari. Poiché questi aumenti dei costi devono inevitabilmente avere l'effetto di ridurre il numero di aerei a disposizione, se non anche la spinta a impiegarli nel combattimento, alcuni settori dell'aeronautica — di solito ribelli solitari [*lonely renegades*] — hanno cominciato a chiedere che si ritorni a costruire un maggior numero di aerei anche se di potenza più limitata. Se questo accadesse sarebbe da considerare un vero spartiacque, poiché mai fino ad ora nella storia della guerra aerea i piloti che volano e combattono hanno voluto rinunciare in anticipo ad un vantaggio tecnologico. Tuttavia è possibile che la maggiore vulnerabilità degli aerei nei confronti delle difese antiaeree, insieme agli alti costi unitari, portino ad un riesame delle priorità tradizionali.

L'enfasi potrebbe spostarsi dal sistema d'arma — vale a dire gli aerei — alle armi stesse, in particolare alle armi guidate con precisione, o PGM. È del tutto naturale che gli ambienti dell'aeronautica abbiamo preferito concentrarsi sul sistema d'arma, specialmente in relazione al miglioramento della velocità, dell'autonomia, dell'agilità e di altre caratteristiche di prestazione. È anche del tutto naturale che si siano mostrati riluttanti ad incoraggiare rapidi progressi nel campo dei veicoli teleguidati, o RPV. Per quanto il portavoce ufficiale delle forze aeree possa negarlo, gli RPV sono considerati un argomento fuori discussione da molti piloti, per i quali è un articolo di fede ritenere che un aeroplano con a bordo un pilota possa eseguire una qualunque missione meglio di un aeroplano senza pilota.

Due ufficiali superiori dell'aviazione britannica hanno discusso recentemente le implicazioni future di alcuni problemi che le forze aeree si trovano ad affrontare al momento attuale, problemi che vanno dalle limitazioni politiche alle questioni della vulnerabilità e dei costi. Essi hanno raggiunto la conclusione per cui la risposta ai dilemmi del presente deve essere trovata nel miglioramento della precisione tattica. Se la nuova tecnologia potesse essere sfruttata per il conseguimento di questo obiettivo, i politici sarebbero forse meno riluttanti a considerare il potere aereo come un'arma onnipresente già nella prima ora, piuttosto che un'arma da usarsi come ultima risorsa. Riguardo al fattore vulnerabilità ed al fattore costi, essi scrivono, vorrà dire «che il numero di aerei attaccanti più esposti al rischio deve essere ridotto mentre allo stesso tempo va attaccato un maggior numero di obiettivi a terra. La soluzione a questo dilemma deve essere trovata nella tattica che tiene l'aereo lontano dalla portata delle difese più efficaci e tuttavia permette l'uso di armi multiple, flessibili ed estremamente precise. Uno spostamento d'accento dalla tradizionale prestazione del sistema d'arma alla prestazione dell'arma sembra dunque non solo inevitabile, ma obbligato»[37].

Rimane da discutere se spostamenti d'accento siano imminenti. Un importante fattore frenante è la relativa povertà di esperienza nella guerra aerea nel decennio passato. In proposito i casi sono stati non soltanto pochi — mai comunque abbastanza numerosi da essere considerati definitivi — ma anche di transizione. Inoltre, ogni buona prova che queste limitate esperienze hanno «dimostrato» di poter dare è stata infangata dalla limitatezza dei suoi obiettivi. Un altro problema è in quale misura le burocrazie, gli interessi, i feudi esistenti possono adattarsi al cambiamento. Negli Stati Uniti, per fare un solo esempio, anche se i veicoli teleguidati sono attualmente sviluppati sia dall'esercito che dall'aviazione, ciascuna di queste forze armate ha problemi al suo interno persino rispetto alle mere implicazioni organizzative legate all'adozione degli RPV.

Nel campo della guerra aerea niente è più incerto in questo momento del suo sviluppo futuro. Come già detto gli effetti della tecnologia e le azioni dei professionisti hanno giocato fin dall'inizio ruoli più grandi delle idee. È anche possibile che siamo arrivati sulla soglia di un progresso tecnologico che può cambiare fortemente l'identità del potere aereo. Il combattimento elettronico, le nuove capacità dei satelliti, le armi guidate con precisione e gli aerei teleguidati fanno pensare ad una nuova era dell'aeronautica: proprio come hanno già cominciato a creare un nuovo vocabolario. I progressi nei viaggi spaziali, le navette spaziali, le tecnologie dei raggi laser e delle armi ad energia diretta nelle «guerre stellari» fanno presagire vasti e nuovi orizzonti per l'aeronautica. Si potrebbe concludere, con un certo rammarico, che la tecnologia stessa può essere oggi la fonte principale della teoria del potere aereo; che l'invenzione può essere, per il momento, la madre dell'applicazione.

[1] Carl von Clausewitz, *Vom Kriege*, Berlin 1832 (tr. it. *Della guerra*, Roma 1942, 572-573, 577).

[2] Noble Frankland, *The Bombing Offensive against Germany: Outlines and Perspectives*, London 1965, 16-17.

[3] Le parole sono quelle scritte da Octave Chanute nel 1894, cit. in Charles H. Gibbs-Smith, *Aviation: An Historical Survey from Its Origins to the End of World War II*, London 1970, 221. Nel 1864, Victor Hugo aveva scritto con frasi piene di gioia all'aerostiere francese Nadar, che l'invenzione dell'aereo avrebbe significato la fine della guerra. Dalla scienza sarebbe venuta la pace, poiché l'aereo avrebbe provocato l'immediata, assoluta, istantanea, universale e perenne abolizione delle frontiere. In gran parte questa profezia fu troppo ottimista.

[4] Ripreso non testualmente da Robin Higham, *Air Power: A Concise History*, New York 1972, 233. Come ben sapranno coloro che conoscono gli ultimi lavori di Bernard Brodie, questo problema si sarebbe soltanto aggravato nell'era delle armi atomiche e poi delle armi nucleari.

[5] Ancora oggi, gran parte del lavoro più importante in questo campo viene fatto dagli storici ufficiali, per lo più dipendenti in servizio ma, specialmente negli Stati Uniti e nella Repubblica Federale Tedesca, con alcuni eccezionali contributi di militari. Il Comitato Internazionale per la Storia della Seconda Guerra Mondiale nel dare comunicazione (nel suo «News Bulletin», n. 19, dicembre 1983) di un progetto francese per un convegno che avrebbe dovuto tenersi alla fine del 1984 sull'Aviazione negli anni tra le due guerre, aggiunse sinteticamente: «Il problema è quello di trovare storici civili». Per un'autorevole trattazione del rapporto tra l'Aeronautica e gli storici, cfr. Dennis E. Showalter, *Two Different Worlds: The Military Historian and the U.S. Air Force*, «Air University Review», XI (1980), n. 4, 30-37.

[6] Il termine potere aereo [*air power*] è variamente usato. Dovrebbe essere riservato alle discussioni sul vario potenziale di capacità aerea di una nazione, in pace come in guerra, nelle attività civili come in quelle militari. Questo uso è tuttavia raro e l'opera di Higham, *Air Power: A Concise History* è un'importante eccezione. In questo saggio, il termine sarà usato con riferi-

mento alle sue applicazioni specificamente militari. È possibile che *airpower* in quanto unica parola in lingua inglese, una forma che sembra suggerire quasi un senso di incantesimo, sia stata inventata dal maggiore Alford Joseph Williams nella sua opera *Airpower* (New York, 1940). È stata in seguito ripresa dal generale di divisione aerea Orvil A. Anderson, dell'aeronautica statunitense, che l'ha adottata nel «Pacific Report», n. 71A del *U.S. Strategic Bombing Survey* (1947) e più tardi, nel luglio 1959, ha cambiato il titolo da *The Air Power Historian* in *The Airpower Historian* (ora *Aerospace Historian*, un cambiamento che risale all'ottobre del 1965). Rimane nell'uso redazionale di «Air Force Magazine» e la parola è oggi immortalata nell'Airpower Research Institute (ARI) del Centre for Aerospace Doctrine, Research and Education (CADRE) della base aeronautica di Maxwell, in Alabama.

[7] Su Fullerton, cfr. ALFRED F. HURLEY, *Billy Mitchell: Crusader for Air Power*, Bloomington 1975, 141-142, 175 n. 2.

[8] Relativamente al memorandum Smuts, cfr. WALTER RALEIGH, H. A. JONES, *The War in the Air*, 7 voll., London 1932-37, VII, 8-14, e N. FRANKLAND, *Bombing Offensive against Germany*, cit., 21-46.

[9] Il saggio di Warner venne pubblicato in EDWARD M. EARLE (a cura di), *Makers of Modern Strategy*, Princeton 1943, 485-503, ed è stato ristampato innumerevoli volte nelle antologie adottate nei corsi delle accademie militari, delle scuole per lo Stato Maggiore, e delle scuole di guerra.

[10] *Ivi*, 485.

[11] Quando venne pubblicato il suo saggio, Warner era vice-presidente del Civil Aeronautics Board. In precedenza era stato vice segretario della Marina per l'Aeronautica e direttore di «Aviation». Per la sua carriera, cfr. *Current Biography*, 1949, 620-622 ed il necrologio comparso sul «New York Times», 13 luglio, 1958.

[12] Per le opere di Douhet si veda la nota bibliografica alla fine di questo volume.

[13] Per un esempio sorprendente, cfr. BERNARD BRODIE, *Strategy in the Missile Age*, Princeton 1959, 88-90. Il capitolo di Brodie *The Heritage of Douhet*, 71-106, è utile, ma al di sotto del consueto standard dell'autore.

[14] La biografia di Hurley è tratta dalla sua tesi di dottorato, *The Aeronautical Ideas of General William Mitchell*, Princeton 1961. È stata pubblicata per la prima volta nel 1964 (New York). Citiamo qui dalla nuova edizione, Bloomington 1975.

[15] *Ivi*, 139.

[16] Cfr. B. BRODIE, *Strategy in the Missile Age*, cit., 71-72.

[17] Il film di animazione di Disney della durata di 65 minuti, uscito nel giugno del 1943, mentre *Makers of Modern Strategy* era in stampa, presentava insieme un cartone animato sulla «storia dell'aviazione» e, al contempo, una spaventosa versione animata di *Victory through Air Power* (che dà il titolo all'intera produzione). Il film ebbe un effetto considerevole — anche se non esattamente valutabile — sul pubblico, suggerendo la possibilità di una vittoria efficace, pulita e rapida sulle potenze dell'Asse, per mezzo di grandi flotte aeree che mettevano in ginocchio le capacità produttive del Giappone, dell'Italia e della Germania. «Life» ne diede un giudizio acritico («è un bella storia ed uno spettacolo piacevole»), ma alcuni recensori furono sconcertati dalle sue implicazioni e molti notarono che sebbene il film illustrasse l'imminente distruzione di tre nazioni riusciva a farlo senza mostrare nessuno che venisse ucciso o mutilato. L'attività promozionale di Seversky continuò dopo la Seconda Guerra Mondiale (come nel suo *Air Power: Key to Survival*, New York 1950); egli rimase in stretto rapporto con gli alti comandi dell'Aviazione statunitense fino alla sua morte avvenuta nel 1974.

[18] Dopo Douhet, Mitchell e Trenchard negli anni Venti e nei primi anni Trenta, la teoria e la dottrina del potere aereo devono il loro sviluppo a sforzi collettivi piuttosto che individuali.

[19] Su Liddell Hart e Fuller cfr. il saggio relativo, in questo stesso volume.

[20] Cfr. il saggio del tenente colonnello D. J. DEAN, *Air Power in Small Wars: The British Air Control Experience*, «Air University Review», XXXIV (1983), n. 5, 24-31, e le fonti in esso citate.

[21] Sull'attività della Tactical School e sulla sua influenza sulla strategia aerea americana nella Seconda Guerra Mondiale, si veda il resoconto del generale di divisione aerea HAYWOOD S. HANSELL, Jr., *The Air Plan That Defeated Hitler*, Atlanta 1972; una breve trattazione si trova nella mia opera *Strategic Bombing in World War II: The Story of the U.S. Strategic Bombing Survey*, New York-London 1976, 4-12, alla quale sono debitori questo ed il precedente paragrafo.

[22] B. BRODIE, *Strategy in the Missile Age*, cit., 107. Questo punto di vista non intendeva ispirare un consenso unanime. Un osservatore non distaccato, il generale di squadra aerea Ira C. Eaker, comandante dell'Ottava Forza Aerea statunitense durante la guerra, nel 1977 descrisse questo brano come «una visione preconcetta e distorta e senza alcun rapporto con i fatti».

[23] Cfr. ARTHUR HARRIS, *Bomber Offensive*, London-New York 1947.

[24] Negli Stati Uniti una commissione presidenziale (United States Strategic Bombing Survey, o USSBS) pubblicò 321 rapporti tra il 1945 ed il 1947: 212 sulla guerra in Europa e 109 sulla guerra nel Pacifico. La storia della USSBS è riferita in D. MACISAAC, *Strategic Bombing in World War II*, cit., dove si fa anche un breve resoconto della corrispondente commissione britannica, la British Bombing Survey Unit (o BBSU). Si veda anche l'introduzione all'edizione della Garland Publishing, *The U.S. Strategic Bombing Survey: Selected Reports in Ten Volumes*, New York-London 1976, I, vii-xxix, che riassume, fino al 1975, le controversie tuttora in corso sull'efficacia del bombardamento strategico nella Seconda Guerra Mondiale.

[25] Cfr. WILLIAM W. MOMYER, *Air Power in Three Wars*, Washington, D.C. 1978, e THOMAS A. CARDWELL III, *Command Structure for Theater Warfare: The Quest for Unity of Command*, Maxwell Air Force Base, Ala. 1984.

[26] La mia «bibliografia essenziale» include: Bernard Brodie, Herman Kahn, Henry A. Kissinger, Albert J. Wohlstetter, Thomas C. Schelling, Oskar Morgenstern, P.M.S. Blackett, André Beaufre, Alistair Buchan, Pierre Gallois, Robert E. Osgood, William W. Kaufman, Maxwell Taylor, V. D. Sokolovskii, Basil H. Liddell Hart, James M. Gavin, Michael Howard, sir John Slessor e Raymond Aron.

[27] B. BRODIE, *The Absolute Weapon*, New York 1946, 76. Nel marzo 1946, Arthur C. Clark, allora giovane tenente della RAF, non a conoscenza delle opere di Brodie, raggiunse sostanzialmente la stessa conclusione: «L'unica difesa contro le armi del futuro è impedire che vengano usate. In altre parole il problema è politico e non militare. *Le forze armate di un Paese non possono più difenderlo: il massimo che possono promettere è la distruzione dell'attaccante*». (Il corsivo è nell'originale.) Cfr. A. C. CLARK, *The Rocket and the Future of Warfare*, «Royal Air Force Quarterly», XVII (1946), n. 2, 61-69.

[28] L'articolo di E.M. EARLE, *The Influence of Air Power upon History*, pubblicato dalla «Yale Review» nel giugno 1946, si conclude con questa riflessione: «non è ormai più mera retorica affermare che a meno che non distruggiamo la guerra, la guerra alla fine distruggerà noi». (Dato che la maggior parte dei lettori del saggio di Earle lo conoscono attraverso la versione ridotta edita in EUGENE EMME, *Impact of Air Power*, New York 1959, devo notare che questa — ellitticamente — maschera accuratamente il tono cupo delle conclusioni di Earle, omettendo, per esempio, la conclusione citata in questa nota.)

[29] La migliore e più sintetica esposizione del punto di vista che io avanzo nel testo può trovarsi nel commento finale di Bernard Brodie, su tali questioni, in *The Development of Nuclear Strategy*, «International Security», II (1978), n. 4, 65-83.

[30] Cfr. il mio *The Air Force and Strategic Thought, 1945-51*, «International Security Studies Program Working Paper», n. 8, The Wilson Center, Washington, D.C. 1979: SAMUEL F. WELLS, JR., *The Origins of Massive Retaliation*, «Political Science Quarterly», XCVI (1981), n. 1, 31-52; e D. MACISAAC, S.F. WELLS, JR., *A Minuteman Tradition*, «The Wilson Quarterly», III (1979), n. 2, 109-24.

[31] Il titolo è di Max Lerner (New York 1962), ma il tema è quello dell'opera di RALPH E. LAPP, *Kill and Overkill*, New York 1962 (tr. it., *La strategia dell'annientamento*, Torino 1963) e dei suoi collaboratori di «The Bulletin of the Atomic Scientists».

[32] Per una rassegna della letteratura prodotta negli anni 1979-1983 sulla «finestra di vulnerabilità» ed altri miti, si confronti il mio saggio *The Nuclear Weapons Debate and American Society*, «Air University Review», XXXV (1984), n. 4, 81-96.

[33] Cfr. M. J. ARMITAGE, R. A. MASON, *Air Power in the Nuclear Age*, Champaign, Ill. 1983, cap. 2. La storia ufficiale è di ROBERT F. FUTRELL, *The United States Air Force in Korea 1950-1953*, New York 1961 (nuova ediz. Washington, D.C. 1983). Una valida retrospettiva ad opera di quattro alti ufficiali dell'Aeronautica si trova in RICHARD H. KOHN, JOSEPH P. HARAHAN (a cura di), *Air Superiority in World War II and Korea*, Washington, D.C. 1983.

[34] Citato in M.J. ARMITAGE, R.A. MASON, *Air Power in the Nuclear Age*, cit., 44.

[35] *Ivi*, 44-45.

[36] *Ivi*, 45. Questa affermazione è tratta dal suo articolo *Air Power and World Strategy*, pubblicato in «Foreign Affairs», nell'ottobre 1954. Alcuni anni più tardi in *The Great Deterrent*, New York 1958, sir John Slessor sosteneva che anche l'aeronautica avrebbe fatto meglio a considerare «la tattica delle termiti: sovvertimento, infiltrazione e sfruttamento di fattori quali un nazionalismo immaturo». Pochi lo ascoltarono.

[37] Sia per la citazione sia per il paragrafo precedente, cfr. M.J. ARMITAGE, R.A. MASON, *Air Power in the Nuclear Age*, cit., 256-257. Il nono capitolo, *Challenge and Opportunities*, riassume questo tema in maniera eccellente.

Parte terza

Le prime due generazioni di strateghi nucleari

di Lawrence Freedman

Nel luglio del 1945 fu sperimentata nel New Mexico la prima bomba atomica. Il mese successivo, la seconda e la terza bomba uscite dalla catena di produzione furono lanciate sul Giappone. Da quel momento, nessun'altra arma atomica è stata usata con intenzioni offensive, sebbene le maggiori potenze ne abbiano accumulate decine di migliaia, di cui è cresciuta enormemente la capacità distruttiva e la raffinatezza tecnologica. Lo studio della strategia nucleare coincide pertanto con lo studio del mancato uso di queste armi. Le ipotesi circa un loro effettivo impiego in combattimento possono influenzarne il ruolo in tempo di pace, ma certo l'esperienza storica fornisce scarsissime indicazioni.

La mancanza di una concreta utilizzazione bellica delle armi nucleari ed i problemi inerenti a qualsiasi tentativo di prefigurare come essa potrebbe dispiegarsi in futuro non hanno inibito lo sviluppo della strategia nucleare. Al contrario, la ricerca di una strategia nucleare che possa mettersi al servizio di determinati obiettivi politici senza scatenare un olocausto ha impegnato alcuni dei migliori cervelli del nostro tempo. In questo settore la riflessione è stata guidata prevalentemente dai civili piuttosto che dai militari, poiché le questioni che essa solleva sono legate più ai temi della politica internazionale ed alla natura dei processi decisionali di più alto livello in momenti di crisi acuta, che non all'utilizzazione della forza in termini tradizionali e per scopi tradizionali.

Questo saggio prenderà in considerazione le armi nucleari soltanto come problema di strategia, vale a dire in quanto strumenti militari al servizio di fini politici, piuttosto che come problema morale, culturale o di disarmo, sebbene in tutti questi settori esista ovviamente una vasta letteratura. In secondo luogo, il saggio si concentrerà sul problema fondamentale della strategia nucleare occidentale, che ruota attorno alla dipendenza della NATO dalla minaccia di usare per prima le armi nucleari nel tentativo di contenere un attacco convenzionale sovietico e nonostante il rischio evidente di un contrattacco nucleare. Le strategie e gli strateghi presi in esame sono in larga parte statunitensi, in quanto si sono dimostrati i più importanti ed innovativi nel corso degli ultimi quattro decenni. È già abbastanza difficile in un solo saggio rendere pienamente conto di questo dibattito fondamentale; sarebbe impossibile esaminare anche quelli paralleli sviluppatisi in Unione Sovietica, Francia, Gran Bretagna e Cina, per non parlare dell'importanza rivestita dalle armi nucleari nei dibattiti sulla sicurezza al di là del conflitto Est-Ovest.[1]

I

Le origini della strategia nucleare precedono di molto la data che segna l'avvento dell'era atomica, il 6 agosto 1945. Le due bombe che distrussero Hiroshima e Nagasaki rappresentarono chiaramente un drammatico salto di qualità nella possibilità di una distruzione di massa, ma le loro implicazioni potevano ancora essere comprese all'interno delle teorie allora prevalenti sul potere aereo strategico.

Negli anni Venti e Trenta i teorici del bombardamento strategico avevano fissato alcuni principi che l'esperienza della Seconda Guerra Mondiale non smentì completamente ma precisò: nei cieli il vantaggio stava dalla parte dell'offensiva piuttosto che da quella della difensiva; gli obiettivi rilevanti di un attacco aereo potevano essere i centri politici ed economici del nemico non meno delle sue forze militari; questi attacchi potevano fornire un contributo indipendente e specifico alla vittoria. Ma nel sopravvalutare questi principi i sostenitori della forza aerea erano stati spinti in errore. I bombardieri non sempre potevano arrivare sul bersaglio e le popolazioni civili mostrarono di saper reagire ai bombardamenti meglio di quanto i militari di professione avevano supposto. Il potere aereo era un formidabile mezzo di logoramento, ma non necessariamente di impatto decisivo e, pertanto, non poteva condurre da solo alla vittoria.

Con l'arrivo della bomba atomica si disse che i fautori della forza aerea non erano stati in errore, ma semplicemente in anticipo sui tempi. Le armi nucleari avrebbero continuato a dipendere dai mezzi aerei per essere sganciate e poteva sempre esserci una battaglia prima di raggiungere l'obiettivo, ma il balzo in avanti compiuto dalla capacità distruttiva significava che un velivolo poteva ora ottenere lo stesso risultato di duecento[2]. L'esperienza del Giappone, costretto ad arrendersi dopo la distruzione di Hiroshima e Nagasaki, testimoniava in modo agghiacciante la potenza e l'impatto strategico della nuova bomba. Il coniugarsi della fissione nucleare con la tecnologia della V-2 tedesca avrebbe fornito infine un'arma inarrestabile. Si intravvedeva all'orizzonte una capacità distruttiva alla quale neanche la società più compatta e solida avrebbe potuto opporre resistenza. Di fronte alla bomba atomica, tutte le altre forme di potenza militare sarebbero passate in secondo piano.

L'ipotesi che la bomba atomica avrebbe portato al superamento del potere aereo era alquanto prematura; la lezione di Hiroshima era molto più ambigua di quanto si ritenesse all'epoca. Nell'agosto del 1945, i Giapponesi erano già prossimi ad arrendersi e furono messi in ginocchio tanto dalla perdita delle due città quanto dall'entrata in guerra dei Sovietici. Inoltre, l'attacco ad un nemico dotato di scarsissima difesa aerea e senza nessuna possibilità di rappresaglia non era certo un test probante per l'efficacia della nuova arma[3]. L'arsenale nucleare americano era ancora relativamente ridotto e sebbene pochi tra i non addetti ai lavori fossero in grado di indovinarne le effettive dimensioni, la sua limitatezza quantitativa era riconosciuta[4]. Si riteneva che per avere missili intercontinentali affidabili si sarebbe dovuto attendere almeno due decenni e l'aviazione, riluttante ad assistere all'accantonamento dei propri piloti, faceva del proprio meglio per rendere questa previsione più accurata del necessario[5].

In pratica, la convenienza economica delle armi nucleari era messa a dura prova dal fatto che esse erano scarse e potevano essere lanciate sul bersaglio solo se i velivoli destinati al loro trasporto venivano protetti contro le difese nemiche da una grossa scorta aerea[6]. Inoltre, l'enormità del loro potere distruttivo risultava ancora ripugnante, persino dopo la dura esperienza della guerra appena conclusa. Prima che le nuove armi fossero adeguatamente inserite nella strategia militare ci fu un serio tentativo di affidarle al controllo delle Nazioni Unite, tentativo che si incagliò nei crescenti sospetti della guerra fredda e, alla fine, si rivelò inutile[7].

Fu proprio la guerra fredda, ed in particolare il blocco di Berlino nell'estate del 1948, che portò infine all'inserimento della bomba atomica nei piani di guerra americani[8]. Ciò avvenne nonostante l'evidente disagio del presidente Harry S. Truman di fronte alla prospettiva di usare la bomba in combattimento[9]. Quando, nel 1950, scoppiò la guerra di Corea le armi nucleari non vennero usate. Nella revisione della strategia americana che fece seguito al test atomico sovietico del 1949 si ritenne che fossero ormai contati i giorni in cui l'Occidente poteva affidare il proprio vantaggio strategico alle armi nucleari.

Così una delle prime decisioni prese fu quella di rilanciare la posta nucleare autorizzando lo sviluppo della bomba all'idrogeno (o termonucleare) in modo da conservare la leadership, anche se per la verità la prospettiva di una possibile inferiorità cominciava ad avere la stessa influenza del desiderio di mantenere la superiorità[10]. Il documento chiave di questo periodo, siglato NSC-68, riteneva che la bomba all'idrogeno avrebbe preservato il vantaggio nucleare americano per gran parte degli anni Cinquanta, ma riconosceva che esso sarebbe diminuito a mano a mano che l'Unione Sovietica avesse recuperato terreno in questo settore come aveva fatto in quello delle bombe a fissione. Il vantaggio fu pertanto usato principalmente come scudo, mentre veniva avviato un processo di riarmo convenzionale[11]. Nel 1950, l'invasione della Corea del Sud da parte di quella del Nord fornì uno stimolo a questo processo, che altrimenti sarebbe forse abortito se affidato soltanto alle iniziative previste dall'NSC-68.

L'eredità lasciata dall'amministrazione Truman al presidente Dwight D. Eisenhower, nel gennaio del 1953, era perciò ambivalente. Da una parte, sviluppando la bomba all'idrogeno, gli Stati Uniti stavano portando «molto più avanti della stessa bomba atomica la politica di sterminio della popolazione civile»[12]. Dall'altra, soprattutto perché la stessa minaccia di sterminio avrebbe alla fine pesato anche sui popoli dell'Occidente, erano già stati fatti dei passi per preparare una difesa degli interessi occidentali molto meno dipendente dalle armi nucleari[13].

II

Nel complesso, questa eredità implicava che l'unico ruolo a lungo termine delle armi nucleari era quello di dissuadere il nemico dal farvi ricorso. Comunque, in pratica, queste armi non abbandonarono mai il centro della scena. Ciò accadde in parte perché gli sviluppi a breve termine oscuravano le implicazioni della politica di Truman, in parte perché la nuova amministrazione Eisenhower invertì il senso di quella politica con alacrità e vigore. Ma la storia della strategia nucleare nei decenni successivi vide un graduale ritorno all'idea di base che, in condizioni di stallo nucleare, gli arsenali di queste armi tremendamente potenti tendono a cancellarsi reciprocamente.

Nei primi anni Cinquanta, gli avvenimenti furono troppo rapidi per poter sostenere con fiducia questa posizione. L'intensità della guerra fredda aveva investito la bomba atomica di una rilevanza immediata, che forse non avrebbe avuto se le relazioni internazionali fossero state più distese. La principale tendenza di lungo periodo, inoltre, andava verso un enorme accumulo di armi sempre più distruttive, la cui produzione di massa era ormai in corso. La bomba all'idrogeno tolse ogni limite alla capacità distruttiva. In precedenza questa poteva essere misurata in migliaia di tonnellate TNT-equivalenti (kilotoni o KT): la bomba di Hiroshima, ad esempio, aveva una potenza di 16 KT. Ora la misurazione avveniva in milioni di tonnellate TNT-equivalenti (megatoni o MT). Era così possibile immaginare bombe capaci di distruggere un'intera città in un colpo solo. Infine, lo sviluppo della capacità nucleare sovietica comportava che le decisioni sul ruolo di queste armi non erano più affidate esclusivamente agli Stati Uniti. Di fronte a questi radicali cambiamenti, i tentativi in direzione di un riarmo convenzionale, presentati come semplici espedienti temporanei, non potevano avere un impatto significativo.

In un'epoca di abbondanza nucleare ed a partire da una posizione che vedeva la superiorità americana in questo campo come essenziale bilanciamento dei vantaggi sovietici sul piano convenzionale e geografico, da parte di qualsiasi governo americano sarebbe stato necessario un gesto di inconsueta autolimitazione per affidare alle armi nucleari un compito esclusivamente strategico. L'amministrazione Eisenhower, pertanto, sebbene accettasse il fatto che la superiorità nucleare americana non poteva durare per sempre, era molto meno disposta dei suoi predecessori a disconoscerne i benefici immediati. Questa scelta fu determinata da un atteggiamento estremamente duro verso l'Unione Sovietica, dalla natura dei particolari problemi diplomatici dell'epoca e dalla preoccupazione per le evidenti difficoltà connesse ad un'accresciuta fiducia nelle forze convenzionali.

La guerra di Corea portò queste difficoltà al centro dell'attenzione. I combattimenti furono prolungati, duri, inconcludenti e, perciò, politicamente impopolari. Una spiegazione dei limitati successi conseguiti dalle forze delle Nazioni Unite sotto il comando americano era data dai vincoli politici imposti alle operazioni, in particolare dal veto sull'uso delle armi nucleari e dal rispetto del territorio cinese e sovietico come «santuari». Nel 1953, per uscire da questa impasse, gli Stati Uniti suggerirono che i vincoli in questione avrebbero anche potuto essere rimossi. I conseguenti progressi al tavolo dei negoziati per l'armistizio sembrarono convincere il governo americano che la superiorità nucleare costituiva, almeno per il momento, una potente arma diplomatica[14].

Un secondo problema relativo alle forze convenzionali era il loro costo. I programmi di riarmo ereditati dai governi conservatori della Gran Bretagna e degli Stati Uniti rappresentavano un enorme peso economico. L'unico modo di ridurre i costi senza rinnegare i propri impegni era quello di allentare le inibizioni all'uso delle armi nucleari e di sostituire queste ultime a quelle convenzionali. Nel 1952, il governo britannico era già arrivato alla conclusione che la mossa migliore dell'Occidente nei confronti del blocco orientale era quella di affidarsi alla deterrenza nucleare[15]. Il generale di squadra aerea sir John Slessor, che influì in modo decisivo su questa scelta, divenne uno dei principali sostenitori pubblici del «grande deterrente»[16].

Nel gennaio del 1954, in uno dei discorsi che segnarono l'inizio dell'era nucleare, il segretario di Stato americano John Foster Dulles annunciò che gli Stati Uniti intendevano in futuro scoraggiare un'eventuale aggressione affidandosi «innanzitutto alla capacità di rappresaglia istantanea con i mezzi e nei luoghi che ci riserviamo di scegliere»[17]. Questa politica divenne nota con il nome di «rappresaglia massiccia» [*massive retaliation*] e fu generalmente interpretata come minaccia di distruzione dei centri economici e politici dell'Unione Sovietica e della Cina in risposta a qualsiasi aggressione, per quanto limitata. Era un'interpretazione non del tutto corretta, ma il governo non riuscì a cancellarla.

Una delle difficoltà incontrate nello spiegare questa politica era dovuta al fatto che essa rifletteva due diversi obiettivi. Il primo era quello di valorizzare le spese (o, nelle parole del segretario alla Difesa, fare un «botto più grosso per ogni dollaro investito»). I militari, però, non sapevano se sarebbero stati effettivamente autorizzati ad usare le armi nucleari. Questo comportò che furono mantenute forze convenzionali di gran lunga superiori a quelle necessarie se fosse stato certo il permesso di ricorrere all'armamento nucleare. In presenza di questa certezza, infatti, le forze convenzionali potevano essere ridotte, consentendo così grossi risparmi. Ciò riguardava sia le nuove armi nucleari tattiche a corto raggio, destinate al campo di battaglia, sia le più familiari armi strategiche, previste per l'uso contro il territorio nazionale del nemico. Il senso di questo aspetto della politica di rappresaglia massiccia, pertanto, era quello di ridurre la quantità delle forze da schierare sul campo, cambiando le regole d'ingaggio e di conduzione di una guerra generale. Nell'ottobre del 1953, questa scelta fu approvata con l'NSC-162/2. Come Eisenhower osservò all'epoca, la superiorità nucleare non avrebbe probabilmente garantito tale politica per più di qualche anno. L'Unione Sovietica costituiva già una seria minaccia per gli alleati degli Stati Uniti. In breve, anche gli Stati Uniti sarebbero stati esposti al rischio; gli aerei sovietici erano ormai in grado di provocare danni ingenti sulla costa orientale. Il presidente fece aggiungere al documento originale che sarebbe stato necessario riconsiderare «l'accento posto sulla capacità di infliggere una rappresaglia massiccia» se ciò «si fosse rivelato svantaggioso per gli Stati Uniti»[18]. Si trattava, dunque, di un contesto di breve termine, all'interno del quale avviare un radicale riorientamento della politica americana.

Il contrasto tra conseguenze di lungo periodo e logiche di breve respiro si fa più pronunciato se si considera il senso delle opportunità diplomatiche immediate, derivanti dalla temporanea superiorità americana, introdotte da Dulles nel gioco politico. Nel discorso del 1954 egli aveva in mente il successo ottenuto l'anno precedente usando la minaccia nucleare per sbloccare lo stallo coreano, nonché la situazione di quel momento in Indocina, in merito alla quale il governo americano stava discutendo se e come aiutare i Francesi ormai assediati. Dulles riprendeva le critiche rivolte dai Repubblicani alla politica estera dell'amministrazione Truman, giudicata troppo debole nel consentire all'Unione Sovietica di fissare le regole di conduzione della guerra fredda. I comunisti avrebbero cercato di espandere i propri domini sfruttando la propria superiorità convenzionale in quelle aree dove l'Occidente era debole. Essi dovevano sapere che in tali circostanze le nazioni occidentali avrebbero risposto a propria discrezione, anche con una massiccia rappresaglia nucleare contro i centri vitali della potenza sovietica. Dulles era interessato principalmente a trarre un vantaggio politico da questa minaccia finché era ancora possibile, piuttosto che a sviluppare una prospettiva strategica di lungo periodo. Ma un simile approccio era valido soltanto fino a quando gli Stati Uniti avessero potuto lanciare la minaccia con sicurezza.

Fu James Reston a dare del discorso sulla rappresaglia massiccia l'interpretazione inevitabile: «Nel caso di un'altra guerra per procura o di un altro violento conflitto locale in Corea, Indocina, Iran od altrove, esiste la possibilità di una rappresaglia immediata degli Stati Uniti con armi nucleari contro la Russia o la Cina popolare»[19]. L'idea che ci si stesse muovendo in questa direzione era largamente diffusa. I sospetti in tal senso, ad esempio, indussero probabilmente i principali alleati degli Stati Uniti a prendere le distanze dalla politica americana in Indocina, piuttosto che ad appoggiarla[20]. Si trattava di un'interpretazione accattivante e tuttavia, in una certa misura, inesatta. L'idea di base era che la scelta del tipo di risposta non doveva essere limitata, ma non fu mai prospettata l'ipotesi che gli Stati Uniti avrebbero immediatamente trasformato qualsiasi «confronto» [*confrontation*] su piccola scala in una guerra nucleare totale. Nondimeno, anche la semplice asserzione che la rappresaglia occidentale sarebbe sempre stata commisurata all'aggressione richiedeva la fiducia nel fatto che l'Occidente non si sarebbe lasciato dissuadere dalla minaccia di una contro-rappresaglia. Dal momento che l'Unione Sovietica aveva già dimostrato la propria determinazione nel recupero dello svantaggio rispetto agli Stati Uniti, non c'era bisogno di una grande capacità di previsione per vedere che questa politica riposava su fragili fondamenta.

Il discorso di Dulles sulla rappresaglia massiccia stimolò l'interesse degli studiosi americani per le questioni strategiche. Nella seconda metà degli anni Cinquanta tutta una serie di libri e di articoli esplorò le contraddizioni della politica governativa. I primi studi — e comunque quelli che divennero di pubblico dominio — furono in gran parte di natura politica piuttosto che militare. Sebbene, come vedremo, fossero presi in considerazione problemi come la possibilità di sopravvivenza delle forze destinate alla rappresaglia o l'utilità delle armi nucleari tattiche, l'obiezione principale dei critici era questa: adesso che gli Stati Uniti correvano anch'essi il rischio della distruzione atomica, la loro politica estera non poteva più essere così disinibita come al tempo dell'effettivo monopolio nucleare.

Tre erano i punti fondamentali in discussione: ormai non sarebbe stato più possibile né portare il «confronto» con i comunisti ad una conclusione decisiva, né condurre guerre dagli obiettivi illimitati con mezzi illimitati, visto che anche le conseguenze per gli Stati Uniti sarebbero state probabilmente illimitate. Pertanto, se l'Occidente non avesse potuto rispondere adeguatamente con mezzi limitati, si sarebbe trovato in un terribile dilemma nell'affrontare una sfida sovietica di proporzioni ridotte lanciata in qualche punto alla periferia del «mondo libero». Come spiegava William Kaufmann in uno dei primi studi critici sulla rappresaglia massiccia: «Se i comunisti dovessero mettere alla prova la nostra sicurezza, e avrebbero buone ragioni per azzardarsi a farlo, noi dovremmo rilanciare o tacere. Nel primo caso, sprofonderemmo negli orrori incalcolabili della guerra atomica. Nel secondo caso, soffriremmo una grave perdita di prestigio ed un danno alla nostra capacità di scoraggiare un'ulteriore espansione sovietica»[21]. Secondo gli studiosi, risultava improbabile che la superiorità nucleare americana costituisse una fonte di grande forza politica dopo la metà degli anni Cinquanta, a meno che il governo non fosse preparato ad una grande temerarietà.

Una volta messa in atto, non era facile rinunciare alla politica di rappresaglia massiccia. I vantaggi politici della deterrenza nucleare potevano rivelarsi fuggevoli, ma erano sufficientemente reali i benefici finanziari. Ogni tentativo di tornare ad una strategia più convenzionale avrebbe dovuto affrontare il problema delle risorse e fino a quando non si fossero trovati altri fondi sarebbe rimasta istituzionalmente valida la logica della rappresaglia massiccia. Ciò risultava particolarmente vero per la NATO, che stava attraversando in quel momento un processo di profonda revisione dopo il fallito accordo sulla Comunità Europea di Difesa ed il mancato raggiungimento degli obiettivi fissati a Lisbona nel 1952, mentre era ancora in programma il riarmo della Germania occidentale. La politica nucleare del governo americano influiva fortemente sul modo in cui venivano recepiti e valutati gli impegni degli Stati Uniti nei confronti degli alleati.

L'NSC-162/2 aveva riconosciuto l'eventuale necessità di stazionare forze americane sul territorio degli alleati, per rassicurarli sul fatto che gli Stati Uniti avrebbero garantito la loro sicurezza, anche se la prudenza suggeriva una politica meno generosa. Il trattato che nel 1949 aveva istituito la NATO poneva l'accento più sull'esistenza stessa di un impegno americano nei confronti dell'Europa occidentale che sui modi di un eventuale intervento in suo favore. L'idea era che se nel 1914 o nel 1939 ci fosse stato un impegno del genere il Kaiser e Hitler non avrebbero puntato alla conquista, in un sol colpo, di tutte le democrazie occidentali e la guerra sarebbe stata evitata.

Fu solo in seguito allo shock della guerra di Corea che la NATO cominciò a coordinare le proprie risorse militari. Ciò condusse ad un considerevole incremento delle forze convenzionali, ma non nella misura giudicata necessaria, e le previsioni sulla capacità di affrontare la sfida militare sovietica in Europa erano pessimistiche. Gli alleati erano dunque sensibili a qualsiasi strategia americana che potesse scoraggiare l'aggressione sovietica a costi più accessibili.

Nel 1954, con l'adozione del «*New Look*», gli Stati Uniti non solo accrebbero la propria fiducia negli effetti deterrenti della potenza nucleare, ma cominciarono anche a premere sugli alleati perché aderissero alla strategia nucleare americana. Il fatto che il cambiamento della politica americana avvenisse contemporaneamente al riarmo tedesco acquistò un significato di lungo termine. Il progetto di una Comunità Europea di Difesa, respinto dalla Francia nel 1954, prevedeva che il riarmo della Germania avesse luogo nel quadro di una forza convenzionale europea. E gli accordi firmati a Parigi in quello stesso anno chiarivano che il riarmo escludeva l'ipotesi di una «bomba tedesca». Ma la Germania, da parte sua, insisteva perché il proprio territorio non divenisse in futuro un campo di battaglia europeo, il che comportava la difesa dei suoi confini (difesa avanzata). Poiché era ormai improbabile raggiungere questo obiettivo con le forze convenzionali, si invocava il ricorso alla deterrenza nucleare. Inoltre, la Germania rifiutava di essere una potenza di secondo rango nell'ambito della NATO. Dal momento che l'alleanza progettava di integrare le armi nucleari nelle proprie forze terrestri ed aree, anche i Tedeschi le volevano in dotazione (sebbene con le testate controllate dagli Stati Uniti, secondo un sistema a doppia chiave). L'avvento del «*New Look*» si rivelò, dunque, non solo un mezzo per spostare l'equilibrio delle forze americane dal convenzionale al nucleare, ma anche per istituire una prevalenza nucleare nella struttura portante della NATO, che in seguito divenne estremamente difficile da eliminare.

Nella politica di Dulles l'impegno americano risultava così strettamente legato alle armi nucleari che la sua credibilità appariva affidata alla capacità degli Stati Uniti di assumersi i rischi nucleari per conto dei propri alleati, il che a sua volta dipendeva da un sostanziale «squilibrio del terrore» a favore dell'Occidente. Lo sviluppo di un riequilibrio, in questo campo, avrebbe inevitabilmente messo alla prova l'impegno americano verso l'Europa, ma forse anche rafforzato la sensazione generale che si andasse incontro a rischi di guerra. Si dovrebbe aggiungere, inoltre, che questa crisi del tentativo di estendere all'Europa occidentale la deterrenza nucleare americana avrebbe potuto verificarsi anche se non ci fosse mai stata alcuna garanzia sull'uso delle armi nucleari in risposta ad un attacco convenzionale contro i Paesi europei occidentali. La capacità nucleare sovietica costituiva per questi ultimi una minaccia che soltanto le armi americane potevano contrastare. Certo, l'equilibrio del terrore metteva un punto interrogativo accanto a qualsiasi mossa degli Stati Uniti che potesse coinvolgerli in una guerra nucleare. Si riteneva, tuttavia, che fosse la necessità di scoraggiare un attacco convenzionale a gettare sulle forze nucleari americane un fardello di gran lunga più pesante di quello che potevano prevedibilmente sopportare al di là del brevissimo periodo.

Negli anni immediatamente successivi, i funzionari del governo americano riconobbero i problemi derivanti dal dover contare su una minaccia nucleare la cui credibilità tendeva a diminuire. Ben presto cominciarono le precisazioni. In seguito alle violente reazioni scatenate dal suo discorso del gennaio 1954, Dulles riconobbe in un articolo che qualunque fosse all'epoca la supremazia della «capacità offensiva aerea» americana, era «possibile che essa non rivestisse lo stesso significato per sempre». Nel lungo periodo, piuttosto che affidarsi alla minaccia costituita da una tranquilla superiorità, sarebbe stato necessario tenere il nemico nel dubbio, sebbene Dulles fosse ancora abbastanza fiducioso da riaffermare che la scelta della risposta sarebbe stata «nostra e non sua»[22].

Ma già nel 1956 il governo americano fu di nuovo costretto a rivedere la propria strategia. Fu raggiunto un accordo sull'adozione di un «*new New Look*», secondo il quale non doveva esserci alcun tentativo di mantenere la superiorità nucleare né di ristabilire l'equilibrio convenzionale. Si sperava, invece, che i potenziali aggressori sarebbero stati sufficientemente spaventati dalla prospettiva di una guerra nucleare da non aprire la strada alla catastrofe mettendo alla prova la determinazione americana. Sicuramente, nel 1956, alcune figure chiave del governo americano erano ormai pronte a descrivere la situazione in termini di «equilibrio del terrore» ed a gettare dubbi sulla possibilità di ricorrere alla superiorità nucleare[23]. Per la diplomazia americana ne conseguiva, come avvertivano gli studiosi, che sarebbe stato sempre più difficile sfruttare a fini politici quella superiorità. In un incauto commento del 1956, Dulles rivelò di essersi già trovato nella necessità di fare affidamento sulla propria capacità di mostrare determinazione — persino sull'orlo di una guerra catastrofica — piuttosto che sulla superiorità nucleare[24]. Il successore di Dulles, in un altro momento di imprudenza, riconobbe ufficialmente, per la prima volta, che gli alleati non potevano contare sul fatto che l'America avrebbe usato la deterrenza nucleare nel loro interesse. Nell'aprile del 1959, il segretario di Stato Christian Herter comunicò ad una commissione del Senato: «Non riesco ad immaginare che un presidente si impegni in una guerra nucleare senza esclusione di colpi, a meno che noi stessi non corressimo il pericolo della distruzione totale»[25].

III

Nella nuova situazione, sembrava che lo sviluppo della capacità nucleare sovietica stesse progressivamente minando le premesse fondamentali della politica adottata dall'amministrazione Eisenhower, mentre questa rimaneva sostanzialmente immutata. Certamente, non c'era stato alcun cambiamento evidente nella struttura delle forze armate americane. La risposta naturale a questa situazione fu l'inversione della politica sviluppata fino al 1954 e consistita in un aumento delle forze convenzionali per compensare la riduzione della deterrenza nucleare. Come abbiamo visto, quale che fosse la logica sottintesa a questa politica, c'erano forti ragioni economiche ed istituzionali a suo sfavore. Ciò divenne perfettamente chiaro, quando, più tardi l'amministrazione Kennedy tentò un'operazione analoga. Dalla metà degli anni Cinquanta ai primi anni Sessanta, furono invece fatti dei tentativi, sia dentro il governo sia fuori, per sviluppare formule strategiche capaci di sostenere la politica estera americana ed in particolare l'impegno nei confronti degli alleati sfruttando quello che veniva ancora considerato un vantaggio dell'Occidente in campo nucleare. Tali formule divennero la base degli sforzi tesi a risolvere, nei decenni successivi, i dilemmi di fondo della strategia nucleare.

L'approccio iniziale risultò fondato sulla possibilità, accertata nei primi anni Cinquanta, di costruire armi nucleari tattiche a corto raggio e con una potenza relativamente bassa. Ciò imitava la suddivisione delle forze aree in reparti strategici e tattici: i primi per attaccare gli obiettivi vitali nel cuore del Paese nemico, i secondi per appoggiare il combattimento campale. I fautori delle armi nucleari tattiche speravano di poter incoraggiare un abbandono delle strategie fondate sulla distruzione di massa e, nelle parole di Robert Oppenheimer, di «riportare la battaglia sul campo di battaglia»[26]. Per le stesse ragioni, il comando strategico dell'aviazione americana, ancora profondamente influenzato dalla filosofia del bombardamento strategico, si oppose a questa impostazione. Quando fu chiaro che la NATO non avrebbe probabilmente raggiunto il livello di forze convenzionali giudicato necessario a contrastare efficacemente qualsiasi sfida sovietica, si manifestò un ovvio interesse per la possibilità di usare le armi nucleari tattiche al fine di bilanciare le deficienze convenzionali. Col tempo, si arrivò a considerare questa possibilità come una linea di sviluppo non alternativa, ma complementare al bombardamento strategico. In un'epoca di abbondanza nucleare si potevano sviluppare entrambe.

Il favore accordato alle armi nucleari era sostenuto da tre argomenti: in questo settore l'Occidente avrebbe conservato il proprio vantaggio per un certo tempo; l'uso di queste armi avrebbe favorito la difesa; esse avrebbero potuto essere utilizzate senza causare danni eccessivi alle comunità civili circostanti[27]. Il primo argomento ebbe necessariamente vita breve: l'Unione Sovietica sviluppò le proprie armi nucleari tattiche nel corso degli anni Cinquanta. Ciò non sarebbe stato grave se gli altri due argomenti fossero stati validi. L'idea che l'armamento nucleare tattico avrebbe favorito la difesa presumeva che l'aggressore avrebbe ammassato le proprie forze prima dell'invasione, offrendo così un facile bersaglio all'attacco nucleare. Ma era anche possibile che fosse proprio l'aggressore ad usare queste armi — come un'artiglieria tradizionale — per aprire nelle difese del nemico un varco attraverso il quale sarebbero passate le forze terrestri. E c'erano in effetti le prove che l'Unione Sovietica considerava l'eventualità di usare in questo modo le armi nucleari tattiche[28].

I problemi principali, tuttavia, riguardavano il terzo argomento. Nel dicembre del 1953, il presidente del Joint Chiefs of Staff osservò: «nelle nostre forze armate le armi atomiche hanno ormai acquistato uno *status* convenzionale», e nel marzo del 1955 il presidente commentò: «se questi strumenti vengono usati contro obiettivi e per scopi strettamente militari, non vedo alcuna ragione contraria alla possibilità di adoperarli esattamente come una pallottola o qualsiasi altra cosa». Ben presto divenne chiaro, tuttavia, che le armi nucleari non potevano essere utilizzate come se fossero armi convenzionali. Il loro raggio di distruzione era troppo ampio ed i loro effetti ritardati troppo pervasivi per poterle impiegare in modo preciso e discriminante. Quando le armi nucleari tattiche cominciarono ad essere usate nelle esercitazioni, divennero evidenti le loro conseguenze potenzialmente terrificanti per la popolazione[29]. I fautori di queste armi avevano immaginato che una guerra nucleare, in qualche modo limitata, sarebbe stata simile a quella navale, con il suo gioco di manovre tra unità mobili ed autosufficienti; la realtà di forze massicce operanti nelle aree densamente popolate della Germania sarebbe stata ben diversa[30]. Come ha osservato Bernard Brodie «una popolazione che noi intendessimo salvare facendo liberamente uso di armi nucleari sul suo territorio sarebbe probabilmente l'ultima a chiederci di aiutarla»[31].

Se le armi nucleari non potevano essere usate come quelle convenzionali e se la la loro utilizzazione comportava decisioni strategiche che ne smentivano la definizione tattica, allora i calcoli militari sul loro impiego diventavano ancora più complicati. Le armi nucleari tattiche potevano essere di qualche utilità mentre il nemico concentrava all'interno dei propri confini le forze per un'offensiva; ma, visto che non erano armi di uso immediato, quando fosse arrivata l'autorizzazione ad usarle, le forze nemiche si sarebbero ormai disperse sul territorio attaccato. In queste circostanze, le conseguenze per la popolazione civile sarebbero state ancor più spaventose ed ancor più remote le prospettive di successo militare. L'esercito, sostenitore da sempre dell'idea che l'integrazione delle armi nucleari nel proprio equipaggiamento avrebbe accresciuto piuttosto che diminuito la necessità delle truppe (poiché la guerra nucleare limitata si sarebbe trasformata in una campagna di logoramento in cui molto probabilmente avrebbe prevalso la parte con maggiori riserve a disposizione), trovava sempre più difficile sviluppare una tattica nucleare. Le truppe terrestri, notava un critico, «non sono in grado di sopravvivere, e tantomeno di operare, nel bel mezzo di quell'ambiente nucleare a cui la nostra strategia le ha consegnate»[32].

Non passò molto tempo prima che la maggior parte degli studiosi e degli strateghi indipendenti perdesse il proprio entusiasmo per l'idea della guerra nucleare limitata. Per impedire ad un'eventuale guerra di condurre alla violenza illimitata la scelta migliore era quella di non usare affatto le armi nucleari. La distinzione tra armi nucleari tattiche e tattico-strategiche si sarebbe probabilmente rivelata impossibile da sostenere in pratica e la loro utilizzazione precoce sul campo di battaglia avrebbe portato semplicemente a trasformare in anticipo il conflitto in qualcosa di più terrificante e meno controllabile. Nel 1960, persino Henry Kissinger riconosceva ormai che una strategia nucleare limitata sarebbe stata un errore[33]. Riflettendo ancora una volta gli umori prevalenti, egli appoggiava ora un ritorno alle forze convenzionali. Ma se il sostegno intellettuale ad una strategia basata sulle armi nucleari da campo di battaglia[34] era stato di breve durata, i suoi effetti furono durevoli perché le armi in questione erano state ormai prodotte, consegnate ed adottate dalle forze terrestri di numerosi Paesi della NATO e dalle forze americane di stanza in Europa. Ritirarle ora sarebbe stato politicamente imbarazzante. Inoltre, poiché anche l'Unione Sovietica stava introducendo armi di questa natura, rimaneva sempre la motivazione della loro necessità se non altro per dissuadere i Sovietici dal farvi ricorso.

Dal momento che le armi restavano in dotazione alle forze terrestri in Europa, c'era un continuo interesse a modernizzarle, affinché diventassero strumenti di precisione sufficiente a garantire il loro ruolo originario di difesa contro l'aggressione sovietica. Questo punto di vista suggerì, ad esempio, lo sviluppo della «bomba a neutroni» o (come preferiva chiamarla la NATO) «arma a radiazione rafforzata», che divenne motivo di grande controversia nei tardi anni Settanta[35]. I fautori di questa arma potevano forse essere convincenti quando sostenevano che, se le armi nucleari dovevano restare disponibili per l'impiego sul campo di battaglia, tanto valeva che fossero discriminanti e producessero danni collaterali minori; non erano però convincenti quando costruivano una strategia ispirata al loro uso iniziale sul campo di battaglia. Gli studi della NATO raggiunsero costantemente conclusioni negative sul possibile valore militare di un ricorso diffuso all'armamento nucleare[36]. Come vedremo, le armi nucleari tattiche avevano un qualche valore solo come simboli, in tempo di pace, dell'impegno americano verso l'Europa e come possibili mezzi per segnalare la propria determinazione di fronte all'eventualità di una guerra.

IV

La difficoltà presentata dall'uso di armi nucleari sul campo di battaglia era dovuta al fatto che, lanciate per prime, il successo dell'operazione ed il contenimento degli effetti distruttivi dipendevano totalmente dal carattere della risposta nemica. Fintanto che il nemico conservava la capacità di rispondere in modo consistente, l'uso iniziale di queste armi da parte dell'Occidente comportava rischi terribili. Una seconda via d'uscita dal dilemma nucleare prevedeva, infatti, la possibilità di privare il nemico della capacità di un'efficace rappresaglia.

Sulla versione originaria di questa strategia — scatenare una guerra preventiva prima che l'Unione Sovietica costruisca il proprio arsenale nucleare — non è necessario dilungarsi, in quanto risale ai primi anni Cinquanta e neanche a quell'epoca sembra essere stata presa in seria considerazione[37]. Maggiore importanza rivestì il concetto di attacco preventivo. Qui l'idea era di disarmare il nemico della sua capacità nucleare distruggendola al suolo. Questo tipo di approccio rientrava certamente nelle tradizioni della forza aerea. Le reazioni iniziali alle nuove bombe atomiche, tuttavia, avevano contemplato la possibilità di usarle per un attacco a sorpresa, ma anche per colpire obiettivi civili[38]. Non appena si fece strada l'evidenza che una volta acquisita dal nemico una capacità di rappresaglia sarebbe stato temerario scatenare un conflitto nucleare, venne meno l'ipotesi che la guerra successiva sarebbe iniziata inevitabilmente con un assalto nucleare[39]. Nei tardi anni Quaranta, infatti, l'opinione generale era che le forze di rappresaglia stesse non avrebbero potuto essere l'obiettivo di un attacco di sorpresa per la difficoltà di individuare i bersagli principali[40].

Di fronte alla prospettiva di uno stallo nucleare con l'Unione Sovietica, però, e considerati anche i grandi passi avanti compiuti dalle tecnologie di sorveglianza e di raggiungimento del bersaglio, l'interesse per questo tipo di approccio crebbe in modo considerevole, specialmente negli ambienti dell'aviazione[41]. In effetti, a quell'epoca, i piani di guerra nucleare insistevano molto sul come cercare e distruggere la crescente capacità nucleare sovietica[42]. Data la forte preferenza nucleare nell'atteggiamento strategico americano degli anni Cinquanta e considerati gli impegni assunti verso gli alleati, era difficile vedere come la logica della prevenzione potesse essere evitata. Nel corso degli anni Cinquanta l'influenza di questa logica crebbe, sebbene nello stesso governo americano la scelta di obiettivi *counterforce* fosse criticata da coloro (compresi l'esercito e la marina) i quali ritenevano che l'inclusione massiccia di tali obiettivi nei piani di guerra da parte dello Strategic Air Command rendesse difficile limitare la scala finale della distruzione o, in alternativa, le dimensioni dell'impegno militare americano. Ma l'aviazione continuò a sostenere, per citare le parole pronunciate dal suo capo di Stato Maggiore nel 1959, che «la politica degli Stati Uniti deve prevedere la dotazione di forze adeguate a permetterci di assumere l'iniziativa in qualsiasi circostanza bellica»[43].

Negli anni Cinquanta, la questione della capacità di una delle parti di disarmare l'altra con un attacco a sorpresa si pose ai politici americani anche da un diverso punto di vista. Una serie di studi condotti presso la Rand Corporation da un gruppo di ricercatori guidato da Albert Wohlstetter affrontò il problema in una prospettiva completamente diversa. Che cosa sarebbe avvenuto se fosse stata l'Unione Sovietica a tentare un attacco del genere contro le basi del comando aereo strategico americano? Quest'ultimo, che aveva tutte le intenzioni di assumere esso stesso l'iniziativa e perciò di non lasciare che le sue forze venissero attaccate di sorpresa, non aveva chiesto alla Rand Corporation di affrontare la questione. Il gruppo di ricerca esaminò i possibili fattori da prendere in considerazione nella scelta delle basi aeree — apparentemente un problema di ordinaria amministrazione — e concluse ben presto che la vulnerabilità ad un attacco a sorpresa doveva essere uno dei criteri essenziali. Ulteriori ricerche suggerirono che le basi esistenti andavano incontro ad un responso molto negativo se giudicate con questo criterio e Wohlstetter fece ogni sforzo per convincere l'aviazione ed i responsabili politici in generale dei rischi impliciti nell'eventualità che l'Unione Sovietica sviluppasse le capacità necessarie ad un attacco del tipo considerato[44].

Verso la metà degli anni Cinquanta, questa preoccupazione fu ripresa da altri studi ed alla fine del decennio rientrava ormai nel senso comune, sostenuta dalla diffusa convinzione che l'Unione Sovietica fosse saldamente in testa nello sviluppo dei missili balistici intercontinentali[45]. Tale convinzione fu incautamente incoraggiata dal leader sovietico Nikita Krusciov, il quale riteneva prematuramente che il vantaggio del suo Paese nello sviluppo degli ICBM si sarebbe tradotto in una supremazia sul terreno delle armi schierate[46]. Dopo il successo ottenuto nell'ottobre del 1957 dall'Unione Sovietica con il lancio del primo satellite artificiale terrestre, lo Sputnik I, molti pensarono, in effetti, che gli Stati Uniti stessero perdendo terreno nella corsa agli armamenti. Quanti erano preoccupati dalla vulnerabilità delle basi americane potevano certamente far notare gli enormi cambiamenti avvenuti nel pensiero strategico sovietico dalla morte di Stalin: si era passati dalla sottovalutazione alla celebrazione della rivoluzione tecnico-militare (armi nucleari più missili a lungo raggio) e del possibile ruolo di un attacco a sorpresa in vista di una vittoria decisiva[47].

Wohlstetter rese pubbliche le proprie preoccupazioni in un articolo pionieristico pubblicato all'inizio del 1959. Egli diede una definizione tecnica dei vari problemi connessi al mantenimento della capacità di rappresaglia, compresa la sopravvivenza ad un attacco nemico, la comunicazione della decisione di scatenare la rappresaglia, la penetrazione nella difesa aerea attiva e la sopraffazione della difesa civile passiva. Ecco le sue conclusioni: «L'idea che un attacco di sorpresa accuratamente pianificato possa essere contrastato senza sforzo ovvero che, in breve, possiamo ritornare al sonno profondo in cui eravamo adagiati prima dello Sputnik, è sbagliata e la sua accettazione quasi universale terribilmente pericolosa»[48]. In realtà, a quell'epoca l'idea in questione non era affatto universalmente accettata — almeno fuori dal governo — in parte proprio grazie agli sforzi di Wohlstetter. La maggior parte degli specialisti civili esprimeva posizioni analoghe alle sue[49]. Con l'insediamento dell'amministrazione Kennedy, nel 1961, il problema della vulnerabilità fu preso seriamente in considerazione al più alto livello[50].

L'articolo di Wohlstetter si distingueva per metodo e stile. Nel corso degli anni Cinquanta, molti studiosi di formazione politologica e storica avevano cominciato ad influenzare l'opinione pubblica, ma si era prestata minore attenzione al lavoro di quanti avevano invece un retroterra nel campo dell'economia, dell'ingegneria o delle scienze naturali, soprattutto perché la loro attività era tenuta segreta[51]. Rispetto ai lavori precedenti il nuovo stile di analisi strategica adottato da Wohlstetter era molto più sistematico e sensibile agli sviluppi tecnologici; faceva uso, inoltre, di una terminologia e di concetti propri. Wohlstetter introdusse, ad esempio, le categorie critiche di primo e secondo colpo. A partire da allora tali concetti sono stati al centro del dibattito strategico e sono particolarmente rilevanti per le questioni della prevenzione e della vulnerabilità.

L'idea di primo colpo non si riferisce semplicemente ai primi ordigni lanciati in una guerra nucleare, ma ad un attacco diretto contro i mezzi di rappresaglia del nemico. Un primo colpo coronato da successo sarebbe dunque in grado di distruggere a terra tutte le forze nucleari dell'avversario o di intercettarle in aria prima che raggiungano il bersaglio. Il secondo colpo rappresenta, invece, la capacità di assorbire un primo colpo mantenendosi in condizione di infliggere al nemico una rappresaglia devastante. Le forze destinate al primo colpo dovevano essere in grado di attaccare le installazioni nucleari dell'avversario, ma non era essenziale che fossero invulnerabili. L'intenzione non era quella di aspettare che l'altra parte colpisse per prima. Naturalmente, quanto più queste forze chiave erano vulnerabili, tanto maggiore risultava la pressione a servirsene prima che il nemico potesse attaccare, a dispetto della possibilità che autorità responsabili preferissero la moderazione. Il requisito essenziale per le forze di secondo colpo, invece, era la capacità di sopravvivere ad un eventuale primo colpo.

La preoccupazione per la vulnerabilità delle forze americane spostò la questione di fondo dal problema di mantenere una qualche forma di superiorità strategica significativa di fronte alle tendenze espansive del blocco sovietico, alla preoccupazione che dopo una sorta di Pearl Harbor nucleare gli Stati Uniti si trovassero sconfitti in prima persona. A ciò si aggiunse una terza preoccupazione: con entrambe le parti impegnate ad acquisire una capacità di primo colpo e spaventate dalla prospettiva che l'altro la raggiungesse per primo, le crisi potevano essere più gravi e pericolose di quanto sarebbero state altrimenti. Poteva accadere che entrambe le parti desiderassero evitare la guerra — specialmente la guerra nucleare — ma che tuttavia si trovassero risucchiate in un terribile conflitto per paura di ciò che l'altro intendeva fare. Kissinger avvertì che la struttura delle forze strategiche di entrambi gli avversari avrebbe potuto «contribuire all'instabilità nonostante le intenzioni delle due parti»[52]. Thomas Schelling sviluppò il concetto di «reciproco timore di un attacco a sorpresa», in virtù del quale «un modesto tentativo da parte dell'uno o dell'altro di assestare un primo colpo senza preavviso» si sarebbe «ingigantito attraverso un processo di aspettative interagenti». Vi sarebbero stati cicli successivi di «loro pensano che noi pensiamo che loro pensano che noi pensiamo [...] che loro attaccheranno; dunque loro pensano che lo faremo noi; perciò lo faranno loro; allora dobbiamo farlo noi»[53].

Verso la fine del decennio, il rischio di scivolare in una guerra nucleare non voluta attraverso un'irresistibile logica militare alla maniera dell'agosto 1914 stava diventando un tema dominante. Si era alla ricerca della «stabilità», intendendo con ciò una situazione in cui nessuna delle due parti si sentisse in dovere di prendere l'iniziativa militare nel corso di una crisi per il desiderio di sfruttare la propria capacità di primo colpo o per prevenire la stessa mossa da parte dell'avversario. Il raggiungimento o meno della stabilità dipendeva dallo sviluppo delle rispettive strutture militari. «Per creare una situazione di stallo in un contesto di abbondanza nucleare è necessario che *entrambe* le parti possiedano forze di rappresaglia invulnerabili»[54]. Bisognava, dunque, non soltanto accertarsi che le forze americane non fossero vulnerabili ad un attacco di sorpresa sovietico, ma anche rassicurare l'Unione Sovietica sull'invulnerabilità delle sue forze ad un attacco di sorpresa americano. Naturalmente l'insolito tentativo di convincere un potenziale nemico del fatto che sulle sue strutture strategiche più preziose non incombeva alcuna seria minaccia non fu un'idea partorita dai militari (a meno che non progettassero un inganno in grande stile) ed essi non se ne mostrarono eccessivamente colpiti quando questa idea fu avanzata dalla nuova generazione di strateghi civili. Ciò nonostante, la paura della guerra nucleare, la crisi persistente su questioni come lo *status* di Berlino Ovest, la dimostrazione di impressionante capacità tecnica fornita dall'Unione Sovietica con il lancio dello Sputnik e la sensazione prevalente di avviarsi verso una corsa tecnologica agli armamenti si combinavano nella preoccupazione reale che la situazione potesse rapidamente finire fuori controllo. Rispondendo nuovamente ai timori degli strateghi civili, l'amministrazione Kennedy, sebbene la sua azione ed i suoi pronunciamenti iniziali fossero apparsi maggiormente ispirati alla ricerca della superiorità, accettò poi la necessità di incoraggiare lo sviluppo di uno stabile equilibrio nucleare piuttosto che una situazione di palese vantaggio americano[55].

Per tutti i partecipanti al dibattito nucleare — quanti sostenevano la necessità di una superiorità strategica statunitense, quanti erano preoccupati che l'Unione Sovietica fosse sul punto di raggiungere tale superiorità e quanti erano convinti che la soluzione migliore fosse uno stallo senza ambiguità — la questione cruciale era la scelta tra le forze di primo o di secondo colpo. Già nel 1954, Bernard Brodie aveva delineato il problema con la consueta lucidità:

> Se [...] viviamo in un mondo in cui ciascuna delle due parti può attaccare l'altra di sorpresa distruggendo le sue capacità di scatenare una rappresaglia significativa (il che rappresenta per l'operazione quasi una definizione minima di «successo»), allora ha senso accarezzare il grilletto del proprio potere aereo strategico. Come sarebbe possibile, in queste circostanze, trattenere il proprio comando aereo strategico dalla missione decisiva di spuntare le armi all'avversario, in attesa di sperimentare altre strategie e forme di pressione? Sarebbe la tipica situazione del duello americano con la pistola, nello stile del Far West. Chi estrae l'arma per primo e mira meglio ottiene una vittoria giusta e limpida. L'altro muore. Ma se viceversa ci troviamo in una situazione in cui nessuna delle due parti può sperare di eliminare la capacità di rappresaglia dell'altra, allora la rinuncia che prima era suicida si trasforma in prudenza e la disponibilità a premere il grilletto diventa suicida[56].

V

Nella seconda metà degli anni Cinquanta, sembrava ragionevole supporre che la rapidità del progresso tecnologico sarebbe stata intrinsecamente destabilizzante. Le conquiste spettacolari sembravano la norma piuttosto che l'eccezione. Dopo il bombardiere a lungo raggio era venuto il radar, poi la bomba atomica, la bomba all'idrogeno, il satellite artificiale, l'ICBM e così via. Fintanto che nella ricerca e sviluppo venivano investite risorse massicce sembrava non esserci alcuna ragione di credere che la cadenza avrebbe subito un rallentamento. Inoltre, si credeva di poter intravedere uno schema dietro gli sviluppi tecnologici della sfida fra attacco e difesa. Di fronte a nuovi mezzi offensivi venivano fatti sforzi prodigiosi per sviluppare contromisure adeguate, che a loro volta stimolavano altre innovazioni in campo offensivo. Così, mentre negli anni Cinquanta le due parti erano fortemente impegnate nella costruzione di una difesa contro i bombardieri strategici, i missili a lungo raggio si stavano già avvicinando alle fasi finali di sviluppo. E per prevenire questa nuova sfida, si lavorava ormai da tempo ai missili antibalistici[57].

A riassumere tali aspettative provvide il rapporto Gaither, che fu presentato al presidente Eisenhower subito dopo la notizia del successo ottenuto dai Sovietici con lo Sputnik ed ebbe un'enorme influenza. Per il futuro esso non vedeva altro che «una corsa continua tra mezzi offensivi e difensivi. Nessuna delle due parti può permettersi di rimanere indietro o di non riuscire a uguagliare gli sforzi dell'altra. Non vi sarà limite alle diverse mosse e contromosse». La situazione dunque non tendeva alla stabilità, ma ad un «equilibrio estremamente instabile» in cui ciascuna delle due nazioni poteva arrivare vicino all'acquisizione della capacità decisiva soltanto per assistere al rovesciamento della situazione da parte dell'altra. Per il momento, e certamente senza che ciò avesse un'azione correttiva, «un attacco di sorpresa poteva determinare uno scontro frontale tra le due grandi potenze»[58].

Nel 1959, Bernard Brodie rispose alquanto cupamente alla domanda che si era posto cinque anni prima: «Oggi il vantaggio decisivo dovuto all'iniziativa di scatenare una guerra termonucleare illimitata può difficilmente essere contestato, poiché la parte che gode di tale vantaggio può ragionevolmente sperare, a certe condizioni, di annientare la capacità di rappresaglia dell'avversario»[59]. Brodie fondava questa affermazione sull'ipotesi che le tendenze manifestatesi all'epoca della guerra aerea sarebbero state altrettanto influenti nell'era dei missili. In una recensione del libro di Brodie, James King notava come ciò riflettesse i veri pericoli di questa transizione da un'epoca all'altra, così che i missili a lungo raggio venivano «valutati principalmente nei termini della minaccia senza precedenti che costituivano per i bombardieri nei loro aereoporti». Ma una volta che due forze missilistiche si fossero trovate di fronte, un attacco a sorpresa poteva apparire di gran lunga meno invitante, dal momento che i missili stessi potevano essere protetti più facilmente[60]. In effetti, ciò era stato fatto notare, già nel 1954, da alcuni scienziati che partecipavano al programma di sviluppo degli ICBM. I missili non si prestavano a combattersi reciprocamente. Essi potevano essere nascosti, protetti o tenuti in movimento per impedire che fossero distrutti al suolo, ed erano troppo rapidi per poter essere colpiti in aria. «Possiamo senz'altro attenderci che il passaggio ai missili intercontinentali sia seguito a breve da strategie fondamentalmente deterrenti»[61].

Questo è esattamente ciò che avvenne, contraddicendo i profeti della corsa tecnologica agli armamenti. Le forze missilistiche furono introdotte nella piena consapevolezza dei problemi di vulnerabilità. A partire dai primi anni Sessanta, alcuni missili vennero collocati in silos sotterranei di cemento armato.

Ancora più significativamente, altri vennero installati sui sottomarini nucleari. I missili balistici lanciati dai sottomarini (SLBM) furono celebrati come positivamente stabilizzanti. Le tecniche di guerra sottomarina non avevano (e non hanno ancora) fatto progressi sufficienti a minacciare seriamente la sopravvivenza di una forza sottomarina di dimensioni contenute, mentre i missili stessi erano alquanto imprecisi e, dunque, incapaci di allarmare il nemico minacciando i suoi mezzi di rappresaglia[62]. Nel 1964, due scienziati di punta, che da poco avevano ricoperto incarichi delicati nel governo, potevano suggerire che la tecnologia militare aveva raggiunto nella sua scalata una sorta di altopiano al di sopra del quale era improbabile un qualsiasi avanzamento decisivo. La popolazione non poteva essere protetta contro un attacco, ma le armi sì. I due scienziati indicavano un unico serio «elemento potenzialmente destabilizzante nell'attuale situazione di stallo nucleare»: lo sviluppo di «un'efficace difesa antimissile», che rappresentava l'ultima opportunità di arrivare ad una reale capacità di primo colpo. Gli autori, tuttavia, non ritenevano che questo sviluppo fosse probabile: le difese avrebbero dovuto essere assolutamente impenetrabili ed in grado di sopravvivere esse stesse ad un attacco concentrato; potevano, inoltre, essere progettate soltanto per far fronte alle caratteristiche note dei mezzi offensivi, che probabilmente sarebbero già stati perfezionati al momento di rendere operative le difese stesse[63]. Sembrava, dunque, che la condizione di stabilità affidata a forze di rappresaglia invulnerabili fosse stata raggiunta.

Il segretario alla Difesa Robert McNamara aveva assunto la carica con l'idea che, se si doveva combattere una guerra nucleare, andava fatto ogni sforzo per limitare i danni alla popolazione civile. Ma quando, analizzando le proposte per un programma di difesa civile generalizzata, si convinse che tutti i vantaggi rimanevano affidati ai mezzi offensivi e che il tentativo di sviluppare una difesa efficace sarebbe con ogni probabilità fallito ed avrebbe nello stesso tempo assunto un significato provocatorio, orientò i suoi sforzi al rafforzamento della stabilità[64]. L'idea fu riformulata come *mutual assured distruction*, il che rifletteva la preferenza di McNamara per la sistematizzazione e la quantificazione. La distruzione assicurata, introdotta nel vocabolario specialistico nel 1964, veniva definita come «la capacità di scoraggiare un attacco deliberato contro gli Stati Uniti od i loro alleati mantenendo costantemente, anche dopo aver subito un attacco di sorpresa, una chiara ed indiscutibile capacità di infliggere all'aggressore od agli aggressori un livello inaccettabile di danni»[65]. Il danno inaccettabile, calcolato sia in base alla legge dei rendimenti marginali decrescenti applicata alla distruttività nucleare, sia in base alle varie ipotesi circa la soglia di tolleranza sovietica, fu fissato tra il 20 e il 25% della popolazione ed al 50% della capacità industriale. Non c'era alcun dubbio che verso la metà degli anni Sessanta gli Stati Uniti potevano superare ampiamente questi livelli di distruzione.

Il concetto di *mutual assured distruction* fu sintetizzato nell'infausta sigla MAD[66] e, più tardi, venne severamente criticato in quanto indicava una preferenza per l'attacco contro obiettivi civili piuttosto che militari e per la minaccia alla popolazione di un altro Paese piuttosto che per la difesa della propria. Queste critiche erano ingiuste. McNamara non faceva altro che descrivere lo stato delle cose, che sembrava il migliore possibile dal punto di vista nucleare, mentre qualsiasi tentativo di modificarlo, a suo parere, avrebbe semplicemente portato all'instabilità. La distruzione assicurata costituiva più un aiuto alla pianificazione delle forze — un criterio con cui valutare eventuali nuovi sviluppi — che una dottrina di guerra nucleare. In questo secondo caso avrebbe portato a concentrare completamente l'attacco sulle città. In realtà, non si trattava di questo[67]. La MAD non era affatto una strategia e la sua debolezza di fondo (su cui ritorneremo) consisteva nell'assenza completa di indicazioni sull'uso delle forze strategiche nell'eventualità che la deterrenza fallisse il proprio scopo. L'ipotesi era che, essendo entrambe le parti in grado di assicurare la distruzione, i rischi connessi ad un'aggressione sarebbero stati tali da impedire semplicemente il fallimento della deterrenza[68].

La principale minaccia alla teoria della distruzione assicurata venne dai missili antibalistici (ABM). Se si voleva evitare un nuovo stimolo alla sfida attacco-difesa, allora bisognava resistere alle forti pressioni che negli Stati Uniti spingevano per lo sviluppo di un tale sistema d'arma. In realtà, fu l'Unione Sovietica a sviluppare i propri ABM, il che minò la posizione di McNamara. In base alla teoria della distruzione assicurata, la risposta americana a questa mossa non doveva essere uno sforzo equivalente nello stesso settore, bensì una spinta in avanti sul versante dei mezzi offensivi. McNamara prese questa iniziativa verso la fine del 1966, quando autorizzò lo sviluppo dei vettori a testata multipla indipendente (MIRV). Ciò indicava la divisione della parte frontale del missile in una serie di testate singole, moltiplicando in questo modo il numero degli ordigni che la difesa doveva fronteggiare[69]. Il fatto che l'Unione Sovietica stava sviluppando i propri ABM, insieme ai progressi della tecnologia radar, rese pressoché irresistibile la pressione per lo schieramento di un sistema ABM americano. McNamara si arrese all'inevitabile nel settembre del 1967, ma tentò di salvare il salvabile della situazione definendo, in modo poco convincente, il programma ABM americano come anticinese piuttosto che antisovietico e criticando aspramente la persistente dinamica della corsa agli armamenti. In un discorso straordinario per un segretario alla Difesa americano, che infatti si trasformò in una dichiarazione di commiato, McNamara identificò un fenomeno di azione-reazione: «Quali che siano le loro e le nostre intenzioni, le azioni — o addirittura, a voler essere realistici, le azioni potenziali — che ciascuno dei due intraprende nello sviluppo delle forze nucleari scatenano necessariamente una reazione da parte dell'altro». La sfida attacco-difesa, arrivata apparentemente ad uno stallo pochi anni prima, era sul punto di riprendere: «Se noi schierassimo un potente sistema ABM negli Stati Uniti, è chiaro che i Sovietici sarebbero fortemente motivati ad aumentare la propria capacità offensiva in misura tale da cancellare il nostro vantaggio difensivo»[70]. La differenza tra l'analisi fatta da McNamara e quella dei decenni precedenti stava nel fatto che egli, ammaestrato dall'esperienza di governo, era giunto ad ammettere che le valutazioni strategiche su cui andava basata la pianificazione implicavano informazioni imprecise, particolarmente riguardo alle capacità future dell'avversario, e potevano quindi essere orientate tanto da un'analisi razionale quanto da una sfiducia istituzionalizzata.

Negli anni successivi il fenomeno dell'«azione-reazione» e la preoccupazione per le pressioni istituzionali presenti dietro la corsa agli armamenti divennero un argomento centrale del dibattito strategico[71]. Esisteva il timore di una «folle precipitazione» (un'altra espressione di McNamara) che avrebbe spinto la corsa agli armamenti verso livelli più pericolosi proprio quando le cose avrebbero potuto stabilizzarsi in una situazione di *mutual assured distruction*. Gran parte di questa analisi era legata alla campagna per impedire lo schieramento di un sistema ABM americano. L'amministrazione Nixon, insediatasi nel 1969, ridefinì il piano anticinese che McNamara le aveva lasciato in eredità e lo trasformò in un programma destinato a proteggere i silos degli ICBM (ma non le città) da un attacco sovietico. Il governo ebbe qualche difficoltà a dimostrare che questo particolare sistema, noto come *Safeguard*, era efficace allo scopo, ma nello stesso tempo non poteva considerarsi una messa in discussione della capacità di distruzione assicurata da parte dei Sovietici[72].

Gli eventi dimostrarono in seguito che la sfida attacco-difesa non stava entrando in una fase nuova e più pericolosa. L'Unione Sovietica sembrò sufficientemente impressionata dalle rivelazioni sui mezzi, compresi i MIRV, con cui gli Americani si proponevano di penetrare nella rete della sua prima generazione di ABM e, di fatto, abbandonò il progetto nel 1968 per cominciare a sviluppare una seconda generazione di missili antibalistici. L'amministrazione Nixon, trovando difficile esprimere un giudizio di merito sul programma *Safeguard*, sostenne la necessità di continuare a sostenerlo come carta da giocare al tavolo dei negoziati sulla limitazione delle armi strategiche (SALT). Il primo accordo SALT fu firmato a Mosca nel maggio del 1972. Con esso le due parti decidevano di limitare strettamente lo spiegamento degli ABM, confermando con ciò la supremazia dell'attacco[73].

Quella tra attacco e difesa fu sempre, in pratica, una sfida a senso unico. L'aver preso più seriamente del dovuto il problema della difesa, negli anni Sessanta, lasciò dietro di sé uno strascico, sotto forma del programma MIRV, che avrebbe ossessionato il decennio successivo. Nel settore dei MIRV non esistevano problemi di fattibilità. Verso la metà degli anni Settanta, gli Stati Uniti avevano moltiplicato enormemente il numero delle testate installate su ICBM e SLBM. A partire dal 1967, il totale dei missili americani si era mantenuto costante al livello di 1.750. Ma dieci anni più tardi questi stessi missili potevano trasportare oltre 7.000 testate. Il programma MIRV sovietico cominciò in ritardo e rimase indietro nel campo dei vettori installati sui sottomarini. Le maggiori dimensioni dei suoi ICBM, però, facevano sì che l'Unione Sovietica potesse moltiplicare più rapidamente il numero delle testate e che la potenza di ogni singola testata fosse molto maggiore.

Le implicazioni di questa proliferazione delle testate ed i progressi paralleli della loro precisione nel colpire il bersaglio dominarono il dibattito strategico degli anni Settanta. Esamineremo questo dibattito più avanti. Per il momento è sufficiente notare che la principale conseguenza di questo sviluppo fu quella di favorire la preferenza per le opzioni *counterforce* ed in particolare la minaccia alle forze nemiche con base a terra. Sebbene siano stati fatti dei tentativi per dimostrare come anche i sottomarini stiano diventando sempre più vulnerabili[74], c'è accordo sulla scarsità dei segnali che indicano l'esposizione di quei sottomarini strategici relativamente silenziosi e dei loro missili a lungo raggio al rischio rappresentato dai mezzi offensivi attualmente prevedibili[75]. Se anche dovesse verificarsi un grosso salto di qualità nella guerra sottomarina, un attacco coordinato contro una serie così ampia di bersagli con sistemi non sperimentati e con un altissimo costo degli errori marginali comporta problemi scoraggianti ed incertezze troppo grandi per consentire un'azione preventiva a sangue freddo. La stessa riconosciuta vulnerabilità degli ICBM e dei bombardieri sfugge ad una vera capacità di primo colpo, collocandosi al di là del vantaggio strategico decisivo perseguito fin dagli anni Cinquanta e dell'instabilità di fondo temuta da quel momento in poi.

Negli anni Ottanta, abbiamo assistito ad un rinnovato interesse per la possibilità di un balzo in avanti sul versante della difesa. Nel marzo del 1983, il presidente Reagan chiamò a raccolta gli scienziati del Paese per contrastare «con misure difensive la terrificante minaccia dei missili sovietici». Egli pensava a nuove possibilità di sistemi collocati nello spazio che sfruttassero l'energia diretta per le intercettazioni. Il presidente dichiarò che con il suo progetto non era alla ricerca della «superiorità militare» (per quanto, se il programma fosse riuscito, avrebbe ben potuto sentirsi in possesso di tale superiorità). Egli ammise inoltre che il successo del progetto avrebbe richiesto decenni[76]. Altri dubitavano che esso sarebbe mai stato conseguito, per una serie di problemi tecnici, politici e di risorse[77]. Certamente non c'erano prove per dire che si trattasse di un passaggio decisivo dal versante dell'attacco a quello della difesa. Di fatto, il progetto del presidente sembrava dipendere da qualche sorta di limitazioni negoziate nel campo dei missili offensivi, così da ridurre la minaccia a dimensioni controllabili. Allo stato attuale, l'ipotesi più sicura è che la ricerca di una capacità di primo colpo ha buone probabilità di rivelarsi futile in futuro come ha già fatto in passato.

VI

I tentativi di trovare un possibile impiego delle armi nucleari come se fossero convenzionali o di sviluppare un'effettiva capacità di primo colpo erano comprensibili alla luce delle teorie prenucleari sul potere aereo strategico e tattico. Se nessuna di queste vie si dimostrò promettente, allora sarebbe stata necessaria una vera e propria rivoluzione di pensiero capace di rispecchiare quella tecnologica.

L'*escalation* fu il concetto di base attorno a cui ruotarono molti dei tentativi di sviluppare una strategia nucleare convincente. Il termine viene oggi usato per indicare una trasformazione qualitativa del carattere di un conflitto verso una crescita in ampiezza ed in intensità. Il concetto ha richiesto un certo periodo di sviluppo ed è stato usato in molti modi diversi[78]. Esiste ora un accordo generale sul fatto che esso si riferisce a qualcosa di più del semplice allargamento di un conflitto ed implica piuttosto il superamento di un limite accettato in precedenza da entrambe le parti. Un limite del genere è, ad esempio, quello tra obiettivi militari e civili, tra l'attacco al territorio degli alleati e quello delle stesse superpotenze e tra l'uso di armi convenzionali e nucleari. Per quanto questo tipo di processo sia riscontrabile in molti conflitti prenucleari[79], mancano le esperienze che possano fare da guida ai conflitti dell'era atomica. Fortunatamente nessun «confronto» [*confrontation*] tra le superpotenze ha superato il livello toccato dalla crisi dei missili cubani nel 1962.

Ciò significa che i tentativi di predire il corso di una guerra futura hanno sempre implicato una buona dose di congetture. La soglia nucleare — il punto in cui vengono lasciate cadere le inibizioni all'impiego delle armi nucleari — poteva essere individuata con chiarezza, ma molte delle questioni più interessanti ruotavano attorno all'esistenza ed alla validità di altre soglie, al di là di essa. Herman Kahn, che prese parte al tentativo di sviluppare il concetto, riuscì ad identificare 44 gradini di una «scala dell'escalation», con le armi nucleari che iniziavano ad essere usate al quindicesimo gradino, sebbene la soglia nucleare non si considerasse veramente superata fino al ventiduesimo. Kahn non sostenne che la sua scala avesse un carattere di predizione e riconobbe inoltre la possibilità che l'Unione Sovietica lavorasse sulla base di una scala completamente diversa. Il punto che egli intendeva chiarire, argomento costante di tutto il suo lavoro, era che i responsabili politici potevano esercitare il proprio controllo lungo tutto il percorso verso il finale apocalittico di una *spasm war* [«guerra spasmodica od insensata» nella traduzione italiana, *NdT*][80]. Il primo problema riguardava la facilità con cui potevano essere riconosciute le soglie principali, il secondo la volontarietà o meno del loro superamento. Negli ultimi due decenni gran parte del dibattito sulla strategia nucleare si è incentrato sull'eventuale possibilità per uno dei due avversari di controllare un conflitto nucleare in modo da non dover soffrire un livello di danni inaccettabile, raggiungendo però nello stesso tempo i propri obiettivi strategici.

Abbiamo già considerato i problemi inerenti al tentativo di conseguire questo risultato attraverso un primo colpo o con l'impiego di armi nucleari tattiche. La discussione sulle possibilità di una guerra nucleare limitata è rilevante per la questione dell'escalation perché indica una fiducia sempre minore nella capacità di controllare il corso di un conflitto nucleare già ai primissimi stadi.

Se le armi nucleari non potevano essere usate per ottenere una vittoria immediata, allora il loro impiego avrebbe dovuto sintonizzarsi ad obiettivi politici. Secondo Kahn, «quasi tutti gli analisti concordano oggi sul fatto che l'uso iniziale delle armi nucleari — anche contro obiettivi militari — sia più probabilmente inteso a raggiungere scopi di compensazione, avvertimento, patteggiamento, punizione, sanzione o deterrenza piuttosto che a distruggere le forze militari od ostacolare le operazioni dell'avversario»[81]. Ma la maggior parte dei tentativi di sviluppare una strategia nucleare più «politica» non andarono molto oltre l'idea di un brutale processo di mercanteggiamento o di una «gara della determinazione»[82]. La difficoltà presentata da molti degli schemi proposti risiedeva nell'estrema complessità di una loro eventuale applicazione e nel fatto che il loro successo sarebbe dipeso da un grado di comprensione reciproca improbabile durante un conflitto nucleare.

Una cosa era illustrare il tipo di ragioni che potevano spingere alla scelta alquanto ipotetica di uno scontro nucleare precoce, una cosa completamente diversa era spiegare come questo scontro poteva condurre ad una risoluzione soddisfacente del conflitto. Nel caso che le due parti agissero entrambe secondo certe regole condivise, come potevano queste consentire all'una od all'altra di migliorare la propria posizione complessiva nel conflitto grazie a questa o quella mossa? Se il nucleare poteva essere preso in considerazione soltanto in caso di insuccesso sul piano convenzionale, avrebbe avuto senso servirsi del colpo iniziale per raggiungere un obiettivo politico piuttosto che per ristabilire la posizione militare sul campo? Uno scontro nucleare poteva portare a risultati radicalmente diversi da quelli che sarebbero stati raggiunti altrimenti? Quale importanza avrebbero avuto fattori diversi da quello nucleare, in particolare lo svolgimento di una battaglia campale in Europa, nel determinare l'esito finale? L'eventuale riuscita degli interventi nucleari sarebbe stata da imputarsi alla relativa capacità di sopportare la rappresaglia od alla diversa importanza della posta in gioco nella sfida che aveva originato il conflitto?

Alla fine, emersero due approcci fondamentali al problema dell'escalation. Il primo comportava il tentativo di prevalere in un conflitto dominando a qualsiasi livello dell'escalation ed attribuendo all'avversario l'onere del passaggio ad un livello più alto e più pericoloso. Il secondo consigliava di sfruttare le incertezze inerenti al processo di escalation a fini di deterrenza, avvertendo l'altra parte che la situazione poteva finire fuori controllo. Il modo migliore per capire il significato di questi due approcci è quello di esaminare il punto di vista di due eminenti teorici: Herman Kahn e Thomas Schelling.

Come abbiamo già notato, l'ipotesi di fondo fatta propria da Kahn suggeriva che anche un conflitto nucleare avrebbe potuto essere condotto in modo controllato e discriminante. Sarebbero stati in gioco elementi di irrazionalità, ma anche questi potevano essere sfruttati per qualche scopo razionale. Se, per usare una metafora familiare, uno scontro fra le due superpotenze assomigliava alla sfida adolescenziale del «fifone» [«*chicken*»], in cui due vecchie automobili venivano lanciate l'una contro l'altra ed il fifone era quello che sterzava per primo, allora il fatto di fingere irresponsabilità ed avventatezza presentava dei vantaggi. La situazione, però, sarebbe degenerata in una pura e semplice gara di determinazione solo se vi fosse stata una totale simmetria di capacità, cosa che molto probabilmente non si sarebbe verificata. A ciascuno stadio dell'escalation una delle due parti si sarebbe sentita meglio attrezzata per il combattimento. E ad uno stadio in cui il nemico godesse del vantaggio si sarebbe dovuto decidere se cercare un accordo a condizioni molto sfavorevoli od alzare la posta passando allo stadio successivo, più violento e pericoloso e forse meno controllabile, ma dove i vantaggi potevano distribuirsi in modo più favorevole.

Una decisione del genere sarebbe stata tanto più difficile da prendere quanto più bisognava salire i gradini dell'escalation per avere una ragionevole possibilità di successo. Sebbene la logica finale puntasse dunque verso la «guerra spasmodica», in cui entrambe le parti avrebbero perso tutto, una modesta asimmetria di capacità ad uno dei livelli inferiori avrebbe fatto in modo da scaricare un peso intollerabile sulla parte costretta ad alzare la posta. Kahn descrive questa situazione come «dominanza nell'escalation»: «Questa capacità, a parità di altri fattori, mette chi la possiede in condizione di sfruttare consistenti vantaggi in una data porzione della scala [...] Essa dipende dall'effetto a reazione delle capacità che si fronteggiano su un determinato gradino, dalla valutazione di ciascuna delle due parti sui possibili sviluppi dello scontro in caso di passaggio ai gradini successivi e dai mezzi a disposizione delle due parti per spostare lo scontro su questi altri gradini»[83].

In termini operativi, le maggiori difficoltà di questo approccio erano date dal fatto che all'atto pratico, probabilmente, la graduazione dell'escalation non sarebbe apparsa così chiaramente definita come risultava in teoria. A livello convenzionale certe soglie potevano sembrare evidenti ma, una volta superata quella nucleare, le altre potevano essere più controverse e più difficili da riconoscere. In particolare, rimaneva aperto il problema della pronta distinzione tra attacchi limitati contro obiettivi militari ed attacchi massicci sulle città (visti i danni collaterali che sarebbero probabilmente derivati anche dall'esplosione dell'ordigno nucleare meno potente) o tra attacchi agli alleati ed attacchi al territorio della superpotenza (data la prossimità del territorio sovietico al campo di battaglia europeo). Che cosa sarebbe accaduto se una delle due parti avesse tentato una mossa non riconosciuta dall'altra come progressione ordinata lungo la scala o se le difficoltà di comunicazione avessero portato ad una sostanziale sopravvalutazione delle attività nemiche? In mancanza di garanzie sulla capacità di tenere sotto controllo la situazione avrebbe potuto verificarsi un processo di escalation involontario, così che le due parti si sarebbero trovate coinvolte contro le proprie migliori intenzioni in uno scontro nucleare massiccio. In pratica, era probabile che la soglia critica fosse proprio quella nucleare. Era questa la conclusione a cui erano arrivati i primi teorici della guerra nucleare limitata. In tal caso, la dominanza più utile sarebbe stata quella a livello convenzionale. Affidarsi ad una presunta dominanza in un certo tipo di capacità nucleare quando non c'era modo di proteggere la propria società dagli errori di calcolo costituiva un fragile punto d'appoggio a scopi di deterrenza od un mezzo per rafforzare la propria posizione negli stadi iniziali di un conflitto.

Un metodo alternativo di sfruttare l'escalation puntava sulle incertezze inerenti al processo. Schelling sosteneva che anche dopo il fallimento della deterrenza nel compito primario di prevenire lo scoppio della guerra, ci sarebbe ancora stata una possibilità di recuperare la situazione. Il punto importante era di ricordare che le armi nucleari avevano un effetto deterrente non per la loro capacità di ristabilire l'equilibrio militare, ma per quella di provocare danni. Ciò poteva sempre influenzare l'avversario anche dopo lo scoppio delle ostilità. Le armi nucleari avrebbero cessato di esercitare tale influenza soltanto dopo il loro completo esaurimento e potevano dunque servire da deterrente soltanto mentre ancora esistevano come minaccia potenziale. Tale minaccia sarebbe stata maggiormente credibile *a)* se non era bilanciata da una contro-minaccia, divenuta ormai impossibile, oppure *b)* se veniva messa in atto automaticamente dal comportamento scorretto dell'avversario, sebbene probabilmente nessuna delle due parti si sarebbe messa in questa posizione in un caso diverso da *a)*. La minaccia perciò rischiava di rivelarsi un bluff, specialmente se già una volta non era stata messa in atto in seguito all'aggressione del nemico.

Ma supponiamo che ci fosse il rischio inevitabile di arrivare ad uno scontro senza che nessuna delle due parti lo giudicasse un gesto particolarmente razionale nelle circostanze date. Schelling non si attendeva che l'escalation fosse il risultato delle mosse deliberate derivanti dalle analisi di governi pienamente consapevoli delle proprie azioni: «L'esercizio della violenza, specialmente in guerra, è un'attività confusa ed incerta, altamente imprevedibile in quanto legata a decisioni prese da esseri umani soggetti all'errore ed organizzati in governi imperfetti che dipendono da sistemi di comunicazione e di allarme fallibili e dalle prestazioni non sperimentate di uomini e mezzi. Si tratta inoltre di un'attività a caldo, in cui la coerenza con gli impegni presi ed i problemi di reputazione possono sviluppare una dinamica propria»[84]. Nel passaggio dalla guerra limitata a quella generale c'era l'inevitabile rischio di perdere il controllo della situazione, particolarmente dopo il ricorso all'uso delle armi nucleari. Il problema era quello di sfruttare questo rischio con una tattica accorta. Avendo lasciato che la situazione cominciasse a deteriorarsi, si sarebbe costretto l'avversario ad affrontare la possibilità che le cose finissero completamente fuori controllo e ciò avrebbe potuto renderlo più accomodante. Se, in tempo di pace o di guerra, la deterrenza non poteva essere credibile fintanto che il suo detentore controllava pienamente la situazione, allora era necessario allentare parzialmente il controllo per guadagnare in credibilità. Schelling definì questo scenario come «la minaccia che lascia qualcosa al caso». «La chiave di questa minaccia», spiegava, «è che, indipendentemente dalla sua eventuale messa in atto, *la decisione finale non è pienamente sotto il controllo di chi esercita la minaccia stessa*»[85].

Questo approccio prevedeva di creare una situazione in cui solo l'arrendevolezza dell'altro poteva eliminare la tensione ed il rischio condivisi da entrambi[86]. Ciò, naturalmente, ipotizzava che l'avversario fosse capace di un controllo tale da poter essere arrendevole. I pericoli di affidare all'avversario la responsabilità di un conflitto così decisivo erano chiaramente enormi. Avrebbero comportato l'abdicazione dalle proprie responsabilità nel momento più critico della storia di una nazione. Cionostante Schelling aveva una consapevolezza molto maggiore del carattere di una guerra futura rispetto a Kahn, o ad altri convinti come lui che la guerra nucleare potesse assumere la forma di uno scambio di segnali alquanto stilizzati e scarsamente preoccupati di ciò che sarebbe accaduto ai loro destinatari. Nella misura in cui i semplici preparativi per una guerra di natura così incerta rappresentavano di fatto una minaccia che lasciava qualcosa al caso, Schelling offriva un'analisi valida del modo in cui la deterrenza poteva operare in tempo di pace, in funzione del timore dell'ignoto piuttosto che delle minacce specifiche da parte del nemico potenziale. Nell'analizzare la deterrenza in tempo di guerra, il lavoro di Schelling risultava meno convincente: non riusciva infatti a spiegare i meccanismi per cui scaricare sul nemico l'onere del passaggio a livelli superiori di violenza avrebbe indotto quest'ultimo non a difendere lo *status quo*, ma a cedere le posizioni già conquistate. Qui l'indifferenza di Schelling per la situazione militare sul campo si rivelava una sostanziale debolezza.

VII

Per la maggioranza degli strateghi il concetto di dominanza nell'escalation era molto più stimolante della minaccia parzialmente affidata al caso. Nei tardi anni Cinquanta, alla Rand Corporation si lavorò per sviluppare una tattica nucleare che prevedesse un attacco *counterforce* lasciando in riserva quello contro gli obiettivi urbani ed industriali. L'ipotesi era che fino a quando le loro città non fossero state attaccate, i Sovietici sarebbero stati incentivati a rispondere solo sullo stesso piano agli attacchi americani contro obiettivi militari, sebbene in questo settore l'Unione Sovietica non fosse particolarmente ben attrezzata. Nel gennaio del 1961, Robert McNamara invitò numerosi specialisti provenienti dalla Rand a lavorare per lui al Pentagono e costoro portarono con sé le proprie idee su una strategia nucleare flessibile. Verso la metà del 1962 queste idee trovarono riscontro nella politica ufficiale[87].

Lo stesso McNamara accolse il punto di vista secondo cui le autorità centrali dovevano conservare il controllo della situazione il più a lungo possibile, anche dopo lo scoppio di una guerra nucleare. Ben presto, di fronte ad una commissione del Congresso, egli spiegò di volere una forza strategica «con caratteristiche tali da consentirci di utilizzarla, in caso di attacco, in modo freddo e deliberato e sempre sotto il controllo delle autorità costituite»[88]. Nel luglio del 1962, nella presentazione pubblica di un discorso segreto, già tenuto in sede NATO, McNamara disse:

> Gli Stati Uniti sono arrivati alla conclusione che, nei limiti del possibile, la strategia militare di fondo in una possibile guerra nucleare generale dovrebbe essere affrontata nello stesso modo in cui in passato ci si è accostati ad opzioni militari più convenzionali. Ciò significa che nell'eventualità di una guerra nucleare provocata da un attacco di ampie proporzioni contro l'Alleanza il principale obiettivo militare dovrebbe essere quello di colpire le forze armate del nemico, non la sua popolazione civile.

La forza e la natura dell'Alleanza ci consentono di mantenere, anche nel caso di un massiccio attacco a sorpresa, una capacità nucleare di riserva sufficiente a distruggere la società del nemico, se fossimo spinti a farlo. In altre parole noi offriamo ad un eventuale avversario il maggior incentivo possibile ad astenersi dall'attaccare le nostre città[89].

Dato che la strategia ereditata da McNamara prevedeva, nel caso di una guerra nucleare generale, un attacco massiccio ed indiscriminato contro la popolazione dell'Unione Sovietica, della Cina e dell'Europa orientale, l'approccio più controllato e flessibile adottato dal segretario alla Difesa era davvero rivoluzionario. La difficoltà stava nel suo prestarsi ad una varietà di interpretazioni. Ciò era dovuto in parte alla novità dei concetti introdotti, ma in parte anche alla scarsa chiarezza sugli obiettivi ed al mancato collegamento della dottrina con lo stato degli affari internazionali nei primi anni Sessanta. È necessario ricordare l'influenza avuta dalla garanzia nucleare nei confronti dell'Europa occidentale come elemento essenziale nello sviluppo della dottrina strategica americana. Per riconoscimento generale, l'enigma di fondo era dato dal fatto che un attacco convenzionale sovietico contro l'Europa occidentale non avrebbe potuto essere respinto senza ricorrere alla minaccia nucleare; quest'ultima, però, mancava di credibilità, vista la portata della controminaccia sovietica.

McNamara tendeva a negare che la situazione sul piano convenzionale fosse senza speranza e tentò in ogni modo, mentre era in carica, di convincere gli alleati di questa sua valutazione. Se essa fosse stata valida, allora la logica avrebbe portato a rimuovere la dipendenza della NATO dalla minaccia del ricorso alle armi nucleari. Nel 1961, questa idea tentò il presidente Kennedy. Egli si trattenne dall'adottarla perché la sola crisi di quell'anno riguardava Berlino Ovest, l'unica parte del territorio alleato indifendibile con i mezzi convenzionali. Nel corso della crisi Kennedy fu costretto a riaffermare la minaccia di usare per primo l'armamento nucleare.

Se anche l'Occidente fosse stato obbligato all'escalation, il governo americano prometteva di attaccare obiettivi militari e di evitare le città. Il tipo di bersaglio che molti avevano in mente non erano le installazioni nucleari sovietiche, che sarebbero state prese di mira solo in ultima istanza, ma gli obiettivi collegati alla guerra campale in Europa. Sarebbe stato tuttavia difficile per l'Unione Sovietica non interpretare il discorso di McNamara — e la crescita della potenza missilistica americana che l'accompagnò — come una serie di preparativi all'eventualità di sferrare il primo colpo. Questo problema di interpretazione era accentuato dal fatto che i concetti alla base della nuova strategia erano stati sviluppati in un periodo in cui si riteneva che l'Unione Sovietica stesse vincendo la corsa agli armamenti nucleari. Ma all'epoca in cui il governo cominciò a delineare pubblicamente la strategia stessa, risultava ormai chiaro non solo che l'Unione Sovietica era molto indietro, ma anche che gli Americani lo sapevano, grazie all'introduzione dei satelliti-spia[90].

Di certo i leader sovietici reagirono con allarme alla nuova dottrina ed all'espansione dell'armamento americano. Il premier Krusciov aveva recentemente annunciato la crescente forza sovietica in campo missilistico e ne aveva fatto la base di una revisione della strategia sovietica. Egli reagì con numerosi espedienti, compreso quello di tenere sotto pressione la vulnerabilità dell'Europa occidentale, rendendola così ostaggio della lealtà americana. Nell'autunno del 1962, Krusciov tentò una mossa più azzardata delle altre e cercò di ristabilire l'equilibrio installando segretamente dei missili a Cuba ed aprendo con ciò una delle crisi più gravi dell'epoca nucleare. Non incoraggiò, invece, in alcun modo l'idea che l'Unione Sovietica fosse interessata a combattere quella specie di conflitto controllato che era stato proposto da McNamara. Del resto, nei primi anni Sessanta, i Sovietici non avrebbero potuto combattere a quel modo neanche se avessero voluto. Posero invece l'accento sul carattere terroristico del proprio arsenale nucleare, anche con un gigantesco test atmosferico da 56 megatoni effettuato nel settembre del 1961. Va inoltre osservato che durante la crisi dei missili cubani il presidente Kennedy non agì affatto secondo la nuova strategia: egli negò all'Unione Sovietica un'opzione *counterforce* disperdendo gli aerei militari americani negli aereoporti civili e minacciando una «rappresaglia piena».

McNamara si mostrò preoccupato per l'interpretazione che l'Unione Sovietica dava della nuova strategia, ed ancora più preoccupato per l'evidente desiderio dell'aviazione americana di confermare i peggiori timori sovietici preparandosi all'eventualità di assestare un primo colpo vero e proprio. Le discussioni all'interno dell'amministrazione, durante la crisi di Berlino e quella dei missili cubani, convinsero quanti vi presero parte del fatto che l'uso delle armi nucleari su qualsiasi scala si sarebbe probabilmente rivelato un'opzione non praticabile per gli Stati Uniti[91]. McNamara si preoccupò molto più di assicurare che la soglia nucleare non sarebbe stata superata piuttosto che di definire le mosse da compiere dopo un suo eventuale superamento. Quasi subito dopo l'annuncio della nuova strategia il segretario alla Difesa cominciò a prendere le distanze da essa, anche se all'inizio cercò di conservarne alcuni aspetti parlando della necessità di limitare i danni prima di accettare l'inevitabile tragedia della guerra nucleare concentrandosi sulla distruzione assicurata.

In termini teorici, McNamara agiva ancora in una cornice di «dominanza nell'escalation», soprattutto nel tenere di riserva forze di secondo colpo per avvertire l'Unione Sovietica dei pericoli di un'escalation a quel livello; egli aveva però abbandonato l'idea di soglie riconoscibili al di sopra di quella nucleare. Questa convinzione che la soglia nucleare non dovesse essere superata lo mise in conflitto con gli europei occidentali. Questi ultimi, naturalmente, non erano certo ansiosi di oltrepassare tale soglia, ma erano preoccupati dalle conseguenze delle argomentazioni americane sulla deterrenza.

Per la protezione nucleare gli europei dipendevano dagli Stati Uniti, ma coglievano perfettamente gli elementi di irrazionalità che la capacità di rappresaglia sovietica aveva introdotto nella garanzia nucleare americana. Quanto più gli Americani parlavano della necessità di evitare il salto sul terreno nucleare, tanto più gli europei sospettavano che quella garanzia sarebbe stata ritirata. Gli Americani riducevano i rischi di rimanere coinvolti in una guerra europea ma, confermando l'improbabilità di un'escalation al livello nucleare, riducevano anche i rischi a cui andavano incontro i Sovietici se avessero deciso di scatenare un'aggressione. Un potenziamento delle forze convenzionali della NATO avrebbe potuto impedire una vittoria sovietica, ma per il Cremlino i costi di un eventuale insuccesso sarebbero stati scarsi, in quanto il territorio sovietico ne sarebbe uscito intatto. Caduti i timori di una catastrofe nucleare, il calcolo dei rischi da parte dei Sovietici sarebbe risultato pericolosamente semplificato. Per gli europei la deterrenza doveva riguardare qualsiasi tipo di guerra, non soltanto la guerra nucleare, e richiedeva almeno una qualche prospettiva di ricorso alle armi nucleari.

McNamara era ansioso di evitare che gli alleati spingessero gli Stati Uniti ad un conflitto nucleare non voluto, e perciò era particolarmente preoccupato da un'ulteriore questione: lo sviluppo tra gli europei di piccoli arsenali nucleari. Nel discorso del luglio 1962, con cui delineò la nuova strategia, stigmatizzò questi arsenali come «pericolosi, predisposti all'obsolescenza e, in quanto deterrente, privi di credibilità». I Francesi, in particolare, mossero forti obiezioni a quello che interpretavano correttamente come un tentativo di escluderli dalla cerchia delle potenze nucleari. Essi non condividevano la fiducia americana nella praticabilità di una difesa convenzionale e sostenevano perciò che la deterrenza dipendeva ormai dalla pura e semplice incertezza sugli esiti di un'eventuale guerra. La moltiplicazione dei centri decisionali contribuiva a questa incertezza e rafforzava pertanto la deterrenza[92].

Le critiche francesi alla NATO erano dovute in parte ai dubbi sulla credibilità della garanzia americana ed alla preferenza per un sistema nazionale di deterrenza, in parte all'idea che i legami interni all'alleanza si stessero allentando. Quest'ultima ipotesi era sbagliata e le strutture europee dell'alleanza si mantennero salde anche quando, nel 1966, la Francia lasciò il comando militare integrato della NATO. Né avvenne che altri Paesi si affrettassero a seguire l'esempio francese nello sviluppo di un arsenale nucleare indipendente. A questo proposito la Germania Occidentale giocava il ruolo più importante. I Tedeschi sapevano che, se avessero deciso di muoversi in quella direzione, in tutta l'Europa si sarebbero messi a suonare i campanelli di allarme; preferirono, dunque, usare la remota possibilità di una simile mossa come arma per influenzare gli Stati Uniti[93]. Il desiderio di mantenere il controllo su tutte le decisioni di carattere nucleare e nello stesso tempo di soddisfare le aspirazioni europee al coinvolgimento in queste decisioni condusse a schemi estremamente artefatti, il più noto dei quali fu quello della forza multilaterale[94].

L'accusa principale che gli europei rivolgevano agli Stati Uniti era di voler ritirare la propria garanzia nucleare ponendo continuamente l'accento sulla necessità di tenersi bene a distanza dalla relativa soglia. Alla fine fu raggiunto un compromesso. Nel 1967 — con gli irriducibili Francesi ormai fuori — la NATO adottò la strategia della risposta flessibile[95]. Essa consisteva più in una formula verbale che in un piano d'azione attentamente studiato ed era perciò soggetta ad una serie di interpretazioni diverse, il che era inevitabile, in quanto cercava di conciliare punti di vista opposti.

Agli Americani veniva concesso l'assenso sulla mancanza di automatismo nella risposta nucleare ad un attacco convenzionale. Si sarebbe tentato di respingere l'aggressione con i mezzi convenzionali. Se questo tentativo fosse fallito, si sarebbe passati alle armi nucleari tattiche. Se neanche questo avesse portato ad una soluzione soddisfacente del conflitto, si sarebbe fatto ricorso all'arsenale strategico americano. Tutto ciò non era che una riaffermazione dell'idea accettata e semplificata di una graduazione dell'escalation. Ci si chiedeva però se la progressione lungo la scala sarebbe stata deliberata od involontaria, se la NATO puntava alla dominanza nell'escalation o si affidava semplicemente ad una minaccia che lasciava qualcosa al caso.

Una serie di ragioni rendeva evidente che l'approccio adottato sarebbe stato il secondo, se non altro per eliminazione. Gli europei si stavano dimostrando estremamente resistenti alle pressioni degli Americani per convincerli dell'immediata praticabilità di un'opzione convenzionale[96]. Una delle condizioni a cui subordinavano l'adozione della nuova strategia era che non si chiedesse loro di aumentare le spese per le forze terrestri, mentre l'esercito americano era ormai invischiato nella guerra del Vietnam e da parte degli Stati Uniti c'era scarso interesse ad accrescere i propri impegni in Europa. Erano dunque poche le possibilità che la NATO arrivasse a sentirsi capace di dominare a livello convenzionale.

Se vi fosse stata la certezza che le armi nucleari tattiche (da campo di battaglia) potevano volgere a favore dell'Occidente una guerra campale in Europa, sarebbe stato possibile arrivare alla dominanza in quel settore. Ma, come abbiamo visto, esisteva ormai solo una debole convinzione circa la possibilità di combattere una guerra nucleare limitata. Per gli europei, l'importanza di queste armi risiedeva proprio nel loro essere nucleari e non nella possibilità di usarle come se fossero armi convenzionali. Il loro valore non stava nell'impedire un'escalation a livello strategico, ma nel creare appunto il rischio di una tale eventualità. Secondo la dottrina queste armi avrebbero chiamato in causa l'arsenale strategico americano nel caso di una guerra campale europea, in modo che l'Unione Sovietica non potesse evitare il rischio di un conflitto nucleare totale se avesse preso in considerazione un'aggressione convenzionale locale. Nei primi studi condotti dal Gruppo di Pianificazione Nucleare della NATO (diretto in via eccezionale dagli Europei) sull'attuazione della risposta flessibile l'accento fu posto sull'uso iniziale delle armi nucleari per segnalare alla leadership sovietica la propria determinazione, piuttosto che per acquisire un vantaggio militare[97].

All'inizio degli anni Settanta, l'adozione contemporanea della risposta flessibile e della distruzione assicurata dimostravano ormai una mancanza di fiducia nella possibilità di individuare e rispettare delle soglie distinte una volta superata quella nucleare. Fintanto che le armi nucleari erano disponibili ed in qualche modo legate alla difesa degli Stati Uniti e dei loro alleati, il rischio corso da un aggressore sarebbe stato inaccettabile. Non c'era alcuna necessità di approfondire eccessivamente l'imbarazzante problema di ciò che sarebbe accaduto se la deterrenza avesse fallito il proprio scopo, in quanto c'erano ben pochi motivi di pensare ad una tale eventualità. I primi anni Settanta furono un periodo di distensione, in cui le due superpotenze sembravano voler comporre le proprie differenze. Anche nelle aree di conflitto e di crisi che ancora rimanevano le armi nucleari apparivano largamente irrilevanti. Nessuna delle due parti praticava una diplomazia nucleare. L'ultima crisi in cui le armi nucleari avevano svolto chiaramente un qualche ruolo era stata quella dei missili cubani nel 1962. Verso la fine della guerra arabo-israeliana dell'ottobre 1973 fu dichiarato lo stato di all'erta delle forze strategiche americane per dissuadere l'Unione Sovietica da un intervento diretto a favore dell'Egitto. L'interessante di questo incidente è che la minaccia degli Stati Uniti consisteva nel rischio che la situazione finisse fuori controllo: era cioè una minaccia parzialmente affidata al caso[98].

VIII

Nel corso degli anni Settanta la dipendenza da una minaccia così poco specifica cominciò ad essere messa in discussione. Fidarsi di lasciare le cose al caso sembrava una rinuncia alla strategia, sebbene fosse realistico stando alle paure ed alle percezioni effettive dei leader politici nonché alla difficoltà di controllare il processo di escalation una volta avviato. Era una scelta che non forniva orientamenti sulla programmazione delle forze e sulla previsione degli obiettivi da colpire.

L'insoddisfazione per questa scelta si concentrò all'inizio sulla questione della *mutual assured distruction*. Per quanto gli strateghi americani non prevedessero come unica opzione un attacco totale contro le città, si riteneva che l'accento posto sulla distruzione assicurata comportasse un'eventualità del genere. Nel 1970, il presidente Nixon chiedeva, ad esempio, nel suo rapporto al Congresso sulla politica estera: «Dovrebbe il presidente, nel caso di un attacco nucleare, essere lasciato con la sola opzione di ordinare l'uccisione in massa della popolazione civile nemica, sapendo che ne seguirebbe quasi certamente il massacro in massa degli Americani?»[99] La burocrazia non fece molto per accogliere l'indicazione del presidente in favore di opzioni più praticabili, ma numerosi specialisti esterni si fecero carico della frustrazione per lo stato di cose esistente. Fred Iklé, ad esempio, stigmatizzò «l'attuale compiaciuta soddisfazione per la solidità e la stabilità della deterrenza reciproca», affidata com'era «ad una forma di guerra universalmente condannata fin dal Medioevo: l'uccisione in massa degli ostaggi». La risposta era che, sebbene fosse spiacevole affidarsi alla minaccia della distruzione reciproca come fonte di pace, essa sembrava funzionare ed in ogni caso era un dato di fatto che si collocava in pratica al di là delle scelte politiche[100].

Ma, gradualmente, il desiderio di un cambiamento prendeva corpo ed i suoi effetti si palesarono nelle prese di posizione ufficiali. C'erano numerosi fattori che spiegavano questa trasformazione. In primo luogo, il deterioramento delle relazioni internazionali rese più pertinente il problema di che cosa fare in caso di fallimento della deterrenza. In secondo luogo, fu fatto notare che, per quanto gli Stati Uniti si affidassero alla minaccia onnicomprensiva della distruzione di massa, i Sovietici si muovevano in modo molto più articolato e stavano sviluppando una strategia che prevedeva l'effettiva possibilità di combattere una guerra nucleare. Ciò comportava l'attacco alle forze militari americane per limitare la loro capacità di danneggiare l'Unione Sovietica e le sue strutture strategiche, e forse anche per preparare il terreno a una vittoria militare tradizionale. I timori che l'Unione Sovietica cercasse di ottenere un vantaggio strategico decisivo furono ulteriormente alimentati dal rafforzamento militare sovietico, che era iniziato verso la metà degli anni Sessanta ed investiva tutti i tipi di capacità militare. Gli aspetti preoccupanti della dottrina sovietica erano già noti da tempo. A renderli più seri era l'evidente convergenza tra dottrina e capacità effettiva[101].

Anche gli sviluppi verificatisi nella tecnologia degli armamenti incoraggiarono l'ipotesi che stesse diventando possibile una tattica nucleare più sofisticata. L'arrivo delle testate multiple, la riduzione del rapporto peso-potenza, la capacità di programmare su misura gli effetti nucleari, lo sviluppo crescente dei sistemi di comunicazione, comando, controllo e sorveglianza e, soprattutto, la capacità di colpire con straordinaria precisione bersagli molti piccoli e protetti: erano tutti elementi capaci di contribuire alla sensazione che le armi nucleari stessero sempre più diventando strumenti da poter usare in modo accurato e discriminante.

Un ultimo fattore d'influenza sull'interpretazione della strategia nucleare negli anni Settanta che qui va menzionato è il controllo degli armamenti. Dal punto di vista formale gran parte dell'attività negoziale di questo decennio mirava a creare una situazione di parità fra le due superpotenze. L'importanza di questa parità o del tipo di asimmetrie effettivamente esistenti tra le strutture militari dei due Paesi era del tutto discutibile, data l'enorme quantità di armi nucleari offensive a disposizione di entrambi. I negoziati sulla questione, tuttavia, incoraggiarono inevitabilmente il dibattito sul significato di particolari disparità[102]. Incoraggiarono anche la distinzione tra specifiche categorie di armi nucleari: quelle «strategiche», quelle «intermedie» e quelle «a corto raggio». Ciò era giustificato dal semplice problema di suddividere i negoziati in aree praticabili, ma ebbe anche l'importante conseguenza di rafforzare l'idea di una graduazione dell'escalation[103].

Nel corso degli anni Settanta, tutti questi fattori contribuirono ad incoraggiare un ritorno a strategie basate sul concetto di dominanza nell'escalation. Il processo cominciò nel 1974 quando il segretario alla Difesa James Schlesinger annunciò che sarebbe stata sviluppata una gamma di opzioni nucleari selettive per ridurre la dipendenza dalla minaccia di distruzione assicurata. Schlesinger chiarì che non era né fattibile né desiderabile acquisire un'effettiva capacità di primo colpo, ma che nel caso di un conflitto su grande scala sarebbe stato necessario usare le armi nucleari nel modo più efficace possibile per impedire l'avanzata del nemico e per dissuaderlo dal continuare l'aggressione[104].

Questa tendenza proseguì con l'amministrazione Carter. Nel 1980, il segretario alla Difesa Harold Brown rivelò l'esistenza di una strategia *countervalue*, meglio conosciuta con la sigla della direttiva presidenziale — PD59 — che la rese operante. Essa richiedeva un'ulteriore sviluppo delle opzioni possibili, compreso un'esame delle possibilità di combattere una guerra nucleare protratta e di puntare a distruggere le più importanti strutture politiche ed economiche dell'Unione Sovietica. Come suggeriva il nome stesso, in ogni caso, l'idea di base era che, se i Sovietici avessero cominciato a salire i gradini dell'escalation, gli Stati Uniti sarebbero stati in grado di rispondere efficacemente ad ogni livello della scala[105].

Nel 1981, l'amministrazione Reagan fece compiere al processo un ulteriore passo in avanti. Essa pretese di essersi semplicemente impegnata nello sviluppo delle forze necessarie a rendere operativa la dottrina della precedente amministrazione. C'era però un preciso cambiamento di tono. Si sosteneva ancora che la flessibilità era indispensabile nel caso che l'Unione Sovietica avesse forzato il passo dell'escalation, ma a ciò si univa l'idea che la sicurezza dell'Occidente sarebbe stata enormemente rafforzata se erano gli Stati Uniti a sentirsi in grado di forzare quel passo[106]. Questa linea di pensiero era stata sviluppata da un gruppo di strateghi civili da parte dei quali si faceva notare che, poiché gli Stati Uniti si erano impegnati ad iniziare le ostilità nucleari in appoggio ai propri alleati, era necessario avere qualche idea di dove ciò avrebbero potuto condurre[107].

Durante gli anni Settanta ed Ottanta, le possibilità di sfruttare concretamente una situazione di dominanza ai differenti livelli dell'escalation furono discusse a fondo. Abbiamo già considerato la proposta di usare armi nucleari sofisticate da campo di battaglia per rovesciare il corso di una guerra campale in Europa. Era una proposta che incontrava scarso favore presso gli europei. Il gradino superiore divenne noto come livello intermedio. Qui entravano in gioco le armi americane schierate in Europa che potevano colpire l'Unione Sovietica e le armi sovietiche che minacciavano i Paesi europei occidentali. Queste armi furono al centro di un dibattito pubblico straordinariamente intenso su tutta la questione degli armamenti nucleari. I critici europei del programma NATO che, in base agli accordi raggiunti nel 1979, avrebbe introdotto in Europa occidentale nuovi missili a lungo raggio, sostenevano che ciò faceva parte di un piano americano per combattere una guerra limitata in Europa. L'ironia di questa accusa stava nel fatto che le armi in questione non si prestavano affatto a questa strategia. Esse costituivano un anello di congiungimento fra lo scontro nucleare strategico e la guerra campale in Europa e come tali, per usare il gergo del settore, rappresentavano un motivo di *coupling*. Se veramente gli Stati Uniti avessero desiderato contenere una futura guerra nucleare, allora avrebbero dovuto astenersi dal minacciare il territorio sovietico. Le critiche riflettevano dunque un diffuso riconoscimento dell'influenza esercitata dal concetto di dominanza nell'escalation (ed un altrettanto diffusa sfiducia nella politica estera dell'amministrazione Reagan), ma in pratica il programma minò qualsiasi progetto di entrambe le superpotenze inteso a limitare la guerra nucleare al territorio degli alleati[108].

Il livello dell'escalation che suscitò maggiori discussioni negli Stati Uniti era quello che chiamava in causa la possibilità di un attacco intercontinentale contro i missili americani con base a terra. L'ipotesi era che la distruzione degli ICBM avrebbe privato gli Stati Uniti della capacità di rispondere nello stesso modo (dal momento che il resto del sistema americano non era sufficientemente preciso), forzando così l'escalation al livello degli attacchi contro le città. Uno studioso si spinse a suggerire che questa vulnerabilità dei missili con base fissa a terra prefigurava «un'eventualità di tale importanza che la sua prevenzione avrebbe dovuto costituire l'occasione per una completa revisione della dottrina strategica»[109].

Era difficile spiegare perché tale vulnerabilità fosse così importante. Per gli strateghi sovietici i rischi di un attacco del genere erano innumerevoli: quali che fossero le capacità teoriche dei missili a loro disposizione, non c'era la certezza che avrebbero funzionato nel modo previsto; esisteva, inoltre, il rischio che gli Stati Uniti replicassero non appena messi in allarme; e non poteva esserci alcuna garanzia di una risposta misurata da parte americana, dal momento che questo attacco «limitato» avrebbe provocato decine di milioni di vittime[110]. Il dibattito su questi problemi finì per incentrarsi su un nuovo missile — l'MX o Missile Experimental — che avrebbe dovuto avere una capacità offensiva sufficiente ad assicurare enormi potenzialità *counterforce*, ma anche essere relativamente invulnerabile ad un attacco sovietico. Il secondo di questi due requisiti si dimostrò praticamente impossibile da raggiungere, se non a costo di spese e sforzi giganteschi[111]. Alla fine il programma venne interrotto da una *bipartisan presidential commission* che inquadrò la vulnerabilità degli ICBM in un più ampio contesto[112].

In tutti i casi fin qui esaminati, le difficoltà che entrambe le superpotenze dovevano affrontare in ogni tentativo di acquisire e sfruttare una dominanza nell'escalation tendevano a smentire l'idea che questa potesse servire da base per un'efficace strategia nucleare. Altri studi sulla possibilità di condurre operazioni nucleari protratte sembravano confermare tale conclusione[113]. Quanto più l'amministrazione Reagan insisteva nel suggerire che operazioni del genere potevano essere effettivamente condotte, tanto più gli scettici riaffermavano che in ultima analisi l'Occidente affidava ancora la propria sicurezza ad una minaccia che lasciava qualcosa al caso[114].

Alla metà degli anni Settanta, pertanto, quarant'anni dopo la distruzione di Hiroshima e Nagasaki, gli strateghi nucleari non erano ancora riusciti a definire un metodo di impiego delle armi nucleari, nel caso che la deterrenza avesse fallito il proprio scopo, abbastanza convincente da non urtare il senso comune; non erano neppure riusciti a raggiungere il consenso sull'importanza decisiva di un tale metodo, se si voleva garantire la continuità della deterrenza stessa. Il dilemma fondamentale della strategia nucleare conservava la propria irriducibilità. Se un qualche consenso esisteva, riguardava il fatto che i problemi della sicurezza occidentale sarebbero stati sostanzialmente facilitati se solo fosse stato possibile contare su maggiori forze convenzionali e, quindi, dipendere meno dalle armi nucleari!

[1] Nello scrivere questo capitolo mi sono inevitabilmente ispirato al mio *Evolution of Nuclear Strategy*, London 1981.

[2] Cfr. H.H. Arnold, *Air Force in the Atomic Age*, in Dexter Masters, Katherine Way (a cura di), *One World or None*, New York 1946, 26-27.

[3] Cfr. Paul Kecskemeti, *Strategic Surrender: The Politics of Victory and Defeat*, New York 1964, 202-204. Cfr. anche le interviste in appendice a L. Giovannitti e F. Freed, *The Decision to Drop the Bomb*, London 1967. Si tratta di una storia, estremamente utile, della decisione di attaccare Hiroshima. Per una descrizione delle questioni strategiche più generali sollevate dall'attacco cfr. Lawrence Freedman, *The Study of Hiroshima*, «Journal of Strategic Studies», I (1978), n. 1.

[4] Cfr. David Alan Rosenberg, *U.S. Nuclear Stockpile, 1945 to 1950*, «Bulletin of the Atomic Scientist», 1982, n. 38. Nel 1946, Bernard Brodie ipotizzò una cifra di venti bombe, riconoscendo che potevano essere meno; in realtà erano nove (cfr. B. Brodie, *The Absolute Weapon*, New York 1946, 41). Nel luglio del 1947 l'arsenale nucleare americano contava solo tredici bombe.

[5] Cfr. Edmund Beard, *Developing the ICBM: A Study in Bureaucratic Politics*, New York 1976.

[6] Cfr. Vannevar Bush, *Modern Arms and Free Men*, London 1950, 96-97.

[7] Cfr. Barton J. Bernstein, *The Quest for Security: American Foreign Policy and International Control of the Atomic Bomb, 1942-1946*, «Journal of American History», LX (1974).

[8] Cfr D.A. Rosenberg, *The Origins of Overkill: Nuclear Weapons and American Strategy, 1945-1960*, «International Security», VII (1983), n. 4, 12-13.

[9] Nel 1947, Truman disse a David Lilienthal: «Non credo che dovremmo usare questo ordigno a meno che non siamo assolutamente costretti a farlo. È terribile ordinare l'impiego di qualcosa la cui tremenda capacità distruttiva supera tutto ciò che abbiamo avuto a disposizione finora» (D.E. Lilienthal, *The Journals of David E. Lilienthal*, II, *The Atomic Energy Years, 1945-1950*, New York 1964, 391).

[10] Sulla decisione riguardo alla bomba H cfr. Herbert York, *The Advisors: Oppenheimer, Teller and the Superbomb*, San Francisco 1976; Warner R. Schilling, *The H-Bomb Decision: How to Decide without Actually Choosing*, «Political Science Quarterly», LXXVI (1961); D.A. Rosenberg, *American Atomic Strategy and the Hydrogen Bomb Decision*, «Journal of American History», LXVI (1979).

[11] Cfr. National Security Council, NSC-68, *A Report to the National Security Council by the Executive Secretary on United States Objectives and Programs for National Security*, 14 aprile 1950. L'autore principale fu Paul Nitze.

[12] *Report of the General Advisory Committee to the Atomic Energy Commission of October 30, 1949*, ristampato in H. York, *The Advisors: Oppenheimer, Teller and the Superbomb*, cit.

[13] Gli esiti più importanti di questo passaggio furono lo schieramento di truppe terrestri americane in Europa e gli ambiziosi obiettivi adottati dalla NATO a Lisbona nel febbraio del 1952.

[14] Cfr. Barry Blechman, Robert Powell, *What in the Name of God is Strategic Superiority?*, «Political Science Quarterly», XCVII (1982-83), n. 4, in cui si suggerisce che il ruolo dell'accenno all'uso delle armi nucleari nel consentire il progresso dei negoziati fu esagerato.

[15] Cfr. Margaret Gowing, *Independence and Deterrence: Britain and Atomic Energy 1945-1952*, I, *Policy Making*, London 1974, 441.

[16] Slessor descrisse il «grande deterrente» in termini molto simili a quelli usati più tardi da Dulles. Esso era, scrisse Slessor, «una risposta alla minaccia costituita dalle dimensioni dell'esercito e delle forze aree tattiche del nostro potenziale nemico. Esso ci permette inoltre di avere una certa, crescente, iniziativa nella guerra fredda, invece di danzare sempre alla musica del ne-

mico». JOHN SLESSOR, *The Place of the Bomber in British Strategy*, «International Affairs», XXIII (1953), n. 3, 302-303. Dello stesso autore cfr. anche *Strategy for the West*, London 1954.

[17] JOHN FOSTER DULLES, *The Evolution of Foreign Policy*, «Department of State Bulletin», XXX, 25 gennaio 1954.

[18] National Security Council NSC-162/2, *Review of Basic National Security Policy*, 30 ottobre 1953. Sull'argomento cfr. JOHN LEWIS GADDIS, *Strategies of Containment: A Critical Appraisal of Postwar American National Security Policy*, New York 1982, 127-163; GLENN SNYDER, *The New Look of 1953*, in WARNER R. SCHILLING *et al.* (a cura di), *Politics and Defense Budgets*, New York 1962; SAMUEL WELLS JR., *The Origins of Massive Retaliation*, «Political Science Quarterly», XCVI (1981).

[19] «New York Times», 16 gennaio 1954.

[20] Per una discussione dell'inadeguatezza del deterrente nucleare nella crisi indocinese cfr. ALEXANDER L. GEORGE, RICHARD SMOKE, *Deterrence in American Foreign Policy: Theory and Practice*, New York 1974, cap. 8.

[21] WILLIAM W. KAUFMANN (a cura di), *Military Policy and National Security*, Princeton 1956, 24-25. Le idee di Kaufmann furono inizialmente diffuse nel novembre del 1954 da un memorandum intitolato *The Requirements of Deterrence*, pubblicato dal Princeton Centre of International Studies. Le stesse idee furono sostenute da altri autori, incoraggiati tanto dalla consapevolezza dell'accresciuto potere distruttivo delle nuove bombe all'idrogeno, quanto dal discorso sulla rappresaglia massiccia. In Gran Bretagna, ad esempio, nell'aprile del 1954 Liddell Hart avvertiva: «se la bomba H riduce i rischi di una guerra totale, aumenta però i rischi di una guerra limitata fatta di piccole aggressioni separate» Articolo ristampato in B.H. LIDDELL HART, *Deterrent or Defence*, London 1960, 23 (tr. it. *La prossima guerra*, Milano 1962, 46. Corsivo aggiunto). Altri importanti articoli e volumi sulla guerra limitata furono: ROBERT ENDICOTT OSGOOD, *Limited War: The Challenge to American Strategy*, Chicago 1957; HENRY KISSINGER, *Nuclear Weapons and Foreign Policy*, New York 1957; B. BRODIE, *Unlimited Weapons and Limited War*, «The Reporter», 11 novembre 1954.

[22] J.F. DULLES, *Policy for Security and Peace*, «Foreign Affairs», XXX (1954). Dulles sconfessava inoltre l'idea che gli Stati Uniti «intendessero affidarsi completamente al bombardamento strategico su vasta scala come unico mezzo per scoraggiare e contrastare un'aggressione».

[23] Nell'agosto del 1956 il segretario dell'aviazione militare Donald Quarles si esprimeva in questi termini: «Nessuna delle due parti può sperare, grazie ad un semplice margine di superiorità nel campo degli aerei o degli altri vettori di armi atomiche, di sfuggire alla catastrofe di una guerra del genere. Al di là di un certo punto questa prospettiva non è il risultato della forza relativa dei contendenti. È l'assoluto nelle mani di ciascuno dei due e nella sostanziale invulnerabilità all'interdizione» (citato in SAMUEL P. HUNTINGTON, *The Common Defense*, New York 1961, 101).

[24] Dulles osservava: «La capacità di arrivare sull'orlo della guerra senza scatenarla è un'arte necessaria. Se non si è in grado di padroneggiarla, si giunge inevitabilmente alla guerra. Se si cerca di sfuggire ad essa, se si ha paura di arrivare al limite, si è perduti» (intervista rilasciata a James Shepley, «Life Magazine», 16 gennaio 1956).

[25] Cit. in ALFRED GROSSER, *The Western Alliance: European-American Relations since 1945*, London 1980, 173.

[26] Questo era il punto di vista di quei membri del comitato consultivo generale della Commissione per l'energia atomica che si opponevano allo sviluppo della bomba all'idrogeno. Cfr. H. YORK, *The Advisors: Oppenheimer, Teller and the Superbomb*, cit.

[27] Uno dei più notevoli esempi di questo approccio si trova in H. KISSINGER, *Nuclear Weapons and Foreign Policy*, cit. Cfr. anche ANTHONY BUZZARD, *Massive Retaliation and Graduated Deterrence*, «World Politics», VIII (1956), n. 2. Lo stesso Dulles si accostò a questa linea di pensiero nello sforzo di sostenere la politica del governo senza ritornare alle forze convenzionali: cfr. J.F. DULLES, *Challenge and Response in U.S. Foreign Policy*, «Foreign Affairs», XXXVI (1957), n. 1.

[28] Cfr. RAYMOND GARTHOFF, *Soviet Strategy in the Nuclear Age*, New York 1958.

[29] La più nota di tali esercitazioni fu quella denominata «Carte Blanche», che ebbe luogo in Germania Occidentale nel 1955. In essa le armi nucleari tattiche furono «usate» soltanto dalla NATO. Nel corso di due giornate furono «esplosi» 355 ordigni, la maggior parte dei quali in

territorio tedesco occidentale. Anche senza contare gli effetti delle radiazioni residue, ciò avrebbe provocato la morte di circa 1,7 milioni di tedeschi ed il ferimento di altri 3,5 milioni.

[30] Cfr. le recensioni al libro di Kissinger da parte di WILLIAM KAUFMANN, *The Crisis in Military Affairs*, «World Politics», X (1958), n. 4, e di JAMES KING, «The New Republic», 8 e 15 luglio 1957.

[31] B. BRODIE, *More about Limited War*, «World Politics», X (1957), n. 1, 117.

[32] T.N. DUPUY, *Can America Fight a Limited Nuclear War?*, «Orbis», V (1961), n. 1.

[33] Cfr. H. KISSINGER, *Limited War: Conventional or Nuclear?*, «Daedalus», LXXXIX (1960), n. 4; ora in DONALD BRENNAN (a cura di), *Arms Control, Disarmament and National Security*, New York 1961.

[34] La terminologia in questo campo è notoriamente ostica. Quando fu chiaro che la nozione di arma nucleare tattica era intellettualmente sospetta, fu adottata la definizione di forza nucleare di teatro, che classificava le armi in base alla collocazione invece che al ruolo. Fu poi necessario distinguere tra i sistemi di teatro da usare contro obiettivi situati ben oltre il campo di battaglia, e quelli a raggio più corto, destinati al campo di battaglia stesso. Molti europei, tuttavia, notarono che in tutti questi casi il termine di paragone erano ancora le armi strategiche intercontinentali, il che implicava che l'uso dei sistemi suddetti contro un alleato delle due potenze maggiori sarebbe stato meno serio di un attacco «strategico». Nel tentativo di venire incontro a queste obiezioni, nel 1981 gli Stati Uniti introdussero il termine di forze nucleari intermedie. Molti commentatori sarebbero stati felici di usare questa definizione per quelle che fino ad allora erano note come forze di teatro a lungo raggio in base ad una classificazione in termini di portata, ma la NATO complicò le cose riferendosi alle armi originariamente note come tattiche con la definizione di intermedie a corto raggio. Nel frattempo i commentatori esterni definivano sempre più spesso e più significativamente queste ultime come armi da campo di battaglia. Tale noiosa confusione terminologica è rilevante solo per il fatto che denuncia una più ampia confusione teorica.

[35] Per una proposta basata sullo sfruttamento di nuove tecnologie cfr. W.S. BENNET *et al.*, *A Credible Nuclear-Emphasis Defense for NATO*, «Orbis», 1973. Per l'opinione dell'inventore della «bomba a neutroni» cfr. SAM COHEN, *The Truth about the Neutron Bomb*, New York 1983. La controversia su questo tema è illustrata in SHERRY L. WASSERMAN, *The Neutron Bomb Controversy: A Study in Alliance Politics*, New York 1983.

[36] Michael Legge, ad esempio, riferisce che negli studi sull'uso delle armi nucleari di teatro condotti all'inizio degli anni Settanta per conto del Gruppo di pianificazione nucleare della NATO tutti suggerivano che, sebbene il ricorso ad «attacchi selettivi potesse risolversi in un vantaggio a breve termine nell'area interessata e con ogni probabilità in una pausa del conflitto; [...] se il Patto di Varsavia avesse risposto con un attacco nucleare su scala analoga (o maggiore), nessuna delle due parti avrebbe acquisito un vantaggio militare significativo come conseguenza diretta dell'uso di armi nucleari», mentre l'impiego di esse su vasta scala «avrebbe inoltre comportato livelli inaccettabili di danni collaterali, gran parte dei quali sul territorio della NATO» (J.M. LEGGE, *Theater Nuclear Weapons and the NATO Strategy of Flexible Response*, Santa Monica, Calif. 1983, 26-27).

[37] Cfr. B. BRODIE, *Strategy in the Missile Age*, Princeton 1959, 228-229. Nell'autunno del 1954, il documento di indirizzo sulla politica di sicurezza nazionale affermava, in seguito ad una discussione del problema, che «gli Stati Uniti ed i loro alleati devono respingere l'idea della guerra preventiva o di atti intesi a provocare la guerra» (D.A. ROSENBERG, *The Origins of Overkill: Nuclear Weapons and American Strategy, 1945-1960*, cit., 34).

[38] Edward Mead Earle, ad esempio, scrisse che la combinazione di bomba atomica e missili avrebbe «premiato enormemente l'attacco di sorpresa, programmato in segreto e messo in atto ad oltranza». E.M. EARLE, *The Influence of Airpower upon History*, «Yale Review», XXXV (1946), n. 4.

[39] Uno dei primi a richiamare l'attenzione su questo fatto fu Jacob Viner in un discorso tenuto nel novembre del 1945: cfr. J. VINER, *The Implications of the Atomic Bomb for International Relations*, «Proceedings of the American Philosophical Society», XC (1946), n. 1.

[40] Un'eccezione è costituita da WILLIAM BORDEN, *There Will Be no Time*, New York 1946.

[41] Per le prime prese di posizione in tal senso cfr. T.F. WALKOWICZ, *Counterforce Strategy: How Can We Exploit America's Atomic Advantage*, «Air Force Magazine», 1951, e RICHARD LEGHORN, *No Need to Bomb Cities to Win War*, «US News and World Report», 28 gennaio 1955.

[42] La definizione dei piani per un attacco alla capacità nucleare sovietica risaliva all'amministrazione Truman (cfr. D.A. Rosenberg, *The Origins of Overkill: Nuclear Weapons and American Strategy, 1945-1960*, cit., 25).

[43] *Ivi*, 58.

[44] Il rapporto originario fu pubblicato come A.J. Wohlstetter, F.S. Hoffman, R.J. Lutz, H.S. Rowen, *Selection and Use of Strategic Air Bases*, RAND R-266, 1° aprile 1954. Per una documentazione in merito cfr. Bruce L.R. Smith, *The RAND Corporation: Case Study of a Nonprofit Advisory Corporation*, Cambridge, Mass. 1966, e, a livello più aneddotico, F. Kaplan, *Wizards of Armageddon: Strategists of the Nuclear Age*, New York 1983.

[45] Cfr. Lawrence Freedman, *U.S. Intelligence and the Soviet Strategic Threat*, London 1977, cap. 40.

[46] Cfr. Arnold Horelick, Myron Rush, *Strategic Power and Soviet Foreign Policy*, Chicago 1966.

[47] Un articolo che collegava gli sviluppi del pensiero sovietico a queste preoccupazioni è quello di Herbert S. Dinerstein, *The Revolution in Soviet Strategic Thinking*, «Foreign Affairs», XXXVI (1958), n. 2.

[48] Albert Wohlstetter, *The Delicate Balance of Terror*, «Foreign Affairs», XXXVII (1959), n. 2.

[49] Bernard Brodie, ad esempio, in un libro pubblicato lo stesso anno si esprimeva in questi termini: «La nostra capacità di replicare in forze ad un attacco sovietico diretto è data troppo per scontata da quasi tutti, inclusi i politici al più alto livello» (B. Brodie, *Strategy in the Missile Age*, cit., 282), e due anni più tardi Kissinger scriveva: «La condizione fondamentale della deterrenza è l'esistenza di una forza d'urto invulnerabile». H. Kissinger, *The Necessity for Choice*, New York 1961, 22 (tr. it. *L'ora della scelta*, Milano 1961, 39).

[50] Cfr. Alain C. Eenthoven, K. Wayne Smith, *How Much is Enough? Shaping the Defence Program 1961-1969*, New York 1971. Anch'essi sostengono che «il problema della vulnerabilità non è stato generalmente ben compreso». La necessità di proteggere le armi offensive americane era riconosciuta, ma c'era una minore consapevolezza dei problemi connessi alla struttura dell'Alto Comando ed alla rete delle comunicazioni (*ivi*, 166).

[51] L'eccezione più importante in questo senso è costituita dall'influenza degli scienziati atomici nell'immediato dopoguerra. Essi fondarono il «Bulletin of the Atomic Scientists» che fu per molti anni la principale pubblicazione non governativa per la discussione dei problemi sollevati dalle armi nucleari; essi crearono inoltre un'importante lobby per il controllo internazionale degli sviluppi nucleari. La loro influenza sul piano interno diminuì dopo che i loro leader, tra cui Robert Oppenheimer, furono sconfitti sulla questione della bomba all'idrogeno. La comunità si spaccò ulteriormente quando Edward Teller, che aveva promosso la bomba all'idrogeno, contribuì nel 1954 alla manovra per negare ad Oppenheimer il nulla osta dei servizi di sicurezza. Dopo il lancio dello Sputnik gli scienziati tornarono ad occupare posizioni consultive di alto livello, ma si misero meno in mostra al di fuori del governo. Cfr. Robert Gilpin, *American Scientists and the Nuclear Weapons Policy,* Princeton 1962. Per una discussione dei vari approcci ai problemi strategici cfr. i saggi raccolti in R. Gilpin, Christopher Wright (a cura di), *Scientists and National Policy-Making*, New York 1964.

[52] H. Kissinger, *Arms Control, Inspection and Surprise Attack*, «Foreign Affairs», XXXVIII (1960), n. 3.

[53] Thomas B. Schelling, *The Strategy of Conflict*, New York 1960, 207. Per una critica di questo concetto cfr. Glenn Snyder, *Deterrence and Defense*, Princeton 1961, 108.

[54] Oskar Morgenstern, *The Question of National Defense*, New York 1959, 74.

[55] Il vicesegretario alla Difesa John McNaughton, parlando nel dicembre del 1962 all'Università del Michigan, usò l'espressione di Schelling «il reciproco timore di un attacco a sorpresa» ed affermò: «Noi dobbiamo, in ogni decisione che prendiamo, preoccuparci dei fattori di stabilità e dell'effetto dinamico sulla corsa agli armamenti». Per un esame completo della dottrina e delle decisioni strategiche degli anni di Kennedy cfr. Desmond Ball, *Policies and Force Levels: The Strategic Missile Program of the Kennedy Administration*, Berkeley 1980.

[56] B. Brodie, *Unlimited Weapons and Limited War*, cit. La «missione decisiva» di cui si parla corrisponde a ciò che più tardi sarebbe stato definito come attacco *counterforce*.

[57] Per un esempio dell'influenza esercitata dalle aspettative di un regolare progresso tecno-

logico cfr. HERMAN KAHN, *On Thermonuclear War*, Princeton 1960. Kahn predisse otto rivoluzioni tecnologiche entro la metà degli anni Settanta. Per un punto di vista scettico sugli entusiasmi dell'epoca cfr. HERBERT YORK, *Race to Oblivion: A Partecipant's View of the Arms Race*, New York 1971.

[58] Security Resources Panel of the Scientific Advisory Committee, *Deterrence and Survival in the Nuclear Age*, Washington, D.C. novembre 1957. Per una documentazione in materia cfr. MORTON HALPERIN, *The Gaither Committee and the Policy Process*, «World Politics», XIII (1961), n. 3.

[59] B. BRODIE, *Strategy in the Missile Age*, cit., 176.

[60] Cfr. JAMES E. KING, *Airpower in the Missile Gap*, «World Politics», XII (1960), n. 4.

[61] WARREN AMSTER, *Design for Deterrence*, «Bulletin of the Atomic Scientists», 1956, 165. Nello stesso numero cfr. anche C. W. SHERWIN, *Securing Peace through Military Technology*.

[62] Cfr. T.B. SCHELLING, *The Strategy of Conflict*, cit., 288.

[63] Cfr. H. YORK, JEROME WIESNER, *National Security and the Nuclear Test Ban*, «Scientific American», 1964.

[64] C'erano state numerose proposte per una complessa rete di difesa civile (una delle quali nel Gaither Report). Nel luglio del 1961 il presidente Kennedy presentò un programma su grande scala, ma verso la metà degli anni Sessanta esso era stato di fatto abbandonato. I calcoli effettuati suggerivano che per ogni livello di danni la difesa costava tre volte più dell'attacco.

[65] A.C. ENTHOVEN, K.W. SMITH, *How Much is Enough? Shaping the Defense Program 1961-1969*, cit., 174.

[66] La sigla fu usata per la prima volta da DONALD BRENNAN in *Symposium on the SALT Agreements*, «Survival», 1972.

[67] Cfr. D. BALL, *Targeting for Strategic Deterrence*, Adelphi Paper 185, London 1983, 14-15.

[68] «Una vittoria significativa in una terza guerra mondiale illimitata non è neppure concepibile, poiché nessuna nazione potrebbe mai vincere uno scontro termonucleare totale. Di questo si rendono pienamente conto le due potenze mondiali che hanno ormai raggiunto una capacità di mutual assured distruction» (ROBERT S. MCNAMARA, *The Essence of Security: Reflections in Office*, London 1968, 159-160).

[69] Cfr. TED GREENWOOD, *Making the MIRV: A Study in Defense Decision-Making*, Cambridge, Mass. 1975.

[70] R.S. MCNAMARA, *The Dynamics of Nuclear Strategy*, «Department of State Bulletin», LVII, 9 ottobre 1967.

[71] Cfr. ad esempio GEORGE RATHJENS, *The Dynamics of Arms Race*, «Scientific American», 1969. Alla fine degli anni Sessanta ed all'inizio degli anni Settanta «Scientific American» pubblicò su questo tema generale una serie di articoli che trattavano ampiamente degli ABM e dei MIRV. Gli articoli sono ora raccolti in H. YORK (a cura di), *Arms Control*, San Francisco 1973. L'interesse per le pressioni interne verso la corsa agli armamenti è molto evidente nei saggi sul controllo degli armamenti contenuti in un numero speciale di «Daedalus», CIV (1975), n. 3.

[72] Cfr. L. FREEDMAN, *U.S. Intelligence and the Sovietic Strategic Threat*, cit., cap. 8.

[73] Cfr. JOHN NEWHOUSE, *Cold Dawn: The Story of SALT*, New York 1973.

[74] Cfr. ad esempio ROGER SPEED, *Strategic Deterrence in the 1980s*, Stanford 1979, 56-64.

[75] Cfr. RICHARD L. GARWIN, *Will Strategic Submarines Be Vulnerable?*, «International Security», VIII (1983), n. 2.

[76] Cfr. «New York Times», 24 marzo 1983.

[77] Per la situazione del dibattito sugli ABM negli anni Ottanta cfr. ASHTON B. CARTER, DAVID SCHWARTZ (a cura di), *Ballistic Missile Defense*, Washington, D.C. 1984.

[78] Cfr. L. FREEDMAN, *Evolution of Nuclear Strategy*, cit., 210-211.

[79] Cfr. RICHARD SMOKE, *War: Controlling Escalation*, Cambridge, Mass. 1977.

[80] Cfr. H. KAHN, *On Escalation: Metaphors and Scenarios*, New York 1965 (tr. it. *Filosofia della guerra atomica. Esempi e schemi*, Milano 1966).

[81] *Ivi*, 138.

[82] Inizialmente un piano per condurre lo scontro nucleare senza lasciarsi completamente sfuggire di mano la situazione fu sviluppato da LEO SZILARD in *Disarmament and the Problem of Peace*, «Bulletin of the Atomic Scientists», XI (1955), n. 8. Morton Kaplan adottò questo ap-

proccio dapprima in un articolo in cui appoggiava, nell'eventualità di un attacco prolungato contro l'Europa, una risposta americana consistente in una «serie di rappresaglie scaglionate che alla fine avrebbero provocato danni per un valore doppio di quelli inflitti all'Europa». MORTON KAPLAN, *The Calculus of Nuclear Deterrence*, «World Politics», X (1958), n. 4. In seguito egli contribuì ad una raccolta di saggi scritti da numerosi strateghi civili di primo piano che tentavano di esplorare l'approccio in questione. Cfr. KLAUS KNORR, THORNTON READ (a cura di), *Limited Strategic War*, New York 1962.

[83] H. KAHN, *On Escalation: Metaphors and Scenarios*, cit., 290.

[84] T.B. SCHELLING, *Arms and Influence*, New Haven 1966, 93.

[85] T.B. SCHELLING, *The Strategy of Conflict*, cit., 188. Corsivo nell'originale.

[86] «Il rischio condiviso si crea preferibilmente attraverso manovre od impegni irreversibili, così che soltanto la ritirata del nemico può normalizzare la situazione; altrimenti ci si potrebbe trovare di fronte ad una guerra dei nervi». *Ivi*, 194.

[87] Per una documentazione in proposito cfr. F. KAPLAN, *Wizards of Armageddon: Strategists of the Nuclear Age*, cit., cap. 18. Uno dei collaboratori più influenti della Rand nello sviluppo dei concetti e nella loro traduzione in politiche ufficiali fu William Kaufmann. Mentre al Pentagono i vari temi dell'epoca di McNamara erano ancora nuovi ed attendevano di essere affrontati, Kaufmann ne fece un'efficace esposizione pubblica in *The McNamara Strategy*, New York 1964.

[88] Parole pronunciate al House Armed Services Committee, febbraio 1961. Cit. in W. KAUFMANN, *The McNamara Strategy*, cit., 53.

[89] R.S. MCNAMARA, *Defense Arrangements in the North Atlantic Community*, «Department of State Bulletin», XLVII, 9 luglio 1962. La relazione originale tenuta da McNamara ai ministri della NATO il 5 maggio 1962 oggi non è più segreta.

[90] Cfr. L. FREEDMAN, *Evolution of Nuclear Strategy*, cit., cap. 15; per un'interpretazione leggermente diversa delle motivazioni alla base della nuova strategia cfr. anche D. BALL, *Policies and Force Levels: The Strategic Missile Program of the Kennedy Administration*, cit.

[91] Questo convincimento trovò espressione nel modo più chiaro in un famoso articolo di McGeorge Bundy, l'assistente particolare di Kennedy per i problemi della sicurezza nazionale. Egli scrisse: «C'è un enorme scarto tra ciò che i leader politici pensano davvero delle armi nucleari e ciò che viene ipotizzato dai complessi calcoli sul vantaggio "relativo" nella simulazione della guerra strategica. Gli analisti possono fissare a molte decine di milioni di vite umane i livelli di danni "accettabili". Essi possono ritenere che per alcuni uomini la perdita di dozzine di grandi città sia in qualche modo un'effettiva possibilità di scelta. Nel mondo reale dei leader politici in carne ed ossa — sia qui che nell'Unione Sovietica — una decisione che portasse al lancio di una sola bomba all'idrogeno su una città del proprio Paese sarebbe considerata in anticipo come un errore catastrofico; dieci bombe su dieci città costituirebbero un disastro al di là della storia; e cento bombe su cento città sono impensabili». MCGEORGE BUNDY, *To Cap the Volcano*, «Foreign Affairs», XLVIII (1969), n. 1, 9-10.

[92] Lo sviluppo della teoria francese esula dall'ambito di questo saggio. Il pensatore più importante che impostò il proprio lavoro in termini di esigenze della NATO fu ANDRÉ BEAUFRE, *Dissuasion et stratégie*, Paris 1964 (tr. it. *Difesa della bomba atomica*, Milano 1965). Pierre Gallois si chiese se nell'era nucleare fossero possibili delle vere alleanze e sviluppò l'idea di una forza nucleare nazionale nel suo *Stratégie de l'age nucléaire*, Paris 1960. La risposta britannica a questo dibattito fu alquanto più inibita di quella francese, poiché la Gran Bretagna era una potenza nucleare e dipendeva già in buona misura dalla generosità americana per mantenere una forza credibile. Cfr. ANDREW PIERRE, *Nuclear Politics: The British Experience with an Indipendent Strategic Force, 1939-1970*, London 1972.

[93] Cfr. CATHERINE MCARDLE KELLEHER, *Germany and the Politics of Nuclear Weapons*, New York 1975.

[94] La documentazione su questa disputa si trova in JOHN STEINBRUNER, *The Cybernetic Theory of Decision*, Princeton 1974. Per una discussione dei problemi che il coinvolgimento nucleare di altri Paesi pose alla dottrina americana cfr. ALBERT WOHLSTETTER, *Nuclear Sharing: NATO and the N + 1 Country*, «Foreign Affairs», XXXIX (1961), n. 3.

[95] «Questo concetto [...] è basato su una serie flessibile e bilanciata di risposte appropriate, convenzionali e nucleari, a tutti i livelli di aggressione o minacce di aggressione. Tali risposte, soggette ad un adeguato controllo politico, sono destinate in primo luogo a scoraggiare l'aggres-

sione e con ciò a preservare la pace; ma se, sfortunatamente, l'aggressione dovesse avere luogo, esse avrebbero anche il compito di salvaguardare la sicurezza dell'area NATO nel quadro della difesa avanzata» (comunicato, incontro ministeriale del North Atlantic Council, 14 dicembre 1967).

[96] Il dibattito in questione è descritto da un punto di vista americano in A.C. ENTHOVEN, K.W. SMITH, *How Much is Enough? Shaping the Defense Program 1961-1969*, cit., cap. 4.

[97] Cfr. J.M. LEGGE, *Theater Nuclear Weapons and the NATO Strategy of Flexible Response*, cit.

[98] Secondo due studiosi dell'episodio, il messaggio che le misure prese dagli Stati Uniti intendevano far pervenire era: «Se voi persistete nelle vostre attuali attività, se andate effettivamente avanti e fate sbarcare delle truppe in Egitto, avvierete un processo interattivo con le nostre forze armate i cui esiti finali non sono chiari, ma potrebbero essere devastanti». BARRY M. BLECHMAN, DOUGLAS M. HART, *The Political Utility of Nuclear Weapons: The 1973 Middle East crisis*, «International Security», VII (1982), n. 1, 146-147.

[99] RICHARD M. NIXON, *United States Foreign Policy for the 1970s*, Washington, D.C. 18 febbraio 1970, 54-55.

[100] Cfr. FRED IKLÉ, *Can Nuclear Deterrence Last out the Century?*, «Foreign Affairs», LI (1973), n. 2, e WOLFGANG PANOFSKY, *The Mutual Hostage Relationship between America and Russia*, «Foreign Affairs», LII (1973), n. 1.

[101] Sfortunatamente il dibattito sovietico esula dall'ambito di questo saggio. La discussione americana della strategia sovietica può essere ricostruita a grandi linee attraverso due raccolte di saggi: DEREK LEEBAERT (a cura di), *Soviet Military Thinking*, Cambridge, Mass.-London 1981, e JOHN BAYLIS, GERALD SEGAL (a cura di), *Soviet Strategy*, London 1981. Tale discussione può essere suddivisa a partire da due problematiche. In primo luogo, ci si chiedeva se l'Unione Sovietica avesse o no sviluppato una strategia per la conduzione della guerra nucleare basata sull'attacco contro obiettivi militari e contenente alcuni elementi di tipo preventivo. I dati a disposizione sembrano suggerire che l'approccio sovietico era in effetti questo. In secondo luogo, ci si domandava se tale strategia dava ai Sovietici la sicurezza sufficiente a combattere e vincere una guerra nucleare, nel qual caso l'integrità della deterrenza occidentale sarebbe risultata pericolosamente compromessa. A questo proposito le informazioni disponibili suggeriscono che i leader sovietici erano pienamente consapevoli dei rischi di una guerra nucleare.

[102] Ciò provocò uno dei più famosi scoppi di irritazione del segretario di Stato Henry Kissinger: «Ecco una delle domande a cui dobbiamo rispondere come nazione: che cos'è, in nome del cielo, la superiorità strategica? Qual è il suo significato politico, militare ed operativo quando sono in ballo cifre di questa grandezza? Che cosa dobbiamo farne?». Conferenza stampa del 3 luglio 1974, riprodotta in «Survival», 1974.

[103] Anche la storia del controllo degli armamenti esula dall'ambito di questo saggio, sebbene i problemi della strategia si siano legati sempre più strettamente a quelli del controllo e la discussione delle varie proposte avanzate si sia trasformata in un'occasione per un più ampio dibattito sulla difesa e la politica estera in senso lato. Il rapporto tra concetti strategici generali e controllo degli armamenti è stato da me discusso in *Weapons, Doctrines and Arms Control*, «The Washington Quarterly», 1984. Per la storia dei principali negoziati sulle armi strategiche cfr. JOHN NEWHOUSE, *Cold Dawn: The Story of SALT*, cit., e STROBE TALBOTT, *Endgame: The Inside Story of SALT II*, New York 1979, e *Deadly Gambits: The Reagan Administration and the Stalemate in Nuclear Arms Control*, New York 1984.

[104] Cfr. *Report of the Secretary of Defense James Schlesinger to the Congress on the FY 1975 Defense Budget and FY 1975-79 Defense Program*, Washington, D.C., 4 marzo 1974. Cfr. anche LYNN ETHERIDGE DAVIS, *Limited Nuclear Options: Deterrence and the New American Doctrine*, London 1976.

[105] Uno dei funzionari responsabili della questione chiarì il rapporto con il concetto di dominanza nell'escalation: «La nostra politica prevede che gli Stati Uniti debbano avere opzioni strategiche *countervalue* tali che ai diversi livelli dello scontro l'aggressione verrebbe respinta o comporterebbe costi inaccettabili rispetto ai vantaggi [...] In generale, la necessità di essere preparati ad uno scontro su vasta scala, ma non totale riguarda principalmente una situazione in cui una guerra di grandi proporzioni sia già cominciata e probabilmente le armi nucleari tattiche siano già state usate. In un contesto del genere sarebbe essenziale che i Sovietici continuassero

a ritenere inesistente un livello intermedio dell'escalation che consenta di usare con successo le armi nucleari». WALTER SLOCOMBE, *The Countervailing Strategy*, «International Security», V (1981), n. 4, 21-22.

[106] «Una strategia di guerra che ponga il nemico, se dovesse attaccare, di fronte al rischio della nostra controffensiva contro i suoi punti vulnerabili rafforza la deterrenza e favorisce la strategia difensiva del tempo di pace». Sottosegretario alla Difesa F. IKLÉ, *The Reagan Defense Program: A Focus on the Strategic Imperative*, «Strategic Review», 1982, 15. Per una discussione dei rapporti tra i programmi di Carter e Reagan cfr. JEFFREY RICHELSON, *PD-59, NSDD-13 and the Reagan Strategic Modernization Program*, «The Journal of Strategic Studies», VI (1983), n. 2.

[107] Cfr. COLIN GRAY, KEITH PAYNE, *Victory is Possible*, «Foreign Policy», 1980.

[108] Cfr. ANDREW PIERRE (a cura di), *Nuclear Weapons in Europe*, New York 1984.

[109] COLIN GRAY, *The Future of Land-Based Missile Force*, London 1978. Cfr. anche PAUL NITZE, *Deterring Our Deterrent*, «Foreign Policy», 1976-77.

[110] Cfr. United States Congress, Office of Technology Assessment, *The Effect of Nuclear War*, Washington, D.C. 1979; JOHN STEINBRUNER, THOMAS GARWIN, *Strategic Vulnerability: The Balance between Prudence and Paranoia*, «International Security», L (1976), n. 1.

[111] Cfr. JOHN EDWARDS, *Super Weapon: The Making of MX*, New York 1982.

[112] «La vulnerabilità dei nostri ICBM è oggi motivo di preoccupazione (soprattutto se il problema viene visto isolatamente), ma la questione sarebbe molto più seria se non avessimo una dotazione di missili balistici sottomarini e di bombardieri». *Report of the President's Commission on Strategic Forces*, Washington, D.C., aprile 1983, 7 .

[113] Cfr. D. BALL, *Can Nuclear War Be Controlled?*, London 1981; PAUL BRACKEN, *The Command and Control of Nuclear Forces*, New Haven 1984.

[114] Cfr. ad esempio lo scambio di opinioni tra Theodore Draper ed il segretario alla Difesa Caspar Weinberger sulla «New York Review of Books», ristampato in T. DRAPER, *Present History: On Nuclear War, Detente and Other Controversies*, New York 1983. ROBERT JERVIS, *The Illogic of American Nuclear Strategy*, Ithaca 1984, respinge la dominanza nell'escalation e privilegia esplicitamente la minaccia parzialmente affidata al caso.

La guerra convenzionale nell'era nucleare

di Michael Carver

Quando la Seconda Guerra Mondiale fu bruscamente portata a termine dall'esplosione delle due bombe atomiche sulle città giapponesi, esistevano diverse opinioni circa gli effetti che queste armi avrebbero avuto sulla condotta della guerra. Alcuni degli esponenti dell'aviazione che erano stati fautori del bombardamento strategico — rimanendo però delusi dal fatto che esso non aveva reso obsolete, come era stato previsto, le altre forme di condotta bellica — credettero che la bomba atomica rendesse possibili le loro previsioni. Altri, che avevano un punto di vista meno radicale, ma credevano nel bombardamento strategico come contributo essenziale alla vittoria, lo considerarono ora ancor più decisivo di quanto avessero ritenuto in passato. Altri ancora, compresi molti esponenti della marina e dell'esercito, erano più scettici. L'enorme sforzo sostenuto per la produzione delle due bombe significava, a loro parere, che anche le nazioni più potenti avrebbero potuto permettersi di possederne soltanto alcune. Il risultato principale delle nuove armi, da essi salutato con favore, stava nel fatto che le schiere dei bombardieri strategici potevano essere significativamente più piccole e perciò non avrebbero assorbito la stessa quantità di risorse umane e finanziarie che avevano richiesto durante la guerra. Fino a quando, nel 1952, non fece la sua apparizione la bomba all'idrogeno, o a fusione, i vincitori della Seconda Guerra Mondiale pianificarono ed addestrarono le proprie forze come se nulla fosse fondamentalmente cambiato, prevedendo grandi campagne prolungate per terra, sul mare e nell'aria, condotte secondo le stesse linee operative sperimentate negli anni fra il 1941 ed il 1945. Sebbene le forze permanenti venissero sensibilmente ridotte, tranne che nel caso dell'Unione Sovietica, si riteneva che i mezzi con cui combattere questi conflitti sarebbero stati forniti dalla mobilitazione delle riserve, sia di uomini sia di materiali. La Gran Bretagna e la Francia dovettero anche affrontare il problema di conservare o ripristinare la propria autorità imperiale in Africa ed in Asia, compito che richiedeva eserciti organizzati ed equipaggiati secondo principi più simili a quelli adottati dagli Inglesi in Birmania nel 1944 e nel 1945 che a quelli sperimentati in Europa. C'era bisogno di massicce forze di fanteria, largamente appoggiate dal trasporto aereo. La prima di queste due esigenze fu soddisfatta in parte con la coscrizione obbligatoria, in parte con il reclutamento di soldati africani ed asiatici; la seconda andò incontro a ritardi, dal momento che l'aviazione preferiva concentrarsi sui caccia e sui bombardieri.

I

L'invasione della Corea del Sud da parte nordcoreana nel giugno del 1959 mise alla prova per la prima volta queste idee. Tra le prime ad essere smentite fu quella che attribuiva alla bomba atomica l'obsolescenza della guerra campale; un'altra ipotesi a cadere fu quella secondo cui il possesso della bomba conferiva o l'immunità da qualsiasi attacco od una potenza eccezionale. Ricorrendo ai metodi della Seconda Guerra Mondiale, compreso un audace sbarco anfibio ad Inchon, il generale Douglas MacArthur venne in soccorso alla Repubblica di Corea presieduta da Syngman Rhee, ed alla fine di ottobre aveva ormai respinto i nordcoreani fino al fiume Yalu. A quell'epoca, egli non doveva preoccuparsi molto degli attacchi aerei nemici, ma l'entrata in guerra dei Cinesi cambiò la natura del conflitto. La tattica di questi ultimi somigliava a quella usata dai Giapponesi nelle vittorie contro gli Inglesi in Malesia ed in Birmania nel 1942, consistente nell'evitare gli itinerari stradali, a cui erano vincolati l'esercito americano ed i suoi alleati, e nello spostare grosse formazioni di fanteria con i relativi rifornimenti attraverso le colline prive di strade. Nello stesso tempo a MacArthur fu negata la facoltà di estendere il raggio operativo dell'aviazione e delle squadriglie aeree della marina americana per poter attaccare le forze e le basi cinesi al di là dello Yalu, da dove l'aviazione coreana, riequipaggiata con velivoli sovietici più moderni, costituiva ora una minaccia maggiore.

La guerra doveva essere limitata per fondamentali ragioni strategiche, in modo da evitare il conflitto diretto con l'Unione Sovietica o un confronto prolungato con la Cina. Con sua grande irritazione MacArthur vide la propria libertà d'azione limitata da quelle che vedeva come ragioni politiche, situazione che contrastava con le idee dell'Esercito americano sul modo di condurre una guerra. Nella prima metà del 1951, quando il generale Matthew B. Ridgway aveva ormai sostituito MacArthur ed il fronte si era stabilizzato attorno al 38° parallelo, i combattimenti ricordavano più la Prima Guerra Mondiale che la Seconda. Ciò si dimostrò ancora più vero nei due anni di stallo che seguirono, finché nel luglio del 1953 non venne firmato l'armistizio. Prima che il fronte si stabilizzasse, entrambi i belligeranti tentarono una serie di attacchi su vasta scala con la fanteria appoggiata da intensi bombardamenti di artiglieria e da un limitato sostegno dei carri armati. La fanteria cinese e nordcoreana riportò gravi perdite attaccando in formazioni serrate. Dopo la stabilizzazione del fronte si dovettero riesumare tutti i vecchi trucchi della guerra di trincea, con le mine, sia anticarro sia antiuomo, che si aggiungevano agli altri rischi. Dwight D. Eisenhower che nel 1953 succedette a Harry S. Truman come presidente degli Stati Uniti, era determinato a far sì che la più potente nazione del mondo non soffrisse altre perdite in una forma di guerra ampiamente superata, nella quale le sue forze armate, cui certo non mancava la potenza di fuoco, erano però incapaci di forzare una decisione.

In questa fase, diversi altri fattori indussero tutte le maggiori potenze a riconsiderare il modo in cui le proprie forze armate dovevano prepararsi al combattimento. Tra questi fattori spiccavano: le minacce rappresentate dall'intransigenza sovietica in Europa, sostenuta da un esercito ancora imponente che occupava l'Europa orientale; l'estensione del potere di Mao Tse-tung a tutto il territorio cinese; gli sviluppi nel campo delle armi nucleari, in particolare il primo test sovietico, e la creazione sia della bomba a fusione sia di armi più piccole, cosiddette tattiche, con la prospettiva che ben presto gli ordigni nucleari sarebbero stati disponibili in abbondanza per le potenze di entrambi i fronti ideologici; le crescenti difficoltà incontrate dalla Gran Bretagna e dalla Francia nel conservare la propria autorità imperiale.

In Europa, il fallimento dei negoziati per un trattato di pace che definisse il futuro della Germania, l'assorbimento della Cecoslovacchia nel campo sovietico ed il blocco di Berlino avevano portato alla costituzione della NATO e sottolineato il ruolo operativo delle forze britanniche, americane e francesi in Germania occidentale, da meri eserciti di occupazione che erano. Il piano per difendere l'Europa occidentale da un eventuale tentativo dell'Unione Sovietica di estendere il proprio potere al di là della linea di demarcazione della sua zona d'influenza fissò lungo il Reno la principale linea di resistenza. In base agli standard della Seconda Guerra Mondiale ciò avrebbe richiesto quasi cento divisioni, equivalenti grosso modo alle forze alleate impegnate in Germania al comando di Eisenhower alla fine della guerra. Schierarne permanentemente poco più di una piccola parte era fuori questione, ma si sperava (sebbene senza molta fiducia) di poterne mobilitare la maggior parte in tempo di crisi. Molti dei mobilitati sarebbero stati uomini che avevano combattuto nell'ultima guerra e che ancora appartenevano alla riserva, e parte dell'equipaggiamento necessario poteva essere reperito tra quello sopravvissuto al conflitto. Ma anche facendo affidamento sulle divisioni da mobilitare, le forze a disposizione sarebbero state di gran lunga inferiori alle esigenze. Il riarmo tedesco rappresentava in questo senso una soluzione parziale; un'altra era data dal ricorso alle armi nucleari. Fu soltanto nel 1955 che la Germania occidentale fu accolta nella NATO ed iniziò la ricostruzione delle proprie forze armate. A quell'epoca, era ormai chiaro che gli ordigni nucleari non avrebbero costituito quella rarità che molti, incluso B.H. Liddell Hart, avevano ritenuto cinque anni prima.

Nella raccolta di saggi intitolata *Defence of the West*, pubblicata nel 1950, Liddell Hart si era schierato sia contro l'ipotesi che le armi nucleari rendessero obsoleti gli altri tipi di armamenti, sia contro quella di affidarsi eccessivamente ad esse. Egli riteneva che rispetto ai Paesi europei occidentali l'Unione Sovietica e le sue forze armate fossero meno vulnerabili ad un attacco atomico e che, quando entrambe le parti avessero avuto a disposizione armi nucleari, sarebbero state forse dissuase dal farne uso. Egli criticò la fiducia nella mobilitazione di grandi eserciti sul modello di quelli impegnati nella Seconda Guerra Mondiale, che avrebbero dovuto avanzare all'interno dell'Europa orientale ed occupare le basi operative degli aerei sovietici. A quell'epoca Liddell Hart sembra aver ritenuto che i missili balistici o da crociera non fossero in grado di trasportare testate nucleari, sebbene ne ipotizzasse l'uso per quelle chimiche. Egli premeva in favore di un esercito regolare formato da divisioni mobili completamente corazzate e cingolate, l'azione delle quali sarebbe stata affiancata dalle divisioni di fanteria aereotrasportate: entrambe avrebbero sfruttato le possibilità offerte dai recenti sviluppi nel campo della guerra chimica. Liddell Hart riconosceva il fatto che la guerra totale, con l'impiego di armi nucleari e di imponenti eserciti di leva, sarebbe stata disastrosa. Egli aveva scarsa fiducia nei piani destinati a prevenire la guerra e sottolineava l'importanza del tentativo di limitarla. A questo scopo sarebbero state più efficaci, a suo parere, forze del tipo da lui proposto. Egli deprecava i discorsi su una possibile vittoria, ed in una conferenza tenuta al Royal United Services Institute di Londra nell'ottobre del 1954 criticò aspramente lo scenario di una «terza guerra mondiale» delineato dal maresciallo Montgomery, allora vice comandante supremo della NATO in Europa. Montgomery aveva detto: «Voglio mettere completamente in chiaro, che allo SHAPE basiamo tutti i nostri piani operativi sull'uso difensivo delle armi atomiche e termonucleari. Per quanto ci riguarda non si tratta più di pensare che esse "potrebbero essere usate", ma che senza ombra di dubbio "saranno usate, se verremo attaccati". La ragione di questo atteggiamento è che non siamo in grado di far fronte alle forze che possono essere lanciate contro di noi a meno di non utilizzare le armi nucleari [...] Alcuni sostengono che in caso di guerra gli ordigni nucleari non verrebbero impiegati; non sono d'accordo. È mia opinione che il timore delle armi atomiche e termonucleari sia un forte deterrente della guerra; ma una volta che questa sia cominciata, è probabile che *entrambe* le parti facciano uso di tali armi. Noi stessi lo faremmo certamente se fossimo attaccati».

In quello stesso anno il presidente Eisenhower comunicò ai capi di Stato Maggiore americani che in futuro avrebbero potuto prevedere l'uso delle armi nucleari di qualsiasi tipo e potenza dovunque ciò tornasse a vantaggio degli Stati Uniti[1]. L'esercito americano aveva fatto pressioni sugli alleati perché accettassero questa impostazione fin da quando era risultato chiaro che si potevano produrre armi nucleari di dimensioni diverse da quelle enormi degli esemplari originali. Furono sviluppate diverse ipotesi su come combinare il loro impiego con l'azione di altre forze. L'idea più largamente accettata era quella di usare il corso di un fiume come area dove sfruttare il loro potere distruttivo. Una forza di copertura mobile avrebbe ritardato l'avanzata del nemico, mentre un gruppo di osservazione, ben protetto dagli attacchi atomici, sarebbe stato schierato a ridosso del fiume, con una forza corazzata mobile alle spalle. Le armi nucleari sarebbero state usate nel luogo di concentrazione delle truppe nemiche in vista dell'offensiva, nei punti di attraversamento del fiume e contro qualsiasi testa di ponte che, nonostante tutto, fossero riuscite a stabilire al di qua di esso. Le forze corazzate avrebbero poi attaccato per eliminare le resistenze residue.

Un piano alternativo, che dimostrava maggiore attenzione per la vulnerabilità della NATO agli attacchi nucleari nemici, era quello di distribuire le forze di difesa su una serie di ben protette postazioni fisse in profondità, ciascuna equipaggiata con un proprio sistema per il lancio di armi nucleari tattiche, con cui avrebbe colpito le forze nemiche che fossero riuscite a penetrare nello spazio vuoto tra le postazioni stesse; il «colpo di grazia» ai superstiti sarebbe stato dato da forze aereotrasportate. In questo piano, gravi problemi erano posti dal controllo della battaglia, nonché dalla sorte di coloro che vivevano nelle aree da colpire con le armi nucleari. Si sperava che potessero essere evacuati in tempo utile.

Entrambi i piani esaminati erano puramente difensivi. Un'ipotesi più ambiziosa era quella di lanciare ordigni nucleari sulle città e le basi militari della stessa Unione Sovietica, a cui sarebbe seguito lo sbarco di truppe aereotrasportate che avrebbero occupato il campo e, si sperava, rovesciato un regime comunista ormai screditato e sconfitto. L'alternativa a questa ipotesi irrealistica era quella della guerra «*broken-backed*». Essa presumeva che il lancio iniziale delle armi nucleari avrebbe esaurito gli arsenali di entrambi gli avversari, dopodiché, in mezzo alle rovine, essi sarebbero tornati agli scontri caratteristici dell'era prenucleare. Era uno scenario accolto con favore dalla Marina e dai riservisti, che altrimenti avrebbero trovato scarse giustificazioni alla propria esistenza. Con il crescere degli arsenali nucleari di entrambe le parti questa ipotesi perse il proprio credito, almeno presso la NATO.

Nei tardi anni Cinquanta, la NATO cominciò a manifestare riserve sull'uso delle armi nucleari per compensare l'indisponibilità dei propri membri a fornire le forze convenzionali necessarie a bilanciare quelle dell'Unione Sovietica, a quel punto significativamente accresciute dall'apporto dei Paesi satelliti riuniti nel Patto di Varsavia. Le due principali ragioni di queste riserve erano l'entrata della Repubblica Federale Tedesca nell'alleanza e l'acquisizione da parte sovietica della capacità di portare l'attacco nucleare sulle città americane per mezzo dei missili balistici intercontinentali armati di testate a fusione. Sia i Tedeschi occidentali sia gli Americani si mostravano riluttanti di fronte all'idea che le armi nucleari sarebbero state usate alla prima violazione della Cortina di ferro. I Tedeschi, inoltre, non erano preparati ad accettare piani difensivi che prevedessero la rinuncia ad ampie zone del loro piccolo territorio nazionale, prima di porre in atto il tentativo di arrestare l'avanzata nemica. La credibilità di una strategia basata sull'immediata rappresaglia nucleare era già stata minata altrove nel mondo ed ora sembrava essersi considerevolmente indebolita anche nel contesto della difesa europea.

La guerra di Corea non era stato l'unico conflitto in cui il possesso delle armi nucleari si era dimostrato irrilevante. Quando nel maggio del 1954 i Francesi subirono l'umiliante sconfitta di Dien Bien Phu ad opera del generale Vo Nguyen Giap, le considerazioni che avevano indotto Truman a rifiutarsi di impiegare le armi nucleari in Corea persuasero Eisenhower ad osservare gli stessi vincoli nell'offrire sostegno ai Francesi in Indocina. Durante l'operazione anglo-francese contro Suez nel 1956 fattori politici, sia internazionali sia interni, avevano trattenuto la Gran Bretagna non soltanto dal prendere in considerazione l'uso delle armi nucleari, ma anche il ricorso ad attacchi aerei convenzionali su obiettivi diversi dagli aereoporti. Perfino attacchi aerei su piccola scala, come quello francese contro Sakiet, in Tunisia, nel 1957, sollevarono la protesta internazionale.

Nel mondo occidentale, dunque, la fine degli anni Cinquanta coincise con un generale ripensamento del ricorso alle forze armate come «continuazione della politica con altri mezzi». Le conclusioni di questo riesame assunsero due forme. In Gran Bretagna il governo conservatore di Harold Macmillan adottò il punto di vista che decretava l'avvenuta obsolescenza di forze militari di dimensioni imponenti, basate sulla leva obbligatoria in tempo di pace e suscettibili di essere mobilitate in caso di emergenza, con un impiego sostenuto da basi d'oltremare conservate per riproporre un genere di minaccia tipico della Seconda Guerra Mondiale. Nel 1957, in un discorso tenuto per salutare l'arrivo del generale Lauris Norstad al comando supremo delle forze alleate in Europa, Macmillan disse: «Non facciamoci alcuna illusione; oggi le forze militari non sono destinate a combattere una guerra: il loro scopo è quello di prevenirla. Non ci saranno più campagne come quelle del passato, con la vittoria che giunge alla fine di una lunga lotta equilibrata; guerra totale può significare solo distruzione totale». Come molti altri a quell'epoca, Macmillan cercava i mezzi per limitare la guerra. Per alcuni, come Henry Kissinger ed André Beaufre, ciò significava trovare i modi per poter impiegare la forza militare delle rispettive nazioni a sostegno della politica. Per altri, come Liddell Hart, significava invece fare in modo che la guerra, se non poteva essere evitata dalla deterrenza, potesse almeno essere contenuta entro certi limiti, così da non finire nella distruzione totale. Le esperienze degli Stati Uniti e della Francia in Estremo Oriente, come quelle della Gran Bretagna e della Francia nel Medio e nel Vicino Oriente, avevano lasciato queste potenze gravemente frustrate. Nonostante i grandi mezzi umani e finanziari che tutte e tre avevano profuso nel campo della difesa, le posizioni che avevano cercato di proteggere in Indocina, nel Medio Oriente ed in Nord-Africa erano state erose dall'azione di Paesi o movimenti politici le cui risorse militari, eccetto che in termini di uomini, erano di gran lunga inferiori alle loro. La disapprovazione internazionale ed interna di ogni azione militare che non fosse quella dei «movimenti di liberazione» ed il timore che potesse condurre ad una guerra nucleare si combinavano nel creare l'impressione che quasi nessun tipo di operazioni militari potesse essere intrapreso da una grande potenza. Le potenze minori ed i movimenti sovversivi, incoraggiati e sostenuti con rifornimenti di armi e squadre di istruttori dall'Unione Sovietica e dalla Cina, stavano minando il mondo delle democrazie capitalistiche occidentali, che appariva incapace di opporsi a questo processo.

Nei Paesi occidentali gli esperti invitarono a smettere di concentrare l'attenzione e gli sforzi su come combattere una guerra con le armi nucleari, anche se negli Stati Uniti Kissinger ed altri cercarono inizialmente il modo di affrontare una guerra nucleare limitata. Ma il generale Maxwell Taylor, capo di Stato Maggiore dell'esercito americano, e lo scrittore statunitense Robert Osgood furono tra i primi a chiedere di non fare più affidamento sulle armi nucleari. In Francia, André Beaufre e Raymond Aron, non volendo rifiutarle interamente, cercarono una soluzione in termini di «uso nucleare molto limitato». In Gran Bretagna, Liddell Hart fu quasi tentato di unirsi all'opinione dei francesi, ma la sua consapevolezza di come i leader politici e militari tendessero a lasciarsi trasportare dalle forti emozioni suscitate dalla guerra lo persuase a scegliere la linea adottata da Kissinger dopo un ripensamento: che i soli modi possibili di limitare la guerra per evitare il suicidio collettivo consistevano o nel circoscrivere l'area geografica delle operazioni, il che era quasi impossibile in Europa, o nel rinunciare all'uso delle armi nucleari — o magari nel ricorrere ad entrambe queste misure[2]. In un'altra raccolta di articoli e testi di conferenze pubblicata nel 1960, *Deterrent or Defence*, Liddell Hart concludeva il capitolo intitolato «Le piccole armi atomiche danno la soluzione?» con le seguenti parole:

> In teoria, queste armi a piccola potenza offrono una migliore possibilità di limitare l'azione nucleare alle zone di combattimento, diminuendo così ogni azione distruttrice, a beneficio dell'umanità. Ma l'utilizzazione di qualsiasi genere di arma nucleare potrebbe portare alla propagazione rapida di un conflitto atomico totale. Le lezioni che l'esperienza ci ha impartito per quello che riguarda gli impulsi emotivi degli uomini in tempo di guerra sono meno confortanti della teoria tattica che ha condotto allo sviluppo ed all'adozione di queste armi[3].

Liddell Hart sostenne che arrivare ad una dotazione di forze convenzionali adeguata a difendere l'area tra le Alpi ed il Baltico non costituiva un compito senza speranza, come generalmente si riteneva. Le forze necessarie dovevano essere commisurate al territorio da difendere piuttosto che alla potenza massima mobilitabile dal Patto di Varsavia. Liddell Hart sostenne che nella Regione Centrale almeno la metà delle divisioni inquadrate nelle forze permanenti della NATO non doveva essere destinata a posizioni difensive, bensì tenuta a disposizione come riserva mobile, e che le forze permanenti dovevano essere spalleggiate da una milizia civile, la quale avrebbe in una certa misura alimentato una fitta rete di postazioni difensive nella zona avanzata e per il resto protetto dagli attacchi aerei le posizioni chiave delle retroguardie. Le forze permanenti dovevano essere formate da ventisei divisioni, in parte corazzate e completamente cingolate, con un'alta percentuale di carri armati, ed in parte costituite da fanteria leggera. Liddell Hart sintetizzò la sua proposta con queste parole: «Oggi la necessità primaria è quella di rafforzare la deterrenza della bomba H, che si è trasformata in un'arma a doppio taglio, sviluppando una struttura non nucleare di prevenzione ed estinzione dei focolai di guerra, schierata in campo e pronta per essere usata senza esitazioni né ritardi».

Le ipotesi sviluppate dagli Americani si muovevano nella stessa direzione per ragioni alquanto diverse. Essi non gradivano l'idea che, per la mancanza di un'adeguata difesa convenzionale in Europa, ci si attendesse da loro il ricorso immediato alle armi nucleari, che a quel punto significava rischiare il contrattacco nucleare sovietico. L'«ombrello» o la «garanzia» nucleare forniti ai propri alleati europei, in particolare alla Repubblica Federale Tedesca, che aveva rinunciato al loro possesso, non potevano essere ritirati, ma era possibile almeno ritardare il ricorso ad essi, nella speranza di poter bloccare in qualche modo le ostilità prima che sfociassero nel suicidio collettivo. Nei primi anni Sessanta, Robert S. McNamara, segretario alla Difesa del presidente John F. Kennedy, fece pressioni sugli alleati europei affinché aumentassero la capacità delle proprie forze convenzionali in modo da rendere possibile uno scenario del genere. In questo tentativo, McNamara incontrò una considerevole resistenza. I governi europei trovavano politicamente difficile accettare maggiori spese per la difesa ed un prolungamento del periodo di leva, proprio mentre cercavano di muoversi nella direzione opposta (la Gran Bretagna abolendo del tutto il servizio militare obbligatorio). Si sospettava inoltre che le proposte di McNamara implicassero un indebolimento della garanzia nucleare americana e potessero incoraggiare anche una riduzione delle forze convenzionali statunitensi in Europa. Il lungo dibattito provocato da McNamara sfociò alla fine nell'adozione della politica nota come «risposta flessibile». Secondo questa impostazione, che incorporava anche quella della difesa avanzata, le forze della NATO avrebbero tentato, se possibile, di contenere e fermare un'invasione sovietica con l'uso delle sole forze convenzionali, nella speranza che la terribile prospettiva dello scontro nucleare avrebbe persuaso entrambe le parti a concludere la pace. In caso contrario, la NATO avrebbe messo in atto quella che più correttamente andrebbe definita una risposta nucleare graduata, descritta da Beaufre come «guerra nucleare sublimata». Si sarebbe fatto ricorso ad un piccolo numero di armi nucleari — forse soltanto ad un «lancio dimostrativo» — con l'intenzione di convincere l'Unione Sovietica che la NATO era pronta a fare la scelta nucleare e che pertanto entrambi i contendenti avrebbero dovuto astenersi dal proseguire nel confronto. Se anche questo tentativo fosse fallito, la NATO avrebbe salito uno ad uno i gradini dell'escalation fino a quando, presumibilmente, l'approssimarsi del suicidio collettivo avrebbe persuaso una delle due parti a dichiarare una tregua. Non era chiaro perché avrebbe dovuto essere l'avversario a farlo.

La condotta delle operazioni da parte delle forze non nucleari della NATO all'interno di questa logica sollevava molti difficili problemi, a parte quelli posti dalla difesa avanzata, secondo la quale non si poteva cedere una parte di territorio per guadagnare tempo. Le forze in questione dovevano essere sempre preparate, e dare l'impressione di esserlo, ad usare le armi nucleari ed a subirne l'impiego da parte del nemico; ma dovevano anche cercare di prolungare quanto più possibile la fase convenzionale dei combattimenti senza cedere molto terreno. In termini pratici ciò richiedeva la disponibilità di massicce forze convenzionali, che i politici della NATO avevano inteso evitare. Queste difficoltà furono aggravate dal ritiro della Francia dall'organizzazione militare dell'alleanza, avvenuto nel 1966, e dallo spostamento verso il Vietnam dell'attenzione e degli sforzi americani.

Sebbene questa strategia fosse nota col nome di risposta flessibile, essa non corrispondeva al significato della definizione così come era stata coniata da Maxwell Taylor nel suo saggio *A National Military Program*, scritto nel 1955.

Taylor riteneva che gli arsenali militari delle due parti si cancellassero a vicenda. Sotto la copertura di questo «azzeramento nucleare», come lo descriveva Liddell Hart, le potenze comuniste incoraggiavano i movimenti sovversivi a sfidare l'Occidente, il quale, avendo dedicato enormi sforzi alla Marina, all'aviazione ed al loro armamento nucleare, non aveva forze efficaci con cui rispondere. Una politica di risposta flessibile doveva significare che gli Stati Uniti, e si sperava l'intero Occidente, avrebbero avuto la capacità di impiegare qualsiasi mezzo adeguato alla minaccia: dall'azione diplomatica, politica ed economica, alle forze «speciali» clandestine, alle campagne convenzionali su larga scala in ogni parte del mondo. L'idea di scartare l'azione militare convenzionale come sostegno della politica andava abbandonata, e così anche l'ipotesi che ogni guerra intrapresa dagli Stati Uniti dovesse essere totale ed illimitata.

Quando, nel 1961, Kennedy salì alla presidenza, accettò le idee di Taylor con entusiasmo, richiamandolo dal pensionamento e nominandolo chairman dei Joint Chiefs of Staff nell'ottobre del 1962. Taylor avrebbe fatto la spiacevole esperienza di assistere al naufragio delle proprie teorie sul piano pratico. La guerra del Vietnam, come quella d'Algeria, dimostrò che limitare una guerra secondo i propri desideri dipende dalla disponibilità dell'avversario ad accettare tali limitazioni. Né la Cina né l'Unione Sovietica volevano essere direttamente coinvolte, e gli Stati Uniti non desideravano coinvolgerle; ma i Nordvietnamiti, sotto la guida di Ho Chi Minh e Giap, erano preparati a toccare qualsiasi limite — di sacrificio, di risorse umane, di territorio e di tempo — mentre gli Stati Uniti non lo erano. Costretto ad uno sforzo che superava di gran lunga quello previsto al momento di intervenire a sostegno del regime sudvietnamita di Ngo Dinh Diem in sostituzione dei Francesi, il governo americano decise, alla fine, che gli svantaggi politici insiti nella continuazione della guerra prevalevano su quelli derivanti dalla rinuncia e dalla concessione della vittoria all'avversario, per quanto questa operazione potesse essere mascherata. Quindici anni prima Charles de Gaulle aveva dovuto affrontare la stessa situazione in Algeria e fatto la stessa scelta. Gli strateghi che avevano pensato alla conduzione di una guerra limitata come ad una partita di scacchi si ritrovarono screditati e dovettero rivedere le proprie idee. La risposta data dal profeta della guerra limitata, Robert Osgood, fu che gli Stati Uniti dovevano essere più selettivi nell'individuare le aree del mondo che meritavano l'uso della forza per contenere l'influenza sovietica. «Si dovrebbe fare riferimento», egli scrisse, «ad obiettivi specifici riguardanti zone di valore sostanziale ed intrinseco dal punto di vista della sicurezza militare ed economica degli Stati Uniti»[4]. Su tale base Osgood avrebbe approvato il rifiuto opposto dal Congresso al coinvolgimento americano in Angola. Ma l'applicazione di questa politica all'intervento in America centrale e nel Golfo Persico sarebbe meno univoca.

Beaufre attribuiva l'incertezza dell'Occidente, con il fallimento della sua politica in Indocina, Medio Oriente e Nordafrica, all'incapacità di sviluppare una vera strategia: all'essersi lasciato incantare dal problema dei mezzi piuttosto che delle idee. Nel suo libro *Introduzione alla strategia* Beaufre sosteneva che l'Occidente avrebbe dovuto perseguire quella che egli chiamava una strategia «totale», comprendente ogni aspetto dell'attività politica, economica e diplomatica, sostenuta dalla minaccia e, se necessario, dall'uso effettivo della forza militare, così come avveniva per la strategia perseguita dall'Unione Sovietica. Egli sorvolava sulla difficoltà, per un gruppo di nazioni indipendenti, democratiche e sovrane, di accordarsi tanto sulla strategia quanto sulla sua applicazione, per non parlare della sua effettiva messa in atto. Il punto più importante evidenziato da Beaufre era che nessuna strategia può applicarsi a tutte le situazioni: a seconda delle circostanze dovrebbero essere scelte opzioni alternative. Egli distingueva tra «strategia totale», una definizione che preferiva a quella di «grande strategia», e «strategia generale»: la prima orienta la condotta della guerra a livello governativo, la seconda trova applicazione in campi particolari — militare, politico, economico o diplomatico — ciascuno dei quali dispone di una propria strategia generale come parte della strategia totale. Sul piano militare ciò si traduce in una strategia operativa, che deve fondarsi sulle risorse disponibili, sulla geografia del terreno di scontro e sulla capacità militare propria e del nemico.

Beaufre elencò cinque scelte di strategia totale. In primo luogo, si può ricorrere alla minaccia diretta quando si hanno ingenti risorse e l'obiettivo non è di eccezionale importanza. In teoria questo schema è applicabile ad una grande potenza nucleare che ne affronti una minore e non nucleare. Di fatto esso è impraticabile a causa delle implicazioni politiche internazionali, ed eventualmente anche interne, derivanti dalla minaccia di usare le armi nucleari. Beaufre sosteneva che su questa strategia si fonda la deterrenza — la minaccia di usare tutte le risorse a propria disposizione direttamente contro il territorio nemico — sebbene in tal caso l'obiettivo sia di enorme importanza. La seconda scelta strategica è quella definita della pressione indiretta, applicabile quando l'obiettivo è di discreta importanza, ma non si hanno a disposizione risorse per esercitare una minaccia decisiva. Fu questa la strategia utilizzata da Hitler nella maggior parte dei casi e, recentemente, dall'Unione Sovietica[5]. Essa consiste in una prolungata pressione politica, diplomatica ed economica, sostenuta dalla minaccia della forza. Beaufre suggerì che questa strategia si dimostra adeguata quando esistono limiti alla propria libertà d'azione. La terza scelta strategica consiste in una serie di azioni successive, un processo di logoramento, a cui ricorrere quando si hanno risorse limitate e ci si accontenta di avvicinarsi lentamente all'obiettivo finale. Una variante di questa opzione è la strategia del *fait accompli*, o dell'«unica fetta di salame» [«*single slice of salami*»], simile nell'esecuzione a quella precedente, ma con la speranza di raggiungere il proprio scopo in un colpo solo. Le guerre israeliane del 1956 e del 1967 ne sono un buon esempio, e l'Egitto sperava che lo fosse anche il conflitto dell'ottobre 1973. La quarta scelta strategica è quella della lotta prolungata, combattuta ad un basso livello di intensità. Si tratta chiaramente di una scelta adeguata quando si hanno limitate risorse militari, ma non umane, e si è preparati a raggiungere il proprio obiettivo nel lungo periodo. Le guerre di liberazione, compresa quella di Mao Tze-tung contro Chiang Kai-shek, sono state vinte per lo più in questo modo. La lotta prolungata non si adatta alle democrazie industriali occidentali, che di norma non hanno la tenacia di mobilitare le risorse, in particolare quelle umane, necessarie per combattere alle condizioni del nemico. C'è, infine, il classico conflitto violento, mirante alla vittoria militare sul nemico attraverso la distruzione delle sue forze armate, l'occupazione del suo territorio, od entrambe le cose insieme; esso è applicabile quando si hanno risorse militari chiaramente superiori a quelle dell'avversario e non ci sono limitazioni, ad esempio inibizioni politiche, che vincolano l'impiego della forza militare.

All'interno di queste cinque categorie è possibile scegliere la propria strategia militare generale ed operativa. Beaufre concordava con Foch nel suggerire che l'obiettivo della strategia ad entrambi questi livelli è quello di conquistare e conservare la propria libertà d'azione cercando di limitare quella del nemico. Mantenere l'iniziativa è essenziale se si vuole imporre la propria volontà all'avversario, poiché questo è lo scopo della guerra. Beaufre definisce quest'ultima come «la dialettica di due volontà opposte, con la forza chiamata a risolvere la disputa»; definisce inoltre la strategia come l'arte di esercitare tale dialettica. Egli conclude che il futuro risiede nel campo della strategia indiretta: «Più la strategia nucleare si sviluppa e finisce, mediante i suoi equilibri precari, con il rafforzare la dissuasione totale, più viene impiegata la strategia indiretta. La pace sarà sempre meno pacifica ed assumerà la forma di ciò che, nel 1939, avevo chiamato la "Pace-Guerra" e cioè la forma a noi ben nota della guerra fredda [...] *Il vero gioco della strategia indiretta deve svolgersi al livello dei prodromi*. In seguito, è troppo tardi [...] L'elemento psicologico [...] ha un compito determinante in strategia indiretta [...] Ma non si deve peraltro dimenticare che l'esistenza e l'impiego della forza rimangono necessari sia nel gioco della strategia indiretta che in quello della strategia diretta [...]. La forza è necessaria per sfruttare (o minacciare di sfruttare) le situazioni create dalla manovra psicologica». Beaufre conclude con queste parole: «Impariamo [...] la strategia indiretta»[6].

II

A parte la teoria, come sono state effettivamente condotte le guerre dall'inizio dell'era nucleare? Non ci sono state guerre atomiche e nessuna è stata combattuta all'ombra del possibile uso delle armi nucleari, sebbene la loro esistenza possa aver indotto sia gli Stati Uniti sia l'Unione Sovietica a limitare il proprio coinvolgimento in Corea, Vietnam e Medio Oriente. In un certo senso, dunque, le guerre dell'era nucleare sono state tutte convenzionali, ma si è trattato per lo più di guerre civili nelle quali, in alcuni casi, hanno giocato un proprio ruolo l'influenza e l'appoggio esterni. Gli aspetti operativi di insurrezioni e controinsurrezioni sono trattati nel saggio di John Shy e Thomas Collier presentato più avanti. A partire dalla guerra di Corea, che è già stata discussa, le guerre convenzionali sono state poche e la maggioranza di esse è costituita da quelle tra i Paesi arabi ed Israele e tra l'India ed il Pakistan. L'operazione anglo-francese contro Suez fece da appendice ad uno dei conflitti arabo-israeliani, mentre l'India è stata brevemente in guerra anche con la Cina. L'Iran e l'Iraq sono stati a lungo impegnati in una guerra interamente convenzionale, mentre un fulmineo episodio anch'esso convenzionale si è avuto nel 1982 con l'occupazione argentina delle isole Falkland e la spedizione britannica per riconquistarle. Il «confronto» che ebbe luogo nel Borneo dal 1962 al 1966 tra la Gran Bretagna e la Malaysia da una parte e l'Indonesia dall'altra fu una forma molto limitata di guerra convenzionale, che aveva molte delle caratteristiche di una campagna di controinsurrezione. Ciascuno di questi conflitti, qui discussi, risultò limitato in un modo o nell'altro. Una limitazione comune a tutti è stata quella di evitare, quando possibile, il bombardamento delle città, sia per il timore di una rappresaglia che per quello di una reazione interna ed internazionale ostile all'uccisione di civili.

Le guerre arabo-israeliane. Le guerre arabo-israeliane sono state diverse da tutte le altre in quanto Israele ha combattuto per la sua stessa esistenza. I limiti erano dovuti da parte israeliana alla disponibilità di risorse, sia umane sia materiali, ed alla consapevolezza di non poter contare in modo illimitato sul sostegno del proprio principale alleato, gli Stati Uniti. Da parte degli Arabi, i limiti erano dati dalla misura della loro disponibilità alla cooperazione reciproca, dallo sforzo che erano pronti a sostenere per la propria causa e dalla capacità di fare buon uso pratico delle considerevoli risorse militari accumulate in varie occasioni, in particolare nel 1973.

La prima delle guerre in questione, quella che nel 1948 determinò l'esistenza di Israele, fu un episodio semplice. Le truppe israeliane attinsero alle organizzazioni militari non ufficiali che gli Ebrei della Palestina avevano fondato sotto l'amministrazione britannica, mentre sul versante arabo il peso del combattimento fu sostenuto dalla Legione Araba della Giordania, guidata da un generale britannico. Fu essenzialmente una guerra di fanteria, combattuta con le armi di quest'ultima, in cui le antiche virtù militari della determinazione, della resistenza, dell'ingegnosità, dell'audacia e del coraggio consentirono agli Israeliani di impedire che il loro Stato, appena sorto, fosse schiacciato o ridotto nei tre segmenti privi di autosufficienza in cui l'Assemblea Generale delle Nazioni Unite aveva proposto di dividerlo. Come sarebbe accaduto anche in occasione dei successivi conflitti arabo-israeliani, i combattimenti ebbero luogo sullo sfondo delle pressioni internazionali per una cessazione delle ostilità. Gli scontri, pertanto, tesero a configurarsi come tentativo sia di rinsaldare il controllo su quanto già si possedeva, sia di conquistare rapidamente qualcos'altro da usare come moneta di scambio una volta che il cessate il fuoco fosse stato concordato od imposto.

Fra il maggio del 1949, quando Israele e la Giordania furono riconosciuti dalle Nazioni Unite come Stati indipendenti (sulla base delle frontiere fissate dai combattimenti conclusisi un mese prima), e lo scoppio della guerra di Suez nel 1956, le forze armate israeliane acquisirono un'elevata professionalità, con un addestramento ed un equipaggiamento di buon livello, compresa una formidabile aviazione. Durante questi anni, i vicini arabi ed i rifugiati palestinesi avevano messo in atto una continua serie di atti terroristici e di sabotaggio, sia contro gli insediamenti sia contro singoli israeliani, a cui Israele rispondeva con rapide azioni di rappresaglia attraverso i confini. Quando, nel 1953, Moshe Dayan divenne capo di Stato Maggiore, la portata e la ferocia di queste incursioni aumentarono. Ciò ebbe l'esito di rafforzare la resistenza incontrata e, quindi, di far salire i costi delle incursioni, il che gettava dubbi sul loro valore. Con la partenza degli Inglesi dalla base sul canale di Suez nel 1955, divenne chiaro che l'Egitto preparava operazioni militari contro Israele. Dayan intendeva prevenirle e la disputa della Gran Bretagna e della Francia con Gamel Abdel Nasser, provocata dalla nazionalizzazione del canale di Suez, fornì ad Israele l'opportunità di mettere in atto le proprie intenzioni con un certo sostegno internazionale, il che distolse l'attenzione dell'Egitto ed impegnò le sue forze su più fronti.

La campagna di Dayan del 1956 fu un modello di quella cooperazione tra forze aereotrasportate e corazzate che era stata propugnata da Liddell Hart, sebbene lo stesso Dayan nei suoi piani iniziali avesse affidato ai carri armati un ruolo secondario, ritenendoli troppo lenti ed impacciati, nonché troppo bisognosi di supporto logistico. Essi avrebbero dovuto essere usati per appoggiare gli attacchi della fanteria contro le difese egiziane nel Sinai orientale, mentre le truppe mobili non corazzate si sarebbero riunite ai paracadutisti lanciati sui passi del Sinai occidentale. Ma Dayan non riuscì a contenere l'entusiasmo dei comandanti delle unità corazzate. Nelle loro scelte tattiche essi non sprecarono tempo in «approcci indiretti», ma colpirono duramente e con successo le difese chiave egiziane. I paracadutisti di Ariel Sharon ebbero minor fortuna nel loro attacco al passo di Mitla, dopo essersi lanciati senza incontrare resistenza un po' più ad Est. Essi non riuscirono ad assumere il controllo del passo e subirono la perdita di 150 uomini, oltre la metà delle vittime complessive della campagna, con la quale Israele si impossessò dell'intero Sinai in sei giorni al prezzo di soli 200 morti. Fu una dimostrazione altamente riuscita della strategia del «fatto compiuto», ma l'opposizione internazionale, guidata dagli Stati Uniti, alla spedizione franco-britannica che seguì immediatamente la conquista israeliana e si presentava ad essa collegata, sottrasse ad Israele i frutti della vittoria. Nel marzo del 1957, le sue truppe erano di nuovo dietro le frontiere da cui erano partite, dopo aver abbandonato la striscia di Gaza e Sharm el Sheik, su cui si erano attestate in dicembre, quando Inglesi e Francesi avevano lasciato Port Said.

Dieci anni più tardi Nasser, le cui truppe erano state addestrate ed equipaggiate dai Sovietici, si sentì abbastanza forte da provocare uno scontro con Israele. Egli pensava di poter vincere e con ciò di migliorare la sua immagine alquanto svalutata di leader del mondo arabo, anche se probabilmente non si aspettava che la sua mossa avrebbe portato ad una guerra su vasta scala. Nel maggio del 1967, egli chiese il ritiro delle truppe delle Nazioni Unite che avevano contribuito a mantenere la pace lungo la frontiera del Sinai e dichiarò il blocco dello stretto di Tiran, attraverso cui si accede al porto israeliano di Eliat, sul Mar Rosso. Re Hussein di Giordania si alleò a malincuore con l'Egitto e la Siria, acconsentendo alla presenza di una divisione irachena sul proprio territorio. Le pressioni esercitate sul primo ministro israeliano, Levi Eshkol, affinché prendesse decisamente l'iniziativa portarono a richiamare Moshe Dayan al ministero della Difesa. Questi comunicò ai propri colleghi di ritenere che le forze egiziane del Sinai potevano essere sconfitte, probabilmente al prezzo di un migliaio di vittime, e che un attacco preventivo contro l'aviazione araba l'avrebbe messa fuori gioco e posto Israele al riparo dalla sua minaccia. La provocazione araba era stata tale che colpire per primi non avrebbe provocato l'ostilità degli Stati Uniti, mentre Dayan era sicuro che l'Unione Sovietica non sarebbe intervenuta direttamente. Considerate le frontiere di allora, con gli Arabi che occupavano il territorio oggi noto come Cisgiordania e con tutto il Sinai in mano egiziana, Israele non poteva permettersi di lasciare l'iniziativa ai nemici. Gli argomenti di Dayan furono accettati e la mattina del 5 giugno, nel momento in cui le pattuglie aeree egiziane erano ritornate a terra e la foschia del primo mattino si era dissolta sul delta del Nilo, l'aviazione israeliana attaccò ad ondate successive per quasi tre ore, dopodiché rivolse i propri sforzi contro le altre forze aree arabe. Alla fine della seconda giornata i suoi 250 velivoli, di cui circa 150 erano moderni caccia, avevano distrutto in oltre un migliaio di missioni 309 aerei egiziani da combattimento (dei 340 utilizzabili e 450 totali), compresi tutti i bombardieri a lungo raggio, più 60 aerei siriani, 29 giordani, 17 iracheni ed uno libanese, la maggior parte di essi al suolo e contro una perdita di 26 velivoli, alcuni dei quali nell'attacco ad obiettivi dell'esercito. Erano anche state distrutte 23 stazioni radar egiziane e diverse postazioni di missili terra-aria (SAM), 16 delle quali nel Sinai.

Questa schiacciante vittoria facilitò enormemente il compito del Comando Meridionale israeliano di Gavrish, le cui forze erano inquadrate in tre gruppi. Quello settentrionale, guidato da Tal e formato da due brigate corazzate per un totale di 300 carri armati, doveva occuparsi delle difese egiziane vicino alla costa mediterranea. Al centro il gruppo di Sharon disponeva di una brigata corazzata di duecento carri affiancata da una di fanteria per attaccare il complesso difensivo attorno ad Abu Agheila; il gruppo di Yoffe, infine, con due brigate corazzate, ciascuna di cento carri, doveva operare tra gli altri due. Una brigata di fanteria e due di mezzi corazzati restavano di riserva. La strategia di Dayan puntava su una rapida avanzata fino ai passi di Gidi e di Mitla, nel Sinai occidentale. Egli respinse l'ipotesi di avanzare fino al canale di Suez, perché ciò avrebbe probabilmente sollevato l'opposizione internazionale e reso più difficile per Nasser scendere a patti; era stato inoltre deciso di non dirottare gli sforzi su Gerusalemme e la Cisgiordania prima di aver assunto il controllo del Sinai. Dayan calcolava che la campagna si sarebbe conclusa in tre settimane. In realtà, con l'aiuto della schiacciante vittoria ottenuta dall'aviazione israeliana, le operazioni ebbero un successo maggiore e più rapido del previsto.

Le sette divisioni egiziane del Sinai — cinque di fanteria, una corazzata ed una blindata — al comando del generale Murtagi, superavano di gran lunga le forze di Gavrish sul piano numerico, ma una grossa parte di esse era legata a posizioni difensive fisse. Tal ottenne un rapido successo nell'assalto diretto alle difese della striscia di Gaza. Sharon tentò la stessa tattica ad Um Katef e fu respinto, ma modificò prontamente il proprio piano, facendo trasportare dagli elicotteri un battaglione di paracadutisti alle spalle della posizione nemica per un attacco notturno. Yoffe riuscì ad insinuarsi tra gli altri due gruppi. Il continuo successo di Tal disarticolò l'intero fronte e Murtagi decise di ritirare tutte le proprie forze verso i passi, cinquanta miglia ad Est del canale di Suez.

Dayan ed Itzhak Rabin, il capo di Stato Maggiore, esitarono a sfruttare immediatamente l'opportunità che si era creata, perché erano preoccupati dalla situazione attorno a Gerusalemme ed a Nord della città. Essi avevano sperato di persuadere la Giordania a rimanere fuori dalla guerra, ma il generale egiziano Riad, che era stato accettato come comandante in capo delle forze giordane, siriane ed irachene sul fronte del Giordano, riuscì a convincere Hussein che doveva aiutare l'Egitto nella situazione disperata in cui l'attacco aereo israeliano l'aveva gettato. Ma l'incompetenza di Riad, il colpo assestato dall'aviazione israeliana alla brigata irachena ed il timore dei Siriani di andare incontro allo stesso destino se avessero invaso la Galilea liberarono Dayan e Rabin dalla preoccupazione per gli sviluppi su quel fronte. Gavrish ebbe il via libera ed il Sinai divenne teatro di scontri confusi allorché Tal e Yoffe spinsero i loro carri attraverso e dietro le posizioni di Murtagi, mentre Sharon si tirava fuori dal pasticcio in cui si era cacciato.

Le truppe di Tal avevano raggiunto il canale quando alle 19.00 dell'8 giugno Nasser chiese alle Nazioni Unite di concordare un cessate il fuoco. Ciò indusse gli Israeliani ad occupare tutto il territorio che potevano prima della sua entrata in vigore. Yoffe spinse i propri carri attraverso il passo di Mitla e raggiunse il canale la mattina 9 giugno, tre ore prima che iniziasse il cessate il fuoco delle Nazioni Unite. Per quell'ora le forze israeliane avevano occupato anche la Giudea e la Samaria, note col nome di Cisgiordania, da cui l'esercito giordano si era ritirato. Dayan, deciso a sloggiare i Siriani dalle alture del Golan prima che entrasse in vigore il cessate il fuoco, ordinò ad Elazar di attaccarle quella mattina stessa, senza consultarsi né con Eshkol né con Rabin. I Siriani opposero un strenua resistenza nonostante l'intensità degli attacchi aerei, ma si ritirarono dopo ventiquattr'ore di aspri combattimenti.

La vittoria israeliana era costata 778 vittime militari e 26 civili, meno di un decimo delle perdite subite dai soli Egiziani. Come abbiamo visto fu molto significativo il contributo dell'aviazione. Dopo la vittoria iniziale, essa fu in grado di rivolgere i propri sforzi ad appoggiare l'Esercito, spostandosi rapidamente da un obiettivo e da un fronte all'altro, con una percentuale incredibilmente alta di missioni compiute. La vittoria, tuttavia, comportava dei problemi, in primo luogo il desiderio di vendetta dei nemici umiliati ed il futuro dei territori occupati da Israele: il Sinai, la striscia di Gaza, la Cisgiordania e le alture del Golan. Senza almeno queste ultime due la sicurezza di Israele non sarebbe mai stata garantita. Mentre gli sforzi per trovare una soluzione politica erano in corso sia all'interno che al di fuori delle Nazioni Unite, l'Egitto reagì in due modi: con azioni di commando e bombardamenti di artiglieria per ostacolare la costruzione da parte israeliana della linea Bar-Lev, destinata a difendere la riva orientale del canale di Suez; e, aiutato dall'Unione Sovietica, con la realizzazione di un'efficace difesa antiaerea, sotto la copertura della quale riconquistare alla fine il Sinai. Alla morte di Nasser, avvenuta nel 1970, Anwar Sadat dedicò tutte le proprie energie a questo scopo. Israele reagì con attacchi aerei in profondità nel territorio egiziano e con operazioni di commando per conquistare e distruggere elementi del sistema di difesa aerea nemico che, divenuto sempre più efficace, costrinse progressivamente alla riduzione ed infine alla sospensione di questi attacchi, nel corso di quella che venne chiamata guerra di logoramento.

Nel settembre del 1973, i servizi di informazione israeliani sapevano che l'Egitto e la Siria stavano aumentando la consistenza delle proprie forze nelle zone avanzate, ma ritenevano che l'Egitto non sarebbe entrato in guerra fino a quando la sua aviazione non fosse stata in grado di neutralizzare quella israeliana, e che la Siria non avrebbe attaccato se non al fianco dell'Egitto. Si considerava più immediata la minaccia del terrorismo arabo sulla scena internazionale. Soltanto il 3 ottobre, due giorni dopo che l'Egitto aveva iniziato manovre su larga scala ad Ovest del canale, Dayan, ancora ministro della Difesa, ed Elazar, divenuto capo di Stato Maggiore, cominciarono ad essere seriamente allarmati. Il 5 ottobre non potevano esserci più dubbi sull'imminenza dell'attacco e sia l'esercito sia l'aviazione erano a favore di un'azione preventiva come nel 1967. Ma Golda Meir, il primo ministro, e Dayan rifiutarono. Gli Israeliani sarebbero stati accusati di scatenare la guerra, alienandosi il sostegno americano. Con le frontiere lontane dai centri di insediamento della popolazione, Israele si trovava ora in una posizione migliore per accettare il rischio di un primo colpo e, considerato il miglioramento della difesa aerea egiziana, un'eventuale azione preventiva israeliana non avrebbe avuto l'effetto decisivo del 1967. La mattina del 6 ottobre arrivò l'informazione che l'Egitto e la Siria avrebbero aperto le ostilità alle ore 18 di quella sera, ed in effetti la loro aviazione attaccò quattro ore prima, quando le prime truppe egiziane cominciarono ad attraversare il canale.

L'esercito israeliano era mal preparato ad affrontare questo attacco e la minaccia più immediata e pericolosa era quella che i 1.500 carri armati dell'esercito siriano costituivano per le alture del Golan. Fu affrontata con una combinazione di intensi attacchi aerei, nel corso dei quali l'aviazione israeliana subì la maggior parte delle perdite di questa campagna, di abili e coraggiosi combattimenti sostenuti dai due battaglioni corazzati di stanza nella zona, e di rapido dispiegamento della riserva, gettata nella battaglia con la determinazione e la scaltrezza che distinguono le forze armate israeliane. A un dato momento i carri armati siriani furono in vista del Mare di Galilea.

Nel Sinai, gli Egiziani lanciarono un assalto metodico attraverso il canale di Suez, difeso da una brigata di fanteria della riserva, che svolgeva in quell'area il suo addestramento annuale. Gli attaccanti disponevano di due armate: la Seconda, a Nord della parte centrale del Grande Lago Amaro, con tre divisioni, e la Terza, a Sud di esso, con due. Di riserva avevano tre divisioni mobili e due corazzate. Nel complesso l'Esercito egiziano disponeva di 2.200 carri, 2.300 pezzi di artiglieria e 150 batterie di missili terra-aria, appoggiati da 550 aerei di prima linea. Il problema che si pose al Comando Meridionale israeliano, agli ordini di Gonen, era se usare le sue tre divisioni, ciascuna con cento carri, per rafforzare la minacciata linea Bar-Lev, o se organizzare la difesa iniziale più a Oriente e, in questo secondo caso, se ad Ovest o ad Est dei passi di Khatmia, Gidi e Mitla. Non poteva contare su un sostegno aereo, che rimaneva concentrato sulle alture del Golan. I tentativi di sostenere la linea Bar-Lev portarono a forti perdite provocate dai missili anticarro egiziani e Dayan, che fece visita a Gonen il 7 ottobre, consigliò il ritiro ai margini occidentali delle montagne, ad Est dei passi. Gonen ed Elazar non erano d'accordo. Essi sostennero l'idea di una difesa temporanea ad Ovest dei passi, da cui lanciare il contrattacco l'8 ottobre, e fu questa ipotesi a prevalere. Il contrattacco non fu ben coordinato e fallì, ma ebbe l'effetto di vanificare il piano egiziano di far avanzare le proprie teste di ponte oltre le quindici miglia che già avevano occupato.

Avendo fermato sia l'attacco egiziano che quello siriano, Israele poteva ora passare alla controffensiva. Gonen e Bar-Lev, quest'ultimo aggregato in veste di consigliere, respinsero l'ambiziosa proposta di Sharon, che voleva tentare di rovesciare la situazione attraversando il canale a Deversoir, nel punto in cui si congiungeva con il Grande Lago Amaro. Essi intendevano conservare le proprie forze per un contrattacco decisivo quando gli Egiziani fossero avanzati di nuovo. Nel frattempo, Elazar proponeva un attacco immediato e risolutivo dell'aviazione e dell'esercito contro le forze siriane, che erano state respinte sulla loro linea di partenza. L'intenzione era quella di sconfiggerle mentre la Giordania rimaneva inattiva e prima che potessero arrivare i rinforzi iracheni, già in viaggio, così da poter poi concentrare tutti gli sforzi contro l'Egitto. Dayan esitò, temendo che la sconfitta e l'umiliazione della Siria avrebbero costretto l'Unione Sovietica ad intervenire per salvare un Paese che godeva della sua protezione. Non fu la prima volta che Golda Meir si impose alla prudenza di Dayan. L'attacco fu lanciato l'11 ottobre e, nonostante l'aiuto giordano ed iracheno, la Siria abbandonò la lotta il 20 ottobre.

Nel Sinai, Gonen si era convinto ad accettare il piano di Sharon, ma non poteva metterlo in atto prima di aver fermato un serio tentativo egiziano di avanzare oltre le teste di ponte, in cui stavano per essere schierate le divisioni corazzate. Due giorni di aspri combattimenti, il 13 ed il 14 ottobre, a cui presero parte duemila carri — il numero più alto mai registrato in un singolo scontro dall'epoca della battaglia di Kursk, nel 1943 —, si conclusero con la sconfitta della Seconda Armata egiziana, il cui comandante, generale Mamoun, fu colpito da un attacco cardiaco. Sfruttando questa situazione, la notte del 15 ottobre fu ordinato a Sharon di attraversare il canale. Il tentativo incontrò considerevoli difficoltà e, nel corso dei due giorni successivi, combattimenti particolarmente duri ebbero luogo attorno a «Chinese Farm», sulla riva orientale. La situazione delle truppe che avevano attraversato il canale rimase precaria fino a quando non fu completata la costruzione di alcuni ponti nelle notti del 18 e del 19 ottobre; a quel punto, le divisioni di Bren e di Mandler avevano raggiunto Sharon sull'altra riva del canale, per poi avanzare finché Bren arrivò ai sobborghi di Suez e Mandler giunse a tagliare la strada per Il Cairo, circondando la Terza Armata egiziana. Il Consiglio di Sicurezza dell'ONU chiese il cessate il fuoco, dopo una visita di Aleksei Kosygin al Cairo ed un viaggio di Henry Kissinger a Mosca per concordare i termini di una risoluzione con Leonid Brezhnev. Ancora una volta fu Israele a disporre di pegni con cui condurre il gioco al tavolo dei negoziati i quali, dopo un lungo confronto, dovevano portare indirettamente ad una stabile situazione di sicurezza al suo confine meridionale. Per sintetizzare il significato di questa guerra e dei conflitti che l'avevano preceduta possiamo soltanto ripetere ciò che abbiamo già scritto altrove: «Era stata una delle lotte più aspre ed intense della storia militare. Entrambi i contendenti erano stati equipaggiati con le armi più moderne, sebbene i loro arsenali ne comprendessero anche molte di più vecchie. L'Egitto e la Siria aprirono le ostilità rispettivamente con 2.200 e 2.000 carri. Di questi, circa 2.000 andarono perduti: la maggior parte — nonostante la pubblicità data ai missili anticarro guidati — nello scontro con i 1.700 carri di Israele (che pure ne perse la metà). L'Egitto e la Siria registrarono una perdita approssimativa di 250 velivoli ciascuno, su un totale complessivo di circa 800, per lo più nel corso di combattimenti aerei, mentre gli Israeliani ne persero soltanto 115 dei loro 500, quasi tutti abbattuti da cannoni o da missili terra-aria ed in buona misura durante azioni di appoggio alle forze terrestri. L'Egitto e la Siria subirono la perdita di circa 8.000 uomini, Israele di 2.500. Anche nel caso di Israele [...] che a quell'epoca raggiungeva i tre milioni di abitanti [...] [la cifra] non poteva considerarsi alta rispetto alla popolazione complessiva, ma appariva tale se si teneva conto che le vittime erano state in media 115 al giorno. A causare l'allarme di entrambi i contendenti fu l'enorme dispendio di equipaggiamento e munizioni, a cui nessuno dei due era preparato. Ne seguì un'urgente richiesta di immediati rifornimenti presentata ai rispettivi protettori, a cui Americani e Sovietici risposero con massicci ponti aerei, le rotte dei quali si incrociarono sul Mediterraneo orientale a partire dal 15 ottobre. Su entrambi i versanti della Cortina di ferro questo dispendio di mezzi indusse gli strateghi a rivedere anche le stime delle proprie dotazioni. Se la metà delle scorte di ciascuno poteva andare perduta in meno di tre settimane, come sarebbe stato possibile sostenere una guerra prolungata? Gli episodi di questa guerra furono studiati con molta attenzione ed interesse come primo esempio del ricorso a molte delle armi più moderne e sofisticate prodotte dalle potenze occidentali e dalla Russia sovietica, le une in azione contro le altre. Ciò valeva in particolare per i settori dei carri e delle armi anticarro, oltre che degli aerei e dei mezzi antiaerei, sebbene questi ultimi fossero già stati sperimentati in Vietnam, dove l'aviazione americana aveva affrontato i missili terra-aria di fabbricazione sovietica, con l'eccezione dei SAM6. Un'interessante caratteristica della guerra fu la costante importanza dei combattimenti tra carri e tra aerei.

Le vittorie di Israele in tutti e tre i conflitti sembravano confermare le teorie degli apostoli della mobilità, Fuller e Liddell Hart. Proprio quest'ultimo giudicò la guerra dei Sei Giorni come "la migliore dimostrazione della teoria dell'approccio indiretto". Era risultato evidente che un esercito piccolo, ben addestrato e specializzato, equipaggiato per operazioni mobili e guidato al fronte da uomini di grande intelligenza e rapidità di giudizio, poteva sconfiggere eserciti molto più grandi, ma più lenti nelle valutazioni e nell'azione. Era anche apparso chiaro che la combinazione di velocità e sorpresa produceva un proprio slancio e che le operazioni intese ad alterare l'equilibrio del nemico, sia materialmente sia psicologicamente, erano più proficue degli assalti diretti. In contrasto con le opinioni di Fuller e di Liddell Hart, però, gli Israeliani non esitarono mai a lanciarsi in assalti del genere se li ritenevano necessari, spesso anche quando avrebbero potuto evitarli. Nella fuga dall'azione essi non vedevano nessuna scorciatoia verso la vittoria, né potevano permettersi di temporeggiare. Dietro di sé sentirono sempre librarsi da presso il carro alato del tempo, per ragioni sia politiche sia militari. A differenza dei propri avversari, essi sapevano di combattere per la propria esistenza, e ciò li spronava a non fermarsi. Sebbene fossero assai sensibili alla perdite umane, molto più dei loro nemici, accettarono rischi che altri non sarebbero stati pronti ad affrontare e, per quanto l'audacia non sia sempre pagante, nella maggior parte dei casi lo fu.

I loro avversari — Giordani, Egiziani, Siriani ed arabi Palestinesi — combatterono spesso con determinazione e coraggio accaniti, sia in difesa sia in attacco; ma il loro comando generale era lento ed esitante nelle sue reazioni, oltre che disunito. La Siria e l'Egitto furono scarsamente ripagati delle grandi risorse investite nelle loro forze armate, sia in prima persona che dai propri sostenitori russi. A tutt'oggi il loro ricorso alla guerra non ha ottenuto alcun risultato. Israele è sopravvissuta, grazie al proprio sforzo militare difensivo, con il significativo aiuto degli Stati Uniti e di alcuni altri. Non c'è alcun dubbio che per Israele la sicurezza viene prima di tutto»[7].

L'invasione del Libano nel 1982 può difficilmente essere chiamata guerra convenzionale, dal momento che mancava un avversario convenzionale, sebbene sia l'aviazione sia l'esercito israeliani abbiano usato tutto l'armamento a propria disposizione. L'episodio presentava alcuni aspetti che rientrano nella strategia del «fatto compiuto» ma, come per i precedenti conflitti, rimane da verificare se il successo militare a breve termine possa creare condizioni di sicurezza nel lungo periodo.

Le guerre dell'India. Le guerre dell'India sono state meno sofisticate degli ultimi conflitti arabo-israeliani, se non altro perché l'Aviazione non vi ha giocato un ruolo così essenziale. Fondamentalmente, queste guerre erano fondate sui timori pakistani che l'India non avesse mai genuinamente accettato l'esistenza di uno Stato musulmano separato nel subcontinente, e sui timori indiani che il Pakistan potesse minare la fedeltà del considerevole numero di musulmani rimasti dentro i confini dell'India. L'originaria proposta britannica aveva previsto che, al momento dell'indipendenza, i diversi Stati avrebbero scelto a quale nazione aderire, ed il Kashmir, con i suoi governanti hindu e la sua popolazione divisa (formata per il 77% da musulmani) divenne il simbolo dei pericoli che ciò costituiva per l'unità indiana. Il maharajah aveva esitato nel decidere a quale nazione unirsi, sperando di poter rimanere indipendente da entrambe. I combattimenti tra le forze armate indiane e pakistane, che fino a poco tempo prima avevano fatto parte dello stesso esercito controllato dalla Gran Bretagna, cominciarono subito dopo che, nell'ottobre del 1947, un battaglione indiano fu inviato a Srinagar per appoggiare il governo nella repressione di una rivolta musulmana. Il Pakistan intervenne al fianco dei ribelli ed entrambe le parti aumentarono le forze in campo, fino all'equivalente di due divisioni di fanteria su ciascun versante. Dopo che gli Indiani si furono assicurati il controllo della metà occidentale dello Stato, le due parti ingaggiarono un'inconcludente guerra sulle montagne, fino a quando, nel gennaio del 1949, fu concordato un cessate il fuoco garantito da un piccolo gruppo di osservatori delle Nazioni Unite. Da allora quella è rimasta la frontiera internazionale di fatto.

La successiva guerra dell'India fu quella con la Cina, causata in parte dalla suscettibilità sulla questione del Kashmir. Il conflitto nacque da una disputa sul confine indiano con il Tibet, ad Est e ad Ovest del Nepal, a lungo complicata dai dubbi sullo status dello stesso Tibet. Il primo ministro Jawaharlal Nehru, dopo essere stato criticato da elementi di destra per aver accettato senza proteste l'estensione al Tibet dell'autorità cinese, decisa da Mao Tse-tung, rifiutò una serie di approcci di Chou En-lai per discutere la questione. Non accadde nulla finché nel 1957 l'India non scoprì che i Cinesi avevano costruito una strada dal Sinkiang a Lhasa, nel Tibet, attraverso l'area conosciuta come Aksai Chin, a Nord del Kashmir, che entrambe le parti rivendicavano come proprio territorio, ma che l'India non aveva mai occupato. Questa insistette per il ritiro dei Cinesi dalla regione e rifiutò di avviare negoziati sui territori contesi. La Cina in risposta si offrì di riconoscere la linea McMahon (che era la frontiera di fatto ad Est del Nepal fin dal 1913) se l'India accettava, come aveva fatto la Gran Bretagna dal 1899 al 1927, che ad Ovest del Nepal il confine seguisse la catena del Karakoram, all'estremità meridionale dell'Aksai Chin. Se l'India avesse rifiutato, la Cina avrebbe mantenuto le sue rivendicazioni sulle colline pedemontane dell'Assam e sulla frontiera orientale.

Nehru, sopravvalutando l'idea che il sostegno politico degli Stati Uniti e dell'Unione Sovietica avrebbe dissuaso la Cina dall'intraprendere qualsiasi azione e trovandosi sotto il fuoco delle critiche per non aver fatto di più in favore della ribellione tibetana contro i Cinesi, rifiutò il dialogo e diede inizio ad una politica di intervento, inviando un certo numero di pattuglie militari a sostenere le rivendicazioni dell'India su quelle remote montagne. Era una mossa insensata, ma i generali che sottolinearono la realtà della situazione militare furono sostituiti con altri più compiacenti. Chou En-lai avvertì ripetutamente Nehru dei pericoli insiti nella sua politica, che fu interpretata come tentativo di provocare il distacco del Tibet dalla Cina, ma tali avvertimenti furono ignorati e, nel 1961, l'India aumentò il numero e la forza delle proprie postazioni militari. Agli inizi del 1962, i Cinesi cominciarono a prendere le loro contromisure, circondando le postazioni indiane con forze superiori. In settembre usarono questa tattica sul passo di Thag La, vicino all'intersezione tra la linea McMahon e la frontiera con il Bhutan, e proposero ancora una volta l'avvio di trattative. Nehru rifiutò ed ordinò al proprio esercito di ricacciare indietro i Cinesi.

Ciò provocò, in ottobre, una controffensiva dei Cinesi, che erano in grado di trasferire forze molto superiori sia nella zona in questione sia nel Ladakh, ad Ovest del Nepal, dove attaccarono nello stesso momento. Le truppe indiane presenti nell'Assam, aumentate fino a raggiungere la consistenza di due divisioni, erano disperse su posizioni che non potevano difendersi a vicenda e furono facilmente aggirate. L'assenza di un'adeguata preparazione logistica escluse schieramenti più accorti. Gli Alti Comandi, su pressione degli adulatori di Nehru, fronteggiarono con incompetenza una situazione fattasi impossibile. Molte unità indiane si batterono egregiamente, ma il 20 novembre i Cinesi le avevano sloggiate senza difficoltà dalle colline pedemontane e ricacciate verso le pianure. Nel Ladakh il generale Daulat Singh, un abile ufficiale, concentrò le proprie forze, che ammontavano ad una divisione, sulla catena del Karakoram e, verso la metà di novembre aveva la situazione sotto il suo pieno controllo.

Preso dal panico di fronte alla prospettiva di un'invasione generale dell'India da parte cinese, Nehru abbandonò il suo non allineamento ed invocò l'aiuto degli Stati Uniti, della Gran Bretagna e dell'Unione Sovietica. I primi due Paesi risposero rapidamente, offrendo armi ed appoggio aereo. Questi, però, non si resero necessari perché il 21 novembre Chou En-lai annunciò che le «guardie di frontiera» cinesi si sarebbero ritirate venti chilometri dietro «la linea di controllo effettivo del territorio esistente fra la Cina e l'India alla data del 7 novembre 1959»; la Cina si attendeva che le forze armate indiane osservassero la stessa distanza, mentre concedeva che all'interno della zona sgomberata si insediassero stazioni di polizia civile. Dopodiché avrebbero avuto luogo lo scambio dei prigionieri e l'inizio delle trattative. Pubblicamente Nehru non accettò le proposte cinesi, ma di fatto vi aderì e lo fece sapere a Chou En-lai.

Era stata una guerra di fanteria alla vecchia maniera, in cui le armi pesanti moderne avevano giocato un ruolo modesto, e, generalmente, avevano prevalso la capacità di manovrare sul terreno montagnoso e di far entrare in azione forze superiori da una direzione inaspettata. L'attività dell'Aviazione si era quasi esclusivamente limitata al trasporto nelle retrovie. Se anche fosse stato presente un certo numero di elicotteri, l'altitudine a cui si erano svolte le operazioni avrebbe seriamente limitato l'uso dei tipi allora disponibili. Da parte dei Cinesi la campagna era stata un perfetto esempio di guerra limitata, commisurata nello scopo e nella messa in atto all'ottenimento di un preciso obiettivo politico, con i mezzi economicamente proporzionati al fine. I Cinesi avevano seguito i principi dettati da Sun Tzu, il quale aveva scritto nel VI secolo a.C. che la vittoria andava cercata nel più breve tempo e con il minor sforzo possibile, infliggendo al nemico il minimo delle perdite e ricordando che era necessario vivere fianco a fianco una volta terminati i combattimenti. Nehru si comportò in modo insensato ignorando la realtà militare e l'esercito indiano fu fortunato a non subire perdite maggiori: 1.383 morti, 1.696 dispersi e 3.968 prigionieri. Altrettanto fortunatamente, il conflitto portò all'allontanamento dei generali indiani incompetenti.

La guerra che l'India sostenne contro la Cina ebbe ripercussioni nei suoi rapporti con il Pakistan. Le forze armate pakistane avevano ricevuto di recente dagli Stati Uniti una considerevole quantità di nuovo equipaggiamento, compresi carri armati ed aerei, nel quadro della politica americana intesa a costruire l'Organizzazione del Trattato Centrale (CENTO) come baluardo contro l'influenza sovietica in Medio Oriente. Il Pakistan aveva condotto amichevoli negoziati con la Cina, raggiungendo un accordo sulla frontiera comune. Quando, nel 1963 e nel 1964, scoppiarono nel Kashmir alcune gravi rivolte, il presidente pakistano Mohammad Ayub Khan, che doveva far fronte a problemi politici interni, vide in esse l'opportunità di acquisire il controllo sull'altra metà della regione contesa. Nehru desiderava raggiungere un accordo, ma morì nel maggio di quell'anno ed il suo successore Lal Bhadur Shastri non era abbastanza forte politicamente per poter fare concessioni. Ayub Khan organizzò una spedizione di 30.000 uomini, prevalentemente irregolari, comandati da ufficiali regolari dell'esercito pakistano e guidati dal generale Malik, con il compito di infiltrarsi attraverso la linea del cessate il fuoco che divideva il Kashmir. Per creare un diversivo o per scaricare sull'India la responsabilità di aprire le ostilità, nel gennaio del 1965 il presidente pakistano provocò un incidente di frontiera nel Rann of Kutch, una regione quasi disabitata a Est della foce del fiume Indo, allagata nella stagione dei monsoni. La tensione aumentò ed in agosto le forze di Malik attraversarono la linea del Kashmir in quattro ondate, suscitando la pronta reazione dell'India. Gli uomini di Malik non riuscirono a realizzare il progetto di sollevare la popolazione ottenendone il sostegno: ben presto furono confinati in una fascia larga dieci miglia a ridosso del confine e presero scarsamente parte agli sviluppi successivi della guerra, combattuta dai due eserciti regolari, ciascuno composto da circa dieci divisioni, di cui una corazzata. I primi scontri ebbero luogo all'estremità meridionale della linea del Kashmir e si estesero gradualmente in direzione Sud all'interno del Punjab, a mano a mano che i due avversari attaccavano a fondo per rintuzzare le minacce dell'altro contro obiettivi situati nel proprio territorio. Il 6 settembre, l'India lanciò un attacco con tre divisioni su Lahore, seguito da quattro giorni di aspri combattimenti e dall'intervento della divisione corazzata pakistana. L'esito fu interlocutorio. L'11 settembre, l'India attaccò più a Nord, puntando su Sialkot con quattro divisioni, compresa quella corazzata a sua disposizione. Ne seguì una battaglia di ampie proporzioni che durò due settimane: anch'essa si concluse con una situazione di stallo.

Nel frattempo, era continuata la pressione internazionale per arrivare ad un cessate il fuoco. Il gesto più efficace in questo senso fu la decisione americana e britannica di tagliare i rifornimenti di armi ad entrambi i contendenti che, verso il 22 settembre, cominciarono a rendersi conto di non poter sostenere la perdita di parti importanti dell'equipaggiamento al ritmo seguito fino a quel momento. Si arrivò così all'accettazione di un cessate il fuoco, sebbene soltanto nel gennaio del 1966 nel corso di un incontro presieduto da Breshnev a Tashkent: secondo l'accordo raggiunto entrambi i contendenti si sarebbero ritirati sulle posizioni tenute il 5 agosto 1966. Shastri morì di attacco cardiaco il giorno della firma e gli succedette Indira Ghandi. Non esistevano accordi sul futuro del Kashmir. Le cifre riguardanti i morti ed i feriti sono inattendibili, ma sembra che abbiano toccato pressappoco gli stessi livelli da entrambe le parti, per un totale di 12.000, di cui 3.000 i morti. I due contendenti avrebbero perso circa 200 carri ciascuno, con altri 150 fuori combattimento, ma riparabili, anche se è possibile che le perdite del Pakistan siano state leggermente superiori. L'India accusò la perdita di circa 70 aerei, il Pakistan di 20; le rispettive forze navali non giocarono quasi alcun ruolo nel conflitto. In termini percentuali, rispetto alla popolazione queste perdite risultavano, naturalmente, molto basse; maggior significato avevano quelle delle forze corazzate e delle scorte di munizioni e pezzi di ricambio.

La guerra non ebbe alcun esito decisivo, ma indebolì il Pakistan sia rispetto all'India sia sul piano interno. Il Pakistan Orientale giudicava negativamente l'ossessione di quello Occidentale per il Kashmir, e Yahia Khan, succeduto ad Ayub nel 1969, dovette affrontare gravi difficoltà nel primo come nel secondo. Esse esplosero nel marzo del 1971, quando Yahia ritardò indefinitamente l'insediamento dell'Assemblea Nazionale da poco eletta, in cui la Lega Awami del Pakistan Orientale aveva conquistato la maggioranza nella parte occidentale del Paese sconfiggendo il Partito Popolare di Zulfikar Ali Bhutto. I militari assunsero il controllo del Pakistan Orientale, avviando una politica di repressione nei confronti della Lega Awami ed in generale delle classi intellettuali bengalesi, sostenute dall'India. Questo creò un grave problema di profughi nel Bengala Orientale indiano. Non essendo riuscita a persuadere Yahia Khan a modificare la sua politica di repressione, la signora Ghandi decise di spezzare il legame artificiale tra il Pakistan Orientale e quello Occidentale con un'azione militare.

L'esercito indiano disponeva di 825.000 uomini, organizzati in una divisione corazzata, tredici di fanteria e dieci di montagna, più numerose brigate indipendenti. La sua dotazione di mezzi corazzati era aumentata rispetto al 1965 grazie all'acquisto di 450 carri sovietici T-55 e T-56 ed alla produzione dei Vickers Vijayanta, che rispetto ai carri britannici Centurion avevano una corazza meno spessa, ma montavano lo stesso potente cannone da 105 mm. L'aviazione poteva contare su 625 aerei da combattimento, compresi sette squadroni di Mig-21 sovietici; gli altri erano Sukhoi-7 sovietici, Canberra e Hunter britannici, oltre che Gnat di produzione indiana. Anche la marina era stata rafforzata attorno al nucleo costituito dalla portaerei *Vikrant*. Il Pakistan, da parte sua, disponeva di 2 divisioni corazzate e 12 di fanteria, più una brigata corazzata indipendente, mentre altre 2 divisioni erano in via di formazione per sostituire quelle dislocate nel Pakistan Orientale. L'aviazione era costituita da 14 squadroni di caccia e 3 di bombardieri. Nella parte orientale del Paese, però, erano schierati soltanto uno squadrone di cacciabombardieri Sabre ed un reggimento di cinquanta carri, tutti leggeri. La politica di repressione fece sì che quasi tutti i soldati reclutati nel Pakistan Orientale disertassero per entrare nelle fila del movimento sovversivo, il Mukti Bahini, che appoggiava la Lega Awami; essi dovettero perciò essere sostituiti con altri soldati provenienti dal Pakistan Occidentale. Il governo del Paese divenne sempre più un regime militare imposto dall'Ovest, mentre si diffondevano le attività del Mukti Bahini, sostenuto dall'India.

Le ostilità tra l'India ed il Pakistan ebbero inizio il 3 dicembre 1971, con un attacco non riuscito dell'aviazione pakistana contro gli aereoporti militari dell'avversario, a cui le forze aree indiane risposero con maggiori risultati. L'attacco pakistano fu accompagnato da azioni ugualmente inefficaci condotte nel Kashmir, oltre la linea del cessate il fuoco, da parte di forze sia regolari che irregolari. Ciò portò ad una serie di battaglie lungo i confini del Kashmir e del Punjab, in cui prevalsero i carri armati indiani. Questi scontri non ebbero alcun effetto sulle operazioni principali, che si svolsero nel Pakistan Orientale al comando del generale Aurora, insediato a Calcutta. Il suo piano era ricco di immaginazione. Egli disponeva di tre corpi d'armata: uno di 2 divisioni nel Bengala orientale; un altro di uguali dimensioni nell'Assam, al confine settentrionale del Pakistan Orientale; ed un terzo, di 3 divisioni, nel Tripura, ad Est del Paese. Aurora risolse il problema principale, quello costituito dall'attraversamento di numerosi corsi d'acqua, grandi e piccoli, rendendo le sue truppe il più possibile indipendenti dagli spostamenti su strada e chiamando tutti i genieri disponibili a costruire ponti e traghetti. Il trasporto dei materiali destinati alla costruzione di questi ultimi fu il compito più importante assegnato agli elicotteri dell'aviazione indiana. Questo piano di attacco concentrico sfruttava la debolezza della disposizione sul campo assunta dalle forze del generale pakistano Niazi. Per far fronte al Mukti Bahini e tenere il Paese sotto controllo esse erano state disperse sul territorio, in particolare vicino alle frontiere; quelle che potevano essere concentrate dovevano assicurare le comunicazioni tra la capitale, Dacca, ed il porto principale di Chittagong, nell'estremo Sud-Est.

Tutti e tre gli attacchi indiani furono coronati da un rapido successo. Le truppe avanzate, sostenute e guidate con entusiasmo dalla popolazione, attraversarono il Paese correndo rischi che sarebbero stati insensati in un contesto più convenzionale. Intanto l'aviazione indiana, dopo aver conquistato la totale supremazia aerea, poteva fornire loro un appoggio illimitato sul piano del trasporto, del combattimento e della ricognizione. Mentre tutti e tre i corpi d'armata guadagnavano terreno, l'11 dicembre Aurora fece lanciare un battaglione di paracadutisti per tagliare fuori le forze pakistane che fronteggiavano l'attacco proveniente dall'Assam occidentale, ad Est dei maggiori ostacoli fluviali. Questa avanzata da Nord, al comando del generale Nagra, si stava avvicinando a Dacca quando il nemico chiese la sospensione delle ostilità, e si trovava ormai alla periferia della città quando Niazi dichiarò la resa di tutte le forze al suo comando nel Pakistan Orientale: era il 16 dicembre, dieci giorni dopo che la signora Ghandi aveva riconosciuto l'indipendenza del Bangladesh, come si sarebbe chiamato il Paese a partire da quel momento. La campagna fu una vera guerra-lampo, secondo la teoria del «torrente che si allarga», sviluppata da Liddell Hart a partire dalla tattica dell'esercito tedesco nella sua offensiva del marzo 1918 sul fronte occidentale. Essa suggeriva di sfruttare tutte le debolezze dello schieramento nemico infiltrandovi le proprie truppe ed aggirando i punti di resistenza nello stesso modo in cui l'acqua supera gli ostacoli sul letto di un torrente. L'India si era prefissa un obiettivo limitato, che raggiunse in modo pienamente conforme ai principi dettati da Sun Tzu.

Le battaglie della Gran Bretagna. Durante tutta l'era nucleare, con l'eccezione dell'anno 1968, l'esercito della Gran Bretagna è stato in azione in qualche parte del mondo. La maggior parte di queste campagne ha avuto a che fare con le sfide interne lanciate all'autorità del governo britannico nelle colonie, nelle ex colonie e, a partire dal 1969, nello stesso Regno Unito, in Irlanda del Nord. A parte questi episodi ed il contributo alla guerra di Corea, di cui si è parlato, la Gran Bretagna ha partecipato a tre azioni «convenzionali»: la spedizione anglo-francese a Suez, la campagna condotta nel Borneo al fianco della Malaysia e contro l'Indonesia dal 1962 al 1966, e la riconquista delle isole Falkland nel 1982. A quasi tutti gli interventi in cui fu impegnato l'esercito parteciparono anche la fanteria e gli elicotteri della marina, oltre che tutti i tipi di aerei dell'aviazione, anche se soltanto nelle operazioni alle isole Falkland essi dovettero combattere contro navi ed aerei nemici.

Nell'azione contro Suez, l'aviazione egiziana fu messa fuori gioco al suolo con il bombardamento a lungo raggio dei suoi aereoporti, prima che entrassero in azione le forze aereotrasportate e quelle anfibie; la marina egiziana non oppose alcuna efficace resistenza. La spedizione di Suez e quella delle Falkland avevano un fattore in comune: per esse non era stato preparato un piano eventuale e dovettero quindi essere improvvisate. Nel 1956, la Gran Bretagna non disponeva né di mezzi anfibi né di velivoli da trasporto in grado di trasferire grandi quantità di truppe per via marittima od aerea. Essa aveva basi a Cipro ed a Malta, ma i piccoli porti di Cipro erano inadatti alla concentrazione ed al carico dei materiali, ed i suoi due aereoporti erano di capacità limitata. Malta si trova a 2.000 chilometri da Port Said, un lungo viaggio marittimo per il naviglio lento. L'operazione anglo-francese risentì dei molti cambiamenti di piano e dell'incertezza che avvolgeva i suoi scopi. Non fu mai del tutto chiaro se essa puntava soltanto ad acquisire il controllo del canale stesso, in modo che potesse continuare ad essere gestito dalla Compagnia del canale di Suez per conto di un'associazione dei suoi utilizzatori, o se, invece, avesse lo scopo più ambizioso di rovesciare Nasser nella speranza, presumibilmente, di sostituirlo con qualcuno più favorevole agli interessi occidentali. Il piano originario prevedeva uno sbarco ad Alessandria in modo da poter inviare una colonna corazzata lungo la strada che raggiunge Il Cairo attraverso il deserto, dalla quale alcuni gruppi si sarebbero staccati in direzione del canale verso Port Said, Ismailia e Suez. Si ritenne ottimisticamente che questo programma potesse essere completato in otto giorni. Per una serie di ragioni, compresi i limiti dovuti alla scarsità di mezzi anfibi, il piano fu trasformato in un assalto a Port Said, in parte aereotrasportato ed in parte anfibio, preceduto da un attacco aereo notturno contro le basi dell'aviazione egiziana. La ridotta capacità degli aerei da trasporto anglo-francesi limitò il lancio a 668 paracadutisti britannici e 487 francesi.

Secondo le dichiarazioni rilasciate a posteriori, lo scopo dell'operazione, avvenuta in concomitanza con l'attacco israeliano di cui abbiamo già parlato, era quello di separare le forze egiziane ed israeliane lungo la linea del canale, ma è dubbio che si possa prestar fede a questa spiegazione. Nel momento in cui, all'alba del 5 novembre, i paracadutisti britannici e francesi atterravano a ridosso di Port Said, le truppe israeliane avevano già occupato il Sinai. Ventiquattro ore più tardi sbarcavano con mezzi anfibi cingolati due battaglioni di marines britannici, seguiti da un altro battaglione su elicotteri e dal resto della brigata dei paracadutisti britannici su mezzi da sbarco. I combattimenti a Port Said furono sporadici ed il comandante delle operazioni, il generale britannico H.C. Stockwell, che aveva al suo fianco come vice comandante il generale francese Beaufre, decise che i paracadutisti francesi guidati dal generale Jacques Massu avrebbero lanciato un attacco combinato, aereo ed aereotrasportato, su Ismailia, cinquanta miglia più a Sud lungo il canale, mentre la brigata dei paracadutisti britannici li avrebbe raggiunti viaggiando su strada. Ma la pressione internazionale, esercitata principalmente dagli Stati Uniti, portò ad un cessate il fuoco prima che il piano potesse essere pienamente attuato. Sebbene per l'operazione fossero state preparate forze maggiori, di fatto vi presero parte soltanto tre brigate, una di paracadutisti britannici, una di paracadutisti francesi ed una di marines britannici: tra essi si registrarono da parte britannica 11 morti e 92 feriti, da parte francese 10 morti e 33 feriti. Era un'operazione malamente concepita che avrebbe avuto successo sul piano militare, ma scarse, se non nessuna, probabilità di arrivare ad una soluzione politica soddisfacente e durevole. Fu un'esperienza gravemente frustrante per le forze armate che vi presero parte.

L'intervento britannico nel Borneo, al contrario, ebbe successo sotto tutti i punti di vista. Il suo scopo era quello di impedire all'Indonesia di rovesciare il governo del Brunei e di assorbire, oltre al Brunei stesso, i vicini Sabah e Sarawak. I tentativi in questo senso iniziarono nel dicembre del 1962 con una rivolta appoggiata dall'Indonesia nel sultanato del Brunei, protettorato britannico, che fu rapidamente ed efficacemente repressa da tre battaglioni britannici giunti in aereo da Singapore. Nell'aprile del 1963, l'Indonesia cominciò ad infiltrare uomini armati, presunti volontari accorsi in aiuto dei rivoltosi locali, nel Sarawak e più tardi nel Sabah. Questi «volontari» trovarono ben pochi ribelli da aiutare: quelli che potevano esserci stati nel Brunei erano tutti prigionieri, mentre nel Sarawak i soli ribelli potenziali appartenevano alla frangia comunista della minoranza cinese, i più attivi dei quali erano stati anch'essi arrestati. Sul posto furono inviati rinforzi britannici, costituiti in gran parte da battaglioni di Gurkha, raggiunti più tardi da unità malesi, quando in agosto la sovranità ed il comando generale furono trasferiti alla nuova Federazione della Malaysia.

Dopo un breve cessate il fuoco, nel gennaio del 1964, durante il quale i negoziati tra la Malaysia e l'Indonesia sotto la presidenza dell'ONU giunsero ad un punto morto, l'Indonesia rinunciò alla finzione sostenuta fino a quel momento e riconobbe che le sue truppe operavano a Nord della frontiera del Kalimantan, che seguiva per 800 miglia le cime di montagne immerse in una fitta giungla. Queste truppe si spostavano in compagnie di circa 100 uomini, intimidendo la popolazione locale e cercando di stabilire di fatto l'autorità indonesiana. In un primo momento, il generale Walter Walker, comandante delle forze britanniche, si affidò alle popolazioni autoctone, appoggiate da forze speciali, per la raccolta di informazioni sui movimenti dei piccoli gruppi di soldati nemici che, scendendo lungo i fiumi, erano penetrati nelle aree coltivate. Ma non poteva permettere agli Indonesiani di crearsi delle basi sul versante malaysiano della frontiera e doveva proteggere le popolazioni dalle loro incursioni. Fece perciò allestire a sua volta vicino alla frontiera delle basi affidate ad una compagnia e rifornite per via aerea, a partire dalle quali operavano pattuglie delle dimensioni di un plotone. Se incontravano gruppi consistenti di truppe indonesiane, era possibile trasportare sul luogo rinforzi che gli elicotteri spesso calavano a terra attraverso i varchi aperti nella giungla abbattendone gli alberi. L'imboscata era la tattica più efficace con cui le unità britanniche — che comprendevano, oltre ai Gurkha, australiani e neozelandesi — infliggevano pesanti perdite ai soldati indonesiani, meno esperti e meno ben informati. Alla fine del 1964, Walker aveva ormai circa 14.000 uomini ai propri ordini, appoggiati da 60 elicotteri della marina e dell'aviazione per il trasporto delle truppe, e da 40 dell'esercito, più piccoli, organizzati in tre brigate, salite a quattro nel 1965. Quell'anno egli ottenne il permesso di operare segretamente al di là del confine, nel Kalimantan, sfruttando largamente l'intercettazione dei collegamenti radio indonesiani per individuare gli obiettivi delle imboscate. Questa tattica si dimostrò pagante e, dopo che, nell'ottobre del 1965, un colpo di Stato contro Sukarno ebbe aperto in Indonesia un periodo di combattimenti tra fazioni comuniste ed anticomuniste, il «confronto» con la Gran Bretagna di fatto terminò, anche se la conclusione finale si ebbe soltanto nell'agosto del 1966, cinque mesi dopo che il generale Suharto aveva sostituito Sukarno nell'esercizio effettivo del potere.

Era stata una guerra strettamente limitata e poco costosa per la Gran Bretagna e la Malaysia, che ottennero importanti risultati. Nel momento di massimo sviluppo erano schierati nel Borneo 17.000 soldati del Commonwealth britannico, con altri 10.000 a disposizione in Malesia ed a Singapore. Tra essi si registrarono 114 morti e 181 feriti, molti dei quali erano Gurkha. Vi furono anche 36 vittime, 53 feriti e 4 prigionieri civili, quasi tutti abitanti del luogo. Secondo le stime 590 indonesiani furono uccisi, 222 feriti e 771 catturati. I combattimenti durarono quasi quattro anni, raggiungendo chiaramente e decisivamente lo scopo di impedire all'Indonesia od a qualsiasi altra influenza esterna di strangolare sul nascere la Malaysia. Nessuna delle due parti aveva avuto interesse ad estendere le ostilità fuori dal Borneo, anche se nell'agosto del 1964 l'Indonesia aveva inviato in Malesia un commando anfibio di 100 uomini ed uno aereotrasportato di 200, entrambi i quali fallirono completamente il proprio scopo. Attacchi aerei contro basi militari ed altri obiettivi, o contro unità della marina ed altre navi in mare, avrebbero prodotto svantaggi di gran lunga superiori ai marginali risultati militari eventualmente ottenuti. Entrambe le parti ebbero la saggezza di definire il conflitto come un «confronto» e di mantenerlo entro stretti limiti, sui quali non fu mai raggiunto un accordo formale, che tuttavia vennero tacitamente rispettati. In alcune occasioni la Gran Bretagna fu tentata di sondare le acque inviando le proprie navi da guerra attraverso uno degli stretti che separano le principali isole indonesiane, ma prudentemente si astenne dal farlo.

L'operazione del 1982 alle isole Falkland fu un episodio assai più breve e più acuto. Per molti anni la Gran Bretagna aveva cercato di trovare una soluzione politica al problema della propria sovranità su queste isole scarsamente abitate ed in buona parte desolate al largo della punta meridionale del Sudamerica, di cui veniva amministrata la dipendenza della South Georgia, popolata interamente da pinguini. La caduta in termini reali del prezzo mondiale della lana ne aveva minacciato l'economia, in pratica monopolio della Falkland Island Company, che faceva scarsi investimenti nelle isole, e la popolazione era scesa a 1.800 abitanti, il 95% dei quali di origine britannica. Nel tentativo di migliorarne le condizioni sociali ed economiche, e contemporaneamente di trovare un compromesso sulla rivendicazione di sovranità da parte argentina, già diversi governi britannici avevano discusso il futuro *status* delle isole e persuaso l'Argentina a costruire un aereoporto ed a gestire un regolare servizio aereo con il continente, così da permettere agli isolani di recarvisi per necessità scolastiche, cure mediche e scopi vari, inclusi i viaggi verso altri Paesi. I tentativi di convincere gli isolani ad accettare una qualche forma di legame associativo con l'Argentina, tuttavia, incontrò forti resistenze, appoggiate sia dalla Falkland Islands Company sia dalla maggioranza di entrambi i partiti politici. I negoziatori britannici, pertanto, non avevano nulla da offrire agli Argentini, nei quali cresceva la frustrazione per la mancanza di passi avanti in direzione delle loro richieste.

L'invasione ebbe luogo il 2 aprile 1982. All'inizio dell'anno un commerciante di rottami argentino aveva cominciato a smantellare nella South Georgia un'abbandonata installazione di pesca alla balena, il che fu causa di incidenti, in quanto la spedizione non rispettava le procedure stabilite dal rappresentante britannico; la tensione provocata da questa disputa aumentò in marzo. Anche il movimento di forze navali britanniche verso le Falkland si prestò ad essere usato dall'Argentina come pretesto per entrare in azione. La guarnigione delle isole — 68 marines — era di dimensioni doppie rispetto al normale, essendo in corso un avvicendamento, e resistette egregiamente, sebbene senza speranza, al battaglione di marines argentini sbarcato a Port Stanley. La reazione britannica fu rapida. Il 5 aprile salpò dalla Gran Bretagna una task force navale a cui si unirono alcune unità che stavano effettuando esercitazioni al largo di Gibilterra. Alla fine la spedizione arrivò a contare 44 navi da guerra, 22 navi appoggio e 45 mercantili, che trasportavano nel complesso 28.000 uomini. Le forze britanniche comprendevano quattro squadroni di elicotteri della marina ed uno dell'aviazione, una brigata di marines, due battaglioni di paracadutisti e tre di fanteria, con il rispettivo armamento di appoggio. La base dell'aviazione americana sull'isola di Ascension, appartenente alla Gran Bretagna, svolse un ruolo essenziale come scalo aereo. Per potersene servire, molti dei vecchi bombardieri Volcan britannici furono rapidamente trasformati in aerei cisterna, come parecchi anni prima si era già fatto con alcuni altri.

Mentre la flotta partiva per la sua traversata di ottomila miglia, gli Stati Uniti tentavano di cercare la base di una soluzione negoziata. Contemporaneamente, gli Argentini venivano avvertiti che la Gran Bretagna faceva sul serio. Il 12 aprile essa aveva dichiarato una zona di interdizione marittima ampia 200 miglia dalle coste delle isole, che più tardi sarebbe stata trasformata in zona di interdizione totale, ed aveva annunciato che l'avvicinamento alla task force da parte di navi da guerra o aerei militari argentini che potessero costituire una minaccia «sarebbe stato affrontato adeguatamente». Fu probabilmente su questa base che il 2 maggio un sottomarino nucleare britannico affondò l'incrociatore argentino *General Belgrano* fuori dalla zona di interdizione, facendo cadere ogni speranza di soluzione negoziata. Qualche giorno prima, il 25 aprile, un distaccamento della task force aveva riconquistato la South Georgia, ed il 1° maggio c'erano stati i primi attacchi aerei contro gli aereoporti, in particolare quello di Port Stanley, che era stato usato per il trasporto sulle isole delle truppe argentine e dei rifornimenti ad esse destinati. Il 4 maggio, in risposta all'affondamento del *Belgrano*, due Super-Etendard francesi dell'aviazione argentina colpirono il cacciatorpediniere *Sheffield* con un missile Exocet, costringendo l'equipaggio ad abbandonare la nave, che poi dovette essere affondata.

L'ammiraglio Woodward, comandante della task force, doveva tener conto di numerosi fattori contrastanti. Il trascorrere del tempo non giocava a suo favore: le condizioni metereologiche si stavano deteriorando, non si potevano tenere in mare troppo a lungo i soldati ed i marines in condizioni di tempo cattivo, ed il primo ministro Margaret Thatcher attendeva con ansia risultati rapidi. L'ammiraglio non poteva crearsi una base troppo lontana dall'obiettivo principale, Port Stanley, perché sulle isole le possibilità di trasportare uomini e materiali erano ridotte dall'assenza di strade e dalla limitata capacità degli elicotteri e degli altri veicoli che potevano essere sbarcati. La minaccia maggiore veniva dagli aerei argentini con base a terra, che però operavano al limite del proprio raggio d'azione. Woodward poteva tenere le navi principali al di fuori di esso, tranne che al momento degli sbarchi e dei bombardamenti. Una volta effettuato lo sbarco, un numero limitato di aerei Harrier VSTOL avrebbe dovuto assumere la difesa aerea della flotta, della testa di ponte e delle truppe nella loro avanzata. Avrebbe inoltre dovuto fornire un appoggio diretto alle forze di terra, che sarebbero state numericamente inferiori a quelle dell'avversario. Il generale Mario B. Menendez, comandante delle forze argentine sulle isole, non sapeva dove sarebbe avvenuto lo sbarco britannico ed aveva problemi di trasporto analoghi a quelli del nemico. Inevitabilmente, si concentrò sulla difesa di Port Stanley. All'inizio di maggio, con l'avvicinarsi della flotta britannica, i voli che trasportavano rinforzi e rifornimenti dal continente furono limitati alle ore notturne.

Il 21 maggio la brigata dei marines britannici sbarcò senza incontrare resistenza nella baia di San Carlos, sulla costa occidentale dell'East Falkland, a sessanta miglia da Port Stanley. Nel corso dei giorni successivi, mentre sulla terraferma venivano allestite la base e le sue difese antiaeree, l'aviazione argentina attaccò ripetutamente e coraggiosamente le navi e l'area dello sbarco. Durante gli attacchi essa perse 49 aerei; da parte sua affondò un cacciatorpediniere ed una fregata, colpendone un'altra, più una grossa nave container che trasportava lo squadrone di elicotteri pesanti dell'aviazione britannica. Il 28 maggio, mentre da Londra crescevano le pressioni perché le forze di terra avanzassero verso Port Stanley, uno dei battaglioni di paracadutisti si impadronì dell'aereoporto di Goose Green, venti miglia a Sud di San Carlos, dopo un'aspra battaglia nel corso della quale fu scarsamente appoggiato sia dall'artiglieria sia dalle navi e dagli aerei della marina. Accusando la perdita di 17 uomini, compreso l'ufficiale comandante, ed il ferimento di altri 36, i paracadutisti uccisero 250 nemici e fecero 1.400 prigionieri con una grossa quantità di armi.

La perdita degli elicotteri pesanti si faceva ora sentire chiaramente. Il 1° giugno alle truppe del generale Jeremy Moore, comandante delle forze terrestri, si era unita una brigata di fanteria formata da altri tre battaglioni, per un totale di 8 battaglioni e 10.000 uomini sbarcati, ma quasi non esistevano i mezzi per avanzare verso Port Stanley attraverso le colline impervie. La maggior parte degli uomini coprì l'intero percorso marciando in condizioni di tempo freddo, umido e ventoso, poiché la priorità del trasporto con gli elicotteri fu data all'artiglieria e alle munizioni, con cui appoggiare le truppe al loro arrivo. La necessità militare e politica di affrettare i tempi portò alla decisione di far compiere ai 3 battaglioni della brigata di fanteria un periplo attorno alla parte meridionale dell'East Falkland, portandoli a sbarcare nelle vicinanze dell'insediamento Fitzeroy e di Bluff Cove, sedici miglia a Sud-Ovest di Port Stanley. In seguito ad una serie di malintesi, l'8 giugno due delle navi da sbarco rimasero al largo per diverse ore nella luce diurna, pienamente visibili da una postazione argentina. Vennero attaccate da aerei nemici ed incendiate. I morti furono 50 e i feriti 85, la maggior parte di essi appartenenti allo stesso battaglione. Nonostante questo incidente, l'attacco alle posizioni argentine sulle colline attorno a Port Stanley cominciò l'11 giugno con la partecipazione di tutti i battaglioni disponibili, eccetto uno che era stato lasciato indietro a proteggere la base di San Carlos.

Il 14 giugno, il generale Menendez si arrese con 9.000 uomini, portando il totale dei prigionieri, compresi quelli di Goose Green e della West Falkland, a 11.400. L'Argentina dichiarò un numero di morti e dispersi pari a 672 uomini, 368 dei quali appartenenti all'equipaggio del *Belgrano*. Da parte britannica vi furono 255 morti e 777 feriti. La Gran Bretagna aveva subito l'affondamento di 6 navi ed il danneggiamento grave di altre 10. Cinque dei suoi aerei Harrier erano stati abbattuti dal fuoco di terra e quattro erano andati perduti a causa di incidenti. Fu rivendicata la distruzione di 109 aerei argentini, 30 dei quali al suolo, 31 abbattuti dagli Harrier, 19 da missili navali e 9 da missili con base a terra.

Ci sono pochi dubbi sulla fortuna avuta dalle forze britanniche. Diverse navi furono colpite da bombe che non esplosero. Il tempo a disposizione era agli sgoccioli quando Menendez si arrese. La dotazione di munizioni dell'artiglieria britannica scarseggiava, le missioni degli aerei della marina avrebbero dovuto essere sensibilmente ridotte per ragioni meccaniche e le condizioni atmosferiche stavano peggiorando. Se i difensori argentini di Port Stanley avessero opposto una maggiore resistenza, il risultato avrebbe potuto essere diverso. La superiorità delle forze britanniche nei combattimenti notturni, grazie ai moderni sistemi di visione, fu un fattore del loro successo, ma più significativi in tal senso si rivelarono la capacità di iniziativa ed il livello assai più elevato dell'addestramento e del morale. Tra gli Argentini solo i piloti dell'aviazione uscirono con onore dal conflitto.

In termini strategici generali, la Gran Bretagna aveva dimostrato che lo spiegamento e l'uso delle forze armate per la protezione dei propri interessi nel mondo non era un ricordo del passato. Le operazioni erano state limitate nel senso di non intraprendere alcuna azione ostile contro il territorio dell'Argentina, o le sue navi ed i suoi aerei fuori dalla zona di interdizione, a parte l'attacco al *Belgrano*; neanche l'Argentina attaccò navi od aerei britannici al di fuori di tale zona, pur tenendoli sotto osservazione. Ma sembravano non esserci limiti alle risorse che la Gran Bretagna era preparata a mobilitare per liberare la minuscola popolazione di queste isole remote e quasi senza valore dal punto di vista economico e militare. Erano in gioco dei principi, oltre che l'onore e la reputazione politica. Il patriottismo ebbe un ruolo significativo.

C'è da chiedersi se l'operazione avrebbe potuto essere organizzata senza poter contare sull'isola di Ascension. È invece certo che non sarebbe stata possibile se, dopo il ritiro dalla zona di Suez, avvenuto più di dieci anni prima, la Gran Bretagna non avesse conservato la forza anfibia costituita dalla brigata di marines e dalle navi da sbarco, di cui 2 d'assalto e 6 d'appoggio; se non avesse tenuto in servizio una vecchia portaerei, convertendola in nave commando; se non ne avesse costruita una di nuovo tipo, destinata principalmente al trasporto di elicotteri antisommergibile; e se non avesse costruito gli aerei Sea Harrier, capaci di operare su entrambe. Per ironia della sorte il governo conservatore della signora Thatcher aveva deciso di eliminare gradualmente la maggior parte di queste dotazioni, per il logico motivo che il loro ruolo a sostegno della NATO era di poco conto. Alcuni analisti interpretano l'operazione delle Falkland come segnale del fatto che il ricorso all'azione militare per proteggere i propri interessi e sviluppare la propria politica a livello mondiale stia tornando di attualità; ma ci sono anche coloro che giudicano l'episodio come anomalo e trovano difficile immaginare altri contesti in cui la Gran Bretagna potrebbe prendere in considerazione un'operazione analoga.

Iran e Iraq. Un'altra guerra convenzionale è stata quella tra Iran e Iraq, cominciata nel 1980. Essa è risultata più simile alla Prima Guerra Mondiale che alla Seconda, anche se nella sua fase iniziale, quando entrambi i belligeranti fecero scendere in campo un numero considerevole di carri armati, ricordava quest'ultima. Le operazioni aeree non hanno avuto un ruolo significativo né da una parte né dall'altra, mentre le forze navali sono state a malapena chiamate in causa. L'iniziatore del conflitto, l'Iraq, riteneva che il disordine in cui l'Iran era caduto dopo il rovesciamento dello Scià nel 1979 rappresentasse un'opportunità per imporre le proprie rivendicazioni su entrambe le rive dello Shatt el Arab, l'unico canale iracheno di accesso al mare. All'inizio, questa valutazione sembrò corretta, ma le forze armate iraniane, sebbene la maggior parte dei loro ufficiali superiori fosse stata rimossa, furono in grado di utilizzare il vasto arsenale di equipaggiamento militare moderno acquistato dallo Scià. Le truppe irachene furono respinte e si creò una situazione molto simile a quella del fronte francese dopo il 1914. Nel corso dei combattimenti la raffineria ed il terminal petrolifero di Abadan, di grande importanza, furono distrutti. Per quanto è stato possibile accertare, le perdite furono ingenti da entrambe le parti, in quanto l'Iran fu costretto ad utilizzare come fanteria i «guardiani della rivoluzione», con l'inclusione di ragazzi appena adolescenti, lanciati in attacchi suicidi contro le trincee irachene. La distruzione in battaglia dell'equipaggiamento pesante, di cui entrambi i contendenti non riuscirono a conservare e riparare la dotazione originaria, trasformarono il conflitto in una guerra di fanteria, artiglieria e genio. Nessuna delle due parti disponeva delle risorse per raggiungere la decisione. Come in Francia, nel corso della Prima Guerra Mondiale, entrambe lanciavano offensive su determinati settori del fronte in modo da allentare la pressione su altri: offensive che arrivavano ad un punto morto dopo un iniziale successo. Sebbene ciò sia di scarso conforto per le parti in causa, il mondo nel suo complesso ha accolto con sollievo il fatto che le grandi potenze rivali abbiano accuratamente evitato di sostenere l'uno o l'altro dei belligeranti; questa guerra pertanto, pur non essendo limitata per l'Iraq e l'Iran, lo è stata per il resto del mondo.

III

La differenza essenziale tra il punto di vista dell'Unione Sovietica e quello della NATO sulla guerra convenzionale nell'era nucleare è stata la costante convinzione da parte sovietica che l'attacco sia la migliore forma di difesa. La capacità e la volontà di passare all'offensiva — in modo da prevenire, se possibile, quella del nemico — è stato un principio sempre presente nel pensiero, nell'addestramento e nell'organizzazione militare dei Sovietici, ugualmente applicato alla guerra nucleare ed a quella convenzionale che, per la maggior parte del periodo in esame, essi si sono rifiutati di considerare separatamente. Nella superiorità complessiva, in tutte le forme di capacità militare, essi hanno visto un fattore essenziale della propria strategia ed il modo migliore per avere libertà d'azione, il che costituisce l'obiettivo strategico fondamentale (su questo punto i Sovietici sarebbero d'accordo con Beaufre).

Finché Stalin fu in vita, i metodi della Grande Guerra Patriottica non poterono essere messi in discussione e, come da parte di molti in Occidente, si riteneva che le armi nucleari non implicassero alcun cambiamento di fondo. Ma nel 1953, l'anno della morte di Stalin, i Sovietici sperimentarono la bomba a fusione e scelsero per suo supporto i missili balistici. L'anno seguente l'accademia dello Stato Maggiore sovietico avviò uno studio di ampia portata sugli effetti che le armi nucleari avrebbero potuto avere in caso di guerra. Il rapporto fu presentato nel 1957 al capo di Stato Maggiore, maresciallo V. Sokolowskiy, dopodiché trascorsero altri due anni dedicati alla discussione ed alla revisione della dottrina militare. L'analisi svolta arrivò alla ferma conclusione che tutte le operazioni dovessero essere basate sull'impiego delle armi nucleari e sull'ipotesi che queste sarebbero state usate contro le forze sovietiche.

Gli ordigni nucleari non dovevano essere utilizzati semplicemente in appoggio alla fanteria ed ai carri armati. L'azione di tutte le altre armi doveva essere intesa a sfruttare la forza d'urto nucleare ed il ricorso ad essa contro bersagli selezionati avrebbe costituito l'aspetto principale del piano operativo. Questo si sarebbe basato su un attacco nucleare in profondità; contemporaneamente, sarebbero stati colpiti tutti i mezzi di lancio degli ordigni nucleari a disposizione del nemico ed i suoi centri di comando più importanti. A questi attacchi avrebbe fatto seguito l'intervento, su un ampio fronte, delle forze aereotrasportate, dei carri armati e della fanteria motocorazzata, che sarebbero penetrati il più a fondo possibile con lo scopo principale di disarticolare e gettare nella confusione l'intera struttura militare del nemico. Questo obiettivo sarebbe stato raggiunto anche con l'attacco, sia fisico sia elettronico, contro i suoi sistemi di comunicazione, di allarme e di identificazione del bersaglio. Ammassare grandi quantità di veicoli e di uomini significava offrire un obiettivo troppo vulnerabile agli attacchi nucleari nemici. La concentrazione degli sforzi doveva perciò essere ottenuta con il ricorso alle armi nucleari. La penetrazione in profondità di truppe mobili su un fronte ampio, per guidare le quali erano state organizzate in anni recenti unità speciali note come

Gruppi Operativi di Manovra, differiva nello scopo e nei metodi dagli accerchiamenti a tenaglia tipici della Grande Guerra Patriottica. Tutto ciò assomigliava molto alle ipotesi proposte negli anni Venti e Trenta da Fuller e da Liddell Hart, compreso l'uso delle armi chimiche, ma con gli attacchi nucleari in sostituzione di quelli aerei. Non era neanche molto diverso dalle idee sviluppate dall'esercito americano e sostenute all'epoca da Liddell Hart. Il mescolarsi delle forze sovietiche con quelle avversarie nel corso delle azioni di penetrazione avrebbe, in una certa misura, protetto le prime dagli attacchi nucleari ad opera dei sistemi di lancio nemici sfuggiti alla distruzione.

Non c'era niente di limitato in questa concezione della guerra. Poiché sarebbe stato un conflitto tra due sistemi politici opposti, si riteneva che, se si fosse verificato, non avrebbe incontrato restrizioni. Una volta iniziato, la distruzione delle forze nemiche, in particolare di quelle nucleari, avrebbe avuto la priorità. L'idea di restare sulla difensiva fu abbandonata, eccetto che come misura temporanea durante la preparazione dell'attacco. Uno dei più influenti studiosi militari sovietici, Savkin, disse: «La parte che si limita alla difesa è inevitabilmente condannata alla sconfitta». Per rendere praticabile questa impostazione i «rapporti di forza» dovevano essere adeguati. In altre parole, alle forze sovietiche doveva essere assicurata in tutti i campi una superiorità sufficiente a poter lanciare l'offensiva con il minor ritardo possibile. Ciò poneva un inevitabile dilemma tra l'adeguatezza della preparazione e la necessità della sorpresa, a cui i Sovietici attribuivano ugualmente una grande importanza.

Sebbene la strategia sovietica respinga l'idea di una guerra limitata in qualsiasi forma, lo Stato Maggiore ha preso atto del concetto di risposta flessibile sviluppato dalla NATO, che ipotizza una fase iniziale di combattimenti non nucleari. Alcuni scritti militari sovietici riconoscono l'eventualità che ciò possa avvenire, il che ha trovato applicazione in numerose esercitazioni militari; ma la discussione in proposito è incentrata sull'importanza per le forze armate sovietiche di scegliere il momento opportuno per cominciare ad usare le armi nucleari. Si ritiene cioè che una fase non nucleare di questo genere potrebbe essere sfruttata per completare i preparativi. Viene accettata, tuttavia, la possibilità di guerre «locali» — l'intervento sovietico in Afghanistan ne è un esempio — e l'importanza di impedire una loro escalation verso uno scontro nucleare; ma è un'eventualità che non potrebbe verificarsi in Europa. Un tema costante ispira la vasta produzione della letteratura militare sovietica: l'importanza della superiorità nei «rapporti di forza». Tale superiorità non solo è essenziale per assicurare che «il campo socialista» e l'Unione Sovietica siano preservati dalla minaccia di quell'«aggressione capitalista ed imperialista» che tenta continuamente di insidiarli, ma offre ai Sovietici la libertà di azione per intraprendere con successo, se necessario, «azioni militari ai livelli inferiori». La creazione di forze armate destinate a superare in quantità e qualità quelle che i «circoli aggressivi dell'imperialismo capitalistico» potrebbero schierare contro l'URSS è del tutto coerente con la dottrina militare e la strategia che lo Stato Maggiore sovietico ha delineato in tutte le opere prodotte con continuità dalle sue accademie militari. Ciò è di cattivo auspicio per coloro che sperano di persuadere i Sovietici ad accettare misure di controllo degli armamenti che non consentano loro di conservare la propria superiorità, sia che venga adottato l'approccio del «negoziato da posizioni di forza», sia che gli venga preferito quello del disarmo unilaterale.

IV

Fortunatamente per il mondo, le guerre svoltesi dall'inizio dell'era nucleare ad oggi sono state convenzionali e limitate. Nessuno ha dovuto affrontare finora la spaventosa prospettiva di combattere una guerra convenzionale sapendo che le armi nucleari avrebbero potuto essere usate in qualsiasi momento e non è mai avvenuto che due nazioni in possesso di ordigni nucleari abbiano combattuto l'una contro l'altra. (All'ombra di queste armi i conflitti come la Prima e la Seconda Guerra Mondiale, in cui due gruppi delle maggiori nazioni industriali del mondo si diedero battaglia fino a quando uno di essi non fu allo stremo, sembrano inconcepibili.) Per queste nazioni la scelta di intraprendere una guerra tra loro non potrebbe in alcun modo essere considerata come la continuazione di una politica razionale con altri mezzi.

Ci sono altre ragioni, oltre all'esistenza delle armi nucleari, per cui le guerre totali sembrano inconcepibili. Una di esse è data dai costi e dal periodo di gestazione delle armi moderne e dei loro vettori. È probabile che il tasso di usura di queste armi, se usate le une contro le altre, sia significativamente più rapido di quello con cui possono essere rimpiazzate: la guerra arabo-israeliana del 1973 fornisce l'indicazione più chiara in questo senso. La guerra convenzionale tra potenze come quelle di cui stiamo parlando dovrebbe essere drasticamente limitata nel tempo e probabilmente anche nello spazio, e perciò nello scopo. Da parte delle altre potenze e della comunità internazionale verrebbero esercitate considerevoli pressioni per porvi fine. Teorie che, come quelle proposte da Beaufre, combinano le operazioni convenzionali con un uso «sub-limitato», o la minaccia dell'uso, delle armi nucleari sembrano meno solidamente fondate rispetto alle ipotesi di Liddell Hart, dell'Henry Kissinger dopo il suo cambiamento di opinione, di Maxwell Taylor e Robert Osgood, i quali riconoscono tutti che il primo ricorso a qualsiasi tipo di armi nucleari fu uno spartiacque che ha trasformato la guerra in ciò che Clausewitz ha definito come «qualcosa privo di scopo e di senso».

La guerra, pertanto, se deve essere un «altro mezzo» razionale per continuare la politica degli Stati, dovrà essere convenzionale e limitata. E se deve essere limitata negli effetti, deve, come ha riconosciuto Clausewitz, essere limitata nello scopo. Le nazioni, per quanto potenti, dovranno accettare limiti e riconoscere, come fece Sun Tzu, che dopo la fine delle ostilità è necessario continuare a vivere accanto al proprio avversario. Come evidenzia la dottrina militare sovietica, è la superiorità nei «rapporti di forza» che dà ad un Paese la libertà — essenziale per la strategia — di fissare i limiti. La parte più debole, che si tiene sulla difensiva, o quella che non è preparata a spingersi tanto avanti quanto il nemico, non ha scelta.

È in questo clima che le due superpotenze si fronteggiano. Esse non possono attendersi che una guerra tra loro rispetti dei limiti. L'Unione Sovietica certamente non nutre aspettative del genere. C'è dunque da sperare sinceramente che da entrambe le parti della Cortina di ferro la ragione prevalga su altre e più forti influenze: che essa continui a persuadere le due grandi potenze — gli Stati Uniti e l'Unione Sovietica — che il conflitto diretto tra loro deve essere evitato a tutti i costi e, infine, che essa le convinca entrambe che la perpetua ricerca della superiorità non accresce la sicurezza di nessuno e che, per raggiungere uno stabile equilibrio tra i due sistemi politici ed economici rivali, sono preferibili altri metodi.

[1] Cfr. il documento del National Security Council siglato NSC-162/2, *Basic national security policy*, 30 ottobre 1953.

[2] Cfr. HENRY KISSINGER, *The Necessity for Choice*, London 1960 (tr. it. *L'ora della scelta*, Milano 1961).

[3] BASIL H. LIDDELL HART, *Deterrent or defence*, London 1960 (tr. it. *La prossima guerra*, Milano 1962, 139).

[4] ROBERT OSGOOD, *Limited War Revisited*, Boulder 1979, 106.

[5] Cfr. ANDRÉ BEAUFRE, *Introduction à la stratégie*, Paris 1963 (tr. it. *Introduzione alla strategia*, Bologna 1966, da cui qui si cita).

[6] *Ivi*, 92-95 (corsivo nell'originale).

[7] MICHAEL CARVER, *War since 1945*, London 1980, 270-72.

La guerra rivoluzionaria

di John Shy e Thomas W. Collier

Nel 1941, quando il seminario di Princeton sui problemi militari cominciò il lavoro che avrebbe condotto all'edizione originaria di *Makers of Modern Strategy*, l'argomento del presente saggio non esisteva ancora. La storia moderna, ovviamente, era disseminata di rivoluzioni e molte di esse avevano comportato una guerra di qualche tipo. Almeno a partire dal XVII secolo il fenomeno rivoluzionario aveva suscitato un considerevole interesse intellettuale, che crebbe ad ogni specifica epoca rivoluzionaria: il 1776, il 1789, il 1848, il 1917. Prove di questo crescente interesse per la rivoluzione e degli stretti legami tra lo scoppio delle rivoluzioni e la teoria militare, sono sparse nei saggi della prima edizione di *Makers of Modern Strategy*. In nessuna parte di quel volume — non nei saggi su Marx, su Trotsky o sugli strateghi della guerra coloniale francese — si trova, tuttavia, una trattazione sistematica delle idee concernenti l'uso delle forze armate per determinare radicali trasformazioni sociali e politiche. Questa lacuna non è imputabile al professor Earle ed ai suoi colleghi, ma riflette piuttosto il fatto che nel 1941 un tale *corpus* teorico non esisteva o, più correttamente, che la sua esistenza non era riconosciuta e, se riconosciuta, non veniva giudicata meritevole di spazio in un libro che esaminava il pensiero militare da Machiavelli a Hitler[1].

Chiedersi perché la «guerra rivoluzionaria», come importante branca del pensiero militare, sia emersa soltanto nell'ultimo mezzo secolo, significa affrontare un problema complesso. L'altra faccia di questo problema — perché fino al 1941 l'argomento in questione non sembrò né importante né chiaramente definito — ci suggerisce di non accettare risposte facili ed ovvie. La Seconda Guerra Mondiale fu il detonatore ed il catalizzatore di numerose esplosioni e sollevazioni rivoluzionarie, i cui esiti e conseguenze continuano a modificare il mondo. Ma ugualmente importante per rispondere alle nostre domande è stato il rapido cambiamento di prospettiva. La guerra rivoluzionaria, in quanto oggetto di analisi separata ed in quanto complesso di tecniche che ha dato origine ad una serie di controtecniche, sembra oggi un problema importante, perfino urgente, come non lo era ad esempio per J.F.C. Fuller, Schlieffen o Jomini. Perché?

Una risposta adeguata deve prendere in considerazione il ruolo della teoria militare nella storia degli Stati nazionali moderni. Il sistema degli Stati nazionali, così come prese forma in Europa a partire dal XVII secolo, è stato continuamente minacciato e, nello stesso tempo, corroborato dalle pressioni rivoluzionarie. Il sistema, però, ha imposto le proprie priorità. La competizione ed il conflitto, spesso violento, tra gli Stati hanno determinato il destino degli

Stati stessi. La Svezia e la Spagna persero terreno, l'Inghilterra e la Prussia conquistarono la ribalta, mentre la Polonia e la monarchia austro-ungarica uscirono di scena. Il comportamento delle diverse coalizioni costituite per combattere la Rivoluzione Francese dimostra quanto fosse difficile per gli Stati nazionali porre in secondo piano i propri contrastanti interessi vitali, per quanto grande fosse la minaccia dell'ideologia e dei movimenti rivoluzionari. Gli Stati nazionali hanno imbrigliato i propri istinti competitivi solo per brevi periodi e scopi limitati: per sconfiggere Napoleone e Hitler, o per restaurare l'ordine dopo il 1815 ed il 1918. Ben presto, però, riaffiorò il primato della competizione internazionale ed il conflitto connaturato agli interessi nazionali. Lo Stato nazionale vittorioso è, in ultima analisi e forse per definizione, un organismo dedito alla guerra. Persino il pericolo della rivoluzione interna è sembrato dipendere dagli esiti del conflitto internazionale: la sconfitta ha suscitato la ribellione, mentre la vittoria ha annegato lo scontento nell'orgoglio nazionale. I pensatori e gli strateghi militari hanno trattato la rivoluzione come problema incidentale perché gli Stati nazionali, il cui interesse essi cercavano di servire, erano impegnati in massima parte a combattersi fra loro.

Alla fine del secolo scorso, il mondo era praticamente dominato da un pugno di Paesi vittoriosi. Le nazioni europee più forti, affiancate dagli Stati Uniti e dal Giappone, sembravano irresistibili. La costante competizione aveva affinato le loro doti, accresciuto la loro potenza, stimolato i loro appetiti ed alimentato un'enorme fiducia nella loro capacità di espandersi in Asia, in Africa e (per gli Stati Uniti) nell'emisfero occidentale. Soltanto il contrappeso rappresentato dalla potenza dei maggiori rivali poteva limitare la portata delle rispettive ambizioni imperiali. Poi, nel corso di tre decenni, il sistema crollò. La sua sicurezza e la sua base economica furono scosse da una prima guerra mondiale e poi frantumate da una seconda, e forse la sua invincibilità era stata soltanto apparente. La sua natura fortemente competitiva fu la causa principale della caduta, come sembrerebbe suggerire la precedente esperienza napoleonica. È chiaro, in ogni caso, che la rapida perdita di potere e di prestigio subita dal sistema tradizionale degli Stati nazionali spiega non soltanto l'epidemia di attacchi rivoluzionari che a partire dal 1941 colpì il sistema stesso, ma anche l'emergere della guerra rivoluzionaria come branca distinta del pensiero militare. Lo sgretolamento degli imperi europei, aggrediti sul piano coloniale e persino su quello interno, e la rapida comparsa di nuovi Stati, spesso deboli, sulle loro rovine, sono le principali ragioni del fatto che questa nuova dimensione della teoria militare risulta evidente ai nostri occhi, mentre non lo era nel 1941.

I

L'espressione «guerra rivoluzionaria» designa la conquista del potere politico con l'uso della forza armata. Non tutti accetterebbero questa semplice definizione ed in effetti l'espressione ha altre connotazioni: la presa del potere deve avvenire da parte di un movimento politico popolare o comunque dotato di una vasta base sociale, deve comportare un periodo relativamente lungo di conflitto armato e deve essere finalizzata all'attuazione di un programma politico o sociale largamente propagandato. La definizione implica, inoltre, un elevato grado di consapevolezza per quanto riguarda gli obiettivi ed i metodi, cioè la coscienza che si stia combattendo una guerra «rivoluzionaria».

Esiste una persistente confusione tra la guerra rivoluzionaria e la guerriglia. È una confusione comprensibile, in quanto la prima comprende la seconda. Ma la tattica guerrigliera del «mordi e fuggi» — evitando sanguinose battaglie campali e sfuggendo alle ricerche del nemico nascondendosi sulle colline, nelle foreste o tra la popolazione — costituisce soltanto uno dei modi di condurre la guerra rivoluzionaria. Questi comprendono la mobilitazione politica non violenta, l'azione politica legale, gli scioperi, le agitazioni, il terrorismo e via di questo passo fino alle battaglie su larga scala ed alle operazioni militari convenzionali. Le azioni di guerriglia, da parte loro, possono non avere uno scopo rivoluzionario, sebbene il loro potenziale politico in questo senso sia sempre presente. Essenziale per ogni definizione di guerra rivoluzionaria, tuttavia, è l'esistenza di un obiettivo rivoluzionario: i mezzi specifici da utilizzare per raggiungerlo sono di secondaria importanza.

La guerra rivoluzionaria si distingue anche per ciò che non è. Non è una «guerra» nell'accezione comune del termine, non una guerra internazionale, dalla quale ci si attende di solito (sebbene in misura variabile) che i combattimenti portino, presto o tardi, ad un qualche accordo negoziato tra le potenze belligeranti. Sul piano pratico, la netta distinzione tra i due tipi di guerra può essere sfumata. Le guerre rivoluzionarie avvengono *all'interno* delle nazioni ed hanno come obiettivo la conquista del potere statale. Ma quando la definizione va oltre questa semplice distinzione tra «guerra» internazionale e «guerra rivoluzionaria», la chiarezza cede il posto all'oscurità. Nella maggior parte dei casi una o più potenze «straniere» intervengono nella guerra rivoluzionaria, modificandone il corso e spesso l'esito. Per fare un esempio, il movimento militare comunista guidato da Tito contro il regime dittatoriale e feudale della Iugoslavia è meglio conosciuto come Resistenza all'invasione ed all'occupazione tedesca; fu anche una lotta della Croazia contro la dominazione serba e fu fortemente influenzata dalla contemporanea guerra della Gran Bretagna, degli Stati Uniti e dell'Unione Sovietica contro la Germania. La guerra condotta da Tito, tuttavia, fu sicuramente rivoluzionaria, e così anche la rivolta araba contro la dominazione ottomana nel 1916-18, strettamente legata al nome di T.E. Lawrence, un agente britannico utilizzato per attaccare la Turchia, alleata della Germania, principale nemico della Gran Bretagna nella Prima Guerra Mondiale. Le definizioni nette entrano rapidamente in crisi di fronte ai casi storici concreti.

Una certa scuola di pensiero sostiene che la guerra rivoluzionaria ha prosperato nell'era nucleare proprio perché le nuove armi hanno reso impossibile o troppo pericoloso il conflitto tra le grandi potenze militari. Altre affermazioni ne seguono come corollario: che le grandi potenze, massicciamente armate per una guerra in grande stile, siano rimaste vulnerabili alle tattiche della guerra rivoluzionaria; e che la classica distinzione tra la guerra internazionale (deplorevole, ma legittima) e quella rivoluzionaria (un fenomeno interno a cui non si applicano le salvaguardie del diritto internazionale) favorisca essa stessa le grandi potenze militari ed industriali. Pur riconoscendo il valore di questi argomenti, possiamo tuttavia riaffermare che, nella teoria come nella pratica, la guerra rivoluzionaria è fondamentalmente diversa dalla «guerra» come viene intesa negli altri saggi di questo volume.

Nell'affrontare l'argomento del presente studio esiste, oltre al problema di definire adeguatamente la terminologia adottata, un'altra e più sottile difficoltà. Essa risiede nella naturale tendenza degli storici a cercare nel passato elementi di continuità. Gli storici presumono che l'argomento dei loro studi — sia esso una persona, una comunità o uno Stato — possieda qualcosa di simile ad una memoria, che dia senso all'idea della continuità storica. Anche la «strategia», intesa come idea, ha una storia del genere nei libri e nel mondo degli Stati Maggiori; o, quantomeno, la scoperta delle discontinuità è di per sé storicamente interessante. Ma la guerra rivoluzionaria, intesa storicamente come complesso di idee, mette in crisi questa nozione di continuità. Le stesse guerre rivoluzionarie sono eventi episodici, che si prestano poco all'istituzionalizzazione in sistemi di pensiero e di esperienza, e molto alla soppressione od alla distorsione della memoria. Se riesce nel suo intento, il vincitore mitizza la guerra per sostenere l'identità nazionale o sociale della causa rivoluzionaria vittoriosa, mentre il perdente desidera dimenticare un'esperienza dolorosa, spesso disastrosa ed umiliante. Se la guerra rivoluzionaria fallisce, diventa una «rivolta» od una «ribellione», interessante per gli studiosi delle rivoluzioni soprattutto come lezione sugli «errori» commessi. In ogni caso, i tentativi rivoluzionari sono condotti in un'atmosfera di segretezza, tradimento ed inganno. I documenti di archivio sono scarsi, mentre i sopravvissuti scrivono memorie raramente degne di fiducia e che sfuggono, il più delle volte, alla possibilità di un controllo. A trent'anni dallo scoppio della rivoluzione algerina, avvenuto nel 1954, abbiamo ben poche informazioni sicure per quanto riguarda gli insorti. Anche quando gli strateghi rivoluzionari sembrano essere stati influenzati da precedenti esperienze, come nel caso dei Vietnamiti che seguirono l'esempio cinese, questa connessione tende ad essere più plausibile che certa e viene inevitabilmente messa in discussione da qualcuno di coloro che sono maggiormente in grado di giudicare. Gli studiosi della storia della «strategia» rivoluzionaria possono attribuire una realtà spuria alla prospettiva temporale del proprio oggetto di studio, distorcendone la rappresentazione in modo radicale.

In stretto collegamento con la tendenza a cercare connessioni storiche dove magari non esistono, c'è un'ulteriore difficoltà. Dopo il 1776 ed il 1789 la «rivoluzione» ha proiettato intorno a sé un'immagine potente e carica di forte emotività. Il suo potere emozionale di attrarre e spaventare ha contribuito alla frequenza ed all'intensità dei conflitti rivoluzionari nella storia moderna.

Astrarre da questo complesso fenomeno una «strategia» della «guerra rivoluzionaria» più limitata e tecnica, più intellettuale e meno emotiva, potrebbe equivalere a trascurare la parte più importante del problema: le specifiche condizioni sociali, politiche e psicologiche che rendono possibile una rivoluzione. La tecnica strategica risulta priva di significato senza queste condizioni e qualsiasi strategia rivoluzionaria che non le rifletta e non le sfrutti per come esistono in un tempo ed in un luogo specifici è quasi certamente destinata a fallire, come fallirono nei primi anni Trenta i tentativi dei comunisti cinesi di conformarsi all'ortodossia marxista. Anche la concezione e la pianificazione strategica della guerra internazionale sono incappate, come nel 1914, nello stesso problema di collegare la tecnica militare alle condizioni esistenti, ma lo Stato moderno ha quantomeno sviluppato la capacità di trasformare forze sociali instabili ed eterogenee in strumenti militari più o meno prevedibili e manovrabili. Non così per la guerra rivoluzionaria: le rivoluzioni, per definizione, non sono promosse dagli Stati e dalle loro burocrazie, bensì da energie sociali elementari, orientate da leader costretti ad improvvisare, ad adattarsi rapidamente alle circostanze e, spesso, ad agire senza aver avuto il tempo di pensare, se vogliono vincere o semplicemente sopravvivere. Le guerre rivoluzionarie, come ha detto Mao, non sono pranzi di gala, e neanche studi da Stati Maggiori, né saggi su riviste scientifiche. Ciascuna guerra rivoluzionaria ha un proprio carattere unico, difficile da comprendere per gli scrittori e per i lettori estranei alla rivoluzione e che costringe gli studiosi della sua «strategia» a lottare per trovare una prospettiva ragionevole, molto meno per dire al pubblico la verità.

Esiste il pericolo, specialmente di fronte all'importanza delle guerre rivoluzionarie nell'epoca contemporanea, di attribuire un'indebita priorità alla teoria a spese dell'esperienza concreta. La teoria consente un grado di semplificazione prezioso, considerata la frequenza, la complessità e la varietà delle lotte armate che per certi versi sono «rivoluzionarie» e «controrivoluzionarie». Ma la riduzione formalistica della rivoluzione ad una serie di «fasi», per esempio, o quella della controrivoluzione al problema di isolare i ribelli dal «popolo» conquistando «il cuore e la mente» di quest'ultimo, distorce la realtà dell'esperienza moderna. Nello stesso tempo è necessario riconoscere che la «teoria», per quanto semplicistica ed imperfetta, ha giocato un ruolo centrale nel modellare l'esperienza e nel portare avanti il dibattito su come, esattamente, essa debba essere interpretata. Pur facendo attenzione a non cadere nella seduzione del semplicismo teorico, le capacità e le istanze della teoria andrebbero accolte come aspetto fondamentale del fenomeno della guerra rivoluzionaria e controrivoluzionaria.

In questo genere di conflitti, ciascuna delle due parti ha dovuto misurarsi con un problema teorico centrale, che era il reciproco del problema da cui era cronicamente afflitta l'altra. Per i rivoluzionari si è trattato della questione di come e quando intraprendere l'azione militare. Tale quesito ha trovato una serie di risposte diverse: da quella di chi vede nello sbocco militare poco più che lo stadio finale preparato da un'azione politica intensa e prolungata; a quella di chi, come gli esponenti del «fochismo» in America Latina, sostiene che la violenza può di fatto sostituire e catalizzare il processo politico rivoluzionario. La leadership rivoluzionaria si è sempre divisa tra coloro che premono per l'azione militare e coloro che vogliono rinviarla.

Sull'altro versante — quello dei controrivoluzionari — il problema cruciale riguarda l'importanza relativa della violenza e della persuasione, in pratica la scelta tra guerra e politica. In che misura un movimento rivoluzionario dipende dal sostegno politico popolare e, pertanto, in che misura è vulnerabile ad un'azione politica capace di minare tale sostegno? È questa la domanda ricorrente che si pongono gli oppositori della rivoluzione. I «falchi» insisteranno ripetutamente, come nella guerra del Vietnam, che il nemico si affida soltanto alle pallottole ed all'uso spietato del terrore, mentre le «colombe» sosterranno che il malcontento popolare è il fondamento — e la debolezza fondamentale — della guerra rivoluzionaria. Anche in questo caso la questione è incentrata sul ruolo relativo dell'azione politica e di quella militare.

Da entrambe le parti questo dibattito praticamente inevitabile è sviluppato su due piani: quello delle circostanze specifiche e delle necessità urgenti e concrete; e quello teorico, che ben presto conduce a dispute sulla struttura della politica e della società e sulla natura dell'esistenza umana. Perché gli individui si comportano in un certo modo? Perché sono pronti a soffrire ed a morire? Per quanto pragmatici ed ottusi possano essere i leader degli schieramenti che si confrontano in una guerra rivoluzionaria, non sembra esserci possibilità di sfuggire a simili quesiti teorici. E nel dibattito teorico lo stesso linguaggio diventa di importanza cruciale.

Il 23 ottobre 1983, un grosso autotreno carico di esplosivo ad alto potenziale fu lanciato a forte velocità, attraverso un cancello sorvegliato, direttamente contro il comando di un battaglione di marines americani all'aereoporto di Beirut, in Libano. L'esplosione distrusse il comando, uccise 231 marines e ben presto condusse al ritiro della «forza di pace» statunitense, inviata a fermare la guerra civile libanese. Due mesi più tardi, una speciale commissione del dipartimento della Difesa americano compilò una lista delle ragioni per cui l'attacco aveva avuto successo: la missione dei marines in Libano non era stata adeguatamente compresa; il battaglione colpito occupava una posizione sbagliata; la struttura di comando (sviluppata durante la Seconda Guerra Mondiale) non era adatta al contesto di una guerra civile; la mancanza di coesione tra i servizi militari americani ostacolava la prontezza dell'azione; dalla massa di informazioni militari raccolte l'esiguo Stato Maggiore del battaglione fu incapace di ricavare quella vitale: quali erano gli automezzi indebitamente parcheggiati nella sua zona. Il rapporto mise in luce errori che in futuro avrebbero dovuto essere evitati, ma non offrì un'analisi più ampia del nuovo problema presentatosi: si limitò a sollecitare il Pentagono ad affrontare la sfida di un «nuovo» tipo di guerra. Il rapporto, come anche il presidente, definirono riduttivamente questo nuovo tipo di guerra come «terrorismo di Stato» e non come caso specifico di ciò che è in realtà: il fenomeno molto più antico della guerra rivoluzionaria.

Le parole, le idee e le intuizioni hanno avuto un ruolo eccezionalmente importante nella guerra rivoluzionaria, la cui storia moderna inizia con le guerre napoleoniche. Gli sforzi violenti per rovesciare i governi, conquistare il potere e, addirittura, cambiare la società con mezzi militari non ortodossi sono per definizione politicamente distruttivi. È vero che nelle teorie classiche della guerra internazionale la coesione ed il sostegno politico sono generalmente dati per scontati, piuttosto che esplicitamente spiegati; ma il linguaggio della guerra rivoluzionaria è politicamente iperbolico ed estremistico. I soldati rivoluzionari vengono spesso chiamati «banditi», negando loro di fatto lo *status* giuridico di combattenti, mentre i loro sostenitori sono definiti «criminali» o «traditori». Le forze governative diventano «nemici del popolo» o «mercenari», il governo stesso «fascista», «corrotto» od un «regime fantoccio». «Terrorismo» è la parola usata per gli attacchi contro obiettivi non militari o per quelli che, come nel caso di Beirut, ricorrono alla sorpresa od a metodi insoliti. Nell'ambito della guerra rivoluzionaria non può esserci un vocabolario neutrale, apolitico: le parole stesse sono armi.

Descrivere certe azioni di guerra rivoluzionaria come «nuove» o senza precedenti nella loro crudeltà (o pretendere che la strategia rivoluzionaria sia profondamente radicata nella filosofia antica) illustra ulteriormente il modo in cui lo stesso linguaggio diventa un'arma ai fini della guerra rivoluzionaria. Il linguaggio viene usato per isolare e confondere il nemico, per chiamare a raccolta e motivare gli amici e per conquistare il sostegno degli esitanti. Ma lo stesso linguaggio orienta — o disorienta — lo sforzo militare: la retorica del conflitto politico diviene la realtà della teoria strategica. Le forze armate europee ed americane sanno adattarsi rapidamente alle trasformazioni tecnologiche. Ma imparare a fronteggiare un tipo di guerra molto diverso, in cui le parole servono più a mascherare e a distorcere la realtà militare che a chiarirla, si è dimostrato assai più difficile. Il rifiuto da parte del presidente americano e del Pentagono di ammettere che il disastro di Beirut fu un incidente di guerra rivoluzionaria è comprensibile. Usare la definizione più appropriata avrebbe significato riconoscere la legittimità dell'attacco. Ma l'aver usato un linguaggio meno preciso e di tipo moralistico può aver creato maggiori difficoltà a sé che al nemico. Tale dilemma è diventato esso stesso un aspetto peculiare della guerra rivoluzionaria moderna, e perciò un problema essenziale nell'analisi di quest'ultima come complesso di idee. Non è possibile, pertanto, partire da una qualche semplice supposizione sul fondamento oggettivo della teoria, o anche soltanto sul rapporto tra la teoria e la pratica: sono tutti aspetti che devono essere indagati.

Essendo il linguaggio adottato dalla guerra rivoluzionaria in gran parte polemico e fortemente connotato, nel dibattito in corso un approccio strettamente analitico sembra condannato a prendere posizione, implicitamente e forse inavvertitamente. Quasi tutta la letteratura sull'argomento si preoccupa di come condurre o come sconfiggere una guerra rivoluzionaria. Lo scopo del presente saggio è quello di esaminare la materia con il maggior distacco possibile, identificando i quesiti ed i problemi fondamentali non ancora risolti; in particolare, non si vuole proporre un'ennesima guida alla politica ed alla conduzione della guerra rivoluzionaria. Affrontare l'argomento sul piano storico non consente di eludere un giudizio di valore, ma offre almeno l'opportunità di astenersi dalle polemiche, descrivendo ciò che è stato detto e fatto senza pretendere di affermare la verità pratica, politica ed etica sulla guerra rivoluzionaria. Scrivere la storia di una problematica tuttora così viva ed il cui futuro sfugge a qualsiasi previsione, è sempre rischioso: anche l'approccio storico può non avere il necessario distacco. Esso, però, ci consente quantomeno di separare la questione analitica del «che cosa è successo?» da quella valutativa del «che cosa sarebbe dovuto succedere?».

Nonostante le sue varie difficoltà l'approccio storico, analiticamente neutro, ci permette di affrontare l'argomento nella sua interezza e nel suo contesto. Esso suggerisce anche la possibilità che la «guerra rivoluzionaria» sia essa stessa un fenomeno storico — non atemporale — con un inizio riconoscibile ed una fine prevedibile. Emersa negli anni Trenta come complesso di idee specifiche sul modo di condurre una rivoluzione armata — idee che si diffusero largamente tanto per il loro apparente successo quanto per la loro qualità intrinseca — la «guerra rivoluzionaria» come formula di vittoria politica e militare sta forse già mostrando segni di logoramento. Si tratta soltanto di un'ipotesi, forse infondata. Ma per lo meno essa richiama l'attenzione sul legame essenziale tra la «guerra rivoluzionaria» come complesso di idee, o teoria, e le specifiche condizioni storiche che ne hanno consentito la realizzazione pratica.

II

La guerra rivoluzionaria come concetto pienamente sviluppato è un fenomeno relativamente recente, in buona parte a causa del suo stretto legame con due aspetti della modernità: l'industrialismo e l'imperialismo. I marxisti ed altri critici radicali del moderno ordine industriale, economico e sociale furono tra i primi ad analizzare il problema di mobilitare ed impiegare la forza armata per sconfiggere la polizia e l'esercito al servizio delle classi capitaliste e dominanti. Verso la fine del XIX secolo, mentre i rivoluzionari studiavano questa problematica nel contesto industriale europeo e nordamericano, in Asia i fautori radicali della resistenza al colonialismo cominciavano ad affrontare il problema, non dissimile, di rovesciare la burocrazia e le forze armate imperialistiche insieme ai loro collaboratori indigeni. Le proteste violente e le sollevazioni popolari, ovviamente, hanno costellato la storia europea, e la resistenza all'intrusione imperialistica è vecchia quanto l'imperialismo stesso, ma fu soltanto circa un secolo fa che l'*idea* della guerra rivoluzionaria, intesa come complesso di enormi problemi suscettibili di specifiche soluzioni strategiche, cominciò a prendere forma e ad acquistare slancio.

Anche un breve esame di quelli che furono i precursori intellettuali del moderno concetto di guerra rivoluzionaria spiega perché esso apparve così tardi.

Gli studiosi delle culture asiatiche hanno sostenuto che i principi strategici della guerra rivoluzionaria furono formulati oltre due millenni fa da Sun Tzu, un pensatore militare cinese: aggredire la debolezza, sottrarsi alla forza, essere pazienti[2]. Essi hanno anche fatto notare che nella storia cinese e vietnamita la credenza popolare nel «mandato celeste», in virtù del quale i regimi acquistano e perdono legittimità, è stata per secoli un elemento essenziale per la conquista del consenso popolare alla causa della rivoluzione[3]. Indurre il popolo a schierarsi, combattere e addirittura morire per questa causa, ed utilizzare il fervore popolare in modo strategicamente efficace, sono stati — e sono tuttora — i punti chiave di qualsiasi seria riflessione sulla guerra rivoluzionaria. Sun Tzu ed il «mandato celeste», pertanto, non sono soltanto curiose invenzioni intellettuali: entrambi chiamano in causa questioni fondamentali. Resta in realtà ancora da chiarire l'importanza da essi rivestita per gli approcci non occidentali al problema della guerra rivoluzionaria. Risulta anzi evidente una marcata «occidentalizzazione» del pensiero rivoluzionario antimperialista nell'era moderna; il ritorno alle antiche fonti costituisce un fenomeno assai tardivo e forse più una forma di nazionalismo culturale che una guida all'azione rivoluzionaria[4].

Anche la classica «età della rivoluzione» presenta in Occidente alcuni interessanti antecedenti. Durante la Guerra d'Indipendenza americana entrambe le parti si sforzarono seriamente di tenere il conflitto all'interno di forme e limiti convenzionali. In molte province americane i leader locali avevano strappato il potere ai funzionari britannici già prima che scoppiassero i combattimenti, cosicché la natura «rivoluzionaria» della guerra ne risultò minimizzata e la violenza assunse il carattere popolare ed irregolare della «guerra rivoluzionaria» soltanto all'inizio lungo le aree di frontiera e poi di nuovo nel Sud, durante gli ultimi anni. Se il carattere rivoluzionario della guerra fu minimo, quella che può essere definita come teoria strategica della rivoluzione fu quasi assente. Tuttavia uno dei generali americani, Charles Lee, un ex ufficiale britannico che aveva preso parte alla sollevazione polacca del 1769, formulò una strategia della «guerra di popolo» che implicitamente si opponeva a quella adottata da Washington, affidata a soldati a lunga ferma ed a manovre militari convenzionali. Lee sosteneva che la democrazia, il numero e l'entusiasmo degli Americani erano le basi appropriate su cui costruire una strategia di guerra prolungata e di logoramento, fondata sulla resistenza locale. Egli perse ben presto qualsiasi influenza sulla condotta della guerra e le sue idee non furono più riprese da altri; la sua ipotesi di integrare gli aspetti politici, sociali e militari della strategia poteva nascere solo in una situazione rivoluzionaria e preannunciava un aspetto fondamentale delle successive riflessioni sulla guerra rivoluzionaria[5].

La Rivoluzione Francese aprì la strada al «popolo in armi», collegando lo spirito nazionale al servizio militare nel primo grande passo verso l'esercito di massa; essa si sviluppò, tuttavia, in modo da non condurre mai ad una «guerra rivoluzionaria» nel senso pienamente moderno dell'espressione. Quelle della Rivoluzione Francese furono prevalentemente guerre internazionali, combattute per difendere la Francia ed indebolire i suoi nemici esterni. Una nuova audacia caratterizzò la strategia e le operazioni militari francesi; ma gli obiettivi strategici, sebbene più ambiziosi, non erano dissimili da quelli adottati fino al 1789. In Francia, la monarchia era di fatto crollata prima che la guerra iniziasse, così che la resistenza armata al nuovo governo di Parigi fu per definizione *contro*rivoluzionaria. Nella Vandea, sulle montagne dell'Italia e dell'Austria, in Spagna ed in Russia, le forze guerrigliere e partigiane combatterono per espellere gli eserciti della Rivoluzione e per favorire la restaurazione del governo legittimo da parte delle potenze conservatrici alleatesi contro la Francia.

Soltanto in un caso, molto brevemente, la rivoluzione andò vicina a qualcosa di simile alla concezione moderna della guerra rivoluzionaria. Nel 1793, durante il periodo del Terrore, le fazioni estremiste chiesero la creazione di *armées révolutionnaires*. Queste «armate rivoluzionarie» non erano concepite per difendere le frontiere dalla coalizione nemica, ma piuttosto come autonome bande armate di «popolo», il cui scopo era quello di trovare e combattere i «traditori» — aristocratici, prelati recalcitranti, affaristi, controrivoluzionari — dovunque si trovassero e chiunque fossero, ed alcuni sarebbero stati certamente detentori di alte cariche. Proposta in origine da Robespierre, l'idea delle *armées révolutionnaires* fu rivolta contro di lui e contro gli altri membri del Comitato di Salute Pubblica quando tentarono di centralizzare il controllo dello Stato francese, frantumato dalla guerra. Se fossero state realizzate secondo la concezione originaria, le *armées révolutionnaires* avrebbero potuto strappare il potere al Comitato di Salute Pubblica ed all'Assemblea Nazionale per affidarlo agli elementi più radicali della Rivoluzione Francese. Nella realtà dei fatti il colpo conservatore del 1794, ponendo fine al periodo del Terrore, ridusse le *armées révolutionnaires* ad uno spaventoso momento della storia francese. Ma l'idea in sé, quantunque fallita, di gente comune armata per combattere una guerra *all'interno* della propria società, magari addirittura contro il proprio regime rivoluzionario, avvince e prefigura un futuro allora ancora remoto[6].

Dopo Waterloo, con l'avvento in tutta l'Europa di regimi repressivi ossessionati dai pericoli delle agitazioni popolari, emerse qualcosa di simile ad una teoria consapevole della guerra rivoluzionaria, ma ritornò nell'ombra già verso la metà del secolo. Facendo affidamento sulla fede nel potere unificante e mobilitante dello spirito nazionale, i rivoluzionari italiani e polacchi sostennero che eserciti di popolo, sebbene male addestrati ed equipaggiati, avrebbero potuto sconfiggere qualsiasi corpo di truppe governative in virtù del proprio entusiasmo nazionale e della propria schiacciante preponderanza numerica. Ma la loro analisi del potenziale rivoluzionario interno non arrivò a rivelare le profonde divisioni sociali tra gli obiettivi liberali delle classi medie, le speranze radicali di un proletariato in via di espansione e le paure spesso conservatrici degli artigiani, dei bottegai e dei contadini. Tali divisioni, insieme alla lealtà ed alla perizia delle forze armate governative, bloccarono ripetutamente i movimenti rivoluzionari negli anni Venti e Trenta, per poi sconfiggerli nel 1848-49. Tutti i persistenti dubbi sull'inadeguatezza delle teorie rivoluzionarie allora esistenti furono risolti dalle nuove tecnologie — le armi a canna rigata, i sistemi elettrici di comunicazione, la forza motrice del vapore — che dopo il 1850 offrirono ai governi possibilità molto accresciute di ricorrere alla forza contro le insurrezioni popolari[7].

Nel tardo XIX secolo, questi nuovi armamenti, costantemente migliorati e sviluppati, fornirono agli Stati europei anche mezzi tali da far sembrare relativamente facile lo loro forte penetrazione in Asia ed in Africa. In Europa, i rivoluzionari — ora guidati da Marx, Engels ed altri — spostarono il centro del pensiero rivoluzionario dalla guerra alla politica. L'organizzazione, l'educazione politica e l'agitazione divennero i compiti principali di un movimento rivoluzionario meno romantico e più realistico. Potevano ancora esserci episodi di violenza — sotto forma di scioperi, terrorismo su piccola scala o assassinii politici — ma solo come mezzo in vista di qualche fine politico. Sembravano finite le aspettative di una sollevazione spontanea di massa. La violenza eccessiva o prematura fu giudicata controproducente, in quanto metteva in allarme il nemico e scatenava tutta la forza della sua repressione armata contro l'organizzazione rivoluzionaria, piccola, disarmata ed altamente vulnerabile. Ma ci furono anche rari momenti, in particolare l'episodio della Comune di Parigi nel 1871, in cui i rivoluzionari combatterono apertamente e morirono come eroi e martiri. Il ricordo di queste eroiche esperienze accendeva l'immaginazione dei rivoluzionari europei e dei leader della resistenza anticoloniale, tenendo vive le speranze di coloro che lavoravano pazientemente e spesso in condizioni di grande pericolo per preparare l'avvento della rivoluzione.

Nell'importante pamphlet *La guerra civile in Francia*, finito di scrivere proprio mentre a Parigi le ultime resistenze della Comune venivano schiacciate dalle forze governative, Karl Marx non espose una teoria strategica della guerra rivoluzionaria, ma fece piuttosto un conciso resoconto delle condizioni in cui guerre del genere vengono intraprese e gli obiettivi per cui vanno combattute. Com'era prevedibile, l'analisi è radicale ed il tono amaro. La violenza non è, dice Marx, una prerogativa del popolo, che invariabilmente ne è la vittima. La guerra è l'invenzione dei monarchi, lo sport degli aristocratici, il carattere distintivo dell'imperialismo. Prima dell'attacco dall'esterno e senza esclusione di colpi lanciato del governo, tutta la violenza commessa dalla Comune si era limitata a due esecuzioni ed al soffocamento di una rivolta. L'enorme numero di uccisioni, molte delle quali atroci e alcune persino sadiche, volute dal governo al momento di distruggere la Comune, nella primavera del 1871, era stato preannunciato dalla violenta repressione governativa del giugno 1848[8].

La lezione era chiara. Minacciati dal popolo armato, i gruppi dominanti non si sarebbero fermati di fronte a niente pur di disarmarlo ed indurlo alla sottomissione col terrore. Nessun compromesso era possibile, eccetto forse che come tattica a breve termine. La doppiezza del «radicale» Governo di Difesa Nazionale e dei suoi rappresentanti a Parigi dimostrava che le misure e gli obiettivi moderati erano una mistificazione per intrappolare e disarmare il popolo. L'apparato dello Stato e le strutture sociali che lo sostenevano non potevano semplicemente essere sopraffatti: dovevano essere distrutti e ricostruiti sulla base dei principi rivoluzionari.

Non è necessario essere marxisti per riconoscere la forza di questa analisi. Per quanto Marx possa essere stato partigiano nel raccogliere le prove a sostegno della sua tesi, c'erano molte esperienze recenti della natura più brutale — nel 1871, nel 1848-49 ed in numerose altre esplosioni e fallimenti rivoluzionari a partire dal 1815 — a convincere i suoi lettori che la storia aveva impartito alcune dolorose lezioni agli strateghi della rivoluzione popolare. La moderazione era insensata: nella sua introduzione all'edizione del 1891 della *Guerra civile in Francia* Engels deplorò il «sacro rispetto» con cui la Comune «si arrestò riverentemente davanti alle porte della Banca di Francia»[9]. L'organizzazione disciplinata e la pianificazione erano essenziali: i seguaci di Blanqui e di Proudhon che dominavano la leadership comunarda erano stati ingannati dalle fantasie sulla capacità di ripresa e la sollevazione spontanea del popolo «libero». La violenza era un'arma, ma solo una tra le tante. Non ci si poteva sottrarre alla violenza, ma essa non doveva essere romanticizzata, né il suo potenziale sprecato in gesti futili. Il pamphlet di Marx è caratterizzato da una fusione di realismo e passione che ne fece un importante passo in avanti nello sviluppo di una teoria consapevole della guerra rivoluzionaria.

Lenin, in varie osservazioni sulla Comune e sul pamphlet di Marx, affinò ed irrobustì la lezione. A differenza di quanto aveva fatto Plechanov in occasione della Rivoluzione Russa del 1905, Marx aveva previsto che un'insurrezione popolare nel 1870 sarebbe stata una «follia»; dopo la conclusione del tentativo, però, non si servì del suo fallimento per propagandare la propria saggezza, ma ne fece un'analisi solidale e realistica. Per questo aspetto (come per altri) la capacità di Marx nell'individuare sia le prospettive sia le conseguenze della violenza senza lasciarsi influenzare da speranze, timori od altre emozioni, rappresentò un modello per i dirigenti rivoluzionari. I grandi errori della Comune, a giudizio di Lenin, che ampliava le osservazioni di Marx ed Engels, erano stati la moderazione e la magnanimità. Non impossessarsi delle banche e tenere in vigore le vecchie regole dell'«equo scambio» significava essere sviati dai «sogni di costruire una giustizia superiore» in una Francia unita. Non distruggere tutti i nemici nella speranza di esercitare un'«influenza morale» su di loro equivaleva a commettere il grande errore di sottostimare «il significato delle operazioni militari dirette in una guerra civile». Alla fine, quei nemici si erano uniti alle forze governative nello schiacciare la Comune. Ma quest'ultima fu solo una battaglia, anche se persa; il coraggio degli sconfitti rappresentò un costante motivo di ispirazione per i compagni che, infine, avrebbero riportato la vittoria definitiva. La Comune dimostrò quanto potesse ottenersi con un'azione rivoluzionaria, anche in mancanza di condizioni favorevoli e di un'adeguata organizzazione. In futuro i compiti di una strategia rivoluzionaria sarebbero stati quelli di costruire tale organizzazione, attendere pazientemente e preparare le condizioni favorevoli all'azione rivoluzionaria. Lenin segue costantemente Marx nella sua insistenza sulla necessità di «spezzare», «distruggere» o «frantumare» la «macchina dello stato borghese», a cominciare dal suo esercito permanente, per sostituirla con un'organizzazione creata dal «popolo in armi»[10].

Trotsky, e non Lenin, sfruttò le esperienze della Comune di Parigi e della Rivoluzione Russa del 1905 per cercare di dare una strategia alla guerra rivoluzionaria. L'inevitabilità di uno scontro armato con le forze governative era ovvia. I governi avevano appreso la lezione del 1789, quando la monarchia francese aveva esitato ad usare l'esercito consentendo al popolo di organizzarsi, armarsi e prendere il sopravvento sulle guarnigioni militari di Parigi e di altre città. Come avevano dimostrato il 1848, il 1871 ed il 1905, era certo che anche un regime debole ed inefficiente avrebbe colpito duramente prima che il movimento rivoluzionario fosse pronto per uno scontro armato. Come affrontare questo problema? Fra il 1905 ed il 1917 Trotsky tentò di rispondere a tale quesito più di ogni altro rivoluzionario russo[11].

Due risposte si fecero avanti: irrobustire la forza armata della rivoluzione ed indebolire l'esercito governativo. Un sistema ovvio per fiaccare le truppe nemiche era quello di attaccare il loro morale e la loro disciplina, ma quali tattiche specifiche sarebbero state efficaci? I contadini in servizio di leva mancavano di coscienza politica ed erano pertanto meno sensibili agli appelli politici rivoluzionari. A Mosca, durante la rivoluzione del 1905, si era fatto ricorso alla guerriglia per massimizzare i risultati militari delle limitate forze rivoluzionarie, ma questa tattica aveva anche scatenato le truppe governative ed accresciuto l'energia della repressione. Il terrorismo aveva i suoi sostenitori; ma altri, come Plechanov, sostenevano che il terrore non avrebbe mai attratto il sostegno delle masse. Uno sciopero generale in grado di paralizzare quel sistema ferroviario e telegrafico che dava alla forze governative tanta parte del loro potere contro la rivoluzione sembrava una mossa promettente, ma probabilmente non sarebbe stata decisiva. Un'alternativa disperata per indebolire l'esercito era quella di opporgli una resistenza passiva, di convincere il popolo ad affrontare i soldati governativi nella loro veste di fratelli russi, se necessario a morire per le proprie convinzioni, nella speranza che il martirio spezzasse i vincoli di quella disciplina che imponeva alle truppe di sparare sui lavoratori[12]. Ma nessuna di queste diverse tattiche sembrava più praticabile o efficace delle altre per minare la schiacciante superiorità delle forze armate a disposizione del regime, e prima del 1917 tutte mancavano in buona misura del riscontro offerto dall'esperienza concreta. Gli ammutinamenti avvenuti nel 1906 all'interno delle forze armate imperiali a Kronstadt ed altrove erano incoraggianti, ma suscettibili di varie interpretazioni da parte dei teorici della rivoluzione. Nelle campagne i combattimenti tra bande partigiane e forze governative continuavano, ma la linea tra resistenza popolare e banditismo non era facile da tracciare. Dopo il 1905, la discussione sulla strategia militare si trasformò in effetti in un dibattito politico polarizzato tra coloro che, come Lenin, sostenevano l'azione militare diretta (che avrebbe sollevato le masse, addestrato i combattenti rivoluzionari e spezzato il morale dell'esercito imperiale), e coloro che, come Plechanov, sottolineavano la necessità del sostegno di massa (e di conseguenza temevano gli effetti di un'insurrezione armata «prematura»). In questo dibattito Trotsky svolse un ruolo creativo e di mediazione.

Incapaci di decidere quale fosse il modo migliore per indebolire le forze militari del regime, i rivoluzionari si concentrarono naturalmente sul compito di rafforzare il proprio braccio armato. Su questo punto il disaccordo era minore. Poiché molti erano scettici sul ruolo di partigiani nelle campagne, le cui attività tendevano a degenerare nel banditismo e nel terrorismo incontrollato, e molti altri erano ugualmente scettici sulla cauta, ma in qualche modo romantica, idea di una rivoluzione «di massa» in presenza di condizioni «favorevoli», l'accordo partì dalla necessità di organizzare, armare ed addestrare la parte più motivata e politicamente consapevole del proletariato. Così il partito, diversamente dalla Comune del 1871 e dai rivoluzionari del 1905, sarebbe stato quanto più possibile pronto alla lotta armata, in qualunque momento e modo se ne fosse presentata la necessità. Il risultato di questo accordo, però, fu quello di enfatizzare gli aspetti urbani, industriali, persino tecnocratici della guerra rivoluzionaria, le cui battaglie erano concepite come brevi scontri in crescendo per giungere a controllare i centri nevralgici della società moderna. Sotto questo profilo, la teoria della guerra rivoluzionaria emergente in Russia dopo il 1905 rifletteva una tradizione molto più antica di pensiero militare occidentale.

L'esperienza fatta da Trotsky come giornalista durante le guerre balcaniche rafforzò la sua convinzione che soltanto un esercito rivoluzionario ben armato, addestrato e guidato poteva sperare di sconfiggere le truppe governative, e che le forze popolari, sostenute dal numero e dall'entusiasmo, erano obsolete. Le bande di guerriglieri, come i *chetnik*, operanti sulle montagne della Macedonia, potevano, al massimo, svolgere un ruolo ausiliario nella guerra rivoluzionaria.

Nella realtà dei fatti le fortissime pressioni generate dalla Prima Guerra Mondiale ebbero maggiore importanza delle teorie e delle agitazioni rivoluzionarie nell'indebolire l'esercito imperiale russo come principale barriera contro la Rivoluzione; l'adesione di vasti settori di quello stesso esercito alla causa rivoluzionaria, poi, assicurò la vittoria ai bolscevichi. La guerra civile, nella quale Trotsky si guadagnò la fama di capo militare della Rivoluzione Russa, non fu combattuta con una strategia unicamente «rivoluzionaria», ma con metodi militari «moderni», vale a dire convenzionali. L'immediata eredità lasciata dalla Rivoluzione Russa alla teoria militare fu, dunque, il rifiuto dell'idea che una strategia di guerra rivoluzionaria dovesse basarsi su principi diversi da quelli prevalenti nelle accademie militari delle potenze capitaliste. La guerra, in questo senso, comportava un complesso di esigenze prevalentemente tecniche che la collocavano al di là della critica rivoluzionaria dell'ideologia borghese.

Fuori dal proprio continente, le potenze europee consideravano le rivolte e le insurrezioni più come problemi di gendarmeria imperiale che come espressioni del malcontento popolare. Nei loro sforzi per mantenere la pace e l'ordine i governi coloniali tendevano a vedere i leader «indigeni» non come patrioti od esponenti politici radicali, ma come sobillatori e banditi. Anche le forze armate delle colonie consideravano i propri nemici come qualcosa di diverso dagli eserciti europei: non si trattava del popolo in armi, ma di tribù irrequiete, *insurrectos*, *dacoits*. Questi atteggiamenti sono abbastanza facili da capire: da un'imboscata ben organizzata si impara molto sulle armi e sulle tattiche dell'avversario, ma assai poco sui suoi obiettivi politici, sul suo senso di giustizia e sulla sua visione del mondo. Le potenze imperialiste, inoltre, affrontarono di solito il problema delle guerre coloniali sul piano organizzativo piuttosto che su quello dottrinale. Esse costituivano eserciti coloniali specializzati, formati generalmente in larga misura da truppe locali guidate da europei, e affidavano loro l'incombenza concreta di combattere e vincere giorno per giorno piccole guerre nei più remoti angoli dei vasti possedimenti imperiali. La separatezza organizzativa divideva l'esperienza militare coloniale dai problemi della guerra europea e contribuiva a far sì che gli studiosi delle accademie militari nazionali non si curassero delle strategie con cui affrontare le rivoluzioni.

Il punto di vista militare sulle colonie risulta ben illustrato dal maggiore Charles E. Callwell, del corpo di artiglieria britannico, che scrisse fra Ottocento e Novecento[13]. In *Small Wars* Callwell opera una chiara distinzione tra le piccole guerre e le campagne di eserciti regolari ed organizzati. Procede, quindi, a spiegare come condurre «spedizioni contro le razze selvagge e semicivilizzate». Callwell affronta l'argomento in modo compiuto ed esauriente, senza pretendere che i combattenti irregolari ed i guerriglieri possano essere semplicemente intimiditi. Egli, però, specifica anche chiaramente che la sua trattazione riguarda operazioni militari rilevanti soltanto nelle colonie. Fino alla Seconda Guerra Mondiale, in questo modo, il ricco patrimonio di esperienze coloniali operative venne tenuto separato dalla teoria e dalla pratica degli eserciti metropolitani.

Ci furono delle eccezioni. La Gran Bretagna mobilitò contingenti da tutto il proprio impero per combattere la guerra contro i Boeri ed in Irlanda, alle porte di casa, condusse una battaglia spietata contro i partigiani locali. In Francia, il maresciallo Lyautey pubblicò un articolo, che ebbe larga diffusione, sull'esercito coloniale[14]. Gli Stati Uniti ampliarono l'esercito regolare ed organizzarono venticinque reggimenti di volontari durante l'«insurrezione filippina». Ma anche queste eccezioni affrontavano il problema di combattere la guerriglia piuttosto che quello di servirsene ed ebbero così uno scarso impatto sul pensiero militare in Occidente. Un'ulteriore eccezione, tuttavia, richiamò una vasta attenzione. Si trattava, infatti, di condurre operazioni di guerriglia e non di opporsi ad esse: la rivolta araba del 1916-18.

L'esperienza di T.E. Lawrence con le forze arabe dello sceriffo Hussein e dei suoi figli produsse un esempio pratico ed una teoria della guerra che divennero leggendari. Per i ribelli arabi che combattevano contro l'Impero Ottomano Lawrence fu soltanto un consigliere britannico e mai un comandante, ma egli coordinò i loro obiettivi politici e le loro operazioni militari in modo che risultassero complementari rispetto a quelli, completamente diversi, della Gran Bretagna. Lawrence integrò i cavalli ed i cammelli degli Arabi con le tecnologie più avanzate dell'epoca: mitragliatrici, mortai, artiglieria leggera, veicoli corazzati, aerei da ricognizione e da attacco al suolo, bombardamento e supporto logistico navale. Egli non pretese mai che la sua «piccola guerra» fosse qualcosa di più che «un episodio secondario di un episodio secondario», ma fornì alle forze britanniche un prezioso appoggio ad un costo molto basso in termini di risorse per la Gran Bretagna e di vite umane per gli arabi. È significativo che tra i suoi numerosi detrattori non vi siano né quanti combatterono contro di lui, né i suoi superiori britannici ed arabi[15].

Sul piano teorico Lawrence concepì un'idea della guerriglia molto diversa da quella delineata da Callwell. Applicando la sua considerevole preparazione nel campo della storia militare agli specifici problemi della rivolta araba, egli sviluppò una base teorica che aveva una validità più generale di quella da lui ipotizzata. Egli definì chiaramente gli obiettivi politici della guerra, analizzò con cura i punti di forza e di debolezza dell'avversario, riconobbe l'importanza di una serie di elementi: una strategia del «disimpegno» operante da una base sicura [*desert-power*], l'uso dell'iniziativa per la tattica di colpire e fuggire, lo spionaggio ed il controspionaggio, la guerra psicologica e la propaganda. In breve, egli scrisse che «potendo contare su mobilità, sicurezza [...] tempo e dottrina», gli insorti avrebbero vinto[16]. Forse il fallimento finale di Lawrence nel preparare la Gran Bretagna a combattere la guerra rivoluzionaria fuori dall'Europa fu dovuto alla sua propria drammatica personalità. La sua conturbante immagine pubblica offuscò le sue idee, oltre che i risultati effettivi da lui ottenuti. Diletto del mondo letterario e flagello dei circoli militari, come profeta della strategia egli non fu preso sul serio quasi da nessuno e morì nel 1935 proprio mentre la Francia e la Gran Bretagna cominciavano ad affrontare la prospettiva di un'altra guerra mondiale, completamente diversa da quella che Lawrence aveva combattuto.

Per onestà bisogna riconoscere che nei tardi anni Trenta i pensatori e gli strateghi militari europei avevano già preoccupazioni più che sufficienti. La *Regia Aeronautica* italiana e la *Luftwaffe* tedesca, a cui si aggiungeva lo spettro della guerra con i gas, rendevano dominante il problema della difesa civile. Agli osservatori della guerra civile spagnola erano apparsi terribili i bombardamenti aerei e gli assalti delle formazioni di carri armati, mentre gli Stati Maggiori di Marina erano preoccupati dagli attacchi con i siluri lanciati da aerei, imbarcazioni veloci e sottomarini. Se a questi problemi si aggiungono la crisi economica della Grande Depressione ed i sentimenti popolari di opposizione alla guerra generati dal primo conflitto mondiale, e si corona il tutto con la convinzione naturale che i piani di guerra sono fatti per arrivare alla vittoria e non per compensare le sconfitte, ne consegue che soltanto una persona eccezionalmente saggia si sarebbe preparata negli anni Trenta a condurre operazioni di guerriglia.

Con l'eccezione di Mao Tse-tung, la cui strategia deve ancora essere discussa, né i vincitori né i vinti previdero l'importanza e le dimensioni dei movimenti di Resistenza che si opposero alle forze dell'Asse nella Seconda Guerra Mondiale. In Inghilterra, ad esempio, nessuno e nessuna istituzione portò avanti lo studio della guerriglia che Lawrence aveva personificato. Winston Churchill aveva dato lavoro a Lawrence al ministero delle Colonie dal 1921 al 1922, aveva intrattenuto con lui per anni un rapporto epistolare e lo aveva incluso nel proprio libro *Great Contemporaries*[17]. Tuttavia Churchill non sembra aver preso in considerazione l'utilità futura del tipo di guerra sperimentato da Lawrence, nell'eventualità che la Gran Bretagna dovesse ancora affrontare una grande potenza continentale. Analogamente, anche il critico militare B.H. Liddell Hart negli anni Trenta aveva avuto un rapporto epistolare con Lawrence, aveva scambiato con lui dei libri e lo aveva visto durante i fine settimana. Ma Liddell Hart considerava la guerriglia di Lawrence più come una convalida della propria strategia dell'«approccio indiretto» che come un'ipotesi direttamente applicabile nell'immediato futuro[18]. Perciò, quando la Gran Bretagna cominciò a prepararsi seriamente per la guerra, dopo la crisi di Monaco del 1938, la guerriglia era ormai «quasi dimenticata; non era sopravvissuta alcuna organizzazione in grado di condurla e non esisteva più un corpo prontamente disponibile di lezioni apprese o di operatori addestrati in questo settore. I successi di T.E. Lawrence in Arabia, una delle ultime offensive armate irregolari della Gran Bretagna, erano diventati una leggenda romantica [...]»[19]. Soltanto nell'estate del 1940, dopo che tutti gli altri mezzi tentati per replicare ai Tedeschi avevano fallito lo scopo, su pressione di Churchill la Gran Bretagna creò lo *Special Operations Executive* (SOE), con il compito di «coordinare tutte le azioni di sovversione e sabotaggio contro il nemico in territorio estero». Alla nomina furono presenti George C.L. Lloyd, ministro delle Colonie e vecchio amico di Lawrence dai giorni dell'Ufficio per l'Arabia al Cairo, e J.C.F Holland, che aveva lavorato per l'ex MIR (*Military Intelligence Research*) del ministero della Guerra e si era guadagnato una medaglia volando in Arabia agli ordini di Lawrence. La loro presenza quasi accidentale si limitò ad evidenziare la mancanza di continuità nella strategia della guerra rivoluzionaria.

Un anno più tardi, poco dopo l'invasione dell'Unione Sovietica da parte dell'esercito tedesco, Stalin fece trasmettere per radio un appello al proprio popolo: «Devono essere formate unità partigiane, a cavallo ed a piedi; si devono organizzare divisioni e gruppi per combattere le unità nemiche, per promuovere dovunque la guerra partigiana»[20]. La verità era che in Unione Sovietica non erano mai stati preparati piani segreti per questo tipo di guerra e che non esistevano organizzazioni di partigiani. Con una morsa di panzer che si stava già stringendo attorno a quasi 250.000 soldati sovietici ad Est di Minsk e con le forze armate tedesche che acquistavano slancio a Nord ed a Sud, era troppo tardi per una pianificazione ordinata: di qui l'appello diretto di Stalin alla popolazione in modo da mettere in movimento qualcosa, qualsiasi cosa, immediatamente.

In Iugoslavia, l'intera invasione tedesca richiese soltanto undici giorni. In

Grecia, durò diciassette giorni, ed in Francia quarantadue. Dopo un collasso così rapido degli eserciti regolari e nella generale assenza di una pianificazione che risalisse a prima della guerra, è sorprendente la prontezza con cui in tutta l'Europa sorsero movimenti nazionali di Resistenza. Gran parte di questo merito va attribuito agli stessi Tedeschi, poiché divenne chiaro dovunque — brutalmente e rapidamente nelle regioni slave — che le dottrine naziste del *Lebensraum* e della razza significavano per le popolazioni soggiogate lo sfruttamento, nel migliore dei casi, e lo sterminio, nel peggiore. Sotto il doppio shock dovuto alla caduta dei governi nazionali ed alla creazione di un regime straniero e nemico, molti cittadini dei Paesi sconfitti furono strappati alla loro normale esistenza. Alcuni di essi aderirono alla Resistenza, esprimendo con ciò le proprie nuove incertezze, paure e speranze, ed adottando qualunque strategia specifica risultasse praticabile nella particolare regione europea in cui vivevano.

Di fatto, si svilupparono due strategie generali: una conservatrice e l'altra rivoluzionaria. L'Unione Sovietica offre la migliore esemplificazione di quella conservatrice, il cui obiettivo era la restaurazione del precedente regime. Questa strategia suggeriva di ristabilire i contatti con il governo, sia nella capitale sia in esilio, accettando le missioni operative ordinate dai funzionari governativi, ricevendo gli aiuti possibili e puntando al congiungimento finale con un esercito nazionale ed al ripristino del sistema politico che il Paese aveva avuto in precedenza. La strategia rivoluzionaria, invece, si sviluppò nel modo più chiaro in Iugoslavia, dove i partigiani di Tito lottarono per strappare il potere al regime in esilio. A sei mesi soltanto dal completamento dell'invasione, essi combattevano già sia contro i Tedeschi sia contro i guerriglieri *chetnik* del generale Draja Mihailovitch. Sebbene Mihailovitch fosse stato ufficialmente nominato dal ministro della Guerra comandante in capo dell'esercito ed unico destinatario dell'aiuto alleato, Tito si mantenne nei suoi confronti indipendente ed ostile. Nel 1942, egli organizzò un Fronte popolare antifascista di liberazione, e nel 1943, il consiglio del Fronte si proclamò governo della Iugoslavia, con Tito come premier e comandante in capo delle forze militari. Nonostante il continuo conflitto con i *chetnick*, la disperata lotta di Tito contro i Tedeschi gli consentì infine, di conquistarsi il sostegno degli alleati: la Gran Bretagna inviò una missione in Iugoslavia nel 1943, l'Unione Sovietica e gli Stati Uniti fecero altrettanto all'inizio del 1944. Nel settembre del 1944, l'Armata Rossa sovietica si stava ormai avvicinando a Belgrado e le forze aree alleate del Mediterraneo martellavano le linee di comunicazione tedesche nei Balcani; alla fine di ottobre, Tito era a Belgrado, a capo del governo popolare di liberazione. In Iugoslavia gli sforzi della Resistenza si erano concentrati dall'inizio alla fine su un obiettivo rivoluzionario[21].

In altre parti d'Europa, le strategie della Resistenza erano meno chiaramente definite che in Unione Sovietica ed in Iugoslavia. Sebbene tutte puntassero ad una restaurazione dei rispettivi governi nazionali, il colore politico di questi ultimi era motivo di contesa. I movimenti di resistenza erano in misura maggiore o minore una coalizione di gruppi politici in competizione tra loro, ed in molti dei Paesi occupati il partito comunista era tra i più forti e combattivi nella lotta. Tutti accettavano generalmente il coordinamento del governo in esilio, in modo da ricevere l'appoggio degli alleati ed affrettare la sconfitta della Germania, ma tutti non volevano pregiudicata la situazione politica del proprio Paese una volta finita la guerra. In alcuni casi, come quello dei *chetnik* iugoslavi, ciò indusse i gruppi della Resistenza ad evitare il combattimento con i Tedeschi ed a conservare le proprie risorse per la lotta interna. In altri casi, come quello del partito comunista francese, ciò spinse i nuclei partigiani a conquistarsi nella lotta contro i Tedeschi meriti che avrebbero rafforzato la loro posizione dopo la guerra. A prescindere dalle specifiche strategie, è chiaro che una delle maggiori conseguenze della Resistenza si fece sentire a livello della politica nazionale postbellica. Per molti anni dopo la fine della guerra, coloro che avevano collaborato con i Tedeschi ebbero vita difficile, mentre gli eroi della Resistenza venivano premiati, indipendentemente dall'efficacia che la Resistenza stessa aveva dimostrato sul piano nazionale. Come Lawrence avrebbe forse previsto, nel lungo periodo le conseguenze politiche e psicologiche della lotta partigiana si rivelarono più importanti dei risultati militari immediati[22].

Nel Sud-Est asiatico i movimenti di resistenza presentarono una marcata differenza rispetto a quelli europei: gli invasori giapponesi erano asiatici, mentre i governi sconfitti erano europei o americani, cioè gli eredi di invasori precedenti[23]. Ciò dava ai Giapponesi un grosso vantaggio, che essi intendevano sfruttare. La «Sfera della prosperità comune nella più grande Asia orientale» rappresentava un'idea in cui molti giapponesi credevano entusiasticamente e sinceramente, e che agli occhi di molti altri asiatici appariva come un'alternativa ragionevole all'imperialismo occidentale. I Giapponesi erano stati una fonte di orgoglio e di segreta speranza per gli asiatici fin da quando avevano sconfitto la Russia nel 1905, e le rapide ed inaspettate vittorie da essi ottenute nel 1942 trasformarono quasi da un giorno all'altro lo slogan «l'Asia agli asiatici!» in una realtà. Di fatto, però, il Giappone si era gettato a capofitto in una guerra disperata e la sua unica speranza di vittoria stava nel rapido sfruttamento delle risorse dei Paesi appena occupati. I Giapponesi erano determinati non solo a trarre profitto dalla guerra nel 1942, ma avevano puntato il proprio futuro nazionale sulla scelta di continuare a sfruttare la guerra nella lotta contro le nazioni e gli imperi più ricchi della terra.

A questa necessità di risorse si aggiungeva il fatto che i Giapponesi vedevano il resto del mondo da un punto di vista etnocentrico. Il Giappone poteva orgogliosamente vantare il merito eccezionale di non essere mai stato conquistato o invaso e nel corso dei precedenti quarant'anni aveva sconfitto con facilità due giganti suoi vicini, la Cina e la Russia. È giusto ricordare che i Giapponesi, in particolare i soldati dell'esercito imperiale, non vedevano come loro pari i popoli asiatici che avevano liberato. Questo senso di superiorità li rendeva difficili da amare ed accettare, anche se per loro si poteva facilmente provare timore e persino rispetto.

Neanche le precedenti potenze coloniali erano amate e così le popolazioni asiatiche basarono opportunamente le proprie scelte sull'interesse, lasciandosi guidare dai successi e dalle promesse dei belligeranti. Vi furono alcune importanti eccezioni: i partiti comunisti locali, che sostennero chi era sostenuto dai Sovietici; le minoranze cinesi, che sostennero chi era sostenuto dalla Cina; e molti funzionari militari e civili dei regimi coloniali rovesciati, che continuarono lealmente a sostenere i loro antichi governanti. In questo complesso miscuglio di lealtà ed interesse si creò, all'inizio del 1942, la possibilità di dar vita ad un movimento di resistenza antigiapponese; le probabilità in questo senso aumentarono col tempo, in parte perché i Giapponesi intensificarono le richieste economiche e gli affronti alle popolazioni, in parte perché contemporaneamente cresceva la credibilità di una vittoria alleata.

In Asia, le strategie della resistenza avevano una varietà di obiettivi più ampia che in Europa. In Birmania, ad esempio, la maggior parte della popolazione autoctona non vide affatto all'inizio la necessità di una resistenza. Trenta giovani patrioti locali, i «Trenta Eroi» che avevano lasciato la Birmania quando era ancora sotto il dominio britannico, ritornarono nel 1942 con le truppe giapponesi. Reclutarono un esercito indipendente birmano, costituirono a Rangoon un governo autonomo e, nel 1943, ottennero dai Giapponesi il riconoscimento dell'indipendenza. Alla fine, però, furono disillusi dal Giappone; verso la fine del 1944 crearono un partito clandestino di opposizione ed una forza di resistenza, e poi cooperarono con l'esercito britannico che nel 1945 riconquistò la Birmania. Grazie alla base di potere politico e militare acquisita prima collaborando con i Giapponesi e poi combattendo contro di loro, i Birmani poterono negoziare l'indipendenza nel periodo postbellico. Per una sfortunata, ma non insolita eredità della resistenza, varie popolazioni delle colline che erano state armate contro i Giapponesi, più due diversi gruppi comunisti, continuarono la guerriglia contro il governo di Rangoon ancora per alcuni anni[24].

Il Commonwealth nelle Filippine passò attraverso una diversa esperienza. Nel 1941, con un nuovo esercito nazionale in via di allestimento e la promessa di ottenere l'indipendenza entro cinque anni, i Filippini combatterono al fianco degli Americani, finché nell'aprile del 1942 furono sconfitti nella penisola di Bataan. Dopodiché molti degli esponenti politici di Manila accettarono di servire la Repubblica Filippina patrocinata dai Giapponesi, mentre migliaia di persone comuni continuavano a combattere con la guerriglia filippino-americana ed a sostenerla. I violentissimi combattimenti del 1944-45, al ritorno delle forze americane, e la spaccatura — esacerbata dalla guerra — fra l'élite politica e le masse lasciarono le Filippine con un futuro incerto al momento dell'indipendenza[25].

Sia i Malesi che i Vietnamiti resistettero ai Giapponesi, ma in modi molto diversi. L'Esercito Popolare Antigiapponese della Malesia era formato da cinesi — non da malesi — e costruito attorno al partito comunista malese, sebbene disposto ad accettare l'aiuto britannico. Si sciolse nel 1945, ma riapparve subito dopo la guerra come Esercito di Liberazione delle Popolazioni Malesi e combatté per dodici anni contro le forze britanniche prima di riconoscere la sconfitta[26]. Il leader vietnamita Ho Chi Minh fondò il partito Vietminh nel 1941, durante una riunione in Cina del Partito Comunista Indocinese in esilio. Trascorsero poi più di tre anni, nel corso dei quali Ho Chi Minh creò gradualmente un esercito ed un'organizzazione politica nel Vietnam settentrionale. Nell'agosto del 1945, quando i Giapponesi lasciarono il potere all'imperatore Bao Dai, il Vietminh era l'unica organizzazione politica funzionante nel Paese, e Bao Dai abdicò, rinunciando alla propria autorità in suo favore. Nel settembre del 1945, fu proclamata ad Hanoi la Repubblica Democratica del Vietnam, che avrebbe dovuto combattere trent'anni, prima di raggiungere l'unità e l'indipendenza[27].

In Indonesia ed in Thailandia non ci furono movimenti di resistenza significativi. La Thailandia era indipendente e scelse di collaborare con i Giapponesi, pur mantenendo contatti segreti con gli Stati Uniti e la Gran Bretagna. L'Indonesia era troppo importante strategicamente ed economicamente per poter ottenere l'indipendenza; così l'esercito giapponese si impadronì del sistema amministrativo olandese e governò il Paese fino all'agosto del 1945. Fu un dominio saldo, ma incoraggiò il nazionalismo filogiapponese con l'appoggio di Sukarno e di Mohammed Hatta. I Giapponesi addestrarono anche un esercito indonesiano di 65.000 uomini. Due giorni dopo l'improvvisa resa del Giappone nell'agosto del 1945, Sukarno e Hatta annunciarono l'indipendenza dell'Indonesia, ma il Paese si ritrovò unito ed indipendente solo dopo cinque anni di guerra civile e di combattimenti contro le forze britanniche ed olandesi[28].

Durante la Seconda Guerra Mondiale, i movimenti di resistenza furono così diversi tra loro che ogni generalizzazione è rischiosa; una caratteristica che ebbero in comune, raramente rilevata, era di natura tecnologica. È scontato dire che i partigiani combattono contro un nemico tecnologicamente più progredito e sono spesso in grado di sfruttare le debolezze dovute alla sua dipendenza dalla tecnologia avanzata. Ma è anche vero che la moderna tecnologia ha facilitato la guerriglia; nel periodo bellico, tanto in Europa che in Asia, la Resistenza dovette in larga misura sia le proprie vittorie sia la propria sopravvivenza a due nuovi strumenti di guerra: la radio e l'aereoplano. La radio rese i combattenti della Resistenza strategicamente rilevanti e tatticamente efficaci, mentre gli aerei li rifornivano e spesso li proteggevano. Senza la radio il controllo esercitato da Londra, da Mosca o da qualche altro luogo sarebbe stato impossibile. Nello stesso tempo molte delle operazioni di guerriglia dipendevano dalla rapidità delle comunicazioni. La trasmissione delle informazioni sarebbe stata troppo lenta senza la radio, e lanciare i paracadutisti, prelevare gli aviatori abbattuti e coordinare le azioni terrestri sarebbe stato molto più difficile. La realizzazione di piccoli apparecchi radio a lunga portata e l'addestramento degli operatori erano importanti compiti di strutture come il SOE, mentre nella guerra contro i collegamenti vitali della Resistenza i Tedeschi ed i Giapponesi lavoravano a dispositivi di ricerca direzionale, a tecniche di decrittazione e di disturbo delle trasmissioni, ad ingannare il nemico. Gli aerei utilizzati per appoggiare la guerriglia dovevano avere un raggio d'azione ed un carico utile adeguati, oltre alla capacità di lanciare uomini e materiali con il paracadute o di decollare ed atterrare in spazi brevi, od entrambe le cose insieme. Alcuni bombardieri obsolescenti come il britannico Wellington fecero un buon lavoro, e così anche gli aerei da trasporto americani C-46 e C-47. Per le operazioni meno impegnative il venerabile biplano biposto sovietico PO-2 (o U-2) era in grado di atterrare con un commissario politico a bordo su qualsiasi campo di piccoli dimensioni, e poi decollare con due partigiani feriti legati alle ali. L'addestramento degli uomini destinati a queste missioni era importante e gli equipaggi senza particolari attitudini per il volo notturno e la navigazione avevano scarso successo. Le forze aeree alleate organizzarono squadroni specificamente addestrati ed equipaggiati per queste operazioni. Sebbene i dettagli tecnologici possano oggi sembrare irrilevanti, l'esperienza stessa creava un complesso di competenze, ed in una certa misura di apparecchiature, entrate a far parte nel periodo postbellico della nuova consapevolezza che la «guerra rivoluzionaria» non poteva più essere considerata di significato minore[29].

III

Riassumendo, è possibile osservare il fenomeno della guerra rivoluzionaria nel suo emergere dalla prima ondata delle rivoluzioni moderne in America ed in Francia. Nel XIX secolo, catalizzate dalle guerre napoleoniche, le richieste di indipendenza nazionale, di diritti democratici e di giustizia sociale si fusero, imprimendo un forte slancio alla rivoluzione armata. Nei primi anni di questo secolo, il problema specifico della lotta militare rivoluzionaria ricevette una considerevole attenzione e la Rivoluzione Russa del 1917 avrebbe rappresentato il culmine di un lungo processo storico. Ma questa prospettiva, ancorché plausibile, è sbagliata: la fusione vitale di idee e condizioni concrete, di teoria e pratica non ebbe mai luogo, neanche nella Rivoluzione del 1917. Nella realtà storica, fino agli anni Quaranta vi furono soltanto false partenze, vicoli ciechi e brevissime anticipazioni del futuro, non certo la presunta apparizione di un tipo di guerra radicalmente nuovo, i cui obiettivi e metodi divergessero radicalmente dalla lunga tradizione bellica occidentale. Questo nuovo genere di guerra, considerato sia come classe di eventi militari sia come un *corpus* di pensiero strategico, non era riconoscibile neppure nel 1941. Ma, da allora, la consapevolezza di esso è cresciuta bruscamente. La vittoria dei comunisti cinesi nel 1949 — con la conseguente pubblicità avuta dagli scritti del loro leader Mao Tse-tung sulla guerra rivoluzionaria —, la demolizione più o meno violenta dei grandi imperi europei in Asia ed in Africa e la guerra fredda si combinarono nel dare all'argomento una rilevanza senza precedenti nel pensiero militare dell'Occidente contemporaneo. Ad essere nuovo non è il fenomeno in sé, ma la sua percezione.

Per quanto si possano cercare altrove, le idee base sulla guerra rivoluzionaria si trovano negli scritti di Mao Tse-tung. Quando il movimento comunista rivoluzionario cinese capì che il modello marxista della rivoluzione proletaria era inapplicabile in Cina, dove esisteva una società agricola con un debole settore industriale, cominciò a cercare il principale sostegno alla rivoluzione non più nelle città e tra gli operai, ma nelle campagne e tra i contadini. Nella violenta lotta con il governo nazionalista, ed ancor più nei combattimenti contro i Giapponesi dopo il 1937, Mao ed i Cinesi costruirono una nuova dottrina della rivoluzione attorno alla tattica ed alle tecniche di una guerriglia a base contadina. I guerriglieri, più deboli dei loro avversari, non potevano essere efficaci e neanche sopravvivere senza un forte e ben organizzato sostegno popolare. La mobilitazione di tale sostegno era un compito politico più che militare ed il primato delle esigenze politiche su quelle militari divenne una caratteristica della teoria di Mao sulla guerra. Da questo punto di vista egli si scostava sensibilmente dal tradizionale pensiero militare occidentale, con le sue distinzioni piuttosto rigide tra guerra e pace, e tra questioni politiche e militari.

Mao si distinse anche per altri importanti aspetti, in particolare per il valore attribuito al tempo ed allo spazio. Nella tradizione occidentale, impersonata da Napoleone, la vittoria militare doveva essere raggiunta rapidamente e la conquista o la difesa del territorio era essenziale per lo scopo stesso della guerra. Agli occhi di Mao, che a lungo non ebbe i mezzi né per conquistare e controllare un territorio, né per ottenere una pronta vittoria, lo spazio ed il tempo divennero armi piuttosto che obiettivi. La «lotta di lunga durata» prometteva di logorare il nemico, se non militarmente almeno politicamente, impedendogli di ottenere la rapida vittoria prescritta dalla tradizione occidentale. Analogamente, cercare di occupare un territorio poteva essere suicida per le forze della guerriglia ma, operando su un terreno vasto od impervio che conoscevano meglio del nemico, esse potevano adescare, confondere e logorare quest'ultimo, creando le possibilità per efficaci attacchi di sorpresa. Le idee chiave di Mao erano, dunque, incentrate sulla politica, il tempo e lo spazio. La grande vittoria da lui ottenuta nel 1949 garantì ampia pubblicità a queste idee, così divergenti dalle nozioni su cui presumibilmente si basava il predominio militare europeo nel mondo, e consentì loro di suscitare un'enorme attenzione, sia tra i rivoluzionari sia tra i controrivoluzionari[30].

L'analisi della riflessione di Mao sulla guerra rivoluzionaria presenta il problema di distinguere ciò che egli disse da ciò che generalmente si ritiene abbia detto. Come nel caso di altri influenti teorici militari — ad esempio Jomini, Clausewitz e Mahan — sia gli ammiratori sia gli avversari hanno estrapolato le idee di Mao dal contesto in cui erano state sviluppate, espresse, e destinate ad essere intese. È bene inoltre ricordare che quelle idee furono esse stesse elaborate in una situazione di grande pericolo e difficoltà: la feroce guerra civile contro i nazionalisti e l'ugualmente disperata resistenza all'invasione giapponese.

Il ricorso alla guerriglia rispose, inizialmente, al riconoscimento pragmatico che i nazionalisti, come i Giapponesi, erano militarmente più forti. Già nel 1930 Mao scriveva:

> La nostra è la tattica della guerra partigiana. Essa può essere così riassunta: "decentrare le nostre truppe per sollevare le masse e concentrarle per fronteggiare il nemico"; "il nemico attacca, noi ci ritiriamo; il nemico si arresta, noi lo molestiamo; il nemico è esaurito, noi lo attacchiamo; il nemico si ritira, noi lo inseguiamo" [...] "sollevare le più larghe masse impiegando il minor tempo ed i migliori metodi possibili"[31].

Più o meno nello stesso periodo, in un messaggio intitolato «Come correggere le idee errate nel partito», Mao sviluppava il proprio ordine di sollevare le masse: «L'Esercito rosso non fa la guerra per amore della guerra, ma per fare propaganda fra le masse, per organizzarle, armarle ed aiutarle a costruire il potere politico rivoluzionario. Senza questi obiettivi la guerra perderebbe il suo significato e l'Esercito rosso non avrebbe più ragione di esistere»[32]. È ovvio che qui Mao respingeva l'opinione di coloro che, nel suo stesso campo, chiedevano la divisione del lavoro tra i compiti politici e quelli militari. La sua posizione era più pragmatica che ideologica, come indica un passaggio precedente dello stesso saggio: «*Specialmente oggi*, l'Esercito rosso non può assolutamente limitarsi a combattere [...]»[33].

Nei tardi anni Trenta, dopo la Lunga Marcia e l'invasione giapponese, il pragmatismo si trasformò in ortodossia di partito. In un intervista rilasciata nel 1937 ad un giornalista britannico Mao parlò dei «principi» che guidavano il lavoro politico dell'Ottava armata. Il secondo dei tre principi era quello dell'«unità tra l'esercito ed il popolo, che significa mantenere una disciplina che proibisca anche la più piccola violazione degli interessi del popolo, fare propaganda tra le masse, organizzarle ed armarle, diminuire i loro aggravi economici e colpire i traditori ed i collaborazionisti che sono dannosi all'esercito ed al popolo: il risultato è che l'esercito è strettamente unito al popolo ed *ovunque ben accolto*»[34]. Altrove Mao parlò di «leggi della guerra rivoluzionaria».

L'accento delle affermazioni di Mao passò non soltanto dal pragmatismo al dogmatismo (in parte, senza dubbio, perché dal punto di vista marxista-leninista Mao sosteneva posizioni eterodosse), ma si spostò anche dal ruolo dell'esercito nella *politicizzazione* delle masse al suo *fare assegnamento* su queste ultime. Le città, dove viveva il proletariato rivoluzionario, erano occupate dai reazionari e dagli imperialisti, cosicché la rivoluzione doveva «trasformare la campagna arretrata in solide ed avanzate basi d'appoggio». E ancora: «Senza queste basi strategiche mancherebbe il punto d'appoggio da cui muovere per assolvere tutti i compiti strategici e realizzare l'obiettivo della guerra»[35]. È evidente che altri leader comunisti cinesi (Chou En-lai) vedevano le cose in maniera diversa; Mao infatti ammonisce: «La lotta rivoluzionaria prolungata condotta nelle basi d'appoggio rivoluzionarie è essenzialmente una guerra partigiana condotta dai contadini sotto la direzione del Partito Comunista Cinese. È perciò *sbagliato* sottovalutare la necessità di usare le zone rurali come basi d'appoggio rivoluzionarie, trascurare un lavoro assiduo tra i contadini e trascurare la guerra partigiana»[36].

Mao attacca costantemente coloro che vorrebbero spostare l'attenzione dai villaggi alle città, dalle unità regionali all'esercito principale, dalla motivazione umana alle tecniche militari, e dalla guerra all'azione politica. «Il potere politico», egli ripete, «nasce dalla canna del fucile»[37].

Tutte queste affermazioni sono tratte dalla *Opere scelte* di Mao, tradotte in molte lingue e diffuse in tutto il mondo. Esse si trovano anche nel libretto rosso sulla «Guerra di popolo», pubblicato nel 1967 durante l'ascesa di Lin Piao[38]. Il libretto rosso è, tra le altre cose, una raccolta di citazioni accuratamente compilata per sostenere la controversa politica della contrapposizione tra l'ideologia cinese e la tecnologia americana, e per difendere la scelta della Rivoluzione culturale compiuta da Mao nel 1966. Le citazioni compongono un quadro fondamentalmente accurato del pensiero maoista sulla guerra rivoluzionaria, ma tutte le sfumature, le precisazioni ed i riferimenti contestuali sono andati perduti e la cronologia risulta ignorata; le idee di Mao vengono invece lasciate fluttuare liberamente come se fossero universalmente valide, almeno per Paesi come la Cina, «semicoloniali e semifeudali»[39]. Fu in questa forma condensata ed astratta che il pensiero di Mao sulla guerra rivoluzionaria si impresse nella mente di coloro che dovettero affrontare battaglie analoghe.

La distorsione più grave causata da questa elevazione degli scritti di Mao da promemoria operativi degli anni Trenta a testo biblico per una guerra rivoluzionaria è la perdita o l'attenuazione dell'accento posto sulla necessità di fare corrette valutazioni strategiche. Se letti in un certo modo i vari trattati di Mao sulla strategia rivoluzionaria risultano pieni di quelli che sono ormai divenuti luoghi comuni: l'azione militare e quella politica sono strettamente interdipendenti; la guerriglia dipende dal sostegno popolare, che si ottiene offrendo alle masse i benefici della rivoluzione; i combattenti rivoluzionari sono pesci ed il popolo è il mare in cui essi nuotano. Questi trattati sono carichi anche di pesanti polemiche e di attacchi a destra ed a sinistra contro coloro che respingono, mettono in dubbio o fraintendono la strategia maoista: le eresie denunciate da Mao sono molteplici ed il lettore è tentato di credere che tali attacchi riflettano semplicemente le lotte politiche della rivoluzione cinese ai tempi in cui Mao scriveva.

Ma se letti in un altro modo, cioè come strumenti essenziali per affrontare il problema della strategia nel contesto variabile delle specifiche situazioni strategiche, allora i passaggi polemici (insieme ad altre parti delle opere di Mao apparentemente slegate dalle questioni militari) diventano molto interessanti ed importanti, a maggior ragione se si pensa che molti di quanti hanno visto Mao come il fondatore della guerra rivoluzionaria li hanno trascurati. Mao era ossessionato dal problema della conoscenza ed i suoi attacchi polemici alle posizioni eretiche, sebbene diretti contro bersagli individuali e politici, avevano a che fare con i limiti dell'apprendimento e del pensiero sistematico. Nel contesto logorante ed emotivo dell'azione rivoluzionaria i capi erano spesso sopraffatti dai sentimenti: intossicati dalla vittoria, abbattuti dalla sconfitta, confusi dagli imprevisti. La struttura sociale della rivoluzione accentuava questa difficoltà: gli intellettuali sapevano soltanto ciò che avevano appreso dai libri e dalle discussioni, i contadini si fidavano soltanto dei cinque sensi e dell'esperienza personale. Persino l'azione rivoluzionaria non faceva molto più che rafforzare i rispettivi preconcetti. L'aspra lotta tra le fazioni, gli errori grossolani ed il fallimento della rivoluzione erano i prevedibili frutti di un vizio profondamente radicato: l'incapacità di afferrare la realtà rivoluzionaria.

Mao scriveva come se soltanto lui, assistito da una forza e da un discernimento eccezionali, avesse la capacità di riconoscere ed affrontare i problemi derivanti da conoscenze superficiali e da decisioni impulsive. Nei suoi lunghi saggi, molti dei quali scritti nelle più difficili circostanze fisiche, con poco cibo e poco tempo per dormire, Mao ribadisce che prima di passare all'azione è necessario comprendere pienamente ed analizzare rigorosamente la situazione. Il linguaggio usato, la lunghezza e la frequenza di questi riferimenti eliminano il sospetto che egli stesse semplicemente celebrando un rito obbligatorio del marxismo-leninismo; essi rivelano con tutta la chiarezza possibile nella fredda traduzione della pagina stampata, la passione dell'evangelista rivoluzionario che cerca di combattere il peccato originale di un pensiero pigro e soggettivo. I luoghi comuni della sua (oggi famosa) dottrina strategica non erano per Mao che semplici linee guida, capaci di indicare la giusta direzione alla strategia rivoluzionaria e mettere in guardia contro i peggiori errori strategici. Ma solo l'applicazione realistica, che richiedeva un estremo sforzo intellettuale, poteva trasformare le formule strategiche in una concreta vittoria. È questo aspetto essenziale della strategia maoista che è stato perso di vista in gran parte del dibattito successivo[40].

I teorici della strategia occidentale classica, in particolare Jomini e Clausewitz, avevano affrontato lo stesso problema: come superare lo scarto tra la teoria e la sua applicazione. Per Clausewitz la chiave del problema consisteva nel tenere la teoria legata alle sue radici empiriche, senza lasciare che il linguaggio, la logica e la polemica del discorso teorico si staccassero dalla realtà spuria e multiforme della guerra concreta. Il timore principale di Clausewitz — ed in questo senso il suo contemporaneo Bülow rappresentava il cattivo esempio da evitare — era quello di creare una teoria che non avesse alcun valore nella realtà dell'azione militare e che fosse soltanto uno sterile esercizio intellettuale. Come Clausewitz, anche Jomini accettava la dicotomia tra teoria e pratica, ma non ebbe alcuna esitazione a spingere la teoria verso la sua forma più astratta e semplificata. Per Jomini il superamento dello scarto tra la teoria e la pratica era un problema di chi comandava le operazioni ed egli avvertì sempre i suoi lettori che, per quanto valide potessero essere le massime scientifiche della strategia, la chiave stava nella loro corretta applicazione.

Mao, da questo punto di vista, sembra più vicino a Jomini che a Clausewitz. Egli, come Jomini, non appare turbato dal problema della «teoria» in quanto tale; l'esistenza e la natura di un'autentica teoria strategica preoccupavano Clausewitz, ma non Jomini e Mao. Il loro problema, una volta compresa la teoria, era quello di applicarla. Per Jomini la teoria strategica poteva essere afferrata da qualsiasi persona intelligente e ricettiva, ma soltanto il «genio» era in grado di applicarla coerentemente nel mondo concreto della guerra. Mao diede, almeno indirettamente, una risposta analoga: il capo rivoluzionario deve fondere la conoscenza, l'intelletto, la passione e la disciplina in uno scopo unico e definito; soltanto la fragilità umana crea la distanza tra la teoria e la pratica, tra il pensiero e l'azione. Se la teoria viene adeguatamente compresa, lo scarto tra essa e la pratica non esiste; il lavoro teorico sulla strategia rivoluzionaria è esso stesso parte della rivoluzione, non — come il presente saggio — un tentativo di osservazione distaccata. La differenza principale tra Jomini e Mao a questo proposito è dovuta al fatto che per Mao il «genio» era lui stesso, e gli altri non potevano far niente di meglio che ascoltarlo e seguirlo.

In Occidente ed altrove, i lettori di Mao hanno sempre attribuito un grande peso alle sue massime di strategia rivoluzionaria, ma poca importanza alle sue idee sulla loro applicazione. Sembra essere rimasta inascoltata la sua stessa precisazione, costantemente ribadita, che la teoria strategica ha significato soltanto alla luce delle concrete circostanze politiche, sociali ed internazionali esistenti nel momento in cui la teoria viene enunciata. La mancanza di un'adeguata conoscenza della Cina degli anni Trenta, in cui Mao scrisse tutti i suoi principali trattati, spiega in parte questa cronica selettività percettiva. Ma anche la perdurante e diffusa influenza delle categorie jominiane sul pensiero strategico occidentale spiega molte cose. Superficialmente, Mao appare come uno Jomini asiatico: in entrambi si trovano analoghe massime, ripetizioni ed esortazioni; in entrambi c'è la medesima combinazione di analisi e prescrizione, il medesimo impegno didattico, la medesima invocazione del «genio» — impersonato da un Napoleone romanticizzato per Jomini, da se stesso per Mao — in grado di trasformare in vittoria la teoria strategica[41].

È nel momento in cui Mao cerca di spiegare *come* la vittoria scaturisce dalla teoria — un quesito che affascinava Clausewitz, ma non attraeva Jomini — che i lettori occidentali sembrano smettere di ascoltare. Essi non possono o non vogliono rinunciare alle confortevoli dicotomie della strategia: proprio come insistono a separare le questioni militari da quelle politiche, così dividono la teoria dalla pratica. La «teoria», secondo questo punto di vista, esiste indipendentemente dalla pratica; ciò che è più importante, la «teoria» — se non è lacunosa — contiene tutti i possibili elementi intellettuali in grado di informare la sua applicazione, che viene vista come un processo secondario, dipendente soprattutto dalla validità della teoria informatrice. Mao non capovolge questo rapporto, ma lo modifica radicalmente, in primo luogo negando la dicotomia tra teoria e pratica, e poi (ma questa successione temporale esiste solo per gli incorreggibili occidentali non marxisti) integrandole efficacemente, trattandole come una cosa sola allo stesso livello, e spesso distribuendo bacchettate sulle mani dei propri compagni miopi ed occidentalizzati. Per i lettori di Mao la difficoltà deriva dalla perdita del contesto specifico e dall'incapacità di rinunciare alla propria idea della teoria. Il modo in cui l'Occidente concepisce quest'ultima, derivato dalle scienze naturali e semplicemente incorporato da Jomini nella sua influente opera strategica, assegna alla teoria lo sforzo intellettuale principale, riservando alla pratica alcune virtù alquanto diverse come la cautela, il coraggio, l'intuizione e la fortuna. Mao, al contrario, attribuisce uno sforzo *intellettuale* uguale o maggiore all'*applicazione* della teoria. Studiare, ascoltare, imparare, pensare, valutare, modificare le proprie valutazioni: ecco le chiavi che per Mao aprono le porte della vittoria. La sua monumentale alterigia deriva, in parte, dall'assoluta convinzione di poter fare queste cose meglio di qualsiasi rivale. Ma il suo punto di vista è stato in qualche modo smarrito dalla maggioranza dei suoi discepoli dichiarati.

IV

La caduta, nel 1949, del regime nazionalista cinese a vantaggio dei comunisti guidati da Mao creò in Occidente, più di ogni altro evento, la consapevolezza di come un conflitto armato prolungato, usando la tattica della guerriglia nel quadro di una versione eterodossa del marxismo-leninismo, potesse ottenere una decisiva vittoria rivoluzionaria. Altri avvenimenti aprirono la strada a questa nuova consapevolezza, ed altri ancora rafforzarono la sua influenza. La Resistenza armata all'occupazione tedesca e giapponese durante la Seconda Guerra Mondiale era rapidamente entrata a far parte della memoria collettiva. I guerriglieri filippini, i partigiani iugoslavi ed i *maquis* francesi furono tra i gruppi che giocarono un ruolo eroico — talvolta esagerato per motivi politici — nella liberazione dei propri Paesi dal dominio tirannico dello straniero. Prima che la guerra finisse, alcuni di questi movimenti di resistenza si diedero uno scopo rivoluzionario: conquistare il potere, distruggere il feudalesimo o il capitalismo o il colonialismo, costruire una nuova società. Durante il primo decennio postbellico, gli imperi europei dovettero affrontare movimenti di liberazione armati che erano quasi indistinguibili nella dottrina, nella tattica e spesso negli uomini dalla celebrata resistenza del tempo di guerra. Le idee di Mao e, più significativamente, la sua grande vittoria influirono su questi eventi bellici e postbellici, collegandoli tutti nella nuova sconvolgente sensazione che il mondo stesse cambiando per mano di una tecnica militare eterodossa accoppiata ad un programma politico radicale.

Mentre i Cinesi combattevano la loro guerra civile, alcuni conflitti rivoluzionari — reali o temuti — scoppiavano in altre parti del mondo in via di decolonizzazione. Nel 1948, le organizzazioni ebraiche della Palestina cacciarono le forze britanniche con un'audace ed abile campagna di terrore, una strategia che sarebbe stata usata di nuovo dai greco-ciprioti alcuni anni più tardi. In Grecia, le sorti della guerra civile rivoluzionaria furono largamente decise dall'appoggio straniero. Il sostegno iugoslavo ai ribelli comunisti greci era sospetto a causa della disputa greco-iugoslava sulla Macedonia; tale sostegno cessò bruscamente nel 1949, proprio quando il maresciallo Alexandros Papagos gettò tutto il peso del proprio esercito, equipaggiato dagli Americani, contro la principale area controllata dai ribelli[42].

Il centro di gravità delle guerre rivoluzionarie, dopo il 1945, fu il Sud-Est asiatico, dove furono facilitate dallo smantellamento della dominazione giapponese ed ispirate dalla teoria e dall'esempio di Mao e dell'esercito popolare di liberazione cinese. Una serie di rivolte scoppiò in Birmania, lungo l'arco montagnoso del suo confine settentrionale. Nelle Indie Orientali la guerra tra le forze britanniche, olandesi ed indonesiane divampò, si spense e poi divampò di nuovo. In Malesia e nelle Filippine i partiti dei fronti popolari guidati dai comunisti riattivarono la guerriglia del periodo bellico per minacciare i rispettivi governi centrali. Il regime britannico in Malesia ed il governo delle Filippine, appoggiato dagli Americani, riuscirono a sconfiggere gli insorti soltanto mettendo in atto per molti anni programmi civili e militari ben concepiti e coordinati. In molte di queste campagne le idee maoiste apparvero frammentarie sul piano della strategia, dell'organizzazione e della priorità attribuita all'indottrinamento politico rivoluzionario; in tutti i casi in questione, il suo esempio vittorioso sostenne però il morale della guerriglia, preoccupando nello stesso tempo i governi in carica ed i loro sostenitori internazionali[43]. Ma il massimo sviluppo di quello che può essere chiamato maoismo si ebbe in Indocina, dove i Vietnamiti condussero una lotta rivoluzionaria contro i Francesi dal 1941 al 1954. Questa lotta merita un attento esame.

I successi dei combattenti rivoluzionari comunisti cinesi e gli stessi scritti di Mao erano ben noti, in particolare nell'Asia orientale e sudorientale[44]. Il leader vietnamita Ho Chi Minh non solo aveva letto di Mao, ma aveva anche visitato lo Yenan nel 1938 e più tardi addestrato truppe cinesi nella tattica maoista della guerriglia[45]. Vo Nguyen Giap, futuro capo militare della rivoluzione vietnamita, incontrò per la prima volta Ho Chi Minh a Kunming nel 1940; nel Sud della Cina insieme pianificarono una risposta alla caduta della Francia ed all'occupazione giapponese del Tonchino, la regione settentrionale del Vietnam. Giap reclutò un plotone di profughi vietnamiti, la prima unità ai suoi ordini, e lo addestrò nella tattica della guerriglia preparandosi a riattraversare il confine[46]. All'inizio del 1941, Ho Chi Minh proclamò la prima «zona libera» sulle accidentate montagne dalla parte vietnamita della frontiera, dove fondò la Lega per l'indipendenza vietnamita, o Vietminh, che si prefiggeva il compito di rovesciare i Giapponesi ed i Francesi. Per il resto di quell'anno Ho Chi Minh scrisse alcuni pamphlet sulla guerriglia ed addestrò i suoi quadri, mentre Giap organizzava squadre di propaganda e scriveva articoli per il giornale del partito. Alla fine del 1941, essi avevano spostato il proprio quartier generale più all'interno nel Paese ed ampliato i programmi di addestramento, a mano a mano che la notizia della lotta del Vietminh contro il regime francese affiancato dai Giapponesi faceva affluire i volontari. Ho Chi Minh trascorse i due anni successivi nelle prigioni cinesi, mentre Giap continuava ad allargare lentamente le operazioni verso Sud, incontrando una crescente resistenza da parte delle guarnigioni francesi e rispondendo con le imboscate, le rappresaglie contro i collaborazionisti vietnamiti e la propaganda nei villaggi. Nell'estate del 1944, Giap era pronto ad estendere il sistema di guerriglia in tutto il Vietnam. Ma Ho Chi Minh, rientrato nel Paese verso la fine di quell'anno, cambiò questi piani, motivando tale scelta con la necessità di far precedere un'ulteriore espansione militare da una più completa preparazione politica[47]. La decisione di Ho Chi Minh rappresentò solo il primo di diversi momenti critici in occasione dei quali la politica rivoluzionaria vietnamita confermò l'accento posto da Mao sulla necessità di attenzione e cautela nel tradurre in pratica la teoria rivoluzionaria.

Dopo che i Giapponesi ebbero assunto il controllo diretto dell'Indocina disarmando le forze francesi nel marzo del 1945, il quartier generale del Vietminh fu spostato più vicino alla capitale del Nord, Hanoi, e le operazioni politiche si intensificarono in tutto il Vietnam in previsione di un'imminente resa giapponese. Quando quest'ultima arrivò nell'agosto del 1945, Ho Chi Minh promosse un rapido colpo di Stato e l'imperatore Bao Dai, che aveva sostenuto i Giapponesi, abdicò lasciando la propria autorità nelle mani del Vietminh. Giap guidò le sue truppe su Hanoi e si impadronì delle sedi del potere. Bandiere e volantini chiamarono ad una sollevazione generale e Ho Chi Minh prestò giuramento come presidente della Repubblica Democratica del Vietnam. Il repentino passaggio dalla guerra di lunga durata al colpo di Stato rivoluzionario indica che Ho Chi Minh era un maestro — non uno schiavo — della dottrina maoista.

Nel corso dell'anno successivo Ho Chi Minh si mosse tra le molte forze in gioco nel Vietnam: due potenti eserciti di occupazione, quello britannico nel Sud e quello nazionalista cinese nel Nord; le truppe francesi, tornate nel Paese arroganti e ben armate; ed il ridestato desiderio d'indipendenza dei Vietnamiti in genere, dai semplici contadini alle personalità più in vista. Con l'indipendenza come obiettivo finale, Ho Chi Minh evitò di farsi distrarre dalle facili denunce del colonialismo francese o dalle pressioni in favore di una guerra prematura. Mentre i lunghi e difficili negoziati con la Francia non riuscivano a produrre i risultati desiderati, egli consolidò la propria base politica, ampliò l'esercito di Giap, salutò la partenza degli eserciti giapponese, britannico e soprattutto cinese, e tentò senza successo di interessare altre nazioni alla situazione vietnamita. Il suo compito più difficile era quello di valutare le intenzioni e le capacità politiche e militari della Francia, così da poter replicare efficacemente. La documentazione su questo tormentato periodo è scarsa, ma sembra che Giap premesse per far ricorso alla forza contro i nemici sia interni sia stranieri, mentre Ho Chi Minh cercava il più vasto consenso politico possibile, affidandosi semplicemente all'obiettivo dell'indipendenza. La discussione con i negoziatori di Parigi gli sembrava preferibile ad un attacco contro l'esercito francese.

Mentre i negoziati si trascinavano stancamente, l'evidente mala fede di entrambe le parti ed alcuni sporadici episodi di violenza portarono in novembre ad un serio incidente, seguito da un cessate il fuoco, da un ultimatum della Francia ed infine in dicembre dal bombardamento francese della città portuale di Haiphong. In pochi giorni, i Francesi costrinsero gli avversari a lasciare le città costiere, mentre Giap ordinava alle proprie forze di ritirarsi verso le vecchie basi del Tonchino settentrionale. Dopo quindici mesi di negoziati entrambe le parti si preparavano ad una guerra senza esclusione di colpi[48].

A questo punto Ho Chi Minh e Giap sapevano chiaramente quali fossero sia i costi sia le potenzialità di una guerra rivoluzionaria di guerriglia. La loro grande forza stava nella capacità di attrazione politica dell'indipendenza vietnamita, terreno sul quale i Francesi non avevano possibilità di competere. La guerra fu lunga ed aspramente combattuta: una posizione politica corretta non garantiva la vittoria. Nella dottrina maoista della guerra rivoluzionaria le ricorrenti questioni chiave, continuamente riproposte, riguardavano la forza relativa delle due parti e la migliore strategia da adottare in un particolare momento. Nel dicembre del 1946, ad esempio, il Vietminh attaccò le città controllate dai Francesi non per ottenere una vittoria militare, ma per sottolineare la fine dei negoziati e l'inizio della guerra e per dimostrare sia ai Francesi sia ai Vietnamiti di avere la volontà ed i mezzi per combatterla. Dopo un periodo di guerriglia su piccola scala, ma in tutto il territorio nazionale, verso la fine del 1947 il Vietminh affrontò un'offensiva francese contro le proprie basi con una ritirata, piccoli contrattacchi ed azioni di guerriglia locale in altre parti del Vietnam.

Nel 1948 e nel 1949, i combattimenti furono di modesta intensità, consentendo alle truppe del Vietminh di migliorare l'addestramento, tenere alto il morale, indebolire i Francesi quando se ne presentava l'occasione e consolidare le proprie posizioni. L'equilibrio delle forze cambiò nel 1949, quando l'Esercito rosso cinese fece la sua comparsa alla frontiera settentrionale. Nuove armi e basi di addestramento sicure permisero a Giap di organizzare unità più grandi, delle dimensioni di una divisione. Nel 1950, esse attaccarono le postazioni francesi lungo il confine cinese, impossessandosi di grandi quantità di equipaggiamento ed assicurando i collegamenti del Vietminh con la Cina.

A quanto sembra, nel 1950, incoraggiati da questi successi, Ho Chi Minh e Giap sbagliarono nella loro applicazione della teoria maoista. Essi decisero di lanciare un'offensiva contro le posizioni francesi nel delta del Fiume Rosso. In tre grandi battaglie i Vietnamiti subirono pesanti perdite, Ho Chi Minh e Giap persero l'iniziativa strategica e le loro forze ridotte a mal partito si ritirarono verso le basi settentrionali. Ma la forza della strategia maoista e la conoscenza dei suoi principi da parte vietnamita si manifestarono negli avvenimenti che seguirono. Dopo aver ricostruito le proprie forze nel 1951 grazie ai rifornimenti cinesi, ad una forte base politica e ad un'organizzazione guerrigliera largamente diffusa, Giap lasciò la mossa successiva al comandante francese, il maresciallo de Lattre de Tassigny. Questi era impaziente di sfruttare il proprio recente successo: sia l'Assemblea Nazionale francese sia il Congresso americano stavano discutendo in quella fase le spese per la guerra d'Indocina, mentre la sua personale reputazione di uomo audace ed intraprendente richiedeva ulteriori vittorie, non un ritorno alla guerra difensiva.

Nel novembre del 1951, de Lattre inviò una grossa guarnigione a Hoa Binh, quaranta chilometri oltre le difese del delta, con l'intento di attirare il Vietminh in una battaglia decisiva. Dopo un mese, durante il quale Giap organizzò, ispezionò e dispose con cura le proprie forze, il Vietminh lanciò l'attacco: non contro Hoa Binh, ma contro la sua linea di rifornimento lungo il Fiume Nero. Seguirono due mesi di combattimenti sanguinosi da entrambe le parti, durante i quali la guarnigione francese di Hoa Binh venne lentamente strangolata. Nel febbraio del 1952, un grosso contrattacco francese riaprì finalmente la linea del Fiume Nero, ma solo per il tempo necessario a ritirare la guarnigione nella zona del delta, da cui si era spinta in avanti quattro mesi prima. L'episodio di Hoa Binh definì i termini della situazione: la mobilità e la capacità di fuoco dei Francesi potevano permettere loro di arrivare quasi dovunque in Vietnam, ma non di restarci, sprecando così mezzi e tempo nei propri sforzi. Ed il tempo, per i Francesi, era una risorsa sempre più scarsa a mano a mano che a Parigi la pazienza si esauriva. Dal punto di vista dei Vietnamiti, invece, il trascorrere del tempo significava acquistare fiducia e consentiva di trasformare il sostegno popolare alla lotta per l'indipendenza in qualcosa di più tangibile: l'addestramento, l'equipaggiamento e l'organico delle truppe. Le valutazioni sbagliate di Ho Chi Minh e Giap potevano ancora essere pagate a caro prezzo, come era avvenuto nel 1950, ma una corretta applicazione della teoria maoista avrebbe consentito di riprendersi. Cambiando il tempo ed il luogo delle operazioni, alternando le tattiche e le armi, sfruttando appieno le opportunità, nel corso degli anni seguenti Giap logorò i Francesi e gli Americani che li appoggiavano, finché l'impazienza e la pressione portarono nel 1954 alla decisiva battaglia di Dien Bien Phu. Gli stessi metodi, ispirati alla teoria maoista, si sarebbero dimostrati altrettanto efficaci durante i venti anni successivi, nella seconda guerra d'Indocina.

Se Mao e Giap sono i principali teorici della guerra rivoluzionaria, Ernesto «Che» Guevara occupa un rango elevato tra i loro discepoli. Guevara fu luogotenente di Fidel Castro nella rivoluzione cubana e ben presto divenne famoso come lo stratega del notevole successo di quella guerra rivoluzionaria. Mentre Castro consolidava il nuovo potere a Cuba, Guevara continuò altrove la lotta rivoluzionaria. Si unì all'insurrezione boliviana, che fu rapidamente repressa e durante la quale egli trovò la morte. Ma prima di morire scrisse un breve libro sulla guerra rivoluzionaria e le sue idee furono ulteriormente sviluppate da un compagno che gli fu accanto in Bolivia, Régis Debray[49].

La variante Guevara-Debray del maoismo ha avuto importanti conseguenze in America Latina e forse anche altrove nel Terzo Mondo. Secondo Mao e Giap la prima fase della guerra rivoluzionaria deve essere la mobilitazione politica: il lungo, scrupoloso processo di reclutamento ed organizzazione del sostegno popolare, per costruire un delicato e disciplinato sistema di quadri a livello di villaggio. Durante questa prima fase è consentito soltanto il più selettivo e limitato uso della violenza, ed è meglio evitare del tutto l'azione militare aperta, che rischia di mettere il governo sull'avviso e di attirare la repressione armata su un'organizzazione rivoluzionaria ancora impreparata.

Ma nessuna «prima fase» preparatoria di questo genere aveva avuto luogo a Cuba. La piccola banda guerrigliera di Castro si era invece insediata nella remota regione orientale dell'isola ed aveva trovato appoggio a mano a mano che avanzava verso l'Avana. Il regime di Batista era assai impopolare fra tutte le classi della società cubana e collassò man mano che le crescenti forze castriste si avvicinavano alla capitale. Questo spettacolare risultato fu quasi certamente l'esito di condizioni eccezionali, ma divenne la base di una deviazione dall'ortodossia maoista tanto significativa quanto lo scostamento di Mao stesso dalla dottrina marxista-leninista. Questa variante cubana è nota come «fochismo»[50].

Il termine *foco* designa un «punto mobile di insurrezione»: l'idea — una generalizzazione della peculiare esperienza cubana — è che la lunga preparazione politica a livello di villaggio, così come era stata prescritta da Mao e da Giap, non sia essenziale. Una piccola forza rivoluzionaria, con il ricorso alla violenza, può mobilitare molto più rapidamente il sostegno popolare: qui non è la mobilitazione politica che alla fine sfocia nella violenza, ma la violenza che trasforma la situazione politica. Risvegliato e galvanizzato dagli attacchi dei fochisti, indignato ed incoraggiato dalla brutalità e dall'inettitudine della risposta governativa, contrariato se il governo cerca l'aiuto di una potenza straniera, il popolo verrà mobilitato per la rivoluzione in un processo in cui la violenza stessa fa da catalizzatore.

A tutt'oggi l'esperienza dimostra che il fochismo, per quanto plausibile, non è efficace: dal punto di vista rivoluzionario i suoi risultati sono stati disastrosi[51]. Mao e Giap avrebbero potuto suggerire a Guevara e Debray che la violenza fochista, invece di catalizzare la rivoluzione, espone il movimento rivoluzionario ad un contrattacco schiacciante nel momento di massima debolezza, come avvenne in Bolivia. Coloro che avrebbero potuto essere reclutati per la guerra rivoluzionaria vengono invece spaventati e scoraggiati dal fallimento fochista. Il difetto più grave del fochismo sta forse nel suo ignorare la duplice natura della prima fase ortodossa della guerra rivoluzionaria: il lungo ed impegnativo lavoro della preparazione politica permette non solo di organizzare i contadini ed il proletariato, ma anche di far sì che gli attivisti rivoluzionari — in genere giovani intellettuali urbanizzati — conoscano la gente, i villaggi, i modi di pensare ed i motivi di scontento, persino il terreno fisico in cui la guerra rivoluzionaria deve gettare le proprie basi. La totale ignoranza delle condizioni locali giocò un ruolo essenziale nel fallimento boliviano. Secondo alcuni critici l'eresia fochista riflette sia l'impazienza caratteristica della cultura latinoamericana (così diversa da quella dell'Asia orientale, ispirata alla tradizione cinese), sia l'arroganza tipica dei giovani intellettuali. Spinti all'azione da ciò che hanno appreso attraverso la lettura e la discussione, essi — non diversamente dai vecchi imperialisti — raggiungono le campagne desiderosi di cambiare la vita delle masse oppresse, ma refrattari a tutto ciò che nella situazione di queste ultime non combacia con le astrazioni preconcette.

Lo stesso Mao, scrivendo nel 1930, previde e respinse l'eresia nota più tardi — e altrove — come fochismo:

> Alcuni compagni del nostro partito non comprendono ancora come valutare correttamente la situazione attuale e quale azione essa richieda da parte nostra. Credono che sia inevitabile un'ascesa della rivoluzione, ma non pensano che possa avvenire molto presto [...] Al tempo stesso, non sono profondamente convinti della necessità

di instaurare il potere rosso nelle zone partigiane e, di conseguenza, neppure della possibilità di accelerare l'ascesa della rivoluzione in tutto il Paese mediante il consolidamento e l'estensione del potere rosso. Essi pensano, sembra, che sarebbe fatica sprecata, in un momento in cui l'ascesa della rivoluzione è ancora lontana, dedicarsi al duro lavoro di stabilire il potere politico. Vorrebbero estendere la nostra influenza politica con il metodo relativamente facile delle azioni mobili partigiane e, solo quando questo lavoro per la conquista delle masse in tutto il Paese sia stato adempiuto completamente, od almeno in notevole misura, passare in tutta la Cina all'insurrezione armata, insurrezione che, con le forze dell'Esercito rosso, dovrebbe trasformarsi in una grande rivoluzione di ampiezza nazionale. Questa loro teoria sulla necessità di conquistare prima le masse e poi instaurare il nostro potere in tutto il Paese ed in ogni regione, non corrisponde alle condizioni reali della rivoluzione cinese [...] La creazione e lo sviluppo dell'Esercito rosso, delle unità partigiane e delle regioni rosse rappresentano, nella Cina semicoloniale, la forma più alta della lotta contadina [...] La politica delle sole azioni mobili partigiane non può accelerare l'ascesa della rivoluzione in tutto il Paese [...][52]

La critica a quella che sarebbe diventata la variante Guevara-Debray della strategia maoista riconduce direttamente all'accento, non adeguatamente riconosciuto, che Mao pose sulla necessità di fare un quadro completo ed accurato della situazione strategica e poi esaminare nel modo più spassionato possibile il problema della strategia. Mao non solo diresse con forza ed energia straordinarie la rivoluzione cinese, ma sapeva anche di lavorare ai problemi della strategia rivoluzionaria più e meglio di coloro che lo circondavano.

La consapevolezza occidentale della guerra rivoluzionaria come problema strategico cominciò con la guerra fredda e trovò la sua prima chiara espressione presso le forze armate francesi. L'Indocina, dove l'esercito francese era determinato a vendicare l'umiliazione subita nel 1940 e dove il popolo vietnamita fornì una base eccezionalmente solida alla guerra rivoluzionaria, divenne il crogiolo da cui emerse la teoria controrivoluzionaria nota come *guerre révolutionnaire*. Con l'Unione Sovietica e, dopo il 1949, la Cina che sostenevano i rivoluzionari vietnamiti, e gli Stati Uniti che appoggiavano in misura crescente lo sforzo francese per «contenere il comunismo», la guerra era durata ormai otto anni. Nonostante l'aiuto e l'esortazione americana, nel 1954 il governo francese decise che non poteva essere vinta e rinunciò a rivendicare il proprio dominio sull'Indocina. Di fronte a questa nuova sconfitta si fece strada tra gli ufficiali francesi un desiderio ossessivo di apprendere la lezione dell'Indocina, in modo da poter vincere le altre guerre rivoluzionarie che erano già imminenti altrove nell'impero coloniale francese[53].

L'espressione *guerre révolutionnaire* era qualcosa di più che la traduzione francese di «guerra rivoluzionaria»; essa indicava una diagnosi ed una terapia per quella che un influente gruppo di militari di carriera francesi vedeva come la principale malattia del mondo moderno: l'incapacità occidentale di affrontare la sfida della sovversione comunista ed atea. Fortemente conservatori dal punto di vista politico, essi si ispiravano ad un cattolicesimo mistico ed alla fede incrollabile nella missione civilizzatrice del colonialismo francese per sostenere, con logica cartesiana, che la terza guerra mondiale era già cominciata.

Mentre gli Stati Uniti ed i loro alleati erano ipnotizzati dalla prospettiva della guerra nucleare, il comunismo stava aggirando da Sud le difese dell'Occidente e se non veniva fermato avrebbe alla fine distrutto la civiltà occidentale. Muovendo dalla sua base sovietica, esso aveva ottenuto la prima vittoria in Cina, la seconda in Indocina e stava vincendo altre battaglie in Asia. La guerra aveva raggiunto l'Africa settentrionale, dove il colpo di stato di Nasser in Egitto fu visto come un'altra vittoria comunista e lo scoppio della guerra nell'Algeria francese, avvenuto nel 1954, come un'ulteriore offensiva dell'avversario comunista. Con l'Africa subsahariana e l'America latina come scontati obiettivi futuri, l'Europa occidentale e gli Stati Uniti sarebbero presto rimasti isolati e la potenza dei loro armamenti non avrebbe mai trovato impiego in una guerra globale già perduta.

La terapia proposta dai teorici della *guerre révolutionnaire* rispecchiava questa diagnosi, ed entrambe riflettevano la loro visione militare del comunismo nel mondo contemporaneo. Il comunismo era visto come una religione secolare, che riempiva il vuoto lasciato dal declino dell'influenza esercitata sulle masse dalla religione tradizionale. La fede e la disciplina suscitate dal comunismo erano oggetto di ammirazione, anche se esso veniva contrastato in quanto totalmente dedito al Male. Il nazionalismo, l'anticolonialismo e le rivendicazioni di giustizia sociale erano considerate semplicemente come atteggiamenti limitati e superficiali che il comunismo sfruttava per far confluire tutte le aree sottosviluppate non occidentali in una coalizione guidata dai comunisti contro l'Occidente cristiano. Nell'offrire la speranza di un futuro migliore a masse povere ed ignoranti, i comunisti avrebbero usato ogni mezzo, per quanto crudele, atto al raggiungimento dei loro obiettivi: nessuna barriera giuridica od etica li fermava. L'Occidente — la cui fede religiosa era da lungo tempo in declino, la cui fiducia era stata scossa da due guerre mondiali ed il cui campo d'azione politica e militare risultava gravemente limitato dal suo assetto liberale e democratico — non aveva finora saputo replicare efficacemente alla guerra rivoluzionaria comunista. Combattere il fuoco col fuoco era di fatto la sua sola risposta. Nessun ammiratore di Mao e Ho Chi Minh si adoperò più di questi teorici francesi per presentare la guerra rivoluzionaria come praticamente invincibile.

La dettagliata terapia da essi proposta rispecchiava punto per punto la loro interpretazione della dottrina rivoluzionaria. In primo luogo, era essenziale la rinnovata fede nella crociata contro il comunismo (ed il Male); al centro di questa fede doveva esserci necessariamente la rinascita del cristianesimo: l'umanesimo liberale e lo spirito nazionale erano troppo deboli e suscitavano troppe divisioni, mentre servivano innanzitutto coraggio ed unità. Il passo successivo sarebbe stato un ampio programma di guerra psicologica per diffondere tale fede rinnovata e dimostrare la malvagità del comunismo. Un programma parallelo di intervento sociale ed economico avrebbe inoltre dovuto affrontare con vigore problemi come l'istruzione, la salute pubblica e la povertà, che creavano le condizioni suscettibili di essere sfruttate dal comunismo. L'aspetto militare della terapia consisteva nella riorganizzazione e nella trasformazione delle forze armate, parte in unità mobili antiguerriglia, parte in forze di presidio con poteri quasi governativi, il che trasferiva di fatto l'autorità amministrativa dalle mani civili a quelle militari. Soltanto su un punto i teorici della *guerre révolutionnaire* erano in disaccordo: l'uso del terrore e della tortura. Alcuni lo respingevano per ragioni morali; altri sostenevano che era controproducente per un governo terrorizzare i cittadini; parecchi erano disposti a seguire la logica della *guerre révolutionnaire* fino alle conseguenze più agghiaccianti: nel confronto finale tra il Bene e il Male tutti i mezzi erano giustificati.

Le versioni più estremizzanti della *guerre révolutionnaire* si prestarono fin da subito ad essere definite come paranoiche, totalitarie e fasciste. Applicati in una certa misura durante la guerra d'Algeria, i metodi della *guerre révolutionnaire* non furono inefficaci, sia nelle campagne sia nella famosa battaglia di Algeri. Ma portarono anche ad una profonda divisione in seno alla Francia stessa, al colpo di Stato del maggio 1958 ed all'*Organisation Armée Secrète*, che per diversi anni condusse una campagna terroristica contro la Quinta Repubblica di de Gaulle. Alla fine fu quest'ultimo, riportato al potere dal colpo di Stato del 1958, a decidere la conclusione della guerra d'Algeria concedendo l'indipendenza a quello che era stato un «dipartimento» della Francia. I teorici della *guerre révolutionnaire* insistono tuttora sul fatto che il movimento rivoluzionario algerino aveva perso la guerra quando de Gaulle gli diede la vittoria[54].

Gli Inglesi, a differenza dei Francesi, affrontarono la guerra rivoluzionaria maoista soltanto una volta e su piccola scala, in Malesia, anche se la tattica usata contro di loro in Palestina, a Cipro ed in Kenya aveva con essa qualche somiglianza. La reazione della Gran Bretagna non ebbe in alcun modo il fervore ideologico che ispirava la teoria della *guerre révolutionnaire*, ma fu più simile alle risposte che la tradizione coloniale di questo Paese nel suo periodo migliore aveva offerto: stretta integrazione tra le autorità civili e militari, ricorso ad uno spiegamento minimo di forze e, se possibile, sostituzione della polizia all'esercito, un buon servizio informazioni come quello offerto dagli agenti dello *Special Branch*, correttezza amministrativa in questioni come il trasferimento [*resettlement*] dei civili in campi abitabili e dotati di servizi igienici, ed una generale disponibilità a negoziare anche per qualcosa che non fosse la vittoria totale. Sul piano militare l'esperienza coloniale britannica dimostrò ancora una volta l'acquisita capacità di addestrare forze locali efficienti, una paziente comprensione del tempo necessario per raggiungere un successo, ed una preferenza per le unità piccole ed altamente specializzate da utilizzare in operazioni ben programmate, piuttosto che per l'uso massiccio di truppe numerose e con forte potenza di fuoco. Pur sfruttando le divisioni etniche per mobilitare i Malesi contro i ribelli cinesi, gli Inglesi impiegarono più di un decennio prima di soffocare la ribellione in Malesia. È però impossibile accertare se i loro metodi pazienti e flessibili avrebbero avuto successo contro un movimento rivoluzionario più forte[55].

La risposta americana alla guerra rivoluzionaria resterà per sempre legata al Vietnam ed all'esperienza dolorosa della sconfitta. Il discreto successo ottenuto nell'appoggiare il governo filippino contro la ribellione dell'Hukbalahap aveva creato tra i dirigenti civili e militari americani una certa fiducia nella possibilità di vincere guerre del genere con un atteggiamento ed una tattica corretti. Lo sdegno per il comportamento dei Francesi in Indocina, dove gli Americani avevano anche fornito loro una considerevole assistenza materiale, ebbe una vasta eco, segnatamente nel popolare romanzo *Il buon americano*, dal quale fu tratto un film[56]. Dopo il consenso dato nel 1954 dalla Francia alla divisione del Vietnam, gli Stati Uniti continuarono ad appoggiare il governo anticomunista di Saigon contro il nuovo regime fondato da Ho Chi Minh ad Hanoi e contro i suoi sostenitori nel Sud.

All'atto pratico la fiducia americana si rivelò mal riposta. Né il dipartimento di Stato, né tutta una serie di istituzioni (USOM, JUSPAO, CORDS ed altre) dimostrarono sufficiente capacità di affrontare fondamentali problemi politici; gli Americani non avevano un'organizzazione civile paragonabile ai servizi coloniali britannici e francesi ed ancor meno al disciplinato partito comunista del Vietnam. I civili americani raccoglievano informazioni e stilavano rapporti, ma non avevano alle spalle né l'addestramento né la tradizione necessari per operare direttamente contro un movimento rivoluzionario. In questo senso lo sforzo «controinsurrezionale» americano in Vietnam non era dissimile dal fochismo dell'America Latina: ardente, ingenuo ed impaziente; incapace di basare le operazioni sulla stringente analisi politica e sociale prescritta dalla teoria maoista; condannato al romanticismo nel mondo brutale della guerra rivoluzionaria, come accade al personaggio centrale di un altro popolare romanzo dell'epoca, *Il tranquillo americano* di Graham Greene[57].

Sul piano militare gli Americani mostrarono analoghe deficienze. Nel 1962, il presidente Kennedy incoraggiò un breve flirt con lo *Special Warfare*, ma la base organizzativa dei reparti speciali dell'esercito (*Special Forces*) non fu mai solida e venne ulteriormente indebolita dalla loro rapida espansione. I quadri dell'esercito americano diffidavano di un gruppo addestrato per operazioni di guerra irregolare e la rottura finale arrivò quando questi reparti speciali cominciarono a lavorare a stretto contatto con la CIA. Quando le autorità dell'esercito fecero arrestare ed imprigionare l'ufficiale comandante dei reparti speciali fu chiaro fino a che punto le forze armate americane non riuscirono ad unificare la propria strategia controrivoluzionaria. I tecnici ed i consiglieri militari americani che collaboravano con le forze armate sudvietnamite accettarono l'incarico di buon grado, ma ritenevano che le questioni politiche — il cuore della guerra rivoluzionaria — non fossero di loro competenza. La capacità combattiva dei Sudvietnamiti migliorò sensibilmente grazie alla tutela ed al sostegno americano, ma non si fece niente per contrastare il richiamo politico esercitato dalla statura nazionale di Ho Chi Minh, né per affrontare i problemi della società sudvietnamita e la corruzione di un regime dipendente dall'assistenza straniera.

Nel 1965, i prolungati attacchi aerei sul Vietnam del Nord e l'invio in quello del Sud di ingenti forze da combattimento americane furono i sintomi del fallimento strategico. Ci si continua a chiedere se gli Stati Uniti avrebbero potuto vincere la guerra senza distruggere il Paese e la sua popolazione. Ma certamente il massiccio intervento militare americano esacerbò le ragioni politiche, sociali ed economiche che erano alla base del conflitto e che diedero slancio alla guerra rivoluzionaria, in Vietnam come altrove. L'intervento americano, inoltre, rese quasi impossibile il fondamentale sforzo politico, necessariamente affidato ai civili, di affrontare i reali motivi che rendevano i Vietnamiti così disposti a combattere o sostenere una guerra rivoluzionaria. Le forze dell'esercito americano, invece, generalmente deboli sul piano dell'*intelligence*, ma dotate di grande mobilità, potenza di fuoco e determinazione, si mossero pensando di trovare e distruggere formazioni nemiche con caratteristiche analoghe. I più alti comandanti militari americani non presero mai seriamente in considerazione l'idea che lo sforzo politico, da condursi presumibilmente dietro lo schermo di sicurezza delle operazioni militari su vasta scala, dovesse avere uguale o maggiore rilevanza.

La «tattica controinsurrezionale» [*counterinsurgency*] degli Stati Uniti, come fu poi chiamata, comportò pesanti perdite umane, sia per i Vietnamiti sia per gli stessi Americani[58]. Dal punto di vista intellettuale, aveva uno scarso spessore, in quanto le mancava sia la fusione di misticismo e razionalismo che ispirava la teoria della *guerre révolutionnaire*, sia il flemmatico pragmatismo del coordinamento civile-militare britannico. Si trattava di un approccio quasi esclusivamente militare, come lo sbarco in Normandia o la liberazione di Luzon nel 1944, destinato ad affrontare un nemico che si presumeva fosse l'immagine speculare delle unità da combattimento americane, mentre i contadini (come gli Italiani riconoscenti di un altro popolare romanzo, *Una campana per Adano* di John Hersey) avrebbero atteso passivamente il dono celeste della liberazione americana[59]. La strategia degli Stati Uniti mise seriamente in difficoltà Ho Chi Minh e Giap, ma alla fine non riuscì a sconfiggerli, in buona misura perché non comprese mai che tipo di guerra si stava combattendo né la particolare situazione vietnamita, che dava al conflitto il suo carattere rivoluzionario.

V

La teoria della guerra rivoluzionaria viene spesso discussa, sia dai rivoluzionari sia dai controrivoluzionari, come se fosse una dottrina, universalmente applicabile. Ovviamente, nella discussione viene di norma citata l'esigenza di flessibilità nell'adattare la teoria a specifiche condizioni politiche, sociali, geografiche ed internazionali. Ma soltanto di recente è stata sollevata l'ipotesi che la dottrina, almeno nella sua classica formulazione maoista, sia valida soltanto in una serie limitata di circostanze. Gerard Chaliand — il cui cauto punto di vista sulla questione è confortato da una vasta esperienza nelle guerre rivoluzionarie degli anni Sessanta e Settanta e da una dichiarata simpatia per la maggior parte dei movimenti rivoluzionari — ha espresso seri dubbi sulla validità globale della dottrina[60]. Egli osserva che, con la peculiare eccezione di Cuba (e forse dell'Iran), la guerra rivoluzionaria ha avuto successo soltanto in regioni asiatiche all'interno del raggio d'influenza cinese: la Cina stessa ed il Vietnam. Nel resto dell'Asia, in Africa ed in America Latina l'identità nazionale e la coesione sociale sono molto più deboli, probabilmente troppo deboli per resistere allo sforzo terrificante e prolungato di una guerra rivoluzionaria. Altrove essa ha fallito di fronte ad una decisa repressione, o ha visto le proprie forze dividersi in fazioni etniche, regionali o tribali la cui ostilità reciproca sembra più forte del comune obiettivo rivoluzionario. Neanche l'Algeria può sostenere di aver vinto la propria guerra rivoluzionaria. Chaliand ha un punto di vista tutt'altro che dogmatico, ma solleva un problema essenziale.

Chiedersi che cosa ha portato alla vittoria od alla sconfitta delle decine di guerre rivoluzionarie combattute a partire dal 1945 è un modo per mettere maggiormente a fuoco gli interrogativi sulla validità della dottrina. La vittoria dei ribelli si è dimostrata più probabile contro l'occupazione straniera od un regime coloniale, quando i sentimenti nazionali e talvolta razziali si coalizzano contro un governo di stranieri e collaborazionisti. Le probabilità di vittoria sono buone anche contro un regime impopolare, corrotto e debole, come quello di Batista a Cuba o dello Scià in Iran, quando persino le forze governative ben presto si scoraggiano e si uniscono alla ribellione. Ma al di là di questi punti di riferimento abbastanza chiari, la risposta alla domanda che ci siamo posti diventa incerta. La dottrina della guerra rivoluzionaria fu sviluppata in alcune società di contadini coltivatori di riso, con la loro forte tradizione di solidarietà familiare e di cooperazione comunitaria. La guerriglia, che è stata la principale tattica militare della guerra rivoluzionaria, si deve dunque basare su questo tipo di contadini. Ma i contadini sono fondamentalmente conservatori, maggiormente disposti a soffrire che a rischiare l'intero frutto del proprio duro lavoro. Essi non sono disponibili verso gli agitatori ribelli, generalmente estranei istruiti ed urbanizzati, più di quanto lo siano verso i rappresentanti di un lontano ed impopolare governo centrale. Di fatto, quasi tutta la teorizzazione postmaoista sulla guerra rivoluzionaria è venuta proprio da intellettuali del genere, la cui incapacità di comprendere il mondo contadino è nota. In questo senso la dottrina della guerra rivoluzionaria diventa un mito che alimenta le speranze di una piccola avanguardia rivoluzionaria quando le effettive probabilità di vittoria sono magari remote.

Sembra che i contadini possano essere mobilitati per la guerra rivoluzionaria soltanto quando il loro livello di vita si è deteriorato così rapidamente e radicalmente da farli sentire disperati. Per sfuggire in parte al dilemma di una classe contadina refrattaria alla rivoluzione, si è prestata una certa attenzione alla «guerriglia urbana», la cui arma principale sono azioni generalmente definite come «terroristiche». Ma il terrorismo non ha mai ottenuto una vittoria in alcuna parte del mondo e per i guerriglieri urbani la sopravvivenza fisica è stata difficile così come Mao l'aveva prevista[61].

Passando dal dibattito teorico alle effettive e specifiche esperienze avutesi dopo il 1945, la situazione internazionale appare spesso come il fattore cruciale per spiegare l'esito della guerra rivoluzionaria. In questo senso la vittoria dei comunisti cinesi nel 1949, che dovette poco o nulla all'Unione Sovietica (nonostante le dicerie popolari tramandino il contrario), rappresenta una grande e fuorviante eccezione. La guerra civile libanese, che i marines americani ed altre forze «di pace» non riuscirono a fermare nel 1983, costituisce un caso estremo nel senso opposto. Il Libano divenne un campo di battaglia fra Israele e Siria, Palestinesi e «volontari» iraniani. È anche possibile sostenere che quella libanese fosse una «guerra per procura» tra gli Stati Uniti e l'Unione Sovietica, che rifornivano le parti belligeranti. In ogni caso le guerre rivoluzionarie ad essa intrecciate — quella dei Palestinesi per riappropriarsi della propria terra d'origine in mano agli Israeliani, e quella della maggioranza musulmana libanese per strappare il potere ai cristiani — erano totalmente dipendenti dallo scontro tra potenze più forti.

Altre sollevazioni civili dall'Irlanda allo Srī Lanka — nel quale i movimenti rivoluzionari dipendevano maggiormente dall'esterno che da una vasta mobilitazione interna — suggeriscono che spesso c'è soltanto un debole, retorico rapporto tra la realtà della ribellione e la teoria della guerra rivoluzionaria. E, dovunque circostanze pressanti abbiano costretto le scelte operative a divergere radicalmente dalla teoria classica maoista, le probabilità di una vittoria della rivoluzione — in mancanza di un avvenimento «esterno» decisivo, l'equivalente rivoluzionario di un atto divino — sembrano essere scarse.

In un famoso discorso il leader cinese Lin Piao descrisse le potenze capitalistiche come le «città» del mondo, e l'Asia, l'Africa e l'America Latina come la relativa «campagna»[62]. In questa campagna globale i movimenti di guerriglia rivoluzionaria, guidati dalla Cina, avrebbero organizzato, intrapreso e combattuto una guerra di lunga durata come quella di Mao, finché le città — ormai solo bastioni isolati della reazione in un mondo rivoluzionario — sarebbero cadute, in mancanza delle risorse vitali che solo la campagna poteva fornire. Questa profezia, così simile nella sua grandiosità alle visioni estremistiche che ispiravano i teorici francesi della *guerre révolutionnaire*, allarmò molti «abitanti delle città» in tutto il mondo e fu un importante fattore della rapida crescita di interesse registratasi in Occidente per la teoria e la dottrina della guerra rivoluzionaria. Ma già poco dopo la morte di Lin Piao, la realtà mondiale smentiva quella allarmante profezia. In tutti gli stati del Sud-Est asiatico più vicini alla fonte della leadership e del sostegno rivoluzionario cinese esistevano movimenti di guerriglia che tentavano di rovesciare governi non comunisti e spesso conservatori. Questi movimenti, però, ricevevano un appoggio tutt'al più simbolico da parte della Cina. Per i dirigenti cinesi i rapporti con l'associazione dei Paesi del Sud-Est asiatico (ASEAN) erano chiaramente più importanti dell'impegno a diffondere la guerra rivoluzionaria, ed i movimenti di guerriglia influenzati dai comunisti erano per Pechino più un imbarazzo che un'arma[63].

Gli storici dovrebbero comprendere, forse meglio di chiunque altro, i rischi della profezia. Ma lo sforzo conclusivo di collocare storicamente l'idea della guerra rivoluzionaria richiede sia una spiegazione del passato sia una valutazione del futuro. Nel 1941, Edward Mead Earle ed i suoi colleghi del seminario di Princeton non ritennero importante la guerra rivoluzionaria. Rispetto all'impatto della Prima Guerra Mondiale ed allo scoppio della Seconda, le sollevazioni armate per rovesciare i governi sembravano un aspetto marginale della strategia. Tre decenni più tardi tutto era cambiato: a parte gli ordigni nucleari aereotrasportati, troppo distruttivi perché se ne potesse prendere in considerazione l'impiego, il problema più urgente ed inquietante della strategia contemporanea era costituito dalla notevole diffusione e riuscita delle guerre rivoluzionarie.

Abbiamo già suggerito alcune spiegazioni di questo repentino cambiamento della percezione strategica. Gli imperi coloniali delle potenze europee, indeboliti dalla guerra mondiale, si sgretolarono rapidamente dopo il 1945. Se in particolari colonie questo processo comportò l'uso della violenza, esso vide necessariamente la guerriglia ed il terrorismo contrapporsi alle forze governative. Dopo la decolonizzazione, i regimi che succedettero a quelli coloniali governarono spesso con difficoltà, afflitti dall'inadeguatezza delle risorse e dalle divisioni interne dovute a frontiere artificialmente tracciate. Contro questi regimi postcoloniali si formarono in molti casi movimenti di resistenza armata simili a quelli organizzati in precedenza contro le potenze coloniali europee. E dietro il perdurante travaglio delle vecchie aree coloniali, compresa l'America Latina, c'era la divisione delle nazioni industrializzate in due campi armati reciprocamente ostili, entrambi timorosi di una guerra nucleare, ma fin troppo disposti a confrontarsi indirettamente sui terreni di battaglia del «Terzo Mondo».

Se questo quadro del recente passato è fondamentalmente attendibile, allora suggerisce anche alcune possibilità per quanto riguarda il futuro della guerra rivoluzionaria. I vecchi imperi europei sono di fatto crollati e con essi il forte nazionalismo xenofobo ed i suoi vulnerabili bersagli, che davano alla guerra rivoluzionaria tanta parte della sua energia. I regimi postcoloniali continuano ad essere in difficoltà, ma è possibile che, dopo un periodo di conflitti violenti, la guerra rivoluzionaria su vasta scala diventi una manifestazione meno frequente dei problemi di questa parte del mondo. La guerra del Vietnam si risolse in un disastro per gli Stati Uniti, e l'Unione Sovietica ha tratto scarsi vantaggi dai suoi frequenti interventi nei conflitti anticoloniali e rivoluzionari. Se le operazioni sovietiche contro la resistenza partigiana nel confinante Afghanistan e le analoghe manovre degli Stati Uniti nell'America centrale e nei Caraibi non sono state più di quello che sembravano — iniziative militari limitate, magari maldestre ma non sorprendenti, per proteggere le delicate aree di confine di sfere d'influenza riconosciute — allora neanche l'apparentemente interminabile guerra fredda promette di far sì che i conflitti rivoluzionari continuino ad essere tanto importanti quanto lo sono stati negli anni Cinquanta e Sessanta.

Un quarto di secolo di esperienze sanguinose può aver avuto un effetto moderatore sugli entusiasti della strategia rivoluzionaria di Giap e Mao, sia presso i comandi militari di Washington e Mosca, sia nelle giungle e sulle montagne del Terzo Mondo. La carriera e gli scritti di questi due personaggi, se attentamente studiati, suggeriscono che la guerra rivoluzionaria, a meno che non sia condotta contro un regime estremamente debole, non è certo una formula magica per la vittoria politica e militare. In Cina ed in Vietnam essa significò milioni di morti e decenni di sofferenze per milioni di altri individui; la brutale disciplina richiesta dallo sforzo rivoluzionario accresce la possibilità e la forza della comprensione. Come Mao ebbe a scrivere: «La rivoluzione non è un pranzo di gala, non è un'opera letteraria, un disegno, un ricamo; non la si può fare con altrettanta eleganza, tranquillità e delicatezza, o con altrettanta dolcezza, gentilezza, cortesia, riguardo e magnanimità. La rivoluzione è un'insurrezione, un atto di violenza [...]»[64]. L'acquisizione di rilevanza internazionale da parte della guerra rivoluzionaria ha avuto inevitabilmente un aspetto superficiale e romantico. È un romanticismo che si manifesta nella deificazione dello stesso Mao, nelle affermazioni più radicali degli «esperti» francesi ed americani della *guerre révolutionnaire* e della controinsurrezione, e nelle opinioni espresse da alcuni di coloro che sostengono la causa rivoluzionaria nella relativa sicurezza di Londra, Parigi o New York. Possiamo limitarci a rilevare questo romanticismo — che costituisce esso stesso un fatto storico, per quanto transitorio — ed a collocarlo all'interno di un fenomeno più ampio.

Ma c'è un'ultima questione che necessariamente solleva dei dubbi sulla nostra previsione di un prossimo declino della guerra rivoluzionaria. Le regioni note come Terzo Mondo sono state, e probabilmente continueranno ad essere, luogo di conflitti rivoluzionari, qualunque sia l'importanza che questo tipo di azione militare avrà in futuro. In proposito, andrebbero notati alcuni fatti e tendenze fondamentali: lo scarto economico fra il Terzo Mondo ed i Paesi industrializzati continua a crescere; contemporaneamente, nella maggior parte delle aree in questione la popolazione presenta un tasso di incremento che, anche secondo le stime più ottimistiche, nel giro di pochi decenni renderà impossibile alimentare un numero fortemente crescente di individui con le già scarse risorse a disposizione. Se i sistemi politici di queste regioni fossero in generale stabili ed efficienti, ed i rispettivi sistemi sociali relativamente equi, ci si potrebbe attendere uno sforzo concertato dei loro gruppi dirigenti per evitare la catastrofe economica e demografica. Ma le realtà politiche e sociali del Terzo Mondo non incoraggiano alcuna di tali aspettative ed il comportamento delle nazioni più ricche non offre molte speranze per la salvezza di questa parte della terra.

Citiamo qui di seguito una recente descrizione delle condizioni caratteristiche di certe aree dell'America Latina:

> L'appropriazione della maggior parte della ricchezza da parte di un'oligarchia di proprietari privi di coscienza sociale, l'assenza pratica od i limiti della legalità giuridica, la presenza di dittatori militari che si fanno beffe dei più elementari diritti umani, la corruzione di alcuni potenti funzionari, le pratiche selvagge di parte degli

interessi capitalistici stranieri sono tutti fattori che alimentano il desiderio di rivolta tra coloro che si considerano vittime impotenti di un nuovo colonialismo di ordine tecnologico, finanziario, monetario od economico.

Questo passo non è stato tratto da un opuscolo rivoluzionario, o da una denuncia progressista dello sfruttamento neocoloniale, ma da una dichiarazione ufficiale del Papa, che mette in guardia il clero cattolico dal coinvolgimento nei movimenti rivoluzionari del Terzo Mondo[65]. Questo pronunciamento papale, nonostante il suo scopo conservatore, riconosce la diffusa esistenza delle condizioni descritte che, opportunamente articolate, riguardano gran parte del Terzo Mondo, oltre che l'America Latina. Le tendenze attuali non offrono alcun motivo di pensare che tali condizioni cambieranno in virtù di un qualche processo evolutivo graduale.

Nel 1927, Mao descrisse la terrificante situazione dei contadini poveri cinesi nella provincia dell'Hunan. In disaccordo con la posizione ortodossa, che attribuiva ai contadini nel migliore dei casi un limitato potenziale rivoluzionario, Mao insistette sul fatto che nell'Hunan ed in altre regioni della Cina rurale le condizioni dei contadini erano tali da consentire alla rivoluzione di basarsi sulla loro disperazione. Essi, diversamente dai contadini europei del XIX secolo, non avevano più niente da perdere. Un decennio più tardi, dopo un'aspra battaglia all'interno del partito comunista cinese, Mao aveva vinto la disputa ed era diventato il leader indiscusso del movimento rivoluzionario. Nel 1937 nessuno, neanche lo stesso Mao, credeva che dodici anni più tardi la guerra rivoluzionaria cinese si sarebbe conclusa con una vittoria. Se si esaminano la situazione mondiale, le sue prospettive, il probabile ruolo della violenza e specialmente i principi strategici che guidano l'uso della forza armata, l'esperienza di Mao risulta suggestiva. Resta solo da chiedersi se in vaste regioni del mondo grandi masse di individui precipiteranno verso il livello di vita conosciuto dai contadini dell'Hunan nel 1927, creando così un enorme ed esplosivo potenziale di guerra rivoluzionaria.

[1] Nell'edizione originale di EDWARD MEAD EARLE (a cura di), *Makers of Modern Strategy*, Princeton 1943, i saggi per noi rilevanti sono SIGMUND NEUMANN, *Engels and Marx: Military Concepts of the Social Revolutionaries*, 155-171; JEAN GOTTMANN, *Bugeaud, Galliéni, Lyautey: The Development of French Colonial Warfare*, 234-259; E.M. EARLE, *Lenin, Trotsky, Stalin: Soviet Concepts of War*, 322-364.

[2] Cfr. SUN TZU, *L'arte della guerra*, Milano 1979.

[3] L'importanza cruciale del «mandato celeste» è sottolineata in PAUL MUS, *Vietnam. Sociologie d'une guerre*, Paris, 1952. Cfr. anche JOHN T. MCALISTER, Jr., P. MUS, *The Vietnamese and Their Revolution,* New York 1970, particolarmente alle pp. 55-69. All'ampia diffusione del concetto di «mandato celeste» tra i lettori occidentali ha contribuito FRANCIS FITZGERALD, *Fire in the Lake*, Boston 1972.

[4] Mao Tse-tung, ad esempio, usò frequentemente i concetti di linee di operazione «interne» ed «esterne», ovviamente presi in prestito dai teorici militari svizzeri e da Jomini. Sui dubbi circa il «mandato celeste» cfr. GERARD CHALIAND, *Revolution in the Third World,* New York 1977, 89ss.

[5] Cfr. JOHN SHY, *A People Numerous and Armed*, New York 1976, 133-162.

[6] Cfr. RICHARD COBB, *Les armées révolutionnaires*, 2 voll., Paris 1961-63.

[7] Cfr. GEOFFREY BEST, *War and Society in Revolutionary Europe, 1770-1870*, London 1982, 257-295.

[8] Cfr. KARL MARX, *Der Bürgerkrieg in Franchreich* (tr. it. *Le lotte di classe in Francia*, con un'introduzione di Engels all'edizione tedesca del 1891, Roma 1948, da cui qui si cita).

[9] *Ivi*, 23.

[10] Dal commento di Lenin riportato nell'edizione americana pubblicata a New York nel 1940, pp. 91-106.

[11] Quanto segue su Trotsky è tratto da HAROLD W. NELSON, *Leon Trotsky and The Art of Insurrection, 1905-1917*, Ann Arbor 1978.

[12] Cfr. *ivi*, 26ss.

[13] Cfr. CHARLES E. CALLWELL, *Small Wars. Their Principles and Practice*, London 1896, citato in ROBERT B. ASPREY, *War in the Shadows: The Guerrilla in History*, Garden City, N.Y. 1975, I, 221.

[14] Cfr. L.H.G. LYAUTEY, *Du rôle colonial de l'armée*, «Revue des Deux Mondes», CLVII (1900), 308-328, pubblicato successivamente in opuscolo dalla Librairie Armand Colin, Paris.

[15] Cfr. T.E. LAWRENCE, *Seven Pillars of Wisdom*, New York 1935 (tr. it. *I sette pilastri della saggezza*, Milano 1973), in particolare i capp. 33 e 59. Per una formulazione più concisa della strategia e della tattica in questione cfr. ID., *The Evolution of a Revolt*, «Army Quarterly», I (1920), ristampato in STANLEY WEINTRAUB, RODELLE WEINTRAUB (a cura di), *Evolution of a Revolt: Early Postwar Writings of T.E. Lawrence*, University Park, Penn. 1968, 100-119. Per un punto di vista retrospettivo cfr. KONRAD MORSEY, *T.E. Lawrence: Strategist*, in STEPHEN E. TABACHNICK (a cura di), *The T.E. Lawrence Puzzle*, Athens, Ga. 1984, 185-203.

[16] Cfr. S. WEINTRAUB, R. WEINTRAUB, *Evolution of a Revolt: Early Postwar Writings of T. E. Lawrence*, cit., 119.

[17] Cfr. WINSTON S. CHURCHILL, *Great Contemporaries*, London, 1937, 129-140.

[18] Cfr. BASIL H. LIDDELL HART, *Strategy: The Indirect Approach*, London 1967[3], 197-198, 373-382. Cfr. anche ID., *Colonel Lawrence: The Man Behind the Legend*, New York 1935[2], 380-384; e ARNOLD W. LAWRENCE (a cura di), *T.E. Lawrence by His Friends*, Garden City, N.Y. 1937, 157-158.

[19] MICHAEL R.D. FOOT, *SOE in France: An Account of the Work of the British Special Operation Executive in France, 1940-1944,* London 1966, i. Il primo capitolo, pp. 1-10, descrive la creazione del SOE. Cfr. anche, ID., *Resistance: European Resistance to Nazism, 1940-1945*, New York 1977, 137-138.

[20] JOSEPH STALIN, *The Great Patriotic War of the Soviet Union*, New York 1945, 9.

[21] Diciotto insurrezioni avvenute in Europa e nel Medio Oriente sono descritte in D.M. CONDIT *et al.* (a cura di), *Challenge and Response in Internal Conflict*, II, Washington, D.C. 1967. Per la Iugoslavia cfr. EARL ZIEMKE, *Yugoslavia (1940-1944)*, in *ivi*, 321-351.

[22] Cfr. D.M. CONDIT *et al.* (a cura di), *Challenge and Response in Internal Conflict*, cit., vol. II.

[23] Per una sintesi delle guerre rivoluzionarie nel Sud-Est asiatico durante ed immediatamente dopo la Seconda Guerra Mondiale cfr. DAVID JOEL STEINBERG (a cura di), *In Search of Southeast Asia*, New York 1971, 337-342. Cfr. anche D.M. CONDIT *et al.* (a cura di), *Challenge and Response in Internal Conflict*, cit., I. Il ruolo dei Giapponesi viene descritto dettagliatamente in JOYCE LEBRA, *Japanese-Trained Armies in Southeast Asia: Independence and Volunteer Armies in World War II*, New York 1977.

[24] Cfr. J. LEBRA, *Japanese-Trained Armies in Southeast Asia: Independence and Volunteer Armies in World War II*, cit., 39-74, 157-165.

[25] Cfr. D.J. STEINBERG (a cura di), *In Search of Southeast Asia*, cit., 372-377, e R.B. ASPREY, *War in the Shadows: The Guerrilla in History*, cit., I, 562-578.

[26] Cfr. F. SPENCER CHAPMAN, *The Jungle is Neutral*, London 1949; si tratta di un resoconto personale della Seconda Guerra Mondiale in Malesia. Cfr. anche D.J. STEINBERG (a cura di), *In Search of Southeast Asia*, cit., 364-370.

[27] Cfr. JEAN LACOUTURE, *Ho Chi Minh*, Paris 1967 (tr. it. *Ho Chi Minh*, Milano 1967, da cui qui si cita), e VO NGUYEN GIAP, *Unforgettable Months and Years*, Ithaca, N.Y. 1975. Cfr. anche D.J. STEINBERG (a cura di), *In Search of Southeast Asia*, cit., 356-364.

[28] Cfr. J. LEBRA, *Japanese-Trained Armies in Southeast Asia: Independence and Volunteer Armies in World War II*, cit., 75-112, 146-156, e D.J. STEINBERG (a cura di), *In Search of Southeast Asia*, cit., 347-351, 377-384.

[29] Un resoconto complessivo dell'argomento si trova in Aerospace Studies Institute, *The Role of Airpower in Guerrilla Warfare*, Maxwell Air Force Base, Ala. 1962. Le operazioni condotte in Europa sono descritte in HARRIS WARREN, *Air Support for the Underground*, in WESLEY F. CRAVEN, JAMES L. CATE (a cura di), *The Army Air Forces in World War II*, 7 voll., Chicago 1948-58, III, 493-524.

[30] Le citazioni di Mao riportate nel testo sono tratte da MAO TSE-TUNG, *Opere scelte*, voll. I e II, Casa editrice in lingue estere, Pechino 1969. Risulta utile anche PHILIPPE DEVILLERS, *Mao*, Londra 1969 (tr. it. *Mao parla da sé*, Milano 1970). L'opera di Mao di gran lunga più conosciuta è il «Libretto rosso», che può fare da riscontro alle citazioni qui riportate dalle *Opere scelte*; cfr. *Citazioni del presidente Mao Tse-tung. Il libro delle guardie rosse*, Milano 1967.

[31] MAO TSE-TUNG, *Una scintilla può dar fuoco a tutta la prateria*, in *Opere scelte*, cit., I, 130.

[32] MAO TSE-TUNG, *Opere scelte*, cit., I, 110.

[33] *Ibidem*. Corsivo aggiunto.

[34] *Ivi*, II, 48. Corsivo aggiunto.

[35] *Ivi*, II, 329, 93.

[36] *Ivi*, II, 330. Corsivo aggiunto.

[37] *Ivi*, II, 233.

[38] YAO MING-LE, *The Conspiracy and Death of Lin Biao*, con un'introduzione di Stanley Karnow, New York 1983, cap. 15.

[39] MAO TSE-TUNG, *Opere scelte*, cit., II, 228.

[40] Per mettere bene a fuoco le idee di Mao sulla teoria militare e la sua applicazione risulta particolarmente utile PH. DEVILLERS, *Mao parla da sé*, cit., 66-140.

[41] La famosa serie di lezioni *Sulla guerra di lunga durata* (tenute nel 1938 e riportate in MAO TSE-TUNG, *Opere scelte*, cit., II, 115-202), ad esempio, contiene numerosi passaggi che ricordano Jomini, come il seguente: «La nostra guerra non si baserà più sulla difensiva strategica, ma sulla controffensiva strategica che si manifesterà nella forma di offensiva strategica; essa non sarà più combattuta per linee strategiche interne, ma gradualmente procederà verso linee strategiche esterne» (*ivi*, 144).

[42] Le operazioni in Palestina, a Cipro ed in Grecia sono descritte in D.M. CONDIT *et al.* (a cura di), *Challenge and Response in Internal Conflict*, cit., II.

[43] Cfr. *ivi*, I, dove sono descritte diciannove insurrezioni verificatesi in Asia.

[44] Il saggio di Mao intitolato *Yu Chi Chan* (*La guerra di resistenza*) fu pubblicato nel 1937 e, quindi, largamente venduto in tutta la «Cina libera» per pochi spiccioli la copia, secondo quanto riferisce SAMUEL B. GRIFFITH, *Mao Tse-tung on Guerrilla Warfare*, New York 1961, 37. La strategia e la tattica di Mao sono descritte in EDGARD SNOW, *Red Star over China*, New York, 1938 (tr. it. *Stella rossa sulla Cina*, Torino 1974), ed in due opere di EVANS F. CARLSON, *Twin Stars over China* e *The Chinese Army*, entrambe pubblicate a New York nel 1940.

[45] Cfr. J. LACOUTURE, *Ho Chi Minh*, cit., 80.

[46] Cfr. ROBERT J. O'NEILL, *General Giap: Politician and Strategist*, New York 1969, 20-23.

[47] Cfr. VO NGUYEN GIAP, *Naissance d'une Armée*, in *Peuple heroïque*, Hanoi, 1961 (tr. it. *Nascita di un esercito*, in *La guerra e la politica*, Milano 1972, 64).

[48] Cfr. ROBERT J. O'NEILL, *General Giap: Politician and Strategist*, cit., 38-49, e J. LACOUTURE, *Ho Chi Minh*, cit., 120-191. La descrizione della prima guerra d'Indocina è basata su BERNARD B. FALL, *Street Without Joy*, New York 1957, 21-55.

[49] Cfr. ERNESTO GUEVARA, *La guerra de guerrillas*, La Habana, 1959 (tr. it. *La guerra di guerriglia e altri scritti politici e militari*, Milano 1967); e REGIS DEBRAY, *Revolucion en la revolucion?*, «Casa de las Americas», 1967 (tr. it. *Rivoluzione nella rivoluzione?*, Milano 1967).

[50] Cfr. G. CHALIAND, *Revolution in the Third World*, cit., 43ss.

[51] Un breve, ma incisivo resoconto dei motivi che hanno portato al fallimento del fochismo si trova in ELDON KENWORTHY, *Latin American Revolutionary Theory: Is It Back to the Paris Commune?*, «Journal of International Affairs», 25 (1971), 164-170. L'intero numero della rivista è dedicato al tema «Revolutionary War: Western Response» ed i principali articoli in esso contenuti (ma non i brevi saggi di Kenworthy ed altri) sono stati ripubblicati in un volume con lo stesso titolo a cura di David S. Sullivan e Martin J. Slatter, New York 1971.

[52] MAO TSE-TUNG, *Opere scelte*, cit., I, 123-124.

[53] La miglior analisi di questo tema si trova in PETER PARET, *French Revolutionary Warfare from Indochina to Algeria*, New York 1964. Un breve ed attendibile esame della minaccia rivoluzionaria di fronte alla quale la dottrina qui esaminata era la risposta «corretta» si trova in CLAUDE DELMAS, *La guerre révolutionnaire*, Paris 1959 (n. 826 della nota collana «Que sais-je?»).

[54] Significative in questo senso sono le memorie di uno dei principali architetti della guerre révolutionnaire, il colonnello ROGER TRINQUIER, pubblicate con il titolo *Le temps perdu*, Paris 1978, 349: «De Gaulle ci chiese di pacificare l'Algeria; ci ha dato i mezzi per farlo. Noi l'abbiamo fatto».

[55] Cfr. JULIAN PAGET, *Counter-Insurgency Campaigning*, London 1967, 43-79, 155-179. Due studi comparativi sulla Malesia ed il Vietnam sono quelli di RICHARD L. CLUTTERBUCK, *The Long, Long War*, New York 1966, e di ROBERT THOMPSON, *Defeating Communist Insurgency*, London 1966.

[56] Cfr. EUGENE BURDICK, WILLIAM J. LEDERER, *The Ugly American*, New York 1958 (tr. it. *Il buon americano*, Milano 1973). Si tratta di uno dei libri più discussi di quel periodo ed il suo titolo entrò a far parte del frasario politico. La versione cinematografica del 1963, interpretata da Marlon Brando, distorceva grossolanamente l'argomento del romanzo senza modificarne il tono fortemente anticomunista e controrivoluzionario. Qui e nelle note 57 e 59 alcuni popolari romanzi e film sono stati citati per segnalare l'importante ruolo giocato dall'opinione pubblica americana nello sviluppo delle idee sulla natura e la rilevanza della guerra rivoluzionaria contemporanea.

[57] Cfr. GRAHAM GREENE, *The Quiet American*, London 1955 (tr. it. *Il tranquillo americano*, Milano 1957). Le recensioni di parte americana attaccarono la visione critica degli Stati Uniti adottata dall'autore e chiamarono in causa il suo rapporto con il partito comunista. La versione cinematografica del 1958 stravolse il messaggio politico del libro trasformandolo in un giallo.

[58] La documentazione essenziale in proposito si trova in DOUGLAS B. BLAUFARB, *The Counterinsurgency Era: U.S. Doctrine and Performance*, New York 1977, ma il dibattito è continuato ed il giudizio espresso in questo libro è inaccettabile per i molti secondo cui gli Stati Uniti furono vicini a vincere la guerra del Vietnam. Un altro punto di vista è espresso in HARRY G. SUMMERS, Jr., *On Strategy*, Novato, Calif. 1982.

[59] Cfr. JOHN HERSEY, *A Bell for Adano*, New York 1944 (tr. it. *Una campana per Adano*, Milano 1946, poi ried. Milano 1973). Questa esile, sentimentale storia della «liberazione» e della democratizzazione di un paese italiano durante la Seconda Guerra Mondiale vinse il premio Pulitzer e nel 1945 divenne, come *The Ugly American*, un popolare film.

[60] Questi dubbi sono manifestati sia nel suo *Revolution in the Third World*, cit., sia nell'introduzione alla sua antologia, *Guerrilla Strategies*, Berkeley 1982.

[61] Un'opera di valore sui contadini e la rivoluzione è quella di ERIC R. WOLF, *Peasant Wars of the Twentieth Century*, New York 1969 (tr. it. *Guerre contadine del XX secolo*, Milano 1971). Il crescente interesse per la questione è documentato in JOHAN NIEZING (a cura di), *Urban Guerrilla*, Rotterdam 1974.

[62] Cfr. LIN PIAO, *Viva la vittoriosa guerra di popolo!*, (Pechino 1965) Milano 1968.

[63] Questi sviluppi possono essere ricostruiti attraverso il rapporto annuale intitolato *Southeast Asian Affairs*, pubblicato a partire dal 1974 dall'Institute of Southeast Asian Studies, Singapore.

[64] MAO TSE-TUNG, *Rapporto d'inchiesta sul movimento contadino nello Hunan*, in *Opere scelte*, cit., I, 25.

[65] Brano dal documento vaticano sulla «Teologia della liberazione» riportato sul «New York Times», 4 settembre 1984.

Riflessioni sulla strategia del presente e del futuro

di Gordon A. Craig e Felix Gilbert

Alla fine di un volume dedicato all'evoluzione del pensiero militare, sino all'età nucleare, pare necessario ritornare alla questione sollevata nelle prime pagine, ovvero quella dell'importanza [*relevance*]. L'esperienza del passato ha una connessione concreta con i problemi che affrontiamo nell'età nucleare, o viviamo — come taluni pubblicisti militari hanno sostenuto — in un'età senza utili precedenti, particolarmente nel campo della strategia?

È facile farsi convincere da questo punto di vista, se si considera la natura pericolosamente bipolare della politica mondiale, il grande interesse delle superpotenze per gli armamenti nucleari e l'intensità della corsa al riarmo, ed è facile concludere che all'età presente non sono congeniali quei tipi di principi strategici elaborati dai grandi del passato. Quando Clausewitz, per esempio, scrisse la famosa frase: «La guerra è la continuazione della politica con altri mezzi», sottolineando i legami fra guerra e pace, operava fra le due probabilmente una distinzione più netta di quanto si possa fare oggi: un oggi in cui è davvero oggetto di discussione se le due condizioni siano separabili in tutto il loro senso. A rendere, a vari livelli, gli anni successivi al 1945 un periodo di quasi ininterrotto conflitto sono stati: il collasso nel 1914 del sistema internazionale che aveva preservato la pace per buona parte del XIX secolo ed il successivo fallimento di tutti i tentativi nel cercare un suo reale surrogato; l'eccezionale influenza delle ideologie sulle relazioni internazionali a partire dal 1917 e — nonostante la definitiva sconfitta del fascismo e del nazionalsocialismo da parte di una coalizione che trascendeva le divisioni ideologiche fra i propri componenti — la loro accresciuta intensità dopo il 1945; l'ipernazionalismo dei Paesi che si sono liberati del giogo coloniale nella scia del secondo conflitto mondiale e — particolarmente nel Medio Oriente — l'emergere di un fanatismo religioso militante. Se le maggiori fra le grandi potenze hanno evitato reciprocamente la guerra aperta, il loro coinvolgimento in dispute regionali in aiuto di *client states* ve le ha talvolta condotte pericolosamente vicino: la loro quotidiana attitudine reciproca è stata, fra queste crisi, di una tale rigida ostilità che gli anni dal 1949 al 1969 sono indicati nei libri di storia come quelli della Guerra Fredda e che buona parte degli anni Ottanta sono apparsi indicare a molti osservatori un ritorno a quella situazione.

In tali circostanze, forse, non è sorprendente che un numero sempre maggiore di persone fra la gente comune, in Europa e negli Stati Uniti, non creda più in una pace durevole tra le superpotenze, e che taluni specialisti del settore — tra cui gli scienziati, gli esperti militari ed i *peace researchers* che si sono incontrati a Gröningen nell'aprile del 1981 — siano stati inclini a ritenere che la pace non potesse raggiungere la fine del decennio. Tali interpretazioni stavano già, per la verità, avendo i loro effetti sui comportamenti individuali, tendenti — da un lato — ad un crescente fatalismo, ad una frustrata sfiducia nei leader politici, ad un allontanamento dalla partecipazione politica, ad una nuova attenzione ai problemi regionali ed ambientali e ad un'internazionalizzazione della vita a spese della *polis* [1], nonché — dall'altro lato — ad una partecipazione a movimenti dal basso ed inclini all'azione diretta, le cui richieste di immediate e totali soluzioni di complessi problemi politici e militari spesso difettano di un'adeguata considerazione dei fattori tecnici, diplomatici e strategici coinvolti.

Notevole è anche, in taluni Paesi, un'ambivalenza di spirito che permette la coesistenza della paura della guerra e dell'esaltazione di un sentimento nazionale capace di espressioni belliciste e di grande coinvolgimento nella preparazione della guerra. Richard Barnet ha scritto a proposito di tale attività: «l'economia della guerra fornisce confortevoli nicchie a decine di migliaia di burocrati, con o senza uniformi militari, che vanno ogni mattina al lavoro per costruire armi nucleari o per pianificare la guerra nucleare; a milioni di lavoratori in cui posti di lavoro dipendono dal sistema del terrore nucleare; a scienziati ed ingegneri assunti per trovare la "scoperta tecnologica" definitiva che possa fornire la sicurezza totale; ad imprenditori poco propensi a rinunciare ai profitti derivanti da facili contratti; ad intellettuali guerrieri [*warrior intellectuals*] che vendono minacce e benedicono guerre» [2].

Un'età in cui esistono tali tendenze non può essere definita un periodo di pace senza forzare il significato del termine ed un pessimista tenderebbe a credere che essa rassomigli piuttosto a quello stato di transizione che la scrittrice tedesca Christa Wolf definisce *der Vorkrieg*, il preludio di guerra [3].

La moderna tecnologia esige forse correzioni per un'altra ipotesi di Clausewitz: quella per cui i responsabili politici, in tempo sia di pace sia di guerra, siano in grado di prendere tutte le decisioni politiche significative. Le azioni che potranno intraprendersi nelle crisi a venire appaiono, invero, predeterminate ed automatiche. Si può infatti plausibilmente sostenere che l'autonomia della direzione politica inizia a restringersi dal momento in cui essa autorizza a spendere quote delle risorse nazionali per questo o per quel tipo di ricerca sugli armamenti, od a produrre questo o quel tipo di bombardiere, di missile o di sottomarino. A causa del tempo necessario per la realizzazione di tali progetti, la decisione odierna determina e circoscrive inevitabilmente gli ambiti di scelte politiche successive, precostituendo così situazioni che non sono state previste e limitando le proprie possibilità in circostanze che non si sono ancora manifestate.

Parallelamente alla tendenza a ricorrere ad armamenti ordinati e prodotti secondo una nozione di efficienza stabilita a tavolino, la produzione di armi tende ad assumere un proprio ritmo ed a creare pressioni ed inquietudini cui gli statisti difficilmente resistono. Il ruolo generale che gli armamenti giocano nell'economia di un Paese — incrementando i profitti delle industrie e riducendo la disoccupazione — rende quasi impossibile resistere di fronte alle spinte verso una corsa al riarmo; tale tendenza è rafforzata dalle apprensioni intorno alla natura della reazione (o della ipotetica reazione) ai propri sforzi da parte dei potenziali avversari. Mentre la corsa alla produzione di armamenti diviene più frenetica, le limitazioni al loro uso possono allentarsi o dissolversi. Nel 1914, fu il timore dell'Alto Comando tedesco che la superiorità militare passasse nello spazio di tre anni definitivamente dalla parte delle potenze dell'Intesa a determinare la sua decisione di spingere per la guerra; al momento della crisi finale, i politici furono travolti dalla mole di argomenti tecnici sui vantaggi che un'immediata dichiarazione di guerra avrebbe apportato: argomenti, per dirla in breve ed in termini moderni, sul vantaggio di una strategia da *first strike*. I pericoli che tale processo si ripeta sono infinitamente più grandi in una corsa all'armamento nucleare, come dimostra la competizione fra le superpotenze per raggiungere una cosiddetta capacità controforza, con le conseguenze di una maggiore preoccupazione sui «tempi» e sulle dottrine del «colpo preventivo» e del «lancio sotto attacco» (*launch-under-attack*). Fred C. Iklé, già direttore della United States Arms Control and Disarmament Agency, ha indicato quanto tali sistemi affidino «incredibili responsabilità a qualche sergente dei ruoli tecnici, nei meccanismi più interni del sistema. Più esso è veloce e automatico, più le decisioni — le decisioni fatali nella storia della nazione — sono affidate a persone assai lontane dal presidente e dai capi di Stato Maggiore»[4].

Quando la strategia è sollevata da un effettivo controllo politico, essa diviene disattenta ed avventata [*mindless and heedless*] ed è questo il momento in cui la guerra assume quella forma assoluta che Clausewitz paventò. C'è una nota storiella su un rapporto giunto al Quartier Generale tedesco al culmine della crisi dell'agosto 1914, indicante che gli Inglesi non sarebbero entrati nella guerra imminente se i Tedeschi avessero evitato di attaccare la Francia. Si racconta che l'imperatore abbia detto al generale Helmuth von Moltke, capo dello Stato Maggiore Generale, che se ciò era vero la Germania avrebbe spostato il peso della sua offensiva ad Est. Moltke rispose che ciò era impossibile perché l'esercito aveva solo un piano di guerra, che non poteva essere cambiato. «Vostro zio mi avrebbe dato una risposta diversa», mugugnò Guglielmo II, ma questa replica irritata anche se ragionevole non fermò il fatale movimento verso Occidente delle colonne tedesche[5]. Non è difficile pensare un analogo scenario nei nostri tempi, con il computer che prende il ruolo dell'intrattabile piano di guerra. Chiunque abbia patito l'irritazione di vedere i propri dati personali disperatamente messi in disordine dall'erratico comportamento dei sistemi informatici di banche ed aziende comprenderà la fondatezza di una recente descrizione di parte marxista della fiducia delle superpotenze in sistemi di allarme automatizzati: «è un lunatico errore il far dipendere la sicurezza da una macchina piuttosto che dall'analisi della situazione storica, cosa di cui solo uomini con una comprensione storica (e ciò significa anche con una comprensione storica della parte avversa) sono capaci»[6].

A questo punto, vale la pena notare che la strategia nucleare contemporanea, oltre ad essere caratterizzata da una fiducia in tecniche meccaniche che indebolisce grandemente il controllo politico, è guidata da un sistema di *intelligence* che non può essere definito adeguato alle necessità di tempi così singolarmente pericolosi. In un recente studio sullo stato dei servizi informativi prima delle due guerre mondiali, Ernest R. May ha scritto che giudicando le possibilità delle altre potenze, i governi del nostro tempo stanno molto peggio di quelli del periodo precedente la Prima Guerra Mondiale. «Possono contare missili, bombardieri, portaerei, sottomarini e divisioni corazzate con non minore precisione di quella con cui i governi precedenti il 1914 potevano contare cannoni, cavalli e corazzate; ma adesso, come allora, nessuno può essere sicuro di che cosa significhi il totale.» Inoltre, poiché nessuno dei nuovi sistemi d'arma è stato provato in guerre tra grandi potenze, «gli analisti del controspionaggio, gli ufficiali di Stato Maggiore ed i decisori devono affidarsi all'immaginazione piuttosto che all'esperienza, per determinare le eventualità»[7]. Riguardo alle inclinazioni delle altre potenze, essi si trovano probabilmente nella stessa oscurità in cui erano negli anni Trenta, un periodo che non può dirsi toccato dal dono dell'infallibilità delle previsioni. Gli Stati sono divenuti negli anni recenti sempre più complessi e di conseguenza dal comportamento meno prevedibile. È difficile adesso identificare nella politica estera delle grandi potenze la coerenza e la continuità che in tempi precedenti erano considerate i prerequisiti di buoni risultati. In tali circostanze, una valutazione obiettiva delle intenzioni dell'altra parte è sempre difficile e sempre permane il pericolo che ad affermazioni basate solo su uno zelo ideologico venga dato lo stesso peso di altre che sono strettamente basate sulla documentazione disponibile ma sono, a causa della loro natura contraddittoria, caute e sperimentali. Così, nella competizione nucleare, le strategie che puntano ad una vittoria della guerra [*war-winning strategies*] sono state proposte sulla base di una percezione di intenzioni da parte del potenziale avversario che non trovano alcuna convalida nella sua storia, nella sua psicologia, nel suo comportamento recente, e che dimostrano un azzardato ottimismo circa le possibilità relative di ambedue le parti.

Detto questo, comunque, bisogna notare che non è inevitabile che le tendenze adesso esaminate continueranno ad essere dominanti come ora ci appaiono. Se viviamo in un'età nucleare, tuttavia non viviamo ancora in un'età di guerra nucleare. Nessuno dei conflitti fra Stati scoppiati dal 1945 ha visto l'impiego di armi nucleari e tutti sono stati condotti, con un vario grado di efficienza, secondo concetti strategici ereditati dal passato. Inoltre, la tecnologia moderna (che ha creato le bombe sganciate su Hiroshima e Nagasaki e quelle più sofisticate che negli anni successivi al 1945 hanno fatto immaginare un conflitto tra superpotenze passibile di terminare con reciproco annientamento) sta adesso, con irrequieta energia, creando nuovi tipi di armi che potrebbero rendere obsoleta la guerra nucleare e ricreare le condizioni in cui i principi della strategia classica furono formulati.

Nel suo interessante studio *Weapons and Hope*, Freeman Dyson si è occupato dello sviluppo vigoroso e rapido di quell'area della tecnologia militare conosciuta come PGM (missili guidati con precisione, di natura non nucleare, abbastanza piccoli per essere sparati da singoli soldati o da veicoli corazzati o da elicotteri e già provati con successo contro i carri israeliani nella guerra del 1973). Da allora, la tecnologia PGM si è molto sviluppata e Dyson scrive:

> sembra probabile che il rapido sviluppo dei microcomputer e della tecnologia dei sensori produrrà una crescente proliferazione di sofisticate armi non nucleari [che] costringerà gli eserciti a fare un passo indietro verso uno stile più antico, più professionale di condurre la guerra. I nuovi sistemi d'arma necessitano di soldati di élite, perfettamente addestrati, per essere usati con successo. Non abbisognano di quegli eserciti di massa che hanno fornito carne da cannone nelle due guerre mondiali. La campagna delle Falkland del 1982 fornisce ulteriore dimostrazione che i venti del cambiamento stanno soffiando in questa direzione. L'aviazione argentina, una piccola forza armata d'élite che usava armi di precisione con coraggio ed abilità, inferse gravi danni alle forze d'invasione, mentre l'esercito argentino, un esercito di massa di coscritti, fu sconfitto in maniera schiacciante. Sembra che la moderna tecnologia ci stia riportando indietro al XVIII secolo verso un'era in cui piccoli eserciti di professionisti combatterono guerre limitate da professionisti [8].

Tali considerazioni sono rafforzate dai dubbi crescenti sulla credibilità di una strategia NATO basata sulla dottrina del primo uso di armi atomiche nel caso di un attacco convenzionale travolgente da Est. Di recente, c'è stata una vivace discussione sulla possibilità di rafforzare la deterrenza convenzionale, aggiungendole una capacità di ritorsione che non comportasse l'uso di armi nucleari e così non rischiasse l'escalation. Essa si è incentrata sulla fattibilità di contrastare un attacco sovietico attraverso un'offensiva convenzionale sui fianchi dell'URSS ed in profondità nel cuore dell'Europa orientale [9].

I sostenitori di tale tipo di strategia non si fanno scoraggiare da quei critici che puntano l'indice all'inferiorità della NATO rispetto al Patto di Varsavia in termini di forza convenzionale. Al contrario, sostengono che la storia è piena di esempi di fortunate azioni offensive da parte di eserciti che avevano di fronte forze superiori nel numero: la campagna di Vicksburg di Grant, il colpo tedesco alla Francia del 1940, la corsa della Terza Armata statunitense nel 1944, l'offensiva americana in Corea nel 1951 e la campagna israeliana del Sinai nel 1967. Inoltre indicano che un'offensiva convenzionale da parte della NATO nell'Europa occidentale minaccerebbe l'Unione Sovietica dove è politicamente debole permettendo di sfruttare l'inaffidabilità politica dei suoi alleati dell'Europa orientale: un argomento eccezionalmente analogo a quello contenuto nel piano di guerra di Moltke del 1879, che auspicava un'offensiva nelle province occidentali della Russia da combinarsi con un sistematico tentativo di incoraggiare l'insurrezione tra quei popoli soggetti, come i Polacchi [10]. Essa costringerebbe inoltre, sostengono, «I Sovietici a confrontarsi proprio con quello che la loro dottrina e la loro strategia cercano di evitare: una situazione di cui non potrebbero controllare gli sviluppi ed in cui dovrebbero fronteggiare un'alta probabilità di incertezza e sorpresa» [11].

Tre esempi sono forse sufficienti per dimostrare che l'esperienza strategica del passato non è nient'affatto irrilevante per i nostri contemporanei problemi del campo di battaglia e che, se la profezia di Dyson si avvera, essa diverrà ancor più pertinente. Anche nell'attuale situazione, la conoscenza degli errori passati indicherebbe quanto sia consigliabile portare la pianificazione militare e gli armamenti sotto un più stretto controllo politico e renderebbe evidente che le connessioni della pianificazione con l'economia e la tecnologia richiedono un'organizzazione generale in cui il ruolo dei militari sia soggetto a prudenti limitazioni.

Questo, naturalmente, non esaurisce il problema. La strategia non è semplicemente l'arte di prepararsi ai conflitti armati in cui una nazione può essere coinvolta e di pianificare l'uso delle sue risorse e l'impiego delle sue forze armate in maniera tale da raggiungere un esito favorevole. È anche, in un senso più ampio, l'equivalente moderno di ciò che nel XVII e XVIII secolo fu chiamato *raison d'état*, o *ragione di Stato*. Consiste nella razionale determinazione degli interessi vitali della nazione, delle cose che sono essenziali per la sua sicurezza, i suoi scopi fondamentali nelle sue relazioni con le altre nazioni, le sue priorità rispetto agli obiettivi. Tale accezione più ampia di strategia dovrebbe animare e guidare la più limitata strategia della pianificazione di guerra e del combattimento, quale Clausewitz la intese nella famosa affermazione citata in testa a queste osservazioni.

Esempi storici di effettiva formulazione ed esecuzione della strategia nel suo senso più ampio non sono difficili da trovare. Si pensi alla serie di analisi metodiche dell'interesse nazionale all'inizio della nostra storia nazionale statunitense, in opere come *The Federalist* ed il *Farewell Address* di George Washington. La loro caratteristica saliente sta nella presentazione economica ed obiettiva delle ipotesi di base dell'esistenza nazionale in un mondo pericolosamente competitivo, come nel terzo *Federalist* di John May con l'affermazione quasi ovvia dei primi principi: «Tra i molti obiettivi cui un popolo saggio e libero crede necessario dirigere la propria attenzione, quello di provvedere alla propria sicurezza sembra essere il primo [...] Ma la sicurezza del popolo americano contro pericoli provenienti da forze straniere dipende non solo dal suo astenersi dal fornire giuste cause di guerra ad altre nazioni, ma anche dal mettersi e dal persistere in una situazione che non consigli ad altri ostilità od offese»[12].

Tale testamento politico dei padri fondatori — perché ciò rappresentano questi documenti di Stato — formulò i principi guida della politica della repubblica degli Stati Uniti nei suoi primi anni, dichiarando che suoi interessi vitali erano la libertà politica e la forza economica e sostenendo che prerequisiti della sicurezza erano l'unione interna (cioè libertà dalle lotte e dalle divisioni intestine), un'istituzione militare adeguata (intendendone così una che, sotto le vesti della protezione della nazione, non minacciasse né la sua forma di governo repubblicana, né la sua salute economica) ed una saggia politica estera la quale, in caso di emergenze straordinarie, si sarebbe appoggiata su temporanee alleanze con potenze straniere. Questo fu il fondamento teorico della strategia militare che guidò la nascente nazione americana attraverso le tempeste delle guerre napoleoniche: anche se — ad essere sinceri — non senza incidenti, ma alla fin fine senza significativi contraccolpi alla sicurezza ed alla sovranità americana[13].

Un secondo esempio di strategia nel senso più ampio, e questa volta di carattere aggressivo, fu quello del regno di Prussia negli anni dal 1862 al 1866, che aveva trovato la sua formulazione di fondo in una serie di incisivi rapporti scritti da Otto von Bismarck, già ambasciatore alla Dieta di Francoforte negli anni Cinquanta. Essi delinearono interessi ed opportunità prussiane nel contesto confuso ed inefficace dell'assetto internazionale seguito alla guerra di Crimea, analizzarono le possibili mosse dell'Austria, massima rivale della Prussia, ed auspicarono un indirizzo politico che trovò la sua realizzazione, dopo che Bismarck ebbe assunto la direzione della politica prussiana, nella politica che portò a Königgrätz ed all'egemonia sulla Germania settentrionale: una strategia di grande importanza, considerata una rappresentazione classica di coordinamento concreto della forza e dell'arte di governo per il raggiungimento di scopi politici[14].

Infine, un più recente esempio di strategia nazionale sistematica ed attentamente coordinata può essere rintracciata nel modo con cui l'amministrazione Truman rispose alla sfida degli anni 1947-1950: con una ferrea determinazione a proposito della natura degli interessi statunitensi nel mondo postbellico; con una effettiva mobilitazione dell'opinione pubblica per i suoi impegni europei e con un abile uso delle risorse economiche al fine di raggiungere i propri obiettivi; ed infine — quando in Corea scoppiarono le ostilità — con l'imposizione su quelle operazioni militari delle limitazioni consigliate da considerazioni politiche. Un esercizio di strategia che, quasi certamente, avrebbe trovato l'approvazione di Clausewitz.

In comune a queste tre strategie, c'era l'assoluta razionalità di formulazione e, per la loro realizzazione, un'analisi realistica del contesto internazionale in cui furono perseguite, un accurato esame delle possibilità e delle inclinazioni dei potenziali avversari, un implicito presupposto secondo cui l'accumulazione e l'impiego della forza militare deve essere giustificato da un dimostrabile vantaggio politico e non deve porre un carico troppo pesante sulle risorse nazionali, una determinazione per cui l'uso della forza deve finire con il conseguimento dell'obiettivo politico.

Quanto sono importanti [*relevant*] tali esempi storici, per la situazione attuale? Essi perlomeno forniscono, a coloro che sono incaricati di prendere decisioni riguardanti la sicurezza nazionale, casi da studiare e su cui riflettere e modelli su cui misurare la prassi del presente. In un momento in cui la continua corsa al riarmo minaccia di creare un proprio tipo di costrizioni, di assorbire l'attenzione dei parlamenti e delle opinioni pubbliche e, così facendo, di rendere quasi impossibili riflessioni logiche e sistematiche sulle realtà e sulle esigenze della nostra situazione[15], vale certamente la pena ricordare, ad esempio, che la chiave dei successi ottenuti dai migliori strateghi politici tedeschi fu il rifiuto di sottostare alle pressioni originate dalla foga degli eventi, e dalla loro ininterrotta ricerca di quegli elementi che *rebus sic stantibus* fossero compatibili con gli interessi nazionali.

L'introduzione a questo volume ha accennato al cocciuto rifiuto del passato di fornire lezioni dirette per il presente. La storia non può mai dirci come comportarsi, ma è ricca di studi di casi, da cui poter trarre idee e raccomandazioni alla precauzione. I casi che abbiamo citato sono sia modelli, sia ammonizioni. Ci ricordano che, contesto temporale a parte, la strategia concreta consiste sempre in un impiego calcolato della forza e dell'arte di governo per uno scopo politico. Davvero, la storia della guerra e della diplomazia — che insieme costituiscono una così gran parte della storia in generale — è poco più che la testimonianza dell'accoglienza o del rifiuto, da parte delle nazioni, di fondare le proprie scelte politiche su tale principio.

[1] Cfr., fra l'altro, FRITZ J. RADDATZ, *Die Aufklärung entlässt ihre Kinder* e *Unser Verhängnis als unsere Verantwortung*, «Die Zeit», 6 e 13 luglio 1984.

[2] RICHARD J. BARNET, *Real Security*, New York 1981, 97.

[3] Cfr. CHRISTA WOLF, *Kassandra: Erzählung*, Darmstadt 1984, 76ss. (tr. it. *Cassandra*, Roma 1984).

[4] Cit. in R.J. BARNET, *Real Security*, cit., 30.

[5] Cfr. GORDON A. CRAIG, *The Politics of the Prussian Army, 1640-1945*, Oxford 1955, 294 (tr. it. *Il potere delle armi. Storia e politica dell'esercito prussiano 1640-1945*, Bologna 1984).

[6] C. WOLF, *Voraussetzungen einer Erzählung. Frankfurter Poetik-Vorlesungen*, Darmstadt 1983, 87.

[7] ERNEST R. MAY, *Capabilities and Proclivities*, in E.R. MAY (a cura di), *Knowing One's Enemies: Intelligence Assessment before the Two World Wars*, Princeton 1984, 530. Sulla natura predeterminata della strategia contemporanea e sul carattere problematico del lavoro dei servizi informativi cfr. anche PAUL BRACKEN, *The Command and Control of Nuclear Forces*, New Haven 1984.

[8] FREEMAN DYSON, *Weapons and Hope*, New York 1984, 55. Sui PGM cfr. anche HORST AFHELDT, *Verteidigung und Frieden*, München 1976.

[9] Critiche alla strategia NATO possono essere trovate in EMIL SPANNOCCHI, GUY BROSSOLET, *Verteidigung ohne Schlacht*, München 1976, e CARL FRIEDRICH von WEIZSÄCKER, *Wege in der Gefahr*, München 1976. Sulle alternative cfr., tra gli altri, BERNARD W. ROGERS, *Greater Flexibility for NATO's Flexible Response*, «Strategic Review», 1983, e ID. *Prescription for a Difficult Decade: The Atlantic Alliance in the 80's*, «Foreign Affairs», LX (1981-82), 1145-1156. Potrebbe notarsi che nel passato frequentemente, quasi regolarmente, nuovi armamenti offensivi sono apparsi irresistibili, ma gradualmente, qualche tempo dopo la loro introduzione, sistemi d'arma difensivi furono inventati e prodotti per contrastarli cosicché le considerazioni strategiche riguadagnarono il loro ruolo tradizionale.

[10] Cfr. GRAF MOLTKE, *Die deutschen Aufmasrchpläne 1871-1890*, a cura di Ferdinand von Schmerfeld (Forschungen und Darstellungen aus dem Reichsarchiv, Heft 7), Berlin 1929, 80.

[11] SAMUEL P. HUNTINGTON, *Conventional Deterrence and Conventional Retaliation in Europe*, «International Security», 1983-84, 43.

[12] EDWARD M. EARLE (a cura di), *The Federalist*, New York 1937, 13, 18.

[13] Cfr. FELIX GILBERT, *To the Farewell Address: Ideas of Early American Policy*, Princeton 1961, capp. 4 e 5.

[14] Cfr. LOTHAR GALL, *Bismarck, der weisse Revolutionär*, Frankfurt a.M. 1980, 127-173; OTTO PFLANZE, *Bismarck and the Development of Germany: The Period of Unification 1815-1871*, Princeton 1963, 87ss.; G.A. CRAIG, *The Politics of the Prussian Army*, cit., cap. 5.

[15] Cfr. GEORGE F. KENNAN, *A Plea for Diplomacy*, ora in «Harper's», 1984, 20.

Note bibliografiche [1]

Introduzione

La vasta letteratura disponibile sulla guerra non offre una storia complessiva ed analitica del pensiero strategico. Probabilmente la miglior ricostruzione generale dello sviluppo della strategia in Europa dall'antichità all'età di Napoleone e di Clausewitz può trovarsi nei quattro volumi di HANS DELBRÜCK, *Geschichte der Kriegskunst im Rahmen der politischen Geschichte*, riediti con un'importante introduzione di Otto Haintz (Berlin 1962). Delbrück collega la sua analisi della strategia con molto altro: la storia delle battaglie e delle campagne e quella del mutamento sociale, tecnologico e politico. La traduzione più recente in lingua straniera (quella a cura di Walter J. RENFROE Jr., *History of the Art of War within the Framework of political History*, Westport, Conn. 1975) è adeguata, ma non scientifica.

Resoconti di storia della strategia di Paesi specifici, come quello di EUGÈNE CARRIAS, *La pensée militaire allemande*, Paris 1948, o — del medesimo autore — *La pensée militaire française*, Paris 1960, servono come panorami introduttivi. Analisi più approfondite del pensiero strategico di singoli autori o di generazioni specifiche possono trovarsi in monografie, biografie o studi di guerre o campagne particolari, alcuni dei quali sono elencati nelle note di questo volume.

L'edizione originaria di *Makers of Modern Strategy*, Princeton 1943, raccolse saggi su un certo numero di importanti personalità e pensatori, che meritano ancora di essere letti. WERNER HAHLWEG ha curato un volume analogo in tedesco, *Klassiker der Kriegskunst*, Darmstadt 1960, che raccoglie anche brevi brani di scritti degli autori esaminati. Commenti notevoli sullo sviluppo della strategia nel mondo occidentale possono trovarsi in due ricostruzioni recenti e generali: l'eccellente MICHAEL HOWARD, *War in European History*, Oxford-New York 1976 (tr. it. *La guerra e le armi nella storia d'Europa*, Bari 1978), e l'altrettanto buono HEW STRACHAN, *European Armies and the Conduct of War*, London-Boston 1983, che esamina un arco cronologico più breve di quello di Howard — iniziando con il XVIII secolo invece che con il Medioevo — ma scende in maggiori dettagli.

Pur contenendo poco di strategico in quanto tale, di fondamentale importanza per lo studio storico delle istituzioni militari e della guerra, è il saggio di OTTO HINTZE, *Staatsverfassung und Heeresverfassung*, scritto nel 1906, e disponibile (tr. it. in *Stato e società*, Bologna 1980) anche nella raccolta intitolata *The Historical Essays of Otto Hintze*, a cura di Felix Gilbert, New

[1] Le seguenti note sono a cura degli autori degli omonimi saggi presenti in questo volume.

York 1975. Sulla collocazione odierna della storia della guerra negli studi storici cfr. PETER PARET, *The History of War*, «Daedalus», n. 100, (1971), e WALTER EMIL KAEGI JR., *The Crisis in Military Historiography*, «Armed forces and society», 7 (1981), n. 2, che pure offre stimolanti osservazioni sul rapporto fra studio storico del pensiero strategico, storia delle idee e sviluppo dell'attuale riflessione strategica.

Napoleone e la rivoluzione della guerra

Le fonti principali per le idee di Napoleone e per la sua pratica condotta della guerra si trovano nella raccolta di sue lettere, ordini ed altri scritti *Correspondance de Napoléon Ier*, Paris 1857-70, 32 voll. Fin dalla sua comparsa, quest'opera è stata perfezionata da numerose pubblicazioni di altre lettere e documenti, nonché da correzioni di errori e falsificazioni della prima edizione. Un secondo *corpus* di fonti, quasi incommensurabile nella sua estensione, è formato dalla corrispondenza, dai diari e dalle memorie di generali e soldati — oltre che di avversari — di Napoleone. Un buon esempio ne è l'edizione da parte dell'Ufficio Storico dello Stato Maggiore dell'esercito francese delle carte ufficiali di Davout sulla guerra del 1806, sotto il titolo di *Opérations du 3e corps, 1806-1807: rapport du maréchal Davout*, Paris 1896.

Sfortunatamente, poche campagne napoleoniche sono state oggetto di ricostruzioni documentate, dettagliate e complessive, basate sulle raccolte degli archivi francesi. Un'eccezione è rappresentata dal lavoro accuratamente preparato da E. BUAT, *1809: de Ratisbonne à Znaim*, Paris 1909, 2 voll. Il grande progetto di G. FABRY, *Campagne de Russie (1812)*, Paris 1900-1903, 5 voll., cui lo stesso autore aggiunse *Campagne de 1812*, Paris 1912, rimane incompleto. Operazioni e battaglie particolari sono state, comunque, complessivamente documentate ed analizzate; cfr. ad esempio, gli scavi archivistici di P.J. FOUCART, *Bautzen*, Paris 1897, e del capitano ALOMBERT, *Combat de Dürrenstein*, Paris 1897. Una serie eccellente di mappe, che illustrano le campagne di Napoleone dal 1796 al 1815, costituiscono il merito di VINCENT J. ESPOSITO, JOHN ROBERT ELTING, *A Military History and Atlas of the Napoleonic Wars*, New York 1964, che contiene inoltre un'utile bibliografia ragionata (anche se inficiata da idiosincrasie). Meno complessiva, ma utile da consultare è l'analoga opera di J.C. QUENNEVAT, *Atlas de la grande armée*, Paris-Bruxelles 1966.

Per una ricostruzione generale delle campagne di Napoleone rimane ancora utile l'opera di ANTOINE-HENRI JOMINI, in particolare la sua *Histoire critique et militaire des guerres de la révolution*, Paris 1820-24, 15 voll., e la *Vie politique et militaire de Napoléon*, Paris 1827, 4 voll. Clausewitz non scrisse un'analoga opera complessiva, ma i suoi studi sulle campagne del 1796, 1799, 1812, 1813, 1814 e 1815 (nei volumi, dal quarto all'ottavo, delle sue *Hinterlassene Werke*, Berlin 1832-37, 10 voll.) coprono buona parte del periodo e contengono alcune delle sue più importanti analisi storiche. Il *Vom Kriege*, naturalmente, è ricco di riferimenti a Napoleone ed alle guerre napoleoniche.

L'interpretazione moderna di Napoleone come stratega e comandante fu in buona parte formata dagli ufficiali appartenenti, o vicini, alla *section historique* dello Stato Maggiore francese. Basterà qui ricordare solo le numerose opere di HUBERT CAMON, tra cui *La guerre napoléonienne*, Paris 1903-1910, 3 voll., riedita nel 1925 in una settima edizione aumentata; ID., *La fortification dans la guerre napoléonienne*, Paris 1914; ID., *Le système de guerre de Napoléon*, Paris 1923; e ID., *Génie et métier chez Napoléon*, Paris 1930. Altrettanto convinto che Napoleone era il grande maestro della guerra moderna fu il gen. HENRI BONNAL, i cui numerosi scritti — tra cui *De Rosbach à Ulm*, Paris 1903, e *La manoeuvre de Landshut*, Paris 1905 — apparvero per la prima volta come manuali per l'Ecole Superieure de Guerre. Assai migliori, per la loro analisi dettagliata e per la sensibilità storica sono i volumi di un altro ufficiale, il futuro gen. JEAN COLIN. I suoi studi sulla guerra durante la Rivoluzione Francese, la sua opera più generale su *Les transformations de la guerre*, Paris 1911, e specialmente *L'education militaire de Napoléon*, Paris 1900, stabilirono un eccellente modello solo raramente raggiunto da autori successivi.

L'analisi più originale della strategia napoleonica da parte di uno studioso non francese rimane quella di HANS DELBRÜCK, nel suo quarto volume della *Geschichte der Kriegskunst im Rahmen der politischen Geschichte*, Berlin 1900-1920 (ora Berlin 1962). Le interpretazioni di Hugo von Freytag-Loringhoven, del conte di Yorck von Wartenburg e di altri — che Delbrück criticò — hanno oggi un interesse solo antiquario. D'altro lato, l'analisi dei metodi francesi che può trovarsi nelle storie ufficiali redatte dallo Stato Maggiore tedesco sulla guerra del 1806 e sulle Guerre di Liberazione conservano ancora un valore, specialmente a proposito delle strutture di comando, delle operazioni e della tattica.

La migliore ricostruzione generale in lingua inglese rimane quella di DAVID G. CHANDLER, *The Campaigns of Napoleon*, New York 1966 (tr. it. *Le campagne di Napoleone*, Milano 1968), che pure l'autore definisce «un tentativo di alzare il sipario sugli studi più dettagliati ed autorevoli oggi disponibili». Un informato saggio introduttivo è quello di GUNTHER E. ROTHENBERG, *The Art of Warfare in the Age of Napoleon*, London 1978. Assai meno soddisfacente è l'opera complessiva, ma non analitica di HENRI LACHOUQUE, *Napoléon: vingt ans de campagnes*, Paris 1964. Le quasi due dozzine di volumi scritti da Lachouque sulla guerra napoleonica sono rappresentative di tanta parte della vasta letteratura recente sul tema. Essi offrono un'impressionistica ed entusiasta trattazione di personaggi ed eventi, senza mai sollevare — e tanto meno risolvere — le molte e difficili questioni che attendono una risposta. Infine, la migliore analisi recente di Napoleone generale e comandante mi pare quella di JAMES MARSHALL-CORNWALL, *Napoleon as Military Commander*, London 1967.

Jomini

Le opere più importanti di Jomini sono il *Traité des grandes opérations mili-*

taires, Paris 1811[2], 4 voll., ed il *Précis de l'art de la guerre*, Paris 1838, 2 voll. La prima edizione del *Traité* (parti I e II) fu pubblicata sotto il titolo di *Traité de grande tactique*, Paris 1805; la parte V uscì a Parigi, nel 1806, sotto lo stesso titolo; le altre due parti, III e IV, furono edite rispettivamente nel 1807 e nel 1809. Sia il *Traité* sia il *Précis* furono riediti e tradotti in numerose edizioni. La guida indispensabile per penetrare le complessità della bibliografia jominiana è rappresentata da JOHN I. ALGER, *Antoine-Henri Jomini: A Bibliographical Survey*, West Point, N.Y. 1975.

Fra le altre importanti opere di Jomini vi sono la sua *Histoire critique et militaire des guerres de la révolution*, Paris 1820-24, 15 voll., inizialmente (1811) una continuazione del *Traité;* la *Vie politique et militaire de Napoléon*, Paris 1827, 4 voll., in origine pubblicata anonima; il *Précis politique et militaire de la campagne de 1815*, Paris 1839, che Jomini affermò essere la sezione «mancante» — sulla campagna di Waterloo — della sua biografia napoleonica; ed il *Tableau analytique des principales combinaisons de la guerre*, Paris 1830, la sua prima elaborazione — in forma di libro — dei «principi della guerra».

La biografia fondamentale rimane quella di FERDINAND LECOMTE, *Le général Jomini, sa vie et ses écrits*, Paris 1860 (Lausanne 1888[3]). L'autore era un ufficiale svizzero, stretto amico e discepolo di Jomini; la sua biografia è una prima fonte d'informazione. Un importante esame dell'opera di Lecomte apparve a firma di Georges Gilbert su «La nouvelle revue», 1° dicembre 1888, 674-685. A rinforzare la fama di Jomini, ma senza aggiungere nuove informazioni, venne il volume di C.A. SAINTE-BEUVE, *Le général Jomini*, Paris 1869. Opera di un nipote di Jomini, e fondata su carte private in possesso dell'autore, fu quella di XAVIER DE COURVILLE, *Jomini, ou le devin de Napoléon*, Paris 1935, che però aggiunge deludentemente poco al volume di Lecomte. Due lunghi scritti, tratti dalle memorie inedite di Jomini ed editi da Lecomte dopo la morte dell'autore, sono la *Guerre d'Espagne*, Paris 1892, ed il *Précis politique et militaire des campagnes de 1812 à 1814*, Paris 1886. La parte più accessibile delle carte inedite di Jomini è conservata alla British Library (nelle Carte *Egerton*, bb. 3166-3168, 3198 e 3127), all'interno di una più ampia collezione di carte acquisite nel 1940 da Nathalie Onu; si riferiscono solo ai suoi ultimi anni a Parigi. Assai notevole, sia per l'argomento sia per il breve resoconto di altro materiale inedito, è DANIEL REICHEL, *La position du général Jomini en tant qu'expert militaire à la cour de Russie*, in *Actes du symposium 1982*, Travaux d'histoire militaire et de polémologie, I, Service historique, Lausanne 1982, 51-75. Nella ricorrenza della morte di Jomini, sono apparsi una serie di saggi biografici, *Le général Antoine-Henri Jomini (1779-1869): contributions à sa biographie*, Bibliothèque historique vaudoise, n. 41, Lausanne 1969, ed un catalogo di una mostra, *Général Antoine-Henri Jomini, 1779-1869*, Payerne 1969, ambedue notevoli, editi dal Comité du Centenaire du Général Jomini.

Il saggio su Jomini firmato da Brinton, Craig e Gilbert nell'edizione del 1943 di *Makers of Modern Strategy* è il metro di ogni altro lavoro. Fra le precedenti valutazioni delle teorie di Jomini si ricordano EDOUARD GUILLON, *Nos écrivains militaires*, Paris 1898-99, 2 voll., e RUDOLPH VON CAEMMERER, *The*

Development of Strategical Science during the Nineteenth Century, London 1905. Lo studio di MICHAEL HOWARD, *Jomini and the Classical Tradition*, in ID, (a cura di), *The Theory and Practice of War*, London-New York 1965, 5-20, esplorò per primo l'influenza di Lloyd e presenta un resoconto notevolmente benevolo verso Jomini. Tra gli scrittori contemporanei in questioni strategiche, BERNARD BRODIE, *Strategy in the Missile Age*, Princeton 1959, 3-39, ha esaminato più duramente Jomini e la sua influenza. Fra gli altri resoconti recenti ricordiamo quelli di GUSTAV DÄNICHER, in *Klassiker der Kriegskunst*, a cura di Werner Hahlweg, Darmstadt 1960, 267-84; di JEHUDA L. WALLACH, *Kriegstheorien: Ihre Entwicklung im 19. und 20. Jahrhundert*, Frankfurt am Main 1972, 11-27; e di HEW STRACHAN, *European Armies and the Conduct of War*, London-Boston 1983, 60-75. Continua la controversia sul grado di influenza di Jomini sulla strategia della guerra civile americana: THOMAS L. CONNELLY, ARCHER JONES, *The Politics of Command: Factions and Ideas in Confederate Strategy*, Baton Rouge 1973, 3-30, 174-176, 226-229, rappresenta una buona introduzione al tema, ma non l'ultima parola.

Clausewitz

Non esiste un'edizione completa degli scritti di Clausewitz. Poco dopo la sua morte fu edita una larga raccolta dei suoi manoscritti: *Hinterlassene Werke des Generals Carl von Clausewitz über Krieg und Kriegführung*, Berlin 1832-37, 10 voll. Altri manoscritti sono stati pubblicati, da allora, spesso in edizioni che parzialmente si sovrappongono. Le più importanti sono: *Über das Leben und den Charakter von Scharnhorst*, «Historisch-politische Zeitschrift», 1 (1832); *Nachrichten über Preussen in seiner grossen Katastrophe*, in *Kriegsgeschichtliche Einzelschriften*, Berlin 1888, X, più volte riedito; HANS ROTHFELS (a cura di), *Politische Schriften und Briefe*, München 1922 (nuova edizione Bonn 1980); EBERHARD KESSEL (a cura di), *Strategie aus dem Jahr 1804, mit Zusätzen von 1808 und 1809*, Hamburg 1937; *Zwei Briefe des Generals von Clausewitz: Gedanken zur Abwehr*, fascicolo speciale di «Militärwissenschaftliche Rundschau», II (1937), adesso disponibile anche come *Two Letters on Strategy*, tradotto ed a cura di Peter Paret e Daniel Moran, Carlisle, Penn. 1984. Nonostante i suoi commenti spesso assurdi, una raccolta nazista degli scritti di Clausewitz (WALTHER MALMSTEN SCHERING [a cura di], *Geist und Tat*, Stuttgart 1941) dovrebbe essere ricordata, perché contiene taluni brevi brani di Clausewitz non pubblicati precedentemente e che adesso paiono smarriti. L'analisi di Clausewitz della campagna del 1806, apparsa anonima nel 1807, è stata riedita, con un'utile introduzione di Joachim Niemeyer, col titolo *Historische Briefe über die grossen Kriegsereignisse im Oktober 1806*, Bonn 1977.

Il decano dei curatori e dei bibliografi clausewitziani, Werner Hahlweg, ha prodotto un'edizione esaurientemente annotata di taluni manoscritti e lettere di Clausewitz, molti dei quali editi per la prima volta: CARL VON CLAUSEWITZ, *Schriften-Aufsätze-Studien-Briefe*, Göttingen 1966 (ried. 1986). Sempre a sua cura è apparsa CARL VON CLAUSEWITZ, *Verstreute kleine Schriften*, Osnabrück 1979, indirizzata al lettore medio. Il professor Hahlweg ha anche curato il testo più scientifico del *Vom Kriege*, Bonn 1980. La più recente traduzione inglese della fondamentale opera teorica di Clausewitz (*On war*, Princeton 1976) è di Michael Howard e Peter Paret, con saggi e commenti di Paret, Howard e Bernard Brodie.

La corrispondenza tra Clausewitz e la moglie, una fonte biografica e storica di grande importanza, *Karl u. Marie v. Clausewitz*, Berlin 1917, è stata edita a cura di Karl Linnebach.

La migliore introduzione agli studi clausewitziani si trova nell'edizione del 1980 del *Vom Kriege* curata da Werner Hahlweg, che elenca varie centinaia di volumi e articoli. Da notare anche i due volumi di KARL SCHWARTZ, *Leben des Generals Carl von Clausewitz und der Frau Marie von Clausewitz geb. Gräfin von Brühl*, Berlin 1878; l'importante, anche se un po' romantico, studio di HANS ROTHFELS, *Carl von Clausewitz: Politik und Krieg*, Berlin 1920; e i due brevi, ma notevoli saggi di RUDOLF VON CAEMMERER, *Clausewitz*, Berlin 1905, e di WERNER HAHLWEG, *Clausewitz*, Göttingen 1957. PETER PARET, *Clausewitz and the State*, Oxford-New York 1976 (ried. Princeton 1985), combina biografia e storia delle idee: cfr. la recensione di Raymond Aron in «Annales», XXXII (1977), n. 6. I due volumi di RAYMOND ARON, *Penser la guerre: Clausewitz*, Paris 1976, rappresentano un'importante discussione delle teorie di Clausewitz legata ad uno sforzo, altamente speculativo, di espanderle e di adattarle al presente: cfr. la recensione di Peter Paret sul «Journal of Interdisciplinary History», VIII (1977), n. 2. Una breve discussione delle teorie di Clausewitz è in MICHAEL HOWARD, *Clausewitz*, Oxford-New York 1983.

Gran parte dei tentativi di scienziati della politica e di analisti strategici tesi a portare Clausewitz ad occuparsi dei problemi contemporanei della strategia e della guerra si sono rivelati relativamente improduttivi. Un'eccezione è rappresentata dal saggio, responsabile e stimolante, di HARRY G. SUMMERS JR., *On strategy*, Novato Calif. 1982. JOHN E. TASHJEAN ha scritto molti articoli brevi e fantasiosi sul significato odierno di Clausewitz (fra cui *The Cannon in the Swimming Pool: Clausewitzian Studies and Strategic Ethnocentrism*, «Journal of the Royal United Services Institute», june 1983). Per due incontri di studio tenutisi in Germania, e che hanno avuto un qualche successo nel collegare lo studio di Clausewitz all'analisi strategica contemporanea, cfr. Ulrich de Maizière (a cura di), *Freiheit ohne Krieg*, Bonn 1980, e gli atti del congresso internazionale di studi su Clausewitz, in «Wehrwissenschaftliche Rundschau» XXIX (1980), n. 3.

Moltke, Schlieffen e la dottrina dell'aggiramento strategico

La nota bibliografica apposta da Hajo Holborn al suo contributo, nella edizione del 1943 di *Makers of Modern Strategy*, aveva preso in esame la vasta letteratura disponibile sulla scuola militare prusso-tedesca sino ai primi anni

Quaranta. Da allora una considerevole mole di lavori è apparsa. Se non c'è stato alcun nuovo materiale documentario su Moltke il vecchio, il testo del famoso memorandum del dicembre 1905 di Schlieffen, insieme a precedenti versioni ed a successive revisioni, fu pubblicato da GERHARD RITTER, *Der Schlieffenplan: Kritik eines Mythos*, München 1956. Inoltre, Eberhard Kessel ha curato (con un'importante introduzione) una raccolta di *Briefe* di Schlieffen (Göttingen 1958); una scelta di scritti ufficiali di Moltke e di Schlieffen può essere vista nei relativi capitoli di Gerhard Papke e Hans Meier-Welker in WERNER HAHLWEG (a cura di), *Klassiker der Kriegskunst*, Darmstadt 1960.

Poco dopo la morte, suoi discorsi editi e pubblici discorsi furono pubblicati come ALFRED VON SCHLIEFFEN, *Gesammelte Schriften*, Berlin 1913, 2 voll. Un'edizione abbreviata di questa raccolta di scritti apparve nel 1925 sotto il titolo *Cannae*. Il cuore di ambedue le edizioni è rappresentato dalla serie di studi dedicati da Schlieffen alle battaglie di aggiramento da Canne a Sedan. Il più importante nuovo contributo alla conoscenza degli scritti di Schlieffen è la lussuosa edizione dei suoi scritti ufficiali, avviata dallo Stato Maggiore tedesco nel 1937: *Dienstschriften des Chefs des Generalstabes der Armee, Generalfeldmarschall Graf von Schlieffen*. Le migliori fonti storiche per il piano Schlieffen sono ancora oggi: HANS VON KUHL, *Der deutsche Generalstab in Vorbereitung und Durchführung des Weltkrieges*, Berlin 1920[2]; WOLFGANG FOERSTER, *Graf Schlieffen und der Weltkrieg*, Berlin 1921; la storia ufficiale tedesca della Prima Guerra Mondiale, Reichsarchiv, *Der Weltkrieg 1914-1918*, Berlin 1925-44, 14 voll.; RÜDT VON COLLENBERG, *Graf Schlieffen und die deutsche Mobilmachung*, «Wissen und Wehr» (1927); WOLFGANG FOERSTER, *Aus der Gedankenwerkstatt des deutschen Generalstabes*, Berlin 1931.

La discussione sulle concezioni strategiche di Schlieffen scorre come un filo rosso lungo tutti i volumi tedeschi recenti sulla strategia. Rappresenta la parte più notevole nella critica tedesca sulle operazioni della Prima Guerra Mondiale. Oltre ai già citati studi di Hans von Kuhl e di Wolfgang Förster ed alla storia ufficiale tedesca sulla Prima Guerra Mondiale, scritta perlopiù sotto la direzione del generale Hans von Haeften, l'opera di maggior rilievo è stata quella del generale Wilhelm Gröner, capo della sezione ferroviaria dello Stato Maggiore Generale nel 1914 e successore di Ludendorff nell'autunno del 1918. Ministro della Guerra nella Repubblica, divenne uno dei padri dell'esercito moderno tedesco e della sua strategia. Il suo *Das Testament des Grafen Schlieffen*, Berlin 1927, è lo studio più notevole e profondo su Schlieffen. Gröner vi aggiunse più tardi il suo *Der Feldherr wider Willen*, Berlin 1931, uno studio della strategia di Moltke il giovane. La venerazione di Schlieffen è, nei circoli militari tedeschi, quasi generale. Una buona manifestazione si trova nello scritto del gen. VON ZOELLNER, *Schlieffens Vermächtnis*, nel fascicolo speciale di «Militärwissenschaftliche Rundschau» del 1938. Il maggior oppositore di Schlieffen prima del 1914, il generale Friedrich von Bernhardi, non riuscì ad attrarre molti seguaci. Comunque ci fu una scuola di pensiero militare che anteponeva Moltke il vecchio a Schlieffen, criticando la rigidità degli schemi operativi del secondo o caldeggiando l'idea del primo di un'offensiva ad Est, come miglior soluzione di una guerra su due fronti. Il miglior rappresentante di tale scuola è forse il generale E. BUCHFINK: di cui cfr. *Moltke und Schlieffen*, «Historische Zeitschrift» (1938), n. 158. Ludendorff stesso difese la modificazione del piano Schlieffen da parte di Moltke il giovane, in un articolo su «Deutsche Wehr» (1930).

La miglior fonte per l'analisi della questione belga nei circoli militari e politici prima del 1914 è J.V. BREDT, *Die belgische Neutralität und der Schlieffensche Feldzugplan*, 1929. Due volumi in particolare mostrano, nella storia ufficiale tedesca della Prima Guerra Mondiale, l'influenza del concetto di guerra moderna di Schlieffen sulla preparazione economica e finanziaria tedesca: Reichsarchiv, *Der Weltkrieg, Kriegsrüstung und Kriegswirtschaft* cit., vol. I e vol. I, Allegati.

Grande interesse è stato dimostrato verso i rapporti fra militari e Stato, specialmente fra il capo di Stato Maggiore Generale e le autorità politiche. Fra i lavori più importanti cfr. RUDOLF STADELMANN, *Moltke und der Staat*, Krefeld 1950; GERHARD RITTER, *Staatskunst und Kriegshandwerke*, München 1964 (tr. it. *I militari e la politica nella Germania moderna*, Torino 1967-1973); e GORDON A. CRAIG, *The Politics of the Prussian Army 1640-1945*, New York 1964 (tr. it. *Il potere delle armi. Storia e politica dell'esercito prussiano 1640-1945*, Bologna 1984). Talune utili informazioni possono trovarsi in JACQUES BENOIST-MECHIN, *Histoire de l'armée allemagne*, Paris 1938-64, 10 voll., sebbene quest'analisi generale sia inficiata dalle attitudini di estrema destra dell'autore. Esistono adesso alcuni studi specifici sullo Stato Maggiore prussiano. Fra questi cfr. WALTER GOERLITZ, *Der deutsche Generalstab*, Frankfurt a.M. 1951 (la traduzione inglese, *History of the German General Staff*, New York 1953, è incompleta). WIEGAND SCHMIDT-RICHBERG, *Die Generalstäbe in Deutschland 1871-1945*, Stuttgart 1962, è più specializzato e meno completo. Analisi dell'opera di Schlieffen sono HERBERT ROSINSKI, *Scharnhorst to Schlieffen: The Rise and Decline of German Military Thought*, «U.S. Naval War College Review», XXIX (1976), 83-103; HELMUT OTTO, *Schlieffen und der Generalstab*, E. Berlin 1966; e N.T. TSAREV, *Ot Schlieffen do Gindenburga*, Mosca 1946. Le due ultime opere mostrano un forte carattere ideologico. L'unica nuova pubblicazione su Waldersee è l'importante articolo di EBERHARD KESSEL, *Die Tätigkeit des Grafen Waldersee als Quartiermeister und Chef des Generalstabes der Armes*, «Die Welt als Geschichte», XV (1954), 181-210. Il più recente studio statunitense, dedicato a personaggi ed a dottrine operative, è di TREVOR N. DUPUY, *A Genius for War: The German Army and General Staff, 1807-1945*, Englewood Cliffs, N.Y. 1977. Non è basato su nuove ricerche e riflette l'ammirazione in qualche modo acritica dei metodi e dei dogmi tedeschi diffusa per molti anni negli istituti militari dell'esercito statunitense.

Per il versante operativo è indispensabile *Grundzüge der militärischen Kriegsführung*, nono volume del Militärgeschichtliches Forschungsamt, *Handbuch zur deutschen Militärgeschichte*, München 1979. La perdurante influenza della dottrina della battaglia di annientamento può essere studiata in JEHUDA L.

WALLACH, *Das Dogma der Vernichtungsschlacht*, Frankfurt a.M. 1967, ed in EDGAR RÖHRICHT, *Probleme der Kesselschlacht dargestellt durch Einkreisungsoperationen im zweiten Weltkrieg*, Karlsruhe 1958. Temi specialistici sono affrontati da EBERHARD KESSEL, *Zur Genesis der modernen Kriegslehre*, «Wehrwissenschaftliche Rundschau», III (1952), 405-23; da E. von KILIANI, *Die Operationslehre des Grafen Schlieffen und ihre deutschen Gegner*, «Wehrkunde», II (1961), 71-76; e da E. KAULBACH, *Schlieffen — Zur Frage der Bedeutung und Wirkung seiner Arbeit*, «Wehrwissenschaftliche Rundschau», III (1963), 137-149. Gli aspetti logistici, spesso trascurati, sono trattati in LARRY H. ADDINGTON, *The Blitzkrieg Era and the German General Staff 1865-1941*, New Brunswick N.J. 1971, ed in rilevanti capitoli di MARTIN VAN CREVELD, *Supplying War: Logistics from Wallenstein to Patton*, Cambridge 1977.

Questioni strategico-politiche sono sollevate, fra gli altri, da HANS-ULRICH WEHLER, *"Absoluter" und "totaler" Krieg von Clausewitz zu Ludendorff*, «Politische Vierteljahreszeitschrift», X (1969), 220-248; KLAUS E. KNORR, *Strategic Surprise in Four European Wars*, in KLAUS E. KNORR, PATRICK MORGAN (a cura di), *Strategic Military Surprise*, Brunswick N.J. 1983, 41-75; LANCELOT L. FARRAR JR., *The Short-War Illusion*, Santa Barbara 1973; ROBERT E. HARKAVY, *Preemption in a Two-Front Conventional War: A Comparison of the 1967 Israeli Strategy with the Pre-World War I German Schlieffen Plan*, Jerusalem 1977. La pianificazione prebellica è discussa in numerosi e notevoli saggi in PAUL M. KENNEDY (a cura di), *The War Plans of the Great Powers, 1880-1914*, London 1979; DENNIS SHOWALTER, *The Eastern Front and German Military Planning, 1871-1914: Some Observations*, «East European Quarterly», XV (1981), 163-180; NORMAN STONE, *Moltke-Conrad: Relations between the Austro-Hungarian and German General Staff, 1909-1914*, «The Historical Journal», IX (1966), 201-228.

Per quanto un po' agiografico, EBERHARD KESSEL, *Moltke*, Stuttgart 1957, è un'opera di grande finezza ed ora anche la biografia di riferimento. Non c'è ancora una biografia completa di Schlieffen. FRIEDRICH v. BOETTICHER, *Schlieffen*, Göttingen 1957, è breve, ma informato. Cfr. anche EUGEN BIRCHER, WALTER BODE, *Schlieffen: Mann und Idee*, Zürich 1937. Moltke il giovane rimane quasi completamente trascurato. Il lungo capitolo dedicato a *The Tragic Delusion: Colonel General Helmuth Johannes Ludwig von Moltke*, in CORRELLI BARNETT, *The Sword Bearers*, New York 1963, è ben scritto ma contiene poco di nuovo. GORDON A. CRAIG, *The Battle of Königgrätz*, Philadelphia 1964, e MICHAEL HOWARD, *The Franco-Prussian War*, New York 1961, sono reinterpretazioni dei due maggiori trionfi di Moltke il vecchio.

Alfred Thayer Mahan: lo storico navale

Le opere edite di Mahan possono convenientemente essere raggruppate in alcune categorie.

Storie navali: *The Gulf and Inland Waters*, New York 1885; *The Influence of Sea Power upon History, 1660-1783*, Boston 1890; *The Influence of Sea Power upon the French Revolution and Empire*, Boston 1892, 2 voll.; *Sea Power in Its Relations to the War of 1812*, Boston 1905, 2 voll.; e *The Major Operations of the Navies in the War of Independence*, Boston 1913.

Storie contemporanee: *The Story of War in South Africa, 1899-1900*, London 1900; e *The War in South Africa*, New York 1900.

Studi biografici: *Admiral Farragut*, New York 1897; *The Life of Nelson: The Embodiment of the Sea Power of Great Britain*, Boston 1897, 2 voll.; e *Types of Naval Officers Drawn from the History of the British Navy*, Boston 1901.

Autobiografia: *From Sail to Steam: Recollections of Naval Life*, New York-London 1907.

Religiosi: *The Harvest Within: Thoughts on the Life of a Christian*, Boston 1909.

Raccolte di saggi e discorsi: *The Interest of America in Sea Power, Present and Future*, Boston 1897; *Lesson of the War with Spain and Other Articles*, Boston 1899; *The Problem of Asia and Its Effects upon International Policies*, Boston 1900; *Retrospect and Prospect: Studies in International Relations, Naval and Political*, Boston 1902; *Some Neglected Aspects of War*, Boston 1907; *Naval Administration and Warfare, Some General Principles with Other Essays*, Boston 1908; *Naval Strategy, Compared with the Principles of Military Operations on Land*, Boston 1911; e *Armaments and Arbitration, or the Place of Force in the International Relations of States*, New York-London 1912.

Una grande abbondanza di pertinenti informazioni biografiche e varie può essere trovata in ROBERT SEAGER II, DORIS D. MAGUIRE (a cura di), *Letters and Paper of Alfres Thayer Mahan*, Annapolis 1975, 3 voll. I maggiori studi biografici di Mahan sono, in ordine di pubblicazione, CHARLES CARLISLE TAYLOR, *The Life of Admiral Mahan*, New York 1920; WILLIAM D. PULESTON, *The Life and Work of Captain Alfred Thayer Mahan, USN*, New Haven 1939; ROBERT SEAGER II, *Alfred Thayer Mahan: The Man and His Letters*, Annapolis 1977; e WILLIAM E. LIVEZEY, *Mahan on Sea Power*, Norman, Okla. 1981 (rev. ed.). I primi due sono adulatori, il terzo critico ed in genere non simpatetico, il quarto favorevole ma con riserve.

Saggi ed articoli su Mahan e sulle sue opere abbondano. I più utili sono: JAMES A. FIELD, *Admiral Mahan Speaks for Himself*, «Naval War College Review», Fall 1976; KENNETH J. HAGAN, *Alfred Thayer Mahan: Turning America Back to the Sea*, in FRANK J. MERLI, THEODORE A. WILSON (a cura di), *Makers of American Diplomacy*, New York 1974, I, cap. 11; JULIUS W. PRATT, *Alfred Thayer Mahan*, in WILLIAM T. HUTCHINSON (a cura di), *The Marcus W. Jernegan Essays in American Historiography*, Chicago 1937, cap. 11; WILLIAM REITZEL, *Mahan on the Use of the Sea*, «Naval War College Review», 1973; e MARGARET T. SPROUT, *Mahan: Evangelist of Sea Power*, in EDWARD MEAD EARLE (a cura di), *Makers of Modern Strategy*, Princeton 1943.

Per la fondazione ed i primi anni del Naval War College cfr. RONALD SPECTOR, *Professors of War: The Naval War College and the Development of the Naval Profession*, Newport, R.I. 1977. L'analisi di Mahan sul ruolo del potere marittimo nella storia dell'impero britannico è criticamente esaminata in GERALD S. GRAHAM, *The Politics of Naval Supremacy: Studies in British Maritime Ascendancy*, Cambridge 1965; ed in PAUL M. KENNEDY, *The Rise and Fall of British Naval Mastery*, New York 1976. L'influenza di Mahan sull'imperialismo americano è trattata, ed ingigantita, in JULIUS PRATT, *Expansionists of 1898*, Baltimore 1936; ed in WALTER LAFEBER, *The New Empire: An Interpretation of American Expansion, 1860-1898*, Ithaca-London 1963. Il suo ruolo di navalista è in genere esaminato da PETER KARSTEN, *The Naval Aristocracy: The Golden Age of Annapolis and the Emergence of Modern American Navalism*, New York 1972.

Il leader politico in quanto stratega

Definiti nel senso più ampio, i temi delle relazioni fra civili e militari occupano gran parte della storia moderna. Sui problemi generali della direzione civile in tempo di guerra ha ancora un suo valore il saggio di HARVEY A. DEWEERD, *Churchill, Lloyd George, Clemenceau: The Emergence of the Civilian*, nell'edizione del 1943 di *Makers of Modern Strategy*. DeWeerd si basava su opere generali come LEWIS MUMFORD, *Technics and Civilization*, New York 1934, e JESSE D. CLARKSON, THOMAS C. COCHRAN (a cura di), *War as a Social Institution*, New York 1941, una raccolta di saggi che comprende anche una discussione su civili e guerra moderna. Di un certo interesse rimane anche J.F.C. FULLER, *War and Western Civilization: A Study of War as a Political Instrument and the Expression of Mass Democracy*, London 1932.

Dopo la Seconda Guerra Mondiale il numero degli studi sulle relazioni civili-militari è cresciuto enormemente. SAMUEL P. HUNTINGTON, *The Soldier and the State: The Theory and Politics of Civil-Military Relations*, Cambridge, Mass. 1957, è un'opera di riferimento. Un volume recente, GORDON A. CRAIG, ALEXANDER L. GEORGE, *Force and Statecraft: The Diplomatic Revolution of Our Time*, New York 1982, contiene una discussione su direzione in guerra e civili.

La guerra del Vietnam ha prodotto molte opere sul tema, la migliore delle quali nonostante la sua tendenziosità e l'assenza di indicazione delle fonti è DAVID HALBERSTAM, *The Best and the Brightest*, New York 1972. I due volumi di memorie di HENRY KISSINGER, *White House Years*, Boston 1979 (tr. it. *Gli anni della Casa Bianca*, Milano 1980), e ID., *Years of Upheaval*, Boston 1982 (tr. it. *Anni di crisi*, Milano 1982), dovrebbero essere consultati, insieme alla risposta al segretario di Stato di SEYMOUR HERSH, *The Price of Power*, New York 1983. Un'opera, con una prospettiva militare, sulla direzione civile della guerra è lo studio degno di nota di HARRY G. SUMMERS JR., *On strategy: A Critical Analysis of the Vietnam War*, Novato, Calif. 1982.

La letteratura su politica e strategia nella Prima Guerra Mondiale è *compendious*, specialmente per la Germania. Per una visione generale del problema cfr. GORDON A. CRAIG, *The Politics of the Prussian Army*, New York 1964 (tr. it. *Il potere delle armi. Storia e politica dell'esercito prussiano 1640-1945*, Bologna 1984). Indispensabili sono le opere di GERHARD RITTER, *Der Schlieffenplan: Kritik eines Mythos*, München 1956, ed i volumi III e IV del suo importante studio *Staatskunst und Kriegshandwerk*, München 1954 (tr. it. *I militari e la politica nella Germania moderna*, Torino 1967-1973). Di grande portata sono stati gli effetti della pubblicazione di FRITZ FISCHER, *Griff nach der Weltmacht*, Düsseldorf 1961 (tr. it. *Assalto al potere mondiale. La Germania nella guerra 1914-18*, a cura di Enzo Collotti, Torino 1965). Una notevole biografia di Bethmann è quella di KONRAD JARAUSCH, *The Enigmatic Chancellor: Bethmann-Hollweg and the Hubris of Imperial Germany*, New Haven 1973. Per uno studio dei rapporti fra Bethmann ed i militari cfr. KARL-HEINZ JANSSEN, *Der Kanzler und der General: Die Führungskrise von Bethmann Hollweg and Falkenhayn*, Göttingen 1967. Fra le molte memorie dei protagonisti dovrebbero essere ricordate quelle di ERICH VON FALKENHAYN, *Die Oberste Heeresleitung, 1914-1916*, Berlin 1920 (tr. it. *Il Comando Supremo tedesco dal 1914 al 1916 nelle sue decisioni più importanti*, Roma 1923).

Fra gli studi generali sulla Gran Bretagna nella Prima Guerra Mondiale cfr. ERNEST LLEWELLYIN WOODWARD, *Great Britain and the War of 1914-1918*, New York 1967; A.J.P. TAYLOR, *Politics in Wartime*, New York 1965; PETER STANSKY (a cura di), *The Left and the War: The British Labor Party and World War One*, New York 1969. Per le biografie dei maggiori leader politici durante la guerra cfr. J.A. SPENDER, CYRIL ASQUITH, *The Life of Herbert Henry Asquith, Lord Oxford of Asquith*, London 1932; ROY JENKINS, *Asquith*, London 1978; MAGNUS PHILIP, *Kitchener: Portrait of an Imperialist*, New York 1959; HAROLD NICOLSON, *George V, His Life and Times*, London 1953; DAVID LLOYD GEORGE, *War Memoirs*, London 1933-37, adesso criticamente affiancate da MARTIN GILBERT, *Lloyd George*, Englewood Cliffs, N.J. 1968; e DAVID R. WOOWARD, *Lloyd George and the Generals*, London 1984. Di grande importanza MARTIN GILBERT, *Winston Churchill: The Challenge of War*, Boston 1971, terzo volume della biografia, da consultarsi insieme al relativo volume di documenti, in due tomi, *Winston Churchill: Companion Volume III*, Boston 1973. Cfr. anche LORD BEAVEBROOK, *Politicians and the War*, London 1968.

Di fondamentale importanza, fra i numerosi resoconti sulla direzione politica francese della Prima Guerra Mondiale, è GEORGES CLEMENCEAU, *Grandeurs et misères d'une victoire*, Paris 1930. Ancora utili sono PIERRE RENOUVIN, *Les formes du gouvernment de guerre*, Paris 1927, e la breve biografia di GEOFFREY BRUUN, *Clemenceau*, Cambridge 1943. Fra le altre opere su Clemenceau cfr. JERE CLEMENS KING, *Foch versus Clemenceau*, Cambridge, Mass. 1960; David ROBINS WATSON, *Clemenceau. A Political Biography*, London 1974; e EDGAR HOLT, *The Tiger*, London 1976.

La letteratura sui problemi del comando unificato e sulla direzione politica della Seconda Guerra Mondiale è troppo estesa da permettere poco più che una menzione dei volumi più utili. Per un'introduzione generale all'esperienza tedesca, cfr. i capitoli relativi in GORDON A. CRAIG, *Germany, 1866-1945*,

Oxford-New York 1978 (tr. it. *Storia della Germania*, Roma 1983). Quasi ogni generale che raggiunse posizioni di rilievo e che successivamente scrisse le proprie memorie aveva qualcosa da dire su Hitler come capo militare. Tra i più notevoli cfr. HEINZ GUDERIAN, *Erinnerungen eines Soldaten*, Heidelberg 1951 (tr. it. *Ricordi di un soldato*, Milano 1962); FRANZ HALDER, *Kriegstagebuch: Tägliche Aufzeichnungen des Chefs des Generalstabs des Heeres, 1939-1942*, a cura di Hans-Adolf Jacobsen, Stuttgart 1962-64, 3 voll.; ADOLF HEUSINGER, *Befehl im Widerstreit*, Tübingen 1950; ERICH VON MANSTEIN, *Verlorene Siege*, Bonn 1955: WALTER WARLIMONT, *Im Hauptquartier der deutschen Wehrmacht, 1939-45*, Frankfurt a. M. 1962. Degni di nota sono anche i diari di guerra del Comando Supremo tedesco: *Kriegstagebücher des Oberkommandos der Wehrmacht*, a cura di Percy E. Schramm, Frankfurt a.M. 1961, 4 voll. Molto materiale è contenuto in biografie di Hitler come quelle di ALLAN BULLOCK, *Hitler: A Study in Tyranny*, New York 1964 (tr. it. *Hitler. Studio sulla tirannia*, Milano 1955), e JOACHIM FEST, *Hitler: Eine Biographie*, Frankfurt a.M. 1973. Gli eventi in una prospettiva quale avrebbe potuto essere quella di Hitler sono narrati nel controverso DAVID IRVING, *Hitler's War*, New York 1977. Fra i volumi importanti su Hitler ed i militari cfr. le monografie di ANDREAS HILLGRUBER, *Hitlers Strategie: Politik und Kriegführung, 1940-1941*, München 1982[2] (tr. it. *La strategia di Hitler*, Milano 1986); KLAUS-JÜRGEN MÜLLER, *Das Heer und Hitler: Armee und NS Regime*, Stuttgart 1969; BARRY A. LEACH, *German Strategy Against Russia, 1939-1941*, Oxford 1973; e *Das Deutsche Reich und der Zweite Weltkrieg*, a cura del Militärgeschichtliches Forschungsamt, Stuttgart 1979-.

Su Churchill come capo militare, continuano ad avere un loro valore le parti della sua biografia relative alla Seconda Guerra Mondiale, e specialmente WINSTON S. CHURCHILL, *The Grand Alliance*, Boston 1950. Indispensabile è MARTIN GILBERT, *Winston Churchill: Finest Hour, 1939-1941*, Boston 1983. Fra gli altri recenti volumi su Churchill cfr. RONALD LEWIN, *Churchill as Warlord*, New York 1973, e R.W. THOMPSON, *Generalissimo Churchill*, New York 1973. Resoconti eccellenti di due grandi figure militari britanniche possono trovarsi in JOHN CONNELL, *Wavell: Soldier and Statesman*, London 1964, e DAVID FRASER, *Alanbrooke*, London 1982. La relazione ufficiale britannica (*History of the Second World War: United Kingdom Military Series*, a cura di J.R.M. Butler, London, anni vari) contiene sei volumi sulla strategia, di cui è rappresentativo quello di J.R.M. BUTLER, *Grand strategy*, vol. II, *September 1939-June 1941*, London 1957.

La guerra di coalizione fra Statunitensi e Britannici è stata il soggetto di un'ampia pubblicistica. Per un buon esempio cfr. HERBERT FEIS, *Churchill, Roosevelt, Stalin: The War They Waged and the Peace They Sought*, Princeton 1957. Eccellente è anche *Roosevelt and Churchill: Their Secret Wartime Correspondence*, a cura di Francis L. Loewenheim, Harold D. Langley, Manfred Jonas, New York 1975: opere successive non la hanno migliorata. Anche ROBERT DALLEK, *Franklin D. Roosevelt and American Foreign Policy, 1932-1945*, New York 1979, dovrebbe essere consultato. Non disponiamo purtroppo di un resoconto definitivo sulle qualità di Roosevelt come capo militare. Comunque cfr. JAMES MACGREGOR BURNS, *Roosevelt: The Lion and the Fox*, New York 1956, e ID., *Roosevelt: Soldier of Freedom*, New York 1971.

La relazione ufficiale dell'esercito statunitense comprende alcuni notevoli volumi: MARK S. WATSON, *Chief of Staff: Prewar Plans and Preparations*, Washington, D.C. 1950; MAURICE MATLOFF, EDWIN S. SNELL, *Strategic Planning for Coalition Warfare, 1941-1942*, Washington, D.C. 1953; MAURICE MATLOFF, *Strategic Planning for Coalition Warfare, 1943-44*, Washington, D.C. 1959; e RAY S. CLINE, *Washington Command Post: The Operations Division*, Washington, D.C. 1951. Numerose sono le memorie e le biografie importanti dei maggiori alti ufficiali statunitensi: HENRY L. STIMSON, MCGEORGE BUNDY, *On Active Service in Peace and War*, New York 1948; FORREST G. POGUE, *George C. Marshall: Organizer of Victory, 1943-1945*, New York 1973; STEPHEN AMBROSE, *The Supreme Commander: The War Years of Dwight David Eisenhower*, Baltimore 1970. Indispensabili sono anche *The Papers of Dwight David Eisenhower: The War Years*, a cura di Alfred Chandler Jr., Baltimore 1970, 5 voll.

Uomini contro fuoco: la dottrina dell'offensiva nel 1914

La fonte migliore e più facilmente disponibile per una valutazione dell'evoluzione della dottrina tattica prima del 1914 è rappresentata da «The Journal of the Royal United Services Institution», London 1855, che non solo pubblica i maggiori contributi del dibattito all'interno dell'esercito britannico, ma riassume anche i principali articoli apparsi sui periodici europei ed ospita recensioni di opere, straniere oltre che britanniche. Conobbe numerose edizioni WILHELM BALCK, *Taktik*, Berlin 1892. I mutamenti intervenuti nelle varie edizioni riflettono lo sviluppo della riflessione sulla tattica durante il periodo cruciale prima del 1914, non solo nell'esercito tedesco, ma anche in tutti quelli europei. Balck offre anche informazioni dettagliate sulle trasformazioni dell'armamento e dell'equipaggiamento degli eserciti europei. Altre informazioni, a cavallo del secolo, si trovano in JEAN DE BLOCH, *La guerre future*, Paris 1898, 6 voll. Esistono anche traduzioni russe e tedesche di questa massiccia opera, mentre il progetto di una versione in inglese naufragò e solo l'ultimo volume, che riassumeva tutta l'opera, fu tradotto sotto il titolo di *Is War Now Impossible?*, London 1899, e *The Future of War*, Boston 1899. L'edizione originale completa, però, contiene molti dettagli tecnici altrove non facilmente reperibili.

Per l'esercito tedesco, l'opera di Balck deve essere accompagnata dalle opere brillanti ed eterodosse di FRIEDRICH VON BERNHARDI, *Vom heutigen Kriege* (tr. it. *La guerra dell'avvenire*, Roma 1923). Si tratta di un interessante tentativo di portare Clausewitz sul terreno del XX secolo e, oltre ad una critica pertinente a Schlieffen ed ai suoi insegnamenti, contiene molte acute analisi sulla tattica. La ricostruzione generale più recente sull'esercito tedesco durante questo periodo è B.F. SCHULTE, *Die deutsche Armee 1900-1914: Zwischen Beharren und Veränderen*, Düsseldorf 1977.

La confusa situazione della teoria e della prassi nell'esercito francese è ben descritta da DOUGLAS PORCH, *The March to the Marne*, Cambridge-London 1981, e da HENRI CONTAMINE, *La revanche 1871-1914*, Paris 1957, che mettono in prospettiva gli scritti di FERDINAND FOCH, *Des principes de la guerre*, Paris 1903, e di DE GRANDMAISON, *Deux conférences faites aux officiers de l'état major de l'armée*, Paris 1911. CHARLES ARDENT DU PICQ, *Études sur le combat*, Paris 1903, fu pubblicato postumo e frequentemente riedito. Si tratta di un'opera che è stata ben definita come «la più forte, la più vera, la più scientifica che sia mai sortita da una penna francese»: J.N. CRU, *Témoins*, Paris 1929, 52. Di un certo valore anche l'articolo di JOSEPH C. ARNOLD, *French Tactical Doctrine 1870-1914*, «Military Affairs», XLII (1978), n. 2.

Per l'esercito britannico, il miglior punto di partenza è l'originale articolo di T.H.E. TRAVERS, *Technology Tactics and Morale: Jean de Bloch, the Boer War and British Military Theory 1900-1914*, «Journal of Modern History», LI (1979), n. 2. G.F.R. HENDERSON, *The Science of War*, London 1905, raccoglie vari studi dell'autore (fra il 1892 ed il 1905) sulla tattica e documenta l'impatto della guerra boera del 1899-1902 sull'esercito britannico. E.A. ALTHAM, *The Principles of War Historically Illustrated*, London 1914, fornisce una chiara ricostruzione della riflessione strategica e tattica dello Stato Maggiore Generale britannico alla vigilia della Prima Guerra Mondiale. La polemica sul servizio generale obbligatorio fra il conte ROBERTS, *A Nation in Arms*, London 1907, e sir IAN HAMILTON, *Compulsory Service*, London 1911, fornisce un altro buon punto di osservazione sul pensiero dei militari di professione nell'Inghilterra edoardiana. ROBERT BLAKE (a cura di), *The Private Papers of Sir Douglas Haig, 1914-1919*, London 1952, conduce lo stesso argomento addentrandosi negli anni di guerra. Lo scritto del generale russo DRAGOMIROV, tradotto in francese, in tedesco ed in inglese (con il titolo di *Course on Tactics*, London 1879), può aver avuto una sua influenza.

Uno studio recente sullo stesso soggetto del nostro saggio è quello di JACK SNYDER, *The Cult of the Offensive in European War Planning, 1870-1914*, Ithaca 1984.

Anche lo scenario intellettuale più generale delle idee qui esaminate dovrebbe essere tenuto in conto e sono disponibili eccellenti opere generali: ROBERT WOHL, *The Generation of 1914*, Cambridge, Mass. 1979 (tr. it. *La generazione del 1914*, Milano 1980), e ROLAND N. STROMBERG, *Redemption by War: The Intellectuals and 1914*, Lawrence, Kans. 1982. Per la Gran Bretagna in particolare cfr. CAROLINE PLAYNE, *The Pre-War Mind in Britain*, London 1928.

Liddell Hart e de Gaulle: la dottrina della responsabilità limitata e della difesa mobile

La ricostruzione più completa dell'evoluzione della strategia britannica tra le due guerre mondiali è la relazione ufficiale di NORMAN GIBBS, *Grand Strategy*, vol. I, London 1976. MICHAEL HOWARD, *The Continental Commitment*, London 1972 è uno scintillante studio del dilemma strategico inglese nel XX secolo. BASIL H. LIDDELL HART, *Memoirs*, London 1965, 2 voll., deve essere letto con cautela a causa del diffuso tono autogiustificatorio e della eccessiva critica veso i capi militari britannici, sebbene sia eccellente nel riassumere il carattere dell'esercito fra le due guerre. BRIAN BOND, *Liddell Hart: A Study of His Military Thought*, London-New Brunswick, N.J. 1977, l'unico studio dettagliato sull'argomento sino ad oggi, dedica tre capitoli ad un'analisi critica delle concezioni di Liddell Hart negli anni Venti e Trenta. Un saggio in morte è ora raccolto in MICHAEL HOWARD, *The Causes of Wars*, London 1983, e rileva la confusione di Liddell Hart rispetto al problema dell'impegno sul continente europeo [*Continental committment*]. I capitoli relativi a Fuller ed a Liddell Hart in JAY LUVAAS, *The Education of an Army*, London 1965, costituiscono ancora una stimolante introduzione, sebbene sia discutibile se i due autori «educarono l'esercito». ANTHONY TRYTHALL, *'Boney' Fuller*, London 1977, è una buona biografia fondata sulle carte rimaste, sfortunatamente disperse (rispetto a quelle di Liddell Hart). Una vivace ricostruzione dell'opera di Fuller e di altri sostenitori britannici della meccanizzazione è di KENNETH MACKSEY, *The Tank Pioneers*, London 1981. Un eccellente riassunto della letteratura disponibile sulla pianificazione militare tedesca nel 1939-40 è in JOHN J. MEARSHEIMER, *Conventional Deterrence*, Ithaca 1983. Tra le memorie e le biografie dei più importanti militari cfr. BRIAN BOND (a cura di), *Chief of Staff: The diaries of Lt. Gen. Sir Henry Pownall*, vol. I, London 1972; RODERICK MACLEOD, DENIS KELLY (a cura di), *The Ironside Diaries, 1937-1940*, London 1962; R.J. MINNEY, *The Private Papers of Hore-Belisha*, London 1960; e JOHN COLVILLE, *Man of Valour: Field Marshal Lord Gort VC*, London 1972. Altri due volumi che meritano una nota per la luce che gettano sulla costruzione della politica militare britannica sono quelli di PETER DENNIS, *Decision by Default*, London 1972, e di GEORGE PEDEN, *British Rearmament and the Treasury, 1932-1939*, Edinburgh 1978.

Non c'è ancora un volume che da solo documenti lo sviluppo della strategia francese fra le due guerre. JERE KING, *Foch versus Clemenceau: France and German Dismemberment 1918-1919*, Cambridge, Mass. 1960, delinea le origini del dilemma degli anni Venti e dei primi anni Trenta. I problemi sono maggiormente approfonditi in JUDITH M. HUGHES, *To the Maginot Line: The Politics of French Military Preparation in the 1920s*, Cambridge, Mass. 1971, e PAUL-EMILE TOURNOUX, *Défense des frontières: Haut commandement, gouvernement, 1919-1939*, Paris 1960. I rapporti fra i militari e le autorità civili sono illuminate da PHILIP C.F. BANKWITZ, *Maxime Weygand and Civil-Military Relations in Modern France*, Cambridge, Mass. 1967, ed ancora più approfondite da PAUL-MARIE DE LA GORCE, *La République et son armée*, Paris 1963, e da JACQUES NOBÉCOURT, *Une histoire politique de l'armée*, vol. I, *De Pétain à Pétain, 1919-1942*, Paris 1967. L'evoluzione tecnica dell'esercito francese di questi anni è esaminata nella maniera migliore da FRANÇOIS-ANDRÉ PAOLI, *L'Armée Française de 1919 à 1939*, Vincennes 1970-77, 4 voll., completato da

HENRY DUTAILLY, *Les problèmes de l'armée de terre française, 1935-1939*, Vincennes 1981. Contrasti sulla meccanizzazione e sulla dottrina d'impiego sono chiaramente analizzati da JEFFREY CLARKE, *Military Technology in Republican France: The Evolution of the French Armored Force, 1917-1940*, Ann Arbor 1970, e da LADISLAS MYSYROWICZ, *Autopsie d'une défaite*, Lausanne 1973. Le esortazioni di Charles de Gaulle, emergono dal primo volume delle sue *Mémoires de guerre*, Paris 1954 (tr. it. *Memorie di guerra*, Milano 1954-59), ma possono essere viste nella loro forma originale nei suoi *Le fil de l'epée*, Paris 1932 (tr. it. *Il filo della spada*, Milano 1964); *Vers l'armée de métier*, Paris 1934 (tr. it. *Verso l'esercito di mestiere*, Roma 1945); *La France et son armée*, Paris 1938; ed in *Trois études*, Paris 1945, che contiene il suo profetico «Mémorandum du 26 janvier 1940». Altra importante documentazione sulle sue concezioni è nella sua raccolta di *Lettres, notes et carnets,* vol. II, *1919-juin 1940*, Paris 1980, e nella sua corrispondenza degli anni Trenta con Reynaud, pubblicata come appendice a EVELYNE DEMEY, *Paul Reynaud, mon père*, Paris 1980. PAUL REYNAUD, *Le problème militaire français*, Paris 1937, è un'altra fonte importante, ma le sue memorie successive (*La France a sauvé l'Europe*, Paris 1947) contengono una ricostruzione eccessivamente drammatizzata e tendenziosa delle controversie sue e di de Gaulle con l'establishment militare e dovrebbero essere lette con cautela. Gli studi sulla formulazione e sulla recezione delle idee di de Gaulle spaziano dal quasi agiografico LUCIEN NACHIN, *Charles de Gaulle: Général de France*, Paris 1944, ai più attenti ARTHUR ROBERTSON, *La doctrine de guerre du Général de Gaulle,* Paris 1959; JEAN-RAYMOND TOURNOUX, *Pétain et de Gaulle*, Paris 1964; e PAUL HUARD, *Le Colonel de Gaulle et ses blindés*, Paris 1980. I biografi di de Gaulle prendono in considerazione anche la sua influenza sul pensiero militare: cfr. BRIAN CROZIER, *de Gaulle: The Warrior*, London 1967; BERNARD LEDWIDGE, *de Gaulle*, London 1982, e DON COOK, *Charles de Gaulle*, London 1984. Ancora più luce è gettata dalle memorie di ufficiali che conobbero il giovane de Gaulle all'Ecole de Guerre, come ANDRÉ LAFFARGUE, *Fantassin de Gascogne*, Paris 1962, e GEORGES LOUSTAUNAU-LACAU, *Mémoires d'un français rebelle*, 1914-1948, Paris 1948. L'opinione militare ortodossa può essere ricavata dalle memorie e dalle biografie maggiori, e soprattutto da MAXIME WEYGAND, *Mémoires*, Paris 1950-57, 3 voll.; MAURICE GAMELIN, *Servir*, Paris 1946-47, 3 voll. (trad. it. *Al servizio della patria*, Milano 1947); ALFRED CONQUET, *Auprès du Maréchal Pétain: le chef, le politique, l'homme*, Paris 1970; MARIE-EUGÈNE DEBENEY, *La guerre et les hommes*, Paris 1937; RICHARD GRIFFITHS, *Marshal Pétain*, London 1970; HERBERT LOTTMAN, *Pétain*, New York 1983; e PIERRE LE GOYET, *Le mystère Gamelin*, Paris 1975. Le motivazioni per una cauta modernizzazione piuttosto che una generale e dirompente trasformazione emergono anche da J. DUVAL, *Les leçons de la guerre d'Espagne*, Paris 1938; JEFFREY GUNSBURG, *Divided and Conquered: The French High Command and the Defeat of the West, 1940*, Westport, Conn. 1979; e dagli interventi di JEFFREY GUNSBURG, JEAN DELMAS, e GILBERT BODINIER in «Revue historique des Armées», 1979, n. 4. Infine il contesto diplomatico ed economico del dibattito sulle proposte di de Gaulle può essere compreso attraverso JEAN BAPTISTE DUROSELLE, *La décadence, 1932-1939*, Paris 1979; ROBERT FRANKENSTEIN, *Le prix du réarmement français, 1935-1939*, Paris 1982; e ROBERT YOUNG, *In Command of France: French Foreign Policy and Military Planning, 1933-1940*, Cambridge, Mass. 1978.

Voci dal profondo blu: i teorici del potere aereo

Tra le opere generali sulla storia dell'aeronautica militare cfr. ROBIN HIGHAM, *Air Power: A Concise History*, New York 1972; BASIL COLLIER, *A History of Air Power*, New York 1974 (tr. it. *Storia della guerra aerea*, Milano 1974); CHARLES H. GIBBS-SMITH, *Aviation: An Historical Survey from Its Origins to the End of World War II*, London 1970, e ID., *Flight Through the Ages*, New York 1974; ALFRED F. HURLEY, ROBERT C. EHRHART (a cura di), *Air Power and Warfare*, Washington, D.C. 1979; EUGENE M. EMME (a cura di), *The Impact of Air Power*, New York 1959; EUGENE M. EMME (a cura di), *Two Hundred Years of Flight in America*, San Diego 1977; HOWARD S. WOLKO, *In the Cause of Flight: Technologists of Aeronautics and Astronautics,* Washington, D.C. 1981; JOHN W.R. TAYLOR, KENNETH MUNSON, *History of Aviation*, New York 1978; ROGER E. BILSTEIN, *Flight in America, 1900-1983: From the Wright Brothers to the Astronauts*, Baltimore 1984; ROBERT F. FUTRELL, *Ideas, Concepts, Doctrine: A History of Basic Thinking in the United States Air Force, 1907-1964*, Maxwell Air Force Base, Ala. 1971, ed il successivo volume sugli anni dal 1965 al 1980. Un'eccellente bibliografia recente è RICHARD P. HALLION, *The Literature of Aeronautics, Astronautics and Air Power*, Washington, D.C. 1984. Per una notevole serie di tredici saggi bibliografici su *Aviation History: The State of Art*, cfr. «Aerospace Historian», XXXI (1984), n. 1.

Per la preistoria del volo umano cfr. BERIL BECKER, *Dreams and Realities of the Conquest of the Skies*, New York 1967, e CLIVE HART, *The Dream of Flight: Aeronautics from Classical Times to the Renaissance*, New York 1972. Ricostruzioni più brevi compaiono nei capitoli introduttivi di M.J. BERNARD DAVY, *Air Power and Civilization*, London 1941, e B. COLLIER, *History of Air Power*, cit. Per gli sviluppi ottocenteschi ed inizio-novecenteschi cfr. le pp. 10-12 della bibliografia cit. di Hallion.

L'opera di riferimento per la storia dell'aeronautica britannica è WALTER RALEIGH, H.A. JONES, *The War in the Air*, London 1922-37, 7 voll. Per i bombardamenti tedeschi sull'Inghilterra cfr. RAYMOND H. FREDETTE, *The Sky on Fire*, New York 1966. Per le operazioni della Indipendent Force cfr. W. RALEIGH, H.A. JONES, *The War in the Air*, cit., VI, 118-174, e ALAN MORRIS, *First of the Many: The Story of the Independent Force, RAF*, London 1968. Utili anche NEVILLE JONES, *The Origins of Strategic Bombing*, London 1973, e LEE KENNETT, *A History of Strategic Bombing*, New York 1982. Per altre opere importanti sull'aeronautica nella Prima Guerra Mondiale cfr. M. MAURER (a cura di), *The U.S. Air Service in World War I*, Washington, D.C. 1978-79, 4 voll.; I.B. HOLLEY JR., *Ideas and Weapons*, New Haven 1953 (ried. Hamden, Conn. 1971, e Washington, D.C. 1983); JAMES J. HUDSON, *Hostile Skies*, Syracuse 1968; AARON NORMAN, *The Great Air War*, New York 1968; ALAN CLARK, *Aces High: The War in the Air over the Western Front*, New York 1973; JOHN R. CUNEO, *The Air Weapon, 1914-1916*, Harrisburg 1947; JOHN H. MORROW JR., *German Air Power in World War I*, Lincoln, Nebr. 1982.; GEORGE VAN DEURS, *Wings for the Fleet: A Narrative of Naval Aviation's Early Development, 1910-1916*, Annapolis 1966; DOUGLAS ROBINSON, *The Zeppelin in Combat: A History of the German Naval Airship Division, 1912-1918*, Seattle 1980; RICHARD P. HALLION, *Rise of the Fighters: Air Combat in World War I*, Annapolis 1984; DENIS WINTER, *The First of the Few: Fighter Pilots of the First World War*, Athens, Ga. 1983; PIERRE LISSARAGUE, CHARLES CHRISTIENNE (a cura di), *Histoire de l'aviation militaire française*, Paris 1980; e SYDNEY F. WISE, *Canadian Airmen in the First World War*, Toronto 1980. Per altre informazioni su altre nazioni cfr i saggi cit. in «Aerospace Historian», XXXI (1984), n. 1, ed in L. KENNETT, *History of Strategic bombing*, cit., 204-205. Per una indicazione generale sulle fonti in lingua inglese cfr. MYRON J. SMITH JR., *World War I in the Air: A Bibliography and Chronology*, Metuchen, N.J. 1977.

Per gli sviluppi dell'aeronautica fra le due guerre cfr. le pp. 16-24 della bibliografia cit. di Hallion. Per Douhet in Italia ed in Francia cfr. EDWARD MEAD EARLE (a cura di), *Makers of Modern Strategy*, Princeton 1943, 546.

I più importanti scritti editi di Mitchell furono probabilmente i suoi numerosi articoli in riviste, gran parte dei quali sono elencati in Library of Congress, *A List of References on Brigadier General William Mitchell 1879-1936*, Washington, D.C. 1942. Fra i suoi volumi cfr. *Our Air Force: The Keystone of National Defense*, New York 1921; *Winged Defense: The Development and Possibilities of Modern Air Power. Economic and Military*, New York 1925; e *Skyways*, London-Philadelphia 1930. L'unica biografia affidabile su Mitchell è ALFRED F. HURLEY, *Billy Mitchell: Crusader for Air Power*, New York 1964 (nuova ed. Bloomington 1975), che si concentra sulle sue idee piuttosto che sulle sue gesta. Su Trenchard, la cui personalità contò molto più delle sue idee, cfr. ANDREW BOYLE, *Trenchard*, London 1962. Per questo periodo cfr. NOBLE FRANKLAND, *The Bombing Offensive against Germany: Outlines and Perspectives*, London 1965, che dice molto in poche parole. Il più rilevante volume coevo sulla posizione della RAF era di JOHN SLESSOR, *Air Power and Armies*, London 1936. Slessor rimase fino agli anni Sessanta il più eloquente teorico della RAF; cfr. per esempio i suoi *Strategy for the West*, New York 1954; *The Central Blue*, London 1956; e *The Great Deterrent*, London 1957. Su bombardieri e politica cfr. URI BIALER, *The Shadow of the Bomber: The Fear of Air Attack and British Politics, 1932-1939*, London 1980.

Documenti importanti sugli sviluppi teorici negli Stati Uniti fra le due guerre in ROBERT F. FUTRELL, *Ideas, Concepts, Doctrine*, cit.; HAYWOOD S. HANSELL JR., *The Air Plan that Defeated Hitler*, Atlanta 1972; ROBERT T. FINNEY,

History of the Air Corps Tactical School, 1920-1940, Maxwell Air Force Base, Ala. 1955; THOMAS H. GREER, *The Development of Air Doctrine in the Army Air Arm, 1917-1941*, Maxwell Air Force Base, Ala. 1955; CHARLES M. MELHORN, *Two Block Fox: The Rise of the Aircraft Carrier, 1911-1929*, Annapolis 1974; JOHN F. SHINER, *Foulois and the U.S. Army Air Corps, 1931-1935*, Washington, D.C. 1983; e DEWITT S. COPP, *A Few Great Captains: The Men and Events That Shaped the Development of U.S. Air Power*, Garden City, N.Y. 1980.

Per una critica recente alla teoria ed alla dottrina d'impiego prebelliche sia britannica sia statunitense cfr. WILLIAMSON MURRAY, *The Prewar Development of British and American Air Power Doctrine*, in appendice a ID., *Strategy for Defeat: The Luftwaffe, 1933-1945*, Maxwell Air Force Base, Ala. 1983, 321-339. Per la parte statunitense Murray prende abbondantemente a prestito le acute analisi di THOMAS A. FABYANIC, *A Critique of U.S. Air War Planning, 1941-1944*, tesi di dottorato, St. Louis University 1973. Per il Giappone fra le due guerre cfr. ALVIN D. COOX, *The Rise and Fall of the Imperial Japanese Air Forces*, in R. HURLEY, C. EHRHART (a cura di), *Air Power and Modern Warfare*, cit., 84-97 e la bibliografia e le fonti ivi citate; nonché ROGER PINEAU, *Admiral Isoroku Yamamoto*, in MICHAEL CARVER (a cura di), *The War Lords*, Boston 1976, 390-403. Per l'aeronautica di marina in generale, con l'accento su quella statunitense, cfr. CLARK G. REYNOLDS, *Writing on Naval Flying*, «Aerospace Historian», XXXI (1984), n. 1, 21-29. Per la Luftwaffe cfr. HORST BOOG, *Germanic Air Forces and the Historiography of the Air War*, «Aerospace Historian», XXXI (1984), n. 1, 38-42; e ID., *Higher Command and Leadership in the German Luftwaffe, 1935-1945*, in HURLEY, EHRHART (a cura di), *Air Power and Modern Warfare*, cit. Cfr. MURRAY, *Strategy for Defeat* cit.; EDWARD L. HOMZE, *Arming the Luftwaffe*, Lincoln, Nebr. 1976; e RAYMOND L. PROCTOR, *Hitler's Luftwaffe in the Spanish Civil War*, Westport, Conn. 1983. Uno studio esemplare su un tema a lungo trascurato, cruciale per la comprensione delle possibilità aeree alla vigilia della Seconda Guerra Mondiale, è MONTE DUANE WRIGHT, *Most Probable Position: A History of Aerial Navigation to 1941*, Lawrence, Kans. 1972.

La letteratura disponibile sul potere aereo nella Seconda Guerra Mondiale è così estesa che la bibliografia più completa sinora intrapresa, e solo del materiale in lingua inglese, occupa cinque fitti volumi: cfr. MYRON J. SMITH JR., *Air War Bibliography, 1939-1945*, Manhattan, Kans. 1977-82, 5 voll. Punti di partenza fondamentali sono rappresentati dalle relazioni ufficiali: per l'aeronautica statunitense in generale cfr. WESLEY FRANK CRAVEN, JAMES LEA CATE (a cura di), *The Army Air Forces in World War II*, Chicago 1948-58, 7 voll.; per il Bomber Command della RAF sir CHARLES WEBSTER, NOBLE FRANKLAND, *The Strategic Air Offensive against Germany*, London 1961, 4 voll. Per scritti di un certo rilievo editi sino al 1975, cfr. il mio *Strategic Bombing in World War II*, New York-London 1976. Tra i contributi editi successivamente a quella data e non ancora citati in questa nota cfr.: THOMAS M. COFFEY, *Decision over Schweinfurt: The U.S. 8th Air Force Battle for Daylight Bom-*

bing, New York 1977; MAX HASTINGS, *Bomber Command: The Myths and Realities of the Strategic Bombing Offensive, 1939-1945*, London-New York 1979; WILBUR H. MORRISON, *Point of No Return*, New York 1979; ID., *Fortress Without a Roof*, New York 1982; HAYWOOD S. HANSELL JR., *Strategic Air War against Japan*, Maxwell Air Force Base, Ala. 1980; RICHARD J. OVERY, *The Air War, 1939-1945*, New York 1981 (indiscutibilmente il più completo singolo volume sulla storia della guerra aerea in generale); W.W. ROSTOW, *Pre-invasion Bombing Strategy*, Austin 1981; DE WITT S. COPP, *Forged in Fire*, New York 1982; JAMES C. GASTON, *Planning the American Air War*, Washington, D.C. 1982; e RICHARD H. KOHN, JOSEPH P. HARAHAN (a cura di), *Air Superiority in World War II and Korea*, Washington, D.C. 1983.

CLARK G. REYNOLDS, *The Fast Carriers*, New York 1968, rimane il miglior esame dell'argomento, ma cfr. anche WILLIAM J. ARMSTRONG, CLARKE VAN FLEET, *United States Naval Aviation, 1910-1980*, Washington, D.C. 1981[3], e ROBERT L. SHERROD, *History of United States Marine Corps Aviation in World War II*, San Rafael, Calif. 1980. Tra le migliori ricostruzioni «in prima persona» apparse in anni recenti cfr. EDWARDS PARK, *Nanette*, New York 1977; PHILIP ARDERY, *Bomber Pilot*, Lexington, Ky. 1978; ELMER BENDINER, *The Fall of Fortresses*, New York 1980; e JAMES A. GOODSON, *Tumult in the Clouds*, New York 1984.

Sul tetro argomento dei bombardamenti a tappeto sulle città, tre brevi saggi sono istruttivi: ROBERT C. BATCHELDER, *The Evolution of Mass Bombing*, in ID. *The Irreversible Decision, 1939-1950*, Boston 1962, 170-89; MICHAEL SHERRY, *The Slide to Total Air War*, «The New Republic», 16 dicembre 1981, 20-25; e EARL R. BECK, *The Allied Bombing of Germany, 1942-1945, and the German Response: Dilemmas of Judgement*, «German Studies Review», V (1982), n. 3, 325-337. Per una breve rassegna sugli sforzi prebellici per bandire il bombardamento delle città cfr. l'articolo del maggiore RICHARD H. WYMAN, *The First Rules of Air Warfare*, «Air University Review», XXXV (1984), n. 3, 94-102.

L'impiego tattico dell'aeronautica nella Seconda Guerra Mondiale attende ancora un suo storico. Punti di partenza, di un certo aiuto, sono: WILLIAM A. JACOBS, *Tactical Air Doctrine and AAF Close Air Support in the European Theater, 1944-1945*, «Aerospace Historian», XXVII (1980), n. 1, 35-49, che si diffonde su qualcosa di più di quanto sia implicito nel titolo; KENT ROBERTS GREENFIELD, *Army Ground Forces and the Air-Ground Battle Team*, «Historical Study» n. 35, Army Ground Forces 1948; FUTRELL, *Ideas, Concepts, Doctrine*, cit.; e KOHN, HARAHAN (a cura di), *Air Superiority in World War II and Korea*, cit.

Fra le opere di riferimento sull'aeronautica sovietica cfr. ASHER LEE, *The Soviet Air Force*, New York 1950; ROBERT A. KILMARX, *A History of the Soviet Air Force*, New York 1962; ROBERT JACKSON, *The Red Falcons*, New York 1970; *The Soviet Air Force in World War II: The Official History*, a cura di Ray Wagner, New York 1973; KENNETH R. WHITING, *Soviet Air Power, 1917-1978*, Maxwell Air Force Base, Ala. 1979; ID., *Soviet Air Power in*

World War II, in HURLEY, EHRHART (a cura di), *Air Power and Modern Warfare*, cit., 98-127; ALEXANDER BOYD, *The Soviet Air Force since 1918*, New York 1977; ROBIN HIGHAM, JACOB W. KIPP (a cura di), *Soviet Aviation and Air Power*, Boulder 1977; ROBERT P. BERMAN, *Soviet Air Power in Transition*, Washington, D.C. 1978; VON HARDESTY, *Red Phoenix: The Rise of Soviet Air Power, 1941-1945*, Washington, D.C. 1982; PAUL J. MURPHY (a cura di), *The Soviet Air Forces*, Jefferson, N.C. 1984; e JOSHUA M. EPSTEIN, *Measuring Military Power: The Soviet Air Threat to Europe*, Princeton 1984. Cfr. fra loro JACOB W. KIPP, *Studies in Soviet Aviation and Air Power*, «Aerospace Historian», XXXI (1984), n. 1, 43-50, e MYRON J. SMITH JR., *The Soviet Air and Strategic Rocket Forces, 1939-1980: A Guide to Sources in English*, Santa Barbara, Calif. 1981. Ogni anno, il fascicolo di marzo di «Air Force Magazine» è dedicato integralmente ad aggiornamenti sulle forze aeree sovietiche.

Per quanto riguarda le letteratura disponibile sull'aeronautica in relazione alle armi nucleari, cfr. la nota bibliografica stesa da Lawrence Freedman per il suo saggio in questo stesso volume. Per la migliore breve ricostruzione dell'aeronatica convenzionale fra il 1950 ed il 1982 cfr. M.J. ARMITAGE, R.A. MASON, *Air Power in the Nuclear Age*, Champaign, Ill. 1983. Il più duraturo «laboratorio» per l'aeronautica, l'esperienza statunitense in Indocina dal 1960 al 1975, attende un suo storico i cui sforzi sono strettamente limitati, anche ad un decennio di distanza, dal fallimento del governo degli Stati Uniti di lanciare un aggressivo programma di declassificazione dei documenti rimasti. Per le pubblicazioni in inglese sino al dicembre 1977 cfr. MYRON J. SMITH, *Air War Southeast Asia, 1961-1973*, Metuchen, N.J. 1979. Un utile supplemento alla bibliografia di Smith è RICHARD DEAN BURNS, MILTON LEITENBERG, *The Wars in Vietnam, Cambodia, and Laos, 1945-1982: A Bibliographic Guide*, Santa Barbara, Calif. 1984, specialmente il cap. 7. MOMYER, *Air Power in Three Wars*, fornisce l'interpretazione di un alto comandante dell'aeronautica statunitense. ARMITAGE, MASON, *Air Power in the Nuclear Age*, cit., hanno un notevole capitolo introduttivo. RAPHAEL LITTAUER, NORMAN UPHOFF (a cura di), *The Air War in Indochina*, Boston 1972, è assai critico e, ciononostante, equilibrato. L'USAF Office of Air Force History ha pubblicato almeno sei volumi della sua serie intitolata *The United States Air Force in Southeast Asia*: sono elencati, con altre pubblicazioni, in MICHAEL GORN, CHARLES J. GROSS, *Published Air Force History: Still on the Runway*, «Aerospace Historian», XXXI (1984), n. 1, 30-37. Occasionali osservazioni sull'Indocina possono trovarsi anche in KOHN, HARAHAN (a cura di), *Air Superiority in World War II and Korea*, cit., fra cui la definizione dello sforzo aereo in Vietnam come «un po' quello che ero solito chiamare masturbazione operativa» (*ivi*, 69-70). Per l'aeronautica di marina in Vietnam cfr. Naval Historical Center, *A Select Bibliography of the United States Navy and the Southeast Asian Conflict, 1950-1975*, Washington, D.C. 1983.

Infine, sebbene non cada nel territorio degli storici, le tendenze emergenti nelle tecnologie aeronautiche (specialmente nell'elettronica) possono essere lumeggiate in R.A. MASON, *Readings in Air Power*, Bracknell 1980, in cui un capitolo presenta una breve rassegna degli sviluppi tecnologici contemporanei e delle loro possibili implicazioni sulle futura applicazioni del potere aereo. Mason, con Armitage, sviluppa questi aspetti nel cap. 9 del suo *Air Power in the Nuclear Age*, cit. Due stimolanti saggi sulle potenzialità dei veicoli teleguidati sono quelli di JOHN S. SANDERS, *World Without Man*, in *Defense and Foreign Affairs*, Paris Air show edition 1981, e di MICHAEL C. DUNN, *Bringin-g'em Back Alive*, in *Defense and Foreign Affairs*, Paris Air show edition 1984.

Le prime due generazioni di strateghi nucleari

Oltre al mio LAWRENCE FREEDMAN, *Evolution of Nuclear Strategy*, London 1981, sono disponibili un certo numero di storie generali della strategia nucleare. DONALD SNOW, *Nuclear Strategy in a Dynamic World*, University, Ala. 1981, offre un'ampia rassegna. MICHAEL MANDELBAUM, *The Nuclear Question*, Cambridge-New York 1979, ha scritto una storia non completamente soddisfacente, concentrandosi troppo sul periodo di Kennedy; al contrario, la sua *The Nuclear Revolution*, Cambridge-New York 1981, è molto più sostanziosa e contiene molte analisi interessanti sui cambiamenti del sistema internazionale causati dall'avvento delle armi nucleari. FRED KAPLAN, *The Wizards of Armageddon: Strategist of the Nuclear Age*, New York 1983, è aneddotico e manca di respiro, ma contiene molte osservazioni di interesse sulle figure degli strateghi nucleari, specialmente quelli coinvolti nella Rand Corporation. COLIN GRAY, *Strategic Studies and Public Policy*, Lexington, Ky. 1982, da un punto di vista completamente diverso offre un esame critico delle realizzazioni della comunità statunitense di studi strategici. La ricerca più convincente e dettagliata sullo sviluppo della politica strategica statunitense è stata condotta da David Alan Rosenberg e particolarmente importante è il suo *The Origins of Overkill: Nuclear Weapons and American Strategy, 1945-1960*, «International Security», VII (1983), n. 4.

La prima importante opera accademica sulla strategia nucleare fu quella di BERNARD BRODIE, *The Absolute Weapon*, New York 1946. Il suo *Strategy in the Missile Age*, Princeton 1959, rappresentò il primo manuale sull'argomento e rimane un'introduzione assai notevole. Brodie assunse un atteggiamento sempre più disincantato verso gli sviluppi del pensiero strategico. Ciò si riflette nel suo *Escalation and the Nuclear Option*, Princeton 1966, ed in una sua raccolta di saggi, *War and Politics*, London 1973.

L'immagine pubblica degli strateghi nucleari fu dominata dalla formidabile figura di Herman Kahn. Il suo primo volume, basato su una famosa serie di lezioni, fu *On Thermonuclear War*, Princeton 1960. Il secondo, il cui titolo rispondeva alle critiche rivolte al primo, fu *Thinking about the Unthinkable*, New York 1962. Il terzo, e forse il suo migliore, è stato *On Escalation: Metaphors and Scenarios*, New York 1965 (tr. it. *Filosofia della guerra atomica. Esempi e schemi*, Milano 1966).

Thomas Schelling ha forse avuto un'influenza più duratura in termini di quadro concettuale in cui i problemi nucleari sono comunemente compresi ed i suoi scritti sono immaginifici e ricchi di spunti. I suoi due volumi più famosi sono *The Strategy of Conflict*, New York 1960, e *Arms and Influence*, New Haven 1966 (tr. it. *La diplomazia della violenza*, Bologna 1968). Meno noto, ma utile esposizione del suo approccio di fondo è un pamphlet edito dall'Institute for Strategic Studies di Londra, *Controlled Response and Strategic Warfare: Strategy and Arms Control*, New York 1962, scritto in collaborazione con Morton Halperin, un pamphlet che fornisce una prima discussione del concetto di controllo degli armamenti.

Albert Wohlstetter, ha esercitato una considerevole influenza sullo sviluppo del pensiero strategico contemporaneo, specialmente nel suo rapporto con la formazione della decisione politica. Non ha scritto alcun volume, ma molti significativi articoli. Il più importante di questi è *The Delicate Balance of Terror*, «Foreign Affairs», XXXVII (1959), n. 2. Altri due articoli pubblicati su «Foreign Affairs» nel 1974 ebbero un maggior impatto sul dibattito: *Is There a Strategic Arms Race?*, e *Rivals but No Race*.

Questi autori si fecero un nome durante la «*golden age*» degli studi strategici contemporanei, durata dalla metà degli anni Cinquanta alla metà degli anni Sessanta. Le altre opere stimolanti del periodo furono quelle di WILLIAM KAUFMANN (a cura di), *Military Policy and National Security*, Princeton 1956; ROBERT ENDICOTT OSGOOD, *Limited War: The Challenge to American Strategy*, Chicago 1957; ed HENRY KISSINGER, *Nuclear Weapons and Foreign Policy*, New York 1957. Furono tutte scritte in risposta a quelle che sembravano essere le deficienze della politica della «rappresaglia massiccia». Un altro volume importante del periodo fu quello di GLENN SNYDER, *Deterrence and Defense*, Princeton 1961.

Dopo questo periodo le più importanti analisi dei problemi strategici nucleari tesero ad essere scritte da segretari alla Difesa statunitensi. Robert McNamara in particolare stabilì i termini del dibattito per molti anni, sia durante il suo incarico al Pentagono dal 1961 al 1968, sia in seguito. Le sue idee di fondo sono contenute in saggi derivati dalle sue annuali relazioni al Congresso, ma pubblicati dopo le sue dimissioni: *The Essence of Security: Reflections in Office*, London 1968 (tr. it. *La strategia del Pentagono*, Milano 1969). James Schlesinger fu il primo vero stratega a divenire segretario alla Difesa. I suoi discorsi al Congresso dell'inizio del 1974 e del 1975 danno l'idea del suo tentativo di riorientare la strategia statunitense lontano dall'approccio tracciato da McNamara. Tale tentativo continuò negli ultimi anni Settanta sotto l'amministrazione Carter. Cfr. per esempio WALTER SLOCOMBE, *The Countervailing Strategy*, «International Security», V (1981), n. 4.

Tra gli strateghi accademici che hanno tentato di spingere la politica statunitense ancora più lontano dall'approccio di McNamara, Colin Gray è stato particolarmente attivo. Un articolo che ha attratto notevole attenzione è stato da lui scritto insieme a KEITH PAYNE, *Victory is Possible*, «Foreign Policy», (1980), n. 39. Solidamente basato sui concetti della «*golden age*», un esempio della reazione a tale tipo di argomentazioni è quello di ROBERT JERVIS, *The Illogic of American Nuclear Strategy*, Ithaca 1984.

La guerra convenzionale nell'età nucleare

La letteratura che discute la teoria di come le guerre potrebbero o dovrebbero essere combattute con forze convenzionali è assai ampia. Le riflessioni di coloro che hanno pensato e scritto sulla guerra dopo il 1945 sono state naturalmente dominate dai problemi sollevati dalle armi nucleari. Su questo c'è una vasta letteratura, in cui le operazioni convenzionali sono generalmente considerate una fase rispetto ad altre che prevedono l'impiego di armi nucleari; scarsa attenzione è stata quindi portata a come quelle operazioni vengono condotte. C'è stata anche una tendenza, particolarmente alla fine degli anni Cinquanta e nei primi Sessanta, a pensare che l'unica forma di guerra convenzionale probabile sotto l'ombrello delle armi nucleari sarebbe stata qualche forma di guerriglia.

Basil H. Liddell Hart rappresentava un'eccezione. I suoi *Defence of the West*, London 1950, e *Deterrent or Defence*, London 1960 (tr. it. *La prossima guerra*, Milano 1962), sono volumi importanti, antologie di saggi o conferenze sulle forme che la guerra avrebbe potuto prendere e su come le forze armate avrebbero dovuto essere organizzate per combatterle. La necessità di evitare di essere ipnotizzati dalle armi nucleari e di avere forze armate capaci di combattere guerre limitate senza l'arma atomica fu sottolineata da ROBERT E. OSGOOD nel suo importante *Limited War*, Chicago 1957, e dal generale MAXWELL D. TAYLOR, nel suo *The Uncertain Trumpet*, New York 1959. Altri importanti contributi alla discussione in quel periodo furono quelli di MORTON H. HALPERIN, *Limited War in the Nuclear Age*, New York-London 1963, ed il suo successivo *Contemporary Military Strategy*, Boston 1967. HENRY KISSINGER, *The Necessity for Choice*, London 1960 (tr. it. *L'ora della scelta*, Milano 1961), è importante perché testimonia il suo mutamento di opinione a proposito della guerra limitata, rispetto a quella manifestata nel suo *Nuclear Weapons and Foreign Policy*, New York 1957.

Una tipica opinione militare britannica di quel periodo è offerta da E.J. KINGSTON-MCCLOUGHRY, *Global Strategy*, London 1957. Una, più teorica, francese si trova in RAYMOND ARON, *The Great Debate*, New York 1965 (tr. it. *Il grande dibattito. Introduzione alla strategia atomica*, Bologna 1965), e nei due importanti volumi del generale ANDRÉ BEAUFRE, *Introduction à la stratégie*, Paris 1963, e *Strategy of Action* (1966), London 1967. Notevoli raccolte di saggi, alcuni dei quali affrontano gli aspetti teorici della guerra convenzionale nell'età nucleare, possono essere trovate in ALASTAIR BUCHAN (a cura di), *Problems of Modern Strategy*, London 1980, per l'International Institute of Strategic Studies; ALASTAIR BUCHAN, PHILIP WINDSOR (a cura di), *Arms and Stability in Europe*, London 1963, per lo stesso istituto, per Le Centre d'Etudes de Politique Etrangère e per Die Deutsche Gesellschaft für Auswärtige Politik; PIERRE LELLOUCHE (a cura di), *La securité de l'Europe dans les années 80*, Paris 1980, per l'Institut Français des Rélations Internationaux; e ROBERT O'NEILL, D.M. HORNER (a cura di), *New Directions in Strategic Thinking*, London 1981. ROBERT OSGOOD, *Limited War Revisited*, Boulder 1979, corregge le proprie opinioni alla luce della fine della guerra nel Vietnam, e sia SHELFORD BIDWELL, *Modern Warfare*, London 1973, sia JULIAN LIDER, *Military Theory*, New York 1983, rivedono con un'ampia prospettiva la guerra.

La mia *War since 1945*, London 1980, descrive e commenta i conflitti convenzionali di cui ho parlato nel saggio di questo volume, e contiene una bibliografia completa su di essi.

Il problema specifico della difesa convenzionale dell'Europa occidentale è discusso in numerosi pamphlet, articoli e volumi, tra cui alcuni dei più notevoli sono: *A Conventional Strategy for the Central Front in NATO*, London 1975, rapporto su un seminario al Royal United Service Institute; ROBERT KOMER, *Needed-Preparation for Coalition War*, Rand paper, agosto 1976; ULRICH DE MAIZIERE, *Armed Forces in the NATO Alliance*, Georgetown University 1976; GOEBEL (a cura di), *The Wrong Force for the Right Mission*, Queen's University, Ontario 1981; L. FREEDMAN, *Central Region: Forward Defense*, U.S. National Defense University 1981; IAN BELLANY *et al.*, *Conventional Forces and the European Balance*, Lancaster University 1981; generale FERDINAND VON SENGER U. ETTERLIN, *Defence of Central Europe-the Challenge of the 1980s*, «Fifteen Nations», 1981, n. 2. *Strengthening Conventional Deterrence in Europe*, London-New York 1983, un rapporto dell'European Security Study, offre un esame recente e raccoglie notevoli contributi di esperti su diversi aspetti del problema. P. GRIFFITH, E. DINTER, *Not Over by Christmas*, Chichester 1983, avanza un'opinione meno ortodossa.

È disponibile una letteratura pletorica sul punto di vista sovietico. Chi vuol passare attraverso la turgida prosa del materiale originale può leggere VASILI SOKOLOVSKIY, *Soviet Military Strategy*, New York 1975; JOSEPH DOUGLAS, AMORETTA HOEBER (a cura di), *Selected Readings from Soviet Military Thought, 1963-1973*, Arlington, Va. 1980; o HARRIET F. SCOTT, WILLIAM F. SCOTT, *The Soviet Art of War*, Boulder 1982. Una serie di saggi può trovarsi in DEREK LEEBAERT (a cura di), *Soviet Military Thinking*, Cambridge, Mass.-London 1981; JOHN ERICKSON, E.J. FEUCHTWANGER (a cura di), *Soviet Military Power and Performance*, London 1979; e JOHN BAYLIS, GEORGE SEGAL (a cura di), *Soviet Strategy*, London 1981. Di alta qualità sono gli articoli di CHRISTOPHER DONNELLY su vari aspetti del tema sulla «International Defense Review»: XI (1978), n. 9; XII (1979), n. 7; XIV (1981), n. 9;, XV (1982), n. 9; e così il contributo suo (e di altri) alla seconda parte di *Strengthnening Conventional Deterrence in Europe*, cit. Il volume migliore e più leggibile su tutto questo argomento è quello di JOSEPH D. DOUGLASS, *Soviet Military Strategy in Europe*, New York 1980.

La guerra rivoluzionaria

La letteratura sul tema è enorme e di fatto non padroneggiabile; anche le bibliografie importanti dedicate alla guerra rivoluzionaria sono di un'enorme ampiezza. Per alcuni esempi recenti cfr. MYRON J. SMITH JR., *The Secret*

Wars: A Guide to the Sources, Santa Barbara, Calif. - Oxford 1980, 3 voll., che tratta il solo periodo 1939-1980; ROBERT BLACKEY, *Modern Revolutions and Revolutionists*, Santa Barbara, Calif. 1976; EDWARD F. MICKOLUS, *The Literature of Terrorism: A Selected Annotated Bibliography*, Westport, Conn. 1980; e CHRISTOPHER L. SUGNET *et al.*, *Vietnam War Bibliography*, Lexington, Mass. - Toronto 1983.

Fra le opere d'insieme e generali cfr. ROBERT ASPREY, *War in the Shadows: The Guerrilla in History*, Garden City, N.Y. 1975, 2 voll., nonché la trilogia di WALTER LAQUER, *Guerrilla*, Boston 1976, ID., *The Guerrilla Reader: A Historical Anthology*, Philadelphia 1977, e ID., *Terrorism*, Boston 1977 (tr. it. *Storia del terrorismo*, Milano 1978). Cinquantasei casi sono esaminati in D.M. CONDIT, BERT H. COOPER JR. *et al.* (a cura di), *Challenge and Response in Internal Conflict*, Washington, D.C. 1967, 3 voll. Uno dei primi tentativi di affrontare il tema in maniera ampia e sistematica è rappresentato da HARRY ECKSTEIN (a cura di), *Internal War, Problems and Approaches*, New York 1964.

Gli scritti di MAO TSE-TUNG sono di importanza centrale. La raccolta in quattro volumi in lingua inglese dei suoi *Selected Works*, London-New York 1954-56 (ediz. in lingua ital. *Opere scelte*, Pechino 1969), è fondamentale, mentre i suoi *Selected Military Writings*, Peking 1963 (qualche riferimento in *Scritti militari*, Milano 1966), raccolgono in maniera utile saggi e brani dell'opera più ampia. Le sue concezioni sono analizzate in SAMUEL B. GRIFFITH, *Mao Tse-tung on Guerrilla Warfare*, New York 1961, che comprende una traduzione del saggio del 1937 sulla guerra di guerriglia. La versione più letta e diffusa è quella che in lingua inglese è intitolata *Chairman Mao Tse-tung on People's War*, Peking 1967, compilata da Lin Piao e generalmente conosciuta come «libretto rosso». [Come è noto, grande è stata la fortuna editoriale internazionale di questa pubblicazione. I filologi od i ricercatori di storia politica, gli studiosi di lingua cinese o di storia dell'editoria potranno un giorno chiarire le differenze delle varie versioni italiane, fra cui si ricordano *Citazioni del presidente Mao Tse-tung*, Milano, Oriente, 1967; *Citazioni del presidente Mao Tse-tung. Il libro delle guardie rosse*, Milano, Feltrinelli, 1967; *Citazioni di Mao Tse-tung. Il breviario delle guardie rosse*, Milano, Longanesi, 1967; *Citazioni. Il manuale delle guardie rosse*, Roma 1968; *I pensieri. Il libro delle guardie rosse*, Roma 1969. *NdC*] Fra le varie antologie, è stata utile quella di PHILIPPE DEVILLERS, *Mao*, London 1969.

Fra gli studiosi contemporanei della guerra rivoluzionaria, uno dei più incisivi è stato GÉRARD CHALIAND, che nel suo *Revolution in the Third World*, New York 1977, fonde i risultati della ricerca e del personale coinvolgimento in vari movimenti rivoluzionari: il volume è affiancato dalla sua antologia, *Guerrilla Strategies: An Historical Anthology from the Long March to Afghanistan*, Berkeley 1982. PETER PARET, *French Revolutionary Warfare from Indochina to Algeria*, New York 1964, è il risultato di un'esplorazione nella teoria controrivoluzionaria. Paret, con John Shy, aveva scritto una pionieristica introduzione in tema di guerra rivoluzionaria, *Guerrillas in the 1960s*, New

York 1962[2]. Degni di nota, fra i molti «esperti» di guerra controrivoluzionaria, ROGER TRINQUIER, *Modern Warfare: A French View of Counterinsurgency*, New York 1964, e ROBERT THOMPSON, *Revolutionary War in World Strategy, 1945-1969*, New York 1970. Di speciale interesse per il tentativo, eroico e discutibile, di applicare la classica teoria occidentale ad una guerra rivoluzionaria è HARRY G. SUMMERS JR., *On Strategy: The Vietnam War in Context*, Novato, Calif. 1982.

Indice dei nomi

Finito di stampare
presso la Tipolitografia Porziuncola
S. Maria degli Angeli – Assisi (Pg)
Agosto 1992